JN136683

編集復刻版
朝鮮治安関係資料集成 第Ⅰ期(第1巻・第2巻)

2018年8月31日 第1刷発行
揃定価(本体56,000円+税)

編　者　水野直樹
発行者　小林淳子
発行所　不二出版
東京都文京区水道2-10-10
TEL 03(5981)6704

印刷所　富士リプロ
製本所　青木製本
乱丁・落丁はお取り替えいたします。

第1巻　ISBN978-4-8350-8230-1
第Ⅰ期(全2冊 分売不可 セットISBN978-4-8350-8229-5)

編集復刻版

朝鮮治安関係資料集成

水野直樹 編

第1巻

不二出版

〈復刻にあたって〉

一、本復刻版は、原本を適宜縮小し、復刻版一頁につき四面または一面を収録しました。
一、本復刻版は、できるかぎり副本を求めましたが、頁の欠落、破損などを補充できなかった部分があります。また、より鮮明な印刷となるよう努めましたが、原本自体の不良によって、印字が不鮮明あるいは判読不可能な箇所があります。
一、資料の中には、人権の視点から見て不適切な語句・表現・論もありますが、歴史的資料の復刻という性質上、そのまま収録しました。

（不二出版）

［第1巻　収録内容］

資料番号――資料名●編著者名（発行所）●発行年月日――復刻版頁

一――朝鮮統治ニ関スル外国人ノ批評　大正十二年三月〈情報彙纂第一〉●述＝ゼー・イー・ムーア　著＝マツケンジー　書簡＝ヘンリー・エム・ブルーエン／朝鮮総督府朝鮮情報委員会●一九二〇・一二・二八――1

二――朝鮮評論（KOREA REVIEW）布哇国民報及独逸新聞記事摘要　大正十二年三月〈情報彙纂第二〉●朝鮮総督府朝鮮情報委員会●一九二一・三・二八――9

三――朝鮮評論（KOREA REVIEW）米国著書及独逸新聞記事摘要　大正十二年三月〈情報彙纂第三〉●朝鮮総督府朝鮮情報委員会●一九二一・一・二八――17

四――朝鮮評論（KOREA REVIEW）布哇米国新聞刊行物及通信記事摘要　大正十二年三月《秘》〈情報彙纂第四〉●朝鮮総督府朝鮮情報委員会●一九二一・三・二八――25

五――英米に於ける朝鮮人の不穏運動　大正十二年三月《秘》〈情報彙纂第五〉●談＝山上昶／朝鮮総督府朝鮮情報委員会●一九二一・四・二八――38

六――朝鮮ノ復活ノ梗概　大正十年八月《秘》〈情報彙纂第六〉●著＝申興雨／朝鮮情報委員会●一九二一――47

七――朝鮮ニ関スル外国人ノ評論　大正十年八月《秘》〈情報彙纂第七〉●著＝ピー・エー・スミス　講演＝ビゲロー、エフ・スタール／朝鮮情報委員会●一九二一――56

八――朝鮮ニ関スル海外刊行物記事摘要　大正十年九月〈情報彙纂第八〉●朝鮮情報委員会●一九二一――66

九――布哇在留朝鮮人一班状態　大正十二年二月《秘》〈情報彙纂第十〉●朝鮮情報委員会●一九二三――72

一〇――朝鮮人の思想　大正十二年四月《秘》〈情報彙纂第十一〉●杉浦武雄／朝鮮情報委員会●一九二三――79

一一――朝鮮に就て　大正十二年六月〈情報彙纂第十二〉●副島道正／朝鮮情報委員会●一九二三――95

一二――朝鮮事情機密通信　第一号《極秘》●一九二四・一二・一五――100

一三――朝鮮事情機密通信　第二号《極秘》●一九二五・二・一――109

一四――騒擾事件ノ概況　其一～其四《極秘》●朝鮮総督府警務局――119

一五――不逞運動ノ真相●朝鮮総督府警務局――205

一六――米国ニ於ケル朝鮮独立運動ニ関スル調査報告書《秘》●朝鮮総督府警務局●一九二一――251

一七――最近ニ於ケル治安情況　大正九年十二月《秘》●朝鮮総督府警務局●一九二〇――288

一八――最近ニ於ケル治安情況　大正十年十二月●朝鮮総督府警務局●一九二一――330

一九――〔治安情況　大正十二年〕●〔朝鮮総督府警務局〕●一九二三――377

二〇――〔治安状況　昭和四年〕●〔朝鮮総督府警務局〕保安課●一九二九――407

大正十二年三月

情報彙纂　第一

朝鮮統治ニ關スル外國人ノ批評

朝鮮情報委員會

目次は、原本において欠落しています。
（不二出版）

朝鮮自決ノ要望

朝鮮生レノ米國人　ゼー、イー、ムーア述

譯者曰ク本篇ハ排日宣傳ノ小冊子ニシテ文意ニ依リ察スルニ昨大正八年騷擾事件中米國ニ於テ刊行シタルモノナルカ如シ

朝鮮ハ今ヤ又世界列國ノ眼前ニ出現シ來レリ一九一九年三月一日歷史上最モ驚歎スヘキ所謂『消極的反抗運動』ナルモノ起リ三百萬ノ會員ヨリ成リ且二千萬民ノ意見ヲ代表スル朝鮮國民獨立團ハ朝鮮ノ獨立ヲ宣言シ之ト同時ニ西伯利「ニコルスコエ」ナル朝鮮國民會議ハ全世界ノ有ラユル領事館ニ該宣言書ヲ送付セリ

該宣言書ニ曰ク『世界改造ノ本義ニ順應シテ我等ノ自由且永久ナル國民性開發ノ權利ヲ獲得シ我等ノ獨立ヲ保有シ種種ノ害惡ヲ芟除シ現在ノ艱苦ヲ擺脫シ我等ノ子孫ノ爲痛恨ト汚辱トノ遺產ヲ存置スルコトナクシテ永久ノ自由ヲ遺留スルハ吾人ノ神聖ナル義務ナリ』ト獨立團ト在外ノ朝鮮國民協會トハ平和會議ニ對スル代表者ヲ選出シ其ノ一人ハ已ニ巴里ニ在リ傳來ノ飛電ハ一トシテ發展迅速ナル本運動ノ新事實ヲ報セサルハナク其ノ言フ所ニ依レハ本運動ハ局面ノ開展顯著ニシテ今ヤ朝鮮全國ニ瀰漫シ且有ラユル在外朝鮮人團體ヲ包擁セリ朝鮮人ノ代表的團體ハ悉ク之ニ參加シ朝鮮ノ主導的人物等ハ總テ其ノ思慮ト活動力トヲ

一

之カ爲ニ傾倒シツツアリ斯ノ如キ運動ノ朝鮮ニ興起セルハ多年來曾テ見サリシ所ナリ

日本ハ豫期ノ如ク之ニ對スルニ暴力ト殘忍トヲ以テシタリ當初ノ電信ハ殺戮五百人ト報シ近日ノ打電ハ二日間ニ一萬人殺害サレタルト傳フ獄ニ投セラレテ虐待ヲ受ケタル者千ヲ以テ數フヘク一少女ニシテ手ニ獨立宣言書ヲ捧ケ居タリトテ兩腕ヲ斷チ切ラレタル者アリト云フ加フルニ日本軍隊渡鮮ノ風說アリ朝鮮全土ハ先年ノ日本占領後ニ於ケルカ如キ大[illegible]ナル殺戮ト恐怖主義トノ怖ルヘキ惡夢ニ蔽ハレタリ

之ニ對シテハ何等カノ方策ヲ講セサルヘカラス世界各國ノ光明アル感想ハ須ラク奮興シテ將ニ半島全土ノ基督教徒及無辜ノ民人ノ上ニ落チ懸ラムトスル此ノ兇猛ト暴虐トヲ抑止シ巴里ニ於ケル朝鮮人ノ訴願ニ公平ナル陳情ノ機會ヲ得セシメサルヘカラス

朝鮮ノ革命ハ朝鮮問題ヲ世界ノ新狀態ニ[illegible][illegible]テ再ヒ陳訴セムコトヲ要求ス、朝鮮生レノ米人タル記者ハ同地ニ於テ實地ニ日本ノ施政ヲ目擊シ日本人カ罪ナク咎ナキ朝鮮人ニ惡虐ヲ加フルヲ見テ其ノ血ヲ沸カシタルコトアリ又能ク朝鮮人ヲ知リ且理解セル者ニシテ今ヤ其ノ請囑ニ依リ簡明ニ此ノ陳訴ヲ述フル所アラムトス

第一　朝鮮ノ要求ハ正當ナリ

自決權確立ノ原則ハ如何ナル隸屬民ト雖朝鮮民族ノ如ク直接之ニ適合スルモノナシ朝鮮民族ハ——恐ラク世界ニ於テ最モ統合セル——獨特ノ一民族ナリ、朝鮮ハ數百年間別個ノ政體ヲ爲シテ存立セリ朝鮮ハ其ノ

二

主權ヲ奪取セラレタルモノナリ親日論者ノ頻リニ説クカ如キ朝鮮舊政府ノ多少ノ無能腐敗、日本ノ統治ノ下ニ於ケル、記者ノ首肯セサル、朝鮮ノ幸福増進等ノ舊説ハ假令之ヲ容認スルトスルモ問題ノ肯綮ニ觸レサルモノナリ、獨逸ハ其ノ能力ニ於テ遙ニ白耳義ヲ凌駕シタリシヤモ知ルヘカラス然レトモ世界ハ之カ爲獨逸ノ白耳義ヲ劫掠シ之ヲ普魯西化スルヲ承認セサリシナリ米國ノ南部諸州モ黒奴ハ自由ヨリモ奴隷ノ境遇ニ在ルヲ幸福トスト論セシニ非スヤ予ノ隣人カ家政ニ堪能ナリトノ故ヲ以テ其ノ予カ家ニ侵入シテ之ヲ奪取スルノ理由ト爲スヘキニ非ス日本カ過剩人口ノ捌口トシテ朝鮮ヲ要ストノ議論亦之ニ異ナラス獨逸カ出口ヲ要スト主張スルノ理由ヲ以テ吾人ハ彼カ白耳義ヲ侵略シ且其ノ隣國ヲ蹂躙シテ地中海ニ達スル通路ヲ開カムトシタル行爲ヲ是認セシコトアリシヤ而シテ吾人ハ本項ノ結論トシテ近者纔ニ終熄シタル彼ノ怖ルヘキ戰役ハ若シ何等カノ意義ヲ有ストセハ　若シ又其ノ貴重ナル生命ノ有ラユル犧牲カ徒爾ナラサリシトセハ――世界ヲシテ民主主義ノ爲ニ安全ナラシメ有ラユル民族ヲシテ自決及自我主張ノ權利ヲ得セシムルノ日ヲ吾人ニ齎ラシ來レルモノナルコトヲ記セサルヘカラス若シ吾人ノ軍隊ニシテ其ノ血ヲ流シテ世界ノ爲ニ是等ノ權利ヲ贏チ得タルモノナリトセハ朝鮮ノ要求ハ之ヲ是認スヘキモノナリトス

第二　朝鮮ニ於ケル日本ノ政策ハ徹頭徹尾不公正ト強壓トヲ以テ顯著ナリ

若シ日本ニシテ朝鮮民衆ノ友情ト好意トヲ得ムト努力シ其ノ方針ニシテ眞ニ朝鮮ノ政治及社會ヲ向上セシメ之ヲ益シ之ヲ改造スルニ在リタリシナラムニハ又別問題ナリト雖事實ハ然ラサリシナリ、朝鮮ニ於ケル

日本ノ政策ハ當初ヨリ朝鮮ノ民族的精神ヲ壓滅シ其ノ有ラユル國民的意識ヲ根絶シ朝鮮人民ヲシテ隷屬民族ノ地位ニ甘ンセシメムトスルニ在リシナリ

今左ニ日本カ此ノ目的ヲ達成スル爲取リタル手段ヲ簡單ニ記述セムトス而シテ吾人ハ先ツ世界ニ熟知セラルル事實ニ就キ觀察スル所アルヘシ

(一)日本ハ朝鮮ノ獨立ヲ簒奪セリ

此ノ一事ハ久シキ以前ヨリ既ニ歴史ニ屬セリト雖其ノ惡逆不公正タルコトハ之ニ依リテ免ルルコトヲ得ス況ヤ朝鮮獨立騒擾ノ其ノ遺骸ヲ埋葬地ヨリ引キ出シテ再ヒ之ヲ世ノ光明ニ照示セシメタルニ於テヲヤ、一九〇四年(明治三十七年)朝鮮ハ日本トノ協約ニ於テ戰後完全ニ獨立ヲ囘復スルトノ了解ノ下ニ戰鬪行爲遂行ノ爲該半島ヲ利用スルコトヲ承認シタリ其ノ後約一年軍事上ノ便宜總テ日本ノ手ニ歸シ日本ノ兵士八道ニ充滿シ朝鮮ハ全ク日本ノ掌中ニ在リテ又如何トモスル能ハサルニ至ルヤ伊藤公ハ一隊ノ兵士ヲ率ヒ銃砲ノ威力ヲ楯トシテ朝鮮內閣ヲ強壓シ之ヲシテ朝鮮ノ獨立權ヲ放棄セシメ之ト同時ニ日本ハ世界列國ニ對シ朝鮮ハ任意ニ日本ノ保護ニ信頼セリト通告スルノ措置ヲ取リタルモノナリ

(二)日本ノ戰役中ニ於ケル朝鮮占領ト之ニ次ク其ノ事實的併合トハ殘忍、強壓、暴虐ノ行爲ト相伴ヒ其ノ狀白耳義ニ於ケル獨逸ノ行動ノ外比較スヘキモノナシ

無害ノ婦人カ兵士ノ凌辱ヲ受ケ無辜ノ朝鮮人カ市上ニ於テ日本人ニ襲擊セラルルカ如キハ日常ノ茶番事ニ

シテ竊盜、奸詐、沒收ノ如キ亦其ノ年中行事タリ或ハ住宅家庭ヨリ追出サレ或ハ打タレ虐ケラレ又殺害セラレ或ハ生活ノ資料スラ奪取セラルル等民衆ノ慘狀言語ニ盡シ難ク是レ皆記者ノ目擊セシ所ナリ

一九〇七年(明治四十年)夏少數愛國者ノ奮起シテ事ヲ擧ケタル時ノ如キ之ニ對スル日本ノ政策ハ漸次峻烈ヲ加ヘ當時地方旅行中ナリシ一記者カ「現下ノ文明時代ニ於テ最モ暴戾ヲ極メタル震慴スヘキモノノ一ナリ」ト稱セシカ如キ討伐行動ヲ敢テスルニ至レリ無辜ノ人民ハ大袈裟ニ屠殺セラレ村落ノ全滅セシモノ數十ニ及ヒ婦人ニシテ虐ケラレ、傷ケラレ、銃劍ヲ以テ刺サレ又小兒ニシテ射擊セラレタル者アリ而モ其ノ理由トスル所ハ單ニ彼等ノ住宅ノ附近ニ於テ叛徒ノ闘爭セシカ爲ナリト謂フニ過キサリシナリ

當時日本ノ半島施政ハ軍國的政治ニ偏シ引續キ人民ニ壓制暴虐ヲ加ヘタリ人民ハ無實ノ罪科ニ依リ獄ニ投セラレテ拷問ヲ受ケ罪無クシテ郷土ヲ追放セラレ又ハ數年ノ懲役ニ處セラレタル者アリ教會ノ如キモ何等ノ理由ナクシテ侵入セラレ會衆ノ解散ヲ命セラレタルコトアリ朝鮮人ハ生命、自由又ハ榮達ノ保障殆トナク公正ノ保持ノ如キ更ニ覺束ナカリシナリ、土地、漁業、商業、銀行其ノ他有ラユル生活ノ手段ハ皆征服者ノ手ニ歸シサナキタニ疲憊セル人民ハ其ノ生存ノ爲一層ノ辛苦ヲ嘗メサルヲ得サルニ至レリ

伊藤侯(原文ノ儘)ノ文治ノ下ニ朝鮮人民ノ小康ヲ得タルハ事實ナリト雖伊藤公ノ暗殺後再ヒ武斷主義ヲ專ラトシタル寺內ノ下ニ於テハ朝鮮民族ハ恐怖時代ト稱スルノ外ナキ治世ニ屈服セシメラレタリ一九一二年(明治四十五年)基督教會ハ特ニ異常ナル激怒爆發ノ犧牲ト爲リ朝鮮ノ諸地方ニ於テ多數ノ朝鮮人牧師及有

力ナル基督教徒ハ逮捕セラレテ怖ルヘキ拷問ニ懸リ基督教會及信徒全般ハ日本憲兵ノ常ニ彼等ニ加フル侮辱ト脅嚇ノ態度トニ依リ絶エス昂奮動搖ノ狀態ニ在リタリ彼ノ有名ナル陰謀事件ニ於テハ約百二十名ノ基督教有力者笑フヘキ總督暗殺ノ嫌疑ニ因リテ審問ヲ受ケ世界ノ視聽ヲ聳動セリ是等ノ被告ニ對スル怖ルヘキ虐待ハ一般ノ熟知セル所ナリ、日本カ本件ニ伴フ其ノ憤激ヲ巧ニ隱蔽シ間モナク世界ヲシテ日本ノ目的ノ仁慈ニ在ルコト及朝鮮人ノ幸福ノ日本ノ治下ニ於テ從前ヨリモ非常ニ多ク增進セルコトヲ認知セシメタル手際ハ實ニ驚クヘキモノアリ而シテ上記ハ皆世上周知ノ事實ナリ

吾人ハ日本カ朝鮮人ヲ懷柔シテ農奴ト擇ハサルノ地位ニ陷レ樵夫、水汲タルノ外又途ナキニ至ラシメ且有ラユル朝鮮固有ノ事物ヲ滅絶セムトセシ政策ニ關シ更ニ未知ノ事實ヲ擧示スヘシ而シテ是等ノ事實ハ近時朝鮮ヨリ歸來シタル信用スルニ足ル人士等ノ所説ニ基キテ輯錄シタルモノナリ

(一)內幕ノ曝露　朝鮮人ノ內面生活ニ懸リタル祕密ノ幕ハ取除カレタリ朝鮮ヲ世界ヨリ隔離シ朝鮮人ノ出國ヲ禁シ極力新聞通信檢閲ヲ嚴密ニシ朝鮮視察者及觀光客ヲ親日主義ノ居留外人又ハ著名ナル日本人ノ手ニ委シテ之ニ乾杯、饗宴、勳章等ヲ與ヘ世界各地ノ圖書館有力者等ニ宣傳的報告書及冊子ヲ配付シテ絶エス朝鮮進歩ノ狀況ヲ吹聽シ人民ノ眞相ヲ陰蔽スル等種種ノ方法ニ依リ日本人ハ巧ニ世界ヲシテ過去ニ於テ如何ナル失態アリシニモセヨ現在ノ狀態ハ理想的ニシテ朝鮮人民ハ日本ノ統治ニ甘ンセルモノト信セシムルヲ得タルモノナリ

(二)探偵組織　嚴密ナル探偵組織已ニ創始セラレ何人ニテモ一一姓名ヲ登錄スルコトヲ要シ之ニ各番號ヲ附シ警察官憲ニ周知セシム又何人ニテモ其ノ居住市町村ヲ去ラムトスルトキハ其ノ都度警察官署ニ屆出テ且其ノ行先地及用務ヲ詳細ニ申告セサルヘカラス警察官ハ之ヲ彼ノ行先地ニ電話シ彼ノ行動ニシテ苟クモ其ノ申告ニ違フ所アレハ則チ逮捕ト酷遇トヲ免ルルヲ得サルナリ又教養、勢力、地位等ヲ基礎トシテ嚴密ニ人民ヲ分類シ人若シ部內ノ主導者タラムトスル能力又ハ素質ヲ現ハセハ直ニ之ヲ「A」ノ部類ニ登錄シテ之ニ密偵ヲ附ス其人ハ爾後到處ニ尾行セラレ爲ニ却テ著名ノ人物ト化ス小兒ニスラ注意ヲ加ヘ又ハ賞與ヲ給シテ情報ヲ偵察スルコトアリ人若シ脫國セハ彼ノ番號ヲ手懸リトシテ之ヲ追跡シ其ノ家族又ハ親戚ヲ逮捕シ或ハ拷問ヲ加ヘテ其ノ所在ヲ自白セシム何時タリトモ人ニシテ不意ニ其ノ姿ヲ失ヒ遂ニ再ヒ聞ク所ナキニ至ルナキヲ保セス是レ普魯西主義ノ甚シキモノニシテ其ノ目的トスル所斯クシテ民族的精神ヲ潰滅セムトスルニ在ルナリ

(三)教育ト此ノ方針　叙上ノ方針ハ教育制度ニ於テモ行ハレ其ノ手段トシテ朝鮮地理及歷史ノ教授ヲ禁シ日語ニ通スル教師、官府發行ノ教科書及實利アルモ精神開發ノ效ナキ教科目ニ限リ之カ採用ヲ認可シ歐洲ノ歷史文學其ノ他苟クモ實際人物修養ニ資スヘキ教科ハ之ヲ除外シ朝鮮學生ノ高等教育ヲ阻礙シ事實上之ヲ受クルノ權利ヲ剝奪シ朝鮮學生ノ海外留學ヲ禁シ實際ニ於テ其ノ國ヲ去ルヲ禁シ御眞影ノ禮拜ヲ命令シ學生ヲ强ヒテ日本ノ大祭日ヲ祝頌シ彼等ヲ刺戟シテ日本的愛國心ヲ表彰セシメ彼等カ朝鮮人固有ノ觀念又

七

ハ志望ヲ保持シ又ハ表白スルコトヲ禁止シツツアリ一學生ノ如キ舊韓國國歌ヲ吟唱シテ逮捕セラレ爲ニ禁錮三箇月、罰金三百弗ニ處セラレタルコトアリ苟クモ人心ニ神聖ナル權利アリトセハ思想及教育ノ自由ノ如キ即チ是ナリ精神的奴隸ヲ强ヒラルルノ民族ニシテ其ノ自決ノ爲事ヲ擧ケテ世界ノ批判ニ訴フル者アリタリトテ吾人ハ之ヲ非難スルヲ得ヘキカ

(四)宗教ト此ノ方針　此ノ方針ハ宗教ニ關シテモ實行セラレ之カ爲政府ノ免許ヲ得スシテ牧師ノ布教スルヲ禁シ特許ヲ受ケスシテ宗教上ノ集會又ハ會合ヲ催スコトヲ禁シ數多キ基督教學校ニ於テスラ聖書ヲ教授スルコトヲ禁シ官立學校生徒ニ日曜日ノ作業ヲ强制シ又日曜日ニ於テ朝鮮人ニ住宅清潔法ヲ强制スル爲基督教徒ハ勢ヒ安息日ヲ破ラサルヲ得サルニ至リ總テノ人ニ御眞影ノ禮拜ヲ命令シ教會ノ禮拜ニ一一密偵ヲ放チ說教中感情ヲ高調シ又ハ强烈ナル言辭ヲ用ヰ若クハ其ノ祈禱熱誠ニ過キタリトノ理由ヲ以テ牧師ヲ捕縛シ甚シキハ日本帝國ヲ擱キ神ノ王國ノ爲ニ說教シタリトテ一牧師ヲ逮捕スルニ至レリ又或時ノ如キ『我ハ王ノ大使ナリ』ト題スル讃美歌カ秩序紊亂ノ感想ヲ包含ストノ理由ニテ之カ歌唱ヲ制止セラレタルコトアリ朝鮮基督教徒全般ノ信仰ヲ顚覆スル爲宣傳運動組織セラレタリト世ニ傳ヘラレタルコトスラアリ日本人ハ基督教カ自由ト民主主義トノ種子ヲ包有スルヲ理由トシテ朝鮮ニ於ケル其ノ宣布ヲ恐レ且忌メリ是レ前記ノ如キ壓制虐待アル所以ニシテ之カ爲基督教會ハ常ニ不當ナル監視ノ犧牲ト爲リ基督教有力者ハ絕エス逮捕、追放又ハ夫レ以上ノ酷遇ニ遭ハムトスルノ苦境ニ在ルナリ

八

(五)此ノ方針ト社會狀態　此ノ方針ハ公衆道德ヲ頹廢セシムルコトニ依リ一般社會ニ之ヲ實行セラル日韓併合後間モナク日本政府ハ日本人當業者ニ全土ヲ行商シテ「モルヒネ」ヲ販賣シ朝鮮人間ニ於ケル「モルヒネ」注射ノ習慣ヲ助長スルコトヲ免許セリ次ニハ日本ノ醜業婦渡來シ其ノ數今ヤ千ヲ以テ數フヘク彼等ハ殆ト日本民族ノ特徵タル此ノ社會的惡習ノ怖ルヘキ害毒ヲ以テ朝鮮ノ社會ヲ腐敗セシメツツアリ又日本人ノ施設ニ係ル公衆浴場アリテ男女混浴ヲ行ヘリ謹ミ深キ朝鮮人ノ氣質及朝鮮人ノ道義的標準ニ對シテハ此ハ容易ナラサル脅威ニシテ朝鮮少年ノ上ニ將來由由シキ結果ヲ齎ラスニ至ルヘシ朝鮮舊來ノ思想ハ賣淫、公衆浴場及賭博ノ爲大危險ニ瀕シ居レリ

(六)此ノ方針ト市民生活　此ノ方針ハ色色ノ方法ニ依リ市民生活ノ上ニ實行セラレタリ壓迫抑制ハ到處ニ行ハレ如何ナル種類ノ集會ト雖其ノ社交的ナルト否トヲ問ハス苟クモ五人以上集合スル場合ニハ特許ナクシテ之ヲ開催スルコトヲ得ス朝鮮人ノ刊行物ハ如何ナル種類ノモノト雖事實上總テ發行ヲ禁止セラル朝鮮人ニシテ敢テ思想又ハ發議ノ自由ヲ口ニスル者アラハ幷ハ求メテ否運ニ陷ル者ナリ朝鮮人ハ高官ニ任セラルル見込ナク又經濟上ニ在リテハ產業的奴隸ノ地位ニ在ルニ過キス何トナレハ富源開發ノ權利ハ總テ日本人ニ附與セラレ日本商人ハ優先的待遇ヲ與ヘラレ隨テ朝鮮商人ハ到底之ト競爭スルノ力ナケレハナリ朝鮮人虐使ハ尙一般ニ行ハル道路ハ人民ノ爲ニ建設スルモノナレハ賦役ノ無報酬ナルハ當然ナリトノ說明ノ下ニ人民ハ無報酬ニテ鐵道又ハ治道工事ニ就役ヲ强ヒラルルコト珍シカラス公正保持ハ依然トシテ一ノ笑柄

九

タルニ止マリ法廷ニ於テハ日本人ニ對スルヨリモ遙ニ峻嚴ナル法制ヲ適用シテ朝鮮人ヲ裁判スル由ニテ法廷ニ於テ朝鮮人ノ受クル不法ノ痛苦ハ語ルタニ心ヲ傷マシムルモノアリ凌辱虐待ハ今尙珍ラシカラス日本警察官カ朝鮮人ノ生命自由ノ權利ヲ左右シ朴訥ナル地方人ヲ驅使酷遇スルモ世上ノ注意ヲ惹クコトナキ小市街又ハ村落ニ於テ殊ニ然リト謂フ

第三　日本ノ治下ニ在ル朝鮮ノ現狀ハ堪ユヘカラサルモノアリ

近時朝鮮ニ在リタル一新聞記者ハ同地ニ於ケル日本ノ現時ノ政策ヲ評シテ穩和手段ヨリモ寧ロ暴力强壓ノ特色ヲ帶フト聲明シ且曰ク『其ノ官僚的恐怖主義ハ弊政ヲ隱蔽シ無法ニモ輿論又ハ不平ヲ訴フルノ自由ヲ抑壓シ其ノ狀恰モ基本的ノ公權スラ剝奪セラレ窘縮沈默シテ不承認ノ意思ヲ表白スルノ力スラナキ隸屬人民ニ臨ムモノニ似タリ』ト而モ此ハ頗ル穩和ナル言明ニシテ實際ノ狀況ハ之ヨリモ遙ニ不良ナリ朝鮮人ハ虐使セラレ尾行セラレ壓迫セラレ最モ神聖ナル權利ヲモ剝奪セラレ思想、言論又ハ信教ノ自由ナク自己開發、自我主張ノ有ラユル方途ヲ閉サレ生活資料ノ多クヲ奪ハレ產業上竝政治上ノ奴隸ニ身分ヲ引下ケラレ動モスレハ投獄、追放其ノ他ノ虐待ヲ加ヘラレムトシ又其ノ方法自己ノ意思ニモ良心ニモ協ハサル子弟ノ教育ヲ甘受坐視セシメラレ自己ノ青年ハ道德上危險ナル腐敗的感化力ノ下ニ置カレ自己ハ征服者ノ侮蔑ヲ受ケテ隸屬民族タル痛マシキ意識常ニ絕ユルコトナシ――斯ノ如クニシテ朝鮮カ民族自決權ヲ要求スルニ何ノ不思議カアラム

一〇

第四　朝鮮ハ自治ノ資格アリ

朝鮮ハ已ニ記セシカ如ク數百年間一ノ自治的國民タリシナリ支那ノ行使セシ宗主權ハ有名無實ニシテ保護權ヲ以テ目スヘキ特徴スラ無カリシナリ名許リノ朝貢ヲ爲セシ外、朝鮮ハ自己ノ意ノ儘ニ放任セラレ何レノ點ヨリ見ルモ事實上數百年間自治ノ國民タリシモノナリ今ニ於テ舊韓國政府ノ腐敗衰頽ヲ議スルカ如キハ事問題外ニ屬シ啻ニ朝鮮ノ獨立權ニ何等關係スル所ナキ言議タルノミナラス又朝鮮ニシテ自決權ヲ認メラルレハ其ノ新政府ハ民主主義ノ方式ニ依リテ組織セラルヘキ事實ヲ無視スルモノナリ朝鮮ノ要求スル所ハ自我主張及開發ノ權利ニ在リ今日ノ如キ機會ハ彼等ノ未タ曾テ有セサリシ所ナリ朝鮮ノ上古期中其ノ將ニ獨立自主ノ徑路ニ就カムトセシ時代ニ於テ輸入セラレ朝鮮ヲシテ東洋ノ先進國タラシメムトシテ果ササリシ支那舊文明ノ惡夢ヨリ解放セラレ且日本ノ專制政治ヨリ免レシメムカ朝鮮ハ第六世紀以後茲ニ初メテ自我主張及開發ノ機會ヲ得ルコトト爲ルヘシ日本ノ探偵組織ノ嚴密ナルニ拘ラス能ク海外留學ノ目的ヲ達シテ民主政治ノ理想ヲ體得セル數百ノ鮮人學生アリ加之朝鮮ニ於テ高等教育ノ業ヲ卒ヘタル者甚タ多ク又舊時代ノ朝鮮人ニシテ博大ナル教養ト學識トヲ有スル者亦尠カラス是等ノ中心人物及將來主導者タルヘキ素地アル者ハ勿論從來久シク失政ノ艱苦ヲ嘗メタル一般人民ニ在リテモ此ノ苦カキ經驗ニ依リテ痛切ニ代議政體ノ必要ヲ自覺シ且該政體ノ執ルヘキ針路ヲ知了スルニ至レリ朝鮮獨立宣言書ノ言フ所ニ據レハ朝鮮人ノ希望スル自我主張及開發ノ方針ハ世界改造ノ原則ニ順應セムトスルニ在リ朝鮮ニ關スル一大權威者ハ

曰ク『朝鮮人ハ本來卓越セル智能ヲ現ハスヘキ素質ヲ有ス――彼ヲシテ自由ニ且自然ニ發展スルノ機會ヲ得セシメムカ極東ニ於テ何レニモ劣ラサル智者ヲ出スヘシ』ト然ルニ彼ハ未タ曾テ斯ル機會ヲ有セサリシナリ今ヤ絶好ノ時機ハ來レリ吾人ハ斯クモ久シク保留セラレタル權利ヲ此ノ人民ニ拒否スヘキモノナルカ

第五　世界新狀態ト國際聯盟トノ發生ハ朝鮮民族自決權容認ノ最後ノ障礙ヲ取除ケリ

朝鮮ハ劣弱ナル國民ナリ朝鮮ハ一方支那ノ蠶食ニ遭ヒ他方露國ノ侵略ヲ免レス是レ日本ノ禍源ナルカ故ニ朝鮮ハ保護者ヲ有セサルヘカラストハ日本ノ從來説キ來レル大言ナリキ然ルニ第一、今ヤ支那ハ鞏固ナル民主的及社會主義的傾向ヲ有スル共和國ト化シテ其ノ舊帝國主義時代ノ特色タリシ侵略的傾向ハ已ニ消散シ殊ニ露國ニ於テハ一層其ノ然ルヲ見ルヘシ第二、支那モ亦日本ノ帝國主義ト軍國主義トノ大害ニ懲リ果テ心ヨリ朝鮮人ノ祖國復興ノ志望ニ同情セリ支那カ侵略ニ意アリト説クカ如キハ純然タル荒唐無稽ノ言ナリ露國ノ如キモ亦歐洲戰亂ノ齎ラシタル其ノ新狀態ニ鑑ミルトキハ確ニ斯カル憂ナキモノトシテ差支ナカルヘシ第三、縱令是等ノ問題ヲ除外シテ論スルモ歐洲戰役ノ遂行セラレタル所以ノ原則ハ個個ノ民族ノ悉ク自治自發ノ權利ヲ享有スヘキコトヲ要求セルノミナラス戰役ノ經過ハ此事ヲ可能ナラシメタルニ非スヤ該戰役ハ强力及軍國主義ノ政治ヲ廢絶シ小弱國民カ强隣ノ好餌タリシ時代ハ已ニ過キ去レリ世界的大戰カ何等カノ目的ヲ有シタリシトセハ世界ヲシテ軍國的欲求ノ咒咀ヨリ免レシムルコト即チ是ナリ況ヤ國際聯盟ハ戰役ノ成果ヲ保全セムトシテ存立セルニ於テオヤ國際聯盟ハ無數ノ生命ヲ犧牲ニシテ支持シタル

權利ノ尊重ヲ期スル一大警察力ナリ此ノ聯盟又ハ朝鮮民族ノ指定スル聯盟國ノ一員ノ保護ニ依ラハ外界ヨリスル侵略ノ危險全ク一掃セラレ朝鮮民族ハ平和ニ且安全ニ自家自ラ自家ノ指導、教育、開發、統治等ノ事ニ從ヒ以テ進歩ノ道程ニ上ルヲ得ヘシ

結　論

吾人ハ已ニ朝鮮カ自決ヲ要求スルノ權利ヲ有スルコト、朝鮮ニ於ケル日本ノ政策カ徹頭徹尾壓制ト不公正トヲ以テ著シク、尙殘忍横暴スラ珍ラシカラサルコト、日本カ朝鮮ノ民族的精神ヲ壓倒シ彼等ヲシテ產業的奴隷ノ狀態ニ陷ラシメムトスルノ目的ヲ有スルコト及近時ノ在鮮米人ノ言ノ如ク『朝鮮ハ普魯西化セラレタル』コト等ヲ論述シタリ吾人ハ又日本ノ治下ニ在ル朝鮮ノ現狀ハ忍フヘカラサルモノナルコト、朝鮮ハ日本ノ把握ヨリ解放セラレサルヘカラサルコト、朝鮮ハ自治ノ資格アルコト、世界ノ新狀態ノ下ニ於テハ朝鮮ノ自決ヲ沮止スル理由ナキコトヲ明ニシタリ

朝鮮人ノ自治ニ對スル要求ト全國民ノ參加セル此ノ獨立運動ニ對スル日本ノ鎭壓手段ノ苛酷ヲ訴フルノ聲トハ全世界ニ對シテ叫ヒ出サレタルモノナリ

進歩セル感想ヲ有スル米國ノ人士ハ第一、朝鮮獨立運動ノ主導者ヲシテ人道ニ叶フ公正ナル處遇ヲ受ケシメ第二、朝鮮人ノ自決權ヲ獲得セムトスル訴ヲシテ巴里ニ於テ公正ナル審判ヲ受クルヲ得セシムルコトニ付須ラク施措スル所ナカルヘカラス

世界ニ於テ朝鮮ノ民主政治ヲ安全ナラシムルコトニ關シテハ其ノ成行如何

一九一九年三月二十日發行『紐育アメリカン』紙社説大意

同紙ハ朝鮮獨立運動ニ關スル北京電報全文ヲ再掲シタル後扨テ曰ク『朝鮮ノ獨立及中立ハ獨逸ノ白耳義ニ於ケルカ如ク日本ノ爲無法ニ且强壓的ニ蹂躪セラレタリ白耳義ニ於ケル獨逸ノ惡逆ト雖之ヲ日本人カ無辜ノ朝鮮人民ニ加ヘタル殺戮、横暴、蠻行ニ比スレハ實ニ小事件タリ然ルニ白耳義ノ爲憂憐憤激ヲ極メタル米國人モ朝鮮ニ於ケル日本ノ兇猛ニ付テハ殆ト注意スラ拂ヒシコトナク或ハ却テ朝鮮人ノ如キ質朴ナル人民中不平騷擾ノ事アルヲ怪ミテ之ヲ公言スル者アリ又或ハ日本ノ手先ノ如ク其ノ宣傳ノ援助ヲ爲ス者アリ何レノ政府――我等ノ政府ヲ含ム――モ何等抗議スル所ナク無援ノ朝鮮民族ヲ日本ノ專制政治ノ蹂躪ニ委シテ顧ミサルニ於テハ所謂世界ヲシテ民主主義ノ爲ニ安全ナラシムルトノ美言モ果シテ何ノ價値カアルヘキ斯クテハ此ノ警語モ一ノ僞善的壯語タルニ止マルニ非スヤ云云

朝鮮人ノ訴

一九一九年三月十四日發行『サンヂアゴ・ユニオン』紙社説大意

平和會議ノ國際聯盟委員部ハ多分朝鮮問題ヲ受理スルナルヘシ朝鮮人ハ其ノ獨立ノ要求ヲ聯盟ニ提起スルノ準備ヲ爲セリ世界ヲシテ民主主義ノ爲ニ安全ナラシメサルヘカラストノ「ウヰルソン」氏提唱ノ原則ニシ

テ主要强國ノ嚴守スル所ナラシメハ朝鮮ノ訴願ハ波蘭、「ユーゴー・スロヴァキア」、「チェック・スロヴァキア」等ト同等ノ基準ニ於テ之ヲ攷究セサルヘカラス

朝鮮ノ要求ハ波蘭ノ獨立ノ如ク歷史的事實ニ立脚セルモノナレハ「スロヴァキア」諸民族ノ要求ヨリ寧ロ根據深キモノナリ彼等ハ判然タル別個ノ民族ヲ爲シ加之曾テ別個ノ政府ヲ支持シテ存立シ且後ニ其ノ主權ヲ奪ハレタルモノナレハナリ

朝鮮人ハ同一分子ヨリ成レル純一ナル人民ナリ恐ラク猶太人以外何レノ民族ヨリモ統一アル人民ナリ朝鮮民族ノ起源ハ極メテ古ク遡トシテ最遠ノ太古ニ在リ彼等ハ機敏ナル智能ヲ有スレトモ强隣ノ侵略ヲ抗拒スルニ足ル勢力ト意氣トヲ缺如セリ其ノ國土ハ八萬二千方哩ノ面積ヲ有シ其ノ人口ハ一千二百萬乃至一千七百萬ト稱セラル

庸弱ナル朝鮮玉ハ一九〇五年（明治三十八年）政治監督ノ權ヲ日本ニ引渡シ爾後大ニ日本ノ保護權ヲ擴大シ其ノ國土ハ遂ニ全ク日本ノ一地方ト擇ハサルニ至レリ

朝鮮人ハ曾テ數百年間支那駐在官ノ仁政ニ安ンシタリシト雖日本ノ宗主權行使ニ對シテハ常ニ憤慨シ居タリ

朝鮮ノ列强ニ對スル歎願ハ其ノ能力相當ノ自治權ヲ獲得シ其ノ力ノ及ハサル事項ニ關シテハ總テ聯盟會議ノ指揮ニ委セムトストス謂フニ過キス彼等ノ極力抗爭セムトスル所ハ富源ヲ濫用シ人民ヲ壓迫セムトスル單

一强國ノ直接監督ニ在リ要スルニ彼等ハ日本ノ附庸國タルヲ願ハサルナリ

國際聯盟ハ其ノ成立ノ曉ニ於テ必スヤ朝鮮ニ對シ其ノ賢明ニ且有效ニ活用シ得ル範圍內ニ於テ十分ノ獨立ヲ與フヘシ日本ノ朝鮮保護ハ當初一種ノ亞細亞モンロー主義ノ必要ニ合致シタルモノナリキ朝鮮ハ弱國ニシテ既ニ一度日露開戰ノ禍因ヲ爲セリ斯ノ如キ隣邦ニ主權ヲ委スルハ日本ノ堪ユル能ハサル所ナレハナリ

然レトモ今ヤ國際聯盟約款協定中ニ屬シテ日本ノ領土保全ニ對スル彼カ如キ危險ハ全然一掃セラルヘク而シテ他ノ聯盟各國カ適當ト認ムル自決權ヲ此ノ柔順勤勉ニシテ平和ヲ愛シ而モ事實上無援無力ナル人民ニ許與スルノ途茲ニ打開セラルルナルヘシ

『朝鮮ニ於ケル獨立運動』ノ梗概

マツケンジー著

本書ハ千九百八年ニ出版セラレタル『朝鮮ノ悲劇』ノ最新改訂版ニシテ、日本カ朝鮮ニ諸般ノ革新ヲ齎シタルヲ承認スルモ、其レニ由ル利益ハ主トシテ日本移住者及ヒ日本資本家ノ壟斷スル所トナレリト云ヒ、更ニ進ンテ日本攻擊ノ要旨トシテ、日本カ鮮人ヲ目シテ劣等民族ト做スニモ拘ハラス、其ノ同化ヲ强制スル爲ニハ、有ユル迫害ヲ鮮人ニ加ヘ、偶鮮人カ其ノ國民的感情ヲ表示セントスレハ、直チニ一大鐵鎚ヲ下シテ、該感情ヲ蹂躪シ根絕セン事ニ努ム。然モ貳千有餘萬人ノ鮮人ハ、其ノ長キ歷史ト古キ文化ヲ有スル事ヲ誇トシ、此等カ空シク廢滅ニ歸セントスルヲ好マサルヲ以テ、鮮人ノ同化ハ到底不可能ナリ。朝鮮ニ於テ最勢力アル日本人ハ曾テ余ニ語ツテ曰ク『由來殖民地統治ノ方法ニハ二種アリ。一ハ全然異邦人トシテ住民ニ臨ム事ニシテ、這ハ英國カ印度ニ於テ爲セシ所 即チ印度英帝國カ永久ニ存續スル能ハサル所以ナリ。一ハ住民ヲ併入同化スルコトニシテ、將ニ日本ノ朝鮮ニ於テ爲サントスル所ナリ』ト。卷頭ノ數章ニ於テハ、日本ノ朝鮮併合ニ至ル迄ノ朝鮮ノ近代歷史ヲ詳述シ、李王朝ノ統治ハ有ラユル進步ヲ阻害シタルモノト痛擊ス。鮮人ノ胸底ニ牢固拔クヘカラサル日本ニ對スル憎惡ノ念ヲ留メタル十六世紀ノ後半ニ行ハレタ

ル豊臣秀吉ノ朝鮮侵入以來、日本ハ決シテ半島併呑ノ野望ヲ棄テシコトナク、竹添氏カ初メテ京城ニ公使トシテ赴任シタル時ヨリ如何ニ日本カ絕ヘス朝鮮ニ於テ陰謀ヲ逞ウシタルカヲ記述シ、一章ヲ日本カ支那ト戰ハンカ爲メノ口實ヲ得ル目的ヲ以テ起シタル東學黨事件ニ費シ、日清戰後日本ノ對朝鮮態度ハ一變シ日本人ハ征服者トシテ雞林八道ヲ濶步スルニ至リタリト說ク。此外日本人ノ閔妃暗殺、三浦氏ノ釋放、日本ノ企畫ヲ妨ケントシテ爲サレタル李王ノ露國公使館逃入、旅順口ノ領有ニ對スル日本ノ憤怒ヲ緩和センカ爲メ露國ノ朝鮮ニ於ケル野心ノ放棄、並ニ再ヒ露國カ朝鮮併呑ヲ企テ延ヒテ日露ノ開戰ヲ來シタル迄ノ緯經ニ就キ仔細ニ述フ。

日露戰爭ノ初期ニ於テ、多數鮮人ハ日本ニ對シ好感ヲ示シ、日本人ノ對鮮人態度モ又批難ノ餘地ナカリシモ、日本ノ勝利ヲ得ルニ從ヒ、次第ニ放縱ニ流レ、且ツ品性劣等ノ日本人ノ集團ハ日本軍ニ伴隨シテ夥多ノ非行ヲ働キタリ。是等品性劣等ノ日本人ハ朝鮮ニトリテハ實ニ惡疫トモ謂フヘキモノニシテ、彼等ハ多ク內地ニ入リ込ミ、無智ノ鮮人ニ莫爾比涅ヲ賣レリ。日本政府ハ廣大ナル土地ヲ軍用ニ充當シ、後之ヲ日本移住民ニ拂下ケ、斯クシテ富裕ナル幾千ノ鮮人ハ一朝ニシテ貧困ニ陷リタリ。

故伊藤公ニ對シテハ、著者ハ至大ノ尊敬ヲ拂ヒ、其ノ功業ニ就キ賞讃ノ辭ヲ惜マサルモ、公ノ施設カ朝鮮ニ成ルヘク多數ノ日本人ヲ移住セシメントスル日本ノ政策ニ禍サレタルヲ遺憾トシ、此カ爲、鮮人ヨリ其土地不動產ヲ掠奪スル不法行爲ノ行ハレタル外、日本移住民ノ多クハ鮮人ニ對スル行動殘忍倨傲ヲ極メ、

遂ニ鮮人ノ好意ヲ得ル能ハサルニ至レリ。

長谷川大將モ亦鮮人抑壓政策ヲ可トシ、之ヲ實施シ、朝鮮ハ日本ニ取リテ戰略上重要地位ヲ占ムルヲ以テ、此ノ見地ヨリ鐵道ハ敷設セラレ、壯大ナル道路ハ開設セラレ、之ニ對シテ鮮人ハ勞働ヲ强制セラレタリト云ヒ、田中伯ノ朝鮮堂塔日本移送事件ニ就キテハ其ノ眞相ヲ摘發シテ餘蘊ナシ、千九百六年、鮮人カ正義軍ヲ組織シテ日本政府ニ對シ反旗ヲ飜シタル際、著者ハ普ク反亂地方ヲ旅行シテ其ノ見聞セシ事實ヲ列序シ、殊ニ繁華ナリシ都邑カ日本軍隊ノ爲メニ破壞サレ廢墟トシテ其跡ヲ留ムルニ至リシ事ヲ浩嘆ス。

故寺内伯ノ朝鮮總督在任當時ノ政策ヲ論シテ曰ク『有ユル施設有ユル法令ハ最モ峻嚴ナル最モ假借セサル帝國主義、軍國主義ノ發現ニシテ、然モ日本人ハ出發點ニ於テ既ニ謬想ニ拘ヘラレ、鮮人ニ對シ寸毫ノ同情モナク、鮮人特有ノ思想ヲ破壞シ、固有ノ風習ヲ滅却シ、以テ鮮人ヲ變シテ劣等型式ノ日本人ト爲サントセシカ故ニ、日本カ朝鮮ニ及ホセル幾多ノ物質上ノ進歩モ、結局鮮人ニ對シテ何等效果ヲ與ヘス、爲ニ日本ノ朝鮮統治ハ失敗ニ終レリ。又總督府官憲ハ鮮人ノ利害ヲ顧慮セス、唯日本ヨリ移住セシ開拓者及ヒ農民等ノ利益ヲ計ル事ヲ以テ其ノ第一義トシタリ。即チ故寺内伯ノ眼中ニハ、鮮人ハ單ニ併入セラレ若クハ削減セラルヘキ民族トシテ映シタルモノノ如シ』ト。之ヲ論シタル一章ハ一八七頁ヨリ二〇三頁ニ亙リ、日本人カ鮮人ヲ虐待シテ不具ナラシメタル事、笞刑、警官ノ犯罪捏造、出版物檢閲、東洋拓殖會社ノ如キ會社經營ニ由ル鮮人所有土地ノ徵收、朝鮮ノ最モ肥沃ナル土地ノ五分ノ一カ今ヤ日本人ノ專有ニ係ル事、

道路開築ノ爲鮮人ニ課スル强制的勞役、賣淫、鮮人ノ朝鮮政治參與ノ途ヲ杜塞スルコト、鮮人ニ對シ自ラ優秀民族ナリト做ス日本人ノ暴慢等、一一實例ヲ擧ケ、苛烈ノ筆ヲ揮ツテ縱横ニ日本ヲ攻擊ス。

千九百十四年、日本軍隊カ朝鮮ニ入リシ時、列國ハ日本カ舊政府ヲ廓清シ其ノ暴虐ト秕政ヨリ鮮人ヲ救フモノト信シ、之ヲ歡迎シ、日本官憲ト外國宣教師トノ關係モ亦頗ル圓滿ナリシモ故寺内伯ノ朝鮮總督就任ヲ見ルニ至ツテ、兩者間ニ紛紜絶ヘス起リ、今日ニ於テハ在鮮外國人ハ事實上悉ク日本政府ニ對シ反感ヲ抱ク。著者ハ此ノ反感ノ由ツテ來ル所ハ日本官憲ノ朝鮮ニ於ケル、耶蘇教會ヲ日本化シ、七百七十八ノ宗教學校ヲ閉鎖セシメントスルヲ目的トスル條例ヲ公布シタルニ在リト斷ス。

著者ノ云フ所ニ依レハ故寺内伯ノ指揮下ニ屬セシ總督府官憲ハ、北方朝鮮ノ鮮人耶蘇教徒ヲ目シテ同化政策實行ニ關スル一障碍ト做シ、彼等ハ日本統治ニ對シ陰カニ謀ル所アリト誣ヒ、無辜ノ民ニ迫害ヲ加ヘタリ。著者ハ此ノ所謂陰謀ニ連坐シテ逮捕セラレタル鮮人ノ第一回公判ト第二回公判ノ結果ヲ比較シテ、其ノ異ル所以ハ全ク是等罪囚カ其ノ間拷問ヲ受ケタル證左ナリト主張シ、日本人自身モ此ノ事件カ單純ナル捏造ナルヲ確知スル事ハ、間モナク尹智靈男ハ釋放セラレ、京城ニ於ケル基督教靑年會ノ幹事トナリ、鬪人カ暗殺セントシタリト云ハレタル寺内伯ハ即時多額ノ寄附ヲ爲セリト述フ。

第十四章以降、本書ハ最近朝鮮ニ起リシ事件ヲ敍シ、日本官憲カ各學校ニ於テ日本語學習ヲ强制シ、靑年鮮人間ニ磅礴タル朝鮮獨立ノ氣勢ヲ削カントシテ汲汲タル事『獨立日』ニ於ケル鮮人兒童ノ反日集團運動等

ニ言及シ、鮮人ノ獨立運動ニ外國宣教師ノ關係ナキ事實ハ日本官憲ニ驚愕ヲ以テ迎ヘラレタルニ見テ如何ニ彼等ノ迂遠ナルカヲ知ルヘク、若シ該運動ニ何等外國ノ影響アリタリトセハ、ソハ米國大統領ウイルソン氏ノ弱小國民ノ權利ニ關スル宣言ナルヘシト冷笑ス。

有史以來、朝鮮國民ハ初メテ今ニ於テ絶對團結ヲ成ス事ヲ得タルモノニシテ、突如日本ヲ愕カシタル鮮人ノ獨立運動ハ暴動ニ非スシテ憲法上ノ變化ヲ要求スル穩健ナル示威運動ニ過キス。然モ飽ク迄苛酷ナル手段ヲ以テ該運動ヲ阻止セントスルカ故ニ、日本ハ茲ニ鮮人ノ好意ト好感ヲ贏チ得ヘキ最後ノ機會ヲ失ヒタリ。而シテ此運動抑壓ニ際シテハ、殊ニ鮮人耶蘇教徒ニ過重ノ迫害ヲ加ヘ、彼等ハ多クノ場合ニ於テ、其ノ耶蘇教徒タルカ故ニ捕縛サレ、有ユル虐待ヲ蒙ムリタリ。著者ハ鮮人ニ對シ行ハレタル拷問ト無益ノ殺傷ハ全然事實ニシテ、然モ犧牲トナリタル鮮人ハ從順ナル事宛モ屠所ニ牽カルル羊ノ如クナリキト云フ。

著者ハ仔細ニ平壤ニ於ケル鮮人騷擾事件ニ關連シテ多數女學生ノ受ケタル非行、殊ニ彼等カ警察署ニ於テ裸體トセラレ種種ノ汚辱ヲ蒙ムリタルヲ報シ、日本官憲カ專ラ緘口政策ヲ執リタルニモ拘ハラス、是等ノ報道ハ海外ニ傳ハリ外國民ノ激怒ヲ釀シタルヲ以テ、日本政府ハ適當ノ措置ニ出ツルノ餘儀ナキニ至リ、日本人スラ此ノ事件ヲ調査シテ、總督府ニ對シ攻擊ノ矢ヲ放ツニ及ンテ、齋藤男ノ朝鮮總督ノ就任ヲ見、今ヤ緩和セラレタル政策實施セラレントシツツアルモ、然モ鮮人ノ同化併入政策ハ依然トシテ日本ノ朝鮮統治ノ主眼タルニ鑑ミ、鮮人間ノ不安ト不滿ハ永ク日本ニ累ヲ及ホスヘシト結フ。

朝鮮統治批評ノ書束

ヘンリー、エム、ブルーエン

大邱ニテ

ヘンリー・エム・ブルーエン

一九二〇年十二月三日付

東京ニテ

ギルバート・ボウレス宛

我等ハ再ヒ恐怖時代ニ遭遇シ今回ハ其ノ場面滿洲ニ移リ居リ申候小生ハ我カ宣教會ヨリ病氣休暇中ナル擔任宣教師ノ代理トシテ滿洲ニ赴キ二箇月間滯在同地朝鮮人教會訪問ヲ爲スヘキ命ヲ受ケ十一月六日奉天ニ入リ同十三日奉天ノ東方百哩ナル「シンジン」ニ到著致シ候處該地方ノ狀況ハ別紙添付書類ニ記載セル通ナルヲ發見致シ候教會堂ハ或ハ破壞セラレ或ハ燒拂ハレ教會有力者ハ多クハ殺害セラレ手ノ着ケ樣モ無之次第ニ付當地ニ歸還シ其ノ實狀ヲ日本ノ一般基督教徒ニ訴ヘ之ニ關スル發言ノ機會ヲ彼等ニ與ヘ度希望致シ候此等ノ事實ハ「北京天津タイムス」及「アドヴアータイザー」兩紙ニ可ナリ能ク現ハレ居リ候ニ付貴下ニ於テモ前記虐殺防止ノ爲御利用相成度候日本政府ハ事實調査ノ爲委員ヲ派遣セシ趣ニ候得共其ノ結果ヤ知ルヘキノミニ御座候貴下ハ日本基督教徒ノ最善分子ト御昵懇ト存候ニ付本書翰ヲ呈シ候次第ニ御座候彼等ハ

本件ニ關シ相當ト思惟スル抗議ヲ爲スヘキ義務ヲ有スルノミナラス又現ニ其ノ機會ヲ有スルモノト信シ茲ニ候　敬具

添付書類ノ一

（題名出所共ニ記載ナシ）

日本歩兵五百ノ一隊ハ十月二十九日奉天ヨリ「ヒンキン」縣ニ到リ附近地方在住ノ朝鮮人ニ天長節祝宴ノ招待狀ヲ發シ祝節當日日本兵士ハ何心ナク該招待ニ應シテ出發シタル「マンチンメン」居住ノ朝鮮人基督敎會有力者及其ノ他ノ者九名ヲ中途「タンチャンタイ」ニ於テ捕縛拘禁シ十一月一日遂ニ何等審問スル樣子モナク或ハ頸部或ハ胸腹部ヲ突刺シ殺戮シタリ被害者中ニハ敎會長老三名學校敎師二名アリタリ又同日該縣內ノ一敎會堂ハ全部燒拂ハレ其ノ二日ノ後他ノ一敎會ハ滅茶滅茶ニ破壞セラレ其ノ翌四日ニハ又他ノ一敎會燒拂ハレ聖書讃美歌集ヲ搜索シテ燒棄テ八人ヲ捕縛シテ其ノ內六人ヲ前記同樣ニ虐殺シタリ被殺者中敎會長老二人學校敎師一人アリタリ叙上被害敎會長老中ニハ朝鮮獨立運動ニ連累ナク政治上ニ付テハ何等强烈ナル偏僻心ヲ有セサルヲ以テ著名ナル者モアリシナリ殊ニ此等ノ非行ハ支那ノ領土內ニ於テ全然主權ヲ無視シテ行ハレタルモノニシテ之ニ對スル支那人ノ感想如何ハ絮說ヲ須ヒサル所ナリ

添付書類ノ二

西間島モ間島ト運命ヲ共ニス

十一月三日及同月十三日發行ノ「北京天津タイムス」ハ間島征伐ト題シ同地ニ於テ日本兵士カ敎會堂ヲ破壞燒燬シ朝鮮人ヲ殺戮シテ恐怖時代ヲ現出シタル記事ヲ掲載セルカ今ヤ西間島ニ於テモ亦同樣ナル遠征隊ノ派遣ヲ見ルニ至レリ歩兵五百ヨリ成ル一隊ハ奉天ヨリ東進シ騎兵二百五十ヨリ成ル一隊ハ同地ヨリ北進シ二方面ヨリ西間島ナル朝鮮人ノ最モ密ニ集團セル地方ヲ襲ヘリ騎兵隊ハ十月三十日一都會ニ駐屯シ翌天長節祝日ニハ祝賀會ヲ開催シ居住朝鮮人等ニ國旗掲揚ヲ强制シ別ニ一組ノ兵士及探偵ヲ朝鮮人ノ一集團地ニ派シ祝賀會ニ參列スヘシト强ヒテ朝鮮人敎會ノ有力者八人ヲ羅致シ中途ニ於テ之ヲ捕縛拘禁シ翌日本隊ノ到著ト共ニ劍ヲ以テ或ハ突刺シ或ハ咽喉ヲ切リテ之ヲ殺戮シタリ之ト同時ニ他ノ一隊ハ附近ノ一敎會堂ヲ燒キ又次ノ部落ノ一敎會ハ周圍ニ支那人ノ集團アリシ爲放火ヲ免レタルモ全ク破壞セラレ有力者六人殺害セラレタリ翌日是等ノ兵隊ハ次ノ敎會ニ到リ聖書讃美歌集及牧師ノ藏書等全部ヲ集メ石油ヲ投シテ會堂ト共ニ燒拂ヒ行ク行ク基督敎徒ノ住宅ヲ搜索シ聖書讃美歌集ヲ持出シテ破却投棄セリ此ノ地ニ於テモ殺戮セラレタルコト明白ナルモノ六人アリ內一人ハ五十五歲ノ長老ニテ排日思想ヲ有セサル者トシテ知ラレタル者ナリシナリ此ノ外死者三十名アリシ由ニテ其ノ半ハ姓名明ナリト云フ叙上ノ事實ハ次ノ事項ヲ立證スルモノト謂フヘシ

（一）基督敎會カ攻擊ノ正面ノ標的ナルコト、被害者カ會堂燒燬ニ伴フ一般失火ノ場合ニ非基督敎徒ヲ含ムコトアル外ハ總テ基督敎徒ナルコト

（二）敎會有力者ヲ搜索シ年齡及排日思想ノ有無ニ拘ラスシテ殺戮シタルコト

（三）判明セル限リニテハ何等審問ノ意圖、形式スラナク無武裝者ヲ犬ノ如ク無警告ニ屠殺シ遺骸ハ路傍ニ投棄シ之ヲ蔽フニ少許ノ土砂ヲ以テシタルニ過キサルコト

（四）右ハ獨逸的軍國主義ノ發露ニシテ之ヲ絕滅セサルヘカラサルコト東洋方面ヨリ軍國主義ヲ一掃セサルヘカラサルコトヲ發議スルノ義務ト機會トハ先ツ第一ニ日本人ノ手ニ存スルコト日本人ニシテ今日心ヨリ反對ノ聲ヲ揚クレハ是等ノ敎徒モ犬死タラサルヘシ日本ハ歐洲大戰ニ參加シテ軍國主義ニ反對セリ今ヤ果シテ如何日本ハ今日一點ノ疑義ナキ樣明白ニ其ノ意思ヲ表白セサルヘカラス

添付書類ノ三

警　告　文

本警告文ハ本年十月二十四日滿洲韓民防衛協會顧問「チエイ・チン・クエイ」ノ名ヲ以テ在滿朝鮮人ニ對シ獨立運動參加ノ無謀ナルヲ警告シ且該會ニ加入シテ不逞者ノ橫暴ヨリ免ルヘキコトヲ勸告セルモノニシテ其ノ理由トシテ「獨立運動者ハ自他ノ力ヲ揣ラスシテ勝算ナキ非擧ヲ敢テセルノミナラス一般鮮民ノ困難ヲ顧ミスシテ殺人、詐僞、强奪等ノ橫暴ヲ逞ウシ眞ニ國民ノ要望ニ副ハサルモノナリ故ニ自稱獨立運動者ハ皆基督新敎徒ナルモ其ノ良心ヲ失ヒ全ク敎義ヲ解セサルモノナリ彼等ハ時勢ノ力ヲ解セス徒ニ日米戰爭ヲ云爲スルモ自己ノ力ヲ恃ム能ハスシテ他ノ庇護ニ依ラムトスルカ如キハ愚ト謂ハサルヘカラス今ヤ支那官

憲ハ各地ニ朝鮮獨立運動者逮捕ノ命令ヲ發シ日本軍隊亦彼等ヲ殺戮シテ假借スル所ナク災害困厄吾人ノ頭上ニ迫リ來レリ獨立ニハ自カラ時機アリ在滿鮮人諸士ハ宜シク多數民衆ノ愚蒙ニ同情シ速ニ本會ニ加入シテ自己、眷族、國民及民族ノ災禍ヲ防止スヘキナリ」云云ト宣言セリ

大正九年十二月二十五日印刷
大正九年十二月二十八日發行

朝鮮總督府

京城旭町貳丁目十番地
印刷所　京城印刷所

大正十二年三月

情報彙纂 第二

朝鮮評論(KOREA REVIEW)
布哇國民報及獨逸新聞 記事摘要

朝鮮情報委員會

目次は、原本において欠落しています。
(不二出版)

朝鮮評論布哇國民報及獨逸新聞記事摘要

第一 朝鮮評論 (Korea Review)

本誌ハ排日鮮人ノ宣傳機關タル在米國費府朝鮮情報局ニ於テ發行スル英文雜誌ニシテ左ハ其ノ近着ノ分ニ掲載セル記事ノ各項目及其ノ要旨ヲ譯出セルモノナリ

(一) 朝鮮評論第二卷第七號一九二〇年九月發行ノ分

一 極東ニ於ケル貸借勘定 「フレッド・エー・ドルフ」所論

筆者ハ元米國「イリノイス」州ニテ辯護士ヲ營ミシ者ニシテ昨春ヨリ華盛頓府ニ移リ朝鮮共和國最高委員部顧問ト稱シ居ル由ナリ

本記事ハ曩ニ「英文排日宣傳册子内容」ノ一項トシテ謄寫供覽シタルモノニ同シ

二 日英同盟更新ニ對スル英國宗教新聞ノ反對

昨年五月中發行ノ「教會タイムス」ノ記事ヲ轉載シタルモノニテ「本同盟ノ主要目的ノ一タル支那ノ獨立及領土保全ノ保障ハ歐洲大戰ノ結果其ノ必要罷ミタルコト、基督教國カ異教國ノ野望ヲ援護スルノ非サ

一

ルコトヲ擧ケテ同盟更新ニ反對シ且日本ノ朝鮮人虐待ハ土民ノ思想及性格上ニ及ホス基督教ノ感化カ天皇ニ對スル尊崇ノ念ヲ減却スルモノトノ推測ヨリ起レリトノ通信ヲ掲ケ日韓併合ノ結果ハ悲シムヘキモノナリト斷シテ日英關係改更ニ際シ英國政府カ日本政府ニ朝鮮民族ノ公正ナル處遇ヲ更ニ要請セムコトヲ希望セリ

三 日英同盟 (社評)

「ロングフォド」教授ハ同盟更新贊成論者ナルカ猶且曰ク此ノ更新ニシテ失敗ニ終ルモ英國疲憊ノ今日日本ハ依然トシテ支那併合ノ政策ヲ進ムルコトヲ得ヘシト吾人思フニ日本ノ政策ハ「日本ノ爲ノ亞細亞」ニ在リ日本ハ必スシモ英國ノ極東ニ於ケル利益擁護ノ期待ニ副フモノニ非ス日本ニシテ力ヲ得ハ同盟ノ有無ニ拘ラス先ツ支那ニ於ケル英國ノ利益ヲ抑制シ更ニ印度濠洲ヲ侵略スルナキヲ保スヘカラス支那ハ今ヤ自覺セリ何レノ強國ト雖從來ノ如ク支那ヲ度外シテ極東問題ヲ處理シ直接間接ニ支那ノ日本化ヲ助成スルカ如キ行爲ニ出テナハ必スヤ支那ノ敵視スル所トナリ禍害測ラレサラム云云ト論シ本同盟ニ反對セリ

四 朝鮮ノ要望

朝鮮委員ハ昨年七月桑港開催ノ民主黨全國大會ノ政綱委員會ニ一ノ陳情書ヲ提出シ(一)合衆國ハ其ノ獨立宣言以來百三十四年間朝鮮ヲ承認セシニ今日之ヲ承認セサルハ何故ナリヤ(二)合衆國ト朝鮮トノ條約

二

ハ締結以來取消サレタルコトナシ然ルニ今日其ノ效力ヲ認メサルハ何故ナリヤ(三)米國人ハ朝鮮ニ於テ鐵道、電燈、水道及近代的工業建設ノ端緒ヲ開ケリ何故之ヲ完成セサルヤ(四)朝鮮ハ東洋唯一ノ準基督敎國ニシテ米國ハ之ト提携スルコト二十年ニ及ヘリ然ルニ今日然カセサルハ何故ナリヤ(五)米國ハ代表ナキ納稅ヲ認メサル主義ノ爲ニ起テリ何故今日然カセサルヤト反問シテ委員會ノ注意ヲ促シ最後ニ朝鮮ヲ承認シテ民主政體ト基督敎國民トヲ有スル緩衝國トシテ日本ト其ノ亞細亞侵略ノ策動地トノ中間ニ立タシムルハ日本ノ危險ヨリ世界ヲ救フ唯一ノ方法ナリト結ヘリ

五 米國元老院議員「ハーヂンク」ト外交政策

共和黨大統領候補指名承認演說ノ一節ヲ引用評論セルモノニシテ氏ハ米國民カ益米國的良心ヲ發揮シ正義ト文明ノ模範トシテ世界平和、國際協調ノ新秩序ヲ確立スルニ努力スヘキ旨ヲ皷吹セルニ止マリ朝鮮問題ニハ關係ナシ

六 「コックス」知事ノ承認

「コ」氏ノ民主黨大統領候補指名承認演說ヲ評シ其ノ意見ノ「ハ」氏ト大差ナク唯「ハ」氏カ國際聯盟ノ拘束ヲ受ケスシテ自主的ニ世界平和ノ經綸ヲ行ハムトスルニ反シ「コ」氏カ該聯盟ヲ通シテ之カ實現ヲ期セムトスルヲ異レリトスルノミト評ス

七 朝鮮ニ對スル米兵ノ音信

三

四

朝鮮ヨ！起ッテ！起ッテ日本ノ羈束ヲ脫シ自由ト祖國ノ爲ニ戰ヘ云云ノ意味ヲ歌ヘル詩ナリ

八 朝鮮、日本ト國際聯盟約款

朝鮮カ國際聯盟ニ立脚地ヲ有スルノ途ハ唯何レカノ强國ヨリ共和國タル承認ヲ得、該强國ノ斡旋ニ依リテ聯盟會議ニ參列スルアルノミ云云

九 米國女子ノ解放

本來男子ヨリモ人情ニ厚キ婦人二千七百萬人米國ニ於テ新ニ選擧權ヲ得タレハ米國カ之ニ依リ米韓條約被棄ノ非道ヲ正シ新朝鮮共和政府ヲ承認スルニ至ラムコトヲ希望ス云云

十 日本ノ朝鮮貿易獨占

朝鮮關稅制度改正ニ關スル裵府ノ一會社ト商業會議所トノ間ノ照復文ヲ揭載シタルモノニシテ後者ハ華盛頓國務省內外貿易局ノ情報トシテ朝鮮ニ於ケル日本關稅法實施ノ一年延期ト爲レルコト及朝鮮ニ於ケル米國貿易ノ差別待遇ノ風說ニ付テハ國務省ニ於テ注意ヲ怠ラサルコトヲ答ヘ居レリ

十一 東洋時事

本揭載事項中「犬、飼者ノ手ヲ嚙ム」ト題スル一項ヲ設ケ日本ハ南滿鐵道建設ノ爲英國ヨリ六千萬弗ヲ借入レ中二千萬弗ヲ滿洲ニ於ケル軍事及警察ノ設備費ニ投シテ英國ノ勢威及商業的利益ヲ驅逐シ英國ハ之ニ依リ滿洲ニ於ケル日本ノ支那主權簒奪ノ所爲ヲ助成シ却テ意外ノ損失ヲ招ケリト記セリ本誌カ此ノ種ノ日本ニ對スル英人ノ反感、英國ニ對スル米人及支那人ノ反感ヲ挑發スルカ如キ記事ヲ一再ナラス揭載セルハ注目スヘシ

(二) 朝鮮評論第二卷第八號一九二〇年十月發行ノ分

一 米國議員團ニ對スル朝鮮婦人ノ書翰(昨秋來鮮シタル議員團ヲ指ス)

日本ノ改革ハ不誠實ニシテ朝鮮ノ志士ニ對スル軍國的强壓虐待依然トシテ遂ラス日本ハ結局暴力ニ依リ朝鮮ヲ征服セムトシテ朝鮮人ノ不運ト兩民族間ノ憎惡心トヲ增長セシメ延テ世界ノ不安ヲ助長スルニ過キサルモノナリ米國ハ唯一ノ朝鮮同情者ナリ云云ト述ヘ米國人ノ援助ヲ求メタリ

本項ノ末尾ニ在上海朝鮮假政府ヨリ該議員團ニ提出シタル陳述書トシテ附載セルモノノ一節ニ「朝鮮ハ東洋問題解決ノ楔子ナリ故ニ朝鮮ハ米國ノ問題ニシテ又世界ノ問題ナリ日支露ハ朝鮮ノ爲ニ戰ヒ極東ノ勢力均衡ハ日本ノ朝鮮占領ト共ニ破壞セラレタレハナリ亞細亞ノ平和隨テ世界ノ平和ハ諸士ノ之ニ對スル見解如何ニ繫レリ」ト述ヘタルハ注目スヘシ

二 日曜學校世界大會

朝鮮人ノ該會參加ノ可否ニ關スル雙方ノ意見ヲ揭ク

三 米國大統領選擧

五

六

民主共和兩黨政綱ノ相異點ナル國際聯盟ノ可否ニ言及セルモノニシテ朝鮮問題ニ關係ナシ

四 加州ト日本問題

日本ハ目下加州問題ノ爲米國ト戰フノ力ナク又其ノ意ナキモ之ヲ奇貨トシテ米國ニ鮮支及西伯利ニ於ケル侵略ノ承認ヲ求メテ妥協スルノ策ヲ講スヘシ是レ巴里平和會議ニ於テ山東問題ト人種平等案トヲ交換シタルト同一ノ筆法ナリ米國若シ之ニ應セハ他日米國及世界ノ大禍ヲ釀モスノ悔アラム云云

五 日本ノ英國臣民迫害

「ショウ」逮捕ノ顚末ヲ叙シタル後彼ニシテ罰スヘクハ「ラファエット」亦罪人ト謂ハサルヘカラス彼ニシテ果シテ朝鮮獨立運動ヲ後援シタリトセハ彼ハ一層ノ善人ナリ吾人ハ日本ノ虐待カ彼ノ熱誠ヲ冷却スルコトナキヲ信スト論シテ語ルニ落チタリ

六 朝鮮ニ於ケル神道遵奉强制

先ツ八月一日發京城通信ヲ揭ケ重立チタル神道家ハ神道布敎ノ許可ヲ受ケ其ノ準備トシテ東大門關帝廟ヲ總督府ヨリ借受ケ神社ヲ建設シ之ニ天照大神及素盞嗚尊ヲ祠リ尙歷代ノ朝鮮王及其ノ著名ナル王族及功勞アル朝鮮人ヲ合祀スル爲一祠ヲ建設スル計畫アリ云云トノ誤報ヲ傳ヘ是レ良心ノ自由ニ對スル新强壓、朝鮮ノ國民性ニ對スル新打擊ナリ神道ハ天皇ヲ神トシテ認ムルヲ其ノ基本敎義ト爲ス者ナレハ之ヲ朝鮮人ニ强制スルハ羅馬帝國時代ノ皇帝崇拜ニ等シク結局土人基督敎徒及米國宣敎師ノ迫害ニ終ラム云

云ト評セリ

七　朝鮮ニ關係アリシ米國人　「ウ井リヤム・エリオット・グリッフイス」述

筆者ハ東洋通ノ米國人ニテ「隱遯國民朝鮮」(Corea: The Hermit Nation)ノ著者本文ハ大統領「ポーク」同「フイルモーア」彼理提督「ダニエル・ウエブスター」「エドワード・エヴアレット」「バーマー」「マッカスリン艦長」「ジョン・ロス」等日本殊ニ朝鮮ニ關係アリシ人士ノ事ヲ記述ス

八　朝鮮ノ騷擾

「ジャパン・クロニクル」ヨリ平安南北道ノ不安ニ關スル公報ヲ轉載シ且九月二十四日ノ元山騷擾及大邱ニ於ケル十月十五日上海假政府密使八人就縛ニ關スル簡單ナル記事ヲ揭ク

九　朝鮮ニ對スル英國ノ同情

朝鮮人ノ友ナル「エフ・エー・マッケンヂー」(譯者曰ク排日英人ニテ「朝鮮ノ悲劇」(The Tragedy of Korea)ノ著者)及「ウ井リアム」二氏ノ論文發表、講演其ノ他ノ盡力ニ依リ英國公衆モ漸ク一部朝鮮問題ノ眞相ヲ理解シ始メタリ、「マ」氏ノ近著「自由ニ對スル朝鮮ノ奮闘」ハ大ニ英國讀書界ノ同情ト興味トヲ喚起セリト記シ更ニ英國同情者間ニ倫敦其ノ他ノ中心地ニ於テ朝鮮同情者協會(The League of the Eriends of Korea)ト稱スルモノヲ設置スル意圖アリト報シ參加承諾者トシテ數十人ノ姓名ヲ附記セリ(九頁第十三項參照)

十　雜錄

斷片的雜報ヲ揭ク

十一　朝鮮ノ革命ー宣教師ノ態度　「フランク・ダブルユー・スコフイールド」

宣教師ニ對シ獨立陰謀ヲ事前ニ毫モ漏ラササリシハ朝鮮人ノ愛ヲ示スモノナリ宣教師ハ其ノ行動ト言論トニ於テハ中立ヲ嚴守シ即時獨立ノ要求及其ノ手段ニ對シテハ同情セスト雖其ノ衷心ニ於テハ朝鮮民族カ萬事ヲ犧牲ニシテ天賦ノ特權ヲ獲得セムト奮鬪セル苦衷ニ深ク同感シ且從來ノ差別的威嚇的壓制政治ヲ立憲的ナル自治政治ニ代ヘムト願ハサルハナシ政府ハ宣教師ノ中立ノ外形的ナルヲ知ル宣教師ハ官憲トノ私的會見ニ於テ腹藏ナク其ノ感想ヲ表白シタレハナリ官憲ハ宣教師ニ對シ朝鮮騷擾鎭定ニ協力セムコトヲ求メタルモ宣教師ハ政治干涉ト無效トノ理由ヲ以テ謝絕セリ官憲ハ平素宣教師ノ政治不干涉ヲ力說スルモ政府側ニ加擔スル政治干涉ハ歡迎スルモノナリ云云ト記シ更ニ在鮮宣教師殊ニ米人宣教師ノ虐待竝朝鮮人基督教徒ノ同教教義ヨリ受クル志操及其ノ迫害ニ關スルコトヲ述ヘタリ(「トロント」發行「プリスビテイーリヤン・エンド・ウエストミンスター」誌ヨリ轉載)

十二　日本ノ瞞着手段ノ失敗

筆者ハ例ノ「セヴエランス」病院醫師ニシテ加奈陀長老派英人醫學博士ナリ同人ハ目下歸國中ナリ

日本人ハ眞相陰蔽ノ爲暗殺陰謀計畫、虎疫猖獗等ノ流言ニ依リ米國議員團ノ入鮮ヲ沮止セムトシテ其ノ

信スル所ト爲ラサリキ云云

十三　朝鮮同情者ノ會合

米國ペンシルヴエーニヤ」州「リーヂンク」ニ於テ朝鮮同情者協會ノ會合アリ又同州「アッパー・パーキオメン・ヴアレー」ニ於テ同種ノ協會新ニ設立セラレタルコトヲ記ス

十四　新朝鮮關稅率

內地關稅ト全然同一ナリト記ス

十五　學生欄

內鮮同化ノ不可能ナルヲ說キ日本ヲ羊皮ヲ被レル狼ニ譬フ

第二　國民報

本紙ハ布哇在留排日鮮人ノ每週數回不定期ニ發行スル諺文新聞ニシテ左ハ一九二〇年十二月十一日、同十五日及同十八日ノ同紙上ヨリ摘譯シタルモノナリ

北米合衆國ニ於ケル朝鮮問題

大韓民國法律顧問「ドルフ」氏ノ華府駐在歐米委員部長金奎植宛書翰

貴委員部ニ於テ朝鮮問題ニ關シテ取扱ハレタル事件ニ對シ正式的報告ヲ提出スル前ニ豫備ノ報告ヲ提出

ス。正式的ノ報告ハ千九百十九年三月一日ヨリ千九百二十年九月二日迄ニ於ケル年鑑テ目下準備中デアル。本報告ニハ唯一般ノ事情ヲ概略記錄シテ其ノ他細密ナルコトハ年鑑ニ讓ル。年鑑ニハ獨立恢復後ニ於テ日本ニ正式ニ要求シタル問題ノ全部、ソレカラ列國ニ公表シタル通告文、合衆國國會議員ニ提出セルモノ及該政府ノ議事錄ト同報告トヲ記載スヘシ。

自分カ朝鮮問題ニ關シテ密接ナル關係ヲ結ヒタル後最初ニ於テ研究シタルコトハ朝鮮ノ獨立宣言書、ソレカラ憲法、大韓民國建設當時ニ執レル所ノ必要ナル手續ニ關シ確實ナル報告ヲ得ルコトテアッタ。ソレハ朝鮮ノ列國ニ對シテ提出シタルコトカ正當ナルヤ否ヤヲ確カメル必要カアッタカラテアル。次テ朝鮮カ列國ト締結シタル條約ノ關係カ如何ニナッテ居ルカト云フコトノ事蹟ヲ知ルコトカ必要テアッタ。就中外交上ノ書類ソレハ朝鮮トノ關係ニ對シテ列國カ如何ナル範圍迄之ヲ承認シタカト云フコトノ事實ヲ確カメル必要カアッタカラテアル。サウシテ其ノ結果、假政府ノ組織ト憲法トハ法律的ノ解釋ヲ以テ缺點ノナイト云フコトヲ發見シタ。

自分ノ考ヘル所テハ法律ノ記錄ト嚴格ナル權利ニヨリ(將來色々ナ事故ニ遭ハナケレハ)貴國ノ獨立ハ唯時日ノ問題テアル完全ナル記錄ヲ備ヘタル所ノ貴國ハ、假令如何ナル將來ニ遭ッテモ其自由ヲ得ル事ハ唯時期ノ問題テアル。列國ト共ニ締結シタル所ノ條約ノ中ニハ、貴國カ他國ノ壓迫ヲ受ケタル時、其ノ事情ヲ列國ニ通達スルナラハ列國ハ貴國ヲ補助スルコトヲ承認シテ居ル所ノ條約カ存在シテ居ル。故ニ日本

ノ壓迫ヲ列國ニ傳ヘル爲ニ、列國(日本ヲ含ム)ニ對シテ正式的ノ願書ト陳情書トヲ提出シタノテアルサウテナケレハ、列國ハ此ノ提出書ニ對シテ論スルコトハ出來ナイカラテアル。ソシテ列國ヨリ韓國ハ日本ニ對シテ韓國ノ獨立ト主權ヲ與ヘタ際、壓迫ヲ停止シ、條約上ノ責任ヲ守ルト云フ所ノ要求ヲナシタカトノ外交的質問ヲナスニ於テハ朝鮮人ハ部分的團體ニ依リテ救濟的ノ要求モシタ、ノミナラス朝鮮人ノ紳士等ニ於テモ之ニ對シテ要求ヲシタト云フコトヲ以テ答フヘキテアラウ、ソレカ爲ニ臨時政府ニ於テハ準備手續ノ必要上正式ニ政府ヨリ日本ニ對シテ其ノ要求ヲ提出シタノテアルカ、日本ハ之ヲ否認シタ。併シナカラ之ニ依ッテ法律的ニ事件ハ確實ニナッタノテアッテ、日本ヲシテ朝鮮ニ對シテサウ云フ罪惡ヲ行ハシメナイト云フコトニナッテ來タノテアル。同時ニ列國ニ對シテモ右ノ要求ヲ提出シタ。ソレハ列國カ斯カル場合ニハ朝鮮ヲ助ケルト云フ所ノ條約カアルカラテアル。サウシテ民國建設ノ事情ヲ列國ニ正式ニ通告文ヲ出シタノハ、恰モ袁世凱カ日本ニ對シテ國家ノ存亡ヲ正式的ニ交渉シタト同樣ノ手續ニ依ッタノテアル。右ノ通告書ニハ大統領李承晩閣下ニ於テ正式的ニ署名ヲシテ居ラレルカラ、將來ノ必要ノ爲メニ叮重ニ保存セラレムコトヲ希望ス。ソレハ千九百十九年七月ニ始メテ實行シタモノテアッテ、其ノ後、米國ノ人民ニシテ好意的ニ之ニ應スルモノハ多數ニ出來テ來タカラテアル。歐洲ニ於ケル出來事ニ對シテ此ノ際省略シテ唯米國内ニ於ケルモノニ對シテノミ大略述ヘル事トスル。

合衆國ニ於ケル各行政部ハ單ニ名譽的ニ働クモノテアッテ、實際ノ仕事ハ總テ國會ニ於テ執ラレルモノ

一一

テアル。從ッテ一般人民カ之等ノ事件ニ對シテ相當ノ諒解ヲ有ツコトニナレハ、ソレカ結局ソレ等ノ人民ヲ代表スル所ノ議會ニ於テ採擇セラレ、終局ニ成就スルコトニナルノテアル。

斯ルカ故ニ我々ハ朝鮮ノ事情ヲ合衆國民ニ報告スルト同時ニ、國會ヲシテ同情ヲ表セシメ行政部ニ對シテ一其ノ結果ヲ實行セシムルコトニ盡力シナケレハナラヌノテアル。亞米利加ノ新聞ハ非常ニ親切テアッテ、何等之ニ對シテ保障ヲ爲スナク又何等ノ通知ヲシナカッタケレトモ、千九百十九年三月ヨリ千九百二十年九月迄ニ至ル十八箇月間ニ於テ朝鮮問題ニ對シテハ九千回以上論説其ノ他寄書等カ登載セラレタ。其ノ中ニ親日的ノ記述ハ五十回ニ過キナカッタ。ノミナラス亞米利加ノ國民中ニ於テ朝鮮問題ニ對スル眞相ヲ攻究スル爲ニ無數ノ會カ設立セラレタ。サウシテ色々ナ意見カ下院、上院及行政部等ニ提出セラレタ。國會ニ於テ朝鮮問題ニ關シテハ議案カ二回提出セラレタ。其ノ一回ハ「ミソリー」州ノ上院議員「センテウンピースピーンス」ニ依ッテ提出セラレ、今一ツハ加州ノ上院議員「ゼイムス・テイー・ビレシス」ニ依ッテ提出セラレタ。下院ニ於テハ「イリノイス」州「ウイリアム・イー・ミッソン」氏ニ依ッテ提出セラレタノテアル。ソウシテ下院ノ外交委員會ニ附託セラレタ。其ノ當時朝鮮ニ對スル日本ノ壓迫、暴行其ノ他各種ノ事ニ對スル證據書類ハ國會議員ニ直接ニ手渡シセラレテ、國會ノ記錄ヲ出版スル際ニ其ノ事實ヲ記載シ、八萬部ヲ郵税ナシニ一般人民ニ國家ヨリ配布セラレタ。ソウシテ朝鮮問題ニ對シテハ上院議員十八人ト、下院議員三人カ之ニ對スル演説ヲシタ。「ネブラスカ」州上院議員「ジョージ・ダブリユー・トーリッツ」氏ハ

一二

午後ノ時間全部ヲ朝鮮問題ノ爲ニ費シタ。サウシテ其ノ論旨ハ獨逸ト講和條約ヲ締結スル前ニ、朝鮮ヲ國際聯盟會ニ參與セシメヨトノ主張テアッタ。之ニ對シテ上院議員三十四人カ贊成ヲシタ併ナカラ定數ニ二票不足ノ爲ニ通過シナカッタ。米國國會議事錄ノ中ニ、朝鮮問題ニ費サレテ居ル所ノ頁ハ六十四頁テアル。ソレニ依ッテ見テモ、米國人カ如何ニ朝鮮問題ニ注意シテ居ルカト云フコトカ解ルタラウ。

目下米國ニ於テハ女子ノ參政權問題資本家ト勞働者ノ問題國際聯盟ニ參加スルヤ否ヤノ問題等重要ナル問題ノアルニモ拘ラス朝鮮問題カ斯ノ如ク注意セラレルト云フコトハ我々ノ前途ニ向ッテ一縷ノ光明ヲ與ヘテ居ルト云フコトヲ自分ハ確信スルノテアル。

我等カ將來注意スヘキ事項ヲ擧クレハ

一、米國ニ於テハ我等ノ過去現在ニ於テ取リツツアル政策ヲ繼續スヘキテアル。米國國會ハ十二月ニ開會セラルヘキカ其ノ時ニハ既ニ大統領ノ選擧ヲ了リ國際聯盟ニ加入スルヤ否ヤ、其ノ他諸種ノ問題決定セラルヘシ。而シテ朝鮮問題ニ對シ一般ノ注意ヲ喚起セラルヘキニ付キ我等ハ從來ノ政策施行ニ對シ一層奮勵努力スヘキテアル。

二、英國ニ對シテモ可及的同一ノ政策ヲ取ル必要アリ、英國ニ在リテハ朝鮮問題ハ米人ノ後援スル所ナリト思惟セリ、故ニ此ノ如キ印象ヲ去ラシメ、朝鮮問題ハ朝鮮ニ於テ起リタルモノニシテ、米國人ハ單ニ同情ヲ表スルモノナルコトヲ知ラシメサルヘカラス。

一三

三、他ノ列國ニ對シテハ相當ノ人物ヲ選ヒ、米國同樣ニ運動スルノ必要アリト認ム。

四、以上ノ外諸士ハ一致團結スル必要アリ、國家ノ回復ヲ圖ル重大ナル場合ナレハ諸士ハ各自ノ意見ヲ固執セス、同一目的ニ向ッテ進ムヘキコトヲ切ニ希望スル所ナリ。我米國ノ國技タル理球ニ對スル一大體育家ノ論説ニ「犧牲球ノ場合打者ハ退カネハナラヌカ走者ニ於テ其ノ球ニ注意スレハ最後ニ必ス勝利ヲ得ラルル」トノ言アリ、諸士ハ心スヘキテアロウ。

五、諸君ノ偉大ナル事業ニハ緩急ト秩序カ必要テアル、隨テ官吏ノ任命モ必要テアリ、夫夫委任ヲ受ケタル者ヲシテ充分ニ職務ヲ施行セシメ他ヨリ容喙セシメナイコトモ必要テアル。

六、國際聯盟ハ無用ノ機關ニシテ、自分ノ考ニテハ米國ハ參加セナイテアロウト思フ、隨テ聯盟ハ近ク自滅スルテアロウ、乍併自分ハ之ヲ傍勸スルコトヲ勸メルノテハナイ、英國ニ對シテハ閣下ニ於テ個人的活動ヲ爲シ、同時ニ聯盟ニ對シ代表ノ資格ヲ以テ參加シ、必要ノ場合ニハ「ゼネバ」ニ事務所ヲ設置シ、一人ノ代表者ヲ派遣シ置クヘキテアル。而シテ聯盟ニ對シ効力アル活動ヲ爲スニ於テハ必ス友情ヲ寄スルモノカ出來ルテアロウ。合衆國ハ聯盟ニ參加シ居ラサル爲此ノ場合友情ヲ寄スルニ由ナキニ付他國ニ注意スヘキテアル。尙支那ノ政情ニ對シ常ニ注意ヲ怠ラサルコトカ必要テアル。ソハ支那カ日本ニ反抗シテ起ッタ場合ハ朝鮮ノ回復ハ隨テ速カニ出來ルト思フ。ダカラ支那ノ狀況ヲ直接ニ接受スル樣ニセラレムコトヲ望ム。以上ノ報告ハ過去ノ事實ト將來ノ施設ニ對シ大略ヲ記述シタモノテアル。

一四

大韓民國二年九月十五日　　大韓民國法律顧問　エイ・ドルフ

附言　「ドルフ」氏ハ前記朝鮮評論ニモ寄稿セル米國人ニテ在米鮮人側ニテハ大韓民國歐米委員部顧問トモ稱シ居レリ。

第三　獨逸新聞

（一）伯林日報（Berliner Tageblatt）記事摘要

土地改良組合ノ組織ニ關スル法律案ノ通過（一九二〇年五月六日發行）

這般普國議會ハ同國政府ノ提出ニ係ル土地改良組合ノ組織ニ關スル法律案（Gesezentwurf über die Bildung von Bodenverbesserungs genossenschaften）ヲ附議シ直ニ之ヲ議決セリ。其際ブラウン首相ハ本案提出ノ理由ヲ陳述セリ。其ノ要ニ曰ク

本法律案ハ農業政策ニ於ケル重要ナル事項ヲ規定スルモノナリ。現下一般ニ生産ノ昂上ヲ必要トスルハ論ヲ俟タスト雖特ニ農業ニ於テ其切ナルヲ認ム。

外來食糧ハ目下爲替相場ノ低落ニ際シ甚シク高價ナリ。既存耕作地ニ對シ優秀ナル苗種ヲ用ヒ模範的耕作ヲ爲シ絶對的雜草刈除ヲ行ヒ厩肥料及人造肥料ノ利用ヲ完全ニシ生産ノ増進ヲ圖ルハ素ヨリ第一ノ急務ナリト雖。又一方ニ於テハ從來不生産地タル沼地及荒地ヲ開墾シ、山林ヲ開拓シ、灌漑、排水ヲ完全ニシ又土地ノ轉置按配補給及内地殖民ヲ勵行シ、土地所有ノ配分變更ヲ爲スモ等シク急務ナリ

本法案ハ即チ此開拓事業ヲ律セントスルモノナリ。速ニ議了セラレンコトヲ望ム。

獨逸全國憲法ハ土地經濟ヲ以テ所有者ノ社會ニ對スル義務ナルコトヲ規定セリ。所有者ニシテ其義務ヲ果スコト無キニ於テハ終ニ是カ遂行ヲ强制セラルヘシ。

普國ニ於テハ尚一千五百萬「ヘクタル」（一「ヘクタル」ハ約我一町歩ニ當ル）ニ達スル荒蕪ノ地アリ。一八五〇年ヨリ一九一八年末ニ至ル期間ニ於テ約八十萬「ヘクタル」開墾セラレタリ。其歩調ノ緩漫ナル斯ノ如シ。顯著ナル成績ヲ擧ケントセハ今ヤ一大努力ヲ爲ササルヘカラス。吾人ハ土地所有ヲ希望スル者ニ對シ農地ヲ提供シ、食糧缺乏ニ苦シミツツアル國民ヲ救濟セサルヘカラサルナリ。又排水ヲ完全ナラシムルニ於テハ二千五百萬「ヘクタル」以上ノ沃地ヲ獲得スルヲ得ヘシ。又耕地ノ合併及轉置按配ヲ行フニ於テハ大ニ農地ノ面積ヲ擴大シ得ヘシ。普國ニ於テハ尚二千五百萬「ヘクタール」轉置按配ヲ必要トスル土地現存ス。開拓事業ノ如何ニ困難ナルカハ到底局外者ノ知ルヘカラサル所ナリ。

大戰後郡部移住ヲ希望スル者頓ニ激増セリ。是主トシテ商工業ニ從事セル者、官公吏、軍人ノ土地ヲ獲

得シ田園新生活ヲ開始セントスル者ノ増加セルニ因ル。

又從來土地ヲ所有スル者ニ對シテモ其分量ノ充分ナル場合ニハ少クモ一家族ヲ支持スルニ足ルニ至ルヘキ土地ヲ補給セサルヘカラス。又國民ノ大部分ハ休憩時間ヲ勞働ニ利用シ日用食糧ノ生産ヲ圖ラントス。

然レトモ是等ノ希望ヲ充實セシメントスルニハ長年月ト莫大ノ經費トヲ要スヘシ。戰時中ハ畠地四町歩、草地一町歩、住家、厩、納屋、物置、井戸、必要生物及農具ノ價格合計一萬九千馬克ナリシモ現今ニ於テハ其價格十二萬馬克以上ナリ。

一九一八年末以來今日ニ至ル迄ニ國有農地ヨリ拂下又ハ貸與ヲ爲シタルモノ既ニ一萬六千町歩ニ達シ國有林ヨリ四千町歩ヲ拂下ケ二千町歩ヲ貸附ケ私有林ヨリ三萬町歩ヲ賣却セシメ地方移住ニ便セントシメタリ。是レ畢竟郡部移住事業ノ端緒ヲ開キタルニ過キスト雖農業ハ其組織上急速ニ改革ヲ爲スヲ許サス。然レトモ議會ニシテ現政府ノ農業政綱ノ遂行ニ關スル該法案ヲ通過セシムルニ於テハ遠カラスシテ相當ノ成績ヲ擧クルヲ得ヘシ云云。

二　資本合同ノ傾向（同六月十七日發行）

國務大臣ヒルシュ氏ハ嘗テ官公營産業調査委員會秘密會議ニ於テ現時ニ於ケル共同（團體）經濟的資本ノ成立ノ趨勢ニ關スル調査ノ成績ヲ發表シタルカ氏ハ近ク之ヲ歐洲國家及經濟新報（Die Europäische Staats

und Wirtschafts Zeitung）ニ於テ公表スルニ至ルヘシ。

其内容ハ述者カ政爭的利害觀念ヲ離レ單ニ專門家トシテ獨逸全國經濟省ヲ督シ嚴密ナル調査ヲ爲サシメ其成績ヲ報告セルモノナリ。

ヒルシユ博士ノ報告ニ據ルニ同氏ノ調査ニ係ル現下ニ於ケル經濟上ノ諸問題ハ何レモ其解決ヲ共同經濟ノ實行ニ俟ツコト切ナルノミナラス之カ實行ハ既ニ現下ノ趨勢ニシテ又其趨勢ハ自動的ニ經濟上ノ新形態ヲ産出スルモノナリ。但シ一般國民ノ生産力ノ増進ヲ計ラントスルニハ果シテ何レノ程度迄共同經濟ヲ實行スヘキカ。又特殊ノ場合ニ於テハ何レノ程度迄共同經濟的資本ノ成立ヲ促進スヘキカハ何レモ原則的問題ナリ。然レトモ之ニ關シテハ未タ解決ヲ與ヘス。本紙ノ拔萃發表セル調査成績大略左ノ如シ。

（第一）　資本ヲ増加シ利得之ニ伴フニ於テハ職工ハ直ニ賃銀ノ引上ヲ强要シ、利得増加ヲ達成スル餘地ナシ。

革命勃發ニ關聯スル各種ノ原因ニ依リ爾來經濟的私有資本ヲ成立セシムルハ不可能ノコトトナレリ。

（第二）　課税ヲ回避スル者ハ其紙幣及債券ヲ外國ニ移送シ其高總額ノ半數以上ニ達シ、現今外國ニアル獨逸ノ債券三十億馬克ト稱セラル。

外國ニ於ケル銀行預金高モ亦同額若クハ同額以上ニ達セルモ疑フヘカラサル事實ナリ。

（第三）　貨幣價値及物價ノ變動激甚ナル事實ハ資本ノ成立ヲシテ甚シク困難ナラシム。實際ニ於テ此事

實ヲ明瞭ナラシムルモノハ即チ建築事業是ナリ。目下人爲的ニ家賃ノ引下ヲ强行シツツアルヲ以テ何人モ建築ヲ敢テスルモノ無シ

（第四） 對外債務モ亦國內ニ於ケル資本成立ヲ困難ナラシムル一因ナリ。

斯ノ如キ形勢ノ下ニアリテ自ラ私有資本ニ代リ經濟界ノ必要ニ應シ得ルモノハ即チ共同經濟的資本ナリ。戰時經濟中ニ於テ既ニ設立セラレタル調節用積立金ノ如キ之カ端緒ナリ。現ニ勞働者居住建築獎勵ノ爲メ大規模ヲ以テ各炭坑地ニ計畫セラレタル積立金ノ如キ其顯著ナル事項ニシテ該積立金ヨリハ今年既ニ六億乃至八億馬克ヲ支出セラルルヲ得ルニ至レリ。カリーユ業ニ於テモ規模小ナリト雖同樣ノ計畫アリ。又窒素工業ニ於テハ前者ニ比シ稍大規模ヲ以テ同種ノ計畫ヲ爲シツツアリ。鑛山業ノ作業開始セヲルルニ於テハ大規模ヲ以テ共同經濟的資本ノ成立ヲ必要トスヘシ。産業官公營調查委員ハ今ヤ石炭ニ關シ共同經濟ヲ基礎トセル經營方法ヲ論議シツツアリ。

加之獨逸全國ノ財政狀態ハ既ニ是カ强行ヲ必要トスルモ計リ難シ。又獨逸大藏大臣ハ「ゲオルグベルンハルト」氏ノ發表ニ係ル一部租稅負擔ノ調達ヲ自治團體ニ轉課スヘシトノ考案ヲ採用セリ。然レトモ何レモ其實行方法ニ關シテハ未タ決定ヲ見ルニ至ラス。ヒルシユ氏ハ之カ實行ヲ爲スニハ可能的多種ノ産業ヲ通シテ營業經費ノ差ヲ測定シ利得ノ差額ヲ徵收シ而シテ租稅ニ充ツルヲ唯一ノ方法ト爲ス。是レ畢竟曾テ官公營調查委員小數者ノ意見トシテ發表セラレタル考案ト同思想ニ基ク考案ナリ。

一九

外國借款ニ附帶スル特殊ノ事情モ亦共同經濟的資本ノ成立ヲ促進スル傾向アリ。爲替相場ノ低落ヨリ生スル債務ハ何等カ共同經濟的團體ヲ組織セシメ之カ負擔スル利息ノ保證ヲ基礎トシ以テ整理ノ方法ヲ講セサルヘカラス。而シテ該團體ハ抵當ヲ取リ自ラ之カ管理ノ衝ニ當ラサルヘカラサルヘシ。

外債ニ對スル保證ハ今後到底個人ノ負擔シ得ル處ニアラス。故ニ將來ニ於テハ現存自治團體モ益々合同ヲ斷行スヘク此處ニ自ラ大小資本ノ成立スルヲ見ン。爲替取扱所亦之ニ同シ。同所ニ於ケル剩餘金ハ決シテ尠少ニアラサルナリ。是レ又幾分爲替相場ノ確立ヲ助長スル所以ナリ。

國內ニ於ケル物價ハ獨蘭借款條約ノ成立ニ依リ漸ク確立スルニ至ルヘシ。對蘭借款ノ用途ハ未タ最後ノ決定ヲ見スト雖本借款ノ用途ハ特殊ノ他位ニ居ル者ノ利益獲得ニ便センカ爲ニアラスシテ社會ノ爲エ物價ノ引下ヲ達成シ同時ニ幾分物價標準ノ確立ヲ誘致スルニアルハ確實ナリ。

ヒルシユ氏ハ當局ニ於テハ前記ノ考案ヲ何レガノ方法ニ依リ聯結センコトヲ計畫シツツアルコトヲ高調セリ。然レトモ事實上此聯結ハ何レノ考案カ實行セラルルニ於テモ爲替取引ニ依リ左右セラルルコト甚大ナリ。又從來物價引下政策ハ何レモ政府ノ豫算ニ依リ行ハレタルモノナルカ將來ハ共同經濟的基金ニ依リ之ヲ行ハントスル計畫アリ。既ニ爲替取扱所ハ相當ノ報酬的利得ヲ與ヘラルルニ於テハ此種ノ目的ノ達成ヲ圖ランカ爲ニ從來政府豫算ニ計上セラレタル金額ノ大部分ヲ負擔スヘキコトヲ承諾セリ。

又進ンテハ全國戰後臨時納金ノ收入ヲ信託機關ニ依託シ其管理ノ下ニ全國ヲシテ工業ニ參加セシムル

二〇

方法及工業界ノ共同的保證ニ依リ外債ヲ募集スル方法ノ如キモ當局間ニ頻リニ討議セラレツツアル所ナリ。

前記ノ提案ハ各種ノ點ニ於テ尙攷究ノ餘地アリト雖一般ニ於テハ將來ニ於ケル發展ノ傾向竝ニ實際政策ノ方針ヲ指摘スルモノナリ。蓋シ現下既ニ獨逸經濟界ノ趨勢ハ事實上日ヲ追フテ前記ノ方向ヲ以テ進ミツツアレハナリ。

三　伯林ニ新化學研究協會創立セラル （同六月十八日發行）

故エミルフイツシエル博士記念ノ爲過般伯林ニ於テ化學的研究ノ奬勵ヲ目的トセル「エミルフイツシエル」協會(Emil-Fischer-gesellschaft) ノ創立ヲ見タルカ這般又同府ニ於テ化學書刊行奬勵ヲ目的トセル「アドルフバーゲル」協會 (Adolf-Bager-gesells chaft) 創立セラレタリ由來獨逸化學協會 (Deutsche Chemischegesellschaft) ハ其紀要ヲ發行スル以外ニ化學中央評論 Chemische Zentrallblatt)ヲ發行シ約五百種ノ雜誌ニ揭載セル記事ヲ評論シ其大索引ヲ發行シ有機化學書索引、無機化合物彙纂、有機化學全書（其第四版ハ十五冊ノ豫定ナリ）ノ刊行ヲナセリ。何レモ化學及化學的工業界ノ基礎的著作ニシテ恰モ獨逸化學界ノ生命ナリ。

然ルニ近時資金ニ不足ヲ來シ刊行ヲ繼續スルコト或ハ不可能ナラントス。是レ有志者カ前記ノ新協會ヲ創立シ基本金ノ調達ヲ圖リ其利子ヲ以テ刊行ノ繼續ヲ可能ナラシメントスル所以ナリ

二一

二二

四　動力ノ節約研究開始 （同六月二十三日發行）

石炭缺乏ニ依リ其價値益々昂上シ動力節約ノ必要甚大ナルニ鑑ミ昨年既ニ獨逸全國ニ於ケル石炭消費者間ニ連絡ヲ取リ節約ノ勵行ヲ目的トセル熱力經濟中央部(Hauptstelle für Wärmewirtschaft) ノ設立ヲ見タルカ節約ハ熱力ニ於テ之ヲ行フノミナラス、動力ニ對シテモ一層節約ヲ勵行スルノ要アルハ言ヲ俟タス。

於是更ニ動力發動機ヨリ作業機械ニ至ル迄ノ間ノ傳送ニ際スル動力ノ喪失ニ關シ研究ヲ爲スノ必要ヲ認ムルニ至レリ。例ヘハ蒸氣機械ト作業機械トノ間ノ傳送ニ對シ種々ノ機械アリト雖何レモ機能不完全ニシテ動力ノ浪費セラルルコト尠少ニアラサルナリ。此缺點ヲ除カンカ爲ニ獨逸技師協會ハ這般伯林ニ專門家ヲ招集シ該問題ニ關スル講演會ヲ開始スルコトトセリ

又同會ニ於テ獨逸技師會々長ヘルミヒ氏ハ動力傳送ニ關スル經濟的調查委員會ノ研究成績ヲ叙述スヘシ

（二）キヨルニツシエ・ツアイツング (Koernische Zeitung) 記事摘要

獨逸農業勞働者組合ノ現狀 （一九二〇年二月十七日發行）

獨逸農業勞働者組合 (Deutscher Landarbeiterverband) ハ一九一二年ニ於テハ僅ニ組合員二萬人ヲ算シタ

ルニ過キサリシカ現時其總數ハ男女併セテ約六十二萬五千人ノ多キニ達セリ。

而シテ此増加ノ原因ハ主トシテ農業勞働者ニ對シ今ヤ結社權（Vereinsrecht）ノ允許セラレタルニアリ。同組合ハ例ニ依リ本年二月中旬其總會ヲ伯林ニ開キ當日農務大臣ブラウン氏ハ一場ノ式辭ヲ述ヘタリ。其要旨ニ曰ク

農業勞働者ハ今ヤ無制限結社權ヲ獲得セリ。然レトモ之ニ依リ彼等カ全國民ニ對シ負フ所ノ義務モ重大トナレリ。結社權ノ長所ハ之カ解釋ヲ誤ラス之ヲ善用シ農業ニ於ケル罷業ヲシテ其必要無カラシムルニ在ルコトヲ高調シ、組合幹部モ全員一致ヲ以テ獨逸全國ノ勞働者ニ對シ最モ嚴格ナル規律ノ遵守ヲ要望スヘク。又農業勞働者ハ斷シテ獨逸國民ノ營養ヲ危カラシムルカ如キ行爲ニ關與セサルコトヲ宣言セリ

然レトモ幹部ハ同時ニ現下復タ農業雇主中ニ革命以前ニ於ケルカ如キ服從關係ノ復興ヲ企ツル者アリテ現ニ「ポンメルン」州ニ於テハ是カ對抗運動ヲ開始スル必要ヲ生シツツアルコトヲ報告シ、又組合ハ何等政黨的色彩ヲ帶フルコト無キヲ言明シ、終ニ農業ノ公營（Sozialiserung der Londwirtschaft）ハ組合ノ理想トスル最高ノ目的タリト雖、現下ハ尙ホ之ヲ實行スヘキ時機ニアラス漸進ヲ以テ之カ達成ヲ期スヘク其ノ階梯トシテ先ツ社會的思想ト民主的思想トノ調和ヲ促進スヘキ必要アルコトヲ陳述セリ。

二　職業紹介　（同二月十九日發行）

現時獨逸ニ存在スル職業紹介ノ方法及其機關ハ新聞廣告、營業的職業紹介所、勞資共同職業紹介所及自

二三

二四

治團體ノ職業紹介所ナリトス。

然レトモ營業的職業紹介所ノ紹介ハ範圍極メテ狹少ニシテ廣ク職業情勢ノ一般ヲ知ラシムニ由無ク、廣告ハ往々新聞購讀者ト廣告者トノ間ニ利害ノ一致ヲ缺クヲ以テ其用ヲ爲ササルノミナラス、數種ノ新聞ニ廣告セサルヘカラサルカ故ニ不廉ナル方法トナル。

勞資共同職業紹介所ノ紹介ハ經濟界ニ於ケル各種爭鬪ノ爲ニ利用セラレ公平ヲ缺ク。千九百十九年十一月十一日各種勞資共同職業紹介所ハ相互間ニ協定ヲ爲シ同機關ニ對スル勞資代表者ノ權能ヲ均等ナラシメ公平ヲ圖ランコトヲ期セリ。

然ルニ此變更後ハ幹部ニ職權ノ爭奪猛烈ニ行ハレ公平ヲ得サルコト從前ニ異ナラス。且ツ本職業紹介所ハ各々職業別ヲ以テ組織セラルルヲ以テ一般的職業情勢ヲ知ラシムル用ヲ爲サス。

現時主トシテ利用セラルルハ自治團體ノ職業紹介所ナリトス。然レトモ同紹介所ニモ亦缺點無シトセス即チ同紹介所ハ適材ヲ適所ニ配置セントノ趣旨ニ基キ雇主ニ對シ自己ノ意見ヲ標準トシ勞働者ヲ配分シ、又雇主及勞働者ハ何レモ自治團體紹介所ノミニ賴ランコトヲ强要ス。曾テ勞兵會組織セラレタルヤ同會ハ此要望ヲ强制的タラシメ且ツ職業紹介ニ關スル廣告ヲ掲載スル新聞ヲ嚴罰ニ處スルコトヲ規定セリ

千九百十九年九月十二日普國內務大臣、商工務大臣及農務大臣ハ職業紹介條例（Verordnung über Arbeitsnachweise）ヲ發布シ警察令ニ依リ特別ノ事情アル場合ノ外職業紹介ニ關シ新聞廣告ヲ利用スルコ

トヲ禁スルヲ得ルコトトセリ。

今ヤ獨逸全國ニ對シ此制度ヲ施行センコトヲ希望スルモノ頓ニ增加セリ。但シ自治團體ノ紹介所ト雖其職責ヲ全ウスルハ容易ナラサルヤ明ナリ。實際ニ於テ適材配置ノ理想ヲ實現セシメントスルニハ各種工業及其各工場ノ特性ヲ知悉シ且ツ黨派心ヲ超越セル人事的知識ヲ具有スル多數ノ役員ヲ置クヲ必要トス。然レトモ多數ニ斯ル能力ヲ有スル役員ヲ得ルハ抑モ不可能ナリ。故ニ結局自治團體紹介所ニ於テモ番號ヲ以テ求職者ヲ配分スルニ至ル。其結果トシテ雇主ハ不適任者ヲ採用シ。暫ニシテ之ヲ解雇セサルヘカラサルコト稀ナラス。此際最モ迷惑ヲ感スルハ勞働者ナリ。

前記ノ現狀ニ鑑ミ這般高等司法顧問シュミョルデル氏ハ「國營職業紹介者」（Verstaatlichung des Arbeitmarktes, Simon Berlin）ナル題下ニ小冊子ヲ公ニシ、中ニ各種勞働紹介所ノ長所ト短所トヲ評論シ千八百八十四年ノ發表ニ係ル「勞働者團體請願」（Petition aus der Arbeiterschaft）ト先年來「普國年報」ニ於テ氏カ發表セル論文トヲ參酌シ本問題ニ關スル意見ヲ發表セリ。其論述ノ主眼トスル處ハ中央國立職業紹介所ヲ設立シ終始職業情勢ノ一般ニ關スル觀察ヲ容易ナラシメ全國ヲ通シ何時ニテモ時間ノ損失無ク又經費ヲ要セスシテ雇主及勞働者カ相互間ノ需要ノ實況ヲ知ルヲ可能ナラシメ、各個人カ經濟事情ノ推移ニ鑑ミ從業地又ハ職業ヲ變更スル必要アル如キ場合ニハ時機ヲ逸セス是カ達成ヲ可能ナラシメ、又國家カ工場ニ於ケル勞働者ノ使役ニ關シ調節ヲ爲スヘキ必要アルカ如キ場合ニ其判定ヲ容易ナラシムルニアリ。

著者ノ强制ヲ勵行セントスル處ハ單ニ雇主カ勞働者ニ對スル需要任免ニ關シ漏無ク通告ヲ爲スコトニアリ。其他ハ自由ヲ以テ原則トシ、雇主勞働者共ニ何レノ紹介方法ヲ用ウルモ妨ケ無ク。新聞廣告ヲ利用スルモ差支ナシト云フニアリ。

二五

二六

大正十年三月二十五日印刷
大正十年三月二十八日發行

朝鮮總督府

京城旭町貳丁目十番地
印刷所 京城印刷所

大正十二年三月

情報彙纂　第三

朝鮮評論(KOREA REVIEW)
米國著書及獨逸新聞　記事摘要

朝鮮情報委員會

目次

情報彙纂　第一

朝鮮統治ニ關スル外國人ノ批評

第二

朝鮮評論(Korea Review)
布哇國民報及獨逸新聞　記事摘要

朝鮮評論米國著書及獨逸新聞記事摘要（情報彙纂第三）

第一　朝鮮評論（Korea Review）

在米國費府排日鮮人宣傳機關朝鮮情報局發行

第二卷第九冊一九二〇年十一月號記事摘要

一　日本ノ脅威

米國人ニシテ日本人ノ眞相ヲ了解セル者ハ、千人中一人アルニ止マラム。米國人ハ日露戰爭後漸ク明確ニ日本人ヲ支那人ト同一視スルノ非ヲ覺リ、爾來東洋新興國民トシテ稱讚ヲ極メ、政府モ爲ニ其ノ對日政策ヲ一變シ、努メテ其ノ好意ヲ開拓セムトスルニ至レリ。其ノ結果、米國ハ條約尊重ノ傳統的精神ニ反シテ日本ノ韓國纂奪ヲ默認シ、事實上東亞ニ於ケル日本ノ自由手腕ヲ許スニ至レリ。是レ日本外交政策ノ成功ナリシナリ。日本ハ又一方英國ノ恐露心、次ニ恐獨心ヲ利用シテ日英同盟ヲ訂立シ、以テ其ノ地位ヲ鞏固ニシタリ。然ルニ日本ハ世界列國ノ信望ヲ博スヘキ此ノ好機會ニ際シ、其ノ策ヲ錯リテ獨逸軍國主義者ノ顰ニ傚ヒ、先ツ亞細亞ヲ征服シ、次ニ他ノ世界各國ニ及ホサムトスル侵略的帝國主義ヲ確立シタリ。

一

斯クテ日本ハ朝鮮ヲ保護國トシ、次テ之ヲ併合シテ大陸進取ノ踏石ト爲シ、更ニ滿洲ヲ掌握シ腐敗無智ノ支那官吏ヲ脅壓シテ北京政府ヲ左右スルノ楔子ト爲シ、支那ヲシテ第二ノ朝鮮タラシメムコトヲ夢想シタリ。日本ハ又英米ヲ强制又ハ籠絡シテ日本ノ支那管理ニ同意セシメムトシ、先ツ米國ヲシテ支那ニ於ケル日本ノ特殊利益ヲ承認セシメ、其ノ後米國ノ承諾ヲ經スシテ「特殊」ノ文字ヲ「優越セル」ニ變更シ、爲ニ米國政府ノ抗議ヲ招ケリ。日本ハ又巴里平和會議ニ於テ著大ノ成功ヲ收メタリ、日本ハ巧ニ米國人及濠洲人ニ人種平等案畏怖ノ感情ヲ煽揚シ、纔テ之ニ讓歩シテ山東獲取ノ代償ヲ得タリ、斯ノ如クニシテ日本ノ外交ハ著々好果ヲ奏シタリト雖、他ノ諸强國ハ之カ爲漸ク日本ノ術中ニ陷レルヲ感知シ、日本ニ對スル不信ノ感情其ノ間ニ醸成セラレ、日本ノ朝鮮ニ於ケル暴虐、西伯利ニ於ケル露國利權ノ簒奪。支那ニ於ケル高手的强壓ノ繼續等ノ事實漸次外界ニ知レ渡ルニ及ヒ、一種ノ猜視極東ノ形勢ニ集注セラルルニ至レリ、此ノ時ニ當リ加州排日運動再發セルカ、日本ハ必ス又之ヲ利用シテ、自家最善ノ利益ヲ圖ルノ具ニ供スヘシト吾人ハ信ス。

今日ノ剴切ナル問題ハ日本カ對亞細亞帝國主義的經畫ヲ成功セシ場合ノ結果如何ニ在リ。米國ハ東亞ニ對シテハ日本ト開戰ヲ賭スル程ノ利害關係ナシト思惟シ、或ハ曰ハム、支那ニ於テモ、又西伯利ニ於テモ恰モ曩日ノ朝鮮ニ於ケルカ如ク、彼進マハ我退クノ外ナシ、是等地方ニ於ケル貿易及勢威ノ損失ハ此ノ戰禍ノ大ナルニ比スヘクモアラサレハナリ。吾人ハ唯日本ノ貪食横暴其ノ度ニ過クルノトキ言議ノ抗爭ヲ爲スニ止メムノミト。日本ハ米國ノ此ノ輿情ヲ知リ、日本ノ政治家ハ何レノ强國ト雖敢テ日本ノ國策遂行ヲ抑止スルモノナシト信シ居レリ。

日本ハ英米ノ提起スルコトアルヘキ各種ノ抗議ヲ豫測シテ、之ニ對スル有ラユル尤モラシキ答辯ヲ準備シ居レリ。北樺太等占領ニ關スル米國ノ抗議ニ對シテハ、是レ自衛上已ヲ得サルノ處置ニシテ、占領地ハ適當ノ時期ニ還付スヘシト答ヘ、朝鮮ニ於ケル暴虐ニ關スル英國ノ抗議ニ對シテハ、是レ誇大ノ報告ニ基ケルモノナリ、日本ハ既ニ朝鮮施政ノ大改革ヲ行ヒテ多大ノ自由ト公正トヲ土民ニ與ヘタリト答ヘ、山東占領持續ニ關スル支那ノ抗議ニ對シテハ、支那ニシテ直接商議ヲ開カハ適當ノ時期ニ之ヲ返還スヘシト答ヘタリ。日本ハ斯クテ豫期ノ成功ヲ收メタルモノノ如ク、何人モ復是等誓約ノ實行ヲ監視スルノ責任ヲ取ル者ナキナリ。故ニ直接利害關係ヲ有スル當事國ニシテ自カラ奮起シ、其ノ人命ヲ賭シテ利權ノ恢復ニ努メスムハ、今後數年間ハ依然此ノ狀態ニ在ルヲ免レサルヘシ。

日本ニ關スル諸問題中直接英米ノ利害ニ關係スルモノハ米國及濠洲ニ對スル日本人移住問題ナリ。然ルニ英米ハ眞正面ヨリ之カ解決ヲ爲スヲ好マス。日本移民ハ朝鮮、滿洲、西伯利ノ如キ地方ノ風土ニ適セス特ニ米國太平洋岸及濠洲ノ或部分ノ如キ土地ヲ喜ヘリ。加州及濠洲ノ人民ハ各其ノ中央政府カ偏ニ日本ノ歡心ヲ得ムトスルノ意アルヲ熟知シ、少クトモ其ノ政府ニ對シ極端ナル反抗的態度ヲ執リ、結局將來ノ戰因タルヘキ紛糾收拾スヘカラサル難問題ヲ形成シツツアリ。

日本人ハ加州及濠洲ノ移住制限ヲ人種的差別待遇ト認メテ深ク之ヲ憤慨セルモ、其ノ現在ノ微力ニ顧ミテ開戰ノ自殺的ナルヲ覺悟セリ。同國人民中熱狂ナル日米開戰論者ナキニ非サレトモ、爲政者及主導者等ハ極力之ヲ抑制シテ寧ロ將來ニ對スル開戰準備ヲ主張シ、之カ必要ナル準備材料ハ朝鮮、支那及西伯利ニ於テ獲得シ得ヘキカ故ニ、吾人ハ先ツ以テ此等疆土ノ把握ニ全力ヲ盡サヽルヘカラスト曰ヘリ。英米兩國ハ戰爭ヲ厭フノ念强キカ故ニ、或ハ日本ノ亞細亞侵略ヲ重大視セスシテ依然放任政策ヲ執ルナラム。果シテ然ラハ日本ハ其ノ間ニ息繼キノ餘裕ヲ得、他日自己ノ便宜ト發動トニ依リテ此ノ問題ヲ解決スルノ準備ヲ完成スルニ至ラム。

日本ノ是種ノ準備ヲ抑止スヘキ機會唯一アリ。开ハ利害關係ノ直接當事者タル朝鮮人、支那人及露西亞人ノ精神的運動是ナリ。是等國民中僅々一割ノ民人ニテモ日本ノ侵略ヲ抑止セムト決意セハ、其ノ事成リ難キニ非ス。故ニ吾人ハ是等諸國民カ速ニ起ツテ侵襲者ニ打擊ヲ加ヘ、啻ニ其ノ主權ヲ囘復保全スルノミナラス。延テ他ノ世界的戰亂ヲ防止スルノ主要機關タラムコトヲ望ム。

二　日本人ノ諧謔

「セウル・プレス」ノ政府機關新聞ナルコトヲ叙シタル後、入鮮米國議員團暗殺計畫ニ關スル同紙ト「神戸クロニクル」紙トノ論爭ヲ評シ、前者カ朝鮮人心理ヲ誤解シ、敵ト友トヲ區別スル能ハサルカ如ク論セルハ滑稽ナリ。斯ル言論ハ内鮮人間ノ惡感ヲ增長シ、記者ト其ノ國民ニ世ノ嘲笑ヲ招來スルニ止マラム云々。

三　日本ノ朝鮮改革

日本ノ所謂改革ナルモノハ、鮮民ニ自由ト光明トヲ與フヘキ總テノ機關、殊ニ言論集會ニ對シ猶强壓ヲ加フト冒頭シテ、新聞發行停止及記者拘禁ノ頻繁ナル事例ヲ擧ケ、更ニ其ノ專制的迫害ノ手ハ米國宣教師發行ノ宗教雜誌ニ及ヘリトテ、「セウル・プレス」紙ヨリ「宗教雜誌ノ差押」ト題スル「ゼロールド・ポンウヰック」ノ投書全文ヲ轉載セリ。

次ニ集會ノ取締ハ一層峻嚴ニシテ警察ノ許可ナケレハ、朝鮮人ハ三人以上公的ニ集會スルコトヲ得ス宗敎的集會スラ警察探偵之ニ臨ミ、其ノ不穩當ト思惟スル言説アラハ、何時ニテモ解散ヲ命スル權能ヲ有スト記シ、其ノ適例トシテ入鮮米國議員「ハースマン」ノ事件ヲ擧ケ、中央基督敎青年會ノ歡迎會ニ於テ、警官憲兵ハ氏ニ退場ヲ命シ、高壓的ニ其ノ會ヲ解散シ、氏ハ侮辱セラレ、會衆ハ散々打擲セラレタリ。此ノ時米國領事ニ急ヲ告クルコトナク、且其ノ來場今少シ遲カリシナラムニハ、氏ハ此レ以上ノ虐待ヲ受ケシヤモ知ルヘカラサリシナリ。之カ爲氏ハ爾後國賓タル待遇ヲ辭シテ個人的旅行ヲ爲シ、日本官憲トノ接觸及其ノ不誠實ナル接待ヲ避ケタル程ナリキト記シテ、「セウル、プレス」紙ヨリ「トーマス・ホッブス」ノ投書ヲ引用シテ之ヲ證シ、更ニ「ホノルル」發行「パシフイック・コンマーシャル・アドヴアータイザー」紙上ノ「ハースマン」氏ノ談話ヲ轉載セリ。其ノ談ニ曰ク「朝鮮人ハ獨立ヲ與ヘラレスムハ、皆寧ロ死滅シ、若クハ邦土ヲ退去スルノ意アリ。彼等ハ痛ク日本ノ厭制ニ苦ミ、日本ノ臣民タルヲ願フ者ナシ。京城朝鮮人ノ歡迎會ニ於テ警察官ハ予ニ退場ヲ求メ、強制的ニ予ヲ突キ出サムト試ミタリ。米國總領事來場ノ頃ニハ日本人等ハ多勢ヲ以テ已ニ會衆ノ解散ヲ遂行シ居タリ。彼等ハ其ノ數遙ニ會衆ノ人員ヨリモ多ク、無慘ニモ朝鮮人ヲ毆打セリ。予ハ是等ノ行動ニ對シ抗議ヲ試ミタレトモ其ノ效ナカリキ云々」

眼前ニ斯ノ如キ證跡アルニ拘ラス、親日論者中猶朝鮮改革ノ誠意ヲ唱フル者アルハ自カラ欺クカ若クハ人ヲ愚ニスル者ノミ云々。

四 日本ノ所謂宗教寛容

日本ノ既定政策カ日本ノ勢力圏内ニ於テ條約上ノ拘束ヲ受クルコトナキ場合極力基督教ノ滅絶ヲ圖ルニ在ルハ今ヤ又疑ヲ容レス。朝鮮及山東ノ事例及日本諸新聞ノ論調ハ以テ之ヲ證スルニ足レリ。「紐育ヘラルド」紙上「ウオールサー」監督ノ報告ニ依レハ「マリアナ」「カロリン」及「マーシャル」群島ニ於テモ、日本ハ、其ノ委任管理權ヲ受クルヤ、先ツ第一ニ基督教宣教師ノ放逐ヲ念トシ、既ニ日本汽船ニ依リテ其ノ總テヲ横濱ニ輸送シ、同地ヨリ夫夫歸國セシムルコトトシタリト云フ。是レ土民ヲ神道化セサル迄モ、少クトモ在來ノ迷信ニ委スルモノニシテ、文化史上鼻持ノナラヌ行動ト謂フヘシ。由來日本ノ宣言ハ信ヲ措クニ足ラス、前ノ大隈首相ハ日本ハ領土擴張ノ意思ナシト明言セシモ、支那ニ所謂二十一箇條ノ要求ヲ強ヒ、青島還付ノ宣言モ今尚其ノ實現ヲ見ス。其ノ他韓國ニ對スル誓約ノ破棄、對米紳士條約ノ違犯、滿洲ニ於ケル門戸開放主義ノ無視等不信ノ實例枚擧ニ遑アラス。日本ハ東亞「モンロー」主義ヲ主張スルモ

其ノ目的米國ノ夫レト趣ヲ異ニシ、常ニ近隣ヲ脅迫シテ他ノ土地ヲ蠶食シ、外國領土ニ恐怖時代ヲ起シ、博愛義俠ノ宣教師ヲ攻擊シ、土民ノ土地財産ヲ沒收スルノ口實ト爲スニ過キス。日本ノ「モンロー」主義ハ東亞全部ヲ占有セムトスル利己的辭柄ニシテ、現代ニ於ケル世界ノ脅威ナリ。之ヲ打破スルノ道ハ唯日本ヲシテ其ノ東亞進取ノ一橋梁タル朝鮮半島ヨリ退去セシムルアルノミ云々。

五 又モヤ日本ノ金地

日本ノ軍國主義者ハ決シテ活動ノ手ヲ緩ムルコトナク、常ニ世界征服ノ實現ニ其ノ歩武ヲ進ムルノ機會ヲ狙ヘリ。此ノ帝國主義的夢想ハ秀吉ノ朝鮮征伐ニ發端シ、明治年間新海陸軍ノ建設成ルニ及ヒ、再ヒ其ノ萌芽ヲ發シ、先ツ日清戰役ヲ起シ、尋テ露國ト開戰シ、益軍備ヲ強大ニシテ領土ノ擴張ニ腐心シ其ノ第一着手トシテ致命的ノ軍略的策源地タル朝鮮ヲ占領セリ。尋テ世界大戰ノ勃發スルヤ、直ニ之ニ參加シテ青島及南洋諸島ヲ略取シ、歐洲強國ノ極東ヲ顧ミルニ遑ナキニ乘シ、支那ニ所謂二十一箇條ノ要求ヲ強ヒ、以テ日本ノ權勢ヲ完全ニ支那ニ確立セムト期シタリ、此ノ危機ニ際シ、該要求ノ内容外界ニ漏レテ他ノ諸條約國殊ニ米國ノ抗議ヲ惹起スルコトナカラシメハ、此ノ支那壓服ノ計圖ハ全部實現スヘカリシナリ。其ノ後日本ハ更ニ西伯利ニ出兵シ、當初派兵數ヲ一國七千五百以下トストノ聯合國間ノ協定ニ反シテ、潜ニ七萬五千ノ大兵ヲ送リ、列國撤兵後モ尚兵ヲ留メ、遂ニ北樺太及西伯利東岸ノ要地ヲ占領シ、又モヤ日本ノ地金ヲ現ハセリ。

近時一隊ノ馬賊、琿春ヲ襲ヒテ若干ノ朝鮮人ヲ殺戮セリトノ報ナリ。是レ日本人又ハ他國人ニ變裝セル日本人ノ煽動ニ因ルモノナルヤ明ナリ。而シテ日本ハ朝鮮人保護ノ口實ニ依リ同地方ニ六大隊ノ兵ヲ派シタルモ、其ノ實武力ニ依リテ朝鮮人ヲ制御セムトスルモノナリ。而シテ之ニ關スル支那ノ抗議ニ對シテハ益派兵數ヲ增加シテ之ニ答ヘタリ。是レ滿洲全部ノ占領、移住朝鮮人ノ驅逐、亞細亞大陸征服ノ素地ヲ意味スルモノニ非スヤ云々。

六、二ツノ仕草

日本政府ハ二ツノ意味アリゲナル仕草ヲ爲セリ。其ノ一ハ兵役ニ關係ナキ各階級ノ人々ニ對シ開戰ノ場合軍務ニ服スルノ意アルヤ否トノ試問ヲ發シタルコト、其ノ二ハ支那カ支那領内ノ治安維持ニ日本ト協同セストノ口實ヲ以テ支那領タル間島ニ出兵シタルコト是ナリ、日本ハ米國大統領ノ更迭ニ伴ヒ、山東問題ニ關スル米國ノ態度ノ一變セムコトヲ恐レ、頻リニ日米交渉ヲ急キ、且豫メ該交渉ノ失敗ニ歸シタル場合ヲ慮リ、第一ノ仕草ヲ以テ米國ニ警告ヲ與ヘムトスルナリ。第二ノ仕草ハ滿洲ヲ占領シテ東亞征服ノ橋渡シタル朝鮮ヲ包擁掩護セムトスルノ底意アリ。日本ハ支那管理、全東亞統御ノ目的ヲ達スルカ爲ニハ、或ハ已ムナク米國ト戰フコトアルヘキヲ覺悟シ、之カ準備ヲ整ヘツツアリ。而シテ之ヲ抑止スル最モ確實ナル手段ハ朝鮮ノ獨立ヲ囘復セシムルニ在リ、而モ猶日本ニシテ樺太又ハ臺灣ヲ通シテ大陸ニ手ヲ伸サムトセハ、此ノ兩地ヲモ取リ去ルヘキナリ。是等モ朝鮮ト等シク日本ノ竊取シタルモノナレハナリ云々。

七 朝鮮人ノ要請

米國議員團ノ入鮮ニ際シ朝鮮市民委員會ヨリ同團ニ提出シタル陳情書ノ全文ヲ掲ク、其要旨左ノ如シ。

朝鮮人民ハ深ク米國ニ信頼ス。米國ハ自由正義ヲ建國ノ精神トシ米鮮修好以來巨多ノ貴重ナル物資ヲ我等ニ送リ且多數ノ材幹アル人物ヲ我ニ派シテ敎育、衞生、宗敎其ノ他文化向上ノ施設ノ先驅ヲ爲サシメ、其ノ人民ノ大多數ハ我等ニ同情ヲ寄セ、殊ニ何等報償ヲ念トスルコトナク、專ラ純然タル人道公義ヲ愛スルノ精神ヨリ我等ノ爲ニ力ヲ致シタレハナリ。

今日諸士ヲ接待スル者ハ皆我カ仇敵ニシテ我等ノ歴史、言語及傳說ヲ破壞シ、自家ノ政治及經濟的利益ヲ開拓スルニ專ラニシテ、我等ニ大害ヲ加ヘタル者ナリ、我等ノ敵ハ諸士ニ朝鮮開發ノ現狀ヲ示シ、日本施政ノ誠意ト惠澤トヲ諸士ニ告ケム。然レトモ我等朝鮮人ノ事功ト其ノ固有ノ文化トハ彼等ノ常ニ隱蔽スル所ナリ。朝鮮ノ物質的進歩ハ之ヲ認ムヘキモ、諸般施設ノ裏面ニ潜メル日本ノ動機ト之カ爲朝鮮人ノ誅求セラレタル犧牲トハ神人ノ共ニ怒ル所ナリ、諸士ニシテ仔細ニ事ノ眞相ヲ探究セハ、監獄處遇ノ一事項ノミニテモ、我等朝鮮人ノ自由ヲ求ムル不撓ノ精神ト頑冥ナル日本ノ普魯西主義トノ衝突ノ狀ヲ了解スルニ餘リアラム。今日諸子ノ目擊スル監獄處遇ノ改善ハ諸子ノ眼前ヲ粉飾スルモノニ過キス、今日以前ニ在リテハ幾多ノ愛國者、男女老少ノ別ナク、頻繁ニ此ニ詰込マレ、朝鮮人牧師ニシテ獄ニ殺セラレサリシ者殆トナク、就縛入牢ハ今日朝鮮ニ於テ一種ノ流行ヲ爲セルノ實況ナレハナリ。諸子ハ既ニ其ノ見聞セシ所

ニ依リ、朝鮮人民ノ自由ヲ熱求スル努力ト犧牲トノ如何ニ深甚ナルカヲ看取セルナラム。諸子ノ聲ハ必スヤ歐米ノ大局ヲ動カスニ足ルモノアラム。願クハ諸士我等ニ諸士ノ援助ヲ與ヘ、朝鮮民族ノ努力ト犧牲トヲシテ徒爾ニ了ラサラシメムコトヲ云々。

八　朝鮮ノ友

朝鮮ノ最モ熱烈ナル同情者トシテ目下歸米中ナル京城「セヴァランス」病院醫師、齒學博士「エーサ・シーホワィチング」氏ノ事ヲ掲ケ、氏カ米國西部ニ於テ朝鮮ニ關シ既ニ二百六十六回ノ講演ヲ爲シ、「アイオワ」州「ウォタールー」ノ基督教長老會ハ氏ノ演説ニ感動シテ朝鮮ノ同教徒ニ對シ同情ヲ寄セ、且他ノ諸教會カ氏ニ講演ノ機會ヲ與フルコトヲ望ム旨ノ決議ヲ爲セリ云々ト記ス。

九　切拔通信

本項記事中注目スヘキモノ左ノ如シ。

米國議員東洋視察團ノ一員タリシ代議院外交委員長「スチーヴン・チー・ポーター」氏ノ視察談ニ曰ク、支鮮及比律賓人等ノ殆ト米人ヲ崇拜スルノ狀アルニ反シ、日本人ハ米國ニ對シ敬遠的嫌忌心ヲ懷キ、裏面ニ排米的感情ノ暗流アリ。日本ノ新聞及公人中今尙日米戰爭ヲ云爲スル者多ク、米國ヲ以テ日本膨脹ノ最大ノ敵ナリト看做セリ。日本ノ主戰論者ハ軍人及資本階級ヨリ成リ、農夫其ノ他ノ常民ハ戰爭ニ反對ス云々。(「パブリック・レッヂャー」所載十月十三日「ピッツバーグ」發信)

米國「ミネソタ」州選出代議院議員「ショール」氏ハ曰ク、日本ノ墨西哥「ターツル」島武裝ノ報ニハ予ノ手許ニ確實ナル證據アリ。米國ニ對スル日本ノ脅威的態度ハ主トシテ日英同盟ヨリ來レルモノナリ。日本ハ該同盟ノ力ニ依リ獨領太平洋諸島ノ大部分ヲ手ニ入レ今ヤ大ニ之カ要塞設備ニ力ヲ注キ「ターツル」島ヲ終點トシテ西半球殺到ノ鏈鎖タラシメムトス云々。(九月六日華盛頓發信揭載新聞不詳)

十　「ハーヂング」ノ勝利

氏ノ勝利ハ平和條約第十條ノ效力ヲ存スル限リ米國ノ國際聯盟不參加ヲ意味ス。氏ハ現聯盟ノ改造又ハ正義ノ原則ニ依ル新聯合ノ組織ヲ企テ、全然聯合各國ノ無私的協戮ト好意トヲ基礎トシテ之ヲ運用シ四五强國ノ武力ヲ其ノ樞軸トスルノ主義ヲ排斥スルナラム。是レ此等强國中小弱國ノ處遇宜シキヲ得サリシ者アルニ見テ其ノ妥當ナルヲ知ルヘク、米國ニシテ其ノ新經綸ノ主導者タラハ、必スヤ其ノ成功ヲ齎ラシ正義公道ノ新意義萬國民ノ間ニ發露スルニ至ラム云々。

十一　極東ノ形勢

一九一九年巴里平和會議朝鮮代表朝鮮民國歐米委員部長金奎植述

(一)緒言　英米兩國ノ提携ハ「ロイド・ヂョーヂ」氏ノ聲明セシ如ク、世界ノ改造殊ニ歐洲ノ經濟的及政治的安定ト亞細亞大陸及太平洋諸海ノ平和、開發トノ促進ニ須要ナルヲ疑ハスト雖、斯ノ如キ協同ノ精神モ、將又世界革新ニ必要ナル理想モ、未タ實行セラレタル跡ナキナリ。

(二)舊來ノ政策　弱小國民ハ從來常ニ强大國ノ領土擴張策ノ犧牲ト爲レリ。朝鮮ノ獨立ト領土保全トノ保障ハ日英同盟約款ノ改定ニ依リテ日英間ニ印度及其ノ邊境ノ安全ト交易セラレ、日露講和條約ハ朝鮮ニ對スル日本ノ保護權ヲ認メタリ。此ノ二訂約ナカリシナラムニハ北米合衆國カ結局日韓併合ニ終リタル韓國保護ノ協約ヲ默認スルコトナカリシナラム。一九〇五年(明治三十八年)ノ日英同盟約款改訂ニ際シ在京城英國公使ニ對スル舊韓國政府ノ抗議ノ顧ミラレサリシカ如ク、今日現日英同盟ノ延長ニ關スル支那ノ抗議亦或ハ同一運命ニ陷ルナラム。由來歐洲列國ノ東亞政策ハ支那ニ於ケル勢力範圍ノ設定擴張、日本ノ對支二十一箇條要求ニ關スル態度、山東ニ關スル戰時中ノ密約等ニヨリテモ明ナル所ナリ。然ルニ獨リ米國カ此ノ間ニ立チテ、毫モ高壓的術策ニ出テス、往々國際正義ノ保持ニ努メタルハ、世人ノ滿足スル所ナリ。然レトモ米國ノ東洋政策モ時ニ餘リ多ク亞細亞ニ於テ他ノ强國殊ニ日本トノ衝突ヲ避クルノ便宜主義ニ流レタルコトナキニ非ス。同國カ日本ノ朝鮮橫領ヲ默過セシカ如キ其ノ著例ナリ。就中支那及西伯利ニ於テハ眞ノ友誼的援助ト協同トカ各關係者ノ利益タルヘキ場合ニ極端ナル放任政策ヲ執リタル事例少カラス。米國ノ對支借款團脫退、西伯利撤兵等ノ如キ即チ其ノ尤ナルモノナリ。吾人カ此ノ苦言ヲ呈スルハ、徒ニ批難ヲ試ミ、若クハ咎ヲ英米兩國ニ歸セムトスルカ爲ニ非スシテ、單ニ極東現下ノ實狀ヲ摘示シテ、兩國カ眞向ヨリ公正ニ本問題ニ對應センコトヲ希望スルニ外ナラス。今ヤ世界ハ國際正義、特ニ小弱國民及被壓民族ニ對スル國際正義ノ新時代ニ入ラムトス。故ニ「ロイド・ヂョーヂ」氏ノ說クカ如キ英米ノ提携ハ歡迎的反響ヲ受クヘキモノナリトス。

(三)利害關係　東亞問題ハ英米自體ノ利害ニ致命的關係ヲ有ス。啻ニ兩國共通ノ文化的理想ノ保持ニ於テ然ルノミナラス、太平洋上ニ於ケル其ノ政治及貿易上ノ利權ニ在リテモ亦其ノ揆ヲ一ニス。由來日本ハ巧ニ歐洲文明ヲ假裝シテ、英米兩國ノ默認ノ下ニ、其ノ軍國的威力ヲ確立シ、英國ノ植民國タル位置ヲ利用シテ、漸次其ノ領土ヲ擴張シ、今ヤ亞細亞ノ最强國タル地位ヲ占メ、更ニ進ミテ所謂「吉田案」(吉田松陰ヲ指スモノナラム)タル亞細亞經略ノ宿望ヲ實現セムトスルノ首途ニ在リ。是レ英國カ曾テ其ノ興隆ノ助成ヲ得策ト思惟シタル當ノ國民ノ爲、自己カ多年辛勞ノ成果ヲ、今ニ於テ、略取セラレムトスルノ皮肉ニ非スヤ、滿蒙、福建、廣東、楊子江流域竝支那貿易ノ現狀ハ皆此ノ影響ニ依ル英國ノ勢威利益ノ失墜ヲ語ラサルハナキナリ。

(四)亞細亞ニ於ケル歐米排斥　日本ノ亞細亞經略策ニシテ其ノ推移ニ放任セラルレハ、英米及他ノ歐洲諸國ハ日本ノ自由手腕獲得ノ爲東亞ヨリ退去セサルヲ得サルニ至ルヘク、日英同盟約款第三條末項ノ機會均等主義ノ條件ノ如キハ既ニ空文ニ終レルモノト謂フヘシ。現ニ朝鮮ニ於テハ歐米諸國ノ利權ハ事實上皆買收セラレテ總督府ノ管理ニ歸シ、鑛業權ノ如キモ外人ニ對シ法令上新規取得ヲ禁シ、既得ノ特權スラ任意ニ變更又ハ停止セラレムトス。朝鮮ノ關稅制度改正ハ外人ヲシテ新規ニ貿易上ノ利益ヲ開拓スルヲ得サラシメ、臺灣、滿洲、青島等苟モ日本ノ勢力優越セル地方ニ於テハ、到ル處皆然ラサルハナシ。而シテ是レ皆既往二十五年殊ニ日露戰役以來ノ經過ナリ。今ヨリ十年又ハ十五年後ノ情勢果シテ如何ナルヘキカ。

(五)日本ノ地理的現位置　亞細亞大陸ヲ包擁シテ難攻不落ノ障壁ヲ爲セル日本島帝國ノ地勢ハ、今ヤ南洋諸島ト樺太ノ北半トヲ合ハセテ、軍略上更ニ其ノ鞏固ヲ加ヘタリ。日本ハ大陸ニ於テハ露國勢力ノ失墜ニ乘シテ其ノ手ヲ外蒙古ニ伸ヘ、「イルクーック」以東ノ西伯利ヲ武力統制ノ下ニ置キ、更ニ楊子江流域ニ於ケル英國ノ航海、鑛業其ノ他ノ利權ヲ排除シ、且山東ヲ領有シテ支那ノ中心ニ喰入リ、事實上東亞大陸全般ヲ管制スルニ至レリ。

(六)米國ノ損失　東亞ニ於ケル米國將來ノ損失ハ英國ニ比シテ更ニ甚シキモノアラム。米國ハ戰時中著シク對支那貿易ヲ增進シ、加フルニ其ノ擴大セル生産力ヲ以テシテ、將來益之カ發展ヲ見ルヘキ狀勢ニ在リト雖、此ノ方面ニ於ケル日本ノ政治的管制ニシテ認容セラルルコトアラハ、此等ノ市場ハ米國其ノ他諸國ニ對シ閉鎖セラルヘケレハナリ。

(七)日本人ノ移住　日本ノ過剩人口ノ捌口ニ關シテハ英國政治家中寧ロ亞細亞大陸ニ於ケル日本ノ自由手腕ヲ認メ。以テ自國領土ノ蠶食ヲ免ルルニ如カスト論スル者多シ。然レトモ是レ事實不可能ナリ。何トナレハ支那自身スラ其ノ過剩人口ヲ滿蒙西伯利等ニ吐キ出ス必要アリ。加之日本移民ハ是等北地ノ氣候ニ適セス、且支那人トノ競爭ニ耐ヘサルカ故ニ、政府ノ補助奬勵厚キニ拘ラス、移住後一二年ニシテ鄕土ニ歸還セサルヲ得サレハナリ。日本カ人種平等案ヲ提起シテ米濠大陸入國ノ權利ヲ得ムトシ、南洋諸島ノ占有ヲ保續シテ太平洋ニ於ケル其ノ膨脹策ノ手段トシ、又加州土地法案ニ對シテ强硬ニ抗議セルカ如キ皆此ノ理由ニ出ルモノニシテ、米國ニシテ猶顧慮スル所ナクムハ、日本ハ加州問題ヲ國際聯盟ニ提起シ、事猶成ラスムハ、結局干戈ニ訴ヘテ所要ノ權利ヲ得ムトスルニ至ルヘシ。日本ハ今日加州問題ノ爲米國ト開戰スルノ意圖又ハ兵力ナシト雖、其ノ亞細亞經略策ニシテ現在ノ經過ニ委セラレムカ、日本ハ今後十五年ヲ出テスシテ自國及鮮支西伯利人ヨリ成ル五百萬ノ軍隊ヲ有シ、且支那及西伯利ノ巨大ナル資源ヲ左右シ、其ノ力能ク英國又ハ米國ト拮抗スルニ足ルニ至リ、米國ハ遙ニ獨逸ニ優ルノ强敵ト相對峙セサルヲ得サルニ至ラム。故ニ今日ハ列强カ仔細ニ日本ノ世界政策ノ基調タル所謂「吉田案」ナルモノノ眞相ヲ檢スヘキ最要ノ時期ナリトス。

(八)門戸開放ト放任政策　日本ニシテ東亞ニ優越的勢力ヲ占ムル限リ、門戸開放政策ハ到底行ハルヘカラス。又日本ニシテ支那及西伯利征服ノ針路ヲ改メサル以上、列强ハ決シテ東亞ニ於ケル放任政策ヲ執ルヘキニ非ス。日本帝國主義者ノ無遠慮ナル行進ヲ抑止スルハ、列强ノ利權ト東亞五億萬民ノ幸福トヲ保全スルニ必要ナリ。

十二　學生欄

「フランク・ヘロン・スミス」氏(目下歸米中ノ監理派朝鮮宣敎師)ハ、朝鮮人ノ獨立宣言書ヲ以テ大失策ナリト言明セシモ、專制政治ニ流ルル政府ヲ顚覆スルハ、人民ノ權利ニシテ又其ノ義務ニ非スヤ。氏ハ又

獨立運動ト基督敎會及牧師トヲ餘リニ緊密ニ結ヒ付ケテ殆ト同心一體ノ觀アラシメタルハ失策ナリト曰ヘルモ、氏ハ一面ニ於テ獨立運動ハ多クノ非基督敎徒ヲ含ムカ故ニ所謂基督敎ノ運動ニ非スト曰ヘルハ何故ソ。米國獨立ノ宣言書ニ於テモ「ジョン・ウイザースプーン」ノ如キ福音宣傳者ニシテ署名セシモノアリシニ非スヤ云々。

第二　米國著書

「韓國ノ復興」(The Renaissance of Korea)ノ梗概

本書ハ「ジョーゼフ・ワッテイントン・グレーブス」大尉ノ著書ニシテ在米國假府朝鮮情報局ノ發行ニ係ルモノナリ

韓國ハ一九一〇年(明治四十三年)日本ニ併合セラレ、其ノ歷史ハ玆ニ無慘ナル終局ヲ告ケタリ。然レトモ實際ニ於テ今日韓國カ日本帝國ノ一領土タルハ、單ニ政治的意味ニ於テノミ。即チ單ニ威壓的且政治的ニ決定セラレタルノミニシテ。眞ノ問題ハ些モ決定セラレス、悠久ナル歷史ノ判斷ニ俟ツヘキ問題ナリ。故ヲ以テ東洋事情ノ研究者ニ取リテハ韓國ハ、依然トシテ韓國ニシテ、日本ニ非ザルナリ。

韓國ハ約四千年ノ歷史ヲ有スル老國ニシテ、夙ニ文學、宗敎、工藝其ノ他有ラユル方面ニ著シキ進歩ヲナシ隣國日本ノ文化ノ爲貢獻セシ所頗ル多カリキ。然レドモ其ノ位置、日本及支那ノ中間ニ在ルカ爲古ヨリ常ニ兩國ノ脅威ヲ受クルヲ免レサリキ。其ノ一例トシテハ蒙古王成吉思汗ノ日本ヲ襲擊シタル時韓人ヲ强制シテ、其ノ攻擊ニ加ハラシメタル爲、日本ノ怨恨ヲ買ヒ、爾來韓國沿岸ハ倭奴ノ間斷ナキ暴虐ヲ受クルニ至リシキカ如キ是ナリ。

怪漢秀吉ハ、先般「カイゼル」カ白耳義ニ對シテ行ヘルト同一事ヲ、已ニ三世紀前ニ於テ、韓國ニ對シテ試ミタリ。即チ征明軍ノ通路ヲ韓國ニ求メ、其ノ峻拒セラルルヤ、大軍ヲ派シテ韓國ニ侵入シ、大暴虐ヲ行ヒタリ。而モ此ノ時韓國ハ大ニ力戰シ、之ヲ擊退シタルノ歷史ヲ有ス。

韓國ハ十七世紀ノ初葉ヨリ日本及支那ニ對シ朝貢ヲ行ヒ始メタルカ、同國ハ支那及日本就中日本ヨリ間斷ナキ壓迫ト掠奪ヲ被リタル爲、全ク外國ニ對スル信賴ノ念ヲ失ヒ、自ラ其ノ門戸ヲ鎖シテ、鎖國主義ヲ採ルニ至レリ。故ヲ以テ十九世紀ノ中葉、大院君ノ治世ニ當リ、諸外國頻リニ通商ヲ求メタル際モ、韓國ハ悉ク拒絕シ來レリ。然レトモ世界ノ大勢ハ刻々ニ動キ、到底長ク鎖國主義ヲ固執スル事能ハサルニ至リ、後一八七六年(明治九年)ニ至リテ日本ト條約ヲ締結シ、獨立王國トシテ認メラルルニ至レルカ、其ノ後六年ニシテ京城ニ暴動起リ、日本人ノ殺サルルモノ九名ヲ算スルニ至リ、此ノ偶發事件ハ日本ヲシテ韓國併呑ノ口實ヲ獲セシムルニ十分ナリキ。

其ノ後國內ニ於テハ保守、進步、兩黨ノ軋轢甚シク、政爭頻ニ行ハレタリ。一八八四年(明治十七年)進步黨ハ日本軍ノ援助ニヨリ政權ヲ握リタルカ、僅カ二日後ニハ支那軍ニヨリ舊態ニ復セシメラレタリ。翌年日支間ニ條約締結セラレ、兩國ハ共ニ其ノ軍隊ヲ撤退シ、韓國ノ事ハ韓國自身ヲシテ處理セシムルコト

トナリタリ。其ノ後十年間西洋思想ノ流入ニヨリ幾多ノ改革行ハレタルカ、當時韓國ニ在リシ日本人ハ支那商人ノ平穩、正直ニシテ法律ヲ嚴守セシニ反シ、甚シク横暴慘忍ニシテ、柔和、温順ナル韓國人ヲ虐ケタリ。

日清戰爭ハ其ノ一部カ韓國領土内ニ於テ行ハレタル爲、韓國ハ深大ナル影響ヲ被リタリ。下關平和條約後、韓國ニ對スル支那ノ勢力ハ全然失墜シ、日本ノ野心ハ次第ニ鮮明トナリ來レリ。此ノ時ヨリ日本ハ韓國ノ風俗習慣其ノ他ニ對シ、强制的改革ヲ行ヒ始メタルカ。爾來人工的進歩ノ强制ハ引續キテ行ハレ以テ現今ニ及ヘリ。日本ハ此ノ人工的進歩ヲ大ニ誇リ居レトモ、是ハ實ヲ云ヘハ、弱者ニ對スル强者ノ壓迫ニ外ナラサルナリ。

日本ノ韓國統治ハ、同期間ニ於ケル英國ノ愛蘭統治ニ均シク、惡ノ限リヲ盡シ、過失ヲ重ネ來レリ。此ノ期間ニ韓國ニ移住セシ日本人ハ、冒險家、罪人、無頼漢等最モ粗暴ナル徒輩ニシテ、韓人ハ彼等ノ爲甚シク虐ケラレタリ。其ノ當時井上伯ハ、日本人ノ韓國人ニ對スル態度ノ不可ナルヲ指摘シ、若シ其ノ態度ニシテ矯正セラレスムハ、全然韓國人ノ敬愛心ヲ失フヘシト警告セシカ、此ノ忠告ハ無視セラレ、斯クテ、日本人ハ遂ニ韓國人ノ敬愛心ヲ永久ニ失フノ愚ヲ演スルニ至レリ。

此ノ頃露國ハ北部韓國併呑ヲ企テ居タルカ、日本ハ其ノ野心ヲ看破シ之ヲ妨ケムトシタル爲、遂ニ一九〇四年（明治三十七年）ノ日露戰役勃發スルニ至レリ。而シテ日本ハ强敵露國ヲ擊破シタル後、新ニ韓國

ト條約ヲ結ヒ、斯クテ韓國ニ對スル弔鐘ハ撞カレタリ。而シテ一九〇七年（明治四十年）「ヘーグ」密使事件起ルヤ、日本ハ遂ニ韓國ノ全政權ヲ奪ヒ、皇帝ヲ退位セシメタリ。其ノ後僅ニ三年即チ一九一〇年（明治四十三年）四千年ノ歷史ヲ有スル韓國ハ永久ニ滅亡シ、其ノ國土ハ日本ノ一領土トナレリ。此ノ擧タルヤ、無論史上稀ナル惡逆行爲ニシテ、日本ヲシテ之ヲ斷行セシメタルハ、蓋シ其ノ軍閥ナリ。

日本ハ韓國人ニ對シ甚タシキ人種的差別ヲ實行シ居レリ。彼等ハ蔑視セラレ、蹂躙セラレ、奴隷視セラレ、社會的位置ヲ占ムルコト能ハサルナリ。斯クテ窮地ニ陷レラレタル彼等ハ、最後ノ手段トシテ遂ニ革命運動ヲ起シ、之ニヨリテ日本ノ誤レル統治ヲ全世界ニ知ラシメム事ヲ期ス。由來韓國ハ日本ノ植民地統治能力ノ試金石ト目セラレ、而モ其ノ十年ニ亙ル統治ノ結果ハ革命ノ外何物モ生マサリキ。是レ即チ日本ノ朝鮮統治カ時代精神及各國ノ經驗ニ反スルモノナル事ヲ證明シ、其ノ暴虐ナル統治ノ結果治者ト被治者トノ間ニ越ユ可ラサル嫌惡恐怖ノ深淵ヲ穿チ居ルヲ暴露シ、且日本ノ統治組織ノ獨逸軍閥ノ統治組織ト全然同一ナルコトヲ明瞭ニセルモノナリ

日本ハ併合ニ際シ韓國内ニ於ケル不穩狀態ヲ一掃セシムコトヲ聲明セリ。全世界ニ對シテ聲明セラレタル此ノ目的ハ、夫レ自身頗ル善良ニシテ價値アルモノナレトモ、併合後ニ於ケル成績ハ極メテ不良、日本ハ内部ヨリシテ斯ル改革ニ著手スルコトヲ忘レ、徒ラニ形式ヲノミ改メムトスル結果、國内ニ流血迫害、爭鬪ノ慘事ヲ繰返ヘス外、他ニ何等施設スル所ナカリキ。斯ルハ神人共ニ憎ム所ニシテ、日本ニシテ速ニ其

ノ非ヲ覺リ悔悟スル所ナクムハ、終ニ獨逸ト等シク時代ニ對スル自覺ヲ有セサルモノトシテ、世界ヨリ孤立ニ待遇ヲ受クルニ至ルヘシ。

尤モ伊藤統監時代ニ於ケル各種ノ改革ハ賢明ニシテ好果ヲ齎シタリキ、又併合後ニ於ケル諸般物質的改革ハ、韓人ニ對シ幾多ノ利益ヲ齎シタルヲ疑ハス。然レトモ其ノ有ラユル改革ノ第一目的ハ韓人ノ利益ニ在ラスシテ在住日本人ノ福利增進及日本ノ政治的計畫ノ進展ニアリシ事ヲ牢記セサル可ラス。而シテ日本ノ韓人ニ莅ム方針ハ「同化カ否ラサレハ追放カ」ニシテ韓半島ヲ完全ニ日本領土ト爲サムカ爲、慘忍ナル秀吉スラ敢行セサリシ人種ノ根絶ヲ遂行セムコトヲ試ミタリ。サレハ以前二黨ニ分レ内爭ヲ事トセシ韓人モ、今ヤ悉ク結束シテ起チ、有ラユル困苦犧牲ヲ忍ヒテ其ノ國家ノ獨立ヲ企ツルニ至レリ。即チ今日人種問題ノ喧シキ時ニ當リ、日本カ同化政策ヲ採レルコトハ誤謬之ヨリ甚シキハナキ事ヲ證明ス。之ニ就テハ日本ノ識者モ其ノ非ヲ認メムトシツツアリ。

或種ノ論者ハ日本ヲ辯護セムカ爲、日本ノ對韓關係ヲ英國ノ對埃及關係ト同一ナリト言フモ、兩者間ニ如何ナル關係アルヤノ問題ハ別トシ、此ノ比較ハ決シテ日本ニ取リテ好都合ナルモノヱ非スシテ、唯埃及ノ狀態ハ韓國ノ狀態ト正反對ナル事ヲ證明スルニ過キス。又臺灣統治ヲ引用シ以テ韓國ニ對スル日本ノ現政策ヲ庇護セムトスル者アルモ、臺灣ニハ歷史ナク、統一セル人種ナク、且國民性アラサル爲、住民ハ毫モ愛國心ヲ有セス。是等ノ點ニ於テ韓國トハ全然相違シ居レリ。故ニ臺灣ニ於テ成功セル政策カ、韓國ニ

於テモ成功スヘシト斷定スルハ暴論ト謂フヘキナリ

現下韓人ハ靈的方面ニモ顯著ナル進歩ヲナシ、基督教傳道ハ非常ナル好果ヲ擧ケ居レリ。彼等ハ從來ノ迷信ヲ離レ、光明ニ向ツテ進ミツツアリ。然ルニ一九一九年（大正八年）ノ獨立運動以來、基督教會ノ受クル迫害ハ次第ニ劇烈ヲ加ヘツツアリ。而モ此ノ獨立運動ハ久シキ以前ヨリ企畫セラレタル運動ノ爆發セシモノニシテ、決シテ暴動ト云フ可キ者ニアラス、平和的ナル示威運動タルニ過キス。然ルニ日本官憲ハ周章狼狽ノ餘、武力的鎭壓ヲ試ミ、可憐ナル多數ノ犧牲者ヲ生セシメタリ。國家ヲ愛スルノ至誠ノ爲ニ罪セラレタル老若男女ハ、恰モ野獸ノ如ク追窮セラレ、彼等ハ潔ク國難ニ殉シタリ、而シテ此ノ獨立運動ハ極メテ組織的ニ行ハレ、一個ノ農民ニ至ル迄威嚴ト自重的態度ヲ示シタリ。彼等ノ運動ハ極メテ秘密裡ニ計畫セラレ、其ノ示シタル態度ニヨリ彼等カ國民的精神ト政治的手腕ト組織的能力トヲ有スルコトヲ表示セリ。韓人ハ元ト勇敢ナル人種ナリシカ、今次ノ獨立運動ニヨリ彼等ハ昔ニ劣ラサル崇高ナル理想ト勇敢ナル氣象ヲ有スルコトヲ併セテ立證シタリ。是等ノ事ヲ綜合シテ考フルニ、韓人ハ確ニ一獨立國ヲ組織シ得ル國民ナリト謂フコトヲ得。然レハ日本人ハ徒ニ韓人ノ統治能力ニ乏シキコトヲ指摘シ之レヲ併呑ノ口實トスルモ、彼等カ此ノ點ニ於テ十分ノ能力ヲ有スルコトハ已ニ述ヘタル所、從テ日本カ爲ニスル所ノ宣傳ハ、世界識者ノ耳ヲ傾ケサル所ナリ。韓國ハ豐饒ナル富力ヲ有ス、韓人ハ懶惰ナル國民ニ非ス。故ヲ以テ若シ彼等ヲ外國ノ羈絆ヨリ脫セシメ自ラ其ノ國運ヲ開發スルニ任セムカ、韓國ハ直ニ成功セル富裕ナル工

業國トナル可キヲ疑ハス。

予ハ本書ニヨリテ、何モ日本國民ニ對シテ反感ヲ表示セムトスル者ニアラス。日本ノ善良ナル國民ハ決シテ目下朝鮮ニ行ハレ居ル威壓的恐怖政治ヲ是認スル者ニアラサルコトヲ信ス。故ニ予ハ唯頑迷ニシテ人道ヲ無視スル軍閥ノ罪ヲ指摘セムト欲スルノミ、一九一〇年（明治四十三年）ニ於ケル併合當時ニ在リテハ、西洋諸國ハ小國ノ權利ニ對シ無關心ニシテ、無援ノ韓國カ强制的ニ併合セラレタルモ意トセサリシカ、今ヤ正義的觀念ニ醒メタル列國ハ朝鮮問題ヲ對岸ノ火災視スルコトナク、壓迫ニ苦シム韓人ヲ救濟スルノ責任ヲ感シ始メタルハ事實ナリ。故ヲ以テ此ノ形勢ニシテ其ノ論理的結論ニ到達セムカ、韓國併合ノ擧モ結局徒勞ニ終ラサルヲ得サル可シ、韓國復興ノ機運ハ已ニ熟セリ。軈テ總テノ障害ハ除去セラレ、韓國ハ昔ノ如キ權威アル獨立國トシテ、日本、支那、西洋諸國ト共ニ神ノ王國ナル新世界時代ノ光明ニ照サルルニ至ルヤ必セリ。

二二

第三　獨逸斯聞

伯林日報（Berliner Tageblatt）記事摘要

一　獨逸暫設全國經濟會議ニ關スル要項　（一九二〇年七月一日誌）

本年六月三十日在伯林舊普國貴族院ニ於テ豫テ準備中ナリシ新獨逸ニ於ケル一大經濟協議機關タル暫設全國經濟會議（Der vorläufige Reichswirtschaftsrat）開會セラレ、全國ニ於ケル各種經濟機關ノ代表者ヲ網羅セル議員ハ數週ニ亙リ將來組織セラルヘキ全國經濟會議ノ組織及「スパー」協約ニ關シ討議ヲ爲セリ。而シテ同會議ニ於ケル分科ハ目下左ノ如シ。

一、農業及林業部
二、園藝及漁業部
三、工　業　部
四、商業、銀行及保險業部
五、交通及公共企業部
六、手　工　部

二三

七、消　費　者　部
八、職員及自由職業部
九、各地方經濟委員部
十、全國政府特選委員部

又同會議長ハ雇主側ヨリ之ヲ選出スルコトトナシ、農業代表者元農務次官「フォン●ブラウン」氏之ニ當選シ、職工組合長「レギイン」氏副議長ニ選擧セラレタリ。而シテ開會ニ際シ宰相「フエレンバハ」氏ハ左ノ如キ陳述ヲ爲セリ。

獨逸國憲法ハ經濟生活及生產ニ參與スル各方面ノ能力ニ悉ク同等ノ權利ヲ與フルヲ以テ理想トナスモノニシテ暫設經濟會議ハ此ノ目的ヲ達成スル一大要素ナリ。從來存在セル各種職業ノ合同ハ諸種ノ點ニ於テ既ニ行詰リ發達ヲ見ス。如此形勢ノ下ニ各種ノ職業分科及各階級ハ其ノ利益代表機關ヲ統一シ以テ之カ發達ヲ圖ラムトスルヤ切ナリ。蓋シ全國經濟會議ノ組織ヲ必要ナラシムル要素實ニ此處ニアリ。此ノ要素ノ嶄新ナルト同樣其ノ任務モ亦極メテ嶄新ナリ。又各種職業團體ヲ組織的ニ代表スル議員ヲ網羅セル一機關ヲ新設シ、之ヲ專ラ各種經濟問題ヲ討議スル所トナシ、從來獨逸全國議會ニ附議シタル議題中ヨリ經濟ニ關スルモノハ之ヲ分離シ、全國經濟會議ニ附議スルコトトナシ、全國議會ノ任務ヲ輕減スルハ絕對ニ必要ナリ。全國經濟會議ハ近キ將來ニ於テ建設セラルヘキモノナリト雖、之カ準備トシテ政府ハ先ツ暫設全國經濟會議ヲ召集セリ。是レ政府ハ現下ノ形勢カ此ノ種ノ施設ヲ要スルコト急ナルヲ認メタレハナリ。

二四

又政府ハ實際本會議カ獨逸經濟界ニ於ケル刻下ノ急務ヲ處理スルニ便スル所尠少ニアラサルヲ期ス。本會議ヲ召集セル所以ハ單リ法律ノ定ムル所アルニ依ルモノナラスシテ寧ロ經濟界ニ其ノ意義ノ重大ナルニアリ。經濟問題ノ各人ニ關係アルコト今日ヨリ切實ナルハ無シ、各關係者ハ其ノ自己ノ利益ヲシテ全局ノ必要ニ順應セシムルニ於テハ全國經濟會議ハ即チ全世界ニ於ケル經濟國會ノ濫觴タルノミナラス、祖國ノ繁榮ヲ助長スル基礎タルヲ得ヘシ。

二　暫設全國經濟會議經濟政策委員會ノ決議案　（同七月二十四日誌）

前記暫設全國經濟會議經濟政策委員會ハ同會議ニ對シ左ノ決議案ヲ提出セリ。

暫設全國經濟會議ハ左ノ如キ決議ヲ爲サムコトヲ要望ス。

全國經濟會議ハ聯合國代表者ガ「ルートル」地域ノ占領ヲ以テ威嚇セルカ故ニ獨逸ノ署名セル「スパー」石炭協約ハ獨逸ノ經濟生活ニ對シ無限ノ負擔ヲ發生セシメタルモノト認ム。本協約ノ結果ハ石炭缺乏ヲシテ益激甚ナラシムヘシ。此ノ際ニ當リ國家及國民ヲシテ危機ニ瀕セサラシメムト欲セハ直ニ石炭生產能力ヲ非常ノ程度ニ於テ昂上セシメサルヘカラス、而シテ此ノ目的ヲ達成セムトスルニハ炭坑勞働者ノ努力ニ待ツ所多シ。然レトモ現今ノ營養ヲ以テセハ勞働者カ此ノ條件ヲ充實スルコト不可能ナリ。體力、勞働慾、勞働集約ヲ必要ノ程度ニ昂上セシメムトスルニハ炭坑勞働者及役員ヲシテ炭山ニ於ケル經濟事情ヲ知悉セ

二五

シムルコト絶對ニ必要ナリ。是レ彼等ヲシテ鑛山業ニ於ケル事情ヲ一層明確ニ了解セシメ又共同經濟ヲ基礎トセル石炭經濟ニ對シ共ニ責任ヲ負ハシムル所以ナリ。全國經濟會議ハ一九二二年九月一日迄ニ完成セラルヘキ產業官公營調査委員會ヨリ報告ノ提出セラルルヲ待チ炭山公營（Sozialisieruog）ノ種類及形態ニ關シ意見ヲ發表スヘシ。

又石炭供給ニ關シ既ニ承認ヲ經タル義務ヲ實行セムトスルニ當リ左ノ施設ヲ必要トス。

每月九十萬噸ノ供給增加ヲ可能ナラシメムトスルニハ採掘能力ヲ昂上セシムルノ一途アルノミ。一時坑夫ヲシテ過度勞働ニ從事セシムルハ止ムヲ得サルコトニ屬ス。而シテ勞働增加ノ如何ハ各種坑夫組合トノ協議ヲ經之ヲ制定スヘキナリ。又坑夫ノ生活ヲ昂上セシメムカ爲ニモ總テノ手段ヲ講スヘシ。又他面ニハ農業ノ生產能力ヲ昂上セムカ爲ニ殊ニ肥料ノ改善ヲ圖ルヘキナリ。

又各坑區ニ於ケル勞働移住勵行ハ絕對ニ必要ナルモノヲ除キ其ノ他ノ工事ヲ中止スルモ之カ促進ヲ圖リ以テ速ニ坑夫ノ過剩從業ヲ全部又ハ一部的ニ廢止スルヲ必要トス。

各坑區ニ於テハ雇主又勞働者各三名ヨリ成ル委員會ヲ組織シ經營及炭坑ニ關スル事情ノ檢察ヲ爲サシメ且特ニ炭質ノ查定ニ留意セシムルヲ要ス。而シテ同委員會ハ特殊任務ヲ遂行セムカ爲、又ハ外國ニ於ケル各種ノ改善事業ヲ調查セムカ爲之ヲ擴張スルコトヲ得。

又經濟的及交通的事情ヲ斟酌シ、石炭分配ノ勵行ヲ圖リ、且之ヲ確保スル爲ニ最モ峻嚴ナル施設ヲ爲スコトヲ要ス。殊ニ統一的施設ニ依リ瓦斯、水力及電氣經濟ニ對スル石炭ノ利用ニ遺憾ナカラシムルコトヲ圖ルヘシ。而シテ之カ條件ハ純經濟的及交通的見地ヨリ全國ヲ若干ノ經濟區ニ區分スルニアリ。

褐炭ノ利用ハ可能的ニ之ヲ擴張セサルヘカラス。工事ハ之ニ順應セムカ爲ニ可能ノ場合ニ於テハ改修スルヲ必要トスルコトアラム。水力ノ利用モ亦直ニ之ヲ擴張スヘシ。

水陸交通設備モ石炭採掘ノ增加ニ適應シ熱力經濟モ亦各工場ニ於テ之ヲ督勵シ且之カ能力ノ昂上ヲ圖ルヘシ。各工業ハ奮テ自治ノ方法ニ基ク各種ノ施設ヲ爲スヲ要ス。「スパー」ニ於テ負擔セル義務ノ實行ヲ可能ナラシメムカ爲ニハ同地ニ於テ商議セラレタルカ如ク、獨逸經濟地域ニ對シ上部 シユ「レジヤ」產石炭ノ供給セラルルコトヲ確保セサルヘカラス。

將來「ゲンフ」ニ於テ行ハルヘキ商議ニ對スル當事者ノ任務ハ全國經濟會議トノ提携ヲ以テ之カ準備ヲ爲シ、且其ノ商議ヲ進行セシメ、獨逸國ニ於ケル各般ノ復舊事業ト平時ニ於ケル石炭產出額トノ調和ヲ圖ルニアリ。獨逸國カ署名セル「スパー」協約ニ對シ獨逸全國民カ極力其ノ實行ニ努力セムコトヲ望ム。

【畢】

大正十年一月二十五日印刷
大正十年一月二十八日發行

朝鮮總督府

京城旭町貳丁目十番地
印刷所 京城印刷所

大正十二年三月

情報彙纂 第四

朝鮮評論(KOREA REVIEW)布哇米國新聞刊行物及通信記事摘要

朝鮮情報委員會

目次

朝鮮評論希哇米國新聞刊行物及通信記事摘要

（情報彙纂　第四）

第一　朝鮮評論（KOREA REVIEW）

第二卷第十册一九二〇年十二月號記事摘要

一　朝鮮人ノ祈禱

上帝ニ對シ正義公道ノ發揮ニ依リ自由獨立ノ境涯ニ達セムコトヲ祈求セルモノナリ。

二　開書

一九二〇年十一月二十二日付米國歸化朝鮮人「フイリツプ・ゼイソン」（本誌主筆）ノ名義ヲ以テ米國次期大統領「ウオーレン・ヂー・ハーヂング」氏ニ宛テタルモノニシテ其ノ要領左ノ如シ。

（一）　朝鮮問題ハ國際問題ナリ

朝鮮問題ハ曾テ韓國ト諸外國トノ間ニ締結セシ條約ノ性質ニ依リ儼呼タル國際的性質ヲ帶フ。是等ノ諸條約ハ關係列國直接ノ發動、殊ニ韓國ノ發意ニ依リ確實ニ取消サレタルコトナク、單ニ日本カ擅ニ我等ノ

一

中間ニ入リテ其ノ效力ノ消滅ヲ宣言セシニ過キス。故ニ朝鮮又ハ關係列國ニ於テ是等條約上ノ義務ノ履行ヲ停止スヘキヤ否ハ直接列國ニ關係スル國際的問題ニ外ナラス。例セハ米韓修好通商條約ノ如キモ最惠國條款ヲ包含セルニ拘ラス、訂約ノ當事者タラサル日本カ其ノ無效ヲ宣言シテ、米國商人ニ差別待遇ヲ與フルニ至リタルモノニシテ、其ノ他列國トノ條約亦此ノ例ニ漏レス、是レ皆國際問題トシテ效力存否ノ決定ヲ待ツヘキモノナリトス。

（二）　是等諸條約ハ當初朝鮮ニ締結ヲ强ヒラレタルモノナレハ關係列國ノ道義上ノ義務殊ニ重シ

朝鮮ハ秀吉ノ征伐ニ懲リテ絕對鎖國ノ政策ヲ執リ、四百年間ノ平和ヲ樂ムヲ得タルカ故ニ開國ノ當初痛ク之ヲ忌避シ、獨佛其ノ他ノ兵力ヲ以テ抗爭スルヲ辭セサリシナリ。其ノ後米國ノ勸誘ト外交手段トニ因リ遂ニ修好通商條約ヲ締結シ、諸外國之ニ傚フニ至リタリト雖、其ノ本意ニ非サリシハ明ナリ、故ニ關係列國ハ少クトモ第三國ノ强壓排除ヲ援助スル條約上ノ義務ヲ否ムヲ得サルモノナリ。

（三）　日本以外ノ關係列國ハ一九〇五年（明治三十八年）迄其ノ義務ヲ全ウセリ

一九〇五年迄ハ關係列國カ朝鮮ノ利益保護ノ爲居中調停ヲ試ミシ事例多ク、米國ハ日清間ノ馬關條約ニ依リ支那ノ朝鮮ニ對スル宗主權ノ要求ヲ否認シ、露國ハ一八九八年（明治三十一年）日本ノ朝鮮强壓ヲ抑止シ、其ノ他ハ又呶々ヲ要セス。然ルニ一九〇五年（明治三十八年）以來其ノ種ノ援助ハ、日本ノ奸策陰謀ニ因リ、全ク其ノ跡ヲ絕チタリ。故ニ裏面ノ眞相現實ニ曝露セラレ、日本ノ不信及外交的醜汚、世界ニ明白

二

トナラハ、關係列國ハ、一九〇五年以前ニ於ケルカ如ク、其ノ條約上ノ責任ヲ果スヲ以テ其ノ義務ト思惟スルニ至ルヘシト信ス。

（四）　日本ノ世界欺瞞

日本ハ一九〇五年（明治三十八年）其ノ朝鮮保護權ハ朝鮮人民及王室ノ承認セル所ナリト世界ニ告ケタルモ。其ノ虛僞ナルハ朝鮮人カ日本人ト心理、道念、氣質、種族、殊ニ體質スラモ異ニシ、數百年來日本ヲ傳統的讐敵ト做シ、近ク一八八四年（明治十七年）ニ於テ日本代表者ノ駐紮ヲ嫌忌憤慨シ、日本公使館ニ火ヲ放チテ公使以下ヲ驅逐シ、朝鮮王室ニ在リテモ日本ノ不信、王妃ノ虐殺、一八九八年（明治三十一年）ニ於ケル日本兵ノ王宮襲擊、玉體ノ危難、首相農相及臟相ノ慘殺、其ノ後ニ於ケル讓位强迫、李太王ノ幽閉、其ノ他新王ノ庸弱暗愚ナルヲ奇貨トシテ意ノ儘ニ諸種ノ命令ヲ發セシメタル等ノ恨ヲ忘ルルニ暇ナク、殊ニ前王カ日本ノ保護ニ對スル抗議ノ親翰ヲ「ヘーグ」平和會議及米國政府其ノ他ニ送付シタル等ノ事實アルニ徵シテ之ヲ知ルヘシ。

（五）　日本ノ壓迫

吾人ハ事實ノ細叙ヲ避ケ單ニ朝鮮ニ於ケル日本ノ暴虐ノ殆ト信スヘカラサル程極端ナルヲ記スルニ止ムヘシ。

一九一三年（大正二年）以降一九二〇年（大正九年）ニ至ル七年間ニ於テ日本ハ六十一萬六千八百三十九名

三

ノ朝鮮人ヲ有罪トシタリ。其ノ內政治犯ナラサル者ハ僅ニ百分ノ五アルニ過キス。而モ正式ノ審理ヲ經スシテ犯罪即決ニ附セラレタル者四十萬人ニ及ヒ、被檢擧者ニシテ無罪ト爲レルハ二千五百人中僅ニ一人アルノ割合ナリ。又右被處斷者中男女及少年少女ノ別ナク笞刑ニ處セラレタル者二十七萬八千八十七人ニシテ一人平均九十ノ笞ヲ加ヘラレ、笞刑ノ結果死ニ至リタル者數千人アリ。朝鮮獨立騷擾事件發生後滿一箇年間ニ於テ消極的示威運動鎭定ノ爲日本警察官及兵士ニ殺害セラレタル者七千六百四十五人、傷害セラレタル者四萬五千五百六十二人ニ及ヘリ。或時ノ如キ日本人ハ五十四人ノ朝鮮人ヲ其ノ不平ヲ聽取スルト稱シテ警察署ノ構內ニ誘拐招致シ置キ、門戶ヲ閉鎖シテ一一故意ニ之ヲ銃殺シタリ、又他ノ場合ニハ朝鮮人ヲ教會堂ニ集合セシメ、戶ニ錠ヲ施シテ之ニ火ヲ放チ、脫出セムトスル者ハ無慘ニモ皆之ヲ銃殺シタルコトアリ。其ノ他類似ノ事例枚擧ニ遑アラス。又以テ殘虐、不正義、壓制等ノ暴狀ヲ推知スルニ足ルヘシ。經濟上ノ壓迫亦之ニ遜ラス。朝鮮ノ農業地ハ詐僞、奸計、壓迫又ハ强力ノ手段ニ依リ、今ヤ實際上總テ東洋拓殖會社ノ所有又ハ管理ニ歸シ、鐵道及電信電話線ハ其ノ擴張改良費ヲ國債ノ一部トシテ勝手ニ朝鮮ニ課シタルニ拘ラス、一文ノ賠償ヲモ朝鮮ニ與ヘスシテ之ヲ取上ケ、日本人漁業者及商業者ニハ優先ノ權利ヲ與ヘ、警察力ニ依リテ之ヲ保護シ、外國貿易ハ全部日本人ノ手ニ歸シ、石炭鑛、水道、製鹽等ノ事業ハ皆日本政府ノ管理ニ屬セシメラレタリ。

（六）　日本ノ改善ト其ノ經費負擔者

四

日本ハ朝鮮ニ於ケル水道、交通施設ノ改善ヲ誇示シ之カ爲六千七百萬弗ヲ費消セリト云フモ、此ノ金額ハ果シテ日本カ之ヲ負擔シタリシヤ。是等改善施設ノ皆大陸征服ノ軍事的目的ニ出ツルモノナル事實ヲ暫ク措クトスルモ、吾人ハ尙日本カ今日朝鮮ニ負ハシメ居レル國債額五千四百萬弗、及從來平準以上ニ超過シテ租税ヲ徵收シタルモノ六千四百萬弗、此ノ合計一億一千八百萬弗、即チ日本ノ所謂改善費ニ殆ト二倍スル此ノ金額ノ費途如何ヲ問ハサルヘカラス。朝鮮ハ日本ノ占領以前國債ナルモノナク、其ノ平準徵税年額ハ四百萬弗ニ過キサリシナリ。

日本ハ又所謂「智的窒息」ノ政策ヲ行ヒ、日本人ノ學校ハ多キモ朝鮮人ノ學校ハ乏シク、朝鮮人ノ初等普通敎育ノ課程ハ三年ニ限ラレ、此レ以上ノ敎育ヲ許サルル者ハ僅少ノ選拔者ニ過キス。新聞ハ發行ヲ禁セラレ、文化向上ノ手段一トシテ緊迫ヲ受ケサルモノナキナリ。斯ノ如クニシテ朝鮮人ノ寧ロ自滅ヲ願フニ何ノ不思議カアラム。朝鮮ハ東洋ニ於ケル隨一ノ基督敎國ナリ。而モ尙世界基督敎國ノ十分ナル積極的援助ヲ受ケサルハ痛歎ニ堪ヘサル所ナリ。

（七）日本ハ自稱保護者ニ過キス而モ其ノ信義ヲ蹂躙セリ

日本ノ軍事的朝鮮占領ノ根據ハ朝鮮ノ獨立及其ノ領土保全ヲ保證セル一九〇四年（明治三十七年）二月ノ日韓議定書ニ在リ。日本ハ當初保護者トシテ被保護者ノ財産及身柄ヲ占有シ其ノ管理ヲ受託スルノ形式ヲ執リタルニ過キサリシモ、其ノ後絶エテ駐屯軍隊ヲ撤退セサルノミナラス、受託ノ財産ヲ私シテ自家ノ用

五

ニ供シタリ。而シテ被保護者ノ身柄ノ成行如何ト問ハハ、世界ハ『日本ハ夫レヲ絞殺シツツアリ』ト答フルノ外ナカラム。

（八）結論

以上列擧セル所ハ蓋シ歷史上最大ノ國際的罪惡ナリ。米國ノ之ニ處スルノ途二アリ。其ノ一ハ米國ノ義務ニ屬シ、他ハ其ノ權能ニ繫レリ。而シテ兩者共ニ日本ト國交斷絶ノ危險ヲ帶ヒサルモノナリトス。即チ（一）米國ハ米韓條約ノ義務ニ依リ日本ノ朝鮮强壓ニ對シテ日本ニ抗議ヲ提起シ、極力居中調停シテ朝鮮カ日本ノ爲ニ受ケタル損害ヲ賠償セシムルニ在リ（二）米國ハ一面其ノ當然ノ權利ニ依リ日本ニ對スル朝鮮共和國ノ交戰權ヲ承認シ、事情若シ許セハ、之ニ次キテ朝鮮共和國自體ノ全承認ヲ爲スヘキナリ。交戰權承認ノ戰爭原因タラサルハ十分ナル論據アリ。米國カ「チエッコ・スロヴアキア」ヲ承認セシカ如キ其ノ一例ナリ。一九一八年九月米國カ獨墺ニ對スル該國ノ交戰權ヲ承認セシ時ノ如キ、同國國民議會ノ議員ハ皆外國ニ流寓セルモノニテ、一人トシテ自國ニ在住シ居リシ者ナク、又國民議會ハ自國ニ寸土ヲモ領有セサリシナリ。然レトモ該民族ハ此ノ國民議會ヲ組織選擧シテ其ノ假政府タル任務ヲ執ラシメタリシナリ。米國ハ此ノ事實ヲ認メテ「チエッコ・スロヴアキア」ノ交戰權ヲ承認シ、次テ同年十一月同國ノ全承認ヲ爲セシニ非スヤ。朝鮮共和國假政府亦全民ノ百分ノ九十五ノ賛助後援ト舊王室ノ合式的承認トヲ得テ正當ニ成立シ、其ノ憲法ハ米國憲法ト同樣ノ方針ニ依リテ制定セラレタルモノニ外ナラス、況ヤ自治四千年ニ及ヘル

六

一ノ民族カ自治ノ繼續ヲ主張シ自治政府ノ樹立ヲ企圖スルハ其ノ當然ノ權利ナルニ於テヲヤ云々。

（備考）「フイリップ・ゼーソン」ハ今ヲ距ル約三十七年前ヨリ米國ニ渡航歸化シ同國ニ於テ醫學博士ノ學位ヲ得タリト稱シ現ニ在米國費府朝鮮情報局長兼「朝鮮評論」主筆タル元朝鮮人（本名徐載弼）ニシテ、其ノ言フ所ニ據レハ彼ハ渡米前日本ニ留學シ、渡米後ハ「ヂョーヂ・ワシントン」大學ニ入リテ醫學ヲ修メ後同校講師タリシコトアリ、又在米中一時歸鮮シテ改進黨ノ一領袖ト爲リ又四年間舊政府ノ顧問ニ任セラレ前皇帝ノ信任ヲ得タルコトアリ。米國歸化後已ニ三十年ヲ經タリト云フ

三　英國ニ於ケル朝鮮同情者

十月二十六日英國下院議事堂内（委員室）ニ於テ一ノ會合催サレ、席上大不列顚朝鮮同情者協會（The League of the Friends of Korea in Great Britain）ノ組織成立シタリ。會議ノ模樣左ノ如シ。（情報彙纂第二第七頁第九項參照）

下院議員「サー・ロバート・ニューマン」氏議長席ニ就キ開會ノ辭ヲ述ヘテ曰ク『吾人ハ今朝鮮カ自由ト正義トヲ獲得セムトスル奮鬪ニ對シ援助ヲ與フルノ方法ヲ考究スルノ目的ヲ以テ茲ニ集會ヲ催セリ。吾人ハ頗ル困難ナル地位ニ在リ。何トナレハ此ノ全問題ハ日英關係ト深ク相錯綜シ、日本ハ戰時中聯合國ノ一員タリシノミナラス、今現ニ英國ノ同盟國ナレハナリ。吾人ハ又之ト同時ニ吾人ノ世界ニ對スル義務ヲ盡ササルヘカラス。我カ英國民ハ日韓併合ノ承認者ナルカ故ニ吾人ハ一種特異ノ地位ニ立ツ者ナリ。吾人ハ

七

日本ニ對シ敵意ヲ挾ムモノニ非ス。吾人ノ求ムル所ハ吾人カ國民トシテ享有スル自由ト正義トヲ出來得ル限リ朝鮮人ヲシテ享受セシメムトスルニ外ナラス。英國民ハ常ニ解放、自由及正義ノ爲ニ儼然トシテ立ツ者ナレハナリ云々』

次ニ「エフ・エー・マッケンジー」氏（日露戰役當時來鮮セシ英國「デーリー・メール」ノ從軍記者ニシテ「朝鮮ノ悲劇」ノ著者）ハ議長ノ指名ニ依リ該協會組織ノ理由トシテ先ツ一九〇四年（明治三十七年）以後今日ニ至ル朝鮮ノ事情ヲ述ヘタル後扨テ曰ク『「大不列顚朝鮮同情者協會組織ノ理由ハ朝鮮ノ現狀カ我等基督敎徒ノ同情、我等ノ博愛心及愛國的義務ノ觀念ニ要請スル所アルカ爲ナリ。吾人ノ動機ハ政治上ノ目的、又ハ排日的精神ニ出ツルモノニアラス。吾人ノ主張ニシテ貫徹セハ、當ニ朝鮮ノミナラス、結局日本ヲモ利スル所アルヘシ。他國殊ニ同盟國ノ內政ニ干渉スルハ特別異常ノ事情アルニアラサレハ、是認スルコトヲ得サル特別異常ノ事件ナリ。然レトモ朝鮮問題ハ斯ノ如キ異常特別ノ事情ヲ存スルモノナリト予ハ主張ス。一九〇四年（明治三十七年）日本ノ朝鮮管制ノ當初白人ハ事實上皆日本ニ同情シ、潜ニ其ノ施政改善ヲ信シタリシニ、數月ナラスシテ事全ク吾人ノ豫期ニ反シ、日本ノ壓制ハ舊政ヨリモ遙ニ甚シキモノアルヲ示シタリキ」

氏ハ更ニ日本移民ノ無制限流入、阿片「モルヒネ」販賣者及醜業媒介者ノ入鮮、日本施政當初ノ暴虐、不公正、朝鮮國民ヲ墮落セシメ之ヲ奴隷的民族タラシメムトスルノ計畫等ニ關シ述ヘタル後更ニ語ヲ進メテ曰

八

ク『日本ノ根本的失敗ハ其ノ同化政策ニ在リ。之カ為朝鮮人ノ土地ハ日本移民ニ與ヘラレ、朝鮮人ノ延テ滿洲ニ驅逐セラレタル者百萬人ヲ超エ、日本語ハ法廷ノ用語ト為リ、天然ノ資財ハ横奪セラレ、言論集會ノ自由ハ消滅シ、警察政治ハ至上權ヲ有シ、審理ナクシテ往々死ニ至ラシムル笞刑法行ハレタリ、自由ヲ撲滅セムトスル日本人ノ決心ハ一轉シテ基督教會排斥運動トナリ、之カ為寺內總督暗殺陰謀事件ノ悲劇ヲ演出シ、無辜者拷問ノ慘事ヲ惹起ナリ。斯ノ如キ嚴酷ナル壓制政治ハ朝鮮人民ヲシテ從來類例ナキ程ニ一致結束セシメタリ。彼等ハ「ウイルソン」大統領カ國際聯盟ノ力ニ依リ小弱國民ノ為公正ヲ保持スヘシトノ宣言ニ動カサレテ奮起シ、世界史上最モ著明ニシテ壯烈ナル抗議ノ一タル ―平和的大抗議ヲ提起シタリ。然ルニ日本ハ暴虐ヲ以テ之ヲ壓倒シ、其ノ同盟國タル英國政府スラ遂ニ再三鎮壓手段及政治犯囚ノ拷問ニ關シ日本ニ緊切ナル提言ヲ為スノ已ムナキニ至レリ。朝鮮獨立運動者處遇ニ對スル世界ノ抗議ハ日本政府ヲシテ總督ノ更迭ヲ行ハシメタリ。予（マッケンジー）ハ齋藤新總督及水野新政務總監ノ改革進捗ノ誠意ヲ疑ハスト雖此ノ日本ノ大機關ハ二氏ニ取リテハ餘リニ强キニ過キ、新施政ノ下ニ於テスラ拷問、虐待、暴虐尚殘存セリ』云々ト說キテ多クノ實例ヲ擧ケ、最後ニ日本人タル朝鮮改革者ノ權能ヲ强メ、且日本帝國政府ヲシテ峻烈ナル朝鮮政治ヲ緩和改善セシムル為、會員ノ一致協力セムコトヲ熱望セリ。

次ニ「ダブリユー●レウエリン●ウイリヤムス」氏起チテ簡單ニ朝鮮同情者協會ハ教會、講演、新聞、議會等有ラユル手段ニ依リ朝鮮現狀ノ詳細ヲ英國民ニ提示シ極力朝鮮人ノ不幸ノ救治ヲ助成セムトスルモノナル旨ヲ述ヘタリ。

浸禮派ノ老功ナル說教者タル「ジョン●クリッフォード」博士（神學博士）ハ左ノ如キ第一決議案ヲ提出セリ。

英國朝鮮同情者協會ハ左ノ目的ヲ以テ之ヲ設立ス

（a）朝鮮ニ於ケル ―社會的、政治的、經濟的、宗教的ノ ―現在ノ狀態ニ關スル正確詳細ナル情報ヲ宣傳スルコト

（b）朝鮮人民ノ為正義、自由ノ享有ヲ助成スルコト

（c）朝鮮基督教徒ノ信教上ノ自由ヲ保護スルコト

（d）朝鮮ニ於ケル寡婦、孤兒及政治的及宗教的迫害ノ犧牲者ニ對シ援助ヲ與フルコト

博士ハ說明シテ曰ク『本會ノ設立ハ朝鮮ノ政治ニ干涉スルモノナリト憂慮スル者アリシモ我カ英國民カ從來常ニ他國ノ自由ヲ助成シタル傳統的精神ニ顧ミ更ニ本席上聽取シタル朝鮮ノ慘狀ヲ思フトキハ英國人カ朝鮮民族ノ為一臂ノ力ヲ盡サムトスルモ怪ムヘキニ非ス。朝鮮人ハ其ノ權利ノ為ニ戰ヒツツアリ。彼等ハ人トシテ又市民トシテノ權利ヲ騙取サレツツアリ。日本ハ朝鮮人ヲ併呑シ且之ヲ奴隷トナシツツアリ。我等ハ全力ヲ盡シテ其ノ奴隷狀態ノ解放ニ努メサルヘカラス。我カ英國ニ於テハ朝鮮問題ニ關シ通信ヲ抑止スルノ傾向アリト聞ク。我等ハ之カ排除ノ為ニ戰ハサルヘカラス。予ハ思フ我等ノ本務ハ政府ニ交涉シ

テ朝鮮人民ノ狀態ニ關スル事實ノ開示ヲ求メ且政府ニ勸說シテ日本ノ行動ハ世界ノ良心ニ悖戾スルモノナルコト並其ノ行動ヲ改善スルノ必要アルコトヲ日本政府ニ覺醒セシムルノ措置ヲ執ラシムルニ在リ云云』

下院議員陸軍中佐「テイー●エーチ●バリー」氏ハ決議案ニ賛成シテ曰ク『此ノ擧ハ朝鮮ノ政治ニ干涉スルモノナルヤ疑ナシ。然レトモ吾人ノ為サムトスル所ハ一ノ機關ヲ創設シテ此ノ不幸ナル邦土ニ正義ヲ齎サムトスルニ在リ。今ヤ輿論ノ勢力ノ强盛ナル世界史上未タ曾テ有ラサル所ナリ。吾人カ本協會ヲ設立スル所以ノモノハ實ニ此ノ輿論ヲ刺戟シテ朝鮮ニ自由ト正義トヲ來タサムトスルノ趣旨ニ外ナラス云々』

「フイリップ●スノーデン」夫人ハ朝鮮人ノ主張ニ同情シ且現時英國ニ於ケル難關ノ一ハ戰後人心漸ク冷淡トナリ不正惡虐ノ報道ニモ容易ニ衝動ヲ感セサルニ在リ。然レトモ此ノ心理狀態ハ再ヒ舊ニ復スルニ至ルヘシト曰ヘリ。

次ニ下院議員「エー●ライル●サミユエル」氏ハ起チテ曰ク『日本ハ我等ノ同盟國ナリ。然レトモ予ハ英國カ彼カ如キ陋劣國ト同盟セサルヲ得サリシハ不運ナリト思惟ス。前ニ提言セラレタル政府ニ所要事實ノ提供ヲ求ムルノ議ハ妙案ナリト雖、之レ以上ノ援助ヲ求ムルハ政治ノ實際上不可能ナルヘシ。予ハ思フ吾人ノ努ムヘキハ宣傳ニ在リト。朝鮮ノ事態英國全般ニ周知セラルレハ、人民遂ニ憤慨シテ日英貿易ニ影響ヲ及ホスヘシ。是レ日本ヲ動ス唯一ノ方法ナリ。蓋シ日本ノ良心ヲ覺醒セシムルニハ、日貨排斥若クハ之ト類似ノ手段ニ依ルノ外ナケレハナリ云々』

斯クテ本決議案ハ滿場一致ヲ以テ通過シタリ。

萬國福音宣傳聯盟書記「エーチ●エム●グッチ」氏ハ曰ク『我等ハ楯ノ兩面ヲ見サルヘカラス。我等ハ本會ノ將來ニ希望ヲ囑スルト同時ニ前途ニ横ハレル危險ヲ念頭ニ置カサルヘカラス。我等ノ日本ニ關スル言議ニシテ世ニ公ニセラルレハ、日本ニ一ノ運動起リ、朝鮮ニ於ケル宗教上ノ自由ヲ杜絕シ、軍國的制度ヲ再現スルコトアルヘケレハナリ云々』

「ライル●サミユエル」氏ハ之ニ應シテ曰ク『日本ニシテ「グッチ」氏ノ言フカ如キ行動ニ出テナハ、是レ陋劣ノ極ナリ。自家ニ有害ナルヲ感知スルニ非サレハ其ノ惡事ヲ中止セサルカ如キ國民程陋劣ナルモノハ之レアラサレハナリ云々』

「チエムバーウエル」聖路加教會准監督「ゼー●エー●ダグラス」氏ハ左ノ役員選任ノ動議ヲ提出シ、且曰ク『吾人ノ求ムル所ハ日本ノ良心ヲ感動セシムルニ在リ。吾人ハ宣傳ニ依リテ輿論ヲ喚起シ、英國公衆ノ良心ヲ衝動シ得ヘシ』ト。

會　　長　「サー●ロバート●ニユーマン」（下院議員）

名譽書記　「ダブリユー●レウエリン●ウイリヤムス」

名譽會計　「ダブリユー●ヒスロップ」（倫敦英佛協會名譽書記）

委　　員　陸軍中佐「ジョン●ウオード」（下院議員）　陸軍中佐「テイー●エーチ●バリー」（下院議員）

「ゼー●エフ●グリーン」　「スコット●リゼット」博士　「ゼー●エー●ダグラス」
「エフ●エー●マツケンジー」　牧師「バーナード●スネル」

「ダブリユー●レウエリン●ウイリヤムス」氏ハ曰ク『朝鮮ニ關スル情報ハ國際聯盟ニモ之ヲ通報スルノ手段ヲ講シツツアリ。之ニ關シ吾人ノ困難トスル所ハ、日本カ我カ同盟國タル關係上、諸新聞カ吾人ノ反對側ニ立チ、隨テ吾人カ新聞ヲ操縦シ得サルニ在リ。吾人若シ朝鮮ヲシテ國際聯盟ニ參加スルノ權利ヲ享受セシムルコトヲ得ハ、此ノ事亦必スシモ成リ難キニ非ス云々』

「ジヨン●クリッフォード」博士ハ曰ク『朝鮮ハ目下ノ處此ノ種ノ權利ヲ有セス。吾人ノ爲サヽルヘカラサルハ朝鮮ノ爲其ノ種類ニ屬スル何等カノ權利ヲ確立スルニ在リ』

黄氏(朝鮮人)曰ク『國際聯盟協會(The League of Nations Union)ハ一週間前「ミラン」ニ於テ會議ヲ開ケリ。予ハ代表者ノ一人ナルモ、自身出席スル能ハサリシニ由リ、一友人ヲ派遣シタリ。彼ハ朝鮮國際聯盟協會(The Korean League of Nations Union)ノ立案セル決議案ヲ提出シ、議長之ヲ朗讀セシニ、日本代表者ハ之ヲ遮キリテ「朝鮮ニシテ發議スヘキコトアラハ、并ハ必ス予ヲ通シテ提言セラレサルヘカラス」ト言ヒタリ。此ノ件ニ付テハ此レ以上聞ク所ナシ』ト。

「エフ●エー●マッケンジー」氏ハ黄氏ヲ會衆ニ紹介シテ曰ク『氏ハ朝鮮民族ノ公認歐洲駐在代表者ニシテ、戰時中米軍參加ノ一軍人トシテ歐洲ニ來リ、休戰後本國民ノ急ヲ聞キ、米國當局ニ除隊ノ許可ヲ求メ、爾

來概ネ巴里ニ在リテ朝鮮ノ爲盡瘁セリ。氏ハ歐洲外交家ニ朝鮮ノ主張ヲ宣明シ、毎月朝鮮ニ關スル佛語雜誌ヲ發行シツツアリ。要スルニ氏ハ代表官トシテ未タ列國ノ承認ヲ得サレトモ、實質上朝鮮人民ノ公使、代表者、代辯者タルヲ失ハサル者ナリ云々』

黄氏ハ拍手ヲ以テ迎ヘラレ更ニ演説シテ曰ク『予ハ玆ニ我カ國民感謝ノ意ヲ諸士ニ致ス。諸士カ自由民タルヲ有ラユル有利ヲ享有スルニ反シ、我等ハ辛苦シ且奴隷ノ境遇ニ在リ。我等ハ何等ノ自由ヲモ有セス、信教上ノ自由モナク、良心ノ自由モナク、基本的人權スラナキナリ。我等カ諸士ノ許ニ來レルハ此ノ國ノ民主政治ノ發祥地タルヲ知ルカ爲ナリ。英國ハ終始全世界被壓民族ノ光明トシテ立テリ。諸士カ世界大戰ノ爲最大ノ犧牲ヲ拂ヘルハ何ノ爲ナルカ。文化救濟ノ爲ニ非スヤ。朝鮮ト英國トハ一八八三年(明治十六年)英韓條約締結以來常ニ深厚ナル友好關係ヲ持續セリ。予ハ玆ニ諸士カ友國ノ獨立ヲ助成セラレムコトヲ求メサルヲ得ス。予ハ朝鮮カ既往十五年間ニ於ケルカ如キ狀態ニ何時迄モ甘ンスヘシトハ信セス。貴國カ今日ノ如キ自由ノ幸運ヲ開キシニモ數百年ノ歳月ヲ要セシニ非スヤ。我等ハ曾テ一小隱遯王國トシテ近代文明ト全ク絶縁セシカ爲、現代强國ト拮抗スルノ力ナク、且公正ナル機會ヲモ有セサリシト雖、我等ハ既ニ我等ノ教訓ヲ實感シタルカ故ニ、諸士ノ援助ヲ得ハ其ノ地位ヲ改善スルニ至ルヤ必セリ。朝鮮現時ノ慘狀ハ「マッケンジー」氏ノ語ル所ノ如シ。今ヤ朝鮮ハ軍國主義ト壓制政治トノ爲ニ壓壞セラレタリト雖、其ノ歴史ハ遠ク四千二百年ノ古ニ遡ルヘク、諸外國スラ一時文化ト教育トヲ朝鮮ニ求メタルコトアリ。朝

鮮ハ貧弱ナル小國ナリト雖尙其ノ國ヲ愛スル二千萬ノ民人ヲ有ス。予ハ玆ニ諸士ニ對シ貴國ノ誠意アル同情ヲ感謝ス云々』

本會合ニ缺席陳謝ノ書面ヲ送リタル者左ノ如シ。

「アール●ホートン」博士、「スコット●リゼット」博士、「ジョウエット」博士、奴隷解放先住民族保護協會書記「トラヴアース●バックストン」氏、國際仲裁協會員「エフ●マヂソン」氏、日曜學校聯合會員「クレー●ボナー」牧師、福音自由教會全國大會員「ティー●ナインチンゲール」牧師、蘇格蘭總會所屬聯合自由教會員「サー●ロバート●シムソン」氏、「アール●シー●ギリー」牧師等

最後ニ本誌記者ハ個人的ニ得タル情報トシテ右報告ニ附記シ、叙上參會者ノ外英國著名ノ主導的人物ニシテ此ノ朝鮮同情ノ運動ニ對シ深厚ナル同情ヲ表シ、將來其ノ進捗ニ力ヲ盡スヘキコトヲ約シタルモ、彼等カ官職ヲ有スル關係上、其ノ姓名ヲ本協會名簿ニ列スルコトヲ便トセサル者數十人アリト曰ヘリ。

(備考)　本記事會合者中「ジョン●クリツフォード」博士及「スノーデン」夫人ハ他國ニ於ケル壓迫ニ對シ常ニ熱烈ナル同情ヲ寄スル名トシテ著名ナル者ナリ。

四　日本ノ基督教征伐

日本ハ九州ニ於テ又朝鮮人ノ暗殺陰謀ヲ發見シタリト號シ、爆彈ヲ所持シ居タリトテ朝鮮人ヲ捕縛シ、尙某基督教學校ニ於ケル長老派總會ノ開會ニ際シ一ノ秘密結社ヲ發見シタリト稱シテ之ニ解散ヲ命シ、其

ノ會員ヲ逮捕シタリトノ報道ヲ掲ケ、更ニ之ヲ評シテ、基督教徒ハ、多分米國宣教師モ共ニ、怖ロシキ日本ノ監獄及野蠻ナル栲問ノ苦患ヲ甞メ居ルナルヘシ。日本ノ打擊ヲ加フルハ常ニ基督教ナリ。山東割讓ノ如キ亦此ノ脚色ノ一齣ニ過キス。若シ朝鮮ノ解放ニシテ成就セラルレハ、世界ニ對スル日本ノ脅威ハ大ニ減少スヘシ、而シテ是亦黄禍ノ害毒ヲ減スル所以ナルヘシ。斯クテ此ノ方策ハ、一擧シテ一國民ノ自治ヲ囘復シ、支那ニ自主ノ權ヲ與ヘ、久シク苦惱セル基督教ノ信仰ニ對スル日本ノ襲擊ヲ挫折セシムヘシ云々ト曰ヘリ。

五　次期大統領ニ對スル米民ノ期待

一九二〇年十一月九日付「ハーヂング」氏宛在華府米國農會建白書ヲ掲ク。同書ハ「ハ」氏就任後直ニ(一)對獨媾平和克復(二)對獨媾條約締結(三)國際會議ヲ招集シテ公正ナル國際法典ヲ編成シ、列國間又ハ一國ト其ノ隷屬又ハ被壓民族トノ間ノ爭議ニシテ關係當事者間直接ノ會商ニ依リ平和的ニ解決スル見込ナク延テ累ヲ國際的平和若ハ列國間ノ善意ノ諒解ニ及ホスノ虞アルモノヲ調停スヘキ國際仲裁廳竝國際法及國際正義ノ最高法院ヲ設置スルコト(四)永久的世界平和ヲ保障シ、漸次軍備撤廢ヲ實現シ且從屬悲慘ノ國民又ハ被壓民族カ公正ナル處理ト適當ナル被害報償トヲ訴求シ得ヘキ國際裁判所設置ノ途ヲ開クノ力アル世界的機關即チ世界平和保全協會トモ稱スヘキモノヲ設置セムコト等ヲ慫慂セリ。

六　「ハースマン」事件

「ジヤパン●アドヴアータイザー」紙ヨリ米國議員團京城訪問及基督教青年會ニ於ケル「ハースマン」事件ニ關スル記事ヲ轉載ス。

七 朝鮮人ノ爲ノ「クリスマス」義捐金ノ勸奬

在上海朝鮮人學校一校及在「ホノルル」朝鮮人基督教學院二校建築費ノ義捐ヲ勸奬セルモノナリ。

八 費府朝鮮同情者協會

本會ハ十二月二日月次例會ヲ開キ、東洋ヨリ恰モ歸米セル世界日曜學校大會代表者牧師「モーリス●サムソン」博士(費府ノ人)一場ノ朝鮮視察談ヲ試ミタリ。氏ノ言フ所ニ據リテ判斷スルニ、氏カ短時日ノ在朝中ニモ、日本官吏ノ米國人ニ對スル傲慢ナル態度及朝鮮人ニ對スル殘酷不正ノ處遇ニ因リ、氏カ米人基督者タル熱血ハ強度ノ昂奮ヲ感セサルヲ得サリシモノノ如シ。當日博士ハ本會執行委員ニ、「トーマス●エル●ホッチュ」氏ハ當務書記ニ選ハレタリ云々。

九 自由ナル朝鮮

「アール●ケイ●ホワン」(朝鮮人黃氏)ノ主宰セル在巴里朝鮮情報局ハ、「自由ナル朝鮮」(La Corée Libre)ト題スル佛語月刊雜誌ヲ發行シ來レルカ、同誌ハ佛蘭西及白耳義ニ廣ク頒布セラレ、其ノ記事ハ佛國新聞其ノ他ノ定期刊行物ニ轉載セラルルモノ尠カラス。

黃氏ハ曩ニ米國遠征軍(對獨墺)ニ參加シ休戰後名譽アル除隊ノ特典ヲ受ケタリ。氏ハ英佛語ニ通スル

學者ニシテ熱烈ナル愛國者ナリ。(本册子第二十頁第二行參照)

十 朝鮮ヨリノ書翰(書中ノ地名人名一切故ラニ削除シアリ)

先ツ『エキスプレス』便ニ依ル發信ノ機會到來セシニ付一書ヲ呈ス云々ト冒頭シ、最近ノ實話トシテ、何某ノ叔母某ハ婦人會ニ於テ說敎中中止ヲ命セラレ、之ヲ拒絕セシ爲幾回トナク打擲セラレ、今尙監獄ニ拘禁サレ居レトモ其ノ理由ヲ知ルニ由ナシ。何人ニテモ犯罪ノ嫌疑ヲ受ケ又ハ有罪ト認メラルルトキハ、警察ハ平氣ニ其ノ人ノ身柄ヲ自由ニス。一基督敎徒ノ如キ意外ニモ突然捕縛セラレ、其ノ理由ヲ詰問セシモ、何等ノ說明ヲモ與ヘラレス。又一學生ハ大韓青年會員ナリトノ嫌疑ヲ受ケテ捕縛セラレ、訊問ノ際之ヲ否認セシニ、果テハ該會員ノ姓名ヲ列擧セヨト迫マラレ、警官ハ再三彼カ殆ト窒息スルマテ彼ノ頭ヲ水中ニ押入レテ拷問シタリ。又某博士ノ青年助手ハ獨立新聞ヲ讀ミタリトテ他ノ數名ノ者ト共ニ逮捕セラレタリ。警官等ハ某博士ニ例ノ如ク毆打ヲ加ヘ幾度モ其ノ鼻孔ニ水ヲ注入シテ遂ニ絕息セシメ、翌早朝醫師ヲ招キテ漸ク蘇生セシメタリ。笞刑ハ廢セラレタルモ豫審ニテハ尙打撲ノ手段ノ用ヰラルルコトアリ。予ハ四五日前ニ毆打セラレタル中央敎會ノ一會員ヲ見タリ。彼ハ例ノ如ク鐵ノ手械ヲ箝メラレ、腕ノ肉ハ裂ケ破レタリ。日本ハ朝鮮人ヲ其ノ所有物ノ如ク考ヘ居レリ。日本ノ迫害ハ特ニ基督敎徒ノ信仰ニ向フモノナリトハ一般ノ感想ナリ。日本人カ躍氣ニナリツツアルハ眞實ニテ、鮮人射擊ノ行ハルルコトスラアリ。爆發前警官ニ發見セラレタル地雷ノ中ニハ官憲自身ノ埋設シタルモノモアリト信セラル。米國議員團ヲ歡

迎セムトセシ牧師長老等ハ警察署ニ檢束セラレ、一間ニ二十二人許モ詰メ込マレ、牧師等ハ爲ニ大病ニ罹レリ云々ト記セリ。

十一 學生欄

露國勞農政府ノ承認ヲ「殺戮ト握手」スルヨリモ惡シト唱フル政治家ニシテ、朝鮮ニ於テ「ボルシエヴイキ」ニモ勝ル屠殺、殘虐、野蠻ノ記錄ヲ有スル日本ト握手セムトスルモノアルハ、奇怪ナル差別待遇ニ非スヤ。

世界ノ基督敎民ハ、是迄、事、日本ノ內政ニ關ストノ理由ヲ以テ、朝鮮ニ於ケル基督敎徒虐待ニ對スル抗議ヲ差控ヘタルカ、今ヤ日本カ琿春地方即チ國外ニ於テ朝鮮人基督敎徒ニ對シ組織的迫害ヲ加ヘ居レルニモ拘ラス、依然トシテ無關心ナル態度ヲ以テ之ヲ看過セリ、世界ハ全ク人道及基督敎的同情ノ精神ヲ失ヘルモノナルカ云々。

第二 布哇新聞

(一) 國民報記事摘要

本紙ハ布哇在留排日鮮人中李承晚ノ系統ニ屬スル一派ノ每週數回不定期ニ發行スル諺文新聞ナリ

一 歐洲ニ於ケル我カ外交活動(一九二〇年十二月二十九日號及一九二一年一月一日號)

巴里ニ駐在スル我カ代表者團書記黃起瓚ノ公文ト朝鮮ノ爲極力盡力セル英國ノ友人「マッケンジー」氏(朝鮮ノ悲劇ノ著者)ノ報告トニ據レハ、這間黃氏ハ英京倫敦ニ渡リ「マ」氏ト協同シ、十月二十六日午後四時倫敦英國社會黨下院議員室內ニ於テ韓國親友會組織セラレタリ。其ノ狀況左ノ如シ。

諸君ノ知ラルル如ク我々カ今日此處ニ會合ヲ催シタルハ、自由ト正義ノ爲、韓國ヲ援助セムトスルニ在リ。此ノ事ヲ爲スニ當リ我々ノ地位ノ困難ナルハ、日本ヲ對手トスルニ在リ。且日本ハ我同盟國ナルカ爲ナリ。乍併我等ハ世界ニ對スル我等ノ義務ヲ果サザルヘカラス。我等ハ日本ノ韓國併合ヲ承認セリ。我等ハ日本ニ對シ敵意ヲ表スル者ニアラス。我等ハ自己ノ受クル自由ト正義トヲ韓國民モ共ニ享受スヘキモノト信スト。

主席「ニウメン」氏(英國下院議員)ハ「マッケンジー」氏ヲ會員ニ紹介シ、同氏ニ會ノ趣旨ヲ說明セシメタリ。「マ」氏曰ク

我々カ英國ニ於テ韓國親友會ヲ組織セムトスルハ他ニアラス。是レ即チ我カ基督敎的同情ト我人道及愛國的責任トノ使命ナリ。如此會ヲ下院議員室ニ於テ組織スルハ極メテ緊要ナル事ナリ。乍併此ノ親友會ハ別ニ政治的意味ヲ含ムモノニアラス。又排日思想ヲ宣傳セムトスルモノニアラス。只韓國ニ於ケル悲慘ナル事情ヲ天下ニ紹介スルニアリテ、其ノ結果ハ韓國ノミヲ利スルニアラスシテ、日本ヲモ大ニ警醒セシム

ルニ在リ。千九百四年日本ニ於テ韓國ノ保護權ヲ獲得セシ際、我等ノ日本ニ同意セルハ日本カ韓國ノ腐敗セル政府ヲ改良シ、遍ク國民ニ幸福ヲ與フルコトヲ信セシヲ以テナリ。然ルニ數月ナラスシテ我等ノ信用ハ裏切ラレタリ。這ハ昔時ノ野蠻時代ニ行ハレタル無道ナル帝國主義ニ基ケルカ爲ナリ。日本施政ノ根本的大失策ハ韓國內ニ施サムトスル同化政策ナリ。且韓國內地ニ日本ノ移民政策ヲ施ス爲數百萬ノ韓國良民ヲ滿洲地方ニ放逐シ、法廷ニ於テ日本語ヲ使用シ、言論集合ニ於ケル國民ノ自由ヲ壓迫シ、笞刑ヲ施シ、無辜ノ良民ノ裁判ノ宣告ナクシテ獄死スルノ惡刑ヲ施シ、日本ハ韓國ノ自由ヲ絕對的ニ撲滅セムトシテ基督教會ヲ迫害シ始メタリ。彼ハ陰謀事件ニ依リ無罪ノ基督教徒ヲ捕ヘテ瀕死ノ惡刑ヲ施セリ。斯ル無道不義ナル日本ノ管轄下ニ於テモ韓國人民ハ無前ノ覺醒ト團結ヲ爲セリ。然ルニ時恰モ米國大統領「ウイルソン」氏主唱ノ下ニ世界ノ聯盟會組織セラレ、小弱國ノ爲人道ト正義ヲ呼號セルニ應シ、韓國民ハ一齊ニ日本ノ政府ニ對シ、反抗ヲ表示シテ起テリ。這ハ有史以來嘗テ無キ平和的拒意ナリキ。如此文明的行動ニ對シ日本ハ益野蠻的手段ノ鎭壓ヲ用ヰタルヲ以テ、我カ英國政府ハ日本ノ我カ同盟國タルニモ拘ラス、韓國愛國者ヲ無數ニ捕縛シ惡刑ヲ施セルニ對シ日本政府ニ再三抗議ヲ提出セリ。千九百十九年韓國ニ於テ起レル獨立運動ヲ鎭壓セル日本ノ手段ニ對シ世界的抗議ノ起レル結果、日本政府ハ長谷川總督ヲ交迭シテ齋藤總督ニ替ヘ諸般ノ施政ヲ改良スヘシト稱セルモ空言ニシテ却テ監獄ニ於テ惡刑ヲ施サルルコト甚シ。故ニ我等ハ日本政事家ヲシテ韓國施政ニ關シ暴逆ナル手段ヲ眞ニ改正セシメムコトニ努力セムトス。

二一

二二

「マッケンジー」氏ノ演說ヲ畢リタル後、過去數箇月間我等ノ宣傳事業ヲ援助セル、倫敦ニ於テ有力ナル新聞記者「レウエリン●ウイリアムス」氏ハ宣傳方法ニ付簡單ニ說話セリ。（情報叢纂第二第七頁第九項參照）

我等ハ此ノ會ヲ組織シ之ヲ進捗セシムルハ宣傳ニ在リ。各敎會ニ於テ講演ヲ催シ、新聞紙上ニ韓國ニ於テ發生セル眞相ヲ紹介シ、英國民ノ公憤ヲ起サシムルニ在リト。

次テ「ジョン●クリッフォード」神學博士（「バプチスト」派ノ大立者）ハ左ノ決議案ヲ提出セリ。

一、韓國事情ニ關シ社會的、政治的、經濟的、宗敎的狀態ヲ詳細調査スルコト

二、大韓民族ノ自由ト正義ヲ保障スルコトニ盡力スルコト

三、大韓基督敎徒ノ自由ヲ保護スルコト

四、大韓ニ於テ政治又ハ宗敎ノ關係ニ依リ慘殺セラレタル者ノ寡婦孤兒ヲ救濟スルコト

右決議案ハ「クリッフォード」博士ノ說明後、陸軍中佐「バリー」氏（下院議員）ノ動議ニ依リ滿場一致ヲ以テ可決シ、「ダグラス」牧師ヨリ左記諸氏ニ會務委任方ノ動議提出アリ決定セリ。

會長　サー●ロバート●ニウメン（下院議員）

名譽書記　レウエリン●ウイリアムス（新聞記者）

會計　ダブリユー●ヒスロプ

委員　陸軍中佐ジョン●ウォード（下院議員）

同　陸軍中佐ゼー●エーチ●バリー（下院議員）　エフ●エー●マッケンジー

同　ゼー●エフ●グリーン　バーナード●スネル　ゼー●エー●ダグラス　スコット●リッゼット

次ニ「マッケンジー」氏ハ黃氏ヲ紹介シ、黃氏ハ起テ簡單ニ演說セルカ、其ノ要領ニ曰ク

英國ハ自由ノ誕生地ナリ。英國人ガ自由ノ爲ニ事ヲ爲スハ其ノ祖先ノ遺傳ナリ。我等韓國人カ今日此ノ席ニ於テ英國ノ親友ト會合スルコトヲ得タルハ欣幸トシ感謝スル所ナリ。諸君ハ國家的自由ヲ享ケ我カ民族ハ國家的奴隸トナレリ。我等カ來リテ諸君ニ訴フル所アルハ、貴國カ民主主義ノ發生地ナルカ爲ナリ。英國カ今回ノ大戰亂ニ生命ト財產ノ大ナル犧牲ヲ拂ヒタルハ如何ナル理由ナリヤ。卽チ世界ノ文明ヲ保全セムトスルニアラスヤ。一千八百八十三年貴國ト韓國ト條約ヲ締結シテヨリ以來兩國ノ間ハ國交上極メテ圓滿ナル關係ヲ持續セリ。英國ノ親友タル諸君、韓國ノ復興ニ力ヲ貸サレムコトヲ希望ス。余ハ確信ス。十五年前ノ韓國ハ永遠ニ保持シ能ハサリシナリ。過去ニ於テ我等ノ政治ハ我等ノ過ニ依リテ腐敗シタリ。然レトモ英國カ今日ノ自由ヲ享クルニハ永キ歲月ヲ費シタルニ非スヤ。我カ韓國ハ世界ノ情勢ニ暗キ國トシテ現代ノ文明ニ後レタリト雖、尙四千年ノ歷史ヲ有スル二千萬民ノ團結的國民ノ精神ハ、遂ニ自由ト正義ヲ以テ世界列國ノ一員トナルヘシ云々。

（以下ハ一九二一年一月二十九日及二月五日號掲載記事ニシテ前項記事ト多少重複スル所アレト對照參考ノ爲掲記ス）

其ノ後「ニユメン」氏ハ「マッケンジー」氏ヲシテ本會ノ目的ヲ說明セシメタリ。「マ」氏ハ其ノ演說中

二三

二四

一九〇四年（明治三十七年）ヨリ今日ニ至ル迄韓國カ日本ノ治下ニ於テ受ケタル處遇ノ大要ヲ述ヘ、左ノ如ク說明セリ。

我々カ今日午後、韓國ノ親友會ヲ大英國ニ組織セルハ、頃者ノ韓國狀況カ紳士ノ同情ト人道ノ正義及我等ノ愛國心ノ義務トヲ刺戟シテ之ヲ然ラシメタノテアル。

韓國親友會ヲ英國下院內ニ設立スルハ、緊要ナル事テアル。之ハ政治的方面ヨリ排日思想ヲ高唱セシムルノテハナイ。我等ハ我等ノ望ム所ヲ宣言シ、而シテ之カ成功ノ曉ニハ獨リ韓國ノ幸福ナルノミテハナク、併セテ日本ノ幸福テアル

韓國ノ內政ニ干涉シ又ハ特ニ同盟國ノ內政ニ干涉スルハ、特別ノ場合ニ限リ行ハルヘキモノテアルカ、韓國ハ現ニ此ノ如キ特別ノ場合ニ在ルノテアル。

一九〇四年日本カ初メテ韓國ニ勢力ヲ伸ヘタ際、一般ノ白人等ハ韓國ニ對シテ同情ヲ表シタ。我等ノ信スル所ニ據レハ、韓國ハ當ニ其ノ政府ヲ改革シ、總テノ不公平ヲ掃蕩シ、人民ノ生活ヲシテ公平ナラシムヘキテアッタ。然ルニ我等ノ期待ハ裏切ラレタ。ソシテ我等ヲ驚愕セシメ、驚愕ノ結果我等ヲ怒ラシメ、我等ヲシテ惡感情ヲ懷カシメタ。幷ハ我等カ其ノ事情ヲ知タカラテアル。卽チ舊政治ヨリモ寧ロ惡キノミナラス專制政治ヲ繼續シテ益甚シイカラテアル。一九〇四年以來日本人ハ移民ヲ始メ娼妓、阿片商其ノ他不良ノ徒ヲ移植シ始メタルコトカ第一ノ施政テアッタ。次テ奸惡ナル計策ヲ用ヰテ韓國ヲ强奪シ、

韓人ヲ奴隷ニシタ。這ハ日本政府ノ爲ス所ニシテ、韓國ノ疆土ハ日本ノ植民地トナリ、韓人百萬ヲ滿洲ニ放逐シ、裁判ハ日本語ニ依テ行ハレ、天然的產物ハ日人ニ獨占セラレ、言論出版ノ自由ト個人ノ自由ハ剝奪セラレ、警察權ハ濫用セラレ、笞刑ヲ用ウル爲裁判前ニ死スル者多ク、教會ヲ撲滅セムトシテ無罪ノ者ニ惡刑ヲ施シタ。此ノ惡刑ハ韓人ヲシテ相結束シテ一團トナラシメタ。韓人等カ此ノ運動ヲ始メタノハ「ウイルソン」大統領カ國際聯盟會ハ世界ノ小弱國ヲ保護スト云フタカラテアル。日本ノ爲シタ所ノ無道ハ大英國ニ影響ヲ及ホシタ。英國ハ日本ノ同盟國ナルカ故ニ、如此政治上ノ關係ニ依リ捕ヘラレタル所ノ人民ニ惡刑ヲ施ス事ニ對シテハ攻擊スヘキテアル。一九一九年韓人カ獨立運動ヲ始メテカラ、全世界ハ日本ヲ攻擊シタ。日本ハ武斷政治ヲ行フ所ノ寺內總督（原文ノ儘）ヲ召還シ齋藤ヲシテ之ニ代ラシメタ。日本カ如此變革ヲ行フタコトハ感謝スヘク賀スヘキコトテアル。併シ齋藤總督モ惡刑虐待無道ヲ行フタ。我等ノ爲スヘキコトハ我等カ合同シテ日本ヲシテ韓國ニ自由ヲ與ヘシムルコトテアル云々。

次テ「ダブリユー●エル●ウイリアムス」氏ハ我カ會ニ於テ可決セラレタルモノニ對シテハ再言ノ必要ナキモ、我等ノ爲スヘキコトハ、韓國ノ狀況ヲ擧ケテ各教會、演說會、新聞、雜誌國會ニ建言スルニ在リト曰ヘリ。

次ニ「ジョン●クリッフォード」博士ノ建議アリ。要項左ノ如シ。

一、韓國ノ社會、政治、經濟、宗教ニ關シ宣傳スルコト

二、韓人ノ爲公平ト自由ヲ回復セシムルコト

三、韓國基督教信徒ヲ保護スルコト

四、政治及教會ノ壓迫ニ依リ寡婦トナレル者及孤兒ヲ保護スルコト

博士ハ之ニ對シ『右ノ事項ハ中佐「ジョン●ウォード」氏ノ提出セラレタルモノナルモ同氏不參ノ爲メ自己ヨリ提出スルコトトナレリト』附言シ且曰ク

我等ハ韓人ノ苦楚ノ爲ニ事ヲ爲ササルヘカラス。我等ハ韓人ノ經過セル事件ニ對シ考慮セサルヘカラス。我等ハ韓國內ノ友ヲ救護セサルヘカラス。我等ノ憂慮スル所ハ韓國ノ政治ニ干涉スルニ在リ。然レトモ我カ國ノ歷史ニ鑑ミルニ、我カ民族ハ古來隣國ヲ援助シ來レリ。依テ我等ハ隣國ノ自由ノ爲、斷乎トシテ事ヲ爲ササルヘカラス。我等ハ從來束縛セラレタル者ヲ救援セムトセリ。英人ノ韓人ヲ援助スルニ對シ何等ノ異議ヲ挾ム者ナカルヘキヲ信ス。我等ハ確信ス「マッケンジー」氏ノ齎セル報道ヲ公表スルニ於テハ、之ヲ聞ク者驚異シ且怒リテ善後ノ事ヲ爲スヘキヲ。斯クテ韓人ヲシテ虐待ヲ免カレシムルコトヲ得ヘシ。韓人ハ義ノ爲ニ戰ヘリ。彼等ハ人タルノ待遇、國民タル待遇ヲ享クル能ハス。日本ハ韓人ノ膏血ヲ搾リ同時ニ韓人ヲ奴隷トセリ。我等ノ爲スヘキ所ハ何等カノ方法ニ依リ韓人ヲ奴隷ノ境遇ヨリ免レシムルニ在リ。自分ノ知レル所ニ據レハ、韓國內ニ於ケル壓迫甚シキヲ以テ、我等ハ此ノ壓迫ヲ取去ルカ爲ニ戰ハサルヘカラス。余ハ此ノ提出事項ニ同意シ併セテ諸君ノ同意ヲ請ヒ、且重ネテ新ニ組織

セラレタル此ノ團體ノ重大ナルモノナルコトヲ主張ス。

二　大韓獨立正式承認案提出（一九二一年二月五日號）

「エストニア」共和國勞働黨代表「マドナー」氏ハ韓國獨立ノ承認ヲ要求スル建議案ヲ正式ニ自國國會ニ提出セリ。

三　米國國會議員ノ同情（一九二一年一月一日號）

「ミソリー」州選出上院議員トシテ當選シタル「セルチン●ビー●スヒンス」氏ノ在華府朝鮮歐米委員部宛來信

本員ニ對スル當選祝賀ノ電報領收セリ。余ハ貴國ノ光復事業ニ對シ滿腔ノ同情ヲ有シ、出來得ル限リ盡スヘキヲ以テ、將來通信アラムコトヲ希望ス。

「イリノイス」州選出下院議員トシテ當選シタル「ウイリアム●イー●メイソン」氏ノ同上部宛來信

本員ニ對スル貴祝賀ヲ謝ス。余ハ華盛頓ニ歸着後、貴國民族ノ光明正大ナル大意ニ對シ能フ限リノ援助ヲ爲スヘシ、特ニ以前未決トナレル韓國獨立承認案ニ對シ、再度國會ニ提出方周旋スヘシ、新ナル共和黨ノ施政ハ世界ノ小弱國ヲ見棄テサルヘキコトト信ス。貴光復大業ニ對シ深キ同情ヲ表ス。

（二）　韓美報記事摘要

本紙ハ布哇在留排日鮮人中過激主義ヲ奉スル一派ノ毎週數回發行スル諺文新聞ニシテ前揭國民報ニ對立セルモノナリ

大韓民國臨時政府檄文（一九二一年一月十九日號）

大韓民國臨時政府員一同ハ露領在住百萬同胞ニ告ク

諸君ハ大韓人ノ血ヲ受ケタル大韓國民ナルヲ以テ當ニ國ヲ愛スルノ堅キ心アルヘシ。已ニ大韓ヲ愛スルノ堅キ精神アリ。必スヤ大韓ノ讎敵ニ對シ之ヲ憎ムノ情アルヘシ。大韓ノ敵トハ誰ソヤ。彼レ日本ナリ。三百年前八年間ノ長歲月ニ亙リ三百萬ノ同胞ヲ虐殺シ、貴キ我カ文明ト財產ヲ破壞シタルモノハ日本ナリ。十年前五千年來我等ノ血ヲ以テ守リ來リタル國家ヲ亡シ、二千萬ノ民族ヲ奴隷ト爲シ、多クノ愛國者及有識者ヲ虐殺シタル讎ハ日本ナリ。昨年三月ヨリ今日迄無道ナル銃劍ヲ以テ我等ノ父母、兄弟姉妹ヲ虐殺セルモノハ日本ナリ。思フテ此處ニ至ラハ、大韓ノ山川草木禽獸ニ至ルマテ何レノ時カ之カ血ヲ濺リ、上ハ以テ祖先ノ寃ヲ洗キ、下ハ以テ子孫ノ辱ヲ免レシメムトシテ胸ヲ打チ齒ヲ嚙マサラムヤ。況ヤ人ニ於テオヤ。大韓人ニシテコノ怨極リナキ讎ニ對シ我カ皮膚ヲ削ラムトスルノ考ヘナキモノハ人ト謂フヘケムヤ。況ヤ本國ニ於テ我等ノ愛スル兄弟姉妹等カ大韓獨立ノ爲讎ノ手ニ血ヲ流シ、有ラユル苦楚ヲ舐ムルノ秋ニ

當リ。何人ヲ問ハス讎ト親シミ敵ニ屬セムトスル者アラハ之ヲ人ト謂フヘケムヤ。唯二千萬ノ忿怒ハ此ノ如キ凶惡ナル逆賊ノ爲ニ熱シ、義人ノ手ニセル劍ハ此ノ如キ義理ヲ辨セサル輩ノ胸ニ逼ラム。

特ニ露領五十萬ノ同胞ハ從前ヨリ愛國心强ク國ノ讎ヲ報スルノ決心堅キヲ以テ矜リトシテ今日迄十餘年間光榮アル歷史ヲ有シ、「我等ニ非サレハ誰カ祖國ヲ回復センヤ」トハ露領五十萬同胞ノ晝夜唱ヘ來レル所ナリ。然ルニ悲ムヘシ、思ハサリキ、此ノ如キ露領同胞中ヨリ讎ニ親シミ敵ノ勢力ヲ憑藉シテ我等ノ獨立運動ヲ妨害セムトハ、誰カ夢ニタモ之ヲ思ハンヤ。浦鹽新韓村ニ敵ノ勢力ニ據ル民團組織セラレ、某々處ニ於テハ敵ノ軍隊ノ保護ヲ請ヒ、某々ハ敵ニ服從ヲ盟ヘリトノコトヲ聞クニ至リテハ、胸塞リ血淚ヲ禁セムト欲スルモ得ス。殊ニ露領五十萬ノ同胞ハ五十年來露領ニ衣食シ其ノ保護ヲ受ケ且露國革命ニ於テ國人同樣ニ待遇シ、我等ノ獨立運動ヲ自己ノ事ノ如クニシ、力ヲ盡シテ我等ヲ援助セムトスルニ拘ラス、此ノ如キ恩人ノ恩ヲ謝スルコトヲ知ラス、却テ恩人ノ敵タル日本ニ據ラムトスルカ如キハ人ト謂フヘケムヤ。露人ノ過去現在ニ於テ我等ヲ愛シ且同情セルハ、實ニ我等ノ國ヲ失ヒ、死ストモ故國ヲ回復セムト決心セル人民タルヲ知レルニ依ル。故ニ我等ヲ尊敬シ且愛セルナリ。然ルニ我等ニシテ彼ノ國ニ對スル義理及恩人ニ對スル義理ヲ辨セサル卑劣ノ民族タルヲ知ルニ於テハ、彼等ハ既ニ我等ヲ蹴リ排斥セルナラム。嗚呼同胞等何ノ顏色アリテ神ニ對シ露人ニ對セム。且露人ニ對スル諸君ノ可憎態度ヲ示スニ於テハ、露人ノ胸中忿怒ヲ生セシメ、全世界ノ人類ヲシテ我等ヲ唾棄セシムヘシ。我等大韓民族ハ此ノ如ク義理ヲ知ラサル者

ナラムヤ。我等ハ祖先ノ國ト恩人ニ對シテ流セル血ヲ傳フル者ナリ故ニ同胞ハ胸中ニ於テ悔ヒサルヘカラス。勿論此ノ如ク義理ヲ忘レ敵ニ附クノ行爲ハ露領同胞全部ノ意志ニ非スシテ、少數不良ノ輩ノ行爲ナリ。讎敵ノ勢力ニ恐レヲ懷キ、多數ノ順良ナル同胞ハ默セルモ、五十萬ノ勇壯ナル同胞ハ伊藤ヲ殺シ、李完用ヲ刺シ、齋藤ノ車ニ爆彈ヲ投シタル勇士ノ同族タル光輝アル名譽ヲ汚シ、萬古ノ大事業タル獨立運動ヲ妨害スルマテ、此等ノ輩ヲ棄テ置クハ、即チ露領五十萬同胞全體ノ責任ナリト謂フヘシ。蓋シ數個ノ惡類、國ト恩人ニ對スル大ナル義理ヲ棄テ國ト恩人ノ讎ノ犬トナリ、全露領五十萬同胞之カ爲皆汚名ヲ被リ、從テ大韓二千萬ノ國民共ニ其ノ羞辱ヲ受ク。既ニ此ノ事ヲ知レル世界ノ人類ハ「嗚呼亡國ノ人民ナリ。韓國人ハ國ヲ知ラス、恩人ヲ知ラサル義理ナキ民ナリ」ト嗤笑詛呪スルノ聲聞ユ。

我等ノ露領同胞ノ義理ニ信賴シ、其ノ勇氣ヲ信シ、不義ヲ見賣國賊ヲ見ルノ時我身ヲ亡ホスモ之ヲ懲罰スルニアラサレハ堪ヘサルノ氣慨ヲ信シ。五千年來ノ國ノ恩惠ト五十年來ノ露國ノ恩惠ヲ深ク記臆シ、熱血ヲ以テ之ヲ報セサレハ止マサルノ勇氣ヲ信セムトス。茲ニ我等カ愛シ且深ク信スル露領五十萬同胞ニ厚キ情誠ヲ傾ケテ其ノ書ヲ送ル。義氣アル大韓ノ同胞奮發シ義氣ヲ發スヘシ。

大韓民國二年十二月一日

國務總理　李東輝

外務總長代理次長　申翼熙

內務總長　李東寧

法務總長　申圭植

財務總長　李始榮

勞働局總辨　安昌鎬

軍務總長　盧伯麟

學務總長　金圭植

交通總長　南亨祐

第三　米國新聞

（一）「華盛頓ヘラルド」記事摘要

（一九二〇年一月二十日號）

日本人ノ愛國者拷問＝火ノ金網ニ包ミテ

「セヴァランス」病院長「エヴィソン」博士ト同道最近「ホノルル」ニ到着シタル朝鮮人學生金祓德（二十歲）ハ、朝鮮獨立運動ニ參加シタル爲、五回逮捕セラレ、毎回拷問ヲ受ケタリトテ、其ノ身體ヲ露ハシテ、呵責ノ痕跡ヲ示シ、日本憲兵ノ蠻行ニ付怖ロシキ物語ヲ爲シ、且曰ク『日本人ハ近代科學ノ新發明ヲ中世紀的拷問ニ應用シ、毛布狀ニ編ミ上ケタル鐵條網ニ電流ヲ通シテ之ヲ熱シ拷問ノ具ニ供スルコトアリ。拷問ハ屢他ノ囚人、又ハ時トシテ婦人ノ面前ニ於テ行ハレ、且極メテ怖ロシク且卑猥ナル呵責ノ方法ヲ用井、

出來得ル限リ傍觀者ヲ恐嚇セムト努メ居レリ。

『自分モ前述ノ如キ毛布狀鐵條網ニテ腕ヲ燒カレ、又鏈ニテ卷キタル竹製ノ鞭ニテ打タレタルコトアリ。又第五回目ニ投獄セラレタル時ノ如キ、六箇月半ニ亙リ一回ノ審問モナシニ監禁セラレ居タリ。我等朝鮮人カ自由ヲ獲得スル迄ニハ、尚多クノ身命ヲ犧牲トスル場合屢之レ有ルヘケレトモ、我等ハ全世界ノ基督教徒カ日本ヲ强制シテ我等ニ自由ヲ與ヘシムル日ノ必ス來ルヘキヲ信ス』云々。

當時布哇旅行中ナリシ朝鮮假共和政府大統領李承晩博士ハ、金ヲ引見シ、暗淚ヲ浮ヘツツ彼ノ肩ヲ撫シテ『神ハ全能ナリ。日本ハ日本タルニ過キス』ト語リタリト云フ。

（二）「紐育タイムス」記事摘要

（一九二〇年十二月六日號）

英領印度ノ獨立運動

獨逸政府カ亞細亞諸民族ノ獨立承認ニ同意シタル場合ニハ、印度、愛蘭、埃及、「メソポタミア」ノ革命黨ハ露國勞農政府ト同盟シテ、英帝國ノ破壞ヲ試ムヘシトノ說、昨日（一九二〇年十二月五日）當紐育市「マッカルピン●ホテル」ニ於テ開催セラレタル印度獨立同情者協會（The Friends of Freedom for India）ノ大會ニ於テ力說セラレタリ。當日ノ會合者ハ印度人。愛蘭獨立同情者協會其ノ他愛蘭關係諸協會ノ代表者

勞働組合員ノ急進主義者等ヲ主トシ、總員無慮三百名ニ達シ、席上『印度革命團ト愛蘭革命團トハ既ニ同盟ノ狀態ニ入レリ』トノ一言ハ大喝釆ヲ博シタリ。

印度獨立同情者協會ノ專務書記「タラクナス・ダス」氏ハ革命運動ノ爲印度ヨリ追放セラレ、自ラ米國市民ト稱スル志士ナルガ、氏ハ演說シテ曰ク『革命印度ハ勞農露國ト同盟セムコトヲ期ス。全世界ノ希望ハ繫リテ勞農露國ニ在リ。今日英國ノ帝國主義ニ對スル眞實ノ勁敵ハ勞農露國ナリ。我等被壓諸民族ハ、悉ク勞農露國ト提携シテ、英國ニ對スル神聖同盟ヲ形成スヘキナリ。獨逸ハ未タ曾テ印度ノ敵タリシコトナシ。彼若シ露國ノ如キ外交政策ヲ採用セハ、吾人亦獨逸ト提携スルヲ辭セス。吾人ハ日本ト言ハス、獨逸ト言ハス、苟モ英國ト反對ノ位置ニ立ツモノナラハ、世界何レノ邦國トモ、友好關係ヲ結フニ躊躇セス。排英政策ノ存スル所即チ吾人ノ在ル所ナレハナリ。吾人ハ既ニ多クノ國民ト同盟關係ニ入レリ。其ノ內革命ノ爲最モ勇敢ニ奮鬪セルヲ愛蘭ト爲ス。愛蘭戰勝ノ日ハ英帝國崩壞ノ時ナリ。印度亦之ト共ニ其ノ獨立ヲ贏チ得ヘシ。印度ニ於ケル「シン・フエン」的運動ハ既ニ開始セラレタレハナリ。

『由來米國ハ東洋民族ニ損害ヲ加ヘス、常ニ自由ノ保持ヲ以テ其ノ傳統的方針ト爲セリ。故ニ吾人ハ米國カ、數億ノ民人ヲ隷屬トスル英國ト協同スルコトナキヲ信ス、英米ノ協同ハ早晚米國カ英國ノ爲ニ戰ハサルヲ得サルニ至ルヘキヲ意味スレハナリ云々』

印度獨立同情者協會ノ國民的組織者タル「サイレンドラ、ギョース」氏ハ次ニ『印度ノ獨立運動』ニ關シ

演說シテ、英國ハ强力ヲ以テ印度ヨリ排斥セラルヘシト豫言シ、且曰ク『我等印度人ハ必要ノ場合五千萬ノ常備軍ヲ編成スルコト容易ナリ。加フルニ豐富ナル天然資源ノ有ルアリテ、祖國獨立ノ用ニ供シ得ヘシ云々』

在米勞農露國大使館商務官「ホーヴィッチ」博士ハ「レニン」ノ言ヲ引用シテ、今日二億五千萬ノ民人カ十二億五千萬ノ民人ヲ從屬ノ地位ニ置ケルハ、全世界ニ於ケル紛爭ノ眞因ナリト斷シ、且曰ク『印度ノ獨立ハ白色人種ノ司配的勢力ヲ危ウスヘシトノ叫ニハ同感ノ意ヲ表スル能ハス云々』

次ニ印度ノ秕政ヲ指摘シ、米國公衆ニ報告ノ爲五名ノ印度實情調査委員ヲ選定シ、米國元老院外交委員會ニ陳情聽取ヲ請願シ、米國ニ於ケル政治的印度亡命者ノ檢擧ニ對シ抗議スル等ノ事項ヲ具シタル決議文可決セラレタリ云々。（編者附言尙紐育邦字新聞ノ報道ニ據レハ、同日夜ノ同會主催ノ演說會ニ於テハ米國元老院議員「ノリス」氏モ一場ノ演說ヲ試ミ朝鮮人其ノ他ノ革命團體モ之ニ參加シテ盛況ヲ極メ、大英國ト「ロイド・ヂョーヂ」「ウイルソン」等ヲ罵倒シ、散會ノ際ニハ勞農露西亞ノ萬歲ヲ三唱シタリト云フ）

第四　米國刊行物

（一）　在米朝鮮同情者協會ノ目的位置及役員

（本册子第三十六頁第二項參照）

米國ニ於ケル朝鮮同情者協會ノ發行ニ係ル英文印刷物ニ據リ同會ノ目的竝同會本部ノ位置及役員ヲ示セハ左ノ如シ。

目　的

（一）　朝鮮ノ實情ヲ宣傳シテ米國公衆ニ周知セシメ且朝鮮民族ノ福利ヲ圖ルコト
（二）　朝鮮人基督敎徒ノ信敎自由ヲ保護スルコト
（三）　從前朝鮮人ノ受ケタル虐待ノ再演ヲ防止スルコト
（四）　朝鮮ニ於ケル寡婦、孤兒及無告ノ窮民ヲ救助スルコト
（五）　米鮮兩人民間ノ友誼的及通商關係ヲ扶殖進善スルコト
（六）　朝鮮獨立ノ爲ニ輿論ヲ喚起統一スルコト

位　置　　華府「ウッドワード・ビルディング」七三二號

中央執行委員

總　裁　　海軍提督「ジョン・シー・ワットソン」（米國海軍豫備役）
副總裁　　元老院議員「チョーゼ・ダブリュー・ノリス」（「ネブラスカ」州選出）
同　　「チョーヂ・ダブリュー・スターン」（米國農會委員）
專務書記　　「エス・エー・ベック」（廿年間ノ朝鮮同情者）（譯者曰ク元在京城大米聖書公會主任ニシ

テ大正八年中引揚ケ歸國セシ「エス・エー・ベック」（韓名白瑞巖）氏ト同一人ナラムカ）
會　計　　「アール・エーチ・ブラット」（「メッロポリタン」印刷會社員）
理　事　　李承晩博士（華府在住）
同　　「フィリップ・ゼイソン」博士（費府在住）（米國歸化朝鮮人徐載弼）
同　　「ダグラス・ブットナム・バーティー」夫人（華府在住）

（二）　在米印度獨立同情者協會ノ目的位置及役員

米國ニ於ケル印度獨立同情者協會ノ發行ニ係ル英文印刷物ニ據リ同會ノ目的竝同會本部ノ位置及役員ヲ示セハ左ノ如シ。

目　的

（一）　印度人タル政治的亡命者ノ爲米國ニ於ケル避難ノ權利ヲ支持スルコト
（二）　印度獨立ノ主張ヲ發表スルコト

位　置　　紐育市東第十五街七番地

役　員

總　裁　　「ロバート・モース・ロウェット」敎授
副總裁　　「ダッドレー・フィールド・マローン」

専務書記　「タラカナス●ダス」（印度人、前々項記事中ニ見ユ）
総務書記　「アグネス●スメッドレー」
　　　　　「エス●エヌ●ギョース」（印度人、前々項記事中ニ見ユ）
會　　計　「ジャートルード●ビー●ケリー」
印度ニュース通信擔當者　「バサンダ●クーマー●ロイ」
法律顧問　「ギルバート●イー●ロー」
同　　　　「フランク●ビー●ウォルシユ」

執行委員
前記役員ノ兼任スル外駐米勞農露國商務官「アイザーク●エー●ホールヴヰッチ」「アブラハム●レフコヴヰッチ」「ローヂャー●エヌ●ボールドウヰン」「ジョセフィン●ビー●ベンネット」牧師「ジョン●エーチ●ヅーレー」「ジョン●デイー●ムーア」等

國民議會
「トスガン●ベンネット」（「コンネッチカット」州「ハートフォード」居住）、「フランツ●ボアス」教授（紐育居住）、「ダフルユー●イー●ビー●ヅボイス」博士（同上）、其ノ他紐育、「ブルックリン」、市俄古、桑港、華府、「シャートル」「バルチモーア」等ノ居住者二十五名

三七

印度顧問部
「タラクナス●ダス」（紐育居住）、「エス●エヌ●ギョース」（同上）、「ビー●ケー●ロイ」（同上）、其ノ外紐育、桑港、「ロスアンゼルス」、「ルイジニア」州「ニユー●オーレアンス」、加州「ホルトヴヰル」、同「カルサ」、同「フレスノ」、同「ウヰロウス」等居住ノ印度人十一名

三八

第五　英米通信

本記事ハ本府ニ到達セル英米通信ノ一節ヲ摘録シタルモノナリ

（一）在米鮮人活動ノ形式（一九二〇年十二月十四日紐育發信）

（前略）在米鮮人ノ活動ハ萬事在米愛蘭人ノ物眞似ヲ爲シ、漸ク其後ヲ追ヒツツアルコトハ、最早動カスヘカラサル事實ニ有之、情報局（Information Bureau）ヤ朝鮮同情者協會（League of the Friends of Korea）ノ設立ノ如キ全ク愛蘭人ト同樣ノ機關ト組織トニ依ルモノニ外ナラス。又最近ニ至リテハ本月五日（大正九年十二月）又々印度人ノ獨立運動モ是等ト同樣ノ形式ニテ紐育ニ於テ中々盛大ナル發會式ヲ擧ケ申候。

斯樣ノ次第ニテ所謂『壓迫民族』ハ漸次聯合的組織ヲ以テ世界的大運動ヲ試ミムトスル傾向相見エ申候。而シテ之カ牛耳ヲ執ルモノハ、一ニ在米愛蘭人ニシテ、其ノ援助者ハ米國人ニ外ナラサルハ、申迄モ無之候云々。

（二）在米鮮人ノ活動機關（一九二〇年十月二十日華府發信）

米國東部ニ於ケル朝鮮人ノ活動機關トシテハ華府ニ於ケル朝鮮共和國最高委員部（The High Commission of the Republic of Korea）及費府ニ於ケル朝鮮情報局（The Bureau of Information for the Republic of Korea）ノ二箇ニシテ、最高委員部ニハ大統領博士李承晩、議長金奎植、大統領秘書林（B.C. Lylm）委員部書記李（Wm. Y Lee）法律顧問「フレッド●エー●ドルフ」（Fred A. Dolph）（米人辯護士）アリ。其ノ他『海外駐在委員部』ヲ設ケ議長金奎植其ノ委員長ヲ兼ネツツアリ。二名ノ「タイピスト」ヲ雇傭シテ常ニ多忙ラシク執務シ居レリ。（情報彙纂第二第二頁第二項及第九頁末參照）

在費府情報局ニテハ主事博士「フイリップ●ゼイソン」（Dr. Philip Jaisohn）（朝鮮人）トテ、元韓國皇帝顧問トカ、米國醫學博士トカ稱スル者、專ラ其ノ任ニ當リ、更ニ同局ヨリ朝鮮評論（The Korea Review）ヲ毎月刊行シ、其ノ主筆ヲ兼ヌ。同誌ハ專ラ米人其ノ他ノ外國人ニ對シ所謂日本ノ惡政ヲ知ラシメムトスル宣傳雜誌ニシテ、朝鮮同情者協會（The League of the Friends of Korea）ナルモノヲ白人間ニ組織シ、其ノ會員ニハ無代配付シ居レリ。協會費ハ一箇年一弗ニシテ、同雜誌ヲ要求スル特別會員ハ會費一箇年二弗ト定メ居レリ。而シテ茲ニ注意スヘキハ該協會ノ各地支部會長ニ相當知名ノ士ヲ見受クルコトナリ。目下米國ヲ通シテ十七箇ノ支部アリ。其ノ所在地及會長左ノ如シ。

三九

所在地	會長
アライヤンス（オハヨ州）	ティー●ゼー●ブライソン博士
アン●アーハー（ミシガン州）	グブリユー●シー●ルーフアス博士
ボストン（マサチユーセッツ州）	エル●エーチ●マーリン博士
市俄古（イリノイス州）	元老院議員ゼー●ゼー●バーブーア
、コラムバス（オハヨ州）	ウィリヤム●ホーストン博士
フィンドレー（オハヨ州）	ダブリユー●ダブリユー●ガイヤー博士
フォストリヤ（オハヨ州）	エフ●エー●ウィルバー博士
カンサス市（ミゾリー州）	グラント●エー●ロビンス博士
リマ（オハヨ州）	牧師ティー●アール●ハミルトン
マンスフィールド（オハヨ州）	アール●イー●テューロス博士
ニューバーグ（オレゴン州）	シー●イー●ギブソン博士
紐育市	シー●ゼー●スミス博士
費府	フロイド●ダブリユー●トムキンス博士
リーヂング（ペンシルヴェーニヤ州）	フランク●エス●リヴィングッド

四〇

桑港　　エル・エー・マッカフィー博士

ティッフィン（オハヨ州）　　エー・シー・シューマン博士

華盛頓市　　海軍提督ゼー・シー・ワットソン

右ノ内華府支部會長ハ嘗テ一八七一年ヨリ一八七三年迄横濱ニ常泊補供艦長トシテ在任セシコトアリシ者ナリ。

朝鮮同情者協會ノ會員數ハ、彼等ノ報スル所ニ依レハ、一萬人以上ニテ、會員所在地ハ全米各州ヲ始メ支那、日本、朝鮮、英、佛、露ナリト稱シ居レルモ、他ノ方面ヨリ得タル情報ニ依レハ、三千位ニテ内一千ニハ朝鮮評論誌ヲ無代贈呈シツツアルモノノ如シ。（本册子第十七頁第五行及第三十四頁末行參照）同誌ハ在桑港韓國國民協會發行ノ「大韓民報」ノ韓文新聞ニ對スル在米鮮人ノ唯一ノ英字月刊雜誌ナリ。

叙上華費兩府ノ二機關ニヨリテ大抵毎月何等カノ小册子ヲ刊行シテ種種宣傳ニ努ムルモ、昨今ノ狀態ヲ見ルニ、彼等ノ主張ハ從來單ニ宗教家方面ニ道德的援助ノミヲ要求スルニ在リシニ、最近ニ在リテハ、盛ニ朝鮮ニ於テ鑛山其ノ他未發展ノ產業有望ナル旨ヲ吹聽シテ、米國事業家ニ對シ、東洋殊ニ朝鮮ノ企業熱ヲ煽フルカ如キ態度ニ出テ、以テ事業家方面ノ物質的援助ヲ哀願シツツアリ。若シ我ニ彼等ノ宣傳ニ對應スルノ要アリトセハ、此ノ點ハ最モ注意ヲ拂フヘキモノナルヘシ云々。

（三）朝鮮問題ト英國（一九二一年一月二十日倫敦發信）

英國ニ於ケル極東研究熱ハ、大戰終了ト共ニ俄ニ起リ來リ、支那方面ノ研究ト同時ニ、朝鮮問題ノ研究ニ對シ漸ク興味ヲ覺エ、政治家ト云ハス、實業家ト云ハス、一般國民ノ擧ツテ注目ヲ拂フノ傾向アリ。此ノ時ニ際シ、昨年仲夏例ノ「エフ・エー・マッケンジー」（本册子第八頁第四行參照）米國、加那陀ニ於ケル排日宣傳ヲ打切リ、突如トシテ英國ニ現ハレ、爾來所謂朝鮮問題ニ關スル言論俄ニ諸種ノ紙上ニ現ハレテ、全ク如上ノ傾向ト投合シ、「マッケンジー」自身スラ、一時ハ當初ノ豫想以上ノ反響ヲ齎ラシタルニ驚キタルモノノ如クニ察セラレタリ。（情報彙纂第二、第七頁第九項參照）

之カ爲彼ノ英國朝鮮同情者協會（The League of the English Friends of Korea）ノ如キモ、樂樂ト設立セラレシ由ナリ、該協會會員連ノ系統ハ、多クハ自由黨、勞働黨ニ屬スル下院議員ニシテ、平素彼等ノ抱懷セル自由急進ノ主義主張ニ巧ニ迎合シテ其ノ會員ニ誘導シタルモノノ如クニ考ヘラル。

兎モ角同協會カ既ニ英國議院内ニ於テ發會式ヲ擧ケシ一事（本册子第七頁第三項參照）ニ依リテ見ルモ、唯單ナル好事家ノ閑事ト輕々ニ看過スヘカラサルモノアリ。

「マッケンジー」カ昨年秋全英各地ノ新聞雜誌ニ對シ、其ノ著書「朝鮮ノ獨立運動」（Korea's Fight for Freedom）ノ無代頒布ヲ大大的ニ行ヒ、所謂同業ノ誼ヲ以テ同情的新刊紹介ヲ揭載セシメ、巧ニ排日的宣傳ヲ行ヒシカ如キハ、頗ル效果アリシモノノ如ク、之ニ對シ彼ノ誤謬ヲ指摘セシ者ハ、僅ニ「ブランド」（Bland）氏（編者附言氏ハ本年二月八日支那北京方面ヨリ京城ニ入リ十日内地ニ向ヒタル倫敦「タイムス」通信員「ゼー・オー・ピー・ブランド」ノコトナラムカ）一人ノミニテ、他ハ全英各地中央地方ヲ擧ケテ、悉ク彼ノ著述ヲ裏書セシ模樣ナリ。

斯ノ如ク英國内一般ノ輿論ト傾向トカ、頗ル興味ヲ以テ極東ノ記事ヲ歡迎スルノ情勢アルヲ以テ、自然英國ノ新進記者界ニハ、東洋視察ノ希望ヲ抱ク者多ク。隨テ自ラ「東洋事情精通家」タル專門的地位ヲ獲得セムコトニ腐心スル者モ多多有之ヤニ聞キ及ヘリ。現ニ昨年末カ本年一月初カニ日本到着ノ筈ナル「マンチエスター・ガーデヤン」社ノ記者「ハミルトン」（Hamilton）氏等ノ今回ノ東洋視察ノ如キハ、全ク此ノ意味ニ外ナラサル由ナリ。同新聞ハ最モ急進的ナル「リベラリスト」ノ主張ヲ支持シ、其ノ爲恰モ「アスキス」卿ノ機關紙視セラレ居リ、現内閣ニ反對シテ、愛蘭獨立ニハ寧ロ好意ヲ示シ居レリ。同紙ハ昨年秋頃數次朝鮮問題ヲ論評シ、屢排日的記事ヲ揭ケシ由ニテ、同紙ノ系統ヨリ見レハ、自然朝鮮人ニ同情スルモ無理カラヌ樣思ハル。

前記協會ノ外當英國ニ於テ團體的ニ會合シテ朝鮮問題ヲ論議セムト試ミシモノハ（一）原始種族保護會（二）宗教團體ノ會合位ノモノニシテ、一般ニ米國ニ比シテハ全ク同日ノ談ニアラス。未タ何等憂慮スル程ノ程度ニアラスト推斷セラル。

宗教團體ニ對スル活動ハ「朝鮮ノ復興」ノ著書「ジョーゼフ・ダブリュー・グレーヴス」（Joseph W. Graves）ナル者（情報彙纂第三第十六頁參照）倫敦ニ居ヲ構エ「國際社會奉仕會」（International Social Service Society）ナル名稱ノ下ニ宗教團體ト聯絡ヲ取リ、專ラ排日宣傳ニ努メ。朝鮮内ニ於ケル基督教壓迫ヲ誇張シ居ルモノノ如シ。而シテ宗教團體側ニ於テハ、傳道費寄附募集ノ口實トシテ、日本ノ虐政ヲ匡正スル爲ニ基督教化スルノ必要アリトテ、東洋傳道ノ急務ヲ說キツツアリトノコトナルモ、果シテ幾許ノ信憑ヲ措クヘキカハ尙疑問ナリトス。

從來英國議會ニ於テモ、議員中ヨリ朝鮮問題ニ關スル質問ヲ提起セムトスルモノ再次ニ及ヘル由ナルモ其ノ都度英國政府ハ日英國交上ニ至大ノ影響ヲ及ホスヘシトノ意味ヲ以テ、質問者ト事前ニ協議シテ公然ノ問題ト爲ササル由ナリ、尙聞込ミタル所ニ依ルモ、英國政府カ先ツ朝鮮總督府ニ對シ、同情的態度ヲ保持シ居レルヲ察知シ得ヘシ。

斯ノ如ク英國ノ輿論カ、大體ニ於テ、未タ米國ノソレノ如ク、惡化シ居ラサルコトハ、自明ノ事實ナリ。一方日本側ノ宣傳上ヨリ之ヲ見レハ、目下ハ寧ロ最モ適當ノ時機ニテ、極力宣傳ニ努力スヘキ好機ナラム。事前ニ於テ眞相ヲ宣傳スルコトハ、事後ニ辯明スルニ比シ、勞少クシテ效果多ケレハナリ

【畢】

大正十年三月二十五日印刷
大正十年三月二十八日發行

朝鮮總督府

京城旭町貳丁目十番地
印刷所　京城印刷所

大正十二年三月

情報彙纂　第五

英米に於ける朝鮮人の不穩運動

朝鮮情報委員會

情報彙纂第五　目次

英米に於ける朝鮮人の不穩運動（情報彙纂第五）

第一　米國に於ける在留鮮人の獨立運動

山上祠君談

閣下並に諸先輩各位

私は之れより米國に於ける在留鮮人の獨立運動に關する狀況に就いて、暫らく各位の御淸聽を煩はすことを、深く光榮とするものであります。

私は去る大正七年七月、時の內務大臣水野政務總監閣下が、私の出身學校の當局者で在られました關係上、格別の御推挽と御高配とに依り、母校の留學生として政治學研究の爲、米國に留學いたすことゝなり昨冬更に歐羅巴に渡り、英佛其他を一巡しまして漸く去る四月八日神戶に歸朝いたした次第であります。

休戰後の米國國論

御承知の如く私の渡米いたしました當時は、未だ戰時中にて、果して何の時にか終局を告ぐるであらうか、恐らく何人も能く之れを豫測することの出來得ないやうな狀態でありまして、米國に於ける戰時氣分は、殆んど其の高調に達して居た時代でありましたが、僅かに淹留すること半歲を出でずして、流石未曾有の歐洲大亂も、突如として休戰することゝなり、爲に同國上下の輿論は、當時の大統領「ウイルソン」氏の聲明したる、所謂十四箇條の基礎的講和條件の討究と、英國の「グレー」子と共に東西相呼應して唱道せられた國際聯盟の論議との爲に集中せられ、米國の學界及び政治界は勿論、社會の各方面悉く此の二大問題の論究の爲に、總ての國論が傾倒せられつゝあつたのであります。

弱小國民の民族的自覺

一九一八年即ち大正七年の一月八日、「ウイルソン」大統領が、一度米國議會に對して一片の敎書を送り對獨講和の基礎條件を聲明してより以來、十四箇條中の一項たる所謂民族自決主義の高唱は、中外に對し、意外なる共鳴と反響とを齎らし、俄かに弱小國民若しくは壓迫民族の擡頭となり、『弱小國同盟』(League of Small Countries)、『壓迫民族同盟』(League of Oppressed Peoples) 及び『自由民聯盟』(League of Free Nations) 等と稱する團體又は秘密結社が、いづれも紐育市を中心として組織せられ、在米愛蘭人を始め、北歐及び巴爾幹方面の各小弱國民竝に東洋方面に於ける印度、朝鮮等の諸人種が集合して、盛んに强大國に對する反撥的民族運動を開始するの徵候を示し來つたのであります。

國際聯盟と弱小國民

而して私は、斯うした新らしき當面の問題よりして、端なくも『國際聯盟を中心としたる弱小國民族の政治的活動』とも稱すべき、一箇の新しき研究題目を選擇して、聊か斯種の方面に關する研究と調査とを致しましたが、私は今日茲に斯うした研究の途上に在る未熟なる私の研究題目に就いて、烏滸がましく閣下竝に先輩各位の前に申し述ふることの、誠に僣越の沙汰なることを知りますが故に、本日は唯單に私の興味を以て斯の種の研究を續げまする上に於て、必要上不十分ながらも聊か蒐集致しました材料を基礎として、上來申し上げました『米國に於ける在留鮮人の獨立運動』に關し、先づ其の大體に涉る沿革を說明し、次いで之れが運動の機關、組織、及び其の中心人物、並に其の機關を維持する財政上の關係及び其機關の活動の實際狀況等に關する諸點に就き、一應御說明申し上げたいと思ふのであります。

米國の排日と朝鮮問題

大正八年の初頭、休戰條約締結の後を受けて、愈佛京巴里に於て平和會議の開催せらるゝに當るや、米國に於ては、端なくも山東問題の勃發を動機として、支那側が大々的に宣傳し始めました排日運動は、意外の効果を收め、戰時中一時休熄してゐました米國に於ける排日の聲は、再び勃然として茲に燃ゑ上り、從來太平洋沿岸に於ける單なる一地方問題と見做され、其地方に居留せる日本移民の風俗習慣が、著しく米國人の夫れと異なり、若くは彼等の勞働賃金が低廉にして長時間の勞働に堪ゆるが爲に、白人勞働者の生活を脅威すると云ふが如き、單純なる理由を以て、一部低級の勞働者階級の間に、其の聲が唱へられ來つたのであるに拘らず、戰後に至つては戰前の一地方問題は、一轉して中央議會の一大問題となり、堂々たる上下兩院議員の有識階級に依りて排日を絕叫せらるゝに至り、其の理由とする所も亦全く從前と其の

內容を異にし、日本の軍國主義、侵略主義を批難して、世界の公道なる「デモクラシー」に反するものとして之れを排擊し、今や米國の排日は全く移民問題を離れて、純然たる外交問題に轉化するの姿であつて、其の形勢は益惡化して、今日は排日と謂はんよりは、寧ろ恐日と云ふの至當であるが如き狀態に立ち至つたのであります。

斯の如く全米州は國を擧げて山東問題の論議に關聯して、熾んに米國の對日政策が論せられて、世論囂々たるの秋に當り、巧みに此の機會に乘じて米國の排日熱を更に一層煽り立てゝ、恰も滔々たる猛火に對して薪炭を注ぎたるが如き事件の勃發は、實に我が在留鮮人の獨立運動の開始が即ち是れであります。

在米鮮人の推定概數

米國に於ては十箇年目毎に一回づゝ行ふ國勢調査を、昨年施行致しましたが、未だ其の結果を見るに至らずして、私は渡歐の途に就きました爲に、終に在留鮮人の比較的確實なる統計を知ることを得ませぬが各地の領事館其他より取調べました推定概數に依れば、米國在留者約一萬五千人にして、此の外布哇在留者四千人、墨西哥在留者五千人及び加奈陀に僅少の在留者を認めますが、米國西部に於ける鮮人は、多くは農業勞働者にして、中部は鑛山從業者、東部は家庭勞働者が其の重なるものであつて、此の外東部及び中部には、多少の學生が散在してゐる有樣であります。日本在留民の故老者に聞けば、彼等は日露戰爭當時迄は、全く在留支那人との交遊を避けて、頻りに日本人の間に出入して、密接なる親善關係を保たんことに努めたるも、一度日韓併合の決行せらるゝや、全く在留日本人間の出入を絕ち、悉く皆支那人の間に交遊を結び、事業上にも、勞働の契約上にも、總て支那勞働者と提携するに至つたと傳へられてゐます。

朝鮮人協會の組織

而して此等の在留鮮人は、獨立運動開始以來、二箇の機關を組織するに至りました、即ち內、朝鮮人自身の側に於ては『朝鮮人協會』と稱するもの是れにして、外、米國人側に於ては『朝鮮同情者會』(League of the Friends of Korea) と稱するもの、即ち是れであります。(情報彙纂第四第三八頁以下參照)

朝鮮人協會は東部に於ては先づ紐育市を始め、中部に「イリノイス」州の市俄古、「オハヨウ」州の「アクロン」、「ミシガン」州の「デトロイト」、西部に於ては加州に最も多く、桑港、羅府、櫻府、「スタクトン」「ダニウバ」、「ウイロウス」、及び「ワイオミング」州の「スウペリオア」、華州の「ヤキマ」、「コロラド」州の「ピユベロ」等で、合計十三箇所に地方會を設け、此の外布哇「ホノルル」に布哇地方會を、又墨西哥には首府の「メキシコ」市(City of Mexico) の外五箇所、合計六箇所に地方會を置き、更に加奈陀には「ビクトリヤ」及び「バンクーバー」にも夫々之れを設け、此等二十有餘の地方會を總轄すべき『北米朝鮮人中央協會』と稱する聯絡機關を、桑港「マアケット」街の「ヒウス・ビルディング」內に設けてゐるのであります。

朝鮮同情者會の組織

又米國人側に關する機關としては、華府、費府を始め「オハヨオ」、「ミシガン」、「イリノイス」、「オレ

ゴン」、「ニウョーク」、「ペンシルバニア」、「カリホルニヤ」、「カンサス」の諸州に於て十八箇所に『朝鮮同情者會』なるもの設置し、朝鮮を完全に正義と自由との行はるゝ國家となし、日本の壓迫排除に對し間接直接の援助を與ふるを以て其の目的とするのであります。而して此等は華府の退役海軍大將「ワトソン」氏を始め、悉く當該地方に於ては相當知名なる政治家、宗教家、又は大學教授等を擧げて會長に選任し、時々集會を催ふして朝鮮問題の討議を行ひ、又は東洋方面より歸來せる諸名士を招聘して講演會を開き、會員よりは一箇年二弗宛の會費を徴收し、別に『朝鮮評論』と稱する月刊英文雜誌の購讀を希望する會員に對しては、一箇年參弗宛の會費を徴收しつゝあり。其の總會員數は一萬五千人と稱しつゝあるも、素より其の眞僞は慥ではありませぬ。

在留鮮人の中心人物

斯の如き機關と組織とを有する在米鮮人は、如何なる人物を中心として活動しつゝあるかを見るに、申す迄もなく所謂朝鮮共和國假政府の大統領と稱せらるゝ、李承晩を筆頭とし、米國歸化人「ヒィリップ・ゼーソン」と改名してゐる徐載弼、軍務總長と稱せらるゝ盧伯麟、Northern Western University の講師なる朝鮮人 Dr. Henry Chung、巴里平和會議に密使として派遣せられたる金奎植、加州大學出身にして現北米朝鮮人中央協會々長たる尹炳球等は、其の重なるものにして、此の外彼の「Korea's Fight for Freedom」の著者なる「マッケンジー」、及び朝鮮共和國最高委員部の法律顧問「フレッド・ドルフ」等が居るのでありま

す。

獨立運動開始の發端

私は更に進んで此等の機關と此等の中心人物とに依りて、果して過去に如何なる活動を試みしか、又現に如何なる活動を繼續しつゝあるかと云ふ點に就いて、其の實際の狀況を概說致したいと思ふのでありま す。

米國に於ける在留鮮人の獨立運動開始の發端は、一九一九年一月十六日紐育市に於て、前述の中心人物を初め、其他少數有志の者相會合して、「ウイルソン」大統領の所謂民族自決主義を綱領としたる朝鮮獨立を企畫する旨を決議し、右決議文を添付して米國大統領を始め米國講和委員並に上下兩院議員に之れが援助を哀訴するの請願書を送付したるのを以て、其の具體的活動の第一歩と見做すべきであります。

次いで之れが實行方法に就いては、專ら李承晩及「ヘンリー・チャン」の二人が其の衝に當り、時の國務卿「ランシング」氏竝に大統領秘書「タマルテー」氏と數次會見交涉する所あり、一面在留鮮人に對しては、米國内の各協會所在地に於て、朝鮮內地に於ける萬歲運動を遙かに聲援する意味を以て、三月一日を期し獨立宣言の發表と共に、各他一齊に大々的示威運動を開始せしめたのであります。

巴里會議に密使派遣

而して之れが願望達成の爲には、是非共當時開催中の巴里講和會議に對し、委員を派遣して實狀を訴ふ

るの必要ありと做し、之れが委員に三名を選定する事に決し、內二名は李承晩及び「ヘンリー・チャン」其の任に當る筈でありましたが、此の兩名は一九〇五年以來即ち今より十六年前初めて渡米し、舊韓國時代の旅劵を所持するのみであるが爲に、終に之れを決行するに至らなかつたのであります。併しながら彼等は尙ほも前志を飜へさずして、特に國務省に出頭懇願して、審に其の事情を訴へ、渡佛及歸米の免許書の下附を申出でしも、當時早くも我が在外公館に於て、彼等に此種の陰謀あることを探知し、米國當局に交涉する所ありし爲、又々其の計畫は水泡に歸し終つたのであります。併しながら彼等は尙ほも之れに屈せず終に最後の手段として、當時米國委員として巴里に滯在中なる國務卿「ランシング」氏に對し、電報を以て、何等かの方法を講せられたき旨を懇請したるに對し、「ランシング」氏は同年三月八日附を以て巴里より朝鮮人協會に對し

"It would be most unfortunate for Korean representatievs to come here at this time."

と云ふ回答を、電報を以てした。併しながら彼等は尙ほ未だ一念之れを絕つ能はずして、終に金奎植一人のみを派遣する事に決したのであります。

金奎植の請願書提出

金奎植の渡佛に就いては、米國船の船員となりて渡航せりと傳ふるものあり、又は米國官憲より極秘を以て適宜の措置に出でたるものなりと噂せられつゝあるも、私は米國政府に對し國際的禮讓を重んじて、全然後者の流言を否認せんとするものであります。而して金奎植は安全に着佛すると共に、四月十一日を以て、豫て在費府徐載弼の手許に於て起草せられたる請願書を平和會議に提出し、正式の委員として列席するの權利を與へられんことを懇請したのであります。

請願書の內容は二十箇條より成る朝鮮獨立竝に新共和國組織の理由を詳述したるものであつて、此外別に二十三箇條より成る所謂日本の虐政を列擧せる備忘錄を添へ、尙ほ附錄として日韓併合の條約文及び一九一二年朝鮮に於ける陰謀事件と題する一節を添付してゐることは既に御承知のことゝ存じます。

朝鮮共和國第一議會

而して米國費府に於ては、同年四月十四、十五、十六の三日間、各地より選出せられたる代表者出席して朝鮮共和國第一議會を開催し、先づ米國十三州の獨立宣言を發表せる古史にちなみ、同市の「インデペンデント・ホール」(獨立閣)に於て宣誓の式を擧げ、次いで「リットル・セヤター」と稱する劇場に於て議事を行ひ、假政府設立、其他諸般の活動事項に關し協定する所があつたのであります。其の議事錄は約百頁より成る、立派なる印刷物が出來上つて居りまして、現に私の手許にも其の一部を持參して居ります。

三日間の議會開會中には、決議を以て巴里の平和會議に對し、特に「ウイルソン」及び「クレマンソー」氏に宛て、朝鮮人代表者たる金奎植を正式の委員と認め、朝鮮人代表者に自由なる發言の機會を與へられんことを、電報を以て重ねて懇請したる次第でありました。

朝鮮共和國假政府

斯くて四月二十三日李承晩を大統領とし、國務總理李東輝を始め、各閣員の選任を發表して、假政府を費府に置き、十箇條より成る憲法を發表して、政體を共和制に採り、男女貴賤悉く平等の權利を保有し、言論集會及び信敎の自由を明かにし、總ての官公吏を悉く選擧に依る等の諸綱領を揭げ、更に六箇條の施政方針を聲明したのであります。

素より此等の運動は、内容全く空虛にして、何等の勢力を有せざるに拘らず、紙面の上に於て、如何にも堂々たる公表を敢てするが爲、米國々民は俄かに彼等の運動に對し、深甚なる注意を拂ふに至れる折柄、在紐育『米國基督敎會聯合會』の東洋委員部々長「ヘブン」氏並に同主事「ギュリック」博士の名を以て同年六月十七日『朝鮮の時局』と題する小冊子を刊行し、在朝鮮宣敎師の極端なる報告書を發表せるが爲、國内の宗敎界並に政治界に豫想外の反響を來すに至つたのであります。

米國上院と朝鮮問題

越えて同年八月十六日に至り、米國上院外交委員會に於ては、特に朝鮮問題に關する討議を行ひ、參考人として、甞て米國公使として朝鮮に駐在せし「ホーマー・フルバート」博士の意見を聽取したのであります。同氏は日韓併合に際し、時の大統領「ルーズベルト」氏並に時の國務卿「ルート」氏に對し、日本が武力を以て朝鮮を併合せる非違を擧げて、反對意見を打電せしに拘らず、日本政府の發表せる虛僞の報告を信賴して之れを承認せる旨を陳述し、今にして朝鮮に自由を與へずんば、朝鮮民族は唯滅亡あるのみと極論せる次第が詳細に當時の新聞に表はれたのであります。

次いで同年十月十九日には、米國議會に於て再び、朝鮮共和國假政府法律顧問「ドルフ」と稱するものゝ意見書が附議せられ、又加州選出の上院議員として有名なる排日家「フィーラン」氏より提出せられた朝鮮獨立案等が、屢議題となりましたが、最後には、一九二〇年三月「コロラド」州選出上院議員「チャールス・トウマス」氏に依り、國際聯盟修正事項中朝鮮の獨立を認めんとするの提案を見るに至り、同月十八十九、二十日の三日に亙り、熾んに各議員の論議を盡し、僅かに少數の差を以て、漸く否決せらるゝに至つたのであります。

宣傳機關と其の事業

斯の如く米國に於ける朝鮮問題は、其の當時既に言論の時代を過ぎて、實際政治の問題にまで進展し來つたが爲に、彼等は此の際尙一層上下兩院議員との間に了解を得て置くことの必要を認め、種々なる宣傳用の小冊子を刊行して、盛んに各方面に頒布することに努めたのであります。而して專ら議會方面との交涉の任に當るべき、假政府の代行機關として、華盛頓府に最高委員部(High Commission of Korea Republic)を設置し、李大統領の總轄の下に、委員長に金奎植を擧げ、法律顧問には、當時「シカゴ」市に於て辯護士開業中であつた「フレッド・ドルフ」を聘用したのであります。又一般的宣傳機關としては、費府に情報局(Information Bureau)を設け、主事に徐載弼を擧げ、之れが主幹の下に、英文月刊雜誌『朝鮮評論』(Korea Review)を發行し、專ら外人に對する宣傳用に宛て、又在留鮮人に對する宣傳には、在桑港北米朝鮮人中央協會の機關紙として、朝鮮文字に依る週刊新聞『新韓民報』を發行しつゝあるのであります。

外交主義派と武斷派

以上は、大體に於ける彼等の活動の經過並に現狀でありますが、其の實行方法に關しては、彼等の間にも、自ら種々の異論がある。先づ、大體論としては、之れを二派に分つことを得るのであります、即ち其の一は、飽くまでも外交手段に依りて目的を達成せんとする者と、他は、即ち極端なる武斷主義に訴へて之れを貫徹せんとする者、即ち是であります。

李承晩の如きは、多年身を宗敎界に委ね、「ウイルソン」氏が「プリンストン」大學總長時代に、其の學生たりし關係上、「ウ」氏を崇拜すること一方ならず、殊に資本家の極端に跋扈する米國に於ては、甚しく過激派を嫌惡する爲、此等との聯絡ありとの風說を傳へらるゝ事を、甚しく懼れ、專ら平和手段に依る實行方法を行はんと欲してゐますが、之れに反し在加州「ウイロウス」の軍務總長盧伯麟の如きは、寧ろ極端なる武斷派を代表する一頭目であります。彼は東京士官學校の出身にて、在「スタクトン」市の富豪金鍾麟の出資を仰ぎ、之れを總裁に擧げて、自らは校長となり、「ウイロウス」に朝鮮人飛行學校を經營してゐますが、昨年六月現在の在學生は四十一名にして、昨年の卒業生は四名を出し、本年は十一名を出す筈であります。練習飛行機は昨年四臺を有し、本年は更に一臺を加へ、此の五臺は共に無線電信を裝置し、他日之れを解體して上海に密送すべしと呼號してゐるのであります。

又盧伯麟は別に獨立護國軍を編制し、恰も往年我が北海道にありし屯田兵の如く、約二百名位の鮮人勞働者に對し晝間勞働の餘暇を以て、軍事敎練を行ひつゝあるのであります。

此の外桑港には、朝鮮共和國赤十字會なるものを組織し、朝鮮人看護婦の養成に努め、一面に於ては獨立護國軍の病傷に備ふると共に、他面に於ては、米人に對し鮮人が進んで博愛事業に盡しつゝある事を誇らんとしてゐるのであります。又華府には『朝鮮救濟會』なるものを設け、朝鮮の救濟事業に對する一般の同情と寄附とを勸誘しつゝあるのであります。

獨立資金と其の支途

最後に私の申し述んとする事項は、即ち彼が如上の活動を遂行するに必要なる財政は、果して如何にして作り上ぐるやとの問題でありますが、彼等は每月約五千弗(昨年六月以前は四千弗)の經常費を要しまして、在留鮮人よりは所得稅として、月收の二十分の一を强制的に徵收しつゝあるのであります。其他公債の發行募集、一般の寄附金勸誘、及び同情者會員の會費徵收等を以て、主なる財源としてゐるのであります。

其の支出の主なる費目は、大統領の舍宅費三百弗、社交費二百弗、秘書役の俸給百五十弗、法律顧問の三百弗等でありまして、一般に各地鮮人協會其他の鮮人事務官は、多くは無給にて活動しつゝあるのであります。

歐洲駐在委員部

昨年六月、北米朝鮮人中央總會に於ては、一の決議を行ひ。華府最高委員部内に、歐洲駐在委員部を設くる事とし、其委員長には、同じく金奎植を以てする事に定めたのであります。而して其活動の第一歩として、直ちに「マツケンジー」を英國に遣はし、歐洲に於ける宣傳を、之れより組織的に開始するの計畫を定めたのであります。其の結果、昨年十月二十六日倫敦に於て發會式を擧げたる『英國朝鮮同情者會』の成立となり、又本年二月初旬佛國巴里に於ける『朝鮮の友の會』組織の檄文發表となつたのでありますが、既に私に與へられました時間も經過いたしましたるが故に、歐洲に於ける此等の活動に就いては、他日改めて詳細なる御説明を致すことゝして、本日は之れを省略いたしたいと存じます。

終りに臨んで閣下並に諸先輩各位が、私の此の未熟なる講演を、終始御清聽下されました事に對して、謹んで深く敬意を表したいと思ひます。　（大正十年四月二十四日講演）

第二　英國に於ける朝鮮獨立運動に關する宣傳事情に就て

大正十年一月三十日倫敦通信

（一）　宣傳運動の發端

英國に於ける朝鮮獨立に關する宣傳運動は、歐洲大戰終了の當時、早くも東洋方面に於ける基督敎傳道に關係ある一部少數の宗教家間に於て、多少の考究を試みたる形跡あるものゝ如しと雖、從來國際的禮讓を尊重せる英政府當局の專ら同盟國に對する好誼に依り、未だ外面的には何等の具體的活動を見るに至らざりしが、偶一九二〇年の初夏、在米國華府朝鮮共和國宣傳委員部より派遣せられたる「エフ・エー・マッケンジー」(F. A. Mckenzie) が、一度倫敦に渡來してより以來、曩に米國紐育市に於て出版したる自己の著書『朝鮮の獨立運動』(Korea's Fight for Freedom) をば、殊更に再び英國に於て豫約出版せんと企て、購讀者募集の廣告を、大々的に全英國諸新聞紙上に掲載して、一種の巧妙なる宣傳運動を開始し、且つ自ら著述家たるの故を以て、巧みに同業者の同情に訴へ、全英各地の諸新聞並に諸雜誌等に對し、一時に筆を揃へて、同書の宣傳的新刊紹介を發表せしむるの擧に出でたるの結果、從來朝鮮問題に對して殆んど無關心の姿なりし一般の英國民に對し、俄かに多大の反響を齎らしめたるものゝ如し。

斯くて英國の言論界に於ても、之れが動機となりて、朝鮮關係の論評漸く巷間に興味を以て迎へらるゝ傾向を生じたるに依り、彼は尙ほ引續き筆を採つて倫敦市に於て發行せらるゝ『The Quarterly Register』又は『The Sunday Pictorial』等の諸雜誌に投稿し『朝鮮に於ける殉難者』『白人は終に亞細亞を失ふ可し』等の題目を掲げて、日本の基督敎徒迫害、若くは日本の東亞侵略の野望等を高調し、以て大に世人の注目を喚起することに腐心し、又傍ら自ら與みし易しと信ぜる一部の政治家、宗教家及實業家等の間を往來して、之れが説得に努め、終に一九二〇年十月二十六日を以て、倫敦市に朝鮮同情者會(The League of the Friends of Korea in the United Kingdom)を設立するに至る。是れ實に英國に於ける朝鮮獨立運動に關する具體的の宣傳機關成立の發端と爲す。

（二）　宣傳機關の組織

上述の如き經過を以て其の成立を見るに至れる朝鮮同情者會 (The League of the Friends of Korea in the United Kingdom) は、一九二〇年十月二十六日、英國議會下院議員委員室に於て發會式を擧行し、下院議員「サー・ロバアート・ニユーマン」(Sir Robert Newman) 司會者となりて、大要左の如き意味の開會の趣旨を述べたり。

今回玆に吾人が會合せる目的は、如何にして自由と正義との爲に奮鬪しつゝある朝鮮民族を、救濟すべきやと云ふ重大問題に就き、協議せんとするに在り。

吾人は夙に之れを知る、即ち此の問題の誠に至難にして、且つ機微を要することを、何となれば其の對手國たる日本は、現に吾人の同盟國なれば也。

遮莫吾人は、同盟國に對する情誼の外、更に尙ほ重大なる世界人類に對する至高の責務を保有す。吾人は敢て同盟國たる日本を排擊せんとするものに非ずと雖、而も今や堪へ難き壓迫に惱やむ朝鮮民族に對し、一片の同情を寄せんと欲するは、蓋し常に自由と平等との上に立脚しつゝある吾人英國民の誇りならずや。

次いで「マッケンジー」及び在巴里朝鮮共和國海外駐在員「イー・ケー・ホワン」(E. K. Whang)（朝鮮人黃某）の兩人より、『朝鮮の時局』に關する極端なる排日的講演を聽取したる後、倫敦浸禮敎會長老（ジョン・クリフォード」博士 (Dr. John Clifford) の提出に係る左記決議文を可決す。

決　議

本會は左記の目的を達成する爲に之れを組織す。

(a)　朝鮮に於ける社會、政治、經濟上及宗敎上に關する狀況を精細確實に取調べ之が情報宣傳に努むる事

(b)　朝鮮民族の正義と自由とを獲得せんとする運動に對し同情的援助を與ふる事

(c)　朝鮮に於ける基督敎傳道に對し信敎の自由を擁護するに努むる事

(d) 朝鮮に於て迫害を蒙りつゝある寡婦孤兒並に政治上及宗教上の犧牲者に對し慰安救援を與ふる事

更に「ダブリユー・エル・ウイリヤムス」(W. Llewellyn Williams)の發議に依り、本會の活動方針としては(一)教會を通じ(二)講演會に依り(三)新聞雜誌に於て及び(四)議會を動かし、以て各方面に對し、成るべく統一ある組織的宣傳に努力することを申合せ、尚ほ本會役員には

會長 Sir Robert Newman

名擧幹事 W. Llewellyn Williams

名擧會計 W. Hislop

評議員 Lieut. Colonel John Edward (M. P.)
Lieut. Colonel T. H. Parry (M. P.)
J. A. Douglas (Rev.)
Bernard Snell (Rev.)
Dr. Scott Lidgett
J. F. Green (M. P.)
F. A. Mckenzie.

を推擧せるが、其の重なる會員姓名左の如し。

THE MEMBERSHIP OF THE BRITISH FRIENDS OF KOREA.

Lord Parmoor
Frank Briant, M. P.
Major John Edwards, D. S. O., M. P.
J. Hugh Edwards, M. P.
A. Lyle Samuel, M. P.
H. G. Chancellor, ex-M. P., candidate for Parliament.
Rev. John Clifford, D. D., the great British Baptist leader.
Dr. James Webster, Edinburgh.
F. Maddison, Secretary of Arbitration League.
Percy L. Parker, editor of Public Opinion.
H. A. Barker the famous manipulative surgeon.
Walter S. Rowntree, M. A.

E. S. Gange, M. P.
J. Stanley Homes, M. P.
J. Frederick Green, M. P.
Richard Morris, M. P.
Rev. J. Towyn Jones, M. P.
T. T. Broad, M. P.
T. Wing, ex-M.P.and candidate.
Rev. Bernard Snell, M. A., ex-President of the Congregational Union.
Frank Chinfield, candidate for Parliament.
A. G. Gardiner, late editor of the Daily News.
O. F Maclagan, author of Peace Books.
Lieutenant G. A. Rhodes.
Robert Richardson, M. P.

Sir Robert Newman, M. P.
Wilson Raffan, M. P.
Lieutenant-Colonel J. H. Parry, D. S. O., M. P.
Donald Murray, ex-M. P.
Percy Alden, ex-M. P.
Rev. D. Bryant, D. C L., M. A., Vicar of Balham.
Rev. R. C. Gillie, London.
J. T. Musgrave, Chairman of Art Committee, National Liberal Club.
Rev. Silas K. Hecking, well-known noveldist.
Miss Violet Cavendish Bentick
Sir Robert A. Lister, O. B. E.
John Hinds, M. P., Chairman of the Baptist Union of Wales.

and many others.

(三) 宣傳共鳴の理由

斯の如く宣傳機關成立の事情に鑑み、又其の重なる會員の色彩及系統を考察するに、多くは急進的自由主義を抱懷する自由黨系の政治家又は極端なる國際主義を標榜せる勞働黨員の外は、重に東洋方面に貿易開拓の道を求めんとする實業家及び同方面に於ける傳道事業に關係ある宗教家を以て組織せられつゝあり

是に由つて之を觀るに、英國に、於ける最近の政治界竝に思想界の趨勢が

(一)戰後の大勢激變に伴ふて、漸く國民の一部に急進的自由主義の勃興を見るに至り、現に愛蘭問題に對しても前首相「アスクヰス」卿の如きは、殆ど獨立容認に近き放任說を主張するに至るを見る。從つて現內閣反對の急先鋒たる同氏の一派が、自然愛蘭と殆ど類似の形勢と地位にあるべき朝鮮獨立運動に對し、自ら好感と同情とを寄するは、寧ろ當然の數と云ふべきに似たり。

(二)而して他面に於ては、日本の勞働運動の意外に海外の勞働者の注意を拂ふ所となり、恰も日本は國を擧げて資本家の橫暴を恣にしつゝあるが如くに思惟せしめ、其結果、漸く當國の勞働組合並に勞働黨の有力者をして、日本に對し一種の惡感情を抱かしむるに至り、加之今や殆ど世界に共通せる排日理由となれる所謂日本の軍國主義及侵略主義とを兩々相結び付け、爲に動もすれば、斯種の人士に依りて日本の對朝鮮政策を批難せんとするの傾を生ずるに至れるものゝ如し。

(三)殊に大戰終熄以來頓に國內の需要激減せる爲、從來の生產過多なる物資の販路を如何にして開拓すべきかは、當國の實業界に於ける刻下の重大問題となり、戰禍未だ充分に癒わざる歐露に之れを求めんとするも能はずして、却て大に東洋方面に殺到せんとするの氣勢あるは、蓋し蔽ふ可からざるの事實なるべし。從つて近時國內に於ける支那市場の研究熱勃興に伴ひ、漸く眼を朝鮮方面に注ぎて、之れが政治經濟上の調査を行はんとする者の多きを加へつゝあるの傾向を看取し得らるべし。(情報彙纂第四第四十一頁末項參照)

(四)而して又一面宗教界に於ては、世界永遠の平和を確保するの唯一の途は、地上に天國を齎らしむるに在りとの信條の下に、專ら世界の基督教化に努めんことを欲し、特に異教徒團に對する傳道を目下の急務なりとなし、之れが傳道費の喜捨を仰がんが爲に、偶朝鮮問題を其の好箇の例證として、說話の材料に供せる者あるを免れざるの有樣なるが如し。

之れを要するに、英國に於て僅々二三の「プロパガンジスト」に依りて、終に能く朝鮮獨立運動に關する宣傳機關を設立するに至りし所以のものは、全く上述の如き四圍の情勢よりして容易に之れを誘致し、巧みに其の宣傳に共鳴せしめたるものと推定せざるを得ざるべし。而して同機關の設立以來、屢議院內に於て朝鮮問題に關する質問を試みんとする者あるも、其の都度同盟國に好意を表せる英政府當局は、事前に之れが懇談を遂げ、未だ今日まで公然たる議場の問題となすに至らしめざりしと雖、翻つて考ふるに、「ロイド・ヂョーヂ」內閣は近時漸く內外の政策に對し、勞働黨の主張を加味することの甚しく濃厚なるの傾あり。又現に愛蘭に於ける「シンフェン」黨(Sinn Fein)の暴動は、依然として鎭靜するに至らず、終に最後

まで獨立を見るに至らずんば止まざるの氣勢を示しつゝあるを以て、一九二〇年の末漸く上下兩院を通過成立したる愛蘭新自治法も、果して何れの日か能く之れが實施を見るに至るべきやは、殆ど何人も、今日に於て之れを豫想する能はざるの混亂狀態に在り。而して又來る一九二一年六月を以て、倫敦に開催せんとする大英國屬領地會議に於て、討議を試みんとする日英同盟繼續問題に對して、果して從來の條約內容を如何なる程度に變更せんとするかは、未だ容易に逆睹するを許さゞるの形勢にあるを以て、此際朝鮮獨立宣傳の前途に對し敢て樂觀するを許さずと爲すは、恐らくは夫れ至當の推斷と云ふを得べきか。

若し夫れ、日本の之れが適當なる對應的宣傳策を講ぜんと欲するに於ては、寧ろ米國の夫れの如く、鮮人の宣傳未だ病膏盲に入らざるのみならず、而かも政府當局の同情ある好意を持續せる今日に於て之れを行ふは、蓋し最も其の時機を得たるものと云ふを得べしと信ずるもの也。

第三 朝鮮人の要請

昨一九二〇年七月桑港開催の米國民主黨全國大會政綱委員會に對し提出したる朝鮮人の陳情書

合衆國は其の革命及獨立宣言以來百三十四年間朝鮮を承認せり何故今日然せざるや

朝鮮は、世界國民中最舊の根據ある歷史を有す。其の政府の設立は、猶太曆に記載せる世界開闢の時期より僅に數百年を後くれたるに過ぎず。

朝鮮は、秦皇が一切の支那在來の史書を燒き、其の國を秦と號し、自ら始皇帝と稱せし時には、既に一國として、二千百年間の存立を保ち居たりしなり。

第二の熱狂的野心家が、一の天皇を其の誕生より百四十六年前に死したる者の子として、皇統を連續せしめむが爲に、日本の記錄を滅却したる時には、朝鮮は既に二千八百年間の存立を保ち居たりしなり。（譯者附註、繼體天皇の事を指して言ふものならむか、而も記錄滅却の事は出所明ならず）又朝鮮は、羅馬建國以前に於ても、其の文化あり秩序ある統治國となりし始より一千八百年を經過したりしなり。

朝鮮は、蕈茸的急生の國に非ず。西曆一千九百二十年は、朝鮮紀元四千二百五十三年に相當す。朝鮮は、合衆國に比し、四十世紀以上も古き舊國なり。此の四千二百五十三年の間、朝鮮二千萬民は、最後の十年を除くの外、常に國家の獨立を保持し居たりしなり。然るに何故今日之を保持することを得ざるか。

是れ單に世界最終の專制國たる日本が『否』と言ふが爲のみ、合衆大共和國は、極東に於ける此の苦悶せる共和國に對するに如何なる言辭を以てすべきか。

合衆國は一八八二年（明治十五年）朝鮮に對し條約の締結を強ひ而も其の効力は未だ曾て取消されたることなし然るに今日何故之を遵守せざるか

一八八二年、朝鮮を勸誘して修好通商條約の締結に同意せしむる迄に、合衆國は五度計畫を廻らし、三度遠征艦隊を朝鮮に派遣し、爲に艦船二隻を失へり。當時米國は、朝鮮を承認し、朝鮮大使の米國往復の爲、護衞及運送の艦船を提供せり。是れ他の何れの國にも與へられたることなき好意なりき。當時朝鮮と不斷の國交と通商とを保持するは重要事と思惟せられたり。然るに今日然か思惟せられざるは何故ぞや。

米國は、該條約に於て、朝鮮に對し保護、少くとも朝鮮が他の强壓を被むる場合に居中調停を試むるの程度に於て、朝鮮に保護を約したり。他の列强——英、佛、白、伊、和及支那、日本すらも——貴國の範例に倣ひて、朝鮮と同樣の條約を締結し、何れも朝鮮に其の保護を約し、且均しく『居中斡旋』を爲さむことを言明せり。朝鮮は、比較的小國民なりしと雖、當時迄は外界の援助を藉らず、又は何人の斡旋調停をも求むることなくして、自ら保護し、且自國の獨立を維持し來りたるものなるを記せざるべからず。朝鮮は是等の條約に信賴し、軍事的施設及防備を撤廢して、一の『被保護國』と爲り、訂約列强の意の儘と爲れり。此の一事は朝鮮の失策なりしこと、後に至りて知られたり。

合衆國は一時條約を嚴守し、他の列强を指導して支那及日本を牽制し、日淸戰役の終局に際しては、兩國の講和條約中に朝鮮の『獨立及領土保全』を承認する條項を明記せしめたり。當時貴國の方針は、貴國の條約上の義務を尊重するに在りしなり。然るに今や貴國は、單に日本が『否』と言へるの故を以て、此の義務を抛棄せざるを得ざるか。

一千八百八十三年（明治十六年）六月十五日、合衆國大統領は

『此の各條各項をして合衆國及其の市民の誠意を以て信守遵行する所たらしむるの目的を以て』

此の條約を發表せり。

此れ貴國大統領の宣言なり。諸士は宜しく之に從ふべきか、或は又一の專制君主たる日本の「ミカド」の指令に服せざるを得ざるか。

米國人は朝鮮に於ける鐵道、電燈設備、水道及近代的工業建設の端緒を開けり何故之を完成せざるや

米國人は、米韓條約成立後直に、朝鮮に於ける最初の鐵道、電燈設備、市街電氣鐵道及水道を設營し、朝鮮最初の財路鋪床、下水暗渠、砂利敷道路築造の端を開き、朝鮮の鑛山に近代式鑛業機械を設備し、其の農場に近代的農業用器具機械を供給せり。

然るに日本は、米國が開發の方途を開示せし後、其の前途の絕望に非ざるを見て、『否とよ、开は皆我々之を爲さむ』と曰へり。其の結果如何は、爾後に於ける朝鮮財政經濟の經過を見て之を知るべし。

朝鮮に對する米國の處置は公正なりき。米國が、日本の指示に應じて、朝鮮より手を引きし時に當りては、朝鮮は何等の國債をも有せざりしなり。然るに今や日本は、朝鮮に有らゆる財政上の困難と負擔とを負はしめ、朝鮮は今日大約五千萬弗の國債を有すと公表せり。各種改善施設の總經費を超過すること四千萬弗に及ぶ金額は、日本の爲、朝鮮より誅求せられ、而も法外の租稅を課して、劍と笞とに依り之を徵收したるものなり。

米國は、其の一旦開始したる事業は一として完成せざるなきを以て名聲を有す。諸士は、日本の爲に、此の名聲を失墜せしめざるべからざるか。朝鮮は米國との通商關係を恢復せむと焦慮せるに、米國は何故之を拋棄するや。

米國は二十年間東洋隨一の準基督敎國民と提携するを得策としたり何故今日然かせざるや

朝鮮は、敎會統計に於て、例せば、紐育州内の「メソヂスト」派と同數の基督敎會及同敎會員を有す。朝鮮は、他の宗敎全體の敎會數の僅に二百三十八に過ぎざるに反し、三千二百六十四の基督敎會を有す。我等は東洋の準基督敎國民なり。然るに朝鮮は、列强が何等の興味をも感ぜざる唯一の東洋國民なるが如し。基督敎諸國民は、異敎國を以て自ら標榜する一國民が、此等の敎會を燒き、且宣敎師諸氏が多年の辛苦と犧牲とに依りて築き上げたる總ての成果を破壞せるを、佇立傍觀せるものゝ如し。

朝鮮人に對する日本の虐待、橫暴は、周知の事實にして又覆說を要せず。即座に殺害せられたる者數千人、拷問の餘、笞刑其の他の體刑の負傷より生じたる壞疽の爲、醫療を拒まれて死に至りたる者亦千を以て數ふべし。朝鮮婦人は凌辱を受けたり。最近の朝鮮通信に依れば、日本は監獄に罪囚を詰込み、一人當收容面積長五呎、幅四呎に過ぎずして、男も女も無差別に群集雜居せしめ居れりと云ふ。

斯の如きは皆、朝鮮が四千年以上、即ち其の壓迫者たる日本建國の二千餘年前より享有せし自由を恢せむと欲求せるに起因するものなりとす。

日本人は曰く、朝鮮人は自治の能力なしと。是れ何たる妄言ぞや。朝鮮は幾百年となく自國を統治し、其の間數百年日本を司配せしことすらありしなり。

朝鮮の天文家は、日本の鬚毛多き先住蠻人が、猶穴居して「ダルウヰン」の學說の實證を供し居たりし間に、航海用の羅針盤を發明し、既に數千年間天體の推步觀測を行ひつゝありしなり。

近代工業の素地は、朝鮮に發生せしもの尠からず。朝鮮人は始めて製織機を使用し、始めて家蠶を飼育し、始めて製陶用の轆轤を使用し、始めて磁器製造の方法を考案せり。彼等は印刷術の創始者にして、又最初の甲鐵艦及吊橋を建造したる者なり。朝鮮は其の國民議會に、貴國の國會に於けると均しく、比較的多くの大學卒業者を有す。而も概ね米國單科大學及綜合大學の卒業者たるものなり。此の如き國民が共和政體に依り自治するの能力なく、日本の如き軍國主義的專制政府の指圖を仰がざるべからずと言ふは滑稽なり。

諸士今加州に在り。諸士は、先づ何人にても街頭に於て最初に會する加州人に向ひ、日本人に對する其の感想如何、彼等は果して懇切と同情とを以て無私公正に他民族を統治するに適すると思惟するや否やを問ふべし。

諸士は一千八百七十六年無代表無徵稅の原則を固執せり今日何故然かせざるや

朝鮮人は、智能上、其の僭稱司配民族の優越者たらざる迄も、同等者たるを失はざるに拘らず、自國の政治に對し、何等投票權又は代表權なく、發言權すら有せざるなり。彼等は參政權なくして一割八分以上の稅率を課せらるゝなり。諸士若し此の境遇に在りとせば、果して何時迄斯かる待遇に甘んずべきか。諸士は必ずや、恰も朝鮮人の爲すが如き行動に出づるならむ。諸士は自家の權利の爲に戰ひ、且出來得べくむは、恰も我等の爲しつゝあるが如く、其の實狀を全世界に公表するならむ。我等は諸士が我等に對する同情を表白して精神的援助を與へられむことを望む。

……………………………………

朝鮮を承認し且朝鮮を擁立して、共和政體を有する緩衝國及文化ある基督敎國として、日本と其の亞細亞侵略の目的地との中間に介在せしむるは、日本の危禍より世界を救ふ唯一の手段なり。【畢】

大正十年四月二十五日印刷
大正十年四月二十八日發行

朝鮮總督府

京城旭町貳丁目十番地
印刷所　京城印刷所

正十年八月

情報彙纂 第六

朝鮮ノ復活ノ梗概

朝鮮情報委員會

目次は、原本において欠落しています。（不二出版）

朝鮮ノ復活（The Rebirth of Korea）ノ梗概（情報彙纂第六）

申興雨著（大正八年十月頃著作 同九年月不詳紐育及倫敦發行）

本書ハ全名ヲ『朝鮮ノ復活—朝鮮民族ノ覺醒其ノ原因及前途』ト稱ス。著者ハ、現下朝鮮中央基督教青年會總務タル者ニシテ、曾テ米國南加州大學ニ於テ教育ヲ受ケ、歸朝後數年間京城培材學堂ノ校長タリシコトアリ。著者ノ本書緒言ニ於テ言フ所ニ據レハ、本書ハ著者カ、大正八年朝鮮獨立騷擾勃發後、同年四月末米國ニ渡リ、同十月迄同地滯留中、同國東部ノ諸教育機關ヨリ、朝鮮問題ニ關スル數席ノ講演ヲ爲サムコトヲ請ハレ、之カ準備ノ爲執筆シタルモノヲ、整理上梓スルニ至リタルモノナリト云フ。而シテ左記本文ハ、本書ノ梗概ヲ譯出シタルモノナリ。

朝鮮ノ復活

第一編　復　活

第一章　史的ノ三月一日

歐洲休戰條約調印セラレテ、强力、遂ニ人道正義ノ前ニ屈服シ、「正義ハ力タリ」テフ格言、『力ハ正義ナリ』トノ標語ニ代リシヨリ、活潑々地ノ新精神、鬱勃トシテ朝鮮民族ノ間ニ振興セリ。彼等ハ「ウイルソン」大統領其ノ他識者ノ提唱セル世界改造ノ理想カ、爛然トシテ光輝ヲ放テルヲ見テ、自家現下ノ堪ユヘカラサル窮狀ニ想到シ、宿昔ノ不平、遂ニ一大爆發ヲ爲スニ至レリ。四千年以上ノ誇ルヘキ歷史ヲ有シ、十年間他國ノ軍國的統制ニ苦惱シタル朝鮮人ニシテ、此ノ事アルハ、固ヨリ當然ナリ。新朝鮮人ハ既ニ生レタリ、新朝鮮ハ生レサルヲ得サリシナリ。

斯クテ著者ハ、一九一九年三月一日ニ於ケル騷擾勃發ノ事情、及京城ノ狀況等ヲ叙シタル後、朝鮮獨立宣言書ヲ引用シ、更ニ各地方ニ於ケル獨立運動ノ狀況ニ言及セリ。

第二章　騷擾ト鎭壓

三月二日以後ニ於ケル獨立騷擾ノ狀況ヲ述ヘタル後、米國聯合基督教會東洋委員會ノ手ニテ、目擊者ノ信據スヘキ記錄トシテ發行シタル、『朝鮮ノ形勢』ト題スル小册子ノ一節ヲ引用シテ、獨立運動ノ元來消極的ナリシニ反シ、鎭壓手段ノ往々慘虐ニ涉リシコト、之カ爲却テ騷擾ノ性質ヲ惡化シタル事實ヲ細叙シ、最後ニ金允植及李容稙ヨリ日本政府及總督ニ提出シタル朝鮮獨立請願書ヲ引用セリ。

第三章　基督教傳道對軍國主義

外國宣教師ノ朝鮮獨立運動敎唆問題ニ關シ總督府文官ノ槪シテ其ノ事實ヲ否定セルニ反シ、軍人及軍國主義者等ハ、其ノ基督教徒ニ對スル傳統的憎惡及猜疑心ヨリ、深ク之ヲ信シテ極度ニ憤慨シ、其ノ情動モスレハ激發シテ、忽チ慘虐ノ行爲ト爲ル旨ヲ叙シ、次ニ實地探檢外人ノ報告文ヲ引用シテ、水原郡提岩里及水村等ニ於ケル日本兵暴虐事件ノ狀況ヲ記シ、最後ニ朝鮮獨立運動鎭壓方法ニ關スル代表的記事トシテ一九一九年度米國議會議事錄ノ一節ヲ引用セリ。

其ノ大要ニ曰ク『日本官憲ハ、基督敎徒ノ騷擾參加ニ特ニ注意ヲ拂ヒ、事件發生後全鮮ヲ通シテ一般檢擧ヲ行フニ當リテハ、特ニ基督敎徒ヲ目指シテ、之ヲ逮捕シ警察官ハ直ニ牧師、長老其ノ他ノ敎會役員ノ捕縛ヲ開始シタリ。彼等ハ無罪者モ尙數週間ノ檢束訊問ヲ受ケ、有罪ト認メラレタル者ハ、六箇月乃至三年ノ懲役ニ處セラレ、何等運動ニ參加セサリシ者ニシテ刑ニ處セラレタル者スラアリタリ。基督敎徒カ單ニ基督敎徒タルカ故ニ、大袈裟ナル逮捕ト毆打トヲ受ケタルハ、特ニ注意ヲ要スル事態ニシテ、或地方ニ於テハ、全

村ノ男女悉ク召集セラレ、基督敎徒ナリト答フル者ハ、皆虐待若クハ捕縛セラレ、其ノ他ハ、放免セラレタルコトアリ。又兵卒及憲兵ハ路上ノ通行人ニ對シ、基督敎徒ナルヤ否ヤト問ヒテ、然リト答フル者ハ之ヲ毆打罵詈シ、又部落ニ殘留セル鮮人基督敎徒ニ對シテハ、百方威嚇的ノ聲明ヲ爲シ、基督敎徒ハ滅絶セラルヘク、基督敎徒ハ、皆銃殺セラルヘク、其ノ集會ハ禁セラルル筈ナリ抔ト公言スルニ至レリ。之ヲ要スルニ頑固執拗ナル基督敎排斥運動ノ騷擾鎭壓ノ計畫ノ下ニ行ハルルノ一事ハ、又疑ヲ容レサル所ナリ。罵詈誹謗、老人小兒ノ毆打、武裝將校兵卒ノ會衆解散、大袈裟ナル逮捕、就縛者ノ虐待、其ノ他脅迫、威嚇虐殺等ノ手段ハ皆基督敎徒ノ精神ヲ挫折シ、同敎ノ宣布ヲ防止スルカ爲ニ行ハレツツアルナリ』云々ト

斯クテ著者ハ朝鮮獨立運動ハ、一部階級又ハ一地方ニ限ラルルモノニ非スシテ、全國ニ彌漫セル國民的運動ナル旨ヲ記シテ此ノ章ヲ結ヘリ。

第二編　原　因

第四章　日本ノ施政

今次獨立騷擾ノ原因ハ、少クトモ壬辰ノ役ニ遡リテ之ヲ求ムヘキモノナリ。當時日本軍ノ殘虐如何ニ甚シ

カリシカハ、今尙朝鮮人ノ口碑ニ傳ハレル所ニシテ、現ニ京都ニ存スル耳塚ヲ見ルモ、其ノ狀ヲ推知スルヲ得ヘシ。一八七六年(明治九年)日韓國交再開以來兩國倂合ニ至ル迄ニ於ケル日本ノ權謀、脅迫、武力的强壓ニ至リテハ、今茲ニ之ヲ贅セス。

物質的進步

既往八年間ニ於ケル朝鮮ノ物質的改善ニ關シ、日本官憲ノ努力ヲ認ムルハ正當ナリ。該期間ニ於ケル交通機關ノ進步、各種產物ノ增進ヲ表示スルノ統計ハ調査年年精密ニ赴ケルニ因由スルモノナキニ非スト雖、施設改善、產業奬勵、新式器具機械應用等ノ效果顯著ナルモノアリシモ亦否ムヘカラス。是レ明ニ物質方面ニ於ケル日本人ノ行政的能率ヲ裏書スルト共ニ、適當ノ事情ノ下ニ於ケル朝鮮民族ノ進步的素質ヲ語ルモノト謂フヘシ

人民ノ處遇

(一)人民ノ態度　倂合當時ニ於ケル朝鮮人民ハ、大略之ヲ三類ニ區分スルヲ得ヘシ。(イ)衷心深ク祖國獨立ノ消滅ヲ悲メル者(ロ)政治的變革ニ無關心ナリシ者(ハ)日本ノ勢力ニ阿附セシ者即チ是ナリ。第一類ハ進步革新的分子ニ屬シ、國事ノ爲多年辛酸ヲ嘗メタリト雖、惡辣ナル權謀、術數ト野蠻的ナル暴力トニハ、遂ニ對抗スルヲ得ザリシ者ナリ。第二類ハ少クトモ人員ニ於テ大多數ヲ占メタレトモ、彼等ハ此ノ政治的危難ノ眞相ヲ解セス、以爲ラク、朝鮮ハ四千年來王治ノ下ニ自立シ、中間支那ノ制御ヲ受ケタルコトアリシモ、尙

其ノ自治國タルヲ失ハサリシモノナリ、外形ノ變革ハ、內實ニ影響スル所ナシ、小島國民何ノ爲ス所カアラムトテ、悠々其ノ空談夢想ヲ繼續シ、遂ニ鐵拳ヲ以テ其ノ國民的生活ヲ斷絕セラレ、玆ニ初メテ長夜ノ惰眠ヲ覺マサルルニ至レリ。第三類ノ人士ハ其ノ數最モ少カリシモ、讜議妄誕ニシテ其ノ聲最モ高ク、朝鮮ハ日本ニ伍シテ一等國ノ列ニ入リ、朝鮮ノ產業ハ十分保護セラレ、朝鮮人ハ日本人ト同等ニ文化ノ惠澤ニ浴シ、今ヨリ後永ク治平ノ慶福ヲ樂ムヲ得ムトテ竊ニ內地人ト無差別ノ待遇ヲ期シタリシニ、事全ク豫期ニ反シ、運命ノ皮肉ハ彼等ヲシテ今次獨立運動ノ主唱者タラシムルニ至レリ。

(二)貴族　日韓倂合ノ變革ニ伴フ第一着手ノ施設ハ、貴族制ノ創設ト舊官吏ニ對スル賜金ニシテ、昨日迄腐敗誅求至ラサルナシト世界ニ向テ公然批難セラレタル者、一朝ニシテ授爵賜金ノ光榮ヲ荷フノ新價値ヲ生スルノ皮肉ヲ現出セリ。而モ從前進步派ニ屬セシ人人ハ、却テ何等ノ恩典ニ浴セス、依然トシテ最モ悲慘ナル生活ヲ營ミ、甚シキハ警察、憲兵ノ壓迫ニ堪ヘスシテ滿洲、西伯利若クハ遠ク布哇、米國等ニ遁竄スルニ至レリ。又朝鮮人中勢ヒ己ムヲ得スシテ自國人ノ利益擁護ニ熱中スル者アラハ、之ヲ目スルニ排日派ヲ以テシ、內鮮人相互間ノ個人的意見ノ相違スラ、忽チ官憲ハ猜視スル所ト爲リ、軍國的秘密警察ハ、注意人物トシテ絕エス其ノ一擧一動ニ注目シ、豫斷ノ證跡ヲ擧ケサレハ已マサラムトスルノ狀アリ。

法律

(一)立法　一九一九年(大正八年)四月十五日、鮮內又ハ鮮外ニ於テ獨立運動ニ參加スル朝鮮人ハ、十年ノ禁

錮ニ處セラルヘシトノ制令發布セラレタリ。本令ハ朝鮮人ニ限リ適用セラルル多クノ法律ノ一ナリ。制令ノ制定施行ハ事實上總督ノ專制ナリ。制令ハ委任立法ノ形式ヲ採リ、公布前勅裁ヲ經ルヲ要スルノミ、又同令緊急公布ノ場合ニハ事後勅裁ヲ求メ、裁可ヲ得サルトキハ之ヲ取消スヘキ旨ノ規定アルモ、取消前其ノ適用ヲ受ケタル人民ノ不幸ハ之ヲ如何ニスヘキ。加之彼ノ「ウオーレン、ヘスチング」ノ如ク、類似ノ惡令ヲ反覆公布スルカ如キコトアルモ、朝鮮人ハ之ニ對シ何等ノ保障ヲモ有セサルナリ。

朝鮮人ハ、保安法ニ依リ公判ナクシテ遠島ニ流謫セラルル者尠カラス。基督教牧師孫某ノ如キ、曾テ京城ノ警察署ニ拘留ノ身トナリ、八日間每夜兩手ノ親指ヲ縛ラレテ高ク吊リ揚ケラレ、訊問ヲ受ケタルモ、何事ヲモ自白セサリシニ、遂ニ公判ナクシテ珍島ニ流竄セラレタルコトアリタリ。

(二)刑事法規　朝鮮ニ於テ適用セラルル刑事法規ハ日本內地ニ於ケルモノト其ノ程度及種類ヲ異ニシ、朝鮮人ニ對スル其ノ制裁ハ一層嚴酷ナリ。殊ニ野蠻ナル笞刑ハ、朝鮮人ノ『利益』ノ爲舊制ヲ整理襲踏セリト稱シテ、朝鮮人ノミニ適用シ、獨立騷擾ノ際ノ如キ、萬歲ノ高唱一回ニ付笞三十ツツヲ加ヘタリ。新笞刑令ニテハ舊制ヨリモ苦痛ヲ緩和セラレアリト稱セラルルモ、著者カ往時實地目擊セシ所ニ徵スルニ、舊時ニ於テハ一回ニ笞百ヲ加ヘ尙皮膚ノ劍裂ヲ見ルコトナカリシカ、現時ニ於テハ笞打未タ三十ニ及ハサルニ、皮肉腫レ上リテ團塊ト爲ルヲ常トス、目下笞刑ノ執行ハ一日一回三十笞以下ニ制限シ、三十笞以上ノ刑ハ二日以上ニ分割執行セルモ、笞刑ノ爲死ニ至リタル者尠カラス。

七

斯ノ如キハ日本カ東洋新文化ノ先驅者トシテ、朝鮮ノ革新ニ指ヲ染メタルノ趣旨ヲ沒却スルモノニ非スヤ。

(三)犯罪卽決　玆ニ吾人ノ注意スヘキハ第一、警察官及憲兵カ犯罪者ニ對シ罰金、笞刑、禁錮及追放ノ宣告ヲ爲スノ職權ヲ有スルコト、第二、行政命令中一九一九年四月十五日發布ノ制令（前揭獨立運動參加者ヲ十年ノ禁錮ニ處シ得ル件）ノ如キモノアルコト、第三、一九一六年ノ犯罪卽決處斷人員中無罪放免者ハ、僅ニ三十人ニ過キスシテ、此ノ一事ハ犯罪搜查者ノ能力如何ニ優越セルカ、否ラサレハ朝鮮人ニシテ一度警察官及憲兵ノ網ニ懸ラハ、無罪證明ノ到底不可能ナルヲ示證スルモノナルコト卽チ是ナリ。

(四)裁判所　裁判統計ニ於テ民事事件ノ漸減スルニ反シ刑事事件ノ漸增シツツアルハ奇怪ナリ。是レ總督府年報ニ所謂朝鮮人ノ權利思想發達シテ保護ヲ裁判所ニ求ムル者多キヲ加ヘ、警察制度進步シテ犯罪ノ搜查防止周到ニ赴ケル事實ト相反スルモノニシテ、却テ坊間ニ所謂日本人ヲ被告トスル民事事件ハ、巨額ノ訴訟費用ヲ要シ、裁判ノ結果不滿足ナリトノ風說ヲ反證スルモノニ非スヤ。

第五章　日本ノ施政（續）

教育

舊韓國政府ハ教育ヲ閑却シタリトハ、從來屢聲言セラレタル所ナレトモ、事實ハ全ク之ニ反ス。朝鮮カ往時ニ於テ、寧ロ多ク、教育ニ重キヲ置キタリシハ、內閣ニ學部大臣ヲ置キ且之ヲ以テ閣員中首相、內相及藏

八

相ニ次クノ榮職ト認メタルニ徵シテ、之ヲ知ルヘシ。朝鮮カ往時教育尊重ノ極、過度ニ軍備費ヲ削減シタリシカ如キハ、寧ロ今日ノ否運ヲ速キタル一大原因タリシナリ。

(一)新政ニ於ケル教育ノ地位　總督府設置後軍國主義者ハ、直ニ學部ヲ縮少シテ一局ト爲シ、之ヲ內務部ニ附屬セシメタルノミナラス、更ニ之ヲ縮少シテ一學務課ト爲サムトストノ風說スラ耳ニスルニ至レリ。又學務局長ハ內務部長官ノ一屬僚タルニ止マリ、今ヨリ二年前ニ於テハ他廳官吏ノ兼任トナルニ至レリ。

(二)教育費　最近公報ニ據レハ、一九一七年度經常教育費豫算額ハ、三十萬六千餘弗ニシテ、警務費ノ百五十五萬七千餘弗、裁判監獄費ノ百三十七萬三千餘弗ニ比シ、四分ノ一又ハ五分ノ一ニ過キス。同年度臨時費ニ在リテハ其ノ懸隔斯ノ如ク甚シカラサレトモ、尙警務費及裁判監獄費ハ何レモ教育費ヨリ多額ナリ。

又一九一六年度經常教育費中官立學校費ハ廿三萬三千餘弗ニ過キス。今假ニ內鮮人共學ノ官立專門學校費五萬三千餘弗ヲ折半シテ官立學校總經費ヲ區分スルトキハ、朝鮮人學校經費ハ其ノ約六割、內地人學校經費ハ其ノ約四割ヲ占ム。是レ內鮮人口ニ比例シテ著シク權衡ヲ失スルモノニ非スヤ。又以テ朝鮮教育方針ノ一斑ヲ察知スヘキナリ。地方經營ノ公立學校ニ對スル國庫補助金ノ如キモ、同年度ニ於テ、朝鮮人學校ノ補助二十九萬六千餘弗ナルニ對シ、內地人學校ノ補助ハ十七萬一千餘弗ニ及ヘリ。

(三)學校ノ種類及計數　初等學校ノ數ハ一九一六年三月末ニ於テ、朝鮮人ハ人口三萬八千人ニ付一校ヲ有スル割合ナルニ反シ、在留內地人ハ九百八十人ニ付一校ヲ有スルノ割合ナリ。又其ノ在學生徒ハ、朝鮮人ニ在リ

九

テハ、人口二百五十ニ付一人ヲ出セル割合ナルニ、內地人ニ在リテハ在留者十人ニ付一人ノ割合ニ當レリ。又官公立學校ノ外、約五十萬人ヲ收容セル書堂、約二萬二千人ヲ收容セル基督教學校アリ。是レ朝鮮人ハ必スシモ子弟教育ニ不熱心ナラサルヲ語ルモノニ非スヤ。

(四)教育ノ程度　現行學制ニ依ル朝鮮人ノ修業總年限ハ男子十年乃至十二年（專門教育ヲ含ム）女子六年乃至七年ニシテ之ヲ內地人男子ノ十六年乃至十九年（大學及大學院ヲ含ム）若クハ十四年乃至十五年（專門教育ニ止ムルモノ）ナルニ比シ大ナル懸隔アリ。又朝鮮人ノ普通教育ノ年限ハ八年ニシテ、法規上尙一年ヲ減縮シ得ルニ反シ、內地人ノ普通教育ハ十一年ニ及フ。又別ニ官費留學ノ制アリテ、朝鮮人ハ、內地ノ高等程度學校ニ入學スルヲ得ト雖、內地學制ニ依ル準備教育ヲ受ケサリシヲ理由トシテ、修業證書ヲ交付セラルルモ、卒業證書ヲ與ヘラレサルカ故ニ、何等卒業者ノ受クル特權ヲ享有スルヲ得サルナリ。

(五)教科課程　普通學校ニ於テハ、每週授業時數二十六又ハ二十七時間中十時間、高等普通學校ニ於テハ每週授業時數三十時間中八時間乃至七時間ヲ日本語ニ用ウルカ故ニ、他ノ學課ニ用ウル時間比較的少ク、日本歷史又ハ地理ニ用ウル時間ハ、高等普通學校ニ於テ一年間每週二時間、外國地理又ハ歷史ノ授業時數ハ、同シク高等普通學校ニ於テ、一年間每週一時間アルノミ。是レ教育當局者カ、朝鮮人子弟ノ能力ニ適當ト認ムル最高ノ考慮ナルカ如シ。

(六)私立學校　總督府年報ニ據レハ朝鮮ニ於テハ併合前、教育熱勃興シ、私立學校ノ數一時二千以上ヲ算セ

一〇

シモ、主トシテ維持困難ノ爲、一九一六年度ニ至リ九百七十校ニ減少シタリト云フ。朝鮮ノ民度ハ尙貧弱ナルヲ免レスト雖、朝鮮當局ノ聲明スルカ如ク、朝鮮人ニシテ漸次物質的ニ繁榮ヲ加ヘ、近代的敎育ノ效果偉大ナルモノアリトセハ、斯ノ如キハ、寧ロ矛盾セルモノニ非スヤ。又一面、當局ハ私立學校減少ノ事由トシテ設備内容ノ不十分ナルヲ云爲スト雖、不完全ナル學校モ有ルハ無キニ優ルニ非スヤ。況ヤ朝鮮財政ノ窮乏ハ學校ノ急設ヲ許サヽルノ時ナルニ於テオヤ。殊ニ所謂設備内容ノ充實ナルモノハ、槪シテ敎員ノ國語力及内地人敎員ノ多少ニ依ッテ之ヲ判定スルノ嫌ヒアルニ於テオヤ。蓋シ是等ノ方針ハ、朝鮮人ニ對スル政論ノ禁止、產業奬勵ノ一點張、儉素節約ノ勸說等ト相俟チテ學校設立ノ氣運ヲ挫セ折シメ、延テ私學ノ減退ヲ來シタルモノナルヘシ。

(七)敎育ノ理想ト目的　朝鮮敎育令ニ據レハ、朝鮮敎育ハ忠良ナル臣民ヲ育成シ、之ヲシテ時勢民度ニ適應セシムルヲ以テ、其ノ本旨トスルカ如シ。所謂忠良ノ臣民ノ育成トハ、長ク朝鮮ヲ領有セムトスル日本人ノ立場ヨリスレハ、又已ムヲ得ストスルモ、所謂民度時勢ノ適應ナルモノハ、事實上之ヲ敎育施設ノ出發點トシテ、漸次其ノ發展向上ヲ圖ルニ在ラスシテ、現在ノ時勢民度ヲ確定的ノ目標又ハ歸著點トシテ施設ヲ按排セルモノト見ルヘキ理由アリ。

警察ト民權

朝鮮ノ警察、憲兵ハ、人民ノ日常生活ニ對シ、殆ト無限ノ權力ヲ有シ、其ノ必要ト認ムル朝鮮人ニ對シテハ、尾行、探偵、身柄及家宅ノ搜索、逮捕、檢束、罰金、懲役、笞刑、追放等何時ニテモ意ノ儘ニ之ヲ課スルヲ得サルナシ。

一九一一年（明治四十四年）一箇年ニ於テ笞刑ニ處セラレタル朝鮮人ハ一萬四千餘名ニ及ヒ、獨立騷擾ニ際シテハ、三月一日ヨリ七月中旬迄ニ一萬一千以上ノ者笞刑ヲ加ヘラレタリ。

(一)組織　朝鮮ノ警察行政ハ、普通警察官及憲兵ヲ合一シテ之ヲ行ヒ、中央ニ於テハ憲兵隊司令官、各道ニ於テハ憲兵隊長之ヲ統轄ス。

本制度施行以來憲兵ノ數增加シテ、普通警察官ノ數減少シ、同時ニ警察署數ノ增加セルハ奇ト謂フヘク、是レ當局カ一般民衆ノ心ニ懷カシメタル軍政漸次撤廢ノ信念ヲ裏切ルモノニシテ、又朝鮮人及世界ノ期待ニ反スルモノナリ。

(二)司法警察　朝鮮ノ司法警察官ハ犯罪搜査上既發事件ノ外總テノ未發事件ニモ干與シ、且其ノ職權上何人ヲモ犯罪搜査ノ目的ト爲シ得ルモノナルカ故ニ、人民ハ男女老幼ヲ問ハス、悉ク登錄ヲ受クルヲ要シ、長時日ヲ要スル移動ハ總テ其ノ屆出ヲ爲サヽルヘカラス。又登錄事項ノ檢證上必要アリト認ムルトキハ、司法警察官ハ、家庭ノ秘密ニスラ、何時ニテモ立入ルコトヲ得ルナリ。

然ルニ警察官ハ、一面諸般法令ノ趣旨ノ傳達者タルト共ニ、又其ノ執行者ニシテ、人民ハ警察ニ依ルノ外、伸寃ノ途ナキカ故ニ、人民ノ立場ハ至難ナリト謂フヘシ。

(三)探偵組織　司法警察制度ニ關聯シテ探偵部ノ組織アリ、之ヲ高等課ト謂フ。此ノ制度ハ人民ニ、尾行追跡シテ各種ノ情報ヲ蒐集シ、又ハ、界隈ニ勢力アリト認ムル總テノ個人ニ關シ、詳細ナル記錄ヲ整備スルニ在リ。探偵ナリトテ自家生活ノ爲ニスルニ外ナラサレハ、彼等カ忌ムヘキ行爲ヲ敢テスルモ、又世人カ彼等ヲ憎惡スルモ、皆蓋シ制度ノ罪ナルヘシ。

(四)出版權　朝鮮ニ於テハ朝鮮人ノ發行セル新聞雜誌一モアルナシ。併合當時朝鮮人ノ經營セシ新聞ハ悉ク閉鎖セシメラレ、爾來朝鮮人ハ全然其ノ發行ヲ許サレサルナリ。刋行物ノ取締ニ關シテハ、定期刋行物ニ對スルモノト、普通出版物ニ對スルモノトノ二樣ノ法規アリ。朝鮮人ハ、普通著作物ノ出版ヲ爲サムトスルコトアルモ、出版前原稿ノ各頁ニ檢閲官ノ檢印ヲ受ケサルヘカラサル面倒アリ。又曩ニ法規ニ基キテ、雜誌ノ發行ヲ企畫セシ者アリシモ、許可ヲ受クルノ困難ト原稿檢閲ノ不規律及遲延トニ因リ大損害ヲ招キテ皆失敗セリ。

(五)集會權　朝鮮ノ政治的結社及類似ノ團體ハ、併合當時治安維持ノ必要上殆ト悉ク解散ヲ命セラレ、爾來朝鮮人ノ間ニハ、全ク其ノ跡ヲ絕チ、政事ニ關スル集會モ亦禁セラレタリ。加之政事以外ノ集會ト雖、殆ト禁止同樣ノ拘束ヲ受ケ、基督敎靑年會ノ會合ノ如キモ、日時、演說者、演題其ノ他ノ要項ヲ屆出テテ警察ノ認可ヲ受ケサルヘカラス。『法律經濟協會』ノ如キ純然タル學術的ノ團體スラ、數年前解散ノ諭旨ヲ受ケタルコトアリ。而シテ其ノ理由トシテ屢聲明セラルル所ヲ聞クニ、朝鮮人ニ集會結社ヲ許サハ、輙チ政治ニ容喙スルノ弊習アレハナリト謂フニ在ルカ如シ。是レ自家ノ生活ニ關係アル政治ニ對シ盲啞タラサルヘカラストシテ日本一般ノ公事ニ參與セシムルモノト解スヘキ規定アリ。然ルニ朝鮮人ニシテ現時ノ如ク政事ヨリ除外セラルルニ於テハ、彼等ハ何ニ由リテ此ノ責務ヲ盡スコトヲ得ヘキカ。況ヤ朝鮮人民ノ政治的生活ヲシテ、其ノ自然ニシテ抑ユヘカラサル健全ナル發達ヲ遂ケシムルハ、統治ノ方便トシテモ、將タ又兩民族相互ノ幸福ヨリ謂フモ、寧ロ有利ナルニ於テオヤ。

著者ハ論シテ茲ニ至リ、第三者ノ公平ナル見解トシテ、全局ノ形勢ヲ提要スル爲、在鮮外國人ノ一委員會ヨリ一九一九年（大正八年）五月十日附ヲ以テ、東京ニ於ケル重要ノ地位ヲ占ムル日本人ニ提出シタル、『朝鮮騷擾ノ因由』ト題スル一文書ヲ引用セリ。其ノ要項左ノ如シ。

本書ハ、日本及朝鮮ノ友人トシテ最モ重要ナリト認メラルル、騷擾ノ遠因ヲ擧ケタルモノニシテ、民族自決ノ觀念、在外鮮人ノ活動、李太王ノ薨去等ノ如キ近因ヲ示スモノニ非ス。

(一)獨立ノ欲求　異民族ノ同化ハ容易ニ非ス。殊ニ朝鮮ノ如ク人民カ衷心併合ニ同意セサル場合ニ於テハ一層困難ナリ。

(二)武斷的施政ノ嚴酷　朝鮮人ハ文治ノ何物タルカヲ知ラス。偏ニ其ノ軍國政治ノ經驗ニ依リ日本帝國政府ノ意衷ヲ忖度ス。

(イ)憲兵政治ノ爲、警察ヲ人民ノ保護者ト思惟スルコトナク强壓者トシテ恐怖ス(ロ)犯罪卽決ノ制度ハ平和的ノ良民ヲ絶エス恐怖狀態ニ在ラシム(ハ)探偵組織ハ更ニ人民ノ恐怖狀態ヲ甚シカラシム(ニ)被逮捕者ノ取扱方ハ警察ニ對スル畏怖憎惡ノ念ヲ强カラシム(ホ)文官敎員ノ帶劒ノ如キ威力ノ常時表示ハ人民ヲシテ益激昂シ易カラシム(ヘ)朝鮮ノ施政ニハ、服從ヲ强制スルノミニテ人民指導ノ意ナシトノ信念ヲ懷カシム。

(三)國民性ノ破壞

(イ)現在(大正八年五月)ノ施政ハ舊ヲ棄テ新ヲ趁フニ專ラニシテ、毫モ朝鮮人ヲ悅服セシムル組織的ノ計圖ナシ(ロ)學校、法廷、公文書ニ於ケル朝鮮語ノ排斥ハ人民激昂ノ大因ナリ(ハ)朝鮮歷史ノ敎科除外ハ亦他ノ一因ナリ。

(四)朝鮮人ハ、事實上立法行政共ニ參與スルノ權ナク又將來之ヲ得ルノ希望ナシ。

(イ)朝鮮人官吏ハ多ク下級ニ在リ。要職ニ就ケル者モ通例次席ノ內地人官吏ニ制御セラル(ロ)朝鮮人敎育ハ程度低ク、將來實力ニ依リ官職ニ就ク希望ナシ。

(五)差別待遇

(イ)官廳、商社及勞働ニ於ケル給料ノ差別(ロ)官立學校ニ於ケル內鮮人ニ依ル學科課程ノ差別(ハ)朝鮮人ニ限ル笞刑(ニ)事態小ナルモ影響大ナル差別、例セハ朝鮮人ハ列車「ボーイ」又ハ赤帽ニ餘リ用キラレ

一五

サルコト、內地人人力車夫ニ、停車場ニ於ケル最好ノ地位ヲ與フコト等ノ如シ。

(六)言論出版集會ノ自由ナシ

(朝鮮人基督敎徒カ心靈ノ復活ヲ祈禱シタルヲ、政治上ノ復活ヲ求メタルモノト强說シテ之ヲ捕縛セルコトアリ)。

(七)信敎自由ノ制限

(イ)私立學校ニ於ケル宗敎敎育ヲ許サス(ロ)基督敎ノ場合ニ在リテ、一九一五年三月以後ハ新設ノ私立學校ニ於テ、一九二五年以後ハ如何ナル學校ニ於テモ、聖書ノ敎授ヲ禁スルコト(ハ)朝鮮人ニ對シテハ、良心破壞ノ威アル儀式ノ擧行ヲ强要ス(ニ)地方官吏ハ、絶エス基督敎徒及該敎徒タラムトスル者ヲ威嚇シ、同敎ノ宣布ヲ阻止セムト努ムルノ狀アリ。

(八)朝鮮人ノ外國留學及旅行ニ對スル事實上ノ禁止

(イ)朝鮮人ハ、日本ノ進步カ明治年間ニ於ケル海外留學ニ起因スルモノ多キヲ知リテ、之ト同樣ノ機會ヲ得ムトスト雖、特ニ都合ヨキ場合ノ外洋行ヲ許サレス、又外國ニテ敎育ヲ受ケタル者ハ歸國ヲ許サレス(ロ)內地留學生ト雖、歸鮮後絶エス警察ノ監視ヲ受ク。

(九)王室有地ノ沒收

往時王室有地ヲ累代低廉ニ借受ケ、殆ト所有地ト異ナラサル利權ヲ享有シ居タル朝鮮人少カラサリシカ

一六

是等ノ土地モ多クハ、東洋拓殖會社ニ交付セラレタル結果、彼等ハ借地料ヲ著シク增徵セラルル爲、之ヲ放棄シテ、政府ノ補助ヲ受クル日本移民ニ引渡ササルヲ得サル破目ニ陷リタリ。

(十)敗德分子ノ新輸入

(イ)各市邑ニ於ケル公娼制度ハ、此ノ種ノ不道德ヲ一層行ヒ易カラシメ、大ニ靑年ノ道義心ヲ頹廢セシム(ロ)「モルヒネ」注射鍼ノ販賣制限セラレサル地方多シ。

(十一)滿洲移住ノ强制

中部及南部朝鮮ニ於ケル日本農夫ノ大移住ト、其ノ土地不當占有トノ爲、望マシカラサル滿洲移住ヲ餘儀ナクサレタル朝鮮人千ヲ以テ數フヘシ。

(十二)改善施設ハ鮮人ヨリモ寧ロ內地人ヲ利スルモノ多シ

(イ)工業例セハ、製材業ノ如キ大ニ開發セラレタルモ、朝鮮人ニ對シテハ、何等ノ利益ヲ齎サス。事實上木材ハ寧ロ以前ヨリ高價ト爲レリ(ロ)商業＝朝鮮商人ハ近代的實業ノ修養及經驗ヲ缺キ、日本商人ノ無制限ノ競爭ニ堪フル能ハス(ニ)專賣特許ハ朝鮮人ニ大困難ヲ與ヘ其ノ激昂ヲ惹起ス。例セハ宣川ニ於ケル棉花及肥料專賣ノ如シ。

第六章　民主的精神ノ振興

一七

日本ノ施政振リカ、朝鮮騷擾ノ大原因ナリト謂フハ、眞理ノ一面ヲ語ルモノニ過キス。蓋シ自治ノ欲求ハ人間ノ天性ニシテ、到底抗拒回避シ得ヘカラサルモノナレハナリ。

朝鮮ニ於ケル近代民主主義ノ發展ニハ、基督敎ノ宣布與リテ大ニ力アリ。這ハ勿論、基督敎會カ、團體トシテ、有意識若クハ無意識ニ政治界ニ運動ヲ試ミ、又ハ國家問題ニ干涉シタルヲ意味スルモノニ非ス、基督敎徒中個人トシテ幾多ノ公正廉直ナル政治家又ハ民衆ノ指導者ヲ蔟出シタルコト、固ヨリ之レナキニ非スト雖、基督敎ノ勢力ニ依リテ、政治ヲ左右セムトスルカ如キハ、朝鮮人ニ在リテモ將又外國人ニ在リテモ、其ノ意圖スラ未タ曾テ之レアラサリシナリ。併合以前外國宣敎師カ、地方官憲ニ對シ或種ノ特權ヲ有シタリシカ如キモ、是レ亦治外法權ニ伴フ彼等ノ國籍的地位ヨリ來リ、且寧ロ多ク彼等ノ個人的勢力ヨリ生シタルモノニ外ナラス。蓋シ所謂基督敎ノ民主主義助長トハ、民主的理想ト基督敎敎義又ハ民主的制度ト基督敎信徒ノ慣習トノ間ニ、交互密接錯綜シテ殆ト分ツヘカラサル關係ノ存スルモノアルヲ意味スルニ過キス。之ヲ歷史上ヨリ觀察スルニ、民主主義ノ原則ト其ノ實現トハ、基督敎敎理ノ解釋及敷衍ニ外ナラサレハナリ。朝鮮ニ於テ民主的運動ノ消長ト、基督敎ノ盛衰ト、彼カ如ク顯著ナル兩々駢馳ノ步調ヲ取レルカ如キ、亦此理由ニ基クモノニ外ナラス。論者或ハ此ノ眞意ヲ解セス、基督敎傳道事業ノ發達ニ對シ、漫リニ布敎以外ノ動機ヲ附セムトスルカ如キハ眞ニ誤レリ。

今基督敎ノ傳道カ一面ニ於テ、自然朝鮮人ノ民主化トナリタル其ノ經過ヲ釋ヌルニ、元來同敎ハ支那ヨリ

一八

傳來セシモノニシテ、其ノ朝鮮人學者ノ注意ヲ惹キ、遂ニ最初ノ受洗者ヲ出スニ至リシハ、第十八世紀ノ末葉ノ事ニ屬スト雖、其ノ布教權ヲ得テ、眞ニ傳道事業ヲ開始シタルハ、第十九世紀末卽チ一八八二年（明治十五年）朝鮮ノ開國セラレタルトキニ在リ。當時宣教師ハ、先ツ醫療事業ニ著手シテ、傳道ノ楔子ト爲シ、之ニ繼クニ教育事業ヲ以テシ、賴テ以テ布教事業ノ基礎ヲ確立セリ。而シテ是等ノ醫療及教育事業ハ、端ナク朝鮮民主化ノ端ヲ啓キタリシナリ。當時宣教師ノ經營セル病院ハ、自國ノ風習ト四海兄弟ノ教理トニ從ヒ、貧富高下ノ別ナク、一樣ニ患者ノ治療ヲ行ヒ、殊ニ婦人ニ對シテハ、如何ニ卑賤ナル者ト雖、一層丁寧懇切ニ之ヲ遇シタルカ故ニ、斯ル行爲ノ日日反覆セラレテ漸ク久シキニ及フニ伴ヒ、人類平等ノ原理ハ必スシモ、言說ヲ以テ唱道セラレサリシモ、生キタル事實トシテ、衆人ノ前ニ展示セラレ、茲ニ端ナク朝鮮舊來ノ階級觀念ニ第一ノ動搖ヲ來シ、殊ニ婦人蟄居ノ陋習ニ最初ノ刺戟ヲ與ヘ、遂ニ婦人解放ノ端ヲ爲スニ至レリ。彼ノ朝鮮ニ居住セル宣教師ノ家族ノ如キ、其ノ夫婦父子相親メルノ狀ハ、朝鮮ノ風習ト全ク趣ヲ異ニシ、日々無意識ノ間ニ朝鮮人ノ思想ニ異常ノ影響ヲ及ホシ、子タル者ノ絕對服從、夫婦ノ別、婚約ノ方法等ニ關スル舊式觀念ヲ打破スルノ基ヲ爲セリ。斯ノ如クニシテ、宣教師ノ在留ト其ノ日常ノ行動トハ、縱令暗默無意識ノ所爲ナリトハ云ヘ、事實上其ノ到ル處ニ社會的進化ト革命トノ宣傳トナリツツアリシナリ。

宣教師カ醫療事業ニ次キテ、傳道上有効ナリト認メタルハ、教育ノ施設ナリ。培材學堂ハ一八八五年（明治十八年）ノ設置ニ係ル最初ノ基督教學校ニシテ、同教教育機關中、最モ多ク朝鮮人ノ間ニ於ケル、近代的民

主思想ノ發達ヲ助長シタルモノナリ。同校ハ、當初貧生補助ノ爲印刷部ヲ附置シテ、逐次朝鮮最初ノ月刊週刊雜誌並日刊新聞ヲ刊行セシコトアリ。又同校校堂ニ於テ初メテ行ハレタル公開ノ講演ハ、其ノ後漸次發展シテ、彼ノ著名ナル獨立俱樂部ノ設立ト爲リ、一八九〇年代ノ後半（明治三十年前後）ニ於ケル民主愛國主義ノ鼓吹ニ重要ナル役目ヲ演シ、百ヲ以テ數フヘキ同校出身者ハ到ル處ニ基督教及民主主義ノ理想ノ木鐸ト爲レリ。蓋シ自由、平等、博愛ノ三原則ハ、基督教ノ教理ト合致スルモノナルカ故ニ、斯ノ如キハ自然ノ數ナリト謂フヘシ。

基督教教育事業ノ社會改造的效果ハ、又一面朝鮮ノ少女婦人ニ波及シ、一八八五年（明治十八年）頃ノ開校ニ係ル梨花學堂ノ如キ、其ノ後陸續設立セラレタル女子教育機關ト共ニ、大ニ朝鮮婦人ノ生活ノ意義ヲ向上擴充スルノ階梯トナリ、殊ニ之ニ交ユルニ基督教的道義ノ觀念ヲ以テシタルカ爲、幸ニ家庭ノ組織ニ危害ヲ加フルコトナクシテ改善ノ步ヲ進ムルコトヲ得タリ。斯ノ如クニシテ是等ノ基督教學校ハ、總テ多年ノ間絕エス青年男女ノ生活ニ基督教的民主思想ノ感化ヲ及ホシタリト雖、常ニ細密周到ナル注意ヲ拂ヒテ、極力直接政事ニ容喙スルナカラムコトニ努メ、理論ノ教授者タルモ急激ナル改革者タルコトヲ避ケ、原理ノ應用ニ至リテハ、全然受教者ノ裁斷ニ任セタリ。著者カ二十五年間宣教師トノ接觸中、未タ曾テ彼等ノ實際政事ニ就キ勸告慫慂ヲ爲セシヲ聞カス、又縱令諮問ヲ受ケタル場合ト雖、彼等ハ之ニ答フコトナカリシナリ。

基督教傳道事業ハ、教育事業ノ發達ニ伴ヒテ其ノ基礎漸ク確立セリ。監理派ノ如キモ、培材學堂生徒及其

ノ緣故者ヲ中心トスル校內教會先ツ起リテ、京城第一監理教會ノ設立成リ、次テ之ヲ地方各地ニ及ホスニ至リタルモノナリ。近時學校維持ノ困難ハ、傳道事業ニ大打擊ヲ與ヘタリト雖、該事業ニシテ十分ナル發達ヲ遂ケシムヘキモノナリトセハ、教會所屬ノ學校ハ努メテ之カ發展ヲ圖ラサルヘカラス。政府ニ於テ尙教育施設ヲ遐邇ニ普及セシムルヲ得サル地位ニ在ル以上、之ヲ以テ正當トシ、基督教學校ノ施設ニシテ純然タル教育ノ範圍外ニ涉ラサル限リ、宜シク之ヲ認容スヘキモリナリトス。

朝鮮ニ於テ基督教傳道事業開始以來三十五年ニシテ三十萬ノ信徒ヲ得タルハ、之ヲ日本支那ニ比シテ異常ノ發展ト謂フヘシ。今其ノ原因ヲ繹ヌルニ、著者ノ觀ル所ヲ以テスレハ、大凡四ノ事由アリ。第一、基督教ノ傳道ハ、生活ノ內容ヲ充實セシムルコト、卽チ病院、學校、文學、藝術其ノ他人生ヲ圓滿幸福ナラシムル幾多ノ事物ノ必ス教會ニ伴ヒ來ルコト、第二、基督教ハ、個人ノ人格ヲ認ムルコト、第三、基督教ハ、永遠ノ信仰ト生ケル希望トヲ與フルコト、第四、基督教ハ、人生ノ使命ヲ全ウスル爲自己犧牲ヲ教ユルコト是ナリ。是等ノ要素ハ、暗默ノ間ニ一般朝鮮人心ニ影響シ、遂ニ朝鮮人ヲシテ思想ノ中心ヲ自己ヨリ人類ニ轉シ、內、自國民ノ向上ヲ圖リ、外、世界ノ進運ニ寄與セムトスルノ意識希望ヲ懷カシムルニ至レリ。是レ朝鮮カ基督教ヨリ受ケタル最大ノ祝福ニシテ、蓋シ又永久的眞理ノ宣布ニ伴避クヘカラサル結果ナリ。

然レトモ朝鮮ニ於テ直接民主的理想ヲ助長シタル者、固ヨリ獨リ基督教ニ限レルニハアラス。同教ノ外尙幾多ノ素因アリテ、之カ宣揚ニ夫夫多少ノ成功ヲ收メタリシナリ。彼ノ一八八四年（明治十七年）一團ノ進步

的青年アリ、金玉均ヲ主宰トシテ、朝鮮ノ自由ノ爲一擧ニ支那ノ羈絆ヲ絕タムトセシカ如キ、次テ一八九四年（明治二十八年）日清戰役終局ノ後朴泳孝以下ノ愛國者カ政府ノ要路ニ入リテ著大ノ改革ヲ實行シ、英韓字新聞ノ發行、獨立俱樂部ノ組織相踵キテ成リタルカ如キ、其ノ事功豫期ノ如クナラサリシト雖、朝鮮ニ於ケル民主思想ハ之カ爲益進展スルニ至レリ。一九〇四年（明治三十七年）ヨリ一九一〇年（明治四十三年）ニ至ル六年間ニ於テハ、民主運動ハ更ニ清新ノ活氣ヲ加ヘテ、迅速ナル發展ヲ爲シ、新聞雜誌相踵キテ各地ニ勃興シ、私立學校ノ設置數千ニ及ヒ、國利民福ノ增進ヲ目的トスルノ諸團體ハ、熾烈ナル熱心ヲ以テ、各樞要地ニ組織セラレ、舊獨立俱樂部ノ領袖等ハ更ニ尹致昊ヲ會長トシテ自强會ナルモノヲ設立シ、他ノ諸結社ト相提携シテ、一般人民ヲシテ著シク社會的及國民的ノ自覺ヲ生セシメタリ。

然ルニ一九一〇年韓國ノ日本ニ併合セラレ、峻嚴ナル軍國政治ノ肇始セラルルヤ、是等ノ活動ハ悉ク頓挫シ、自由ハ空名トナリ、民主的機關ハ組織的ニ壓倒セラレ、結社、新聞、出版、言論等政事ニ關スルモノハ、總テ禁止セラレ、學校スラ政治的傾向ヲ有セムコトヲ恐レテ、漸次撲滅ノ方針ヲ採ラレタリ。

之ヲ要スルニ、前三章記載ノ事情ハ獨立運動直接ノ主因ニシテ、歐洲大戰、聯合國ノ勝利、民主主義ノ世界的擡頭等ノ如キハ、單ニ此ノ氣運ヲ早メタルニ過キス。何トナレハ抑壓セラレタル朝鮮人ノ志望抱負ハ、此ノ事ノ有無ニ拘ラス、早晚爆發セサルヘカラサル事情ニ迫リ居タレハナリ。

第三編　結論

第七章　日本ノ政策ト朝鮮

日本ハ、何故ニ朝鮮ニ占據セルカ、之ニ對スル官府ノ說明ハ時局ニ應シテ轉化セリ。九十年代ノ中間（明治二十八年頃）迄ハ日本ハ、其ノ公明正大ナル精神ヨリ朝鮮ノ衰態ヲ坐視スルニ忍ヒスト做シ、東洋ノ平和ト其ノ發展ノ爲ニハ、先ツ鮮支ノ舊關係ヲ一新シ、三國鼎足ノ調和圓滿ナル新形勢ヲ確立セサルヘカラスト聲明セリ。

然ルニ日清戰役後ハ稍其ノ辭柄ヲ改メ、朝鮮ノ獨立ト其ノ領土保全トハ、自國防衛ノ爲必要ナリ、日本ハ露支トノ間ニ一ノ緩衝國ヲ要スレハナリト言ヘリ。然レトモ日本ハ對韓政策ノ第一步ニ於テ錯誤ニ陷リ、爾來公明ニシテ同情的ナル手段ニ出ルコトナク、萬事自家ノ意ノ儘ニ之ヲ制御セムトシ、事每ニ却テ朝鮮人ノ反感ヲ買ヒ、遂ニ韓皇ノ露國公使館遷移トナリ、忽チ勢力ノ失墜ヲ來セリ。此ノ間日本ニシテ一層正大善意ノ政策ヲ執リタリシナラムニハ、或ハ日露戰役ノ發生ヲ避ケ、延テ朝鮮及支那ニ於ケル現時ノ難局ヲ來スナキヲ得タルヤモ知ルヘカラス。是レ後世史家ノ攷覈ヲ要スル所ナリ。蓋シ日本ノ侵略的本能ハ常ニ大事ノ前ニ小利ヲ看過スル能ハサルノ通弊ヲ反覆スルモノト謂フヘシ。

次テ日露戰役ノ日本ノ勝利ニ歸スルヤ、偶米國ニ於テ日本移民及學童問題ノ起ルアリ。日本ハ之ヲ好機トシテ再ヒ朝鮮占據ノ理由ヲ變更シ、日本ハ過剩人口ノ捌口ヲ滿鮮ニ有セサルヘカラスト言明シ、此ノ捌口ニシテ保全セラルレハ、米國移民問題ハ永久解決セラルヘシト做セリ。米國前大統領「ルーズヴェルト」氏ハ、果シテ之ヲ認メタルヤ否ヤ明カナラサレトモ、一九〇七年（明治四十年）列國ニ先チテ京城ヨリ其ノ公使館ヲ撤去シタリ、然ルニ之ヲ事後ノ狀況ニ徵スレハ、對米日本移民問題ハ、當時ハ勿論、今尙解決ニ至ラサルナリ。鮮滿植民カ、果シテ、日本カ朝鮮占據ノ眞理由タリ得ヘキモノナルヤ否ヤハ、疑問ニ屬ス。何トナレハ、日本ノ土地ハ、未タ開墾ノ最高限度ニ達セス、又日本ノ農民ハ滿鮮移住ヲ喜ハサレハナリ。米國「ウイスコンシン」大學「キング」敎授ノ調査發表スル所ニ依レハ、可耕地ノ最高傾斜限度ヲ十五度トスレハ、日本ノ四大島ハ尙未墾地ノ六割五分ヲ開墾シ得ヘク、隨テ尙約三千五百萬ノ人口ヲ收容スルニ足リ、爾後新開墾地ノ生產力增進ニ伴ヒ、更ニ其ノ收容力ヲ增大スヘキカ故ニ、日本ノ四大島ハ、結局一億人ノ生活ヲ支持シ得ヘシト曰ヘリ。

又一方日本農民カ政府ノ獎勵ニ拘ラス海外移住ヲ喜ハサルハ四ノ理由アリ。（一）ハ氣候ノ關係ニシテ、日本人ハ槪シテ滿鮮ノ寒氣ニ堪ヘス。現ニ東洋拓殖會社ノ移民獎勵ノ如キモ、朝鮮南部ノ外殆ト效果ノ見ルヘキモノナク、朝鮮ノ中部及北部ニ於テハ、槪ネ日本ノ大資本家カ大面積ノ土地ヲ所有スルニ止マリ、內地人ノ自作小農民ノ數ハ殆ト數フルニ足サル狀況ニ在リ。（二）ハ經濟上ノ不利ニ在リ。卽チ朝鮮ハ內地ニ比スレハ勞銀低廉ナルノミナラス、生活費ハ內地人ニ取リテハ却テ高價ナリ。故ニ內地人ハ官府ヨリ優先的特典ヲ得ルニ非サレハ、到底朝鮮人ト競爭スルコト能ハサルナリ。滿洲ニ於ケル內地人對支那人ノ關係亦斯ノ如シ、（三）朝鮮官憲ハ政治的考量ヲ第一義トシ、農工商業ヲ第二義ニ置キ、隨テ其ノ繁文縟禮內地ヨリモ甚シキモノアリ。故ニ內地人自身スラ往々官憲ノ羈束干涉度ニ過キ、何等自發的企畫ヲ爲スニ由ナキニ不滿ヲ鳴ラシツツアリ。（四）ハ日本人ノ鄕黨的心理ニシテ、彼等ハ鄕土愛著自負ノ念强クシテ、他國ニ移住スルモ、其ノ地ニ定著同化スルノ意思ナク、資財ノ蓄積ト共ニ自國ニ引揚クルヲ常トセリ、故ニ內地人ノ朝鮮移住ノ如キモ、其ノ總數今尙三十二萬ニ過キスシテ、所謂過剩人口ノ問題ノ如キモ、事態然カク切迫セルモノト認ムルヲ得サルナリ。加之近時日本ハ迅速ニ工業國ト化シツツアリテ、生產原料ノ供給上、近隣諸國ノ領土ヨリモ、寧ロ多ク、其ノ好意ヲ得ルノ必要アリ。然ルニ、日本ハ、何故ニ鮮支ノ反感ヲ意トセスシテ、敢テ大陸ニ地步ヲ占メサルヘカラスト思惟セルカ。今ヤ支那ハ、內訌ノ爲、力ヲ外ニ伸ハス能ハス、露國ハ遂ニ混沌ノ狀ニ陷レリ。而シテ米國カ其ノ軍隊ヲ「アラスカ」ヨリ西伯利東岸ニ回派シ、更ニ、朝鮮ヲ占領シテ日本ヲ脅カス、謂フカ如キハ、想像タモ及ハサル所ナリ。縱令米國ニシテ此ノ擧ニ出ツルノ力及意思アリトスルモ、日本ハ師團二十一個、精兵約六十萬ノ陸軍ト、太平洋上最强ノ海軍トヲ有スルモノナレハ、其ノ力尙優ニ自國ヲ防護スルニ足ルモノアリ。故ニ日本カ大陸占據ノ第一理由ハ必スシモ、第三國ノ侵寇又ハ移民ノ扶植ニ在ラサルヤ明カナリ。果シテ然ラハ、其ノ眞意圖ハ抑々何レニ在リヤ。

東洋政局ニ於ケル日本ノ有ラユル政治的行動ニ一貫セル其ノ眞目的ハ、少クトモ秀吉時代ニ遡リテ、其ノ沿革ヲ繹ネサルヘカラス。當時日本カ道ヲ朝鮮ニ藉リテ、支那全國ヲ征服セムトセシハ、最近獨逸ノ行動ト符節ヲ合スルカ如キモノアリ。爾來日本ハ常ニ此ノ志ヲ棄テス、輓近幸ニモ、早ク泰西文明ニ接觸シテ、其ノ意圖ヲ隣邦ニ强ユルニ足ルノ近代的施設ヲ具備シ、大陸ノ一角ニ占據シテ、亞細亞征服ノ非望ヲ明ニセリ。斯ノ如キハ現代ノ時勢ニ在リテハ、已ニ陳腐ノ觀念タルヲ免レスト雖、日本軍閥ハ猶深ク汎亞細亞帝國、世界的帝國ノ夢想ニ耽溺セルモノノ如ク、吾人カ前諸章ニ於テ論及セル所、一トシテ此ノ觀念ヨリ割出サレタルニ非サルハナキナリ、此ノ觀念ハ朝鮮施政ノ根本義ヲ爲シ、法律、學制、警察、神道獎勵等、其ノ施設スル所、皆此ノ一點ニ集注ス。彼等軍閥ノ眼孔ヨリスレハ、朝鮮人ナルモノハ、此ノ非望實現ノ傀儡トシテ、日本人ト合同セシメサルヘカラサルモノナルト共ニ、一面之ニ强壓ヲ加ヘテ此ノ目的ノ進捗ニ齟齬扞格スルコトナカラシメサルヘカラサルモノタルニ過キス。故ニ今次獨立騷擾ノ勃發スルヤ、軍閥ハ、如何ナル損失ヲモ意トセスシテ、最モ迅速ニ鎭壓セサルヘカラサルモノナリト做シ、恐嚇主義ヲ採用シテ咄嗟ノ間ニ朝鮮民族ヲ屈服セシメ、以テ其ノ宿志ノ挫折ヲ最少限度ニ止メムト期シタリ。然レトモ更ニ一層迅速ニ豫期ノ成果ヲ齎スト同時ニ、軍閥ノ夢想實現ヲ促進スルノ手段他ニ存スルアラハ、彼等カ之ヲ轉用スルニ躊躇セサルヘキハ、理ノ當然ナリ。後ニ至リテ彼等軍閥カ表面原首相ノ解決ニ讓步シタルカ如キ、蓋シ又此ノ見地ニ由リテ解釋スヘキモノナリトス。若シ獨立騷擾ニシテ獨逸軍國主義全盛ノ時代ニ發生シタリトセハ、其ノ惨禍ハ更ニ甚シキモノアリシヤ殆ト疑ヲ容レス。然レトモ今ヤ民主主義萬能ノ時代ナルカ故ニ後レ馳セナカラモ、改革ノ聲言セラルルニ至レルナリ。要スルニ此ノ軍國的帝國主義ナルモノハ、由來意氣地ナキモノニシテ、常ニ抵抗力最微ノ方向ヲ擇ミテ彼岸ニ達セムトスルモノタルヲ免レサルナリ。

原首相ノ宣言ハ、局外者ニ公正ノ感ヲ與ヘ諸種ノ改革ヲ約シ、放火、虐殺ヲ敢テシタル軍閥ノ非行ヲ認メ、憲兵制度ノ撤廢ヲ言明シ、加之時勢ノ推移ニ伴ヒ、朝鮮人ヲシテ日本人ト同一地位ニ立タシムヘキコトヲ宣言シタリト雖、歷史ト抱負トヲ有スル民族トシテ朝鮮人ヲ認メ、益其ノ文化ヲ開發シテ人類全般ノ福祉ニ寄與スル所アラシムヘキ――根本義ニ至リテハ、其ノ長々シキ全文中一言半句タモ之ニ言及スル所ナキニ非スヤ。然ラハ則チ、是レ亦、宿志達成ノ便法トシテ、單ニ其ノ表裝ヲ改メタルニ過キサルモノニ非スヤ。

斯クテ著者ハ原首相ノ宣言ノ全英譯文ヲ掲ケ、扨テ曰ク

本宣言ノ趣旨ハ一讀自ラ明ニシテ、其ノ行文中『結局……スルコトアルヘシ』、『究極ノ採用』、『原則トシテ』、『其ノ內ニ』等ノ如キ、又シテモ必要ナル改革ノ遷延ヲ意味スルハ、字句アル事實及內鮮人ハ同文同種ヲ云々スル例ノ主張ヲ反覆セルモノニ外ナラサル事實ヲ指摘スルノ外、又何等批評ヲ加フルノ要ナキナリ。監理派「ウェルチュ」監督ノ原首相會見談ニ依レハ、原氏ノ中心思想ハ內鮮人ノ實質上差異ナシト謂フニ在リテ、內鮮同文同種說ハ明ニ氏カ對鮮政策ノ樞軸ヲ爲スモノナルカ如シ。果シテ然ラハ、氏ノ政策ハ、此ノ點ニ於テ、前任者ト擇フ所ナキニ非スヤ。斯ノ如キ主張ハ、朝鮮人ノ民

族性ヲ無視シ、必然其ノ消滅ニ歸着スヘキモノナリ。加之此ノ主張ハ原則ハ宣明ニ止マリテ事實上ノ承認ヲ伴ハサルカ故ニ、畢竟差別待遇ハ永久存續ニ了ラム。朝鮮人ハ人トシテ認メラレムコトヲ欲求ス。人若シ其ノ精神ヲ失ハハ縦令全世界ヲ得ルトモ、何ノ益カアラム。

第八章　民主主義ト朝鮮ノ將來

世界大戰ハ、人類生活ニ、振古未曾有ノ大波瀾ヲ惹起シ、終ニ各人ヲシテ民主軍ノ陣頭ニ立タシメ、目今ノ社會現象中、革新ヲ要スルモノ尠カラサルヲ認識セシメタリ。此ノ意識ハ、社會事物ノ評價ヲ一新シ、其ノ理想ヲ一層高尙ナラシメ、進ミテ、民主主義ノ範疇ヲ擴大シ、更ニ其ノ適用ヲ徹底セシムルノ要求ト爲レリ、此ノ理數ハ、獨リ歐米ニ於テ、社會全般ヲ風靡セルノミナラス、極東ニ於テモ亦同然ニシテ、民主主義ノ風潮、日ニ高キヲ加ヘ、有ラユル前途ノ障礙ヲ、一掃セズムバ已マサルノ槪アリ。

曩ニ共和制ヲ採用シタル支那ハ、今ヤ更ニ新民主主義ノ精神ヲ體驗シ、其ノ青年男女ハ、其ノ前途ニ横ハレル危險ノ、容易ナラサルモノアルヲ見テ、奮勵一番、以テ國事ニ當ラサルヘカラサルヲ痛感セリ。彼等ノ精神ハ、恒久不變ノ力ヲ有シ、如何ナル障碍ニ會スルトモ、結局、成功ヲ贏チ得スムハ已マサラムトス。

日本ニ於ケル民主運動、亦漸次其ノ勢力ヲ加ヘ、青年智識階級及工業界ニ於テ、其ノ勢特ニ旺盛ニシテ、警察ノ干涉アルニ拘ラス、此ノ主義ヲ標榜スルノ機關及出版物、益多キヲ加ヘツツアリ。日本ニ於ケル生活難ハ、更ニ此ノ運動ヲ促進シ、政府ハ、溫情主義ニ依リテ、勞資ノ協調ヲ策セムト試ミタリト雖、勞働階級ハ之ヲ顧ミスシテ、自發的ニ勞働運動ヲ起シ、進ミテ、日本勞動聯合會ヲ組織シ、女性職工スラ、吾人ノ問題ハ、吾人自ラ解決セサルヘカラスト絶叫スルニ至レリ。此ノ一事ハ、固ヨリ未タ以テ、社會意識全般ノ覺醒ト見ルヲ得サレトモ、一般人心ノ傾向、終ニ玆ニ歸着スキヘハ火ヲ睹ルヨリモ明ナリ。殊ニ日本ニ於テモ基督敎徒ノ一團アリ。其ノ數未タ多カラスト雖、精神剛毅勇敢ニシテ、其ノ活氣ト勢力トハ、日ニ躍進シツツアリ。其ノ殉敎的氣魄ハ既ニ史實的ニ試煉セラレ、就中、其ノ公正ナル精神ハ、朝鮮獨立騷擾事件ニ關聯シテ、現實ニ表明セラレタリ。當時軍隊ノ暴狀外間ニ漏ルルヤ、日本ノ敎會聯盟ハ、代表者ヲ朝鮮ニ派シ、外國宣敎師聯合會ノ代表者ト共ニ、事件ノ調査ヲ行ヒシカ、日本人代表者ノ一人ハ、何等恐レ憚ル所ナク、事ノ眞相ヲ、東京ニ於ケル大會衆ノ前ニ披瀝セリ。此ノ大會ニ列席セル一外國人ハ、記シテ曰ク『彼ノ報告ハ、予カ豫期以上ニ大膽率直ナルモノニシテ、朝鮮人不平ノ理由――敎育其ノ他ニ於ケル差別待遇、憲兵制度、其ノ他軍國主義的壓制政治ノ失敗、朝鮮人ニ對スル宣敎師ノ合理的同情ノ態度ト在留日本人ノ峻酷ナル態度トノ對照、殊ニ騷擾鎭壓ノ暴狀ヲ詳述シ、毫モ事實ヲ陰蔽粉飾スルコトナク、言々熱誠ニ滿チ、聲淚共ニ下ルノ槪アリ。予カ日本基督敎會ノ誠實ニ對スル信認ヲシテ更ニ一段ノ高キヲ加ヘシメタリ云々』ト。

日本ニ於ケル是等ノ日ニ伸張セル勢力、卽チ新智識階級、不滿ナル勞働階級及良心鋭敏ナル基督敎徒ハ、擧ツテ軍國主義ヲ嫌忌シ、官僚主義ヲ敵トシ、等シク民主主義ノ味方タラムコトヲ標榜セリ。彼等カ共同ノ

目的ノ爲ニ相提携スルニ至ルニハ、尙危機ノ發生ニ俟ツモノアリト雖、斯ル機會ノ到來ハ、蓋シ甚タ遠キニアラサルヘシ。

飜ツテ朝鮮ノ現狀如何ト顧ミルニ、彼等ハ果シテ覺醒セリヤ、彼等ハ其ノ主張ニ對シ、前日ノ如ク、熱誠ニ、且希望ニ滿テリヤ。否彼等ハ、寧ロ前日ニモ優リテ、熱誠ニ、且希望ニ滿テリ。監理派平壤傳道區總監「チェー、ズイ、ムーア」博士ノ報告ニ現ハレタル、朝鮮基督敎徒ノ決心ノ如キ、蓋シ能ク、獨立運動全般ノ基調ヲ表明セルモノナリト謂フヘシ。該報告ノ大要ニ曰ク、『恐怖ト戰慄トニ滿テル、此ノ暗黑時代ノ眞最中ニ於テ、予ハ斷然敎役者ノ招集ヲ行ヘリ。然ルニ驚クヘシ、敎役者中獨立運動ニ關聯シテ、獄ニ投セラレタル者尠カラサリシニ拘ラス、其ノ殘留者全部五十六人ハ、一人モ漏レナク、此ノ會議ニ出席セリ。平壤五敎會ノ如キハ騷擾事件ノ爲、一人ノ牧師ヲモ有セス。區內地方敎會ニ在リテハ、牧師不在ノ爲、集會ヲ廢スルコト三箇月ニ及ヘルモノ尠カラス。仍テ參會ノ牧師ハ皆熱心協議シテ、之カ補缺ノ途ヲ講シ、一地方敎會ノ如キハ、平壤諸敎會ノ爲、進ミテ、其ノ牧師ヲ割愛シ、彼亦、喜ンテ前任者六人ノ任務ヲ、單獨處理スルコトヲ引受ケタリ。朝鮮人敎役者ノ、斯ノ如キ一致協同、犧牲、敢爲ノ精神ト、斯ノ如ク緊張セル、熱烈ナル意氣トハ、予ノ未タ曾テ經驗セサリシ所ナリ。在檻敎役者亦福音ノ宣傳ヲ怠ラス、一牧師ノ如キハ、同囚ノ異敎徒全部ヲ敎化シテ、房內ニ禮拜ヲ行ヒ、其ノ中ノ一學生ノ如キ、一年間ノ學習ニモ優ル利益ヲ得タリト曰ヘリ。今次ノ獨立運動ハ、其ノ結果如何ニ成リ行クニモセヨ、兎ニ角、大ニ朝鮮人ノ精神ヲ開發シ、此ノ

點ニ於テハ、通例五十年以上ヲ要スル事蹟ヲ、一朝ニシテ擧クルヲ得タリ、今ヤ我等ノ新時代ハ來レルナリ云々」

斯クテ著者ハ、獨立運動參加ノ青年男女ニ對スル監禁、拷問ノ、寧ロ何等ノ効果モナカリシヲ説キ、其ノ例證トシテ、一少女ノ獄中隨筆ヲ轉載シ、扨テ曰ク、朝鮮ノ初メテ沒落ノ否運ニ陷ルヤ、朝鮮自立ノ覺醒ヲ促スヘキ手段ニ、三ノ段階アルコト明瞭トナレリ。是等ノ手段ハ、何レモ、民族心理ノ、抑ヘカラサル向上運動ニ外ナラス。卽チ其ノ第一段階ハ朝鮮民族ノ社會的意識ナリトス。朝鮮人ハ、元來、此ノ意識ヲ全然闕如セシニハ非ス。唯其ノ生活、孤立隱遯的ニシテ、數百年間、之ヲ表面ニ顯示スルノ機會ナク、之ヲシテ常ニ、內面深ク潛在セシメタルニ過キス。然ルニ幸ニモ、其ノ困苦ト屈辱トハ、朝鮮民族ヲシテ、豫想外ニ早ク、此ノ覺醒ヲ得セシメタリ。蓋シ彼ノ峻嚴ナル强壓的同化政策ハ、却テ反對ノ結果ヲ齎ラセルナリ。

噫此ノ意識既ニ生レタリ。其ノ漸次成長シテ、確實ニ圓熟ノ域ニ進ムヘキハ、又疑ヲ容レス。此ノ時ニ當リ、日本ニ於ケル聚積的民主思想ノ、突如トシテ奔放ノ勢ヲ爲セルアリテ、朝鮮民族ニ對シ、更ニ第二ノ進步的段階ヲ供與セリ。而モ此ノ段階ハ、朝鮮民族ノ理想ノ完成ヲ意味スル、終局ノ段階ト相伴フテ來レルモノナルニ似タリ。

終局ノ段階トハ、抑モ何ヲ意味スルカ。今ヤ、世界列强ノ利害ハ、均シク、東亞ニ集注シ、何レモ支那ノ分割ヲ便トセス、少クトモ、當分ノ間、各其ノ侵略ノ手ヲ引ケリ。是レ支那ニ對スル好機會ニシテ、而シテ

三一

支那ハ明白ニ之ニ乘シテ、事ニ當リツツアリ。加之今ヤ世界萬國擧ツテ軍國主義的帝國主義ヲ否認シ、如何ナル强國ト雖、獨力能ク此ノ主義ヲ支持スルヲ得ス。民主的精神ハ到ル處ニ磅礴シテ、如何ナル軍國主義ノ團體モ、能ク之ヲ根絶スル者アルナシ。是故ニ、東洋ノ事態ニ對スル歐米列國ノ理解ト、支那ノ覺醒ト、東洋諸民族間ニ於ケル民主思想ノ勃興トハ、皆均シク其ノ最高調ニ達スヘキヤ明ナリ。而シテ此ノ最高調コソ、吾人ノ所謂終局ノ大段階タルナレ。

此ノ最高調ニ達スルノ徑路ハ、或ハ、緩徐ナル進化ノ形式ヲ取ルコトアルヘク、或ハ又、極メテ急激ナル性質ヲ帶フルコトアルヘシ。是レ皆主トシテ國政ノ操縱者タル爲政者ノ眼識如何ニ繫レルナリ。日本ハ、政治家ハ、國家ノ危急ニ臨ミテ、常ニ一段ノ優越的對應策ニ出ツルトノ好評アリ。彼等ハ、現下ノ形勢ニ處シテ亦其ノ名聲ヲ全ウスルヲ得ヘキカ。

之ヲ要スルニ、各類政治家ノ策動如何ニ拘ラス、民主主義ノ精神遂ニ最後ノ勝利ヲ占ムヘキハ、確實ニシテ、朝鮮亦、此ノ勝利ニ均霑シ、其ノ眞價ノ發揮ト公認トニ依リテ、完全ナル公正ノ處遇ヲ受ケ、結局人道ノ外、何物モ朝鮮ヲ羈束スルナキニ至ルヘシ。斯クテ朝鮮ハ他ノ東洋諸民族ニ對シ、物質的殊ニ精神的ノ祝福ヲ齎サムコトヲ努メ、其ノ進步ト、他ノ民族ニ對スル無私ノ貢献トハ、東洋及世界ニ於ケル、眞正ノ平和ヲ拓開スルニ至ラム。政治家ノ去來ハ常ナラスト雖、朝鮮民族ノ理想ハ、必スヤ、實現セラルヘシ。何トナレハ彼等ノ信仰ト希望トハ、見エサル上帝ニ在リテ存シ、其ノ愛ハ人道ニ立脚スルモノナレハナリ。（本文完結）

三二

本書ハ尚附錄トシテ、現行法規ノ改善ト朝鮮ニ於ケル基督教々會及傳道事業ニ對スル政府ノ態度トニ關スル宣教師團ノ意見書、（大體ニ於テ本府發行册子「朝鮮ノ統治ト基督教」ニ登載ノ「全鮮宣教師聯合大會陳情書」ニ同シ）朝鮮騷擾事件ニ對スル宣教師ノ位地ニ關スル陳情書、朝鮮ノ時局ニ關スル美以監理派監督團ノ陳情書、舊韓美修好通商條約、舊日韓修好通商條約、同上追加約款、明治三十七年締結ノ日韓議定書、日韓協約、日韓通信合同協約、韓國沿岸貿易ニ關スル協約、日韓保護協約、日韓新協約、日韓併合條約等ヲ掲載セリ。

【大　尾】

三三

大正十年八月

情報彙纂 第七

朝鮮ニ關スル外國人ノ評論

朝鮮情報委員會

目次は、原本において欠落しています。（不二出版）

朝鮮ニ關スル外國人ノ評論（情報彙纂 第七）

第一 朝鮮問題ノ感想

一九二一年七月 金澤ニテ ピー・エー・スミス

筆者ハ本年夏前學習院長北條博士ト共ニ渡來シテ朝鮮ヲ視察シタル米國宣教師ナリ

本文ハ最近二週間ヲ朝鮮デ過シタ記者ガ、同地滞留中ニ受ケタ鮮カナ印象ト、記者ノ感情ニ強ク訴ヘタモノトヲ、フト記錄スル氣ニナリテ、記者ノ旅行ニ色々愉快ト便益トヲ與ヘテ呉レタ新舊友人ノ二三ニ、通信シタモノデアル。本文ヲ起草スルニ就テハ、記者ハ他人ノ行爲ヲ是非スル審判者ノ如ク見ラル事ヲ欲シナイ、ノミナラズ、半島開發ニ就キ、總督府ノ政策ニ對シ、不條理ナ批評ヲ下ス考ヘハ毫モナイノデアル。此處ニ記スル事柄ハ、單ニ普通人トシテノ感想ヲ記シタマデデアッテ、記者ハ、元來日本ヲ第二ノ故郷ト思ヒ、其生國ト、自國民トニ次イデ、日本ノ國及其ノ國民ヲ愛スル者ナノデアル。

先ヅ朝鮮ニ上陸シタ者ノ、注意ヲ引ク最モ著シイ事ハ、日本ノ指導ノ下ニ成サレタル、驚クベキ物質上ノ發達デアル。舊時代ノ治者ノ下ニ在タ人民ノ事情ガ、如何ナルモノデ有ッタカヲ考ヘタナラバ、直チニ、現

今ノ發展ハ、日本ノ助力ガナカッタナラバ、決シテ、現出シナカッタデアロウト想像シナイモノハ無カロウ。此ノ驚クベキ事功ハ、誰デモ、朝鮮ノ都會ヤ、村落ヲ通過シテ見サヘスルナラバ、直グ分カルノデアル。

是等ノ新ラシキ物質的進歩ヨリ、遙カニ後レテ、今尚古ルキ習俗ニ依ッテ、生活シテ居ル者ガ、多イノハ勿論實際デ有ルガ、此等ノ者スラ、モット活動的ナ中心地ノ人々ガ、直接利益ヲ受ケテキル、ヨリ廣キ街路ヤ、ヨリ良キ道路ヤ、郵便制度ヤ、鐵道等ニヨッテ、間接ニ惠澤ヲ被ムッテヰルノデアル。

尚、生命及財産ハ、彼等ガ嘗テ、往時ニ在ッタヨリモ、今日ノ方ガ遙カニ安全デ有ル、人ノ所得ハ、紛レモナキ奪掠ノ形式デモ、又ハ課税ノ形式ノ下ニデモ、何レニテモ、無理矢理ニ、彼等カラ奪ヒ去ラルル危險ハ決シテ無イ。少クトモ現在ニ於テハ、學校ハ財政ノ許ス限リ、速カニ增設サレテ居ル、而シテ少年男女ハ熱心ニ就學シツツアルガ、若シ内地ノソレ等ト同一程度ニスル事ガ出來ルナラバ、速カニソウスル筈ナノデアル。

朝鮮ニ與ヘタ併合ノ利益ハ、此ノ上擧ゲテ言フ迄モナイノデ有ルノニ、何故、アンナニ多クノ不平ガ有ルノカ、何ヲモット欲スルノカト、質問シタクナル、其レハ不平ガ有ルカラアルノデアル。

而シテ、記者ハ今次ノ半島視察ニヨッテ、其ノ原因ガ、奈邊ニアルカヲ知ラントシタ。次ニ掲グルモノハ今後解決ヲ要スル當面ノ問題ハ如何ナルモノデアルカニ付キテノ、記者ノ考ヘノ概略ト、之カ解決ニ必要ト

思フ極僅カナ建言トデアル。

産業

先ツ第一ニ、注意スベキ問題ハ、産業ノ狀態デアル。市中ニ多數ノ懶惰者アル事、或ハ勞働ニ勵ムベキ筈ノ階級ニ屬スル者デモ、兎角仕事ヲ欲セナイ傾向ノ明白ナル事ハ、此ノ一事ダケデモ、極メテ重大ナ問題デアル。之ニ對シ何等カノ奬勵法デモ講ジナカツタナラ、朝鮮內ニ於テ、平和ト繁榮トヲ見ル事ハアルマイ。

記者ハ、產業ノ問題ニ關シテハ、素人デアルカラ、或一事ノ外、今茲ニ、建策ヲ提供スル事ハ出來ナイ。其レハ米國ノ或ル大學ニ依ツテ、取ラレテ居ル樣ナ方法デ、大學敎授ノ科學的智識ヲ、勞働者問題ニ應用シ斯クテ勞働者ノ利益ト彼ノ能率トヲ、增サントスル努力デアル。此ノ米國ノ方法ハ、直ニ朝鮮ニ適用スルコトハ出來ナイケレドモ、多少ノ參考ニハナルカモ知レナイ。

勿論、工業專門學校其ノ他ノ實業學校デハ、出來ルダケノ事ハ、シテ居ルノデアルガ、併シ之ニ就キ學校ノ接觸スルノハ僅カノ小範圍ニ止スルノミナラズ、其ノ接觸スル人々モ、堅忍不拔ノ精神ヲ缺グ爲、能率ノ敎養ガ著シキ高度ニハ達シテ居ナイノデアル。

加之、是等ノ學校ハ、土着勞働者ノ不用意デ其ノ日暮ラシナ性質ニ關スル根本問題ニハ、眞ニ觸レテ居ナイノデアル。

併シナガラ、眞ニ此ノ問題ヲ解決セントスルナラバ、何等カノ方法ヲ講ジナケレバナラヌノデアル。

商業

商業界ハソレヨリモ有望デ有ル。商業學校ハ民間ノ受ケガ好ク、其ノ卒業者モ、亦相當ノ地位ヲ占メテ居ル。併シ、更ニ進ミテ、朝鮮人ニ、モツト積極的ニ獨立シタ業務ヲ擔當スル能力ヲ發揮セシムル、何等カノ方法ヲ講ジナケレバナラヌ。彼等ノ多數ハ經驗ノ缺乏ト、此ノ經驗ノ不足ガ、日本人實業家トノ競爭ニ不利ヲ與ヘル事實トニ因リ、意氣ヲ沮喪シテ居ル樣ニ見エル。此ノ感情ノ當否、並其レヲ救治スルニハ如何ニシテ良イカト言フ事ニ就テハ、記者ハ、何等容喙シナイ。只記者ノ見ル所デハ、是亦解決ヲ待ツ一問題デアルト云フ事ヲ一言スル。

教育ト宗教

敎育及宗敎ノ問題ニ轉ズレバ、少シハ慣レタ立場ニ在ルノデアツテ、記者モ多少言葉ヲ費ヤス權利ガ有ル樣ナ氣ガスル。縱令記者ハ此ノ點ニ於テモ未熟者デアリ、且二週間ノ短時日デハ當面ノ複雜ナルアラユル眞相ヲ完全ニ、理解スルコトハ出來ナイコトヲ承知シテ居ルトハ言ヘ。

言語

記者ノ前ニ來ル敎育的ノ問題ハ、先ヅ言語ノ問題デアル。是ハ單ニ敎授上ニ、日本語ヲ用ウル程度ノ問題ニ過ギナイノデアル。記者ガ此ノ問題ニ就キ澤山ノ人ト、話シタ後チノ個人的感想ヲ言フナラバ、此ノ事ハ、餘リ性急ニ强ウベキモノデナイト言フ事デ有ル。後日、鮮人ガ日本語ヲ知ルノ價値ヲ認メタ時ニハ、彼

等カラ日本語ノ敎授ヲ受ケル事ヲ迫ルニ至リ、此ノ問題モ自然消滅シテ問題トナラヌ樣ニナルデアロウ。

愛國心ト忠義

之ニ多少關聯セル他ノ問題ハ、愛國心ト忠義トノ敎育デアル。是等ノ美德ニ就テハ、普通ノ朝鮮人ハ、內地人ノ强烈ナル感情ニ比較スレバ、極メテ微弱ナ觀念ヲ有スルニ過ギナイノデアル。

故ニ豫期ノ結果ヲ得ントスルニハ、手練ト忍耐ト、時日トガ必要デアル。而シテ之ガ敎授者タルモノハ、是等美德ノ何レカ一方ニテモ、美事ニ敎授シ得ル前ニ、先ヅ生徒及其ノ父兄ノ充分ナル信任ヲ得、更ニ進ミテ其ノ愛情ヲモ得置カネバナラヌノデアル。否ラサレバ、是等ノ敎授ハ、啻ニ無益デアルノミナラズ、又有害デ有ルノデアル。

然レトモ、此ノ問題ハ、斯ノ如ク單純ナモノデハナイ。卽チ、法律ノ代表者タル警察ノ事ヲモ、考慮ニ入レナケレバナラナイノデアル。吾人ハ自己ノ職務ヲ全ウセムト努力スル巡査ニ對シ、十分ナ同情ヲ表セネバナラヌコトハ、勿論デアル。

何トナレバ、彼等ハ、最モ困難ナ職務ヲ遂行セムト努メテ居ルノデアルカラデアル。彼等ハ、異鄕ニ於テ不安ニシテ好意ナキ人々ノ間ニ働キ、且又受持區域ニ於ケル秩序維持ノ責任ヲ負フテ居ルノデアル。是等ノ事柄ハ總ベテ、事態ヲ非常ニ困難ナラシムルノモノデアツテ、彼等ニ對スル吾人ノ批判ハ苛酷ニ過ギテハナラヌ。然レト、吾人ハ之ガ爲ニ、彼等ガ人民ニ對シ、往々權力ヲ濫用シテ、專橫壓制ニ流ルルコトアル事實

ヲ默過シテハナラヌ。吾人ハ、之ヲ詳說スル迄モナク、斯樣ノ話ハ、非常ニ數多ク且細密ニ涉リ、又否認ヲ許サナイ事柄デアルト云フコトヲ、茲ニ明言シ得ルノデアル。笞刑ハ廢止サレタレドモ、種々ノ拷問ハ、引續キ逮捕者審問ノ際ニ用ヰラレ、婦人スラ今尚時トシテ、侮辱ヲ加ヘラルルコトガアル、其ノ結果、人ガ嫌疑ノ爲ニ逮捕セラレ、審問中自白ヲ强ウル爲拷問ヲ加ヘラレ、最後ニ、犯罪者ニ非ラズトシテ、放免セラルルガ如キ事ハ、屢起コル例デアル。斯カル人ガ警察ノ手カラ、離レテ來タ時ニハ、不正ノ處置ヲ受ケタリトノ感情ヲ懷キ、彼ノ親戚及友人モ亦之ニ同感スルノデアル。

然ルニ是等ノ所行ヲ爲スノハ、皆警察デアツテ而シテ警察ハ都鄙ニ於テ天皇ヲ代理スルモノデアル。然ルニ、斯ル事件ノアツタ後ニ、敎師ガ其ノ生徒ニ向ツテ、陛下ノ仁慈ヲ說キ示ストシタナラバ、生徒ハ、如何ナル感ジヲ持ツテアロウカ。此ノ時ニ當リ、彼等ガ、行爲ハ言語ヨリモ雄辯デアリ。斯カル敎訓ノ空談ニ過ギナイコトヲ感スルノハ、人情ノ自然ニ出ヅルモノニ外ナラナイノデアル。若シ、斯カル事柄ガ屢起ツタナラバ、其ハ敎訓ハ却ツテ、敎員ノ豫期スル所ト正反對ノ結果ヲ見ルデ有ロウ、

歷史

歷史ヲ敎ヘルニ當ツテモ、眞實ヲ話シ、而モ愼重ニ、且公正ニ說カナケレバナラヌ。內地朝鮮間ノ史的關係ノ如キモ、愼重且公平ニ說明スベキデアル。縱令日本ニ誤リガ有ル場合ニテモ、其レヲ辯解粉飾ショウトスル心持ガアツテハナラヌ、斯ノ如キ事項ハ、總テ容易ナラヌ問題ヲ引キ起シ易キガ故ニ、公明正大、且虛心

担懐ナル態度ヲ以テ、之ニ當ルベキモノデアル。英米兩國間ノ、緊張シタル關係ノ如キモ、百餘年來、米國獨立戰爭ヨリ起レル諸種ノ問題ニ就キ、一方側ニ偏シタル見解ノミヲ敎科書ニ擧ゲテ、米國内ニ使用シ來レルコトニ、幾分其ノ原因ヲ有シテ居ルノデアル。故ニ吾人ハ、日本ガ、斯クノ如キ錯誤ヲ發見スルニ百餘年ヲ要スルカ如キコト無キヲ希望スルノデアル。

敎員ノ供給

敎育上ノ他ノ問題ハ、如何ニシテ十分ナル敎員ノ供給ヲ得ベキカト云フ事デ有ル。京城師範學校ハ、敎員ノ養成ニ、最善ノ力ヲ盡クシテ居ルガ、恐ラク、夫レダケデハ充分デハ有ルマイ。政府ノ規定ニ遵ツテ成レル所ノ私立學校ニ對シテハ、有ラユル獎勵ヲ加ヘ、且此等ノ學校ガ、師範敎育以外ノ方法ニ依リテ、養成セラレタル資格アル敎員ヲ得ムトスルニ對シテモ、出來ルダケノ補助ヲ與ヘネバナラナイ。

此ノ困難ヲ更ニ加重スル今一ツノ事ハ、彼等男女ノ敎員ガ、別ニ證據ガ有ルノデモナクシテ、單ニ、警察ニ拘留サレタト言フ丈ケデ、敎員タル許可ヲ與ヘナイ十分ナ理由トスル事實デ有ル。敎員ガ實際罪ヲ犯シタ爲ニ、其ノ許可ヲ與ヘナイト言フ法律ハ、政略上、或ハ他ノ方法トシテ、當リ前ノ事デ、誰モ疑ハナイ。併シ彼等男女敎員ガ、拘留サレタト云フ事丈ケノ爲ニ、其ノ許可ヲ拒絶スルナラバ、其レハ不正當ノ事デアル。若シモ此ノ拒絶ノ原因ガ單ニ嫌疑ノ爲トスルナラバ、ソレハ偉大ナル政府ノ價値ナキモノデアル。此處ニ如

何ナル犯罪カ不行跡カガ有ツテ、何カノ理由デ、不問ニ附シテハアツテモ、其ノ敎員タルコトヲ禁ズルニハ十分デアルト認メラルル場合ニ在リテモ、其ノ當事者ニ對シテハ、罪ト過失トヲ、愼重ニ說明シテヤラネバナラヌ。

此ノ法規ト其ノ適用トハ、啻ニ現在ノ敎育者間ノミナラズ、尙今後敎育者タラントスル者ノ爲ニモ、困難ヲ釀モスモノデアル。茲ニ學生ガ相當敎育ヲ受ケ、特ニ敎員ノ免狀ヲ請求セントスル時ニ當リ、會警察ニ召喚サレ、數日間留置サレテ後チ放免サレタ事ガアル。此ノ事柄其ノモノハ餘議ナキ事デ有ロウガ、何等犯罪ノ證跡ナキ場合、單ニ留置サレタ丈ノ理由ノ下ニ、免狀ノ交附ヲ拒絶サレタガ爲ニ、此ノ學生ノ前途ヲ誤ラシメルト云フ事ハ、明白ナル不正デ有ル。殊ニ朝鮮内ニ於ケル如ク萬事ニ人民ノ自奮向上ヲ奬勵セナケレバナラヌ社會狀態ノ下ニ在リテハ、斯カル規定ハ計ルベカラザル害ヲ來タスモノデアル、要スルニ、斯ル規定ハ當該地方ノ敎育事業ヲ其ノ當局者ノ管理ノ下ニ置カズシテ、却テ警察ノ支配ノ下ニ置クモノデアル。

斯カル不公平ナ處置ガ有ツタノハ、總督府ノ意思デ無イト云フ事デアル。併シ斯ノ如キ否認ハ、此ノ種ノ事件ガ餘リニ多ク現存シテ法規ノ精神此ニ存スルコトヲ示シテ居ルカラ駄目デアル。特ニ基督敎學校ノ場合ニ在リテハ、其ノ敎員ハ捕縛サレテ、數日間拘留セラレ、而シテ後チニ何等ノ告發モナクシテ放免セラレ。或時ハ何等ノ取調ベモナク、釋放サレタ者ガアル。然ルニ彼等ハ敎授ノ繼續ヲ許可セラレズ。其ノ理由トシテハ、拘留ノ爲ト云フノ外、何等ノ說明モ與ヘラレナカツタノデアル。

官立學校

之ニ關聯セル更ニ他ノ問題ハ、官立學校デサヘモ、警察官憲カラ不斷ノ監視ヲ受ケテ居ル事デアル。警察カラ間斷ナキ監視ヲ受ケル爲、學生ノ信用ヲ得ル事ガ、非常ニ困難デ有ルトハ、或ル官立學校ノ校長ノ報告デアル。此ハ校長ガ警察ノ間斷ナキ監視ヲ幇助シツツアルガ如クニ生徒達ガ感ズル爲デアル。又或校長ハ若シ生徒間ニ不穩ノ形勢アルトキハ、屹度之ヲ報告スルカラト警察ニ證言シテ、監視ヲ止メムト試ミタルモノモアリシガ、併シ其レハ無効デアツタ。斯ノ如キ猜疑ノ氣分ハ、眞正ノ敎育ニ最モ必要ナル師弟間ノ情誼ノ增進ヲ妨害スルモノデアル。

英語敎師

茲ニ、朝鮮人ノ爲ニ向上ノ道ヲ開イテ彼等ヲ獎勵スル一ツノ方法ヲ記者ハ思ヒ付イタ。其レハ朝鮮人ヲ英語敎師トシテ使用スル事デ有ル。彼等ニハ語學ノ天才ガ有ルカラ、特ニ訓練スレバ、善良ナル語學ノ敎師ト爲ス事ガ出來ル。斯クノ如ク朝鮮人ニ好機會ヲ與ヘ、少ナクトモ、彼等ニモツト奮發心ヲ振起セシムル樣ニ援助シタナラバ、茲ニ於テ、何等疑ヒモナク、充分ナル好果ヲ收メ得ルデアロウ。

敎育費ノ財源

尙進ミテ敎育問題ヲ說クナラバ、其レハ財源ニ就テヾアル。朝鮮ハ貧弱ナル國デ有ル。而シテ將來尙數年間ソウデアロウ。故ニ、朝鮮ニ於テハ、富裕ナル日本人ヲ勸誘シテ學校ヲ建テサセル樣ニ努力セネバナラヌ。

此ハ單ニ敎育設備ノ缺乏ヲ補フト云フ意味バカリデ無ク、尙朝鮮ノ同胞ノ爲ニ日本人ノ好意ヲ表スルモノデアル。善隣商業學校ハ、斯カル方面ニ於テナサレタル好例デ有ル。

東京留學生

最後ノ敎育問題ハ、東京カラ朝鮮ノ家庭ニ歸ヘリ來ル留學生ノ事デアル。彼等デモ、種々ナ宗敎(基督敎)學校カラ内地ニ留學サシタ者ハ、常ニ良ク世話ヲサレ、面倒ヲ引キ起コスコトハ餘リナイ。併シ朝鮮内ニ在住スル内地人敎育者ハ、東京カラ歸ヘツテ來ル大部分ノ留學生ガ、排日感情ヲ懷イテ來ルト言ツテ居ル。是等敎育者ハ、又、此ノ事ハ、朝鮮人ガ内地人、特ニ警察カラ受クル待遇ニ負フ所ガ多イト言ツテ居ル。是ハ記者ガ二週間ノ調査中ニ聞イタ中デ、日本ニ關スル最モ恐ルベキ告白デアル。内地ノ地方ニ於ケル色々ノ矛盾シタ事柄ハ、皆、知ラズニヤツタトカ、何トカ辨解モ出來ル。又朝鮮ニ小面倒ナ制限ノ多イノニモ理由ハ有ロウ。併シ彼等ガ、日本ノ中心タル東京カラ歸ツテ來タノニ、日本ニ對シ愛ノ念ハナク憎惡ノ感ヲ懷イテ居ルト云フ事ニ就キテハ、吾人ハ何ト云フテヨイデアロウカ。勿論、是ハ大問題ノ唯一面ニ過ギナイガ、併シ總督府ガ、切ニ注意ヲ要スルモノデ有ル。

宣敎師ト官憲

今飜ツテ宗敎ニ直接關係アル問題ヲ顧ルニ、本問題ハ、全部若クハ殆ト全部、基督敎宣敎師及基督敎會ノ事業ニ關係シテ居ル樣デアル。記者ノ概念ニテハ、是等ノ問題ハ誤解カラ起ツテヰルノガ多イ樣ニ思ハレル。

果シテ然リトセバ、能ク英語ヲ話シ得ル者カ、海外ノ教育ヲ受ケタ者カ、デナケレバ、少ナクトモ洋行シタモノデ、且基督教信者デアル者ヲ選擇シ、之ヲ各道廳ニ置イタナラバ、數多キ面倒ナコトモ、能ク囘避シ得ルデアロウ。彼ハ、適任デアレバ、地方廳ノドンナ職務ニ就イテモ良イ。併シ其ノ本職ノ外ニ、鮮人及外人ノ教役者ト官吏トノ間ノ軋轢ノ原因トナル事柄ノ調停ニ助力サセラレルノデアル。彼ハ何故基督教信者ガ良イカト云ヘバ、其レハ宣教師ノ立場ヲ、ヨリヨク了解シ得ルカラデアル。或ル地方廳ノ官吏ハ、記者ニ向ッテ、基督教ヲ一般官吏ニ了解サセル事ハ大ナル困難デアルト言ッタ。

往時ハ放任ニ過ギタ

宗教々育、特ニ基督教々育ノ爲ニ、屢紛糾スル今一ツノ問題ハ、朝鮮人ガ、特ニ北部ニ於テ、是迄眞ニ統治サレテ居タ事ガナイト云フ事實デアル。彼等ハ過去ニ於テ餘リ放任セラレ過ギタ爲、彼等ヲ平穩ナ人民ト爲スコトハ、容易ナラザル業デ有ルト、數人ノ宣教師ハ記者ニ話シタ。然ルニ今ヤ是等ノ仕事ハ、基督教ガ個人ノ權利ト自尊心トヲ教ヘタガ爲ニ、時ニハ、非常ニ易クナリ又時ニハ、非常ニ困難ニナルコトガ有ル。是等ノ教理ガ、人心ニ植ヘ附ケラレルト、自然法律ニ遵フコトヲ否ム傾向ヲ生ジ、屢面倒ナ事ヲ引キ起スモノデアル。併シ、若シ法律及其ノ法律ヲ執行スル者ガ、眞ニ公正デ有リ、又其ノ人ニ手練ガアリ、且同情心ガ有ルナラバ、是等ノ特徴ハ、帝國ニ相當ナ位置ヲ占ムルニ足ル剛強ナル國民ヲ作リ上グルニ無限ノ幇助トナルノデアル。記者ノ考ヘデハ、彼等人民ヲ親切ト正義トヲ以テ待遇シタナラバ、不穩ト動亂ノ北部地方

一一

ハ、南方住民ノ平穩ナル性質ヨリモ、寧ロ多ク、將來ニ望ミヲ囑スベキモノデアルト思フ。

學校ト宗教

最後ノ宗教問題トシテ論ズベキハ、學校ニ於ケル宗教ノ問題デ有ルガ、是ハ朝鮮ノミデナク、內地ニモ關係スルコトデアル。現今ノ法制デハ、政府ハ、宗教ニ關シテ、眞ニ中立デハナク、實ハ、反宗教的デ有ル。卽チ、今假リニ二ツノ學校ガ、何レモ同樣ニ能ク資格ノ揃ッタ者ヲ教員トシ、且同樣ナル設備ヲ整ヘ、政府ニ其ノ認可ヲ申請スルトシタナラバ、双方共ニ政府ノ規定ニ適ッタモノデ有ッテモ、若シ一方ノ學校ガ、通常學課ノ外ニ、宗教ヲ教授シ、他ノ一方ガ、之ヲ教授シナイモノデアレバ、後者ハ、認可ヲ得ルガ、前者ハ認可セラレナイ。言葉ヲ換ヘテ言ヘバ、法律ハ、學校デ宗教ヲ教ヘル事ヲ懲罰シテ居ル。內地及朝鮮ノ双方共、此ノ法律ハ實際餘リ困難ナ結果ヲ生ジナイ樣ナ風ニ適用サレテハ居ルガ、適當ナ設備ヲ整ヘ、十分ナ教員ヲ配置シテ居レバ、タトヘ他ノ學科ノ外ニ宗教ヲ加ヘテ居テモ、認可ヲ受ケラルル樣ナ方法ヲ講ジナケレバナラヌ。

公開主義

扨テ今少シ一般的ノ問題ニ向ヘバ、公開主義ノ事デアルガ、是ハ最モ誠實ナモノデナケレバナラヌト感ジタ。記者ハ、或新聞記者カラ、非常ニ不愉快ナ事實ガアルノヲ知ッテ居ッテモ、時トシテ、政府ノ命令ニ依リ、文筆上デハ、ソレヲ打チ消サネバナラヌコトガアルト言フ事ヲ何度モ聞カサレタ。斯クノ如キ言明ハ、如何ナル排日宣傳ヨリモ、大ナル損害ヲ政府ニ與ヘルモノデアル。其レハ、政府ノ爲ス聲明ノ信用ヲ薄カラ

一二

シムルモノデアッテ、政府ガ眞實ヲ聲明シタ場合ニモ、矢張リ其レヲ信用スル事ヲ出來ナクスルカラデ有ル。眞ニ公明ナ開放主義ヲ取ルコトノミガ、政府ノ安全策デアル。過誤ヲ蔽ヒ隱ス事ハ、種々ノ誤解ヤ、惡聲ヲ深クスルノミデアル。

公　娼

他ノ重要問題ハ、時世ノ心理デアル。記者ニハ、日本ノ當局者ガ、他人ノ見地ヲ誤解シテ居ル爲ニ、不必要ナ衝突ヲ釀シタ場合ガ有ル樣ニ見ヘル。此種ノ第一例トシテハ公娼ノ問題ガ有ル。日本ハ、記者ノ知ッテ居ル所デハ、今尙公娼制度ニ執着シテ居ル、唯一ノ文明國デアル。而シテ、今日日本ニ於テ行ハレテ居ル所デハ、ソレハ純然タル奴隸制度デアッテ、獸類デナケレバ、出來ナイト云フ意味合カラ、笞刑杜ニ縛シテ笞打スベキモノトセラルル所業、卽チ、泰西ニ於テ『白奴』ト稱スル制度ト同樣ナモノデアル。尙釜山ニ於テハ貸座敷營業者ノ一人ガ同所ノ學校委員トシテ選擧サレタト云フコトデアル。斯ノ如キ制度ノ認容ハ、內地ニ於テサヘ、惡ルイ事デ有ルノニ、朝鮮マデ、其レヲ輸入スレバ一層惡結果ヲ來タス事ハ明デアル。

ソレハ、第一、朝鮮人ニ內地人ヲ蔑視セシムルモノデアル。勿論彼等朝鮮人モ以前カラ妓樓ヲ有シテ居タケレドモ、日本ノ如ク斯ル罪惡ヲ公認スル大仕掛ケノ制度ハナカッタ。女モ、現今ノ如ク、法律保護ノ下ニ、家畜同樣ニ、賣買サレテハ居ナカッタ。其ノ上、斯カル制度ノ默認ハ、女性ノ價値ヲ蔑視スル樣ニナル。又此ノ制度ヲ默過スル人ハ、斯ル制度ノ

一三

下ニ行ハルル總テノ取引ガ、自己ノ母ヲ侮辱スルモノデアルト云フコトヲ全ク忘却シテ居ルノデアル。何故ナラバ、母モ女デアリ、又妓樓ニ於ヲ牛馬ノ如ク賣買セラレ、脂粉ヲ塗リテ、男子ノ情慾ノ奴隸トナルモノモ、女デアルカラデアル。斯カル觀念ハ、相當教育有ル者、又ハ、地位アル人ニハ、餘リ現ハレテ居ナイガ、巡査ガ獄內ノ女囚ヲ取扱フ上ニハ現ハレテ居ル。是等總ベテヲ否認スルニハ、狀況ノ報告ガ餘リニ多過ギル。立派ナ婦人モ拷問、苦痛及侮辱ヲ受ケテ居ル。斯クノ如キ事柄ハ今デモナイ事ハナイ。

上流社會ニ於テハ、是等ノ事ハ、其ノ心中ニ、深クキザミ込マレル所ノ、憤怒ト輕蔑トヲ以ヲ見テ居ル。年取ッタ朝鮮人ノ言ニ、コウ云ッテ居ル『我々ハ殆ンド何事モ忍耐シナイモノハナイガ、若シモ我々ノ女ニ手ヲ觸レタナラバ…………』。後トノ沈默ハ總ベテノ言葉以上ニ雄辯デアッタ。人ノ賣買ヲ承認スル唯一ノ文明國トシテ世界ニ知ラルルノハ、日本ノ名ヲ傷フ事ニナリ、又朝鮮ニ於テ困難ト不信用ト、不必要ナ侮蔑トヲ生ズルモノデアル。

宣教師ノ目的

茲ニ又外國宣教師ハ、政治上ノ代理者デモナク、又政治上ノ宣傳ニ從事スルモノデモナイト云フコトニ就キ、明白ナル理解ヲ爲スノ必要ガ有ル　或ル方面ノ人々ニ、此ノ理解ガ缺ケテ居ルト云フコトハ、次ニ記ス樣ナ出來事ヲ見レバ分カル。

記者ノ友人ノ內地人ガ、或時、總督府ノ官吏ト、汽車ニ乘リ合ハシタ。偶、談話ガ外國宣教師ノ行爲ト態

一四

度ノ上ニ及ンダ時、記者ノ友人ガ、基督教信者ノ立場ヲ説明シ、彼等男女宣教師ノ渡鮮ニハ全ク利己的理由ナキコトヲ示シタルニ、其ノ官吏ハ、之ヲ傾聽シタ後チニ、「男女宣教師ガ、ソンナ意志デ朝鮮ニ來テ居ルトハ、言フ樣ナ馬鹿ラシイ事ハ、信スル事ガ出來ナイ。人間ノ天性ハ、ソンナモノデハナイ。彼等ハ確カニ政治上ノ代理者トシテ來テ居ルデアロウ」ト言ツタト云フコトデアル。

其ノ官吏ハ此ノ言葉ニ依リ、單ニ彼ガ數十年モ時勢ニ後レテ居ル事ヲ現ハシタ迄デアル。今ハ斯樣ナ考ヘヲ持ッテ居ル人ハ多クナイノヲ望ムノデアルガ、併シ記者ハ此度ノ朝鮮旅行ニテ、コンナ誤解ヲ持ッテ居ル者ガ少ナクナイ證據ヲ得タ。

而シテ、彼等宣教師ガ、若シ希望スルナラバ、殆ド例外ナク、誰デモ、其ノ本國ニ在リテ、一層安樂且愉快ニ生活シ得ラレナイモノハナイノハ、事實デアル。彼等ガ朝鮮ニ來タノハ、單ニ基督教ノ信仰ガアル爲デ、其レニ依リテ人々ニ幸福ヲ與ヘ、人々ヲモット向上セシメントスルニ外ナラナイノデアル。彼等ノ善良トカ幸福トカ云フ觀念ハ、或未信者ノ眼カラ見レバ、違イモアルデアロウガ、併シナガラ、少ナクトモ彼等ノ誠實ニシテ利己心ナキ目的ニ對シテハ、信用シナクテハナラヌ。

尙又彼等ハ政治上ノ關係モ名譽心モ絶對ニナイ。記者ハ現ニ、彼等ガ眞ニ利己心ナク、人民ノ向上ニ努力スベク、總督府ト、一致協力スルノ意志有ル事ヲ知ツタノデアル。彼等モ時トシテハ、官吏ノ努力ヲ認メルコトガ、實際出來ズ、又ハ出來ナイ樣ニ見エタ事モ有ツタニ相違ナク、且時ニハ官吏ノ立場ヲ理解セナイ事

一五

ガ有ルカモ知レヌ。彼等モ人間デ有ルカラ間違イモアル。併シ彼等ノ動機ヲ疑フノ時ハ、既ニ過ギ去ツタ。彼等ハ朝鮮人ノ爲ニ、自己ト生命トヲ與ヘツツ有ル。而シテ若シ官吏ガ、人民ノ爲ニ眞ニ献身的ニ働ライテ居ルト言フ事ヲ、明示シタナラバ、官吏ハ宣教師カラ、共鳴ト同情トヲ得ルデアロウ。記者ハ、或未信者ノ內地人官吏ノ態度ヲ、記者ノ友人ナル或宣教師ニ、説明シタ處ガ、早速其ノ共鳴ヲ得テ、愉快ニ思フタコトガアル。記者ハ、ソレガ、双方ノ助ケトナル事ヲ望ムノデアル。

學校ト宣教師

此ノ點ニ關シテ、玆ニ少シ提言シタイト思フ。ソレハ現今非常ナ勢ヲ以テ發展シテ居ル教育事業ノ中ニ、宣教師ト總督府トヲ眞ニ一致協力セシムル、最良ニシテ且最モ容易ナル方法ノ存スル事デアル。此ノ兩者ハ何レモ教育事業ノ局ニ當ツテ居ル故、各自ガ夫レ々々他ヲ理解スル事ニ勉メ、又宣教師モ、總督府ガ衷心カラ人民ノ爲ニ、働ライテ居ル事ヲ信ズル事ガ出來ルナラバ、双方調和シテ仕事ヲ成シ得ルデアロウ。

一層深キ積極的同情

終リニ記者ハ朝鮮內在住ノ內地人官吏、教育家及個人タル市民ニ對シ、一層深キ積極的同情ヲ朝鮮人ニ寄センコトヲ希望スルモノデアル。中ニハ既ニ左樣ナ同情ヲ表シテ居ル者モ有ツタガ、彼等ニハ、同情スル事ガ出來ナイト思ハレル樣ナ、面倒ナ事故ガ、起キテ來テ、ソレヲ止メタト云フ事デアル。併シ日本ガ朝鮮人ノ愛情ト忠誠トヲ贏チ得ントスル以上ハ、モット深イ同情心ヲ現ハサネバナラヌ。斯クセントスル一ツノ方法

一六

ハ次ギノ如キモノデアル。

朝鮮人ニ對シテ、不公正ノ處置アッタ事、及現ニ有ル事ハ、實際ニ認メラレテ居ル。是ハ時ニハ一私人ノ無賴漢ガ、朝鮮人ノ無智或ハ不注意ニ附ケ込ンデシタ事デ有リ、又時ニハ政府ノ官吏カラ爲サレタコトモアル。或場合ニハ之ヲ高級官廳ニ訴ヘテ非違ヲ正シ、犯罪人ハ其ノ爲罰セラレタコトモアル。併シ斯ル場合ニハ、殆ド何時モ、宣教師ガ朝鮮人ノ側ニ立ッテ其寃枉ヲ雪イダノデアル。之ハ間違ッテ居ル。宣教師ハ爲タ事ハ惡ルクハナイガ、內地人ガソウ爲ナカッタノハ間違ッテ居ル。內地人ハ宜シク、愛心ト忍耐トヲ以テ、奮ッテ不正ト壓迫トヲ排スル朝鮮人ノ擁護者トナルベキデアッタノデアル。斯クスルノハ、法律ヲ執行スル所ノ官吏ニ反抗スル爲デハナクシテ、彼等ヲシテ眞ニ公正ナル處置ヲ爲サシムル樣ニ幇助スル爲ナノデアル。朝鮮人ガ官吏ノ援助ヲ受ケズシテ、之ヲ宣教師ニ求ムルニ付イテ、不平ヲ鳴ラスノハ無益デアル。併シ彼等ガ宣教師ニ向フノハ、宣教師ガ彼等ニ對シ、私ノ無イ愛ヲ持ツコトヲ知ッテ居ルカラデアル。內地人モ之ト同樣ニ、純粹ニシテ私ヲ挾マザル愛ヲ以テ對スルニアラザレバ、過去ノ事ノ爲ニ、今日多クノ人ノ胸ニ殘ッテ居ル、苦痛ト不信ノ念トヲ一掃スルコトハ出來ナイノデアル。

朝鮮ニ多年居住シテ居ル內地人カラ聞イタ次ノ言葉ハ、其ノ中ニ今述ベタ記者ノ意味ヲ盡クシテ居ル樣デアル。其ノ人ノ言葉ニ「今ヤ朝鮮人民ガ內地人ニ對シテ言フニハ、貴下等ハ、我等ニ、道路、鐵道、電信、學校、鞏固ナル政府、其他總ベテノ斯樣ナモノヲ與ヘタ、是ハ我等ノ感謝スル所デアルガ、併シ今一ツ願イ

一七

タイノハ、ドウカ來ツテ死ヲ共ニシテ下サイト言フコトデアル」ト話シタ。

又別ノ內地人ガ話シタノデハ、「大事ニノミ干渉シテ小事ニ拘ラナカツタ露西亞ハ、嚴格ナ父ノ如キモノデ、日本ハ恰カモ繼母ト同樣デアルト、朝鮮人民ハ感ジテ居ル」トノ事デアル。

此ノ二ツノ言葉ハ、問題ノ全局ヲ解決スル鍵トナルベキモノヲ包含シテ居ル、過去ニ於テハ、非常ニ恐ルベキ誤解モ有ツタガ今日ノ朝鮮ハ眞ノ兄弟ノ親ミト同感共鳴ノ域ニ到達シツツアル。若シ總督府ガ、博大ナル政策ヲ確立シ、而シテ之ガ實行補佐ノ任ニ當ルモノガ、其ノ見地ヲ廣クシ、假令、朝鮮人民ガ往々粗野ニシテ氣隨氣儘ナル氣質ヲ現ハス事アリトモ、能ク民衆ノ立場ヲ理解スルニ至リ、其ノ上子供ノ爲ニハ死ヲモ辭セザル、眞ノ母タル精神ヲ以テ一致協力シテ働ライタナラバ、アラユル問題ハ、悉ク解決シ、朝鮮ハ衰頽ノ現狀ヨリ漸次回復シ、日本帝國ノ幸福隆昌ナル一部トシテ立ツニ至ルデアロウ。

(備　考)

本通信ハ、記者ガ一私人トシテノ仕事デ有ツテ、其ノ全責任ハ、記者ガ負フモノデアル。本文ハ、餘リニ草率ニ、且、微少ナル智識ニ基キテ起草シタモノデアッテ、大ナル價値ナキ事ハ、記者ノ能ク承知シテ居ル所デアルガ、本文ハ本文ダケノモノトシテ提出シタ次第デアル。記者ハ、記者ガ見タ澤山ノ良キ事物ニ就テハ、紙面ニ限リアル爲、加筆スベキ賞讃ノ辭ヲモ、之ニ記載スルヲ得ザリシコトヲ非常ニ殘念ニ思フ。併シ善事ニ注意ノ要ナキハ、猶、强健ナル人ニ、醫師ノ必要ナキト同樣デアル。故ニ記者ガ接觸シタ

一八

ハルモノノ中、改善ノ必要アリト感ジタル要點ノミヲ主トシテ列記シタマデデアル。

記者ハ、今一層組織的ニ評論シタイノデアツタガ、併シ、現在ノ記者ノ智識デハ、ソレハ困難デ有ル。他日、本問題ニ相應セル同情的研究ヲ遂グルコトヲ得レバ、恐ラクハ、眞ニ今一層有益ナ御參考トナルデアロウ。

最後ニ上記ノ評論ハ、被批評者ノ希望ナキ以上ハ、公表スル積リハナイノデアル。記者ハ、自己ノ持論ヲ隱スモノデハナイガ、本文ハ、直接關係者ノ外ニハ、用ノナイ露骨ナ言葉モ有ルカラ、記者ガ友人間ノ内密ナ私信ノ積リデ書イタ言葉ノ爲ニ、記者ノ友人ヲ、非友誼的批難ノ危地ニ立タシムル必要ハ、少シモナイト思フノデアル。

第二　ビゲロー氏ノ講演

左ハ本年五月中滿鮮各地ヲ旅行シタル世界的著名ノ著述家ニシテ植民政策學ノ權威ナル米國人 Poultney Bigelow 氏ガ六月上旬東京一橋商科大學ニ於テ爲シタル講演ノ概要ナリ

「ビゲロー」氏ハ、六月七日ヨリ九日マデ、三日間毎日午後二時ヨリ三時マデ一橋商科大學ニ於テ、英、米、日三國ノ植民ニツキ講演ヲ爲シタリ。聽講者ハ、同校學生ヲ主トシ職員及澁澤子、外少數ノ外來者アリ、連

日立錐ノ餘地ナキ有樣ナリキ。

氏ハ、開口第一ニ獨特ノ純朴ノ口調ヲ以テ新聞ヲ攻撃シ、新聞ハ、人ニ憎惡ヲ敎唆スルモノニテ、國際的社會的平和ヲ攪亂スルモノナリト叫ビ、米國ニ於テ、今日排日ノ氣分張リ居ルハ、米國民ガ好ンテ新聞ヲ讀ム爲ナリト論セリ。

更ニ、今日ノ各國家民族ハ、今日生レタルモノニアラスシテ、過去ノ產物ナレハ之ヲ正當ニ了解スル爲ニハ、其國家民族ノ過去ヲ學ハサルヘカラス(Past is the safe indication of present.)トシ、日本民族ガ祖先ノ英傑ノタメ神社ヲ献立スル習慣アルヲ賞揚セリ。又氏ガ四十五年前浦賀ニ於テ難船セル時其ノ漁夫ノタメニ受ケタル好意ヲ感銘シ、カカル人民ヲ有スル國ガ眞ノ文明國ナリト稱讃セリ。

次ニ氏ハ、本問題ニ入リ簡單ニ、英國ノ北米ニ於ケル植民、印度及南阿ニ於ケル植民ノ歷史ヲ語リ、獨乙ノ植民政治ノ科學的ナルニ反シ、英國ノ常識的ナルヲ指摘シ、(No colonial theory in England.) 極力植民地ニ於ケル繁文縟禮ヲ排斥セリ。

氏ハ、英國流植民政治ノ最興味アル一例トシテ、「アフリカ」州「スダン」ニ於ケル、瑞西位ノ大キサアル植民地ノ實際ヲ語レリ。同地ニハ、長官家族ノ外、數名ノ英國官吏アルノミニシテ、他ニ何等英國ヲ代表スルモノナシ。氏ハ、長官ニ向ヒ此ノ少數英國官吏ヲ以テ、如何ニ其ノ全土ヲ治ムルヤト質問セシニ、長官ハ土著ノ酋長ノ信賴ヲ得居ル故、彼等ト協力シ、彼等酋長ヲシテ主トシテ働カシムト答ヘタリ。

如何ニシテ、法律ヲ强制スルヤトノ問ニ對シ、長官ノ答ニ曰ク、法律ヲ强制スルノ要ヲ見ス。萬一酋長等ガ自己ノ意見ニ從ハサル時ハ、唯一ノ威嚇ノ道ヲ取ル、其方法ハ、汝等若シ余ニ從ハズバ、余ハ此ノ國ヲ去ツテ英國ニ歸ルベシト言フニアルノミト答ヘタル由。

氏ハ、各民族ガ、各、其ノ特性ヲ有スルモノニシテ No two are alike ナレバ、之ニ劃一主義ヲ行ハントスルハ、策ノ極メテ拙ナルモノナリト論シ、英國ガ、先ヅ各植民地ノ住民ノ意見ヲ聞クト云フ遣リ方ヲ可ナリトセリ、而シテ、獨逸流植民政策ノ失敗ニ反シ、英國流植民政策ノ成功ノ證トシテ、世界大戰ノ際、南阿ノ「ボア」ガ一致シテ、英國ト共ニ戰ヒタル事實ヲ以テシ、之レ實ニ Surprise of colonial administration ナリト言ヘリ。

氏ハ、「オーストラリヤ」及ビ「カナダ」ニ就テ、論スル時間ヲ有セサリシガ、一言只自治領ハ、一般ニ他ノ植民地ニ比シ、成績擧ラスト批評セリ。印度ニ於ケル英國ノ政策ハ、履誤ナキニアラサリシガ、印度人ハ機智ニ富ムモ No back borns. ナル故、英國ノ統治ノ下ニ立テルハ、結局印度人ノ幸福ナリトホノメカセリ。

氏ハ、又個人トシテハ奴隷制度ニ反對スルモノニ非サルコトヲ明言シ、米國ニ於ケル黑人ハ、阿弗利加ニ於ケル同族ヨリモ遙ニ生活ノ程度高ク、一八五〇年以來唱道セラレ居ル、米國黑人ノ歸國論ハ、更ニ實行セラルル望ナシト言ヘリ。要スルニ氏ハ人民ノ實生活ノ向上ト云フコトニ立脚シテ、植民政治ヲ觀察シ居ルモノノ如シ。右講演中ニアリラモ氏ハ、絶ヘズ新聞ニ對スル反感ヲ示シ、「リツプヴアン、ウインクル」ノ例モ

引イテ米國獨立戰爭後、新聞ノタメニ如何ニ社會ガ攪亂セラレタルカヲ述べ、「スダン」植民地ノ話ノ際ニモソコニハ No paper which makes people hate each other ト許シ而シテ最後ニ學生ニ向ツテ Scholary appeal トシテ Emancipate yourselves from press ト叫ヘリ。更ニ人ハ、兄弟ト雖全ク同ジモノニ非ザレハ、民族ト民族トノ間ニ種々ノ相違スル點アルハ自然ナリ、諸君ハ、細微ニ渉リテ民族間ノ相違スル點ヲ見出サント努ムルコトヲセズ、寧ロ相一致スル理想ノ爲ニ犧牲トナルヤウ努力セラレンコトヲ望ムト述べ、「キプリング」ノ詩ヲ引イテ、世人ガ、屢同詩ノ初行 Oh, East is East, and West is West, and never the twain shall meet ヲ引用スルモ、其ノ末行タル But there is neither East nor West, Border nor Breed, nor Birth, When two great men stand face to face though they come from the end of Earth 云々ヲ引用スルヲ怠ルコトヲ憤慨セリ。

第二日ハ、米國植民的發展ニツイテノ講演ナリシガ、氏ハ先ヅ人ヲ正シク觀察スルニハ、單ニ其ノ人ノ現狀ヲ知ルヲ以テ足レリトセス、其ノ人ガ如何ナル理想ニ憧レ居ルカヲ知ラサルベカラス。國家民族ノ觀察ニ於テモ同樣ナリトシ米國ノ建國ガ、理想主義ノ上ニ存スルコトヲ論シ、初代大統領ガ、前後十五年間無給ニテ奉仕セルコト、現在外交官ガ、實費以下ノ俸給ニテ滿足スルコト、社會的奉仕ヲセサルモノハ、米人ノ尊敬ヲ受クル能ハサルコトヲ論シ、本問題ニ入リテ、英國植民時代以來今日ニ至ルマデ、米國領土擴張ノ歷史ヲ簡單ニ述べ、西部諸州合併後鑛山ノ發見ニヨリ、俄ニ富ヲ得、且理想主義ノ米國ハ、一大誘惑ニ遭遇セ

ルコトヲ認メ、シカモ米國ニ於テ、單ニ富アルガ爲ニ人ハ尊敬ヲ受クル能ハズ、全國到ル處理想主義ノ紀念碑ヲ見サルナキハ、以テ米人ノ憧憬ノ奈邊ニ存スルカヲ窺フニ足ルト結論セリ。米國領土擴張ノ歷史ニ於テ、氏ガ最聽衆ノ注意ヲ惹カント努メタル點ハ、植民ノ原動力ガ政府ニアラズシテ、個人ニ存スルコト(Drive and push from individuals not by general government.) 及此ノ擴張ガ銃火ヲ以テ行ハレスシテ、平和ナル手段ヲ以テ行ハレタルコト之レナリ。

一六二〇年ノ英國植民ハ、本國ニ於ケル宗教的壓迫ヲ、逃レン爲ニ來リタルモノニテ、新英州ノ文明ハ、本國政府ノ植民官廳トハ何等ノ關係ナク發達セリ。其後東西三千哩南北二千哩ノ廣土ハ、軍艦一隻ノ代ニモ足ラヌ金錢ヲ以テ買收セラレタリ。加州ノ併合ノ如キハ、「レモント」氏一行ガ個人トシテ科學的探偵ニ出ケタルガ原因トナレリ。政府ハ、其一行ガ大砲彈藥ヲ携ヘ居ルコトヲ聞キ込ミ問題ノ生センコトヲ恐レテ使ヲ派シ歸還ヲ促シタリ。然ルニ「レモント」氏ノ妻ハ、政府ノ意志ヲ探知シ、急使ヲ夫ニ送リ政府ノ使者ノ到ル前桑港ニ赴クヘシト申シ送リタリ。「レモント」氏桑港ニ著スルヤ否ヤ西班牙政府ノ虐政ニ不滿ナリシ白人等ハ、反旗ヲ飜シテ獨立ヲ宣言シ、合衆國聯邦ニ加盟ノ意志ヲ發表セリ。斯ノ如クシテ加州ノ合併ハ實現セラレタリ。

「布哇」「ヒリピン」「アラスカ」等ノ併合ニ就テモ簡單ニ言及シ、サテ曰ク、此ノ如ク米國領土ノ擴張ハ、決シテ侵略主義ニ依ルモノニアラスシテ或ハ個人ガ原動トナリ、或ハ外界ノ事情ノタメ余儀ナクセラレテ現狀

二三

ヲ見ルニ至リシモノナリ。而シテ此ノ廣大ナル領土ノ上ニ更ニ無限ノ富ヲ與ヘラレタルハ、米國ニ取リテハ神ノ大ナル刑罰ト同樣ナリ Who can remain pure when he is in possession of immense amount of money? ト歎息セリ。

此ノ講演中ニ於テモ氏ハ、新聞紙ニ對スル反感ヲ示シ、米國ハ一八一五年平和百年紀念祝賀ヲ行ヒタルカ實際平和ナル此ノ百年間新聞ハ絕ヘズ戰爭ノ騷キヲ爲シ居タリト云ヘリ。

氏ハ、米國ノ「メキシコ」併合ヲ以テ同國人ノタメ有利ナリト考ヘ、一八四八年「メキシコ」首都ガ米國ノタメ占領セラレタルヲ、政黨ノ關係上(當時奴隷三人ニ對シ二票ノ投票權アリシヲ以テ、北方ハメキシコ併合ノ爲南方ノ勢力增進ヲ恐レ墨國ノ併合ニ反對セリ)之ヲ放棄スルニ至リタルハ遺憾ナリトセリ。

氏ハ、Sportsmanship in colonization ト云フコトヲ高調シ、コレヲ以テ英國成功ノ秘訣トシ、之ト反對ナル獨乙ノ狡猾ナル手段ヲ攻擊シ、米西戰爭ノ際「デユーヴイ」大將ニ對スル獨乙海軍中將「フオンデイトリツシ」氏ノ陰謀、並ニ英國將校、及日本將校(現總督)ノ男ラシキ拒絕ノ物語ヲナシ、獨乙植民政策ノ運命ヲ憫ミタリ。

第三日ハ、日本ノ植民的發展ヲ演題トセシガ、氏ハ先ヅ、日本ノ人口問題ニツキ一言シテ曰ク、日本ハ年々其ノ過剩人口ノ處置ニ頭痛ヲ病ミ居ル樣子ナルガ、人口ノ稠密ト云フコトハ、必スシモ不幸ナルモノニ非サルヲ記憶スベシ。之ヲ歷史ニ案スルニ、昔ヨリ文明ノ發達セル所ハ、決シテ土地豐沃ニシテ人口稀薄ナル

二四

所ニアラス。

文明ハ、寧ロ土地瘠セ、人餘リ、生活上困難多キトコロノ人民ガ、其ノ自然ノ不利ト戰ヒ、刻苦ノ結果產ミ出シタルモノトシ、人ハ Justice ト Liberty ト Opportunity トヲ追求スルモノニシテ、此ハ三ツヲ比較的多ク享樂スルコトヲ得ルトコロハ、自然人口モ稠密ニナルモノハナリト注意セリ。

本問題ニ入リテ、先ヅ臺灣ヲアゲ、大體ニ於テ文化的政治ニ傾キツ、アルヲ喜ビ、之ヲ二十年前ノ臺灣ニ比シ、如何ニ島民ノ爲福利ヲ與ヘ居ルカヲ賞セリ。然レトモ氏ハ、田總督ノ態度ニ不滿足ナリシカノ如キ口吻ヲ洩セリ。田氏ハ「ビ」氏ニ對シ、臺灣統治ニ關スル意見ヲ求メタル故「ビ」氏ハ先ツ田氏ノ意見ヲ向ヒタシト言ヘルニ田氏ハ、之ニ明答ヲ與ヘサリシモノ、如ク「ビ」氏ハ意見ハ之ヲ聞ノ人ニ利アリテ言フ人ニ利アラス互ニ交換シテコソ相互ノ利益トナルモノナリ、日本人ガ自己ノ意見ヲ發表セスシテ、他人ノ意見ノミ聞カントスル習慣ハ、改ムルヲ要スト評セリ。

「ビ」氏ノ田氏ニ與ヘタル意見ハ、土著人民ヨリ代表者ヲ招集シ、彼等ノ意見ニ耳ヲ傾ケ、人民ト共ニ政治ヲ行フヤウニスベシト云フニアリタル由。

次ニ朝鮮ノ統治ヲ論シ Wonderful ナリト稱揚シ、其ノ山々ニ植エ付ケタル樹木ハ、Symbol of organization ナリトシ之ヲ北京ノ現狀ニ比シ雲泥ノ差アルヲ指摘セリ。政治ノ要諦ハ、人民ニ自由ヲ與フルト共ニ法ヲ遵奉セシムルニアリ。此ノ兩者ノ結合ハ、何レノ地ニ於テモ困難ナル問題ナルガ朝鮮ニ於テモ同樣ナリ。

二五

青島ハ、一九九八年初メテ足ヲ入レタルコトアル處ナルガ、當時ノ狀態ト今日ノ狀態トハ、全ク雲泥ノ相違アリ。「デイトリツシ」中將ハ、米國ニ於ケル陰謀破レテ青島ニ赴キ、些細ナル口實ノ下ニ之ヲ占領シ、之ヲ軍人ノ獨占トナサントセリ。自分ガ青島ニ行キタル時、中將ハ青島ニ商人ノ入リ來ルヲツブヤキ居タル故余ハ植民地ハ、商人ノ爲メニアラスヤト反駁シタルコトアリ、以テ彼ノ態度ヲ窺フニ足ル、日本ガ之ヲ占領シテヨリ、戶ヲ開キテ商港トシ人口ハ俄ニ增加セリ。實ニ Earth belongs to those who use it best ナリト云ヘリ。

「ビ」氏ハ、此ノ講演ヲ了ヘ、同夜直ニ「サガレン」ニ向ヒ出發スベキ由ヲ語リ、最後ニ、日本ニ對スル唯一ノ批評ナリトシテ Lack of frankness ヲ擧ケ、是レ日本國民ノ大缺點ナリト亦クナツテ警告セリ。

第三　「ビゲロー」氏ノ日本殖民地政策

一九二一年六月二十八日東京發行「ジヤパン、アトバタイザー」所載

日本領地ノ人民並世界ノ人類ハ、日本統治ノ存在ヲ德トセネバナラナイトハ、米人著述家「ビグロー」氏ノ語ル所テアル。氏尚曰ク、日本ノ朝鮮統治ハ現代文明ノ紹介ヲ意味スルモノ、具體的ニ云ヘバ、港灣、道路

二六

學校、病院、監獄等ノ施設テアル。鮮人ハ、未タ其價値ヲ十分認メナイカモ知レナイガ、是等ハ、彼等ノ尤モ尊重スベキモノテアル。若シ、鮮人ガ日本ニ向テ、日本統治ヲモハヤ要セスト云フナラ、宜シイ吾々ハ是迄ノ港灣モ、鐵道モ、建築物モ、工業モ、一切破壞スルト日本ハ答ヘルテアラウ。サウ云ハレテハ遉ノ鮮人モ閉口セサルヲ得ナイテアラウ。初メ英國ニ反シテ戰フタ處ノ南阿「トランバール」人モ歐洲戰亂ニ際シテハ、英兵ト聯合シテ戰線ニ立ッタ。彼等ハ英國ニ占領セラレシ以前ノ狀態ニ歸リタイト思ハヌ。印度ノ人民モ英國ノ指導ヲ排シテ以前ノ混沌狀態ニハ戻リタク思ハナイ。余ハ一八七六年ニ日本ヘ來タ時臺灣ハ、野蠻ナ南洋島ノ一ト思ハレ、其處ヘ行ク人ガ無イ、偶破船シテ島ノ海岸ニ打上ケラレンカ、土人ノ爲ニ食ハレテ了フト云フ有樣デアッタ。處ガ今日ハ、ヨク整頓セラレ、到ル處現代的ノ港灣、道路、學校、病院等ノ公共事業ガ見ラレル。

日本ハ、朝鮮ヤ臺灣ヲ永久ニ支配セントハシナイ、只其土地ノ人民ガ、自ラ施シ得ルヨリモ勝ッタ政治ヲ施シ得ル間ダケテアル、若シ其ノ統治ニシテ低級、且壓制的ナランカ、人民ハ立ッテ日本人ヲ海ニ投スルテアラウ。而シテ世界ハ、彼等人民ヲ援助スルテアラウ。玖馬ニ於ケル西班人モ、比律賓人モ、同一ノ例ヲ示シタ。歴史ハ常ニ繰リ返ステアラウ。思フニ山東問題モ同一テアル。若シ余ノ意見ヲ叩クモノアランカ、余ハ答ヘテ、山東還附スベシト云ハン……。山東所有ハ、無駄ナ費用ヲ意味スル。之ヲ放棄シテモ日本ハ其土地カラ產業上ノ利益ヲ相當ニ得ラレルノテアル。比律賓モ然リ米國ガ該島ニ注込シダ金ハ其收益ヨリモ多イ。

隣邦人ガ出來ルタケ文明ニナリ、生產的ニナル事ハ、各國民ニ取テ尤モ有益テアリ、而シテ又斯ク爲スハ、其國民ノ權利テアル。凡ユル强大國ハ、同一ノ政策ニ從フ。米國ハ、日本ガ其植民地ニ施シツツアル處ノ政策ヲ玖馬ニ施シタ、米國ハ、今ヤ比律賓「ハイチ」ニ對シテモ同一ノ筆法テアル。吾人ハ曾テ、「メキシコ」ヲ占領シタ、而シテ再ビ之ヲ占領スルテアラウ。メキシコヲ教育シ、開發シテ世界ノ現代的一國トナサンニハ之ヨリ外ニ方法ハナイダラウ。米國ハ、日本ノ朝鮮、臺灣「サガレン」ニ於ケル計畫ニ對シテ感謝セネバナラヌ、日本ハ、色々ノ事業ヲ試ミ、其經費ヲ負擔シツヽアル。然ルニ、米國ハソレカラ利益ヲ得ツヽアル。到ル處其レ等ノ植民地ニ於テハ、米國製ノ機械ガ農園ニ、道路ニ、工場ニ、澤山使用サレテ居ル。米國ハ、支那ニモ日本ニモ宣教師ヲ送ッタ。彼等宣教師ハ、何レニ於テモ其國ノ賓客トシテ自ラヲ處セネバナラナイ若シ彼等ガ其國ノ政治的狀態ヲ好マナイナラ。事ヲ起サスシテ靜ニ自ラ退去スベキテアル。余ハ朝鮮ニ於ケル日本ノ行動ガ悉ク是ナリトハ申サナイ。併シ余ノ觀察ニ依リ、日本統治ノ效果ヲ實見シタル事ヲ申シタイ。勿論理想的テナイモノガ色々アラウ、ケレト既ニ見ルベキ改革事業ガ少シトセナイ、其ノ價値アル點ハ、大ニ稱揚セネバナラナイ。余ヲ稱シテ親日党ト云フ者ルガ、ドウ云フ意味テアラウカ、彼等無論事實ニ對シテ盲目テハナイ、余ガ日本人ヲ稱揚スルハ、只其價値アル點ニアル。ケレド人ガ此ノ國ハカウイウエライ事ヲシタト叫フト、世間テハスグ其ノ人ヲ其國ノ味方ノ樣ニ云フ。余ハ、獨逸人ノ唯一ナ特長ヲ常ニ賞揚シタ。

今ヲモ余ハ世界ニ於テ模範的ノ市政組織ヲ有スルモノハ獨逸人ダト信スル。余ハ毫モ獨ノ軍國主義ヲ擁護シタ事ハナイ。ケレド其ノ市政上ノ美點ヲ賞揚シタガ爲ニ、余ハ屢親獨黨ノ如ク批評サレタ。

ビゲロー氏ハ、當面ノ問題ヲ實際的ニ觀察シ、歴史的例證カラ之ヲ推論シテヰル。氏曰ク、「サガレン」ハ一大富源テアル、日本ハ之ヲ利用シテ木材、石炭、石油、魚類等ノ供給ヲ得ネバナラヌ。是等ノ產業ハ、日本ガ最モ必要ヲ感スル所ノモノ、日本ハ先以テ「サガレン」ヲ開拓セネバナラナイ、而シテ未ダ其方面ニ急速ノ進歩ヲナシテヰナイ。人ハ云フ、斯樣ニ寒イ氣候ノ地ニドウシテ住マレヤウト。成程、其處ノ日本人ハ、露人ノ丸木小屋ヲ眞似セスシテ、加奈太ノ氣候ト同ジヤウナ地ニ「フロリダ」州ノ氣候ニ適スルヤウナ小家屋ヲ造ッテヰル。今ノ處住民モホンノ僅カテアルガ、一歩進ンテ生活法ヲ講スルナラバ、此ノ島カラ最善ノ結果ヲ得ラレルテアラウ。

「ビゲロー」氏ハ、近々歸米ノ途ニ上リ紐育ノ自宅ニ於テ、過クル二箇月間、日本ノ植民地ヲ訪問シテ蒐メタル材料ヲ基礎トシテ、一書ヲ著述スルテアラウ。恐ク數ケ月ヲ要スルテアラウガ、本年中ニ完成スル豫定テアル。

第四　世界ニ於ケル日本ノ地位

市俄古大學敎授人類學博士　「エフ・スタール」氏講演

本講演ハ大正六年三月二十日大阪天王寺公會堂ニ於テ爲シタルモノナリ

私ハ、今午後諸君ニ向ッテ、少時ノ間「世界ニ於ケル日本ノ地位」ト云フ題目ニ就テ、聊カ私ノ考ヘヲ述ベテ見タイト思フ。歴史ノ頁ヲクリ返シテ見ルト、日本ハ、世界ニ於ケル自國ノ地位ヲ、一向ニ顧ミナイ時代ガアッタ。否單ニ顧ミナイノミナラズ、他國カラ除外サレルノヲ喜ンデ居タ時代モアッタ。然ウシテ此ノ鎖國孤立ト云フモノハ、實ニ數世紀ニ亙ッテ行ハレタ。此ノ時代ノ日本ハ、自分自身丈デ滿足シ、國外ニ對シテハ、猜忌深ク、且恐怖心ヲ懷イテ居タモノデ、從ッテ外國トハ一切ノ關係ヲ有タナイ方針ヲ採ッテ居タ。此ノ方針ハ又極端ニ趨ッテ、例ヘバ、日本ノ船ガ、外國ノ海岸デ難船シタ場合デスラ、外國カラ救助ヲ受ケル事ガ出來ナイト云フ始末デアッタ。コレハ、日本ノ國法ガ、日本人ニ外國ノ土地ヲ訪問スルコトヲ、嚴禁シテ居タ結果デアル。斯ノヤウナ不自然ナ鎖國主義ハ、前云フ如ク數世紀ノ間續イタ。

併シナカラ、此レハ既ニ過去ノ範圍ニ屬スル、卽チ過ギ去ッタ歴史上ノ事實トナッテ終ッタ。今日デハ日本ハ、モー獨リボッチデハナイ。日本ハ世界ノ仲間入リヲシ列國ト絶エザル交通ヲ維持シテ居ル。日本ガ、斯ノヨウニ面目ヲ一新シタノハ、僅ニ六十年前ノ事デアル。當時日本ハ、自ラノ希望ニアラズシテ、否殆ント脅迫的ニ、外國トノ交際ヲ强ヒラレタノデアツタ。併シナガラ外力ニ餘儀ナクセラレテ、外國ト交際ヲ始メタ日本ハ、今度ハ積極的ニ如何ニセバ世界ニ、於イテ自國ノ地歩ヲ固メ得ルカニ就イテ、腐心シ始メタ。日本ガ列强ノ班ニ入ル迄ノ努力ハ、世界各國ノ歷史中デ、最モ面白イ、又一面最モ悲壯ナル物語ヲ形チ作ル。世界列國ノ仲間入リヲシタイト云フ欲求ノ爲ニ、日本ハ如何ナル代價ヲ拂ツタカ、如何ニ多クノ古イ物ヲ捨テタカ、而シテ如何ニ多クノ新シイ事物ヲ採用シタカ、即チ、日本ハ外界ノ狀態ニ鑑ミテ、自己ノ有スル從來ノアラユル考ヲ訂正シタ、學校ノ組織ヲ新ニシタ、敎育ニ關スル新思想ヲ採用シタ、新法律ヲ制定シ、新裁判所ヲ設立シタ。更ニ貨幣制度ヲモ變更シタ。一言之ヲ蔽ヘバ、日本ハ列國ノ仲間入リヲスルガ爲ニ、生活ノ全部ヲ擧ゲテ、改正ヲ加ヘタ。

今日ニ於イテハ、日本ハ大層外國ノ批評ヲ氣ニスルヤウニナツタ。諸外國ヲシテ、日本ヲ認識セシメント浮身ヲ窶スヨウニナツタ。換言スレバ、日本ハ、總ユル點ニ於テ、世界ノ最モ進歩セル國ト對等ノ位置ニ立ンコトヲ希望シ、此ノ希望ヲ貫徹スルガ爲ニ、日本ガ如何ニ進歩シテ居ルカ、又如何ナル地歩ヲ贏チ得タルカヲ、世界ニ向ツテ廣告スルニ、有ユル機會ヲ摑マン事ニ努力スル。

今、コノ一例ヲ云ヘバカノ萬國博覽會デアル、苟モ萬國博覽會ト名ノ付クモノニハ、日本ハ必ラズ、其ノ

三一

仲間ニ加ハル、面倒臭イカラ、マア止メヨウナンテ云ツタ事ハ未ダ甞テナイ。私ノ記憶ニヨレバ、一八九三年（明治二十六年）ニ開催サレタ市俄古大博覽會デハ、米國ノ博覽會當局者ハ、陳列品ノ科目ヲ分類シテ凡テヲ十六科目ニ分チ、世界各國ニ向テ其ノ全科目ニ渉ツテ出品スルノ勸誘狀ヲ發シタ所ガ此ノ米國ノ勸誘ニ應ジテ、全科目殘ラスニ亘ツテ出品シタモノハ私ノ本國亞米利加ヲ除イテハ、他ニ唯一ノ日本アルノミデアツタ、夫カラ又一九一〇年（明治四十三年）初メ數ケ月ヲ私ハ東京デ過シタ。其折ノ日本ハ、上下ヲ擧テ同年ノ夏倫敦デ開カルル日英博覽會ノ準備ニ忙殺サレテ居タ。東京ノ市民ハ、擧テ倫敦ニ送ルベキ最良ノ品物ヲ造ルニ沒頭シテ、又他ヲ顧ルノ遑カナイ位デアツタ。此ノ努力、此ノ奮勵ハ、日本ガ歐米ニ信用ヲ博センガ爲メニ拂フ代價デアル、換言スレバ此レ自分ノ價値ノ認識ヲ世界ニ向ツテ挑ムモノデアル。

六十年前ト、比較シテ、日本ノ變化ハザツト斯ノ如キ有樣デアル。世界ニ向ツテ門戶ヲ閉シテイタ一八五〇年（嘉永三年）ノ日本ト、世界ニ對シテ、最モ有利ニ自己ヲ示サウトシテ、積極的ニ努力シツヽアル一九一〇年（明治四十三年）ノ日本トノ間ニハ實ニ霄壤モ啻ナラザル相違ガ存在スルト云ハナケレバナラヌ。

日本ハ、四分ノ一世紀間ニ、二度モ大戰爭ヲ行ツタ。一八九四―五年（明治二十七八年）ニハ、支那ト戰フテ赫灼タル勝利ヲ得タ。次ニ一九〇四―五年（明治三十七八年）ニハ露國ヲ向フニ廻シテ、遲レテ列强ノ仲間入リヲシタ。日本ハ、必ズシモ近世戰術ニ於イテ、遲レテ居ラヌ事ヲ示シタ。平和ノ事務ニ於テ、又戰爭ノ技術ニ於テ、決シテ世界ニ遲レテ居ラヌ事ヲ示シタ。日本ハ、斯ノ如クニシテ漸然トシテ頭角ヲ擡ゲ來タ。

三二

ソコデ私ハ、諸君ニ疑問ヲ提出シタイ、ソレハ現在ノ日本ガ、世界ノ一强國トシテ、果シテ何ンナ役目ヲ演シテイルカ、世界ニ於ケル日本ノ地位ハ如何、又ソノ地位ハ、近イ將來ニ於イテ、如何ト云フ疑問デアル。

此ノ疑問ニ答フルノガ卽チ私ノ演說ノ主意テアルトモイヘル。扨テ前記ノ如ク、世界ニ泳キ出シタル日本ハ其ノ實力ヲ自覺スルニ及ンテ、此ニ膨脹時代ガ來ツタ。日本ハ、亞細亞ノ東ノ端ニチヨコナント澄シ込ンテ居ル小サイ島國テアツタ。コレガ支那ト戰爭シテ大キナ臺灣ヲ呑ンダ、次テ露國ト戰爭スルニ及ンテ、樺太ノ半分ダケノ大キサヲ增シタ。斯ノ如ク、日本ハ、自覺時代ヲ過キテ、發展ノ道程ニ上ツテ居ル、コレハ自然テアル。自然テアルカラ、日本ハ、益々廣クナツテ行ク、廣クナツテ行クノハ、精力ノ强イ、健全ナ國民ノ特性デアル。ダカラ臺灣樺太ヲ併セテ其レデ日本ハ成長ヲ已メタノテハナイ。臺灣、樺太ヲ收メタル日本ハ、今度ハ朝鮮ニ手ヲ延ハシタ。日本ガ朝鮮ヲ併合シタ事ハ、世界各國ノ間ニ隨分喧シイ議論ヲ惹起シタガ、私個人トシテハコレハ、寧ロ當然ノ事デアルト考ヘルモノデアル。ア、云フ立場ニ立ツテ日本ガ朝鮮ヲ併合セヌト云フ事ハ、不可能テアルト考ヘルモノデアル。ソノ理由ハ大凡ソ三ツアル。

第一ノ理由ハ、日本ノ人口ハ年々增殖充滿シツツアルダカラ之ニ對シテ何處カニ排ケ口ヲ求メナケレバナラヌ。第二ノ理由ハ、人口ガ斯クノ如ク增殖シツ、アルト反對ニ、食料ノ生產ニ要スル地域ハ漸々狹メラル、ダカラ勢ヒ田ヤ畑ヲ、他國ニ求メナケレバナラヌト云フ事ニナル。夫レカラ第三ノ理由ハ、政治的意義ノモノデアル。政治的カラ見テ、日本ハ是非朝鮮ヲ領有シテ置カナケレバナラヌ。朝鮮ハ日本ニ取ツテハ大陸ニ於ケ

三三

ル唯一ノ足場デ、日本ガ大陸ニ足場ヲ有スルト云フ事ハ、日本國民ニ取ツテ、甚深重大ナ意義ヲ持ツテ居ルト考ヘル。

私ハ、朝鮮國民ト其ノ政府トガ、自分等ノ利益ト日本ノ利益トハ、全然同一ノモノデアルト云フ事ヲ了解シ、從ツテ彼等ガ、兩國共通ノ目的ト利益トニ向ツテ、日本ト協同一致シテ進ムベキデアツタト考ヘル。併シナカラ朝鮮國民ハ、コノ睹易キ道理ヲ睹ルノ明ナク、從ツテ彼等ハ日本ト手ヲ携エテ、文明ヲ樂ムト云フ方法ニ出テナカツタ。此レガ朝鮮ノ獨立ノ消滅シタ根本理由デアル。私ハ、日本ガ半島ノ家政ヲ執ルヨウニナツテカラ七年間、具サニ其ノ施政ノ跡ヲ注目シテ居ル。日本ガ如何ニ朝鮮ヲ政治スルカト云フ事ハ私ニトツテ最モ興味アル研究デアル。日本ノ朝鮮ニ於ケル施政ハ、殆ント爲サザルナシト云フ程度ノ熱心ヲ示シテ居ル。

今二三ノ例ヲ擧テ見ルト日本ハ、朝鮮在來ノ敎育制度ヲ改良シタ。公平ナル裁判所ヲ設ケタ。正當ナル課稅ノ法ヲ發布シタ。港灣ヲ修理シタ。農業ニ補助ヲ與ヘタ。商業發達ノ途ヲ講シタ。一言ニシテ云ヘバ朝鮮ヲ富强繁榮ナラシムルニ於テ、日本ハ、殆ト有ユル苦勞ヲ味ツタ。併シナカラ私ハ、コ、ニ一ツ除外例ヲ要求セナケレバナラヌ。日本ハ、成ル程朝鮮人ニ良イ道路ヲ與ヘタ。農業ヲ改良シタ。港灣ヲ修築シタ。鐵道ヲ布キ學校ヲ建テタ。政廳ヲ作リ、裁判所ニハ各判官ヲ置イタ。之ニ對シテハ、私ハ敢テ異存ハナイ。確實ニ其ノ成功ヲ認メル。併シナカラ日本ハ、此等ノモノヲ與ヘタ代リニ、朝鮮人ノ愛敬ヲ贏チ得タカ、私ハ不幸ニシテ否ト答ヘナケレハナラヌモノデアル。物質的ニハ朝鮮ヲ開發スルニ成功シタ日本ガ、精神的ニ朝鮮ヲ我ガ

三四

物トスルニ全然失敗シテヰルノハ果シテ何等ノ理由ニヨルカ。コレハ或ル一ツノ物ガ缺乏シテイルカラデアル。一ツノ物トハ朝鮮人ガ欲シ、然モ日本ガ彼等ニ與ヘナカツタモノデアル。卽チ愛情ト云ヒ、尊敬ト云ヒ、友誼ト呼フ所ノモノデアル。物質的ニ領土ヲ獲テ、精神的ニ之ヲ失フトスレバコレハ成功ト稱スルニ躊躇セナケレバナリマセン。然ラバ、何故ニ日本人ハ、朝鮮ヲ精神的ニ、馴付ケルコトニ失敗シタカト云フニ、コレハ非ガ日本人ニアル。日本人ハ、統治者ガ被統治者ニ臨ム態度ヲ持シテ居ル、之カ失敗デアル。若シ然ラズシテ朝鮮人ヲ遇スルニ、友人ノ道ヲ以テシ、彼等ト共同ノ利益ト目的トニ向ツテ奮勵シタナラバ、日本ハ其時ニ於テ初メテ朝鮮人カラ愛慕サレ、衷心ヨリ援助ヲ受ケル事カ出來ルノデアル。ダカラ現今日本ガ經驗ニ依ツテ學ヒ得タル最モ重要ナル敎訓ハ、自分自身同樣朝鮮人ニモ同ジ權利ト地位トヲ與ヘル事テアルト私ハ考ヘル。私ハ日本ノ利益ト朝鮮ノ利益ハ、一ニシテ不可分ナモノダト確ク信シテヰル。又私ハ現時ノ朝鮮ハ、日本統治ノ下ニアツテ、富强繁榮幸福ナリ得ルモノト固ク信シテ疑ハヌ。朝鮮ガ日本ノ手ニ依テ復活スルトキ卽チ朝鮮ハ、日本ニ對スル呪咀テハナク却ツテ、日本ノ偉大ナル援ケトナリ得ルコト、ナル。併シナカラコレハ、朝鮮ガ、精神的ニ日本ノモノトナル事ヲ先決問題トスル。然シテ朝鮮ガ、精神的ニ日本ノモノニナルニハ、日本ガ朝鮮人ヲ兄弟ト認メル事、共通ノ利益ノ爲ニ日本ガ彼等ト提携スルコトル前提トスル。卽チ日本ガ朝鮮ニ於テ成功セントナラバ、統治ト云フ觀念ヲステ、協同ノ精神ニヨツテ終始セナケレバナラヌ。此レ現今ノ日本ニ取リテ最モ必要ノ條件デアル。

愚見ニヨレハ、戰爭ハ、今回ノ歐洲戰爭ヲ以テ終リヲ告ケルモノトハ考ヘラレヌ。私ハ平和强制ヲ目的トスル同盟ヲ有効ナリトハ信シナイモノデアル。私ハ過去ニ戰カ在ツタ如ク、未來ニモ戰ハ在ルト信スルモノデアル。ソコデ、朝鮮モ昔ノ戰場テアツタ如ク將來ノ戰場トナラヌトモ限ラヌ。朝鮮ハ日本兩度ノ大戰爭ノ舞臺テアツタ如ク、將來或ハ日本ノ死活ヲ決スベキ戰爭場ト化セナイトハ云ヘヌ。假リニサウ云フ事ガ起ルトシテ此ノ時日本ガ朝鮮人千四百萬人ノ友人ヲ有ツカ但シハ又日本ヲ憎ンテ其敗北ヲ希望スル千四百萬ノ敵ヲ有ツカハ、非常ナル大問題テアル。勝敗ノ數ハ或ハコレニ依テ決セラルルカモ知レナイ。朝鮮ヲ精神的ニ日本ノモノトセヨト、私ガ云フノハ、卽チ此等ノ必要ヲ見越テノ事テアル。

日本ハ既ニ台灣ヲ得タ。樺太ヲ領シタ。朝鮮ヲ併セタ。扨テ其次ハ何處カ私ノ見ル所ニヨレハ、南滿洲ハ日本ノ領土擴張ガ、當然ニ行ハルベキ土地テアル。日本ガ朝鮮ヲ併セタト同樣ノ理由カラ、軈テハ南滿洲ガ日本ノモノトナルノ日ガ來ヤウ。私ハ是ハ已ヲ得ナイ事ダト考ヘル。從テ私ハ南滿洲併合ガ日本ニヨリ故障ナク失敗ナク行ハル、事ヲ希望スルモノデアル。正義ニヨル堂々タル經營方針ヲ樹テ武力ニヨラズ滿洲人ノ協同ニヨリテ此ニ目出度日滿ノ合同ノ成ラン事ヲ希望スル。

斯クテ、滿洲ヲ其ノ領土トシタル日本ハ更ニ々々發展スベキカ如何。領土ノ擴張ガ無際限ニ行ハルベキカ如何。日本ノ帝領ハ更ニ新ナル版圖ヲ何レニカ求ムベキカ如何。私ハ思フ日本ニシテ若シ賢明ナラバ、其版圖ノ擴張ハ南滿洲丈テキツパリト止メテ置クベキデアル。日本ト朝鮮ト併シテ南滿洲トハ、天然ニ一ツノ地

域ヲ構成シテ居ル、ダカラ發展シ易ク統率ニ便テアル。指導ニ骨ガ折レナクテ効果ガ上リ易イ。此ノ自然ノ地域內ニ立テ籠ル時、日本ハ强ク、コノ線ヲ踏ミ出ス時、日本ハソノ弱點ヲ増スコトトナル。

論シテ此處マデ來レハ、私ハ勢ヒ支那ニ一言ヲ費ヤサナケレバナラヌ。支那ノ將來ハ如何。此レ支那ニトリテモ又日本ニトリテモ、大問題テアル。現時ノ支那ハ覺醒シテ居ル。支那ハ進歩發達ノ途ニ足ヲ踏ミ入レテ居ル。近キ將來ニ於テ必スヤ一ツノ强大國トナルベク思ハルル。此ノ支那ニ對シテ、日本ハ果シテ如何ナル態度ヲ執ルベキカ。現在ノ所デハ支那ニ於テハ、日本ハ思フ存分ノ事ガ出來ル。支那ヲ强制シ、格段ナ利益ヤ特權ヲ收メル事モ自由テアル。意ノ儘ニ振舞テ支那ヲ强壓スルノハ、何デモナイ事デアル。併シナカラ私ハ斷言スル、斯レハ是レ、高價ニ購ヒ得ラルベキ一時的ノ利益ニ過キナイモノデアル事ヲ。

私ハ、日本ニ望ム、日本ハ、眞ニ偉大ナル國民デアルト云フ事ヲ、事實ノ上ニ現ハサン事ヲ。又日本ガ、段々發展シテ强大トナリ、其ノ自然ノ領土ヲ幸福ナラシメン事ヲ。而シテ私ハ、日本ガ支那ニ對シテ强者ノ權利ヲ振廻ハサス、兄弟トシテ、指導輔佐ノ役ヲ勤メル事ヲ。切望スルモノデアル。是ガ眞正ノ意味ニ於テ、日本ガ支那ノ將來ヲ支配スルモノテアル。日本ハ、嘗テ自分ノ習ヒ覺エタト同一ノ敎訓ヲ有利ニ使用スル事ヲ支那ニ敎ヘテヤルベキデアル。自國ノ勢力圏內ニ於テハ、强ク誠アリ、且ツ公明正大ニシテ、外國ニ對シテハ指導者擁護者トナル、斯クノ如クニシテ、日本ハ始メテ其未來ヲ最モ光榮アラシムル事ガ出來ルノデアル。私ハ斯クノ如キ光輝アル將來ガ日出國ノ上ニ來リ臨マンコトヲ希望スルモノデアル。斯クシテ日本ハ眞

ニ亞細亞ノ盟主トナリ得ルノデアル。

【畢】

大正十年九月

情報彙纂第八

朝鮮ニ關スル海外刊行物記事摘要

朝鮮情報委員會

情報彙纂第八目次

朝鮮ニ關スル海外刊行物記事摘要（情報彙纂第八）

第一　朝鮮評論（Korea Review）五月號

本誌は排日鮮人の宣傳機關たる在米國督府朝鮮情報局にて發行する英文雜誌であつて同情報局長たる米國歸化鮮人「フイリップ・ゼイソン」（原名徐載弼）が主筆をしてゐるのである

新日英同盟約款の提案

一九二〇年七月十四日、國際聯盟は、日英同盟條約を更新する場合には、聯盟約款と抵觸せざる形式を取るべき旨の日英兩國政府より受けた通牒を公表した。該條約は、本年七月を以て期限の滿了となる。併し未だ之を更新するの通告――總て此の種の條約に就き聯盟約款に於て必要とする通告はない。

今、日本が挿入せんと希望する同盟條件を、茲に掲げて觀察するは、興味のある事である。簡單に述ぶれば左の如きものである。

一　英國は、東部西伯利に於て、日本以外の列强の權力設定に反對する旨を、明文にて約する事

二　英國は、他の强國の、東部西伯利に於ける天然資源の獲得に反對して、同地方に於ける日本の優越的地位を援護する事

三　英國は、日本が戰爭の結果獲たる報酬を攻撃するものに反對して、日本を援助する事を約する事

四　英國は、歐露政府より「バイカル」湖以東の西伯利を分離せしむることを援助する事

五　英國は、滿洲「ウラジオストック」「オコーツク」海又は其の以北の地方に於ける新勢力の樹立に反對して、日本に外交上の援助を與ふる事

日本には、二樣の目的あることは明白である

（一）米國財界が近時獲得したるが如き特權讓與を排除して、前記地方に於ける天然資源開發の商業的（恐らくは政治的）獨占權を獲得せんとする事

（二）殊に、日本の極東侵略の積極的防護を英國に委囑する事

日本の貪婪は、今又、明白となつた。それは門戸開放主義が無視せらるゝことである。日本は、其の兇暴を報告しつゝある朝鮮内の米國宣教師の如き注目者を排斥し、英國をして巡警の役目を勤めしめて、富源利用開拓の獨占權を得んとして居る。「ヤップ」島を中心とする太平洋海底電信の管理權を握りて朝鮮に於ける如く通信檢閲權を有するならば、日本は、思ふ儘に事を行ひ、日本が朝鮮又は山東に於て執りたるが如き、若しくは、往時の白耳義が、「コンゴー」國に於て取りたるが如き政策を、忌憚なく實行し、得るであらう。

日本の横着は、豫期以上である。日本は、將に轉落せんとするものではないか？

（二一） 日英同盟論

日英同盟は、英國にありては、同國民の指導者等が、歴史的に喧傳されて居る臨機應變政策の一つであつた。當時該同盟は、政略上良策で有ると思はれた。――それは日本人をして英國の欲望に從順ならしめ得る樣であつた。又該同盟は、英本國の近くに戰爭が起つた場合に、極東に於ける英國の利益を保護する樣にも見ねた。併し其の結果は、今や英國が想像したものとは異なつて居る事が證明せられる。併しながら誰でも日本人を知つて居る者は、少なくとも此の出來事の一部は正確に豫言し得る事で有つたのである。

玆に吾人をして（一）全英帝國（二）日本（三）諸外國との利害に對する其の影響如何を見せしむるならば左の如きもので有る。

（一） 歐洲開戰當時の印度に就きて言ふならば、英帝國に對する半島大体の忠誠は、全心全力を籠めた自發的なものであつて、印度より危害が起ると云ふ豫想は、皆根據なきもので有つた事が判明した。尙英國の主權維持に、他國の參加する必要なきことは明白となつた。「アフガニスタン」すら「トルコ」の神聖戰爭の要求を拒絕した。日本軍が極東に干涉した一つの場合は、英帝國の利益を保護するよりも、寧ろ危險に陷らしむる殘酷極まる行動を自由に爲さしめ、實に恥づべき虐殺の結果を來たした。されば日英同盟も、其れ迄の處では無駄であつた。又極東に於ける、獨逸に關する限りでは、日本も復讐と國家膨脹

三

の爲にする事丈は、賴みにもなつたであろう。併し一方に於ては、日英同盟は、今や英國が對外事務を取扱ふ上に容易ならぬ障碍である。日本移民に就て英國の二大植民地の取つた態度は、友國の屬領が同盟國に對して爲す筈とは思はれないものである。日本は、何時でも、同盟を理由として、「スカンヂナビヤ」人又は他の國民と同樣に、是等屬領の一方、又は兩方へ入國せんことを要求し得るのである。併し是等の植民地は、何れも、斯くの如きことには、假令、本國政府が强壓せんとしても、それに服從しないであろう。加奈陀は、印度人さへ入國を禁じてあると云ふ外交的防禦策を持つて居る。が濠洲は只單ににべなき拒絕を爲し得るのみである。英國政府は過去に於ても、又現在に於ても、殆んど何等相應の利益もなくして、重大なる困難を感じつゝあるのである。

（二） 日本に對する影響は、結局空疎で有つた。日本が支那及露國に對する戰捷は、其の頭腦に深き印象を與へて居る。又一等强國の一つと全等の親密なる同盟を爲した事は、半醉者に「シャンペン」を與ふる如きもので有つた。泰西文明に對する開國の强制に依り手荒く打擊された、日本民族優越の舊主義は、日英同盟の爲に、一層極端に復活して來た。日本の治外法權の時代は、屈辱時代ではあつたが、世界の福利の爲には、其の撤廢は、餘りに早過ぎた。此の領土內在留外國人に對する裁判權の制限が撤去せらるゝや、日本の主我的理想主義は恢復した。日英同盟は日本自我中心主義を極度に高めた。日本は、國際聯盟に入りては、其の考案する目的の爲には、如何なる手段をも取り得ることゝ感じて居た。其の結

四

果の一部は、左の如きものである。

（イ）朝鮮、滿洲、西伯利、山東其の他に於ける無恥なる兇暴
（ロ）支那に對し脅喝と暴力とを以て、實現を圖りたる二十一箇條の無禮たる要求
（ハ）支那は「ベルサイユ」會議に於て取扱ふ事務を日本の委員を通じて爲せとの倨傲なる要求
（ニ）東亞細亞及太平洋西部の支配權を得んとする、明確なる要求
（ホ）其の國民間に、對米惡感を起さしめんとする、教育上の宣傳
（ヘ）日本と、其の文化とは、世界を支配すべきものとの觀念の助長
（ト）其の六千萬の人民に熱烈なる軍國的精神の普及

日英同盟の爲、英國は、日本の是等の誇大なる計圖及企畫に對する抗議すら、殆んど抑止されて居る。英國は僅かに勸告する事さへ敢へて爲し得ないのであろう。尙又、英國は、土耳古の「アルメニヤ」虐殺に束縛されて居る獨逸の如く、傲然たる日本の國家的自尊の計畫及政策に對し抗議せざる事に就ては、辨解するの餘地はなかろう。

（三） 他國の受けたる影響の一部分は、次に述ぶる中に包含されて居る。先つ第一は、世界大戰の結果、殆と西洋にのみ限られた事件を決定する地位に、東洋の國を引き入れた、おかしな事である。先進國に影響する世界的問題を處斷する四頭（又は五頭）會議の一員に、日本の如き原始的な野蠻な者を加へた

五

事は奇怪である。日本は東洋に關する事の外には、殆と無關心であつた。又國際聯盟は、支那に對する新らしき掠奪行爲の爲、一時的のものになつた。朝鮮、支那、西伯利の侵略、太平洋諸島の委任統治等は、若し日英同盟がなかつたならば、不可能のものであつたろう。孤立の日本で有れば、日本は斯かる事は敢えてしなかつたろう。日英同盟の爲に勢力を得た日本の行動は、驚くべき侵略と、倨傲なる要求とで有つて、日本は遂に、一九一四年（大正三年）の獨逸が執つた態度以上に、恐嚇的な態度を執つたのである。米國は不安を感じ、濠洲は凶事を豫覺し、「カナダ」は露骨に反抗し、支那は恐怖し、佛、蘭は東洋に於て、防禦的施設を爲して居る。全局の眞の根抵は、日本が、不自然なる同盟より得たる勢威と安全との爲に自覺し、且決心するに至りたる馬來諸島統一主義に在るので有る。

（三） 親日主腦者ヲ殺害ス

閔元植は、日本政府の同化政策を謳歌した誤まられたる朝鮮人であつた。彼には、日本に買收せられたる僅かの朝鮮人叛逆者の外は、其の部下たるものは無かつた。彼は朝鮮內在住の日本人と少數の親日朝鮮人に煽動されて、朝鮮人に衆議院議員の選擧權及其の議員たる特權附與の申請を日本の議會に提出せん爲に數ケ月前日本へ行つた。

六

其れは各所に於ける朝鮮人間の獨立運動の趨勢に反對して朝鮮を日本帝國の完全なる領土とする計畫の一部分であつた。彼は、日本官憲から非常に款待され、又其の提議に漠たる奬勵を與へられた。兎に角彼の使命は、朝鮮人から深き怨恚を買ひ、又祖國の叛逆者として烙印を押された。此の憤恚は、只に朝鮮内の人民のみでなく、日本在留の朝鮮人學生の全部迄が深く感して居つた。一朝鮮人學生で、梁槿煥と云ふ激し易き義烈な青年は、去る二月某日閔の滯在せる、東京「ステーションホテル」に於て彼を殺害した。

梁は、長崎にて官憲に補らわれ、今は日本の獄に投せられて居る。梁は東京の明治大學の學生で日本婦人と結婚したものとの事である。豫審の事實調べの際「共犯者もなく、又以前誰にも相談した者はない」と陳述した。「彼の如き叛逆者を、私が自分勝手に成敗し、又懲らした事は、勿論不正ではあるが、併しながら若し私が斯かる即決の所置に出でなかつたならば、閔は朝鮮を、永久に日本の屬領となす彼の不逞なる目的を完成し得た事と思つた」と述べた。梁は犯罪の責を負ふことを全く喜んで居たが、其れは自由の爲に一人の叛逆者を朝鮮から除去した事を滿足に感じて居たからである。彼は、警察官憲が總べての朝鮮獨立黨員を根絶せんとするの熱心を嘲笑した。彼は「僅かばかりの者を此所や彼所で殺した所で、其處には千七百萬以上の黨員があるから駄目である。亦それらの總べての心には自由の精神が深く刻まれて居るから、獨立運動は止まぬであらう」と言つた。此の血の迸ばしりを止めんとするには、日本が朝鮮を解放する唯一の方法があるのみだ。

七

（四）止まれ、見よ、聽け

世界は人の性善を、信するが故にその覺ること甚た遲々たり。世界は長期に亘りて巧みに奸惡に備へ、人心を惑亂せしめんとする群集運動の眞相を見破る能はさることあるへし。世界は久しく「チュートン」人が一九一四年――一八年の災厄を脅威せる叫ひを割引せり。世界は呪咀主「ウィルヘルム」及その帷幕の臣の高言及「ベルンハールヂ」及「ニイッチエ」の公然たる脅喝を、單なる誇大妄言として寛過せり。世界は今ヤ又極東のチュートン士耳古族たる日本人に於てその謬見を繰返しつゝあり。

「フォラム」誌四月號記事「吾人は日本との戰ひを避け得へきか」に於て「ジー・エム・ウォルカー」氏は日本政治家、軍閥巨頭、政黨首領及操觚者の言を集めて、その「ウイルヘルム」即位より一九一八年に至る獨逸の輿論に等しきを証せり。是等日本人の宣言は、その國家自尊に於て、その自決に於て、その日本文化の評價に於て「チュートン」人の傲語と少しも異なる所なきなり。而して獨逸の豫言が戰前「ポーランド」及獨逸植民地土人の待遇及戰時中白耳義及佛國に對する態度に於て具体化せる如く、しかく日本の野望が、滿州、朝鮮、山東及蒙古に於ける行爲及その太平洋諸島問題及米國に於ける土地問題に關し、米國を無視せる事實によりてその發露を見るなり。

吾人は今日本が我が移民法及土地所有法を左右せんとする特權を我に要求し居れるを忘るへからす。他國民及その權利を無視するに於て殘忍比類なき「征服するか破壞するか」の決意をとるに於て、日本は獨乙と

八

甚た似たり。日本はその國内に於て、獨乙國内に於ける國家百年の政策を繰返しつゝあり。即ちその國民をして國家自尊的に敎育し、その國是たる太平洋及亞細亞大陸併呑の實現を阻むものを憎ましむ斯の如きは日本の輿論の表面に於て明かなり。啻に表面に於てのみならす、その企圖の核心まて明白なり。

世界は覺らさるか、世界は止まり、見、聽かさるか、ジャップ（日本人）と、はん（獨逸人）との間の言動の相似は顯著の事實なり。英國及米國は、「チュートン」土耳古族をして再び「アルマゲットン」（聖書にある地名にして善惡最后の決勝地を意味す）を惹起せしむへくしかく不注意なりや。國家自尊、國民的貪婪及他種輕蔑等に起因する禍亂への盲進を止めんとせば、單に嚴然且確固たる著明の警語即ち我が戰時金言の一あるのみ曰く『米國よ、目醒よ』

第二 布哇新聞

朝鮮獨立運動は益々盛んなりと東洋旅行より歸り來れる李承晩は揚言す

「ホノルル」新聞記載

朝鮮の自由獨立及び日本の主權より脱せんとする希望は、從前に比し益々有望なりと昨日「ホノルル」に歸り來りし韓國共和國大統領李承晩博士は語れり。

九

李博士は支那、滿洲「ウラジオズトック」及び其他鮮人の在留する極東の各地を巡視し來たりしものにて、博士は自ら語らざるも東洋六ヶ月間滯在中朝鮮内にも全く入り込み居りしとの由。

李博士の使命は、單に舊韓國の獨立を計る爲鮮人全部を團結せしめて協會を維持し、而て之を指導するにありたるのみならず、又朝鮮事情に關する虛僞の報告を爲す博士の稱する所謂「巧妙なる宣傳」に關して取調ぶるにありき。博士の曰く此の宣傳の唯一の目的は、目下朝鮮内に於て一般起りつゝある事及び起り居らざる事に關して、米人及び「アングロサキソン」人種を迷はしめ、日本の羈絆より脱せんとする鮮人決死の努力に對する趣味を防止し、朝鮮が最後の訴へを爲す場合何等注意を拂はしめざるにありと。

博士は又曰く、例令日本は朝鮮内に於て大改革を施し鮮人に對しては大なる自由と權利を與へ、武斷政治に代ふるに文化政治を以てせりと至る所宣傳しつゝありと雖東洋滯在中日本は實際朝鮮内に七個師團を駐割せしめ居れり。尙ほ軍隊は常に浦鹽斯德及び滿洲徘復に朝鮮内を通過しつゝありと。

李博士は日本宣傳者の言明せざる一事に關して語れり。曰はく日本に於ては目下日本統治に對して反抗する者を出だしつゝあり。社會主義分子は勢力を加へ重要の地盤を占め、其の言論に於ても日々大膽となりつゝあるを以て日本政府は内部の危機に接しつゝあるなり。日本に於ける自國政府に反對する此の社會主義的傾向は朝鮮全道を通して日本統治に對し、反對の意志を表示するものと同一調子にして共に並行して動きつゝあり。

一〇

尙英米の注意を惹起せんと欲する一事は、日本は極東に對して「モンロー」主義を採用せんとするの意思あり、此の方針は米國の遭遇すべき政治上最も危險極まる要素なり。此の「モンロー」主義は約一世紀間、米國の泰西に於て維持し來たりしが如く、極東に於ける諸國に其の權勢を維持せしむるにありと稱して、日本が宣傳しつゝある事柄にして此の宣傳に對する日本の犧牲は、人種平等の要求を撤回するに至れり。即ち日本は加州、布哇及び其の他米國諸州に於ける日本人に對し、同一の投票權を授くべしと强要せざる事是れなり。此の亞細亞的「モンロー」主義が承認されたる場合は、東洋諸國の國家的傾向に變化を來たし、其の結果日本は一個の國家眞の國家、即ち極東を制御する國家として聲明し（此の意味は總て他國を奴隷視する事之れなり）他の國家は、承認さるべき國家となるに至るべし。而て自然新たに論爭起り玆に再び各自相反して亂るるに至るべし。

英國は再び日本と同盟を結ばさるべし。日本の目的は同盟を締結し米國と戰端を開く場合は英國を中立たらしむるにあり。

重なる「ヒリッピン」人の日本に對する態度は、全く變化を來たせり。曾て「ヒリッヒン」人は日本と提携するに於ては日本は東洋に於て陸海軍の防備あるを以て充分保護さるべきもと信じ居りし事ありと、博士は尙續けて曰く。予は數週前朝鮮視察より歸り來りし「マニラ」の「ヒリッピン」人に面會せしが彼は朝鮮の情況を調査し、日本が鮮人に加へつゝある暴虐の處置を發見せり。彼は「マニラ」に歸り英語にて長文の

一一

記事を綴り之を又「ヒリッピン」語に飜譯せしを以て、「ヒリッピン」人各階級の者は全部之を閱讀せり。而て此の記事中には、日本の對鮮統治の結果及び他國の領土を奪取する点に關して詳論する所ありたり。彼は「ヒリッピン」人に對し若し彼等が日本の巧辨に對して、傾聽するに於ては「ヒリッピン」人は同一の運命に遭遇すべしと警告せり。予は東洋至る所日本に同情を有する「アングロサキソン」人に面會せし事なく、日本は列强中其の親友を失ひ威信を墜落し孤立の立場に陷りつゝあるなり。

朝鮮の國家的運動は益々發展しつゝあり。團結は愈々鞏固となりつゝあるも、現在に於ては何事も着手せす其の行動に關して、彼れ是れ報せられしものと日本側より報告せらるゝものなり。吾人は其の內我か獨立を宣言することあるべし。

李博士は博士の所謂「徵行」して世界を巡視し來たれり。之れ恰も博士孫逸仙氏が滿洲朝を倒し。支那共和國を建設せし前に於て採りし行動と等しきものなり。博士は如何にして日本の監視する警戒線を脫して東洋に入り込みしか其の点に關しては、何等語らざれども、博士は必然日本の港灣を訪ふことを敢てせざりしなるべし。歸米の際「マニラ」及び布哇を經由し來たりしを見て察せらる。

李博士は曰く、若し布哇が其の耕作地に於て、勞働者を要するとせば鮮人之に當るべく、滿洲「シベリヤ」等朝鮮外に居住する鮮人は、目下二百萬に達す。此等の鮮人は此の目的の爲布哇に持ち來たさるべしと。博士は尙ほ得意の顏色を持し、布哇に於ける鮮人の成功を誇り、且彼等が米國化せんと欲する熱烈なる希望

一二

を有することを述べ、而て曰く、布哇に於ては吾人は鮮人の兒童を米國風に敎育することを繼續すべし。然らば其の結果彼等は尙進んで朝鮮內に於ける鮮人を米國化する米國主義宣敎師たるに至るべし。之れ予の一大希望なりと。

第三　米國雜誌

民族自決の語に謬られたる朝鮮問題

本論文は倫敦タイムスの通信員として永く支那に在り世界に於て一流の極東通として知られて居るブランド氏が朝鮮を視察して其意見を紐育スクリブナー誌上に發表したるものであるが興味ある見解なるを以て特に揭くることに取計つた

國際聯盟により提唱された民族自決主義なる新福音の發生地は米國で、從つて此主義を根據とせる朝鮮の獨立運動の發生も進展も共に米國と緊密の關係にあると見られてゐるやうであるが。これは一面極めて變な事でもあるが又、重要な事實でもある。然るに世界の事情に精通する米國の政論家「エドワード・ビー・ベル」(Edward P. Bell)は一九二〇年十二月九日の「タイムス」紙上に一論文を揭げ、米國は從來決して小國の權利を尊重せる如き政策をとつてゐぬことを證明してゐるのは非常な皮肉と云はねはならぬ。彼はいふ、米國の全歷史は帝國主義者、膨脹主義者、併合主義者、小國が軍備上大國に密接なる關係ある時は小國は隣國の

一三

安全の爲に其自由を犧牲とせざるべからざるの主義を奉持する者の國家であることを示してゐる。言論に於ても行爲に於ても、米國は小國の獨立が其隣接せる大國の安寧靜謐といふ一層高い權利に抵觸するときは、小國は其の獨立の權利を有せずとしてゐる。玖馬「ポルトリコ」「ハイチ」「サンドミンゴ」「カリビアン」海「パナマ」運河沿岸地、太平洋、これ悉くこの政策を物語るものである。即ち小數者の自由權は多數者の生存權よりは大切ではないと云ふのである。故に「リンコーン」も聯邦に宣言して、米大陸の平和と安寧とを害する如き州の自決權はこれあらずといふたではないかと。

然り、自決主義の如きは天賦人權說と同じく、其適用は時と處とによるべく、而して之が貫徹は結局强力によらねばならぬものである。かの米國民が大戰を以て四海同胞主義の實現なりと考へ、約束の地が與へらるゝものと想ふたことゝ、米國政府が朝鮮の獨立希望に對し採れる態度とを比較すれば、それは恰度理論づくめの「ラテン」人と、賢しげな東洋人とが「アングロサクソン」を僞善者呼ばはりすると同一撤である。「ラテン」人や東洋人は兎角主義と實際との間に橫はる深淵を見逃しがちのものである。

朝鮮の獨立運動の精神を皷吹せるものは、一は米國宣敎師の感化と敎訓であり、二は「ウイルソン」の民族自決主義にあるは疑なき事實である。かの「ラモント」が云ふ如く、朝鮮に於ける宣敎師の働きの政治に及ぼせる影響は支那に於けるよりも大い。彼等知識階級は全力を盡して朝鮮を一個の民族にまで進めようと努力してゐる。又米國著名の政論家「チャールス・エッチ・シエリル」(Charles H. Sherrill)は最近朝鮮の實狀を

一四

視察研究した結果を「スクリブナー」誌に寄せ、日本が朝鮮を保護領として以來及びカナダ宣教師の政治運動を爲す者の多き事實を說き之を悲んでゐる。彼はいふ、嘗て日露戰役に當りて、米國民は日本に同情し「ルーズヴエルト」大統領は日本の朝鮮併合を是認してゐた。そして「カイゼル」のものは「カイゼル」に還へすべく、宗教傳道は之を統治する政權者の認むる範圍内に於て爲すべきである。然るに朝鮮には長年月の間居住せる宣教師があつて之を自國の如く考へ、朝鮮に起つた政變をも忘れた擧動を敢てし、或は朝鮮人の進歩に何等資する所なきものすら多くある。かの數百の宣教師と三十萬の朝鮮人基督信者ありと稱するにも拘らず、信徒は其改宗により何等進歩の跡の見るべきものなく、日本の佛徒乃至は神道信徒にも及ばざる遠き有樣であると。

朝鮮獨立煽動の責任の歸着は暫く措いて、今は其の影響を見る事としやう。「エフ・エー・マッケンヂィ」(F. A. McKenzie)は英國の通信員として常に朝鮮の同情者であるが、其近業「朝鮮の自由獲得戰」(Korea's Fight for Freedom)は日本の軍國主義的朝鮮統治を糾彈し、最後に鮮人の救濟を基督敎界及び英、米、「カナダ」の政治家に訴へてゐる。(譯者曰、彼へ昨年十月英國に於て國會議員其他を糾合しLeague of the Friends of Korea なる會を組織し、朝鮮の現狀を英人に宣傳し以て輿論を喚起するに力めてゐる)彼の描ける總督府の獨立運動に對する鎭壓策は一讀人をして膽を冷かならしむるものがある。併し東京政府も之を認め、勅語の煥發となり朝鮮總督政治の改善を約し、憲兵制度を廢し、之に代ふるに警察制度となし、自由政治は布かれ鮮人は日本人と同樣の市民權、自由及び特權を享有するに至つたのである。軍國的總督政治は廢せられて

一五

伊藤公の建てた政策、卽ち敎育と慰撫とになる同化政策に歸る事となつた。併しこの政策の變更については不信を抱く人が多い。「マッケンヂィ」の如きも日本の自由主義が徹底的に軍閥を倒壞せさる限り――そして其徵候は更にない――、朝鮮の虐政は絕えず、支那の侵略は止まない。かくして「其結果は大爭鬪を勃發し終末については何人も豫測するを得まい」としてゐる。

若し以上の見解にして正當なりとせんか、東洋に平和の來るは何の日か解らない。けれども是等日本の統治に疑念を抱く人々は、鮮人の虐政に對する人道上の要求と、朝鮮の政治的獨立の要求との間には確然たる差異あるを忘れてゐる。又朝鮮人が其獨立運動を開始して以來、彼等の受けた苦痛は其運動の主動者が「ウイルソン」大統領其他の善い意味に於ける政治的空想家の意見による空望に基するものであることの事實を忘れ勝である。併し「マッケンヂィ」はかゝる迂濶者では勿論ない。彼はいふ、若し朝鮮騷擾について局外の責任者がありとすれば、それこそ「ウイルソン」大統領である。然るにも拘らず米國及び巴里に於て鮮人の代表者は如何なる取扱を受けたか。之を見ては何人も鮮人に同情を禁じ得ざるべく、又國際聯盟の未だ確立せざるに先ち民族自決運動を鼓吹する如き其無責任を責めざるものはあるまい。

獨立宣言書に署名せる三十三名の愛國者は「ウイルソン」の宣言書こそは朝鮮を自由ならしむるものであると信じたに相違ない。彼等は宣言していふ新時代は我等の目前に醒め、力の舊世界は去つて正義と眞理の新世界は來れりと。彼等は日本統治の下に苦しみつゝありとの一事以外何事をも知らない。若し彼等にして

一六

一度國際場裡に於ける朝鮮の歷史を研究し米國をも包含する列强が曩に其獨立を承認しながら、後に日本との併合を是認せるの事實に考へ及ばゞ、彼等は必ずや斯る運動をなすに躊躇したに相違ないのである。彼等は先つ「ウイルソン」の主義がどれだけ確立せらるべきかを確め、又數年前「ルーズヴエルト」大統領が朝鮮獨立の干涉を排して、何等利害關係なき國が獨立するの力なき朝鮮人の爲めに援助を與ふべしと考ふる如きは抑も問題外なりと論じたことに想起すべき筈であつたのである。

故に若し鮮人の領袖にして實際的の政治家に謀る所があつたならば、日本は其經濟的及び軍事的實狀より朝鮮の領有が其自己保存上已むを得ぬものなるを彼等は確に悟つたに相違ない。過去五十年間、朝鮮は「チアーチル」の云へるが如く日本政策の刺激者である、東北亞細亞の紛乱の中心であつた。其無力は極東を化して鬪鷄場たらしめ、常に隣接せる强國の衝突の種子であり、其等戰爭には二千萬の鮮人はいつも傍觀者たり、たゞ内紛と反逆と術策と爭奪に日も維れ足つずといふ有樣であつた。若し日本が支那を破らず、露國を驅逐せなかつたならば、半島は支那の虐政に苦み、露國の領有に歸してゐた事は些の疑もないのみならず、鮮人中多數の者が一九〇五年以後併合に至るまで、日本より報酬を得て之に加擔せるの事實及び憲兵にすら鮮人の加はり居るの事實は、いかに愛國鮮人と云へども否認は出來ない。

余は昨年二月京城に於て水野新政務總監と日本の朝鮮政策につき談するの機會を得た。彼は過去に於て軍閥者流がなせる政策を悲み自由主義と緩和政策、殊に帝國議會は適當に其代表者を送るを得るに至らば、必

一七

ずや好果を齎すに相違なきを言明し、更に一九一九年獨立運動は決して眞乎の民族運動ではないと斷言した尙一八九八年支那の宗主權が廢せらるや、獨立倶樂部は騷擾を煽動したが、それも數箇月で保守派の爲めに鎭壓せられたるの事實、及び一八九四年より一九〇四年に至る間、朝鮮は獨立國であつたに相違ないが、自主の不能なるを示し、外國人は其生命財產の安全を保障せらるるを得なかつた事を語り、「フレデリック・コールマン」(Frederick Coleman)「エー・チャドソン・ブラウン」(A. Judson Brown)の如き不偏の人は日本統治以來朝鮮農民の生活の進步を是認せる旨を語り、最後に話題を國際聯盟に轉じ、小國の自決權及び各自其特殊の安寧幸福を追求すべきものなるを語り合ふた水野博士は國際的政治に通曉する卓越せる學者で、伊藤公の施政の承繼者である、彼はいふ日本は國際聯盟の賛助者である。併し實際の政治問題としては、英國が愛蘭共和國を認め得さると同一理由で日本は朝鮮の獨立を認むる譯には行かないと。

後東京に到り日本の政治家外交家と同一問題につき議論するの機會を得た。一外交官の話では、國際聯盟が將來人種の平等を是認し、朝鮮に對する他國の政治的勢力及び侵略を排除することを得るの曉に於ては、朝鮮問題も一の國際聯盟として考慮すべきであらうと。

獨立騷擾と云ふ凶事からも善果は生れ出た。京城及び東京に於て見聞せる所から判斷すると、日本の政府は强制的同化政策は反つて鮮人間に民族的精神を發起せしめ、新統治者を怨嗟するに過ぎぬと云ふ事を知るに至つたやうである。日本は其同化政策を行ふにあたり、圖らずも朝鮮人の隱れたる性質、平氣を裝ふてゐ

一八

るが而も內心の執拗な反抗心、蹶起して戰ふだけの勇氣はないのか、それとも戰ふよりもつと高尙なりとしてゐるのか、兎角いつも殉敎者となるやうな性質を朝鮮人は包藏してゐることを知つた。憲政會の有志が朝鮮を視察して、二千年の歷史を有する朝鮮人の如きに、日本人に對すると同一の精神敎育を强要する植民政策は大なる誤であるといふたが、政府も同じく斯く信ずるに至つたのである。

議會に於ては勞働黨の問題となり、米國にては民族自決の福音の信徒によて、朝鮮問題が囂しく論議せらるゝ際、施政の方針を變更するの必要あるは政府者の既に知悉せる所である。之と相對し興味あるは、上海に本部を有する朝鮮共和國假政府の連中は、かの非妥協的な「シンフィーン」黨の如く、今や地方自治の如きは念頭に置かず、絕對にして完全なる獨立を主張してゐるの一事である。併し「シンフィーン」とは異り彼等は消極的反抗の方法を採つてゐる。そして其閣員と稱する者は、多くは外國の大學で敎育を受けに者であるが、彼等は固く「ウィルソン」の民族自決主義を採つて動かず、「シンフィーン」と同じく近世の進歩せる共和國を建設し得べしと自信してゐるのである。支那青年黨と同じく其大多數の國人は無智蒙昧にして到底代議政体を實施するに適當せず、萬一朝鮮共和國を釀造する如きことありとするも、それは支那と同じく少數の特權階級が多數國民を統治するの結果に陷るべきことを忘れてゐる。又支那青年黨が共和政治を要求してゐるに拘らず、民衆の開發に何等爲す所なきが如く、若き朝鮮も政治問題に囚はれて何等實のある民衆運動をしてゐない。かの米國に於て創立せられた「朝鮮國民協會」(Korean National Association)が滿洲「シベ

一九

リア」支那に逃亡せる鮮人間に百萬の有志を有すと稱するの眞ならざるが如く、青年朝鮮の思想感情が鮮人農民間に傳はり居らざるは言ふを俟たない。上海の假政府は鮮人の有志が假政府を唯一眞呼の政府なりとして、自發的に貢献する租税により維持せらると云ふてゐる。之は孫逸仙一派が常に數百萬の同志を有すと吹聽するに異らない。其意氣や愛すべしと雖、外國人にしてこの政治的熱望を遂げしめるが爲援助を與ふる如きあらば、それは盲人が盲人の手引をなすよりも不都合で、其結果はたゞ鮮人を更に悲慘な境遇に陷れるのみである。

民族自決をどこにでも適用して何等の危險なしと信ずる人は、朝鮮問題をも極く簡單に片付けて了ふ。けれど人性と既往の歷史に或程度の重きを置くものは、朝鮮問題及び其解決については、文明諸國が一旦朝鮮の併合を承認したといふ點から、日本政府の見解について注意を拂ふの要ありといふに相違ない。故に實際問題を感情で決定する如きことないやうに、朝鮮問題が國際聯盟の會議に上ばさるゝとき(無論それはたゞ其希望を記錄に止むるに過ぎぬのであらふが)異敎徒に罵詈されぬやう、朝鮮の眞の友が馬鹿にされぬやうに注意して欲しいものである。之と共に國際聯盟により、或は之によらずして極東の諸問題をば獨逸の再び出て來ぬうちに適當に解決せんことが更に望ましい。けれど其解決に着手するに當り、我等の先づ知らざるべからざるは、歐米諸國が其活動を其の國境內に局限せざる限り、日本をして朝鮮より手を引かしめんとするは抑も無理なことである。英國が印度を領し、波斯を保護國とせんとし、佛蘭西は嘗ては支那領なりし廣大

二〇

の地域を得有し、米國が「パナマ」を領有せんとし、「カリッビア」海の諸小國を併合せんとしつゝある限り、何の道義的理由あつてか列强は日本に向ひ人道と文明との名の下に朝鮮の統治を捨てよと云ひ得るものぞ。三國干涉により遼東を還付せしめ、玆に露國の平和的侵略の端緒を開いたではないか。歐羅巴の被征服者に對する好意といふ、この苦しい經驗は到底日本の忘る能はざる所のものである。

朝鮮に於ける日本軍閥の虐政と、政治的理想論の無責任な企圖は暫く措いて玆に論せぬとするも、日本政府が半島を領有するについては、英國が埃及の支配權を保留すると同一理由を以て答ふることが出來る。米國の「シェリル」氏は日本の朝鮮に於ける進歩的施政を縷述したる後、是れ英國の埃及に於ける施政と比較するも何の劣る所がないと斷言してゐる。

余の視察は素より皮相の觀察には過ぎなかつたが、朝鮮農民の一般狀態殊に生活狀態の舊政府時代に比し著大の進歩ありしは一目して瞭であつた。若しこの事實にして是認せらるゝならば、事實問題は第二段に進む。即ち斯の如き物質上及敎育の進歩は外國統治の下にあつてでも、矢張り繼續し行き、終に朝鮮人が自治を營むに適當な時期又は日本臣民と絕對に同等な社會上經濟上の取扱を要求することが望ましいことではあるまいか。民族自決主義は假令之を卽時實行するとしても、それはたゞ朝鮮の昔の渾沌狀態に逆轉せしむるに過ぎぬのではあるまいか。かの支那が未だ共和政を布くだけの發達を遂げざるに敢て之を適用せんとせる愚かさは遠からさる殷鑑ではなからうか。故に眞乎の朝鮮問題は日本の統治に代つて朝鮮及び其隣國の平和

二一

の進歩とに貢献するやうなものを案出するといふことになるのである。(日本讀書協會の譯出に依る)

【畢】

二二

大正十二年二月

情報彙纂　第十

布哇在留朝鮮人一班狀態

朝鮮情報委員會

布哇在留朝鮮人一班狀態

目次

布哇在留朝鮮人一班狀態

一　人口

布哇に於ける朝鮮人移民の渡米は一九〇四年に始まり同年在布鮮人數二千四百三十五人なりしか一九一〇年には四千五百三十三人となり満五年間に殆んと其倍數に達し一九二〇年の國勢調査に依れは四千九百五十九人にして昨年度末即ち一九二一年六月末に於て五千三百二十七人と推算せらる而して昨年度中の出生二百十九人此出生率四一・一一にして死亡八十七人此毎千人に對する死亡率一六・三三に當り布哇在住の他人種に比し出生數は日本人に亞く高率なるに反し衛生思想低き爲め其死亡數に於ても高率なるを免れすと雖近年寫眞結婚に依る婦人の渡來者の數は著しき増加をなせり

一

二　妻子呼寄

布哇は寫眞結婚婦人の呼寄禁止より除外せられ居るため在住鮮人に於ても自由に本國より迎妻の便宜を有し近來總領事館に對し此種關係證明書の下付を願出するもの激増せり當地移民局長の發表する所に依れは本年六月三十日迄の過去一箇年間の呼寄又は再渡航により來布せる朝鮮人は百一名なり今一九一八年以降過去四箇年間に於て發給せる呼寄證明の件數及種別を擧れは左の如し

二

年別	妻	父	母	子供	合計
大正七年	八七	一	〇	二	九〇
同八年	三七	一	一	一	四〇
同九年	二九	一	一	六	三七
同十年	四四	〇	一	一一	五六
計	一九七	三	三	二〇	二二三

右表中妻呼寄の約八割五分は寫眞結婚に依るものにして近來是等呼寄婦人の年齡は其夫と甚しき差違を生し二十或は三十の差すら敢て珍らしからす十年前頃迄は男は常に女より若年なりし風習より考ふれは急劇の變遷と謂つへく此結果呼寄後に於て面白からさる家庭の事情を瀕出するもの尠からす又中には朝鮮原籍地に於て入籍手續を了し在布哇の夫より送付を受けたる多額の支度料並旅費を費消し又は始より之を騙取して其踪跡を晦し遂に渡航せさるものさへあり之か爲め總領事館を經て其搜索方を內地官廳に願出するもの屢あり

呼寄婦人の原籍地は殆と各道に亙れるか大正七年乃至十年過去四箇年間の呼寄數百九十七名中百四十八名は慶尙南道よりの渡來者にして其原籍別を揭くれは左の如し

慶尙南道	百四十八名
京畿道	十九名
慶尙北道	九名
江原道	八名
平安南道	六名
咸鏡南道	三名
黃海道	二名
忠清南道	一名
全羅南道	一名
計	百九十七名

三　歸國者

近年鮮人の歸國者著しく增加東洋行汽船は每便四五名の鮮人客を搭乘せしめ居有樣なるか彼等歸國者の多數は何れも十年砂糖耕地勞働者として布哇に在留せる移民にして少くも五六百弗の貯蓄を有し懷鄕の念に驅られて母國觀光の爲め一時歸國するものなれは彼等の大部分は再ひ布哇に渡來するものにして商用のため往來するもの殆と皆無なり

三

昨年度卽ち一九二一年六月に終る一箇年間の歸國者は男四十名女十三名小兒九名計六十二名にして此外米大陸への轉航者は僅かに男四名なり今過去四箇年間に於て總領事館の鮮人に對し發給せる歸國證明卽ち布哇へ再渡航の際旅券下付願出書に添附を要すへき歸國證明書により歸國者數を算出すれは左の如し

四

月別	大正七年	大正八年	大正九年	大正十年
一月	五	七	一	一五
二月	一〇	九	一	一三
三月	一〇	一一	六	一〇
四月	五	一	三	六
五月	八	〇	三	一一
六月	〇	〇	一	一一
七月	三	三	一二	五
八月	三	〇	八	一三
九月	八	〇	一〇	一六
十月	一	一	五	二
十一月	三	二	三	一
十二月	五	一	四	四

計	六二	三四	六六	一〇七

四　生活狀態

朝鮮人は一般に貯蓄心に乏しく其收入の殆と全部を擧けて飮食と衣類に費し生活安易なる布哇に於ては特に其風著しく休祭日公園等に於て遊步する普通勞働者の妻女にして尙且良家の子女の如き美服を纒ひ居るものを見受くること屢なるか其住宅の如きは何等觀る所なきものの如し

朝鮮人にして實業に從事し相當の店舖を構へ居るものは至て少く多くは米人商賈に使傭せられ僅少の給料に甘し居る有樣にして其他は悉く勞働者なり今ホノルル及各島に於て千弗以上の資本金を以て獨力經營しつつある商估を擧れは左の如し

所在	職業別	資產額	姓名
ホノルル市	雜貨商	二〇、〇〇〇弗	鄭元明
同	洋服裁縫業	一五、〇〇〇	安元奎
同	室貸業	一二、〇〇〇	金柄奎
同	同	八、〇〇〇	李君尋
同	旅館業	四、〇〇〇	鄭允弼
ホノルル市	室貸業	四、〇〇〇	南世云
同	旅館業	三、五〇〇	鄭基云
同	自働車業	三、五〇〇	林逢春
同	藥種業	三、〇〇〇	孫德仁
同	靴製造業	三、〇〇〇	白洛鉉
同	室貸業及雜貨行商	三、〇〇〇	辛聲壹
同	藥種商	三、〇〇〇	郭來鴻
同	洋服裁縫商	二、五〇〇	裵仁秋
同	同	二、五〇〇	李敬植
同	同	二、〇〇〇	鄭斗玉
同	雜貨商	一、五〇〇	姜永昭
同	同	一、五〇〇	宋成允
同	藥種商	一、五〇〇	申漢奎
同	自働車業	一、五〇〇	李桂善
同	同	一、五〇〇	韓致成
同	家具商	一、五〇〇	趙文學
同	同	一、〇〇〇	田永擇
加哇島ハナペペ	洋服裁縫業	一五、〇〇〇	崔俊斗崔如玉(父子)
布哇島ヒロ市	洋服裁縫業	一三、〇〇〇	崔衡俊
布哇島ハカラウ	受負師	八、〇〇〇	朴成煥
同	ホノカア洋服裁縫業	五、〇〇〇	高德化
同	ヒロ市旅館業	四、〇〇〇	張奉希
同	同	二、〇〇〇	金禹玉
同	コハラ受負師	二、〇〇〇	李本基
同	パハラ同	一、〇〇〇	金永浩
同	ヒロ市旅館業	一、〇〇〇	表相玉
同	ホノカア洋服裁縫業	一、〇〇〇	金丙稷
同	ヒロ市料理業	一、〇〇〇	林成義
同	藥種商	一、〇〇〇	鄭成九

五

六

朝鮮人勞働者の多數ハ砂糖耕作に從事するものなるか昨年六月末の調査に依れは千二百八人にして其內譯左の如し

熟練勞働者	不熟練勞働者 男	不熟練勞働者 女	不熟練勞働者 未成年者	請負者	小作者	計
二三	四〇一	四	六	七〇三	七一	一、二〇八

此外鳳梨耕作、珈琲栽培、米人家庭奉公(ヤードボーイ、ウエイター、クック)棧橋人夫其他の雜役に就働するもの約千五百人なり

七

一般砂糖耕作地勞働者の勞銀制度は昨年十一月より改正せられ男子月額給料二十六弗、女子十九弗五十仙を基礎賃銀とし男子は一箇月二十三日以上、女子は十五日以上の就働者に對し勤勞獎勵金として砂糖相場の如何に拘らす每月の收得に對する一割を支給し且又「ボーナス」基準糖價を一噸當り月平均百弗とし百弗の際五分、百弗以上一弗毎に五厘、百弗を超ゆる二十弗毎に一割の利益配當獎勵金(ボーナス)を與ふることとせり今糖價八十弗、百弗、百二十弗に對する一人當收得勞銀を記せは左の如し

一噸當糖價		收入
八十弗	標準勞銀	二六・〇〇弗
	月拂ボーナス	二・六〇
	計	二八・六〇
百弗	標準勞銀	二六・〇〇
	月拂ボーナス	四・〇三
	計	三〇・〇三
百二十弗	標準勞銀	二六・〇〇
	月拂ボーナス	六・八九
	計	三二・八九

八

砂糖耕地勞働者以外の勞銀に至ては素より一定の相場なく特殊の技術を有するものは日給三弗乃至五弗にして普通勞銀として二弗内外を仕拂はれ居るものなるも彼等は絶へす同一の働口あるにあらす且又耕地勞働者の如く耕主より住宅、水、燃料、醫藥を給與せられ又は糖價の高騰に依り其收入を增加せらるるものに比ふれは結局其收入に於ては大差なきものの如し

一昨年五月糖價暴騰して一時一噸四百七十一弗四十仙(大正十一年八月一日一噸時價百七弗九十仙)を唱へ同年六月末に於ける一箇年平均相場一噸二百六十八弗となり當時の舊勞銀制度に依り最低月額二十弗の勞働者にして每月二十六日宛就働せし者は一箇年總收入二百四十弗なるか之に對する奬勵配當額は二十七割六分卽ち六百六十二弗四十仙を得一箇年を通して本給共月七十五弗二十仙の割合となる然れとも斯る好景氣は勿論稀有の事にして昨年の如きは糖價俄に暴落して近年になき不況時を現出せり兎に角布哇は勞働者に執りては生活頗る安易の地にして勞働を厭はさる者には生活難なるものなし

五　敎育

(イ)米人經營の學校

一九二一年六月末布哇縣下に於ける公私小學校は二百三十三校此生徒數四萬八千七百二十四名にして此内朝鮮人子弟八百九十八名にして年年著しき增加を示し居れるか今過去四箇年間の生徒數を擧れは左の如

し

年別	公立	私立	計
一九一八年	四〇九	一三一	五四〇
一九一九年	四四六	一七四	六二〇
一九二〇年	五〇八	二二一	七二九
一九二一年	七〇四	一九四	八九八

一九二〇年六月末に於ける公立學校在籍者を各島別に擧れは「オアフ」島二九八(ホノルルチ含ム)布哇島一一一、加哇島五七、馬哇島四二計五〇八なり

尙ほ當地各種專門學校に於ては常に朝鮮人二三名其他公私立中學校に於ては十數名の在學者あり本年六月布哇大學及各中學校朝鮮人卒業生數左の如し

布哇大學卒業生(得業士)　一
マッキンレー、ハイスクール　五(內女二)
太平洋學院　四(內女一)
イオランハイスクール　一

(ロ)鮮人經營の學校

布哇に於ける朝鮮語學校は一九二〇年十一月の臨時縣會に於て通過したる外國語學校取締法に依り日本語學校と同樣布哇縣敎育課管理の下に置かるることとなりたるか同法に依り昨年十二月迄敎育課の學校經營に對する許可書を得たるはホノルル市に三校、オアフ島に三校、馬哇島一校、布哇島二校合計九校にして敎員檢定試驗に合格し敎員免許狀を得たるもの十三名、全島の生徒數三百四十餘名なるか從來各耕地に散在せし所謂寺小屋式のもの多數は昨年新取締法實施後全く一掃せらるるに至れり而して是等鮮人學校は彼等の基督敎會の附屬事業にして敎員俸給竝維持費の一部を各耕地砂糖會社より補助を受け經營しつつあるもの多く從て牧師と敎員を兼任するもの亦多し

今其所在地敎員及生徒數等を擧れは左の如し

所在地		學校名	生徒數	敎員數	敎員名
オアフ島	ホノルル市リリハ街	朝鮮人學校	一二〇	三	Yee Kin Yeun(校長) Miss Dara Park Choong H. Shin
同	同キング街	聖公會朝鮮人學校	六一	一	Pyeung Yo Cho
同	ワイアルア	ワイアルア・同	五九	二	C. D. Choy(校長) H. D. Lee
同	エワ	エワ朝鮮人語學校	二一	一	Kim Chung Koo
同	ワヒアワ	朝鮮人學校	二二	一	S. K. Whang
同	カフク	カフク朝鮮人學校	二〇	一	W. C. Pang
馬哇島	マカワオ	東聖學校	一六	一	Hee HongPork
布哇島	ヒロ市	朝鮮人學校	二三	一	Kwan Mook Lee
同	ハカラウ	同	未詳	二	Shin Ho Char(校長) Chai Young Yoon

六　宗敎

布哇在住鮮人間の宗敎としては基督敎あるのみにして現下多數の信徒を有するは「メソヂスト」敎會第一位を占め新立敎及聖公會派之に亞き組合敎會派に屬するものは甚た小數にして鮮人の爲特に設立せる敎會堂なり救世軍は加哇島「ホノカア」耕地に一鮮人敎會を有するのみにして「ホノルル」等に於ては各國人共同の敎會堂に集會し居れり今重なる三派の現況に就て述ふれは左の如し

(イ)メソヂスト敎會

當地メソヂスト派傳道會社の補助に依り島內各地に於て比較的完備せる會堂を有し居れるか三四年前頃迄は朝鮮人の所謂獨立運動に對し米人間に相當同情を表したる結果前監督の時代には年年三四萬弗宛の巨額を鮮人傳道資金として同傳道會社より支出し「ホノルル」市「ポンチボール」街に鮮人敎育を目的とする稍廣大なる學校を設立し白人の 敎員五六名を傭聘し 盛に鮮人子弟を收容し 又一方各地敎會堂に對しても出

來得る限り鮮人教化に援助を與へたるため一時は隆盛を見たるも彼等鮮人の國民性としては多數集合する所には自然黨を結ひて相爭ふの風あり基督教會堂は遂に彼等政治的黨派の爲に利用せられて宛然議論場と化し牧師傳道師學校教員等も亦之か渦中に投せられ遂に當時李承晩に屬するものは「メソヂスト」派より分離して新立教なる一派を創設し今日猶は之を繼續し居る有様なるを以て曾て朝鮮獨立の美名に對し多大の同情を有し居りし米人等まて漸く彼等の行動に對し顰蹙し始むるに至り且傳道會社に於ても教會に集合し來る鮮人の多數か殆と宗教的信念なきことを看破し從來の積極的教會擴張方策は却て鮮人社會の黨爭を助長し傳道事業の大局上に甚しき蹉跌を來すへきことを虞り三年前現監督米人ウイリアム、エッチ、フライ氏就任を機として所屬教會の一般補助金を削減すると同時に前記大規模に經營せし鮮人學校を閉鎖する等斷乎たる措置を執るに至りたるため今日にては同派に籍を置くもの從前に比し殆と其半數に滿たさる有様なれとも之か爲却て良信徒を得て堅實なる發達をなしつゝあり

（ロ）新　立　教

新立教は前述の如く「メソヂスト」教會に於ける李承晩派に屬する信徒等か黨爭の結果分離して新立教なる名稱を附したる獨立教會を組織したるものにして「ホノルル」市外「ワイヤラエ」に唯た一教會堂を有するに過きさるも李承晩か假大統領となるや無智にして元來信仰心薄き鮮人等は爭て其教會に赴き一時は「ホノルル」に於ける他教會を凌駕するの勢を示せり然れとも李承晩か布哇に於て其信用を失ふに從て信徒

一三

も漸次減少し現今は牧師閔燦鎬か僑民團長及國民報社長を兼任し居る關係上他鮮人教會に比し相當信徒を有し僑民團員の集會は同教會堂及附屬鮮人學校ニ於て之を爲し居れり諺文「太平洋雜誌」は同教會の機關雜誌にして閔燦鎬之か主筆たり

（ハ）聖　公　會

鮮人聖公會は當地米人聖公會の管理補助の下にありて一切の指揮を仰き居れるか鮮人會堂としては「ホノルル」「オアフ」島「ワイパフ」及布哇島「コハラ」に於て僅かに三箇所を有し同派所屬の信徒は昨年末調査に依れは「ホノルル」及「ワイパフ」教會百七十人布哇「コハラ」五十八人此外白人聖公會に籍を置くものを合せて約三百餘名に過きす然れとも當地朴容萬派に屬する朝鮮人獨立團は僑民團員の多數か新立教に集まるため之か對抗策より自然聖公會に赴くこととなり是等の關係上より現牧師趙炳堯は獨立團の役員にして同團の集會は教會に於て行ひつつあり

（ニ）各教會所在地及牧師姓名

今各教會所在地及牧師氏名を記せは左の如し

島別	地名	各派名	牧師氏名
オアフ島	ホノルル	美以教會	黄思濬
同	エワ	同	林俊鎬
同	ワヒアワ	同	金基淳
同	ワイアルア	同	朴鍾壽
布哇島	ヒロ	同	李観默
同	コハラ	同	金利濟
加哇島	コロア	同	洪植
馬哇島	プウネネ	同	朴弘
オアフ島	ワイヤラエ（ホノルル市外）	新立教	閔燦鎬
同	ホノルル	聖公會	趙炳堯
同	ワイパフ	同	Choo Won Yer
布哇島	コハラ	同	H. H. Lee
オアフ島	ホノルル	救世軍	李奎鉉
同	同	同	金官汝
同	同	同	韓吉憲
同	同	同	趙敬天
布哇島	ホノカラ	同	田敬承
オアフ島	ホノルル	ヌアヌ基督教青年會朝鮮人部幹事	李太成

一四

七　衛　生

在留鮮人の衛生思想は他人種に比し極めて幼稚なるため其死亡率は最高率なる布哇土人に亞く昨年度中

一五

の出生者二百十九人に對し死者八十七人にして又瘋癲白痴者の數も他國人より遙に多し

昨年度中の結核患者新發生數四十三名にして同年度末現在數男二六、女二合計二十八名なるも一九二〇年度末に比すれは十八名を增加し又癩病患者は昨年度末各地收容所の現在數十一名にして其全部は男子なり

八　犯　罪

在留鮮人中最も多數なる罪科は詐欺取財、密釀、賭博、竊盜等にして右の内詐欺取財及竊盜の被害者の多くは常に日本人なるか彼等不良の徒輩は『朝鮮内地の鮮人は日本人に欺かれ其財を失ひつつあるものなれは布哇に於ける吾等は在住日本人より其賠償として騙取する當然の權利を有す』と放言し居る由にて實際ホノルル又は耕地の日本人雜貨店にては朝鮮人に對する貸倒れ尠からすと云ふ

昨年度末卽ち一九二一年六月三十日の在監者人種別を擧れは左の如くにして内鮮人四十一名なるか其人口の比率より之を見れは當地方にて最も剽悍不良なる「ポートリコ」人に次き犯罪者多數なり

人種別	在監者數	人種別	在監者數
比律賓人	二〇九	ポートリコ人	五七
布哇土人	一三五	支那人	四二
日本人	七四	朝鮮人	四一

一六

米國人	四〇	墨西哥人	一
葡萄牙人	三七	英國人	一
西班牙人	六	タヒム人	一
露西亞人	三	サモア人	一
南米人	三	計	六五三
獨逸人	二		

尙は當地少年裁判所に於て有罪の判決を受けたる不良少年少女にして宣誓解放を爲し難きものは之を職業學校に收容するものなるか昨年度中同裁判所に於て取扱はれたる朝鮮人は男兒一人女兒四人にして内三人は竊盜罪なり

九　米國官廳に雇傭せらるる鮮人

當地郵便局及裁判所等多數外國人の出入する官廳に於ては各國人通譯を雇傭し居れるか現今鮮人の使はれ居る所は五箇所にして其姓名を揚くれは左の如し

ホノルル郵便局　鄭鳳觀
土地調査局　金吉石

ホノルル市郡警察署　趙今文
縣第一巡廻裁判所　朱明根
移民局（隨時雇入通譯）牧師趙炳堯

十　結社團體及其機關紙

（一）僑民團

僑民團は元國民會と稱し其起源は明治四十二年十月なり大正二年一月米國政府の認可を得て財團法人組織に改め其後幾多の變遷を經て現今は李承晩派に屬し大正十年三月上海なる所謂韓國假政府發布の僑民團組織令なるものに依り僑民團と改稱し本部を「ホノルル」に置き團長として鮮人敎會牧師神學士閔燦鎬を副團長としては鮮人商買中の最富者の一人安元奎を選擧し同時に各地へ數十箇所の支部を設け盛に團員の募集運動を試みたる結果全島にて約二千餘名の團員を得たるも李承晩の勢力頓に減退し殊に華盛頓會議後在住鮮人間に於ては豫てより排日鮮人等か高唱しつつある韓國獨立の可能性に就き漸く疑惑を懷き始たるもの多く爲めに多少脫退者を生し其後の團員募集に對しては豫期の成績を擧け得さる有樣なり而して同團の經費は團員に對する賦課金方法に依り之を徵集しつつあるも獨立運動の不信と布哇唯一の產業たる砂糖相場低落により一般不景氣の結果團費の滯納者多數に上り容易に豫算を充す能はさるを以て隨時特捐金、獨

立運動費其他種種なる名目を附して募金をなし尙は假政府竝に華府駐在の歐米委員部經費として五弗より五百弗迄數種の公債證書樣のものを發行し之を强制的に購買せしめ居れり然れとも其團費すら常に不足を告け財政窮迫を感し居る有樣なれは在布鮮人の上海假政府經費分擔の如きは豫算には計上しあるも到底望なき所なり

今僑民團の重なる役員及本年度（大韓民國四年と稱す）豫算なるものを記せは左の如し

僑民團長　閔燦鎬（四五歲）京畿道楊州人
副團長　安元奎（四五歲）京畿道坡州人
總務　安鉉京（四二歲）京城人
書記　金永基（四三歲）京城人

一九二二年僑民團豫算

收入の部

一金九千七百二十一弗二十六仙　一般賦課金收入
此内重なるものを擧れは
賦課金　男千三百人　六、五〇〇弗
同　女二百五十人　一、五〇〇

過年度滯納金　一、五〇〇
一金二千八百弗　獨立運動金收入
一金千五百弗　人頭税（千五百人に對する分）
合計金一萬四千〇二十一弗二十六仙

支出の部

一金九千七百二十一弗六十六仙　一般支出金
此内主なるものを擧くれは
敎育費　二、八〇〇弗
國民報補助費　一、〇〇〇
總團長　八六四
雇人給料　七三六
一金二千八百弗　内外獨立運動金
一金千五百弗　政府補助
合計一萬四千〇二十一弗二十六仙

又僑民團は其機關紙として諺文「國民報」を有し彼の大正八年三月一日朝鮮内地に於テ多數鮮人か韓國獨

立萬歳を叫ひ騒擾をなしたる日を以て獨立宣言日とし大韓民國元年の年號を用ゐ居れるか常に過激なる排日的言論を掲け總督府の施政を呪詛し且我政府の鮮人虐待の虚報を傳へ在留鮮人をして日本政府の眞意を誤解せしめ日本を呼ふに故らに「倭奴」とし我皇族並李王家に對し不敬極まる文字を用ゐ快哉を叫ひつつあり然れとも鮮字新聞としては布哇に於て唯一のものなるを以て相當讀者を有し發行部數約千餘部にして其經營に就ては絶へす困難を感しつつも近來休刊することもなく一週二回の發行を繼續しつつあるものなるか同紙社長は閔燦鎬にして主筆たりし李鐘寛は米大陸へ渡航すへき希望ありとの事由を以て近く辭職し李完奎之か後任となれり

同社の本年度豫算を掲れは左の如し

収入の部

一金五千五百八十五弗

此內譯

新聞代金(購讀者千三百人)	二千六百弗
民團補助金受入	千弗
廣告料收入	九百弗
其他	千〇八十五弗

二二

支出の部

一金五千五百八十五弗

此內譯

主筆給料	八百六十四弗
印刷人男女四人	千九百弗
事務員	六百五十弗
其他雜費	二千百六十七弗

二三

(二)朝鮮人獨立團

朝鮮人獨立團は大正七年十一月末朴容萬か李承晩との軋轢に依り國民會より脱會して李一派ニ相拮抗せんか爲め聯合會なるものを組織し機關紙太平洋時事を創刊したるに始り後ち獨立團と稱せしか大正十年四月布哇縣知事の認可を得て法人團體とし朝鮮人獨立團と改め本部を「ホノルル」に置き各島に支部を設け總團長として申洪均、副團長として姜永孝を選擧し最近申洪均は團費を私消したるため其職を退くこととなり姜副團長其後任となり目下全島にて約千名の團員を有し居れるも獨立運動の如きは朴容萬の失脚以來李承晩派の如く何等具體的行動に出つるを得す

團費としては月例金、特捐或は獨立運動金等の名稱の下に各團員より支出せしめつつあるも之か徵收には尠らさる困難を來し僑民團よりも更に財政窮乏を訴へつつあり而して同團機關紙太平洋時事は是又常に排日記事を掲け居れるか國民報の如く甚しく過激ならす發行部數は約六百部にして一週一回の週刊諺文新聞なるも始終休刊をなし其經營には多大の困難を感し其使用の印刷機械の如きは室貸業南世云一個人の私金を以て購入せるものなり社長兼主筆許溶は本年五月發狂自殺し李錫祚其後任となれり

尙ほ國民報か民國何年の年號を用ゆるに反し太平洋時事は朝鮮建國紀元四千二百幾年と記し居れり

現在の主なる役員及本年度豫算を擧れは左の如くにして豫算は僑民團のものに對抗して之を編したるものなれは孰れも彼に比し多額なるも到底信を措き難く其團員數より云ふも亦新聞購讀者數より考ふるも實は僑民團豫算の半にも達し能はさるへし

朝鮮人獨立總團長	姜永孝(四二歳)平北平壤人
副團長	目下缺員
總務	李錫祚(四二歳)黄海道
太平洋時事社長兼主筆	李錫祚

本年度獨立團費豫算

金一萬四千四百十六弗	收入
金一萬四千四百十六弗	支出

二三

本年度太平洋時事社豫算

金六千六百弗	收入
金六千六百弗	支出

二四

(三)大韓人婦人救濟會

婦人救濟會は貧困者の救濟並に韓國光復運動を後援するを目的とするも素より何等の資金あるにあらさるを以て有名無實の一婦人會に過きす本部を「ホノルル」に置き布哇全島に十八箇所の支部を設け約六百名の會員を有するも其救濟事業の如きも成績亦見るへきものなし同會は一の婦人獨立團體なりと稱し居れるも其會長は新立敎牧師閔燦鎬の妻にして其役員の多數も亦僑民團員なるより見れは同民團附屬のものたるは疑なき所とす

尙ほ『同婦人會は韓國獨立運動開始以來日本監獄に投せられたる傳道師及其基督敎信者の家族慰問の爲千五百弗を又一昨年日本軍隊か滿洲に於ける朝鮮人村落を燒拂ひたるため無一物となりし困窮者の救助費として三千弗を大正九年中送付セリ』云云との大々的宣傳をなしたるか當地の英字新聞は“Korean Women Active in Relieving Destress” と題し同婦人會員集合の寫眞を掲け以上の記事を其儘英譯して轉載せり

㊙

大正十二年四月

情報彙纂　第十一

朝鮮人の思想

朝鮮情報委員會

朝鮮人の思想

京城覆審法院判事　杉浦武雄

自分は右の題の下に、朝鮮人の思想の全般に亙つて考へようとするのではない。單に朝鮮人は日本に對し如何なる考を有つて居るであらうか、そして其の考は將來どんなになり行くであらうかを考へて見ようとするのである。從て朝鮮人の獨立思想と云ふ點に一番多くの注意を拂つて行くことになる。

朝鮮人で苟も國家の何物なるかを考へる位のものならば、朝鮮の獨立を希望して居ない者は一人もあるまい。だから朝鮮人は獨立を望んでるだらうかと云ふ疑問は意味を爲さない。問題は朝鮮に於て今後大正八年三月勃發したような獨立運動―少くとも形式上―が起ることがあるだらうかと云ふに歸する。問題をこう改めて見ても馬鹿〳〵しいように思はれる。而しながら考へ方によつては必ずしもそうでない。實際大正八年の獨立運動だつてそれ程長い間の計劃の下に起つたものでもなければ、又其れ程合理的な理由があつてのこととも思へない。殊に愛蘭問題もあることだ。必ずしも樂觀的な見方許りも許されない。愛蘭がヂェームス二世を助けて英國に反抗を試みたのが一、六九一年頃だから此の年から起算して見ても英愛問題は二百年餘の歴史を有つことになる。其の間あのチッポケな愛蘭が大英國を向に廻して戰つて來た有樣は

想像に餘るものがある。昨年一月七日の愛蘭臨時議會で英愛條約を批准し一段落を告げたようなものだが、未だ北部諸郡は依然として從來の態度を繼續するだらうと觀測されて居る。日本と朝鮮、英國と愛蘭其の地理的關係、人種的關係、若し類推が凡ての場合に適當であるならば、日本は將來英國が苦しんだ程苦しまなければなるまいと云ふ結論になる。其の上英國は愛蘭の外にもつと重要な殖民地を澤山有つて居る。日本は朝鮮を唯一の殖民地と重用視して居る。朝鮮は愛蘭よりも耐へ難い地位に居るとも云へる。

茲に於てか朝鮮に將來獨立運動が起るようなことは無いだらうかと云ふことも問題になるわけである。依て自分は大正八年の獨立運動の環境、性質を考察して此の問題の解決としようと思ふ。

大正八年の獨立運動の中心を爲した者は所謂孫秉熙等の紳士組の獨立宣言である。該宣言は大正八年三月一日李太王國葬の日に先つこと二日多數人士の上京を機とし京城パゴダ公園に於て獨立宣言書の朗讀によつて發表せられた。宣言書に署名せる者三十三名、天道敎、耶蘇敎、佛敎の名士を包含して居た。宣言文は同志者の一人なる崔南善によつて起草せられ大要左の如き趣旨のものであつた。

朝鮮の獨立國なること、朝鮮人の自主民なることを宣言す。朝鮮の獨立は時代の大勢に順應し、人類共同生存權の正當なる發動にして、何物と雖阻止抑制すること能はざれば、其の目的を達すること疑なきを以て、朝鮮民族は宜しく最後の一人、最後の一刻に至る迄、獨立の意思を發表し、互に相奮起して日本帝國の羈絆を脱し、朝鮮の獨立を圖らざるべからず

宣言書發表と同時に日本政府、貴衆兩議院、朝鮮總督府に宛てて朝鮮獨立の通告書を送り、米國大統領ウイルソンに宛てて其の民族自決主義を稱讃せる朝鮮獨立請願書を送り、巴里の講和會議に於ける列國委員に宛てて朝鮮獨立の意見書を送ることとし、之等書面の各送附方及獨立宣言書の配布方につきては天、耶、佛各派間に各分擔を定めて之に當り、堂々たる大運動を起した。京城府内に於ては豫め相談し置きたる配下の學生生徒を使用して特に猛烈なる宣傳を行ふた。此の運動の報告が地方に傳はるや全鮮各地尠からざる騷擾が起つた。

獨立運動は左の如き形式をとり外觀頗る堂々たるものがあつた。が而し其の内容は全く之と異つて居る自分の考察には其の内容が必要である。以下少しく其の内幕を見よう。

獨立運動が獨立の希望に基くことは當然だ。が而し獨立の希望の存在は常に必ずしも獨立運動となるわけではない。當時獨立運動者は獨立の希望の外に何を有つて居たか、彼等を獨立運動に導いたものは何であるか。自分は法廷に於て所謂紳士組の人々から何物をも聞かなかつたと思ふ。「或は吾々四千年の歴史を有する朝鮮民族は……」とか。「吾々一千七百萬の同胞は……」とか。「日本人が吾々をヨボと云ふのが癪に障はつたから……」とか。要するに獨立を希望するから運動したのであると云ふに歸著し、眞に其の希望は尤もと思ふが、獨立運動を爲したる動機としては物足らなかつた。其の巨頭とも見るべき孫秉熙はこんな事を言ふた。「自分は元來親日派であつて、以前は日本の便宜も計つたし、日本も自分達を認めて呉れた、

某々將軍等とは膝を交へて快談したものだ。然るに日韓併合後彼等の私に對する態度が一變した。彼等は私に面會することさへもせぬ。第一之が氣に入らぬ。次には自分が命とも思ふ天道敎に對しての總督府の遣り方が癪だ。既に集めて仕舞つた寄附金迄を返還さすとは何事であるか。此の如き待遇を受けては日本に反感を懷くのは當然ではないか」又耶蘇敎の名士だつたと思ふが次の樣な陳述を爲した「自分は元來宗敎家であるから政治問題には關係したくないと思つて居た。又朝鮮が日本に併合せられて居るのも、天意であると信じて居る。朝鮮の獨立を望希する點は人後に落ちないが、人爲的には贊成したくなかつた。只自分は世界の大勢を見て天が朝鮮の獨立を許させ賜ふ時が來たと思ふたから遂動いたのである」と

何れも自分を首肯せしむるに足りない。其の上獨立宣言書發表に至る迄の耶蘇敎側と天道敎側との交渉顚末も亦注意して置かねばならない。卽天道敎側で獨立運動をしようと相談が出來た頃耶蘇敎側も贊成であるとの事が解つた。玆に於て兩派幹部の會見となり、耶蘇敎側は崔麟の仲介で天道敎側から運動資金五千圓を借受け成るべく同一步調に出ようと約束した。ところが天道敎側は飽迄獨立宣言を行ふからと主張し、耶蘇敎側は獨立請願で行かうと主張した結果、其の意見の相異が仲々折れ合はなかつた。―關係者の一人なる吳基善は獨立宣言に反對だと云ふて、連盟から脫退した事實によつても如何に兩者の折合ひが六ケ敷かつたかを想像することが出來る―。漸く大正八年二月二十四日になつて、耶蘇敎側が折れることになり、兎も角も一致の行動に出る事が出來たのであつた。此の經緯を冷かに觀察すれば先の五千圓が、耶蘇敎側を心ならずも獨立宣言に贊成するように餘儀なくしたのではないかと疑ひたくなる。

以上の樣な人々を集め兎も角も獨立運動の形をとり堂々と最後の一人、最後の一刻迄奮起すると高唱せしむるに至らしめたのは崔麟の力である。自分はあの獨立運動を崔麟一人の劃策と思ふも差支ないと信じて居る。然らば崔麟其の人は如何なる考を有つて居たか。

法廷に現はれたる彼は年四十三、中肉、中背、端坐、下俯、裁判長の質問に對し最も簡單に答辨した。他の或者のやうに國士を以て任ずることもせねば、立役者であつたやうな風もしない。丸で反對であるかも知れぬが自分はふと由井正雪はこんな男ではなかつただらうかと思つた。彼は單に「自分は朝鮮人だから獨立を希望する。民族は各自主でなければならない。世界の大勢が左樣に動いて來たと思つた。獨立がきつと出來ると云ふ確信はなかつた。獨立が出來たら如何してやつて行かうと云ふ考はなかつた」。と答へた。

之は變だ。獨立運動の主謀者が獨立後の方針について何にも考へて居らぬと云ふことは腑に落ちぬ。崔麟が考へて居なかつた位だから外の連中が考へて居やう道理がない。崔麟が虛僞を述べたとは思はれない。だから誠に變だけれども何人も獨立後如何してやつて行くと云ふことを考へずに獨立運動をやつたのだと信ずる外はない。

こうなると疑ひたくなる。彼等は本氣で獨立運動をやる氣だつたのだらうかと。崔麟は、ことによると

彼の由井―正雪の樣に「幕府の政治が惡くて上下萬民困窮して居る。之を坐視するに忍びず事を上げたのである。先づ元兇酒井讃岐守を遠流に處し、暫く籠城して天下の成行を見て居り、其の上如何やうにも御成敗せらるる考へであつた。幕府を顚覆する念慮等はない」と云ふ位の考ではなかつたらうか。卽政治的に朝鮮人の地位を高めるのが主たる目的で、獨立と云ふ點は出來れば幸位に取扱つて居たのではあるまいか。

ところが左樣でない。然らば如何見たらよいか、獨立運動主腦者の考が右述べた樣であつたに拘らずあんな大騷の起つたのは、一に米國大統領が講和基礎條件として十四箇條の覺書を示した中に、殖民地等に關する事項は民族自決主義に從ひて解決すべしとあつたので之に勵まされた結果と見るべきである。彼等は其の獨立宣言書に記載したやうに朝鮮民族が最後の一人、最後の一刻に至る迄、獨立の意味を發表したならば諸外國も默殺は出來まい。日本も餘義なく朝鮮の獨立を承認するであらうと考へたのである。既に諸外國の力を借つて獨立を爲すのであるから、獨立後の事も諸外國に任せる積りで居たのである。扨こそ彼等が最後の點を考へて置かなかつたのである。こんなに判然しては居なかつたかも知れないが、先づこう等て間違ひなからう。序ながら或は獨立宣言書が李太王の國葬の二日前に發表せられたのを見て、李朝に對する崇敬の念が奮起して、彼の運動を見るに至つたのであると云ふ人がある。自分は之に贊成が出來ない。右の如きは日本人の心持から類推した結論であつて、朝鮮人の場合に當嵌まらない。自分の考へによれば事實朝鮮人は必ずしも李朝を愛惜し、李朝を崇敬して居ない。李朝亦必ずしも全朝鮮人から之を期待する資格がない。而しながら朝鮮人にとつて李朝の滅亡は同時に朝鮮國の滅亡であつた。李朝の滅亡を必ずしも悲まない人々も朝鮮國の滅亡には無念の齒を噛んだ。彼等は李太王の國葬を行ふの日朝鮮國の國葬を行ふと感じ、李太王の輓歌を朝鮮民族の輓歌と聞き、朝鮮人の心は例外なく悲痛を極めた。斯くして朝鮮人の民族心は從來に類例なき程度に高調を示した。烱眼なる崔麟は此の機會を見逃がさなかつたのである。否々彼自らも此の心理に動かされた一人であつたのだ。

所謂獨立運動を左樣に觀察して來ると少しく朝鮮の人情を知る人には獨立運動の起つたことを極めて自然的だと考へるであらう。

支那に所謂支那人の喧嘩と云ふのがある。雙方聲を大にして虛勢を張る。之を聞く者は定めし澤山の怪我人が出ただらうと思ふが、決してそんな事はない。一人二人の死人が出る等と云ふことは稀有の事に屬する。此の喧嘩の公式は小は無賴の徒の少さな出合ひから、大は張作霖、吳佩孚間の政爭迄に當嵌まる。朝鮮にも朝鮮の喧嘩の公式がある、支那の夫れとは多少趣を異にするが、大小凡ての喧嘩に當嵌まることは同一である。先づ喧嘩の當事者は此所に喧嘩が有るぞと第三者に告げる意味での奴鳴合が始まる。途方もない聲で罵り合ふので、事情を知らぬ內地人なんかは命の取り遣りが始まる位には思ふ。其處へ悠然として大勢の見物人が集まつて來る。尤もらしい顏をして眺めてるのもあれば、喧嘩の理由を傍の者に聞い

てるのもある。其の内に喧嘩の當事者中自分の方が理窟がよいと信ずる方が傍觀者に對して一わたり喧嘩の原因と相手方の暴行とを説明する。相手方は之に對して抗辨する。傍觀者は長いキセルを啣へながら何かしら判斷する。朝鮮語の判らない内地人が何だか樣子が變だなと思ふ頃には喧嘩はもう濟んで居る。理窟の惡い當事者は三丁も先を歩んでる。何時であつたか傭屋が客と賃銀の事で喧嘩をしてるのを見たが傍觀者に内地人の僕が混つてるのを見て傭屋が内地語で説明をしたことがあつた。實際朝鮮人は審判者に自己の立場を訴へることの得意な民族である。反對に血を流して單獨に矢表に立つことの嫌ひな民族である。彼等が賭博や訴訟を好むのは、必ずしも射幸心から説明しなくとも此の心理から充分に説明がつく。勿論朝鮮人の此の性質を本然の性質と考へることは間違つて居ようが、立國以來の歷史に鑑みれば、可成り長い間に修得した第二の民族心と考へることは間違つては居まい。内地人杯は相當の人物でも一寸辟易する法廷へ來て何にも知らぬ田舍者の朝鮮人が堂々と自己を主張する所は實に奇蹟と云ふてよい。

自分は大正八年の獨立運動を此の民族心理に基くものと斷定して誤りなきを主張する。此處に於て自分は第一段の結論たる朝鮮には第三者の後援なくして今後獨立運動の起ることはあるまいと云ふ斷定に達した。—勿論朝鮮が内地よりも實質的に偉大になつた場合は別だが之は現在の問題に關係がない。

然らば進んで今後朝鮮の獨立運動を援助しようとする第三者が現はれることがあらうかを考へて見なければならない。尤も國際關係は理論一片では推す譯に行かないが、之を取扱ふには矢張り理論を辿つて見る外はない。自分は朝鮮獨立と云ふことと表裏して考へらるる、日韓併合は日本にとつて正當なりやと云ふことを端的に考へて此の點を片付けることとする。

米國商務官ア氏ガ「アトランチック、モンスリー」誌に掲げた一論文は公平な正論と思ふから左に引用することとする。

「日本が朝鮮を併合するに至つた遣口に於ては非難すべき點がないではないが、之は日本として必要上、已むを得ざるに出でたものである。卽ち朝鮮が獨立を失つたのは、何よりも最も、地理上の關係が然らざるを得ざらしめたのである。朝鮮半島は眞直に日本に擬せられた短銃である。此の短銃に丸が込まれて居ずに机上に安置せられた間は先づ〳〵日本も安心して居られた。而し面白くない國が密に其の短銃を手に執らうとするを見ては、日本としては自己の安全の爲に決然たる行動に出なければならなかつた。自衞は自然界の第一原則で國家に於ても個人に於ても同樣に必要である。日清、日露の兩戰役は此の爲に已むなく起されたものである云云」

自分は日本が朝鮮を併合したにつきて二つの理由を擧げる。

一つは右商務官の説の如く、當時可成有勢であつた諸外國の帝國主義的政策殊に支那、露西亞の同政策が日本を嘔つて、日韓併合に追ひ詰めたと見るのである。日清戰爭の當時未だ〳〵立派に見えて居た、支那が其の侵略的野望を充たそうとして、手を朝鮮に延ばして來た。支那の底意氣は日本併合にありと知ら

れたので、開戰當初の日本は蒙古襲來の時は斯くやと思はれる許りに震駭した。進退兩難の境に置かれた日本は乘るか反るかの糞度胸で應戰した。漸く日清戰爭が形付いて十年、日本は再び露國と戰はねばならなくなつた。當時露國は世界第一の陸軍國であつた。日本人が尊敬する西洋人の國であつた。日本は轟に も增して心配した。出來ることなら此の戰爭を避けたかつた。が而し事情は之を許さなかつた。茫々三千里西伯利亞横斷鐵道を完成した露西亞は更に其の復線工事をさへ計劃してると傳へられた。此に於て日本は一時も猶豫することが出來ぬと觀念した。一時の偸安は永久の悔を殘す虞れがある。日本は擧國一致國難にあたらんとした。日本は勝つことは勝つた。けれ共戰後事の眞相が判明して見ると、彼の軟弱外交と罵つた小村大使に感謝しなければならなかつた程日本は參つて居たことがわかつた。

日本の參謀本部の主腦に如何なる成算があつたかは知らないが、公平な觀察によれば日本が必ず勝つと誰が言ひ得たらう。西洋人達は何人も日本が勝つとは思はなかつたと聞いて居る。此の日本が日本必敗の世評の下に日本必勝の自信なく右兩役を戰ふたと云ふことだけで日本は決して侵略的野望の爲に戰爭したものでないと言ふことを斷言してよい。換言すれば日本は支那や露西亞の帝國主義的政策の犧牲となることに抵抗したのみである。朝鮮半島喪はるれば自己亦危ふしと觀念した日本は持つて生れた負けじ魂で自ら進んで骨子を投じ其の運命を一六勝負に賭したと見るべきである。果して然らば滅亡の運命を危く免かれた日本が禍の源たる朝鮮を併合して自己の存立の安定を計つたのは已むを得ざるに出た必要行爲として認めてやらなくてはなるまい。—此の間にあつて日本の政治家、軍人などの頭に帝國主義的の考へが多分に含まれて居たことは認めなければならないが、事實の眞相を洞察する人には最少限度の自衞權を行使しつつある自分の行動を、帝國主義的主張の實行であると思ひ違ひをして居た人達の己惚れが見えすくと思ふ。—日韓併合が右の如く日本の必要行爲として見るはよいとして、日韓併合の存續も日本にとつて必要行爲だと云へるか如何か?。

成程一面から見れば支那や露西亞が今日の如き狀態に陷入つた以上日本は其の必要として併合を維持して居るのでない樣にも見える。けれども靜かに考へて見れば日本が朝鮮を手離なしたとすれば朝鮮は再び日本にとつて机上に置かれた短銃となる。密つと手にして日本につきつける者が無いとは言ひ難い。其の上日本が朝鮮を離せないのは自分の第二の理由から來る。それは日本の人口問題である。日本人は世界に於て隨分生産率の多い國民である。狹少なる其の本國々土のみを以てしては如何に之を過失なく利用したところで、何時迄維持が出來るものではない。日本が海外殖民と云ふことを考へるのは已むを得ない。—尤も亞米利加邊には日本が如何に窮すればとて他國々土に其の逃け道を求めるのは正當でない。日本は其の國土を範圍として自己の生殖を調節すればよい。それが出來ねば自滅すればよい。それが日本に課せられたる運命ではないかと云ふやうな議論をする人もあるようであるが贊成出來ない。理論的反駁は略す—處が因果な事に日本人は何處へ行つても排斥せられる。北米合衆國に於て、英領カナダに於

て　最近合衆國の高等法院は日本人の「カリフォルニア」州に於ける土地所有權問題に關し日本人にとりて頗る不利なる判決を下した。判決の裏に流れる思想が人種相異の問題であるならば未だ望みもあつたが、經濟問題だと云ふに至つて策の施し樣がない。理由の如何に拘らず合衆國への日本移民は前途有望でないことになつた—玆に於て日本は朝鮮、滿洲、蒙古、西伯利亞と眼を著けた。幸に朝鮮は併合の名に於て日本の殖民地である。之を足場として滿蒙、西伯利亞政策を施し、移民を奬勵し、人口問題を解決しようと考へたのは是非ないことと思ふ。此の第二の理由は前掲諸國が日本の移民を排斥し續ける間又日本人の生殖率が低下しない間日本に對しては生死の問題として殘り、日本をして朝鮮併合存續の必要行爲たることを主張せしめ、益其の滿蒙政策に努力せしむるであらうことは亦已むを得ない。

以上二つの理由よりして日韓併合を見るならば日韓併合は内政の紊亂に苦しむ朝鮮人を助ける日本人の同情心の爲めでもなければ、諸外國の壓迫に苦しむ韓國政府を救ふ日本の義俠心の爲めでもない。日本は自己の存立防衛の爲の必要上朝鮮を併合したもので其の併合の動機に韓國の利益の爲などと云ふことを考へて居なかつたことは確である。尤も日本の此の如き態度の併合が冷靜に考へれば同時に朝鮮の爲、引いては東洋全般の爲であつたと云ふことは云はれないことでもない。自分の此の結論には反對する人があるかも知れない。而し自分には之れが眞實だと見える。眞實は之を如何にかくそうとしても顯はれる。のみならず之をかくそうとする時種々の虚僞と技巧とが行はれて人の氣を惡くする。だから斯く事實をぶちま

けて然る後誠心誠意朝鮮の爲を計るがよい。其の方が朝鮮人の爲めどれ程氣持がよいかわからぬ。—此の點につきては大に論ずべきものがあるけれど他日に讓る。

以上の如く日本が其の自衛存續の必要上朝鮮を併合し、自衛存續の必要上其の併合を維持してると見て、日本の態度は正當であらうか。進化論を信ずる自分は此の點を進化論の立場から批評して見たいと思ふ。

凡そ生物—人類をも含めて—進化の現象は第一次的には各個體は各個體に對し各團體は各團體に對し所謂自然淘汰、生存競爭の理によつて支配せられるが第二次的に相互扶助性の働くことも拒むことは出來ない。而して人類が他の生物と異るところは此の相互扶助性が自覺的であること及其の自覺徹底せる結果、理想、創造の力を有するに至つたことにあるのであるから、或意味に於て、人類のみが相互扶助性を有すると見て差支ない。而して此の第一次性と第二次性とは如何なる順序に働くかと云ふと、各個體なり、團體が生存競爭を爲しつつも尙各其の自衛存續の保證が確である時、始めて相互扶助性が働き出すのである。故に生存競爭が劇烈で各生物が其の最少限度の生存自衛すらを確保せられて居ない樣な時には相互扶助と云ふことは有り得ない。斯く見て來ると人類が各其の自覺的相互扶助性を發揮して生物界の筆頭人類として誇るを得るのも其の自衛存續が安全である間だけのことで。一旦此の點に脅威を感ずれば、彼等は躊躇なく人類であると云ふ自負心を抛棄し、平生物の昔に歸り、在らゆる知識を絞つて、他の生物には見ない程の慘酷なる生存競爭を始めるのである。

一つの事實、其れを人類界の出來事として見る時、そこに善惡、正邪の判斷も出て來るが之を生物界—人類を除いた—の出來事として見る時、何の善惡正邪の問題であらう。價値判斷をしようと云ふのが抑間違つてる。寧ろ更に一層廣く宇宙間の一つの無意的事實として見るべきであらう。孔子が倉廩充ちて禮節を知り、衣食足つて榮辱を知ると云つたのは此の間の消息を洞察したものであり諸國の刑法に緊急權を認めてるのも同樣の理由から來る。

自分は日韓併合及其の存續の事實を上述の如く日本にとつて最少限度の自衛存續の必要に出でたる行爲、卽相互扶助性を發揮する餘地のない迄に自衛存續が脅かされて居た時の行爲と見るが故に、單に之を自然界に於ける生物間の生存競爭の一事例と見る外はないと考へる。從て善惡正邪等人間の行爲を批評する爲の言葉を以て臨むべき場合でないと確信する。此に於てか日本が朝鮮を併合したことを非難することは出來ない。尤も誤解を避ける爲に一言すべきことがある。それは日本の併合後に於ける朝鮮に對する態度についてである。自分は日本は其の自衛存續の最少限度の必要上朝鮮を併合してると見たから非難が出來ないと云つた迄で、朝鮮を勝手氣儘に處分してもよいと云つたのではない。故に自分の議論からしても日本は朝鮮に臨む時飽く迄最少限度の必要と云ふことを標準としなければならない。朝鮮併合の結果日本が或程度の寛ぎを得。其の自衛存續の安全を得たとすれば、此の時を起點として日本對朝鮮の問題は直に生物界の問題を離れて、人類界の問題に歸る。從て其の後の日本の態度は凡て善惡正邪の批判の的となら

なければならない。此處に日本の朝鮮統治策がある譯になる。論ずべきことは多いが少くとも日本は自己の不自由を忍んで日本の犧牲となつた朝鮮に感謝することを忘れてはならない。

扨之で日本が朝鮮を併合したことにつき理論的には非難の餘地がないと云ふことになつた。さすれば一應第三者が朝鮮の獨立運動を援助しやうと云ふ樣なことは起つて來ないと推論してよからうと思ふ。更に現在日本に威迫を加へ得る國家は英、米二國の外なく、而も英國は日本と同樣な殖民地問題を有する關係上、日本の朝鮮政策に漫然非難を加へることは出來まいし、米國最近の態度を見れば寧ろ同國は西伯利亞及支那に興味を有つて朝鮮のことには餘り立入らぬ方針らしい。早い話が華府會議の當時米國が朝鮮の獨立の爲奔走した者に對してとつた態度を見ても此の間の消息が知れよう。

尤も時勢が變つて徹底的民族自決主義でも承認せられる樣になつたら、朝鮮を援助しようと云ふ第三者が現はれて來ないとも限らないが、自分の考では、そんな時代が來る頃には國家とか民族とか言ふ觀念其ものが丸で變つて來ようと思はれるから、そんな先のことを現在の國家思想、民族心理を根據として議論することは餘り價値のあることとも思へない。

ここに第二段の結論たる差當り朝鮮の獨立を援助しようとする第三者なしと云ふところに落ちついた。果して然らば朝鮮は其の民族性上又四圍の環境上獨立運動をやることは出來ない。卽ち朝鮮は今のところ日本との併合狀態を繼續するであらうと云ふ結論に達したわけである。

或は朝鮮に於ては現在尙獨立運動があるではないかと云ふ人々の爲に一寸御答して置かなくてはならない。成程孫秉熙が奮起した當時、一部の人が上海に逃れて假政府を設け、間島に走つた同志者と連絡をとり、獨立思想を宣傳し、同志を集め鮮內各地に人を派して獨立運動資金を徵集した頃に於ては眞面目に獨立運動をやつた者もあつたかも知れぬが、其れは本の當座のことで此の種のものは間もなく跡を絕つた。其の眞相は或は獨立運動資金募集の爲、或は右資金提供の爲に法廷に引出された人々の態度を見ればよく判かることで、大正八年から九年の初頃迄の連中には眞面目な獨立運動者も居たが、其の後の連中は多くエタイの知れぬ連中ばかりであつた。多分は上海か間島に居る邊の獨立運動者が自己の立場を維持する爲には鮮內に獨立運動の氣分が動いて居ることを必要としたので、極力無智な人々を煽動して鮮內獨立氣分の振起を計つた爲に之に引かかつた連中か、さもなくば惡賢い夜盜の連中であつて、後者は假政府の名を藉り獨立軍資金募集名義の下に强盜を働いたのであつた。裁判上も之等は多く强盜罪で處罰せられて居る。更に今日に於ては假政府無力の眞相は暴露せられて夜盜の看板にさへ足りぬ有樣となつた。故に此の種の者を獨立運動と見ることは出來ない。—尙御斷して置くが何時の世にも例外的事實は存在する。自分は鮮內一つの獨立運動者なしとは云はぬ。只其れ等の者をば變體的人物として論外に置いてる迄である。彼の最近發生した白大鎭の新天地事件及現在間島に跳梁してると云はれてる所謂不逞鮮人團につきては多少右と趣を異にすると思ふし便宜をかりて後に述べることにする。

之れで自分の議論の前提たる朝鮮は日本との併合を續けて行く外はない。又客觀的に之を非難することは出來ない。朝鮮人は獨立運動はしない。と云ふ諸點が確定したことになるから、此の狀態を基礎として朝鮮人の對日思想を論究してよいのであるが、以上客觀的見方に對し一應主觀的見方卽ち朝鮮人の併合に對する現今の心持如何と云ふことを考察して見るを便宜と思ふ。

朝鮮人は獨立運動をやる事はないが、獨立を希望しない譯ではない。況して日本の政治に悅服して居るのではない。凡そ一民族が一長い歷史と特異な風習を有つ民族が他の民族に屈從しなければならなかつたとすれば、屈從して居る民族は、無原因に獨立を希望するであらう。屈從の原因が如何にあらうと、獨立の望がかすかであらうと其れは問題にはならない。少しく物心のある者ならば心から獨立を願ふであらう。而して此の願望たるや人間自然の感情の湧き出た者で、理論から來たものではない。理論から來たものでないだけに其の根底が深い。同時に理論を以ては如何にすることも出來ない。朝鮮人の或者は日韓併合を餘義ない事情と認め、獨立の不能をもよく承知して居り、却て日本の公平なる態度をも是認することが出來る。而し是認するのは彼等の理論である。彼等の感情は此の理論によつて全然終熄することは出來ない。

此處に朝鮮人識者の煩悶がある。煩悶の彼等は何を考へたらうか。

一　日本の了解の下に獨立國たらうと考へた。之れは孫秉熙の仲間の中耶蘇敎の人々が考へたところであつた。朝鮮人としては最も穩當な考方である。其の實質は朝鮮に自治を許されたいとの希望と同一であ

る。必ずしも實現不可能な考とは思はないが。此の種の獨立を得ると云ふことは徹底的に朝鮮人の心を滿足せしむる所以でない。又今日が今日目的が遂せられると云ふのでもない。

二　右と略同一に見えるのは崔麟の考へたところである。彼は思ふた、朝鮮は飽く迄自立的に獨立しなくてはならない。但今日に於ては日本を賴りにして行かねばならぬであらう。日本を賴りにしたからとて朝鮮の獨立に傷はつかぬ。何となれば朝鮮は自分の意思でそうしたのだからである。尤も崔麟はこんなに判然りと言ふては居ないが、彼の言動に徵してそう見てよからうと思ふ。然らば實に參考品とでも言ひたい樣な微妙な考へ方である。自分等が思へば、日本の世話になれば、日本に禮を言はねばならぬ。日本の無理を通さねばならぬ。其の結果たるや朝鮮の地位が今日以上に高まるか如何かは疑はしい。而して尙彼の獨立方法は失敗に終つた。

三　亞米利加と併合する方がましだと言ふ考、朝鮮が完全なる獨立國となることは、眞に望ましいことであるけれども、現在の時世に於ては朝鮮が單獨に獨立國として存續することは六つかしい。かと云ふて日本と併合を繼續するのは不利益である。吾々は理由なく日本を排斥しようと云ふのではない。日本と併合すれば實質的には日本の唯一の殖民地とならなければならない結果、日本は政府、國民共餘すところなく朝鮮を利用しようとする。今日迄の經驗によつて、略想像がつくが、此の儘押し進んで行つたなら、幾何もなくして朝鮮の一切は日本に歸し、朝鮮人は住むに家なく、耕すに土地なき憐れな漂泊者として西伯利亞へ

でも去らなければならなくなるであらう。之等物質的な事は未だ現在に於ては忍ぶことが出來るが、吾々が日本と一對一の關係で日本と對應せねばならぬ時、常に感ずる或る種の壓迫の感は、日本人の大和民族であると云ふ自覺の熾烈なるところから來るので、吾々の一番苦痛とするところである。孫秉熙一味の中に「何故獨立運動に參加したか」と云ふ問に對して、日本人が吾々を「ヨボ」と云ふのが癪にさわつたからだと答へた者があつた。日本人から見れば愚にもつかぬ答辨と見えようが吾々から見れば痛切に吾々の心持を言ひつくしてるものと主張する。吾々は自ら「ヨボ」と呼ばれた時、若くは同胞が「ヨボ」と呼ばれるのを聞く時、眞に情ないことではあるが、憤慨の心よりも先づより多く悲哀の心持が起きる。自らの地位を諦め切つた人の心持ではないか。此の心持は內地人の何人も想像だも出來ぬところである。茲に於て吾々は考へる。所詮單獨獨立が出來ないものならば、吾々は寧ろ亞米利加合衆國と併合しよう。そこには「ピユーリタン」の外に新來の英人、佛人、獨人等多數人種が混存する結果、國家とか民族とかに對する觀念が日本の其れの如く排他的に凝結しては居なからう。そこには博愛を敎義とする耶蘇敎が行はれて居る。其處には沃野千里新來の吾々を迎へようとして居ると。

之は主として耶蘇敎を信じた人達の間に行はれた考と聞く、而し此の考は巴里講和會議、華府平和會議の際西洋人も必しも彼等の同情者でないと云ふことを知るに及んで可也り下火となり、實行不能と心付いて全く終息してしまつたらしい。近來日人の經營する學校に盛に「ストライキ」が起る。或人は日人の虛僞と

高慢とを痛感した朝鮮人の當然とるべき態度であるとさへ云ふ。

四　汎東洋主義とも云ふべき考へ方である。日本との倂合は餘義ないこととしても一對一の關係で日本と倂合してると云ふことは、朝鮮人にとつて餘りに當りが强過ぎる。又餘りに従屬關係が判然し過ぎて苦しい。諸他の事情は別にしても、朝鮮人の感ずる壓迫の感が堪えがたい。而して其の壓迫の感は右の事情から來るのであるから、倂合の仲間に支那や其他の諸國を加へて關係を復雜にすれば勢ひ右の事情を緩和する助けとなるであらう。而して此の考へたるや支那初め東洋諸國が國步艱難の現今に於ては、運動方法次第では全然實現不能とも言へないと云ふ樣な思想と、巴里講和會議の際五頭會議の結果、朝鮮人が絕大な希望を託した例の民族自決の提唱が勝利者側には何の關係もなく、單に戰敗國に屈従して居た異民族の自決を許さうと云ふに過ぎなかつたことを知り、白人頼むに足らずと憤つた心持は轉じて白人排斥の心持となり、白人、黃人の對立的爭闘の豫想より遂に黃色人種が相互に相鬩ぐの愚なるを痛感するに至り、白人種の合同ならざるに先立ち、黃色人種の大同盟を完成し、以て黃色人種の日人に對する歷史的鬱憤を晴らさうと云ふ思想とが共鳴して生じたものだと聞く、此の說には朝鮮在住の某將軍が贊成したとかで、一部青年の間に相當有力な說であつたらしい。序に同將軍が此の說の爲に非常なる朝鮮同情者として其れ等青年等に大變評判がよかつたと云ふことを聞いた。更に此の派が二つに岐れ穩和派は日本が盟主となり、北京に國都を設けて支那、朝鮮を手初めに東洋黃色人種の大統一を計らうと云ふ連中で、徹底派は同盟の分子間に

上下の差別を認めると云ふことは自然同盟を鞏固ならしむる所以でないから、日本は敢然右の大理想に跳躍する決心を以て先づ自ら國家を解體し頗る自由なる態度をもつて他國の參加を要望し以て平等なる基礎の上に一大黃色人種國を建設しようと云ふ頗る氣前のよい連中であつた。

少しでも心ある朝鮮人は己が向々種々なる計劃を立て少しでも寬いだ運命を導かうとあせつた。而し其の何れもが實行不能と判明した中彼等は先に論理的に自己の運命を悲觀した時以上に悲しかつた。斯くして彼等は理論的にも實行的にも自己の運命をよくよく轉換する途がないと知つた時、注意深くももう一度日本との提携によつて自己の幸福を招來する道がなかつたかと考へ直して見た。

日本の朝鮮統治を口にする者は、必ず先づ寺内總督の武斷政治を云爲する。其して其れは朝鮮人にとつて堪ゆべからざる者であつたと云ふ。成程一勢に「デモクラチック」に傾いて居る時代に武斷政治の堪ゆべからざるものであることは何人も認める。而し斯の如き意味に於てならば武斷政治を厭ふ心を何も朝鮮人に限つての問題ではない。内地人にとつても英國人にとつても何處の國の人にとつても同樣であらねばならぬ。だから朝鮮人の厭ふたのは、武斷政治其ものよりも、もつと根本の日本の同化政策であつた筈である。民情風俗を著しく異にする民族を同化し樣と云ふのであるから、其の遣口がどんなに穩かでも同化せられる側にとつては面白いことはあるまい。況して軍人氣質の短兵急に强いつけられては堪つたものではない。我が寺内總督は其の同化政策を徹底せしむべく、一流の武斷政策を採用したものらしい。朝鮮人が永く憤

つて忘れないのも最もである。齋藤總督は之に反して文化政策を標榜して立つた。氣の早い朝鮮人は直に凡ての點について寺内總督と正反對の政治が行はれるのだと喜んだ。若しい彼等の立場としては少しでも自己の境遇を樂觀視しやうとする人情上無理もない見方である。而し彼等の期待は少からず裏切られた。齋藤總督も同化政策を拋棄しなかつた。而し齋藤總督は「ウソ」を云つたのではない。彼は單に文化政策を高調した迄で自治主義をとるとは約束しなかつた。而して文化政策は武斷政策に對する語で同化政策に對する自治政策と云ふ語と同意義に解すべきではないからである。斯くして現時の朝鮮には齋藤總督の下に自治政策的傾向を帶びつつ漸進的同化政策が行はれつつありと云ふべきであらう。而も此の點につきては何人も異論なかるべく。特に朝鮮人としては人格的に少からず敬意を拂ひ、懷かしみの情さへ有つて居る齋藤總督すらも、日本の根本政策を如何することも出來ず、右述べた樣な態度外とれぬのだと知つたとき彼等はハッキリと日本の朝鮮に對して求むるところを感知し得た。其して彼等は、若しかして忘れられたる血路がないかと求めた努力は無駄に終つた。

朝鮮人の獨立運動は第三者の應援がなければあり得ない。第三者の援助は暫く見込がない。却つて日本の立場は是認せずばなるまい。此の前提の下に一わたり朝鮮人の煩悶を考察し自分は愈結論に到達した。

一口に朝鮮人と謂ふても有識階級と無識階級、有產階級と無產階級とによつて別人種の如き思想上の差

異がある筈であるから朝鮮人の對日思想と云ふても一樣に論定することは出來ない。自分は便宜の爲(一)無識階級(二)有識有產階級(三)有識無產階級とに分つて考へて見たい。

(一)無識階級の人々の對日思想　田舍人の全部を無識者と云ふことは失禮だが概してそうだから失禮を敢てすることにする。自分は每度田舍へ旅行するが田舍の人は太平無事である。有產者と無產者とを問はず彼等は平和である。彼等の間には政權が日本にあるか朝鮮にあるかは問題にならない。彼等には私生活の外何物もない。地主は小作米の取立許を考へて居り、小作人は小作料の引下運動許して居る。尤も彼等の中にも獨立運動をやつたものはあつた。而し調べて見ると馬鹿らしい。流石獨立を希望せぬと斷言したものは少ないが、判然獨立を希望すると云ふたものも少なかつた。恐らく其の陳述通り、朝鮮が獨立國になつて頗る目出度いから萬歲を云はうではないかと誰ともなく言ひ傳へた爲、其れは結構と許りで萬歲を連呼したのであり、序に平素氣に喰はぬ内地人の巡査の高利貸を見舞つたのに過ぎないであらう。中に奇拔なのは朝鮮が獨立國になつて、日本に捕虜になつてた王樣が歸つて來たとか、米國大統領「ウイルソン」が飛行機で御目出度を言ひに來た杯と信じてるものさへあつた。

次に有識階級の對日思想、實際國家の獨立を問題とするのは有識者の仕事である。従て曩に「ウイルソン」に請願して獨立を遂げようとしたのも、外國宣教師にだまされて米國と倂合した方がましだと騷いだのも、北京に國都を定めて黃色人種の大合同を爲ようとしたのも皆此の連中であつた。彼等什相應の識見を

有つて居る。いつ迄も實現不能の同一思想に止まつては居ない。彼等は最近何を考へてるか。自分は或時自分の生徒の或者との談話を思ひ出した。

自分「朝鮮の青年は進取の氣象に乏しいことはないかね。

生徒「進取の氣象がある筈がないではありませんか。私共には前途に何の希望もないですもの。

自分は此の返答を聞いた時、實際申譯のない愚問を發したものだと思つた。官海に於て實業界に於て、内鮮人は多く同等に待遇せられて居ない。尤も自由であるべき敎育の方面に於てすら日本の殖民政策の大方針には可也拘束せられなければならない。嘗て寺内總督は朝鮮人を内地人と同等に待遇しなければならない理由がわからなかつたそうだ。今時そんな考を有つてる者はないけれども何かと朝鮮人は損をし勝である。又殖民地に高等敎育を施すの可否及時期につきては英國の印度經營等から持來つた多くの問題があり、必ずしも朝鮮人に仕合せな決論となつて居ない。

自「君達は學校を卒業すれば何に成る積りか。

生「まあ會社へでも勤めるか役人にでもなるのです。

自「大概の人がそんな考を有つてるのだらうか。

生「大概の人がそんな考しか有つてまいと思ひます。

自「會社へ勤めたつて、官吏になつて見たところで、大したこともあるまいではないか。いつそ新聞記者にでもなつて政治運動でもやる氣はないのか。

生「新聞記者になつて見たところで仕方がありません。要するに職業として何を選擇するかの差異に過ぎませんから。現に新聞や雜誌にたづさはつてる人達も單に職業として從事して居る迄で、朝鮮民族としての信念とか主張とかを有つてる譯ではないと思ひます。

自「そんなら君達がそういふ信念、主張を有つてやつたら如何か、可也面白い仕事だらうではないか。

生「而し朝鮮人としての信念とか主張とかを有つたら、も少し徹底的なことを考へますよ。政治運動なんか馬鹿らしくなると思ひます。

自「而し君だつて孫秉熙等の獨立運動の爲に朝鮮人の地位が可也向上して來たことは認めるだらう。其の後種々な點につきて制度が朝鮮人に有利に變更せられたし又今日故閔元植等の提唱した參政權運動が當然の主張として認められ、内地人間にも眞面目なる同情者を得て來たことは全く彼の獨立運動の賜と云ふてよからう。君彼の運動は成功だよ。若し彼の運動でもなかつたら參政權運動すらも危險視されてるかも知れないではないか。僕は獨立運動に贊成する譯には行かないが、政治運動には大贊成だ。今日朝鮮の青年として政治運動にたづさはり、朝鮮人の權利伸張の爲に努力するのは頗る意義のある生活ではあるまいか。實際僕なんかは或意味に於て君達の立場を羨ましく思ふてる。と云ふのは吾々内地の青年は全く無目的に生きてるのだ。中には金を貯める爲めにとか或は妻子を養ふ爲めにとか働くと云ふものもあらうが、多

くは無目的なんだ。金を貯めようでもない。地位を得ようでもない。—又實際金や地位がそう容易く得らるゝ譯でもないし、—國家は現在吾々の奮起を要求しない。だから吾々の生活には眞劍がない。だらしなく一日〳〵を送るだけで生きてるのか死んでるのかさへ解らない。之に比べると日本も維新の頃の青年は苦勞も多かつたらうが、生き甲斐があつたらうと思ふ。彼等には國家と云ふ心中の相手方があつた。國家の爲めには何物をも捧げる積りで居たのだから其の生活には目的があり其の行爲には生氣が充ちて居た。君達は丁度彼等と同位置にある。量見の有ち樣では隨分生き甲斐のある生活が出來るではないか。僕が思へば新聞記者にでもなつて政治運動に沒頭したら面白そうだね。

生「問題が全然違ひます。維新の日本青年は獨立不羈の日本の青年でした。彼等は其の計劃が成功した時彼等の理想が實現せらるゝ譯でした、吾々は吾々の政治運動が成功しても尙日本の服從者たる地位から脱することは出來ませぬ。吾々の苦しいところは此處にあるのです。朝鮮人の或者が捨て鉢になるのは此の理由に基きます。今假りに朝鮮に自治が許されて朝鮮人の地位が内地人と同樣に認めらるゝに至つたとしても、吾々の苦痛はなほ殘ります。御覽なさい。内地人其れは彼等の間では問題にならぬ愚劣な内地人でも吾々朝鮮人に對する時には尙内地人としての誇を主張するではありませんか。朝鮮人の權利が如何に伸張しても倂合關係の存續する限り、吾々は晴れ〳〵しい心持になる時はありますまい。かと云ふて吾々は日本の態度を無理とは思はない。日本は朝鮮を倂合する外はなかつたのです。只私共は私共が朝鮮人に生れたのが悲しいだけです。

こゝ迄來て彼は突然泣き出した。自分は慰める方法がなかつた。彼は尙云ふ。

生「此間御談しました科學や哲學に沒頭することですね。私は種々考へて見ましたがあれは駄目です。第一に科學や哲學の研究に國家民族を超越して生活すると云ふことは出來たとしても、一二極めて少數の惠まれた人々に對してのみ問題となり得るので、多數の人々には何にもなりませぬ。第二に假りに哲學者として科學者として世界的な名譽をかち得たとしても、丁度あのユダヤ人の學者の樣に何となく淋しい亡國の悲哀から逃れることは出來ますまい。若しそうでない人があつたとしたら其の人は標準にならぬ例外的の人間です。どの道此の方法で民族全部を濟ふことは出來ませぬ。其の上私は朝鮮人の學問上の能力を疑つてる人間です。朝鮮に大なる思想もなければ大なる藝術もないではありませぬか。或内地人が春が來ても梅の花が咲かぬ。秋が更けても百舌が一羽鳴かぬ。朝鮮に詩人の生れないのは當然だと申したのを聞いて苦笑したことがありました。全く朝鮮には唯に藝術思想の點に限らず偉大と名のつく何物もありませぬ。私はかく思ひ廻らす時所詮朝鮮人は民族的に墮落して仕舞つたのではないかと悲しくなります。此間うかがひました樣に遺傳學說上獲得性質は遺傳せずと云ふ多數說の半面に生殖細胞は從て生物の本性は偶變によるの外變化しないと云ふことが言へるとしても、朝鮮人は民族的に惡質に偶變して仕舞つたのではないかとさへ疑ひます。或種の朝鮮人に見る虛僞、背信、厚顏無恥の態度を見てはそう悲しまなければならぬ樣な氣

がします。

自「そう考へなくてもよからう。其の點は内地人も西洋人も同様さ。同一内地人でも同一西洋人でも、教育も修養もない者の内には全然異人種ではないかと思はれる様な下級な悪質なのが居るからな。ところで此間僕が談したのは專門的に獨歩の地位を得て超國家的生活をすると云ふことに重きを置いたのではなくて、朝鮮人一般の知識を少くとも内地人に劣らぬ程に高め人格の向上を計つたならば、君達がよく云う内地人からの壓迫の感を受けなくもすみはせぬか。中に少數有爲の學者が出て獨特の名聲を博するような事になつたら、君達の對日本人感情も大分樂になりはせぬかと云ふ意味だつたのだ。

生「私もそう考へました。そうなれば吾々の心持は幾分樂になれると思ひました。吾々は無智な暴力に會ふ時癪にもさわり種々な感情が湧きますが少くとも全體的壓迫の感は起きない筈ですから。

自「單に學問修養の點許りでなく、更に物質的方面につきても内地と同一程度に達し得たら君達の心持は一層樂になりはせぬか。物質的優越と云ふことは何はさて置き力だからね。

生「考へないことはありませんが、そんな事は一つの空想だと氣がつきました。今日を標準として見てそんな時が來るとは思へないではありませんが。吾々は今日普通學校に内地語を課せらるゝことを教育上非常に不利とし此の制度が改良せられざる限り朝鮮人は内地人と同一程度に進まれぬとさへ思ふて居ります。が而し日本政府としては此の點を改良する心はありますまい。又在鮮の日本の資本は歳々年々増加して

朝鮮を資本的に征服しようとして居ります。貧弱な朝鮮人の資本で之に對抗は思ひも及びませぬ。而も日本政府として之を取締る量見はありますまい。之等弱點の存する限り朝鮮人が内地人と同様の學問智識を得るには財力を維持する等と云ふことは考へるだけでも滑稽です。

自「問題が初めて中心に觸れて來た様に思ふ。それが僕の考なんだ。つまり朝鮮人の智的、物的豐富を期待することの出來る政治を招來せしむべく政治運動をやるのだ。其れが君達の仕事ではないかと云ふのだ。教育の設備上頗る不利な立場にあると言ふなら、其の點の要求をするもよい。内地人の物質的優勢を共にするならば其の拒絶もするがよい。

生「駄目です。それが空想です。吾々には結果が見えすいて居ります。吾々が苦痛とする政策も日本としては極めて正當な政策です。正當であるから日本としては變更の餘地がありますまい。日本が政策の變更をしない限り吾々の右の努力は空想に終るべきです。そこで私等は最後にこんなことを考へました。若し吾々朝鮮人が、日本人があつさり言ふてのける様に、大和民族であると思へたらどんなに仕合せだらうと。而し貴君の言はれる様に吾々は主觀的にも大和民族であると云ふ信念が有てない上に、内鮮人間の言語、風俗、習慣等民族決定の材料たる客觀的差異が餘りに目につきます。遠い昔の代に朝鮮人と内地人とが同一人種であつたと云ふような事は、よし確證せられても、現在の吾々に何の價値もありませぬ。況して加藤清正の子孫が龍山の北梨泰院に居住してるとか、武藏の高麗郡は朝鮮人の子孫の移住したものだとか誰が誰と

婚姻したと云ふ如き事實は私共に何にもなりませぬ。

私「隨分苦んだものだね、而して凡ても否定して仕舞つたんだね。さればと云ふて死んで仕舞へもしまい。矢張り生ぬるい方法であるかも知れぬが。住み憎い世を少しでも寛ろげると云ふ意味で政治的に働くと云ふのが君達の落付く先らしいではないか。

生「そうかも知れませぬ。又多くの悧巧な人達は皆そうするらしいです。而し私は萬事八方塞がりになつてるらしい現存の吾々に今一つの方法が殘されてる様に思ひます。若し其の一つの方法がないならば私共は政治運動に猪突することが出來たでせう。

自「つまり國家民族を超越した社會運動のことを指すのだらう。君達の思想は結局そこへ落付かねばならぬのかも知れない。而し其の考の方へ進まうと云ふ考へには日韓併合問題以外の問題が混在して居ると云ふことは承知だらうね。何はさて置き其の方向へ突進する勇氣があるか。

生「其の決心がつかないのです。同し問題は内地にも有りませう。決心のつかぬ同じ様な連中が内地にも澤山居ると思ひます。

自「すると正しく日本と朝鮮即ち國家對國家の問題のみではなくなるね。

生「結局階級對階級の問題が主になりますが其れが徹底的に解決せらるる時景品として國家對國家の問題も片付くと思ひます。景品があるだけ朝鮮人には勵みがあります。

自「まつてくれ、そう云ふと君達は最先に共產主義的或は無政府主義的思想を有つて居たように聞こえるね。即ち只でも此の思想の宣傳をやらうと思つて居た矢先、それが日鮮問題解決の助けにもなると云ふので勵みがついたと云ふようにね。それは一體本當かね。而しどうだらう。有識の朝鮮人の内に本當に共產主義的若は無政府主義的思想を有する者が澤山居るだらうか。自分の地位も財產も抛打つて共產主義的社會若は無政府社會を實現させようと願つてる者が澤山居るだらうか。勿論單なる思想としては、こんな思想を有つた連中も居ようが實行しようと云ふ段になれば多くは二の足を踏むのではあるまいか。僕から思へば多くの朝鮮人は併合の苦みに悶えてる矢先自分等が共產主義的社會狀態に變つて仕舞ふことから此の苦悶を逃るることが出來ると知つた時、飛びつく様に思ふたが扨よく考へて見れば、必ずしも之を是認することが出來ないので躊躇してると言ふのが眞相ではないのか。

生「………

自「假りに君がそんな運動にたづさはるとしても、成功の前途は遼遠だね、そして君は金持の子なんだらう。

自分は此の外種々の事を考へたり談したりして彼と別れた。家へ戻つて考へた。朝鮮人青年の思想は可也徹底したところで行き詰つた。もう有識者と云ふような廣い概念の下に一般的な判斷は出來ない。有識者でも無產の者と有產の者とは非常に考が違つて來るであらう。

(二)有識有産者の對日思想　此の階級の朝鮮人はヂレムマにかかつてる。彼等は眞面目に理論を辿つて、兎も角も國家を否定する程の社會運動を宣傳し實行することが、日本の羈絆から脫する最良、最近、最後、可能の方法であると云ふ結論に達した。何となれば此の種の運動は近世の世界全般に亘つての一つの思想に根據を有して居り日本始め其の他の有力なる國に於ても相當其の共鳴者を發見することが出來ると豫想し居るからである。―此處にも亦彼等の第三者の力に賴らうとする心が見えて居る。―而し此の方向に本氣に進むとすれば何よりも先づ其の私有財産を抛棄する覺悟がなくてはならない。私有財産を抛棄することは必ずしも抗みはせぬが、此の事たるや同時に且一般に實行しなければ意味がなく、同時に且一般に實行することは殆ど不能と云ふてよい。誤つて自分一個が單獨に實行したとすれば自分一人の破滅を來たす外何物をも來たさない。假りに一齊に私有財産を抛げ出して大社會運動を起したとしても、其の結果として今日よりよき社會を作り得ると誰が保證することが出來やう。彼等は稍其の先蹤として勞農露國を見る。勞農露國の施設が目醒ましい成功を遂げなかつたのは、種々な事情があつたので、必ずしも其の主張自體の缺點と云ふことは出來ないが、後から行く者には何となく氣づかいな先例である。ああいう狀況に陷る危險があるとすれば私有財産を抛棄して必死の社會運動をやつて見ることも考へものだ。元來歷史上先例のない大變革は出來得べくんば漸進的にやるべきものではあるまいか。卽ち全世界に於ける思想が孰れ之を維持すべき道具立に或程度の見込がついて後始めて實施すべきものではあるまいか。更に彼等はこう考へる。

特に吾々にとつて心配なのは有識無産者の心持である。彼等は日本に屈從して居ると云ふことを厭ふと同樣に、否彼等が西伯利亞邊の過劇思想の洗禮を受けた今日は日本を厭ふ以上に吾々有産者を目の仇にして居る。彼等の社會運動は必ずしも日本のみを目標として居るのではない。然るに吾々は日本のみを相手として居るので全世界的共産化抔は何れかと云へば反對である。從て彼等の社會運動と吾々の其れとは其の性質に於て著しい差異がある。換言すれば吾々の社會運動は日本の優越を否定する手段に過ぎないのであるに、彼等の社會運動は何よりも先づ無産者司配の世界建設にあるので、日本に對する關係は僅に其の手段たるに過ぎないのだ。彼等の間に於ては國家とか民族とか云ふ觀念は大分薄らいで居る。然らば吾々は彼等と中途迄は一緒に行かれるが、終局迄同伴することは出來ない。否々中途迄同伴することさへも危險である。何となれば國家を破壞した時吾々の彼等に對する優越は勿論平等さへも失はれるであらうから。

更に冷靜に考ふれば日本人の壓迫に堪ゆべからざる苦痛を感じて居るのは吾々極めて少數の者だけだ。無識者の大部分は其の有産者たると無産者たるとを問はず吾々の如くに苦んでは居ない。寧ろ彼等は苛斂誅求の甚しかつた李朝時代よりも幸福な月日を送つてるとも云へる。吾々の輕擧盲動が吾々の破滅を導く許りでなく、朝鮮人の大部分である彼の平和なる、無識者の平和を破壞しないとは云へない。其の上思想

的には容易な社會運動も實行的には仲々六つかしい。其の對象とせられてる無産者さへも必ずしも之を要求してるとは言ひにくい。

人は吾々の態度を生ぬるいとも虛僞とも云ふかも知れないが吾々としては今日矢張り日本と併合を維持しつつ漸次政治的に吾々の地步を獲得して行く外はないのだ。

(三)有識無産者の對日思想此の連中の思想が一番徹底して居る。自分は此の文章の初めに朝鮮人は自ら矢表に立ち、血を流して自己の立場を主張し得ない民族であると述べたが、此の不徹底な彼等も近世人類の上に注がれた民主主義的、社會主義的思想には尠からず影響せられた。爲に彼等の民族性に多少の徹底味を加へて來たらしい。否民族性は變らぬかも知れないが人間として思想に變化を來したことは疑ないらしい。又一つには右の思想が日本と併合して居る彼等の苦境に光明的のものであつたので其の影響が多かつたらしい。兎に角朝鮮人の有識者が右の思想を歡迎したことは確かであり、之によつて併合問題を解決しようとしたことは確であつた。卽ち朝鮮人全部が否國家的になることによつて日本の國家をも破壞しようとしたのであつた。而しながら右述べたような次第で有識有産の人達が別異な態度をとらうとして以來、此の種の宣傳實行に從事することは、有識無産者の單獨の仕事に殘された。而して論理の不徹底な爲か宣傳上の策略の爲めか知らぬが彼等は此の種の思想としては景品であるべき日鮮問題を最先に振廻はして可也盛な活動を見せて居る。現狀を維持して何の希望もなく動いて何等失ふ廣なき彼等は事實日本官憲を恐るる以外に何物をも恐るる必要のない連中である。だから其の勢が貧弱である割合に其の態度が徹底して居る。而して此の連中は永久に絕對に其の運動を廢しないであらう。

が而し彼等の思想は其の本來の性質上有識有産者が想像したやうに何等かの意味に於て國際的性質を有つて居る。此の傾向は彼等が西伯利亞の過劇思想に觸れて以來益濃厚になつて來た。否濃厚にならざるを得なかつた。何となれば「チタ」政府の軍隊は武裝朝鮮人が單に日本に楯をつく一つの不逞團體である間は、之等の者達が想像したように同情を有つて與れず、却て彼等の武裝を解除しようとし、彼等の國際的共産主義化を强要したからである。從て彼等に對する關係に於て日本は朝鮮の併合者としてではなく彼等の國際運動の邪魔物であるが故に憎いと云ふことになつて來た。

彼等が此の如き思想の實行者である限り、彼等は同じ朝鮮人でも有産者は凡て仇と見ねばならなくなつた。日本人でも無産者をば味方と見ねばならなくなつた。今や彼等は日本の西伯利亞撤兵と共に直接することになつた勞農露國の思想運動を彼等の誂向の侶伴とし、在鮮千數百萬の同胞無産者を第一に其の運動の對照としようとして居る自分は間島邊に出沒する所謂不逞鮮人を此種の連中ではあるまいかと思つて居る。恰もよし舍音制度の弊に困しむ地方無産の小作農民は最早何物をも失ふことなき迄に困厄して居る。不知不識の間に社會制度を呪はうとして居る。自分は朝鮮にも多分に漏れず此の邊から徹底的社會運動が起つて來るだらうと思ふて居る。日本の朝鮮統治の大難關は此の邊に潛むと云ふてよからう。

而して何時かは朝鮮が二派に岐れ有產者は日本と共に無產者に對抗する日が來よう。次には日鮮を通じて最後には全世界を通じて貧富兩階級の横斷的爭鬪にもならうが今日に於ては僅に其の芽ばえがある許りである。

此の種の運動者の力、それは今日微弱であつても決して輕々視することは出來ない。何となれば見當を誤つて居ないからである。又此種の運動、それは必ずしも危險であると云ふて無理解に押へつけて仕舞ふべきではない、何となればそれが自然の推移であるとすれば無理解なる壓迫は却て危險であらうから。

要するに朝鮮のことは今後暫くは有產者の代表である、有產有識者が支配するであらう。彼等は日本の注文通り日本と妥協し生ぬるい政治運動に朝鮮人の地歩を獲得しようと努力するであらう。

無產有識者の運動は、それが如何に英雄的に見えようとも未だ〳〵貧弱で、彼等の運動が世界的に成功する時迄は奏功することはあるまい。從て此の方法によく日鮮問題の解決も其の時迄は望がない。

若し夫れ無識者に至つては何國の人も同じように有識無產者の警鐘に拘らず、はかばかしい覺醒も急にはしまい。

之に於て自分は思ふ。朝鮮獨立運動に關係あるらしく見ゆる凡ての運動中現存國家に對して最も危險なものは共產主義的色彩をもつたもののみである。たとへ現在に於ては其の勢力が微弱であつても將來の活躍は著しいものと豫想せらるるから、之が對應策は餘程注意し研究するところがなくてはならぬと思ふ。

共產主義的色彩をもつもの以外のものは大して恐るべきものはない。例へば爆彈の投擲だとか、ピストルの狙擊だとか云ふ種類に至つては朝鮮人の對日運動方法として有效だとは言へない。誤解してる者の爲めに一言しよう。

例へば爆彈による名士の暗殺の場合を考へる。暗殺せらるる者は、必ずしも朝鮮人に對し他の者以上に冷酷であつた爲ではない、只其の地位に居た爲めである、其の地位に居た爲に暗殺せらるるものである以上個人的怨恨の有無は條件になつてない場合が多い。既に其の人を怨むにあらずして其の人を暗殺する所以のものは暗殺其のものを目的として居ないからである。故に彼等が其の人を暗殺するは、其の人を暗殺するにあらずして、其の地位を暗殺するのであり結局日韓併合を暗殺するのでなくてはならぬ。彼等は此の大きな暗殺を遂ぐる爲に怨恨なき個人の暗殺を餘義なくせられたと云ふのでなくてはならぬ。若し此の如くんば暗殺の是認者ならぬ人々も彼等の心情を酌む事は出來る。然るに若し此の大目的なく個人の暗殺を敢てするならば人々は彼等の無智を喰ふに止まらず彼等の慘忍性を非難して止まないであらう。爆彈は其の爆發が國際的輿論を喚起し得るやうな狀況に於て投擲せられねば右の如き大目的を達成する威力を發揮しない。而して列國が日韓併合に對すること前段説示した如くである。然らば今日に於て日鮮問題の爲に爆彈を投げる如きはノンセンスと云はねばならない。

最後に自分の朝鮮統治策を述べたい。尤も上來説明せるところを精細に注意して下されば全部了解して

頂けるとは思ふが一纒にする方が便宜である。凡そ利害を異にする民族の調和は民族以上の團體概念をもつて來なくては仕末がつくものではない。例へば犬と猿とは誰が見ても幾度見ても最も仲の惡い犬と猿とである。犬を敎育して猿にする事も出來ねば猿に遠慮さして終始犬の眞似ばかりさしておくことも出來ない。犬にも猿にも各其の個性があるからである。此の個性を蹂躙して犬に味方したり猿に同情を寄せたりするのは愚の骨頂である。而し犬も猿も動物たるに變りはない。動物と云ふ概念に統括せらるる時彼等はピッタリと其の處を得てビク動きもしない。昔々桃太郎は此の呼吸を呑み込んで犬と猿とを適所に使つて鬼が島を攻略した。桃太郎の成功は犬と猿との個性を認め各其の處を得せしめ、其の間不平なからしめたにある。彼が若し取つて來た寶物を分配する際不平不公平を敢てしたならば彼は恐らく犬をも猿をも失つたであらう。而し此處迄は彼の伽噺に書いてない。

日本人と朝鮮人。如何にすれば其の所を得るか。日本人を偏愛してもいかない。朝鮮人を偏愛してもいかない。然らば兩者を絕した團體概念は何か。人類!! 然り人類愛を高調することなく日鮮問題を論ずることは絕對に不能である。(人類愛。廣くすれば全世界に及ぶべきものであるが差當り上述の因緣によつて結ばれた日本朝鮮の地域に在住する人類相互の愛と限定しても差支へない)

日本人と朝鮮人。合一して考ふる時、正に地域を同ふし、利害を同ふする人の集りである。此の人の集りが同一人類意識の自覺の下に各他を認め、平等の運命を確信する時、日鮮問題は問題でなくなる筈である。

此の方向への歩みは既に明かなるが如く、内鮮兩民族平等の大本を確立することから始まらねばならぬ。之に於てか日本政府は先づ何は措いても兩民族間に存する形式上、實際取扱上、一切の差別を撤廢しなくてはならぬ。而し之は寧ろ容易なことで此の點だけなら早晚實現せられよう。自分は更に内地人、朝鮮人間に存する智識上及物質上の差異が自然的にもたらす不平等を氣にして居る。何となれば此の不平等の存する限り政府よりする平等待遇の原則が確立せられても朝鮮民族の不平は毫も緩和せられないと思はるるからである。故に日本政府は兩民族間に存する形式上實際取扱上の一切の差別を撤廢する外更に進んで兩者間の智識上物質上の差異減少に全力を注がねばならない。具體的方法としては朝鮮人の修學に對するあらゆる便宜をはかると同時に内地資本家の資本主義を强度に抑制し併せて朝鮮の產業開發につとめねばならぬ。若し右の點にして等閑に付せられんか爾餘凡百の施設は寸效を奏しないことを斷言する。

附論

自分は本論に於て白大鎭新天地事件に觸るることを約束して置きながら、其の點について一言もせずに本論を終つて仕舞つた。實は新天地事件を聞知した時白大鎭は似せ物であるとの談であつたので附論として取扱ふ積りであつた似せ對日思想家の條りに其の考察を遂げる積りであつたからだ。然るに實際白

大鎮に會つて見ると同人を似せ者と斷ずるのは少々酷に失すると思はれるし、かたがた似せ對日思想家を當面の問題として論じなくとも當時自分が某紙に發表しようとして果さなかつた白大鎮の誤解と題する左の一文を添付することでも自分の目的は十分遂せられると思はれるし、其の上自分が本文に於て一言すべく且之なかりしが爲或は誤解を招きはせぬかと心配になる點、(一)本論に於て日本は日韓併合の維持を必要とすると云ふたのは必ずしも現在通りの狀態の維持を必要とすると言ふ意味ではなくて、日本の朝鮮に對する或種の權利の維持を必要とすると云ふ意味であると云ふこと、(二)自分が民族主義の謳歌者でないこと、の説明にもなると思ふから添付する。

「白大鎭の誤解」

大正十二年一月二十二日白大鎮は、大正八年制令第七號違反等の被告事件の被告人として、京城覆審法院に於て取調を受けた際、次の樣な申立をした。

『自分は某日本人が中野正剛氏に宛てた書面の中に朝鮮は獨立せしめねばならぬのではあるまいか。其の方が朝鮮の爲日本の爲よりよいのではあるまいか。と云ふやうな意見が見え又自由討究社の細井肇氏の論文中にも同趣旨のものが見えたので。內地人中にも朝鮮の獨立を是認して居る人があることを知り、朝鮮の獨立問題を論文として取扱ふことは一向差支へないものと信じ問題の論文を草したわけである』と而して尙彼は右の如き意見が內地人間にも見えるやうになつたのは全く最近の世界思潮が民族自決主義を是認し高調する結果であると考へたらしい。最後に彼は右內地人の朝鮮獨立と云ふことを絕對無條件の朝鮮獨立と云ふ意味に解して居るらしかつた。自分は此の最後の點は彼の誤解であると信ずる。日本が何故朝鮮を併合するに至つたか。其の併合を維持して居るか。又若し今日朝鮮が無條件に獨立したら日本に如何なる影響を與へるか。と云ふこと考へて見れば直ぐ解ることと思ふ。絕對に無條件に獨立したる朝鮮は其の主權の內容として日本人の朝鮮入國を禁止することが出來、日本以外の他國と協力して半島及大陸に於ける日本の勢力を驅逐することが出來ねばならぬ。假りにそういう場合を想像して見れば其の結果日本が人口問題其の他に於て困厄せねばならぬことは別としても、形勢の轉換如何によつては、明治時代のやうに其の存立迄も脅かさるるに至るかも知れない。然らば日本は必ずしも現在のままの併合狀態を維持する要はないが、朝鮮に對し或種の權利を留保して置く必要がある筈である。茲に於てか日本人の所謂朝鮮の獨立には何等かの權利留保は常に其の前提となつてると見るを妥當と思ふ。之に對し或は「朝鮮は其の困厄時代を救濟し指導し其の要求を待つて之を獨立せしめた日本の恩を忘れぬであらうから、朝鮮人は朝鮮に於て日本の利益が失はれるやうな忘恩行爲を敢てしないであらうと言ふかも知れぬ。けれ共此の考には何人も賛成が出來ない事と思ふ。扨自分が本文を草する必要を認めた理由は寧ろ之れから先にある。朝鮮の絕對獨立を主張する心は民族心である。民族心に基いて朝鮮の絕對獨立を主張する朝鮮人は日本人の民族

心をも認めねばならぬ。從つて朝鮮が朝鮮民族の生存發展の爲に其の絕對獨立を主張するならば日本は日本人の生存發展の爲めに其の半島政策、大陸政策を必要とすると主張するであらう。民族が各民族心に凝結して一歩も踏み出すことが出來ないならば、兩民族は各排他的の民族心を露骨に發表し、永久の水掛論を始める外あるまい。自分の考では利益の相反する兩民族の調和は民族以上の團體概念を持ち出す外あるまいと思はれる。故に日鮮問題を民族心の高調によつて解決しようと言ふ人の量見が解からない。彼白大鎮も民族至上說を主張する以上這般の關係を考へ違へてるのではあるまいか。之に於てか自分は民族心を超絕したる人類愛を高調する。程度の如何は各人見るところを異にするとしても人類愛を加味することなく日鮮問題を解結することは木によつて魚を求めるよりも困難と思ふ。但し超民族的思想超民族感情が著しくなり現代に於て此の關係を考ふる時幾多の疑惑と混亂とか起ることは是非もない。

自分は最後に朝鮮人諸君に露骨に明言し眞心から御願することがある、『日本人にして日本の利益よりもより多く朝鮮人の利益を考へて居ると云ふ日本人があるならば、其の日本人は不徹底な愚物でなければ爲にせんとする似せ物でなければならない。人は近き者より、より以上に遠き者を愛すべき理由もなければ必要もない。諸君こんな連中に迷はされてはいけない。吾々は諸君を吾々と同樣に愛さう、諸君もどうか諸君と同樣に吾々を愛してくれ』(大正十二年一月)

續朝鮮人の對日思想

何れが其の本流

私は前の論文で、朝鮮人の對日思想の一班を述べたが、其の後私の手に這入つた新しき材料に照して見て、先の見解の誤つて居なかつたことを確かめ得たので、大に安心した。仍て當時多少不安があつた爲に、踏み込む事をさけた點に、足を入れて見たいと思ふ。

こんな關係上此の論文を先の論文の續きと見るべきであるが、其の內容から見れば朝鮮人の對日思想中何れが其の本流であるかを取扱ふつもりであるから、便宜のため上の樣な題をつける事にした。

朝鮮人の對日思想を、階級(有產階級、無產階級)意識、階級爭鬪の烈しい今日に於ては、單純に民族心理を根據として一律に論定する事が出來ない。民族心と階級意識とが種々に交錯して種々の思想が出て來るやうであるが、大體から言ふと(一)政治的に朝鮮民族の權利の伸張を期する思想(二)右の政治的運動主義を否定し、自ら先づ共產主義化して日本の共產主義化を促進し、以て國家主義を顚覆せんとする思想(三)共產主義を民族運動に利用せんとする思想とに分つことが出來る。

右の內(一)は主に有識有產者の思想で(二)(三)は有識無產者の思想と見てよい。便宜の爲め私は(一)を

政治主義(二)を共産化主義(三)を折衷主義と名づけて置く。

扨有識有産者が(一)のやうな思想をもつに至つた原因及其の思想からぬけ出る事の出來ない理由は、單簡ながら先の論文で逃べた積りであるから略す。只一點注意すべきは、所謂有識有產者の內容が併合當時と大分變つて來た點である。卽ち併合當時有識有產者として朝鮮を支配して來たものは李朝時代の所謂兩班階級の者であつたが、今日政治運動に奔走してる者は必ずしもそうでなく、無產者の所謂紳士閥と稱する有識有產者の階級であつて、彼等の內には兩班ならざる者も混つて居ようし、今後は益其の割合が多くなるだらうと云ふ點である。―三年前自分が渡鮮した當時或人が、『朝鮮總督府の新政に喜ばない者は主に兩班階級の者である。總督府の階級打破政治の爲に、彼等は從來の特權を喪失したので、却つて總督府を怨むやうになつた。之に反して多數平民は公平な新政を喜んで居る』と、誠しやかに談すのを聞いた事がある。多分兩班の權力が紳士閥に推移した右の關係を指したものと思ふが、蓋正當なる著眼とも思はれぬ。

次に有識無產者の思想は共產化主義と折衷主義とに岐れた。而して共產化主義の特色は、民族思想を全然拋棄したと云ふ譯でもないが、階級意識に目醒めて見れば、其の方が更に重大な意義のある事を發見した結果、同時に又共產主義的思想の徹底は、當然民族思想を消滅せしむるものだと氣がついた結果、暫く民族思想は抑壓して、專ら共產主義の宣傳實行に力をつくさうとする所に存し、折衷主義の特色は、朝鮮

の獨立運動に重きをおき、共產主義をば單に其の手段として用ひやうと云ふ所に存する。

私は進んで右三思想の中何れを本流と見るべきかを論定して見度いのであるが、其の前に私の先の論文に掲げた『朝鮮人の一番堪え得ずとする點は、日本人より受くる壓迫の感でなくてはならぬ、此の點に對する遺憾なき方法が講ぜられざる限り、朝鮮問題は解決せらるゝものではない。從て日本政府は之れが對應策として、內鮮人間に存する形式上及實際取扱上に於ける凡ての差別待遇を撤廢し、引いては智識上物質上に於て、內鮮人間に存する懸隔を消滅せしむる事につとめねばならぬ』との結論を吟味して見る必要を感ずる。卽ち內鮮人間に存する形式上及實際取扱上に於ける差別待遇の徹廢を要求する心、智識上、物質上、內鮮人間に存する懸隔の消滅せしむべき方策を講ぜよと要求する心は凡て民族心であるか否か』と云ふ事を吟味して見る必要を感ずる。朝鮮人が內地人と同樣に形式上及實際取扱上に待遇せよと要求し、內地人と同樣の修學上の便宜を享受しようと要求するのは疑もなく民族心に基くものと認める事が出來る。問題は、內鮮人間に存する物質上の懸隔を少なからしめよと云ふ要求が、民族心に基いたものか否かと云ふ點である。

先の論文に逃べた通り、內鮮人間に存する物質上の懸隔を少なからしめんとせば、勢ひ朝鮮に流入する內地資本に對する强度の監督と、朝鮮產業の排他的保護奬勵とを實行しなくてはならぬ。果して然るとして之れが朝鮮民族としての要求と云ふ事が出來ようか。私には之は朝鮮の有產者の要求で、無產者の要求

ではないと思ふ。或は朝鮮に流入する內地資本に對する强度の監督と云ふ點に重きを置いて、之明かに資本主義に對する制限の要求ではないか。無產者の最も喜ぶ所でなくてはならぬと云ふかも知れぬ。而し思ふに間違つてる。內地資本に對する强度の監督を爲す所以のものは、朝鮮產業を保護する爲めである。朝鮮の產業保護の恩惠を受ける者は有產者である。無產者も間接に―或は賃銀の高騰等によりて―多少の利益を受けようが、之等の利益よりも、產業發展に必然的に附隨する無產者の損失は更に大でなければならぬから、結局無產者としては、朝鮮の產業保護に大して感謝すべき理由をもたぬ。玆に一人の純然たる無產者をとつて考へて見よ。彼を物質的に壓迫する者が內地人であると朝鮮人であるとによつて、受ける感じにそれ程の違ひがあらうとも思はれぬではないか。況んや無產者は、有產者に比して民族とか國家とか云ふ觀念の薄きを常とする。朝鮮人の極めて少數の一部、彼等と物質的に利害を異にする一部が保護せらるゝのを見て、彼等が喜びを感じよう道理はないではないか。更に一步進んで辛日鎔は、『紳士閥の政治的權力の土臺となれるものは謂ふ迄もなく彼等の經濟的支配である。されど此の經濟的支配を土臺とし政治的權力を得れば、其の政治的權力はまた經濟的支配の基礎となる』。と彼の共產主義的な立場から經濟と政治との關係を說き、當然の結果として來るべき紳士閥の物質的發展を恐れて居る。

此に於てか私は、物質上に存する內鮮人間の懸隔を消滅せしめようと云ふのは、自ら資本主義の信奉者でありながら、よく大なる資本主義の敵を迎へてうろたえた朝鮮人有產者の叫びに過ぎないと斷ずる。從て私

は右の叫は決して民族心に基いたものでないと信ずる。私は右の如く物質平等要求の叫を民族心に基いたものでないと云ふ事の說明の爲に隨分手間をとつたが、或はアッサリと、『朝鮮人と內地人との富の程度を比較する時、全體論としては內地人の方が富の程度が高いと云へるかも知れないが、一人一人の個人を捉へて見れば、內地人必ずしも朝鮮人より富めりとは云へない。而して貧しき者が富める者より受くる壓迫の感じは、個人的に對立した時に於て感ずるものなるが故に、朝鮮人の凡てが內地人の何人よりも貧乏だと云ふのでない以上、朝鮮人は內地人の壓迫を感ずるとは云へぬ、只朝鮮人の貧民は內地人の富から壓迫の感を受けるとのみ言ひ得る。而して彼等は內地人の富者から壓迫の感を受けると同樣朝鮮人の富者からも壓迫の感を受けるのであるから、此の壓迫の感に民族的差異に基く分子が含まれて居るとは言へぬ』と言ひのけて差支へないかも知れぬ。どの道、物質的平等の要求は、民族心に基くものではないと思ふ。故に此の要求を民族運動の目的とする事を避ける。念の爲めに一言すべきは、私が右民族心に基かざる一部朝鮮人有產者のみの要求を、何故容れよと日本政府に迫つたかについてである。

理由は甚だ單簡で一言にして盡さる。私は朝鮮の現在を支配するものは、資本主義の信奉者たる有識有產階級であつて、其の者の要求を無視して現在の日鮮問題を論ずる事は不可能と考へたからである。

扨これだけ斷つて置いて卽日鮮共民の理想を實現すべき方法は、內鮮人間に存する、形式上及實際取扱上に存する一切の差別待遇を撤廢するにある。而しながら此の差別待遇と云ふ內に物質上の問題は含まれ

て居ないと云ふ事を断つて置いて、私は前掲三つの思想の批評に移る事とする。

第一　政治運動主義

日韓共存の理想を實現すべき方法としての右の見解が誤つて居ないとすれば、朝鮮人の民族的要求は、內鮮人の形式上、實際取扱上の平等待遇でなければならぬ。然らば問題は、所謂有識有產階級の政治的民族運動の目標たる、朝鮮人の帝國議會に對する選擧權、被選擧權の獲得、或は朝鮮の自治は、何時か實現せられる時があらうが、又其の實現せられた曉には、內鮮人の形式上及實際取扱上の平等待遇が實現せらるるであらうかと云ふ點である。

私は凡て之等を肯定する理由があると思ふ。昔國民全體は征服者と被征服者とに分ち、兩者の間に著しい待遇上の差別を認めて平氣であつた時代の理論は、人道の高調せらるる今日に於ては通用しない。故に其の初め征服被征服の關係に於て同一國民なるに至りし諸民族も、今日に於ては次第に平等の權利を享受しやうとして居る。況や兩民族間に存する諸種の關係上、併合を餘儀なくせられた日鮮兩民族の間に、差別待遇の存ずる如きは、現代の思想傾向上以ての外として排斥しなければならぬ。又之を功利的に考へても、差別待遇の結果は決して日本の利益にならぬ。一千七百萬の人の集りたる朝鮮民族の希望を無視して日本今後の發展を望む如きは全く不能である。果せる哉近來に至り、幾多の內地人の有識者は、或は朝

鮮人に參政權を與ふべしと言ひ。或は朝鮮に自治制度を實施すべしと論議するに至つた。或は朝鮮問題を頗る厄介視して、今日の儘推移するに於ては、他日擧國一致を要するが如き大事件勃發の際、朝鮮問題は日本の一大難問題となるに至るであらうと心配してる人々もある。此人々も近き將來に於て、民族的平等を認むる以外に日鮮問題を解結する方法のない事を知るに至るであらう。最少限度に於て、朝鮮人の政治的民族運動を是認しない日本人はないと云ふてよい。而して政治的民族運動の最後の目標が朝鮮の自治なる事は論理上も傾向上も明かである。然らば政治運動は許して居ながら自治制の實施をやらぬ日本政府は單に其の時期にあらずと見えるに過ぎないであらう。

事態を此の如く觀察して來ると、朝鮮人有識有產者の政治的民族運動は決して失望すべきではないと思ふ。以上私は日鮮兩民族の民族的平等を認むべき必要と可能とを述べた。必要にして可能ならば直に實行すべしである。時期未だ早しとは何を意味するか。時期尙早說を爲す人は『內鮮人平等待遇實施の時期は、朝鮮人が、平等待遇の結果につき、日本に、何等危險の感を懷かしめないだけの、擔保的確信を與へた時に到來する。其の時迄は時期尙早である。試に今日朝鮮に徵兵制をしき、朝鮮人に武器を與へたとする。日本は果して安心して居らるるか。朝鮮人は果して反亂を起すような事はあるまいか』と危ながる。成程危險な樣な氣もする。而し凡てにつき平等待遇を喜んで居る朝鮮民族を背景として考へて見ると、危險でない樣な氣もする、俄然朝鮮人はかく云ふ。『それは內地人の杞憂に過ぎない。試みに內鮮人平等待遇の大

本を確立せよ。そこに却つて日本は、賴もしき一千七百萬の同胞を見出すであらう。吾々一切の不平と不滿とは、不平等待遇から來る。日本人よ速かに吾々を平等に待遇せよ。そこに吾々は平等の義務と責任とを感じ、共同運命を負へる友として御身等に親しむであらう』と。成程そうのやうな氣もする。一體繼母が繼子の偏見を訴へ、繼子が繼母の偏愛を訴ふる時、どうしたらよいのだらう。母子關係を結ばねばよかつたと云ふても、もう遲い。世間の手前子供を殺して仕舞ふ譯にも行かない。思ふに、成功するかしないかは別として、繼母が偏愛は捨てて、我が子の如く繼子を愛する事は、確かに最良唯一の方法でなくてはならぬ。事態は行き詰つて居る。私は日本人の大跳躍を要求する。忍ぶべからざるを忍んで內鮮人間偏愛を捨てることは、確かに日本にとつては一つの大跳躍であらう。私は今日本に夫れを要求する。若し日本に此の決心がないならば、朝鮮問題は益惡化し、私が次に述べようとして居る思想の傳播を早からしめ、手も足も出ぬ時期が來る事を覺悟しなければならない。

私が內鮮人の平等待遇を力說する時、內鮮人平等待遇の實が擧つても、朝鮮人の不平不滿は全部消散するものではないと、茶々を入れる人がないとは云へぬ。私自身も亦窃に之を憂ふる。が而し夫等不平不滿の極めて少數少量のみが民族的感情に基く。而も其の民族的感情に基ける少數少量の不平不滿は、併合の理由に對する見解の相違に基くものであつて、併合存續を前提とする以上、何とも始末のつかぬもののみである。大部分は民族的感情に基かざる要求、例へば階級心―總括的に言へば內地人の方が、朝鮮人より

も富の程度が高い爲に。或は朝鮮人有產者が內地の資本主義に對する戰術として猶くも、民族心を僞用する爲に―基くものと思ふ。此の部分は少しく叮寧に考へれば直に民族心に基かざる事を發見出來ると思ふ。私は辛日鎔の論文の一少部分を引いて私の議論の助としやうと思ふ。

『吾々の階級爭鬪は國際的に發展す。日本人は悉く朝鮮總督府員の如き、野蠻なる者のみに非す。自覺せる無產の大衆あり。吾等は此の自覺せる無產の大衆日本人を國際戰の戰友とし、彼等と協力す』と云ひて、彼等の敵とせる所は、民族を異にせる日本人全體にあらずして、階級を異にせる有產者たる日本人なる事を明かにし。更に『無產階級運動が、民族運動を爭鬪の武器として使用すると否との問題は、歷史的概念の遊戲、又は國粹的觀念の迷信を以て決定すべきに非ず。』と述べて、有識有產者の詐術にかゝり、民族心に熱して、知らぬ間に彼等の階級戰の犧牲にならぬやうにと警告して居る。

私は第一思想の批評を終るに當り、朝鮮人の修學につきて一言せねばならぬ。從來朝鮮人の向學心は非常に低かつた。然るに今日に於ては可也旺んになつて來た。諸種の事情に基くであらうが、內地人と同等にと云ふ民族的感情に勵まされた點を見のがす事は出來ぬと思ふ。朝鮮人の知識的向上と云ふ點に重大な（先の論文參看）望をかけて居る私は、此の現象を大變喜ばしいと思ふて居る。そこで私は卒直に朝鮮の富豪に敎育資金の寄附を希望する。もとより國民の敎育は國家が負擔するを理想とする。而し國家は經費の關係上、仲々此の理想を實現し難い。かるが故に何れの國に於ても多くの私立學校の設立を見る。總督府

の三面一校主義さへ完成せられて居ない今日に於ては、一般人民が望む各面一校の實現を見るは容易の事ではない。朝鮮の資産家の寄附を要望する事は諸外國の比ではない。だから諸君が若し、本當に民族の爲を思ふならば、疑惑のかかる政治運動に熱中する前に敎育費の寄附でもして見たらよからう。識者は諸君の前途を豫言する『若し今日の儘にして推移せんか、朝鮮の富豪は、一方内地の資本に侵略せらるると同時に、他方朝鮮無産者に掠奪せられて、早晩悲慘な運命に行き會ふであらう』と。私は此の關係を今少し細かく述べたいが、本論文の趣旨と餘り遠ざかる事を恐れて、今日は只ヒントを與ふるに止めて置く。

第二　共産化的思想

人或は此の種の思想が朝鮮に現在するかを疑ふ。其の人々の爲に左の事實を報告しやう。大正十一年十二月チタに開かれた共産黨大會に參加した朝鮮人の團體の内に、林炳極、李東輝等の率ゐる、高麗共産黨と、南萬春、呉河默、文昌範等の率ゐる、全露共産黨とがあつた。兩黨は從前から見解を異にして折合はなかつたから、此の會議を期とし、大局の利益の爲に、相提携しやうとしたのであつたが、高麗共産黨は、全露共産黨を責むるに、同黨が徒らに露國の走狗となり、本來の目的たる獨立運動には、何等の定見なく、神聖なる獨立軍軍人を、猥りに勞農軍司令官の頤使に委せ、彼等の犧牲となせるを以てしたるに對し、全露共産黨は、高麗共産黨が獨立運動にのみ重きを置き、共産主義信奉の念却つて薄きを難じ、互に論

難せる結果、豫定の提携を遂ぐるに至らなかつた。右兩派の内全露共産黨の思想は、正に私の今取扱はうとする思想である。右は滿洲、西伯利亞に於ける思想であるが、朝鮮内にも同樣の思想を發見する事が出來る。其れは最近、雜誌新生活で有名になつた、辛日鎔、金明植等の思想である。辛日鎔の書いた、民族運動と無産階級の戰術、と題する論文の一節に、『民族的獨立を、何人よりも切實に希望せる吾等は、いづれの方面より見るも其の實現に努力するを廻避せず。然れ共吾等の良心は、紳士閥民族運動に協力し能はざる事を自白す。何れの途を行くとも吾等は紳士閥と同行せず。之は何れの點に於ても吾等の敵なるが爲めなり。吾等が彼等の民族運動に協力せざるは、國際的奴隷狀態(國家的奴隷狀態の意)に對する無關心の結果にあらず。其の奴隷狀態を意識的に根本的に破棄せんとする、爭鬪(階級爭鬪の意)の戰術に基き、彼等との協同を拒絕するものなり』とある。多少意味の不明な點があるが、前後の關係上要するに、彼等は明白に、私の所謂有識有産者の政治的民族運動を否認し、階級爭鬪の戰術に基いて、卽共産主義的思想の實行によつて、階級爭鬪を解決し、同時に民族問題をも解決しようとするものである事は覗はるる。然らば之れ亦正に私の今取扱はうとする思想である。

紳士閥の民族運動者が、世界に於ける國家の對立を認め、その一つたる日本に朝鮮が併合せられたる結果、日韓兩民族は、共同生存の運命を負はされた事實を觀念し、併合を動かす事の出來ぬ事實と見て居るのに對し、共産化主義の思想家は、全人類愛の實現を理想とし、人と人との間に如何なる人爲的差別待遇の存

在する事をも許さない。彼等の思想よりすれば、利害を異にする國家の對立抔は許さるべくもなく、從て之を前提とせる民族併合の如きは、自ら傷け合ふに非ずんば他を傷くるものとして當然排斥せられねばならない。彼れが現實に而して可及的民族平等の實を擧げようと努むるに對し、此れは理想を高唱して現實的些細な例外をも許すまいとする。紳士閥が實行不能の愚論と罵れば、共産化主義者は一時を偸安して大局を忘れたる迂論とやり反す。

冷靜に考へて見れば、民族問題解決方法としては、紳士閥の其れよりも此の輩の思想の方が徹底してる。私は曩に紳士閥の政治的民族運動の成功を信ずると云ふた。而して其の徹底的成功の曉は—卽内鮮人間の無碍の平等が實現した曉は、やがて國際的否全人類的平等の實現する時であつて、共産化主義者の理想とするところと毫も差異なきを信ずる。而し同時にまた、此の如き理想的成功は單なる理論に過ぎない事も認めねばならない。共産化主義者の理論よりも更に迂遠なる理論である事も認めねばならない。何となれば、今日の國家思想は往往人類愛を蹂躙して働く場合があり、而して紳士閥の思想は、現在の國の存在を前提として居るからである。從て紳士閥の政治的民族運動は實際的には或る程度迄しか實現せらるる事は出來ないからである。かるが故に私は、紳士閥の思想より此の輩の思想を民族運動の手段としては、よく徹底して居ると言ふ。

更に他の方面より考へて見る。私の先の論文にも少しく觸れたところであるが、紳士閥の政治的民族運

動、は自ら民族心を高調し其の利害を絕叫しつゝ、他に對しては民族心を去れと求むるにある。何たる矛盾であらう。故に彼等が日本に何等かの要求をする時、民族の要求と云ふ文字を用ひたとすれば、其れは人類の要求と云ふ意味に解釋しなければ意味を爲さない。表面の看板を變へないだけで、彼等の思想は故意にか過失にか、民族心、國家心を超越した内容のものになつて居る。

故に此の點を共産化主義者の人類愛の立場から論議せられれば、一言もない。

然しながら、議論せられて一言なくとも、私は紳士閥の政治的民族運動の基礎思想を抹殺し終らうとは思はない。何となれば、本來該思想は、現在を根底として立つてるものだからである。而して現在の世相を見る時、そこに此の思想の存在の價値を認むる餘地を認むるからである。

果して然らば、民族問題に關し、よく徹底的な見解を有せる共産化思想家は、何故民族問題を眞向振翳さなかつたかを討究する要がある。彼等は此の點に關し、明白に言ふて居る。彼等は階級爭鬪の方を民族爭鬪より以上重大だと考へた爲である。階級爭鬪の理想的解決は同時に民族問題を自然消滅に歸せしむる事を確信して居る爲である。同時に又紳士閥の民族運動に參加する事は當然紳士閥の階級心に利用せらるる結果になる事を虞れてる爲である。辛日鎔の先に引用せる文字によつても幾分此の間の消息を察するに足るが、私は更に同人の前揭論文の冒頭の文句を引用して見る。『夙に兩班政事業者は民衆を欺き竊に政權を賣りたるが、此の兩班より新化して、紳士閥民族運動者は今や再び、民衆を欺き竊に民衆運動を私藏し之を賣

る。之れ彼等の使命なり』。

私は以上を以て此の種の思想の批評を終る。批評を終るに當り、朝鮮には右の外毫も民族問題を念頭に置いて居ない、純然たる階級爭鬪を考へて居る無産者の群が出て來た。其れは矢張新生活事件に被告人の一人になつて居る、『自由勞働者組合趣旨書』の筆者金思民一派の人々である。而し此の連中は全然其の運動の方法に於て共産化主義者と同一の步調をとるらしいから特別なる說明を略する事にする。

第三　折衷主義

折衷主義なる名前は頗るまづい。而し名前は誰かに願ふとして私は實質を見度い。此の折衷主義者とも見るべきは彼の高麗共產黨の立場だ。彼等にありては共產主義的運動よりも民族運動の方を重大視して居る。然ればこそ彼等は民族運動に共產主義的思想、運動を利用しやうとして居るのだ。彼等が全露派に對して、同派が徒らに露國の走狗となり、獨立軍軍人を犧牲とすると難じて居るのは何よりの證據であり、全露派から、民族運動にのみ重きを置きて共產主義的觀念に乏しと罵られたのは當然である。

私は共產主義を信奉する事なく、只之を民族運動に利用すると云ふ立場、若は、共產主義を信奉し、之れによる民族問題の解決を希望しつゝ、其の共產主義の實現以前に民族問題が解決せらるる事を信ずる立場が、あるであらうかを疑ふ。何となれば共產主義と民族問題との關係は、共產主義の實行が民族問題の解決を同伴すると云ふ關係にあるのだから、共產主義の實行なくば、民族問題に何の益するところもなく、共產主義を信奉する事なく、其の實行を是認する事は出來ないだらうし、又共產主義の實行が初めて民族問題を解決する關係にある以上、共產主義の實行前に、民族問題を解決しやうと云ふのは、無理な注文である。

玆で私の考へによれば此の主義の人々は、いつ迄も此の思想で押して行く事は出來ない。彼等が若し共產主義の信奉者であるならば、彼等は共產化主義的思想に推移する筈であるし、又若し共產主義の信奉者でないならば、彼等は政治的民族運動者になるか否かは別として共產主義的思想の利用を思ひ止まらねばならぬ筈だ。

一體こんな中途半端な運動が何所から出て來たかは明かでないが、彼等のつい昨年の暮れ頃やつたところを見ると、想像がつかぬ事もない。昨年の冬日本軍が西伯利亞より撤退し初めた頃、赤軍が漸次南下し初めた。此の頃沿海州方面に居た高麗共產黨の林炳極は、直に赤軍に參加した。白軍追跡の急先鋒を以て任じた。彼等は此の如き態度に出で自ら利するところ有らうとしたのだ。赤軍は白軍を援助して居た日本を怨んで居る。故に今赤軍を援けてさへ置けば、彼等が對日運動を企てる時、萬事赤軍の好意を期待する事が出來ると考へたのだ。けれ共此の考は誤つてゐた。赤軍は白軍を討滅し終るや、やがて領內に於ける、朝鮮人の武裝を解除しやうとした。全世界を共產化する事を唯一の目的とせる赤軍にとつては、朝鮮人一

部の區々たる民族運動の如きは、心に留める程のものでもなかつたのだつた。其の結果一部は支那領に走り、一部は共產主義を奉ずる約束で、露領に止つたと聞いて居る。之れで私の思ひ通り形がついたと云ふものだ。どうせ彼等は、日、赤、白の巴狀關係につけ入つた變態的產物に過ぎないのだから。其の巴狀關係のなくなつた今日、當然の運命に落ちついたんだ。

私は此の項を終らうとするに當り次の事を思ひついた。此の連中は主義方針に從つて行動しやうと言ふのでなくて、日本を困らせさへすればよしと云ふので、其の場〳〵で何をでもやる連中だ。而してそんな心持をもつた者は朝鮮人中には可也多からう。果して然らば、今後と云へども機會ある每に、此の種の運動騷擾は起きるに違ひない。而して其の效果は機會次第で頗る重大にもなり得る。假りに日本が日露戰爭の樣な戰爭を開始したとする。其の國家多事なるに乘じて、此の種の連中が蜂起したとする、果して日本を苦しむる事如何だらう。かういう風に考へて來ると、徹底的理論に從つて、じわり〳〵と來る、共產化主義者の運動よりも恐ろしいとも見られる。此の點を考量して日本の爲に謀るに、日本は一日も早く內鮮人平等の大本を立てて民族心消滅の方策を講ずべきではあるまいか。

結　論

以上のところによりて問題は、有識有產者階級の政治的民族運動と、有識無產階級の共產化的民族運動との何れが、民族運動として本流と見るべきかのみである。換言すれば、朝鮮千數百萬の無產者は、右兩運動の何れを歡迎するかの問題のみである。最少限度に於て、有識有產者の政治的民族運動に對する日本の態度、共產主義的思想の世界的發展の豫想、無產者の物質的困厄の程度、が如何に推移するかに依つて決せられねばならぬ問題である。然しながら、何れの國たるを問はず、無產者は民族心、國家心の乏しいのを原則とする。故に思想本來の性質上は、共產化主義者の思想が、無產者にとつて、より共鳴し易い事は確かである。從て有識有產者が、無產者を其の身方とする事は、餘程六ヶしい事と思ふ。

此の如く考へて來ると、最後に私は次の樣な疑問を懷く。

(一)朝鮮の有識有產者、竝に日本政府の努力の結果、民族平等の實が上つても、無產者が資本家から受ける階級的壓迫が、とり除かれぬ限り、無產者の日は來ないと云ふ、彼等の嘆きは同情すべきものではないだらうか。

(二)果して然らば彼等が、民族運動に第一義的意味を認めなくなつたのは自然の理で、今更之を逆行せしむる方法はないのではあるまいか。?

(三)階級爭鬪解決の問題は、現在の國家に一樣に課せられた不可避の負擔である。之れをさける事は出來ない。而し朝鮮問題は朝鮮民族に平等の權利義務を認むる事によつて、解決せらるべき事は前述の通りである。而して此の點は日本の義務でもある。果して然らば、日本は一日も早く朝鮮民族に其の民族とし

て求むるところのものを與へ、民族問題の累を絕ち、階級爭鬪の問題を內鮮人共通の問題に引き直し、共に與に心配するの途に出づる方が、賢明な策ではあるまいか。?（大正十二年二月）

大正十二年六月

情報彙纂　第十二

朝鮮に就て

朝鮮情報委員會

朝鮮に就て

（大正十二年五月二十二日京城銀行集會所に於て）

伯爵　副島道正

一

昨日佐々木事務官から今日皆さんの御會合がありますから、何か十分でも宜しいから御話申上げるやうにと云ふことでありましたので、實は御約束を致したのでありますが、爾來相變らず外國の宣教師などを訪問し多數の朝鮮人などにも面會して居るのでありまして非常に多忙でありますので、殆んどどう云ふやうなことに就て御話申上げたら宜いかと云ふことを考へる暇もなかつたのであります、或は諸君の中に朝鮮に關する感想でも述べたら宜からうと云ふやうな御考への方もありませうが、私は素人でありまして、初めて朝鮮に來たのでトラヴエラーに過ぎません故に、迂つかり御話も出來ないことと思ひます、私以上に朝鮮の事情を知つて居られる方に向つて朝鮮に關する感想を陳べると云ふことも如何したことかと考へるのであります、私は一體海外旅行が好きでありまして、二年に一遍位は必ず內地を去つて何處かに行く、近くは上海、遠い時は亞米利加、歐羅巴に行くと云ふ風に非常に旅行が好きである、それで方々漫遊致して居りますけれども、實は朝鮮は初めてであります、我が新附の同胞に接するのも今度が初めてであり

二

まして、寔に御恥しい次第であります、實は朝鮮に行かうと屢々思ひましたが常に其機を逸したのであります。丁度富士山は何時でも登ることが出來ると思つて居る間に機會を失ふことがあるが、それと同じやうに朝鮮に來る機會を屢々失つたが遂に今度は參りました。併し此の間中から朝鮮に來た人も多數あります、貴族院議員、衆議院議員、新聞記者などもありますが、朝鮮を視察して歸つた人が非常に悲觀した意見を陳べる、或は下手なことをやると朝鮮を失ふやうなことになりはしないかと云ふやうな極端な悲觀論を唱へる人がある、或人は產業の上から考へて見れば朝鮮は何等富源もない所である、富源のない所を日本の領土にして何の利益があるか、政治上から言ふて見れば人心將に日本から離反して居るのである、其の結果はどう云ふことになるかも分らぬ、亦敎育の上から言ふて假りに敎育の普及を圖つて見た所で、結局敎育を受けた朝鮮人は排日になる、さうなつて見れば敎育をして何の利益になるか、要するに日本は飛んでもないものを背負込んだことになる、斯の如く樣々な悲觀說があります。それで私は之を聞いて非常に遺憾に思ひまして、私は既に其の時に自分の結論を陳べて置いた、卽ち君等は朝鮮と云ふ見地からのみ觀るからである、先づ日本帝國と云ふ見地から考へれば、日本國民と云ふ點から考へて見れば決して日本が朝鮮を失ふやうなことはあり得べからざることである、日本人が愚民ならばいざ知らず、日本人民は決して愚民ではない、數百年來封建政治の下に支配せられて門戶を鎖して外人を入れないと云ふて、卽ち鎖國して居つた日本が一度外患に迫られて已むを得ず門戶を開放するに當つて直ちに泰西の文明を輸入し、其

の長所を採り、遂に一躍して八大强國の一となり、更に進んで五大强國の一となり、今や三大强國の一となつた、愚民には斯う云ふことは出來ない、成程朝鮮の統治にも失敗もありませう、産業、敎育其の他總ての方面から言つて悉く直ちに成功すると云ふことはあり得べからざることである、朝鮮の統治に於ても一時は朝鮮の民情習慣を無視して失敗したことがあるか知れませぬ、併しながらそれ等は日本人は直ちに自覺して新たなる方法を執り、所謂リベラル、ポリシーを朝鮮に布くことになつた。殊に齋藤總督に對する一般のインプレッションはどう云ふものであるか、所謂總督政治が完全に行はれつゝあると云ふことは内外人の等しく認めて居る所である、さう云ふ譯であるから、決して日本人が朝鮮を失ふと云ふことはないのであります、君は朝鮮は識らぬじやないかと言はれる人もありませうが、識らぬかも存じませんが、日本の歴史から考へて日本人はさう云ふ下手なことはやらぬと云ふ考が起るのであります、併し朝鮮を知らずに居る譯にはいかぬから、毎月第一水曜日毎に集る支水會と云ふものがありますが、或人が朝鮮に關する講演を爲すと云ふので聞きに行きました。其の人は其の席上に於て非常に悲觀論を述べたのでありますから、私は其の席に於て其の人に約束して極く近くに朝鮮を觀に行くと言つて置いたのであります、其の約束を守つて私は此度朝鮮に參つたのであります、朝鮮に於ても實は五日か六日間位京城に居つて、北の方に行き、更に滿洲に行つて二十七日に極東オリンピック大會で一場の演說を爲す約束を致して居りましたから、それ迄には歸る豫定でありましたけれども、此方に來て色々外國人や鮮人に會うて大にインタレストを得

たので是は面白い、總て私が東京を立つ前に考へて居つたのと一致してゐる。決して朝鮮の統治は失敗しない、必ず成功する、成程不逞鮮人も居る、共産主義も宣傳されて居る、獨立運動もある、參政權の運動もある、色々な運動がありませうけれども、要するに共産主義の如きは之等は内地に於ても場合に於ては兵力を以て押へ付けなければならぬ、斯の如き主義は容れることの出來ない所のものである、獨立運動の如きは是は何處から何處迄、先々迄あるべき運動である、朝鮮は獨立を失つた國である、失つたならば之を恢復しやうと云ふ考は朝鮮の千七百萬の人民中に有つて居るものが多數あるべきである。是は如何なる時、如何なる善政を布いてもあるべき思想で室に已むを得ないと思ひます、如何に善良なる統治の下にも獨立運動は必ずあるのでありませう、それから參政權の運動、自治制の運動と云ふものがあります、之等は時の問題である、永久朝鮮をサブザジエクト、レースとして取扱ふことは出來ないのであります、殊に諸君も御承知のことでありませうが、早晩參政權を與へるか、或は自治制を與へると云ふ必要がある、其處迄達するには敎育も授けなければならぬ、産業の發展も奬勵しなければならぬ、總て朝鮮を日本の爲にエキスプロイットせずに朝鮮人の爲に同情を以て開發してさうして彼等を日本のインテグラル、パートとして取扱ふことに依つて始めて日本帝國が朝鮮を合邦した理由が說明せらるゝのであります。

朝鮮は駄目である、朝鮮は獨立をさせなければならぬと云ふ人もあつたのでありますが、日本が朝鮮を併合したのが宜いか、惡いか、是は別問題であるが、伊藤公爵の如きは一つの疑問として居られたと云ふ

ことも聞いて居るのでありますが、一度朝鮮と結婚した以上は之を離緣すると云ふことは出來ない、若し之を失ふことがあつたならば日本帝國はどうなるか、日本はスペイン、ポルトガルのやうな國になつて終ふ、一度同胞とした以上は朝鮮は日本帝國の一部分として何處迄も統一して行くと云ふより外途はない、結局は獨立に亞ぐ所のベストを與へると云ふことが必要である。段々人智が發達するに從つて彼等の要求もあるでせう、人に依つては朝鮮は東洋の愛蘭である、到底日本が支配することは出來ないと云ふ人もある、併し日本人はそれ程の愚民ではない、必ず統治は出來ると思ひます、成程愛蘭に於ては英國は非常に困難をして居りますけれども、愛蘭と英國の關係は朝鮮と日本との關係とは非常に違ふのである、英國の愛蘭に對する今日迄の統治は有らゆる機會があつたけれども、之を逸したのであります、千八百八十六年自治制を布いて居つたならば愛蘭は今日の如くはならぬ、千八百九十四年グラッドストーンが第二の愛蘭自治案を出した時に之が通過したならば矢張り愛蘭は今日に至らなかつた、亦アスキスの政治の下に愛蘭の自治案は通過した、其の時に直ちに之を實行したならば愛蘭は今日に至らなかつた、英國はやり損ひに重ぬるにやり損ひを以てして今日の如き愛蘭を實現したのであります、日本はそれ程間拔けたことはやらぬ、既に朝鮮統治に就て非常にリベラルポリシーを齋藤總督の下に取つて居る、是は外國人が異口同音に言ふのであります、今迄は朝鮮はどうなるか、第二の愛蘭となるかと思つたが、今日私が會ふた外國人の如きは斯う云ふことを言ふた、初めは日本は朝鮮を印度のやうにすると思つた、後に愛蘭の如きものにな

りつゝあるやうに思つた、さう云ふ虞れが十二分にあつた、今日では朝鮮は矢張り日本帝國の一部分として統治されるやうになると云ふことを信ずる、是は此外人の意見であります、外人の多數はさう云ふ考を有するに至りつゝあります、彼等の腹の中はさう云ふことを希望して居るかどうかは別問題でありますけれども、今日では朝鮮は日本の一部分として殘ると云ふことを彼等は信じて居ると私は思つて居る次第であります、之から後朝鮮問題に就ても矢張り今と同じやうに色々な運動もありませう、共産主義の運動もある、有らゆる運動がございませう、私の面會した鮮人の中には共産主義の人は餘り居りませぬ、幸か不幸かさう云ふ風な人に面會する機會を餘り得ませぬが、段々平壤方面に向つて行つたならばさう云ふ方面の人に會ふかも知れませぬ、亦滿洲に行けば非常にさう云ふ鮮人が多いので或は會ふかも知れませぬ、私はそれ等の人に逢つて彼等の希望を聞いて見たいと思ひます、果して機會があるか知りませぬが、有らゆる人に會ふと云ふことが一番必要だらうと思ひます、此の共産主義に就ては私の友人など東京に居つて大分憂へて居る人がありますが、朝鮮から這入つて來て日本にも段々増加すると云ふことを聞いて居るのでありますが、併し是は私は心配しない、如何なる共産主義の運動があつても憂ふるに足らぬ、共産主義は暴力である、暴力は武力で押へる、斯の如き主義が日本の國體に於て成功する氣遣ひがない、此の間京城中學に於て一例を惹いて言ふたのであります、英國に於て百五十萬の失業者がある、七百萬の勞働者の中で百五十萬の失業者がある、彼等が革命運動をやつても成功しないと云ふことを目下倫敦に居るジャパン、

アドバー、タイザーの主筆から私に言つて來た、何んとなれば英國は中產階級、知識階級がしつかりして居る、故に決してレニンの共產主義の如き或は形を變へた革命が英國に於て成功することは斷然ないと思ふと、此のジャパン、アドヴァ、タイザーの主筆のバイヤスと云ふ人は能く日本を識つて居る、而して彼が申すには日本位良い國はない、其の國體と謂ひ、社會の組織と謂ひ寔に世界に例がない、日本は寔に良い國である、之の以上の國はないと云ふことをバイヤス氏は言つて來た。日本に亞いで良い國は英吉利であります、一昨夜も英米人が十名ばかり集つて色々議論をした末に、英人は米人の攻擊をする、曰く米國位橫暴な國はない、資本主義の橫暴な國である、表面は民主主義の國であるが、あれ位オートクラシーの國はないと云ふて英國人が攻擊した、日本と英國は表面は立憲王國であるけれども、事實に於て日本と英國は兩院で以て協賛したものは皇帝は決して拒まない、上下兩院の案を拒むと云ふのは米國大統領だけである、米國は一口に言ふと僞善國であると言つて攻擊したのであります、既に日本の社會が健全であれば朝鮮で如何なる共產主義の運動があつた所で私共は何とも思はない、決して成功する譯はない、向ふは暴力である故に、此方は武力で押へれば宜い、獨立運動に就ては是は決して鮮人に敎育を授けてはならぬ、產業の發展をしたならばどうなるか、是は西洋人でも言ふて居るのであります、彼等曰く若し君の言ふ通りに朝鮮人に敎育を普及したならば、彼等は言ふであらう、朝鮮はどのみち奪はれた國である、どうしても獨立しなければならぬと而しそう云ふことになつたならば獨立を與へなければならぬと言ふが、私はこう思

七

ふ、獨立を與へる必要は其の理由が全然ない、日本の統治は朝鮮人多數の幸福になつて來た、朝鮮人が獨立を恢復しやうと思へば暴力に依る外はない、假りに朝鮮が敎育が普及されて、產業が發達して、朝鮮の人口も千七百萬が三千萬になつて、朝鮮が非常な富を作つた時に當つて、之が暴力で獨立しやうと企てた所で到底獨立は出來ない、其の時は日本の富は數倍となり、人口は一億になる、今世界で第三强國であるが、其の時は二番になつて居るかも知れませぬ、亦ならなければならぬと思ひます、外國が干渉してどうすると云ふことがあるかも知れませぬけれども、外國が朝鮮の獨立戰爭の爲に干渉することは斷じてないと思ふ、米國が干渉すると言ふか知れませぬけれども、米國と雖もさう云ふ馬鹿なことはない、ルジテニア號が沈められて何百と云ふ生靈が海底の藻屑となつたけれども、ウイルソンは トウ、プラウド、トウ、ファイトと言つて強い國には容易に干戈を取り得なかつた、併し歐洲戰爭では中立を守つて居つたが、どつちか勝つた時は米國は飛んでもないことになると云ふことで戰爭の結果が見えてから參加したのであります、假りに他日朝鮮が獨立運動を企てた所で、企てた時の力に對しては日本は更に數倍の力を有つやうになるのであります、さう云ふ時に當つて理由なしに亞米利加が干戈を執つて朝鮮に力を貸すと云ふことは決してあり得べからざることである、人に依つては露西亞、獨逸の禍ひが東漸して朝鮮を壓迫することがありはしないかと言ふものもあるが、今日では人が私の意見を笑ふのでありませうが、私は笑はれても自分の陳べる所が間違ひないと今日でも思つて居ります、レニン政府は非常な成功である、是は承認しなけ

八

ればならぬと云ふことを大分有力なる人が言つて居る、果して成功するや否や、まだ疑問であると思ひます、露西亞の眞情は今日一層惡くなりつゝあると思ふ、固より今中產階級は皆滅ぼされて、此の暴政に服して居るのは何故かと言へば手の出しやうがないからである、英國からの色々の情報に依つて見ると、英國は此の機會を狙つて居ると思ふ、英國も米國も宣敎師なども是は世界文明の恥辱であると言ふのであります、彼等は共產主義を叩き壞さうとして居る、共產主義が世界に與へたエキザンプルを見ても二百萬の露西亞人が虐殺され、レニン政府は殆ど史上なき所の暴政を逞しうして居る、是は世界が認めて居る、英米は何處迄も露國をやつつけたいがやつつけることの出來ない理由が二つある、一つは干戈を執つて叩き付けたいけれども、自國の勞働者が承知しない、一つは大した目的のない爲に兵隊を動かすと云ふことを欲しない、亞米利加が西伯利亞に出兵したのは露西亞に同情した爲に出兵したのではない、實言へば日本と一緒に白軍を助けて赤軍をやつつけたいのが亞米利加のキアピタリズムの考であつた、總ての有樣がさう云ふ譯であらうと思ひます、それ等を考へれば共產主義と云ふものが決して成功するとは見えないのであります、日本に居る若い人などは私の言ふことを聞いて間違つて居ると云ひますが、私は自分の所信を疑はないのでありまして、若し不幸にして共產主義が大いに發達する時があれば世界の文明が地に落ちる時であります。

斯く觀じ來れば朝鮮の統治の如きも大して憂ふべき所はない、要するに獨立運動をやつた所で成功する

九

譯はない、共產主義も成功する譯はない、要するに諸君が朝鮮に在つて、總督府ばかりではいかぬ、朝鮮に居る所の三十萬の同胞が名實共に朝鮮人を同胞と見て、彼等に親切を盡すと云ふことが一番必要な條件である、彼等もヒューマンである、親切を盡されて嫌ふ氣がするものではないと思ひます、斯の如くにして徐に朝鮮人を御して行くと云ふことをやつたならば決して朝鮮を統治することが出來ないと云ふことはない、若し朝鮮を失ふことがあつたならば日本其のものは末である、亞米利加に於ては朝鮮獨立の爲に同情會が澤山あつたのであります、六つ七つありました、近頃は之等の中で半分は解散されたと信ずるのであります、英國に於ては一つあります、是はゼ、フレンド、オヴ、コレアンス、ソサイティーと稱へて居ります、此の主腦はマッケンジーと云ふ人である、彼が主腦になつて、一昨年であつたと思ひますが、英國のハウス、オヴ、コンモンスに於て貴衆兩院議員のメンバー四五十人を招待して朝鮮は日本から非常に壓迫を受けて居る、どうしても獨立させなければいかぬと云ふことを演說した時に、立所に二三十人の賛成者を得て、貴衆兩院議員が賛成者になつて同情會に屬したのであります、私は面識はないのでありますが、大分書面の取交しをやつて居りますが、私は不埒な奴だと思つて居つたのであります、と言ふのはコレアス、ファイト、フオアー、フリードムと云ふ本を彼が著して居る、其の本の中に日本の朝鮮に於ける暴政と云ふ題の下に大分日本を攻擊したのであります、私は外交時報に於てマッケンジーは怪しからぬ奴である、彼の朝鮮のことを書いたことは多く揑造であると云ふことを論じたのでありま

一〇

す、それがジヤパン、クロニツクと云ふ排日として知られて居る新聞に譯掲されたのでありまして、之が亞米利加の新聞に轉載され、續いて英國の新聞雜誌に轉載されたのであります、其處で彼は私に手紙を寄越して曰く、御前は俺の書いた所の本は捏造であると言つた、其の捏造であると云ふ證據を擧げろ、證據が擧がらなければ紳士として公に謝罪しろと云ふことを言つて來たのであります、是は彼としては尤もであると思ひます、私は迂つかり筆を執つて書いたけれども、捏造と云ふ證據は有つて居らぬ、けれども感情上奴の書いたことは捏造であると云ふことを論じたのでありまして、而してマツケンジー氏の本は不幸にして東京では賣品として許してない、私は一冊を持つて居つたのであります、丸善でも賣つてない、其處で上海、神戸、横濱などの英吉利人倶樂部に言つてやつて、自分は斯う云ふ破目に陷つた、捏造であると云ふ證據は有つて居らぬ、併ながら捏造であると云ふ感じを以て書いた所が、著者たる英國人が之を問題にして來た、固より彼に對して自分が答辯をすることは譯ないことであるけれども、苟くも日本の貴族院議員として微々たる一外人の問題とされては、相當自分の所論を辯解するだけの材料がなければならぬ、君等は皆讀んで呉れと云ふて英國人にも日本人にも讀ませたのであります、今日京城へ着いた所の頭本元貞君も其の一人であります、英國人は英人の同胞が斯う云ふことを書くと云ふことはいかぬ、マ氏はスチブンスの惡口も書いた、伊藤公爵の惡口も書いた、さう云ふ風に何でも彼でも惡口を書くと云ふことはいかぬ、悉く君の言ふことに同感であると言つた、其處で私はマツケンジーに御前に返答をする前に色

々な人に同じ本を讀んで貰つた、出來る限り手段を盡して讀んで貰つたが、英國人も日本人も悉く私に同感である、御前は何か他に目的を有つて日本を傷ける爲に書いたのであらう、それで私は取消しをしないと言つてやつた、所が又彼は自分は名譽を傷けられたから、傷けた以上は紳士として相當取消しをやつて宜いじやないかと言つて來た、私は君は水原事件を取つて掛つて日本は朝鮮に對して虐政を行つたと言ふが、固より水原事件は善くないことである、併し之にはプロヴオケーシヨンがあつたから已むを得ない、印度に於ける事件、亞米利加の黑奴のリンチの如き、或はキユー、クラツクス、クランと云ふ秘密結社がありますが、是は良民に對して秘密制裁を加へると云ふことが目的である、結社が見て自分等の目的に反して居れば良民を秘密に殺して終ふ、之に對して中央政府は手を出すことが出來ない、裁判所の內、內務省の中に或は此結社の會員が居るかも知れない、故に米國人は之に對して手を出すことが出來ない、亞米利加人が日本を批難する爲に日露、日清の戰爭の時に支那の探偵、露西亞の探偵たりし鮮人が銃殺されてゐる寫眞を擧げて、日本は今日でも斯の如き虐殺をして居ると云ふ記事を擧げて居る、彼等は斯の如く窮しきつて日本の攻擊をやつて居る、之を公平なることゝ考へるか、露西亞のザー並にザーの皇后、それから皇太子、可憐なる所の皇女悉くレニンの爲に虐殺された、二百萬の露西亞人が虐殺され、二千萬の露西亞人が間接に餓死した、其のことに就て君は一言ともヴオイスを擧げて攻擊したか、一水原事件を取つて彼れ是れ言ふのは何たることであるか、私は水原事件を葬らむとするのではない、亦辯解するのでもない、

併し之を取つて日本の統治は暴政であると結論するのは公平なることではないと言つた、それから同じやうなことを繰返して何遍か書面の往復をやつたのであります、最後にマ氏から手紙が參つたのであります、是は人に貸して居つたのを丁度今返して貰つたのでありますが、是はモスコーからの手紙で十頁ばかりのタイプライターで書いた長い手紙であるが、彼が言ふには自分は今肺炎で寢て居つて寢返りすらもすることが出來ない、詰り瀕死の狀態である、それであるけれども、速記者に命じて所見を陳で、併せて愚見の存する所を呈したい、人の將に死なむとするや云々と云ふことは此のことかも知れませぬ、彼大いに變つたのであります、長いものでありますから、一々言ふことは出來ませぬが、彼の結論が面い、卽ち朝鮮の占領、其の後生じた不幸なる出來事、卽ち水原事件などを意味するのでありませうが、悉く既往に屬する、華府會議は朝鮮の占領を永久に認めしむるに至つたと思ふ、既往數箇年間他國に棲んで居る所の私は日本に於て平和主義が發展したことを喜ぶのである、斯う云ふ次第であるから、朝鮮に於ける所のプログレツシーヴ、エレメントがリベラル、エレメントと一緒に働くことが宜いであらうと思ふ、他日日本が朝鮮に自治制を與へることになつたならば朝鮮に於ける所の面倒は永久的に終焉を告げるのであると思ふ、御前と同じやうに私は世界の國際間の關係と云ふものは平和的に親密に發展しなければならぬと思ふのである、私は日本が帝國主義、武斷主義を捨てた爲に世界に於て一層高い、位置を得たと信ずるのである、世界は向ふ見ずの帝國主義が如何なる結果を生ずるかと云ふことを既往數年間に實驗したのである、

私はそれであるから日本人民の友達として斯う云ふことを希望する、冀くば獨逸のやつたやうなことが繰返されないことを希望すると云ふことで、結論を陳べて、段々日本が變つて來て居ることは認めて居るが、最後に斯う云ふことを言つて居る、ドクター、シンマン、リー卽ち李承晩、是は御承知の通り上海假政府の國務總理であります、マ氏は彼に手紙をやつたが、其の寫しを同封して居ります、卽ち曰く私は朝鮮の非常なる友達であると云ふことは疑ふ人がない、年百年中私は著述に依り、新聞記事に依り演説に依つて、其の外人を訪問して朝鮮人の爲に盡したのである、私は朝鮮の友人である、故に御前に對して斯う云ふことを言ふ權利がある、朝鮮のリベラル、エレメントは今迄の方法を變へたら宜からう、華府會議は世界が永久朝鮮は日本の一部分でなければならぬと云ふことを決定するに至つた、今迄朝鮮は暴力に訴へたが其の暴力は不成功に終つたのである、故に日本帝國に於て日本プロパーに於て御前達のオーガナイゼイシヨンを立てろ、さうして何か不平があつたならば日本人民に直接訴へよ、斯の如くして御前達は公平なる政治を行ふて貰ふこと疑ひない、世界は御前達の爲に如何なる場合に於ても干渉はしない、斯う云ふたのであります、私は華府會議に就て非常に不愉快な感じを有つて居るのであります、華府會議は日本の立場を將來に於て困難に陷らしめるかも知れない、假りにそれがないとした所で苟くも一國を代表した所の我が全權が、もつとあれ以上の結果を得られたにも拘らず常に讓歩に讓歩を重ねて屈辱外交に終つたのであります、併なから一つの副產物があつた、是は偶然であるかも知れませぬが、それは英米をして朝鮮の統

治は日本にさせなければならぬ、日本に侵略的野心はないと云ふことを考へしむるに至つた、我が日本の全權は初めから計畫して掛つたのではないと思ふけれども、朝鮮の獨立運動から英米が漸次手を引くやうになつたと云ふことは偶然の產物であつたと思ひます、華府會議に就て陳ぶれば幾らもありますが、諸君はリベラル、エレメントの方である、私は率先して二重外交を攻撃したのであります、併ながら私は華府會議の結果米國の心中を疑つて居るのであります、米國の態度が甚だ公平を欠いで居つたと思ふ、例へて見れば五五三の比率を決めるには千九百二十一年十一月十二日迄の既成艦を土臺として決めたのでありますす、米國は十一月十二日に華府會議を召集すると云ふことを知つて居つたのであります、故に彼は自分の軍艦の超弩級艦のメアリーランドなどは非常に急いで建造したのであります、日本の陸奥は既成艦であつたが、それを世界に發表しなかつた、陸奥は既に二千五百哩の試運轉をやつて居つたのでありますが、それを既成艦の中に入れない爲に五五三の比率を決めたのであります、日本は大いに抗議を申込むべきであつたのでありますが、米國のやり方はステーツマンのやり方でない、其の後の米國の軍備擴張、表向きは軍備縮小であるが、或は毒瓦斯の如きも大いに研究し、或は又毒瓦斯を貯藏する所の飛行機を造つてゐるのであります、毒瓦斯は華府會議に於て禁ぜられてある、其條約は批准はされて居らぬけれども、華盛頓會議の精神は守らなければならぬ、然るに主宰者である所の米國が毒瓦斯を貯藏する所の飛行機を造る、八千哩繼續して飛ぶ所の飛行機を造る、併しそれで亞米利加が朝鮮の獨立或は支那の爲に日本に向つて戰

一五

爭を仕掛けて來るとは思はない、併しながら日本の力を五五三に限つて自分は有らゆる戰備をして、一口に言ふと我儘をやらうと云ふ考であらうと思ひます、ですから華盛頓會議の精神は既に頽れて居ると思ひます、素より亞米利加は勝手に戰爭をやると云ふことは出來ない、議會の承諾を得なければ戰爭は出來ぬ、而して亞米利加が朝鮮の獨立の爲に、侵略主義の爲に戰爭をすると云ふことは決してないけれども、兎に角あの國は我儘をやる、五五三の比率に依つて日本の武力を制限して亞米利加は非常なる武力を有つて居る以上、飛行機其の他の武器に依つて日本に對して非常なメネースになるだけのことをやつて遂に東洋に於ける日本の働きを束縛することになると云ふことは間違ひないことと思ひます。

私の御願ひするのは諸君は朝鮮に御住ひになつて居る方々であります、日本が朝鮮を失ふやうになれば日本帝國其のものか末である、初めから朝鮮を合併して居らぬければ宜い、併ながら一度朝鮮を合併してから之を失ふやうになれば日本の世界的權勢が頽る、日本はスペインか伊太利位のものになる、伊太利位の地位も保つて行けないのであります、朝鮮を統治するには總督府ばかりの力ではいけない、日本の國民が擧國一致して朝鮮の爲同情を持たなければならぬ、殊に朝鮮に居られる方々は朝鮮人に對して、素より知識の程度其の他大いに違ふのでありますが、兎に角暫く辛抱して、固より恩に狎れ易い民族であると云ふことであるから恩威交々加ふると云ふことに官民一致して朝鮮の爲に盡されむことを切望するのであります、ちよつと御話する積りで少し長くなりましたが、六時から外に約束もありますから……。外に二

一六

つ三つ面白い問題もあります、例へば阿片問題の如き、關東州が阿片の漸禁政策を執つた、臺灣が阿片の漸禁政策を執つた時には十六萬幾らの飲者があつたが、今日では三萬六七千しかない、關東州は支那から日本が租借して居る所の一部分である、支那は國法に依つて阿片を禁止して居る、固より亞米利加の酒精の禁止と同じやうに何の役にも立たぬが、國法に依つて禁じて居る以上は日本も其租借地に於て之を禁止することが必要であると思ひます、之から私は關東州に行つて卑見の存する所を陳べたいと思ひます、朝鮮も滿洲に接壤して居る所でありますし、亦朝鮮に於ても阿片栽培取締法がありますが、朝鮮の統治には大體に於て敬して居りますけれども、斯う云ふ風な例があると云ふことはどうしたものか、僅か五萬圓か幾らの金を得る爲に斯う云ふものを存して置くことは如何であらうかと思ひます、兎に角外國から攻撃を受けるやうなことはすつかり廢めて然る後我々は言ふことが澤山あるのであります、今日も晝飯の時にネグロ其の他のことに就て問題があつたのであります、今日に於ては各國共に益々非常に偏狭な考になつたのであります、日本だけは偏狭な考は棄てゝ、滿洲に於ける所の日本の政策にしろ、朝鮮の統治にしろ悪いことは手を洗ふて、世界に見ろと云ふことになつて初めて日本が東洋人種を統一することが出來ると思ひます、御話して居ると切りがありませぬし、時間も大分過ぎましたからこれで失禮致します。（終り）

一七

極秘

朝鮮事情機密通信　第一號

（以印刷代謄寫）

㊙

朝鮮事情機密通信　第一號

大正十三年十二月十五日
以印刷代謄寫

露國共産黨の東邦連絡部

第三インターナショナル東邦部指導者をブロイド氏とす。氏の配下に部屬すべき職員左の如し

蒙古方面

指導役　**アンフウンドー氏**

（イ）駐在秘密員

庫倫　ニカノーロブ氏

セイルス　ルチエセツキ氏

レイマカラ　ポポフ氏

ドロイノル　ニエスリノブ氏

（ロ）總連絡部

庫倫委員會内のレウビネル氏

西藏方面

指導役　**ハンボアフカントロチ氏**

（イ）駐在秘密員

カルチヤホブ、バスツテチエブ兩氏

朝鮮方面

指導役　**バクチンシユン氏**

（イ）秘密員

チユイン、チユイムプインオクド、キンペキウオン、ムンセーン四氏

（ロ）連絡員

京城第一旅館　張奉根氏

同　第二旅館　南年權氏

仁川　呉任倫氏

㊙

北部中國方面

指導役　**リカオシヨザオ氏**

（イ）駐在秘密員

吉林　イーペンフ氏

哈爾賓　ラツゼウインチ氏

中東線一帶　クルクロフ、ペシユウク兩氏

（ロ）連絡部

哈爾賓　ペロシン運送社内スクウイル氏

北京益世報社内　浣氏

南部中國方面

指導役　**コクドンス氏**

（イ）駐在秘密員

上海　ギニリンヤン、コシウス兩氏

廣東　リオンフ、スレウエン兩氏

天津　チヤツク氏

日本方面

責任者　片山潜氏

（イ）秘密員

佐世保　加藤、岡山兩氏

小樽　コース氏

大阪　ヤクカー氏

（ロ）連絡部

北海道函館シンガーミシン中央事務所內トリウバツハ氏

以上最近巴里において發行せる露字共產主義宣傳新聞のモスコー通信中より抄譯

米國の後援に依る獨立軍團の活動

露領尼市に於ける朝鮮獨立軍團首領文昌範は、嘗てより米國の援助を求むべく秘密裡に交涉せるところありしが先般天津を經て尼市に入れる米國某陸軍大佐は、通譯承利運と共に文氏に會見し、或る默契成立したれば文氏はその第一計畫として本年十二月末までに、在露領及び滿洲鮮人壯丁を以つて、二萬五千名位の軍隊を組織することゝし、その費用として先づ二萬五千弗を支出し、夫々募集に着手せり。募集員及び區域左の如し。

第一軍	李光珠	密山縣淨密山子地方
第二軍	張熙南	饒河縣花緝子地方
第三軍	劉尙敦	黑龍江省黑河地方
第四軍	朴大英	露領水靑地方
第五軍	金權同	同　コールチ地方
第六軍	李靑天	東寧縣三浦口
第七軍	金權植	寧安縣磨刀石地方
第八軍	金昇極	額穆縣蛟河地方
第九軍	金思國	敦化縣沙河掌地方
第十軍	張南哲	安圖縣仍頭山地方
第十一軍	林虎	延吉縣明月溝地方
第十二軍	崔慶天	琿春大六道溝地方

而して敎練及び參謀には四名の米人を以つて當らしむべく、又その氣勢を高むる爲め在浦鹽新韓村なる李東輝を迎へて軍司令と爲し併せて露國側の諒解を求むべく使者吳昌煥は新韓村に向け出發せり右募軍の目的及び眞の內容は極秘に附せられおるも一味の朝鮮人は非常なる好計畫として歡迎し從

來各地散在の獨立軍は勿論、此際部落を擧げて義勇的に加擔せむとする向さへあり。李東輝一派に於いても贊意を表せりと云ふ。

東洋革命大義團成る

浦鹽新韓村に於ける李東輝は、露領沿海州の朝鮮人を勢力とし、北滿の洪範圖は北滿に於ける軍政署を地盤として、兩々對峙せるが、今回李東輝の提唱に依り、兩者合同して『東洋革命大義團』成り、或種の計畫を行ふべく準備中なりと。

朝鮮赤化の伏線

露國ソヴイエツト政府は浦鹽、哈爾賓及び尼市の三ヶ所に十月末夫々朝鮮人子弟を敎育する共產學校を設立開校せり。卒業の上は專ら朝鮮方面に共產宣傳に從事せしむべきものなりと云ふ。

李海山の逮捕

吉林省敦化縣方面に於いて所謂る朝鮮馬賊として活躍せし大同會長事李海山は、十一月廿八日間島日本領事館警察の手に逮捕され、拳銃五挺、爆彈一個其他不穩文書を押收されたり。

大韓統義部、義烈團、義成團の過激陰謀

北滿に根據を置き、金東三を首領に、部下一萬六千、軍銃八千を有する大韓統義部は、曩に金章植、李丙旭兩名を京城に派遣して兩班有力者洪景植を說いて洪宅に支部を設け、京城なる安燾、閔溶鎬外二名より軍資金として千數百圓を提供せしめ、更に同臭の徒を募集して暗殺、破壞等戰慄すべき計畫を進行中總督府警察官憲の探知する所となり、武器を押收したるも、主謀者逃走、未だ逮捕に至らざる折柄又復義烈團員侵入の報あり。曰く永らく北京に本部を置き幾回となく猛襲を試みて鮮內警官の心肝を寒からしめたる金元鳳は、先般北京事變の際、義烈團本部を北滿吉林省敦化縣太白寨に移し、新たに團員を募集する一方、朝鮮侵入の新計畫成り、決死隊金某、權某を始めとし團員三十名を京城及び東京方面に潛入せしめ、或る重大なる計畫を實現せしむべく夫々出發、既に京城に入れりと。此の風說專らなる爲め警察官憲は俄かに緊張せり。時恰かも行政整理の折とて警官探偵等の活動徹底を欠くものあり。京城市民は不尠不安を感じ居れるが、更に義成團の決死隊が京城に潛入して先般逮捕されたる首領片康烈の復讐的意味において大々的破壞運動を爲すべく先發隊として郭某、韓某及び金某は既に京城に入れりとの風說が何處よりともなく傳へらる。

不逞鮮人の巧みなる逆宣傳が是等の風說を生めるものなるやも知れざれど風說のまゝを掲ぐることゝせり。

左傾團體北風會成立

民族運動と社會運動の妥協

朝鮮人の民族主義者と社會主義者の反目、乃至社會主義者の北派（露國筋）と南派（日本側）の乖離は久しき以前よりの事なるが、今秋來大同團結を策し、最近京城に於ける彼等有力者三十餘名は、齋洞に於ける解放運動社内に集合して意見を交換し、各從來の確執を離れて別に『北風會』なる團體を造り、稍々具體的に活動を試むべく、協議纒まり、愈々十一月二十七日を以つてその成立を見たり。組織人員、宣言及び綱領左の如し。

一、組織　は庶務部を中心として組織、調査、地方、敎養、編輯、特別研究の七部を置き、執行委員として徐廷禧、宋奉瑀、鄭雲海、金若水、林世熙、裴德秀、李利奎、金鍾範、金章鉉、南廷哲、馬鳴、孫永極、朴昌漢十三人を擧ぐ

二、宣言

現下朝鮮の社會運動は極めて渾沌たりと雖も、今や正に組織と實際とを要求する新機運に入れり。その初期に於いては、唯少數の前衛分子が大衆とは比較的間隔あり、現實を離れて學理上より理想のみを追究するの弊を免れざるは常例なりとす。然れ共朝鮮の大衆は既に動き始めたり。今後は飽迄も現實を主として大衆と共に、資本家の本陣に向つて突進せざるべからざるが故に、吾人は根本的改革を斷行し、如上新局面に適應すべく新に陣形を整頓し、策戰を樹立して實戰に臨む。云々。

三、綱領

（一）社會運動が本質的に無產大衆自體の運動たる以上、吾人は飽迄も現實に立脚せる大衆の實際的要求に應じて、終局の理想に向つて驀進せむことを期す。

（二）吾人は大衆運動の部門たる勞農、青年、女子、衡平諸運動の知的敎養と階級的訓練とを併せあらゆる現狀打破の運動を支持すると同時に經濟問題に重きを置き、科學思想を普及せしめ、都市と農村との協同を期す。

（三）吾人は、未だ界線の不分明なる運動を整理し、その類別を確定すべき組織を綿密にし、從來の如き消極的否認態度を取らず、一層秩序的に正進せむことを期す。

（四）吾人は階級關係を無視せる單純なる民族運動を否認す。然れ共、朝鮮現下に於いては民族運動も亦避くべからざる現實より發生せるものなる以上、吾人は兩大運動卽ち社會運動民族運動の併行に對し時間的協同を期す。

彼等が斯く合同を決行して勢力の大團圓を誇らむとするに至つた動機に付いては

（イ）恰かも侵入の嫌ある露國共產黨宣傳員と或種の連絡を保ち、若干の宣傳費を受けむことを當て込みたるものであらうと云

10頁は、原本において欠落しています。

（不二出版）

慶尙南道昌原郡鎭海面一帶の土地は、以前民有地たりしを、先年鎭海軍港設置の際海軍省が買收し爾來一般地元住民に年額貸付料を定めて之を貸付せしも、旱害其他の爲め貸付小作料の滯納に依り十餘萬坪は再び海軍省に返還され、同地の內地移住民に貸付することとなり、貸付を受けたる內地人は更に之を朝鮮人に轉貸小作せしめたり。其後大正元年頃に至り、海軍省よりこの土地の管理權を朝鮮總督府に引繼ぎたるを以つて、總督府は其の軍用地を驛屯土同樣に見做して取扱ふことゝなり、所轄昌原郡廳に管理せしめ、貸付料も驛屯土並に定めたり。而して郡當局は內地移住民を保護する方策として驛屯土小作權名義の賣買讓渡を默認したるを以つて、同地の內地移住民は競ふて小作權買收に熱中するに至り、當局も內地人の小作權買收に對しては默認するも朝鮮人に對しては動ともすれば差別的に之が買收を禁ずるの風あり。爲めに小作權は全部官憲の保護の下に內地人名義となり、內地人は朝鮮人に對し轉貸制度を用ひたる爲め、朝鮮人は單なる轉貸小作人たるべく餘儀なき運命に陷れるが內地人は轉貸小作料の率を極度に引上げ、從來の慣習としては稻作の四割位に過ぎざりしものを、稻作六割、二毛作麥は五割を納入すべく强要せるを以つて、朝鮮人小作人は其の高率を不法として之に應ずる樣子なきため、こゝに端なく紛爭を生じ、內地人は十餘名宛隊を組み兇器を持して小作料の納入を督促し、一方警官も小作人に對してのみ嚴重に取締るのみなるを以つて、內地人は自己の欲するがまゝに小作料を收納せり。之が爲め爾來數年に亘り小作權名義人たる內地人對轉貸小作人たる朝鮮

人間には秋季收穫期毎に小作料に對する紛爭を惹起するを常とせり。内地人は前述の如く稻作六割二毛麥作五割の轉貸小作料を强要し、此中より三割内外の國定小作料を郡廳に納付するのみにて、其餘の八割は何等の勞力なく單なる認許名義者たる餘陰に依つて中間利得として收納せるものなり。小作人たる朝鮮農民は之に平ならず、昨年六月鎭海小作總會を開き、小作料は三割とし二毛作麥は全部己往の通り小作人の所得とすることを決議し、後ちに警察の干渉に依り四割程度に改めしが、之に對し内地人の地主並びに驛屯土小作名義人は地主會なるものを組織し、小作會の要求條件を峻拒せり。仍て小作會は小作料不納同盟を申合はせ、地主會は之に對抗して農作物を立毛の儘、殆んど全部假差押へ、其後郡道の調停にて漸く五割程度にて一時的に彌縫せしが、今春に至り又二毛麥作を全部差押へ秋季收穫期に於いて又亦立毛の儘差押へを敢行したるを以つて、鮮農小作人は糊口に窮し慘況を呈するに至れり。殊に地主會にては小作地數十萬坪に對する小作解除通知を發して小作人を威迫し、在鄕軍人まで出動して小作權を奪回し、或は隊伍を組みて反抗する小作人を毆打するに至り、地主會は遂に假差押關係の費用までも小作人遂に負擔せしむるに至れり。鎭海驛屯土貸下認許名義者が恰かも地主の如く實際の耕作人より年收八割以上の中間利益を收納する事實始めて慶尙南道當局の知る所となり、道より認許名義者は實地の耕作者より國定の小作料として相當額を受け入れて國庫に納入すべく若し中間利得を食るものあらば斷然たる處分を行ふべき旨を公文にて郡、面に送達したるに、織田鎭

海面長は此の公文を一般に公布せずして内密に地主會に通じ、其の間種々の方策を廻らして其の取消を道に陳情せしも、道にて之を容れざりしより、此の事情を聞知せる小作會は面長に向ひ公文隱匿の不法を詰り、面長は遂に其の不心得を陳謝し、公文を發表せしも、其の時既に小作料の約十分の八までは名義認許者逆に依つて分取せられたる後ちなるを以つて、小作會側は面長の不信任を責め、之を排斥すると共に、被害對應策を講究中なるが今回面長の公文隱匿に依り小作人側の被害額は四千圓位に達する由にて、正式に織田面長に對し引責辭職を勸告せり。

而して一方鎭海に於ける驛屯土貸下期限は今年の三月末を以つて滿期となるが故に、小作會は日本人の中間小作制度を撤廢し、此の際實地耕作者に貸付するの制度たらしむべく、道及び郡面に數度に亘り請願せるが、道廳にては幾分小作會の要求に同情を表する氣味ありても、郡と面にては絶對に小作會の要求を斥け、更に之に應せざるを以つて、爾來約一年間に渉り小作會對郡、面間の反目となり、小作會側にては口石昌原郡守の失政に對する彈劾事項を全郡的に集蒐し、十六項目に亘る罪目を擧げ彈劾大演說會を鎭海及び京城に開催して、失政の責任を聲對すると共に大に社會輿論を喚起せしんと敎圖きつゝあり。

因みに問題地の郡守國石敬義氏は今回行政整理と共に退官したるが鎭海の内地人公職者其他有志家は中間小作によりて不當利得に均霑せる爲め、口石郡守も容易に手を下す能はざりしものなりと、今後の形勢は追つて報導すべし。

慶北でも小作爭議

慶尙北道義城郡安平面では小作人千三百餘名結束して小作人會を組織し、大地主秋秉和、柳時日、金圭壽等に對抗運動を起して居る。その要求は本年は旱害を被つて半作にも足らぬ狀態であるから、小作料は半減し、地稅は絶對に地主に於いて負擔すべしと云ふのであるが、雙方確執して中々纏まらぬので、小作人は遂に反旗を揭げて、小作料の全不納同盟を決行し形勢險惡である。因みに地稅は法令の上では地主が納めることになつて居るが施政不徹底の間に乘じて從來多く之を小作人から徵收し又は地主から小作人に轉嫁したものである。

黃海でも小作爭議

黃海道鳳山郡舍人面に於ける東拓とその小作人との葛藤は隨分長い間のことであつたが、東拓でも弱味を見せてはならぬと思ふてか、本年は水害に虫害で困つて居る小作人に容赦もなく小作料を督納し、その上前貸の種子や、肥料代等も一時に督促し、若し納入せぬ者は小作地を取り上げ、内地人移民に耕作させると計りの氣勢を見せたので、六百餘の小作人は大に激昂し、大擧して管理者李昌憲方を襲ひ、尙代表者數十名は、沙里院なる東拓支店門前に蓆を敷いて露宿十餘日を續けて小作料の減免

方談判を試みしも要領を得ないので、今度代表者が京城に出て、直接東拓總裁に歎願して居る。その要求の内容は

一、小作料を本年災害半作地に限り半減すること
二、種子及び肥料代を三ケ年賦にすること
三、小作料籾は石定量二十五貫を超えざること
四、小作權の保全其の他

行政整理は漸く一段落を告げた。退官者四千、朝鮮人の謂ゆる六法全書移民が減つた譯である。下岡總監評判の大鉈も切つて見れば、聊か鼠一匹の觀がないでもない。殊に内地人知事は、不相變高級者を列べて置いて、却つて財務部長、理事官等の若い者を深山切つたのは不評判である。(尤も中には若朽も居るから大した不平もあるまいが)然しものは考へ樣で、未だ整理の餘地が殘つて居るから、後進の士が俄かに勉强し出したと云ふから、これも妙策であらう。次に朝鮮人を學務局長にし又内務部長、財務部等にも特別任用の途を開くと云ふことは、何と云つても、今回整理中最も意味あることで、又一大英斷である。但だ人選に付いては、專ら官界から計り採つたので、民間では餘りに影響がない計りか、諺文紙は『彼等は日本の朝鮮人であるから、我等朝鮮人には何等の關係がないのみならず、或點に於いては生來の日本人よりもよくない』と云つて居るのは、その一端である。然し乍ら、特別任用の途が開かるゝこと丈けは、確かに朝鮮の民衆に將來を囑望さるゝことであらう。(澁谷町人)

朝鮮の社會相

㊙

内地に來てゐる鮮人勞働者の性慾問題

内地に入り込んで來る鮮人勞働者は、生活にも窮迫してゐるが性慾にも渇してゐる。其の爲め種々な忌はしい犯罪さへ行はれるので、先般來内地で鮮人公娼の開業を許すこととなつた。其の爲め鮮内で田舍娘の誘拐や賣買がボツ〳〵行はれ出した。次に揭げるのは其の一例であるが、大邱の金周龔なる者が、尙州の田舍娘崔順伊（一八）を誘拐し、大邱府東城町の草野完壽へ百六十圓で賣り飛ばし、草野は順伊を門司へ送り附けたが發覺して關係者一同檢事局に送られた。

㊙

眞の同化は結婚から

まだ〳〵お話にならぬ少數

最近一年間の内鮮人結婚數は二百四十五組を數へた其中

内地人で朝鮮婦人を娶つたもの	一〇二組
朝鮮人で内地婦人を娶つたもの	一三一組
内地人で朝鮮人に入婿したもの	一組
朝鮮人で内地人に入婿したもの	一一組

之を前年に比するに大差なく、最も少なかつたのは大正八年の六十八組、相當多かつたのは大正元年の百二十組、五年の百四十九組で、大正十年以來漸く二百を突破する樣になつた。此等は何と云ふてもその時の社會事情と時代思潮の影響を受けて增減することは明かである。

内地染織者よ奮へ

從來朝鮮人が需用する絹布類は支那産が主で、之が昨一年間の輸入高三百四十一萬圓、鮮内で出來るのは二百五十萬圓、内地産の移入が僅に七十二萬圓と云ふ狀態であつた、ところが奢侈品關税引上げの結果、支那絹布の輸入著しく減少し、次第に鮮内産又は内地産に變りつゝある。即ち從來緞子づくめの妓生達も今冬は輕い羽二重に身をくるめると云ふ有樣である。然し鮮内の生産は朝鮮絹織、朝一染織、栗川染織、平壤に大同、平安染織の五會社があるのみ。到底滿足な支那絹布代用品を生産することは出來ない狀態であるから、將來は必然内地染織業者の活動を見ねばならまい。

㊙

國語を解する朝鮮人

國語を解する朝鮮人は全體で七十一萬二千二百六十七人で内男子が六十二萬六千九百五十八人女子が八萬五千三百九人であるからその比例は男百人に付き女十三人六分の割合で全朝鮮人口に比すれば千人に付き四十八人八分である、又その程度から分けると相當の教育あり普通會話に差支ない位の者は二十二萬七千七人で、稍解するは四十八萬五千二百六十人である、而して朝鮮人の國語の理解力は頗る進歩が早いので普通内地人と同居する時は僅かに一ヶ月にして一通りの會話が出來、普通學校の兒童は一年生の入學當初から國語計りで教授するが一學期にして敎場の用語が通じ得ると云ふ、語學に付いては一種天才を有するものと云はれて居る。

出生及び死亡率

朝鮮内昨年中の出生及び死亡率千人に付き

	出生	死産	死亡男	同女	死亡計
朝鮮人	三四•〇二	〇•二一	二二•〇七	二〇•七八	二一•四四
内地人	二四•七三	二•二四	二一•八八	二二•九〇	二二•三六

之を臺灣人や内地にある内地人等と比較すれば

内地の内地人	三四•一六	二•二九	二二•七〇	二一•九四	二二•三二
臺灣人	四二•七六	一•八四	二六•五八	二四•五二	二五•五八

㊙

朝鮮米の生産消費

朝鮮米一ヶ年の生産消費狀況は大正十二年末に於いて生産高一千五百一萬四千二百九十二石、消費高一千一百五萬六千五百九十一石で、輸移入及び再移入が十二萬三千五百三十六石、輸移出及び再移出が四百八萬一千二百三十七石である。之を一人當り消費量にして見れば内地は一石二斗なるに朝鮮は六斗七升三合で、朝鮮人はそれ丈け滿洲粟を餘計に食ふのである。

朝鮮米一石當り生産費

朝鮮米一石當り生産費は

▽自作農の場合	十一圓
▽小作農の場合	十三圓二十三錢
▽地主	九圓四十七錢

㊙

朝鮮人の煙草消費高

朝鮮人一年中の烟草の消費高は凡そ三千萬圓一人當り一圓六十七錢と云ふ割合なるが内口付七百二十一萬圓、兩切一千三百五十七萬圓、葉卷三萬圓、刻み三百六十五萬圓、葉烟草五百二十一萬圓と云ふ内譯である。而して大正九年十年の頃は朝鮮の民族運動の一として禁烟——官烟不買同盟等行はれ消費激減して僅かに二千萬圓、一人當り一圓二十錢を出でなかつた。ところが昨今は緩和され再び消費の增進を見た譯で總督府の純益收入は約六百萬圓である。

憲政會の利權競漁

從來政友會の手で行はれてゐた利權漁りは、最近ボツ〳〵憲政會の手で行はれ始めた。

（イ）京城に於ける國民會幹部の内地人某は平北の威島の貸付を受くべく憲政會の代議士某と聯絡を付ける爲め東京へ往復して居る。

（ロ）仁川に於ける内地人貿易商某は故大浦兼武氏の倒の代人として憲政會の御用命なりと稱し山林、漁業、鑛業等に亘つて利權を獲得すべく廣く調査をして居ると云ふ。

尙州金鑛の紛紜

慶尙北道尙州金鑛は從來地方民が舊式の採掘法を以つて殆ど自由に採掘して居たが、併合後之を國鑛に編入し、總督府は大正二年以來鑛務所を設け、百數十萬圓を投じて大規模な採鑛を行ひ、略ぼ鑛脈、分量等を推定出來たので、一昨年から官營採鑛に取掛る筈のものを或條件を以つて之を松方系の資本閥に引渡したのであつた。ところが松方側では名計りの事務所を設け、一名の技師を置いて試掘の口實の下に僅かに一部を着手した外、一向に本採掘を開始せず權利計りを獲得した丈けになつて居るので、爲めに地方の發展を期待して居た尙州郡民は、同社及び總督府の措置を批難する者多く近々地方代表委員を擧げて或種の交渉を試みると云ふ（尙州）

珍島の小作爭議

全羅南道珍島では本年旱害の爲め、小作料の減免方地主に交渉して容れられざる爲め、小作人三百餘名は同盟して小作料不納を斷行したれば、地主側では又結束して警察力を借りて小作人を脅迫して納入を强要したので、小作人愈々惡化し、一方內地人地主興業會社某他數十名は獵銃を携帶して小作人方に押入り、籾の强奪を爲し、雙方相對峙して紛議を重ねつゝあり（光州）

東柘の小作爭議

黃海道鳳山郡舍人面東洋拓殖會社の小作人朴寅瑞外五人及び吳宅仲外十二名は、東拓會社が小作人監督の爲めに任命駐在せしめたる農監李昌憲を、詐欺横領罪で載寧の地方法院に告訴し、又々東拓會社と悶着を起して居る。告訴の內容は右農監李昌憲は東拓會社支店が小作人に無理解なる間隙に乘じて、前記小作人等より或は小作權を異動すべしと脅迫し及び小作料減免運動費と稱して三回に亘り七百餘圓を領得した爲めなりと云ふ（沙里院）

國有林の悶着

江原道襄陽郡朱鳳山は國有不要存林（凡そ六千町歩）なるも、從來地方民入會燃料採取地なる爲め、當該面（內地村役場）では之を面基本財產林として貸付を受くべく手續中、當局では突然之を或有力なる內地人に貸付すると云ふ噂が立ち地方民は怨聲を放つて騷ぎ立てゝ居る（襄陽）

東柘の小作爭議

黃海道載寧郡北栗面に於ける東拓所有地の小作爭議は、相當根深いものであつたが、先般警察の干渉により、東拓より二千石內外の小作料の減免方其他慰撫的條件を以つて一先づ解決した。ところが

東拓では、その條件に彼此意思の誤解あり實行を見合せ、別働隊を利用して小作人等の牽制策を爲したと云ふので、小作人は再び激昂して愈々內地の小作爭議式に小作人組合を組織し、對抗運動を起しつゝ、一方代表者の李蒙瑞外四名は京城に赴いて、總督府、東拓尾崎理事及び時適ま滯在中の久保田總裁に談判して居る（京城）

全道强盜橫行

本月以來京城及び竜山に出沒せる六人組の强盜はその一部を逮捕せしも又被害續出、殆ど强盜橫行の狀態、平壤に於いても强盜續出、未だ逮捕に至らず、密陽に於いても白晝强盜現はれ通行人を脅迫して金品を强奪する等年末に差迫つて例年より特別に多い樣であるから、これは不景氣の本年旱害の爲めにして又行政整理中警察官が自然怠業の爲めなりと云ふ。

東柘は鮮民の怨府

朝鮮總督府の計畫に係る例の產米增殖事業の實行機關として、問題の朝鮮土地改良株式會社案は、今尙中止の狀態である。今回之を東拓に使命を與へてその事業の遂行に當らしむべしと云ふ說あり。目下夫々調査計畫中の模樣である。ところが東拓は從來極めて不評判にして殊に鮮民の怨府となつて居る關係もあり、產米增殖に資すべき土地改良の大事業遂行上果して圓滑に所期の效果を收むべきやと危ぶまれつゝあり（京城）

朝鮮に流行してゐる隱語

一、下駄（ナマクシン）——內地人を指す

內地人と呼へば朝鮮人之を悅ばす、日本人と呼べば內地人之を恠しむ。仍つて之を下駄と呼ぶこと恰も內地人が朝鮮人をヨボと呼ぶ如く輕蔑の意に用ゐらる。

二、六法全書移民——內地人官公吏を意味す

朝鮮が日本法治の下に歸して以來、多數の內地人が六法全書を唯一の武器として多くの官公職を占めたるが故に云ふ。朝鮮人にはその「六法全書」が如何にも大きく見えたるなり。

三、三不思議——內地人及び其の文物の淺薄なるを意味す

碁盤と釜の蓋と榨の輪、この三者は淺薄なる日本には如何にも不似合なる太く堅固なるを反語的に諷せるもの、尙三者以外日本人は勿論日本の文物何れも鮮人の眼に薄ッぺらにして重厚味を欠くといふにあり。

四、三大政策——總督政治を諷して

不逞鮮人取締、稅務、專賣法此の三者は直接日本及び總督府自身の利害に緊密なるを以つて最も徹底的に勵行し他の施設は誠意を欠くと云ふ意味なり。殊に朝鮮人のみの問題卽ち風紀、迷信、モルヒネの如き取締を故意に閑却しつゝありと云ふ批難の聲をも含む。

五、挾雜政治——總督施設又は警察を意味す

挾雜とは胡魔化し又は詐欺のことなり。近今轉じて團體の幹部が偏頗不正の處置を爲す場合にも之を云ふ。

六、等身總督——齋藤總督を指す

等身とは藁人形又は案山子のこと「總督の偶像

㊙

化」を云ふ。轉じて名義のみの會長、社長等にして實權なきものも等身總督と云ふ。

七、酷い旦那様——**警官を意味す**

「ナアリ」は官吏（判任）の尊稱なり、警官殊に巡査の人民を虐することに因つて尊敬を維持すと云ふの意。

八、喇叭——日鮮融和を說く人を指す

唯、吹聽を能とする外何等の定見實力なく、而かも概ね朝鮮人に無理解にして只管大聲を發すればなり。

九、總督府行き——便所に行くことを意味す

總督府に出入する鮮人は概ね臭いとの意より轉したるもの。

十、出獄名士——**不逞鮮人を意味す**

名士たるべき實質なく、適ま獨立運動等に關係して處罰され、一旦出獄すれば新聞も**之**を志士と**書き立て、本人も自ら名士然として同胞の上**に誇らむとする傾向を嗤へるなり。

十一、六圓價値——**地方資産家を指す**

近年地方資産家には何等素養識見なく、その資産家たるの故を以つて幾多の地方公職を有し而かもその肩書の多きを誇るの風あるを嗤へるなり。一人にして面協議員、學校費評議員、道評議員、學務委員、衛生組合委員、民立大學地方委員の六職（員は圓に通ず）を兼ぬれば最も名譽の極致ならんとの諷諧なり。

十二、バタ商——**洋化鮮人を意味す**

歐米人によつて衣食し、これに隨喜する者、バタ臭きことを吹聽する輩を指す

倘、此他に從來常用されつゝある隱語を列記すれば左の如し

○總督（天官）　○憲兵隊司令官（地官）
○軍司令官（人官）　○警務局長（君官）
○道知事（師官）　○内務部長（仁官）
○財務部長（義官）　○憲兵補（小牛）

㊙

○守備隊長（大虎）　○兵卒（小虎）　○分隊長（獅子）　○分遣所長（狼）
○警察署長（兒）　○内地人巡査（大豚）　○憲兵卒（大牛）　○面書記（記官）
○鮮人巡査（小豚）　○面長（面官）　○親日派（雉）　○密偵（狐）
○警察部長（鰮官）　○郡守（狐）　○爭銃（鷄卵）　○銃丸（雞蛇）
○郡書記（鳩）　○憲兵隊長（父官）　○頭（鼠）

米人ロールストン・ヘイドン氏の

朝鮮における日本の統治政策評

——フォレン・アフェアーズより——

◇

朝鮮總督の齋藤男は日本帝國の殖民政策の根本方針を簡單に左の如く述べてゐる。『第一に其の土地の經濟的發展、第二に敎育及び民度の進步、第三に政治的向上である』と。男は朝鮮に就いて斯く云ふてゐるのであるが、是れ卽ち日本の總ての殖民地に對する態度に外ならぬのである。此の政策は一九一九年前はまる出しの暴力を以つて行はれたのであるが、其の後は軟かい衣服を着せて施される樣になつたのである。日本の此の新らしい方法は極東に關係を有する諸外國の注目する所となつたが、取り

㊙

分け合衆國は、それが東洋に重大なる關係を有するのと、それから日本の此の方法が合衆國の比律賓に於いて爲しつゝある所に着いて對照を與へてゐるのとで特に注意を拂つてゐるのである。

◇

朝鮮に於いて日本が其の經濟的發展のために爲したる所は實に著しいものがあるので、如何なる諸外國も日本が朝鮮に於いて爲し遂げたる程度に於いて他國を司配し得たるものは嘗つて無いのである。

◇

朝鮮民族の大部分は此の點は十分に認めてゐるのであるけれども、然し朝鮮人は其の數千七百五十萬に達し、日本自身よりも一層古い國民的歷史、國民的制度及び國民的意識を有してゐるのであるから、怠惰で零落してはゐるが、同時に自負心もあり、頑固でもあるので、アメリカン●インデアンの樣に追拂ふの絕滅するのと云ふ譯にはいかぬのである。

◇

一九一九年の騷擾は、朝鮮に於ける日本の物質的成効も、朝鮮統治と云ふ問題に對して滿足なる解決を與へることが出來なかつたと云ふ事が解つたので、日本は早速に統治の改革に着手したのである。改革の詔勅には『日鮮人に平等の待遇を與へ、鮮人をして平和と繁榮を樂しましめんがために自由なる文化主義による統治を與へる』と記してある。齋藤總督も部下の官吏を督勵し『形式を廢し公平なる態度を以つて民意の暢達を計らしめ、鮮人採用の途を開き、朝鮮の慣習及び制度に採るべきものあらば之れを採り、統治諸機關の改善を行ひ、適當なる時期に於いて地方自治を施き、以つて一般の幸福を確保したい』。そして最後に『若し公衆の安寧を紊るが如き言動ある者は容赦なく裁くべし』と云ふてゐる。

◇

一九一九年後朝鮮の改革を評說するには多くの紙數を要するからやめるとして、主要なる改革は第一日鮮人間の差別撤廢、第二形式主義の破棄、第三輿論の自由なる發表、第四敎育制度の擴張、第五地方統治の改善、第六警察制度の改革、第七朝鮮の慣習尊重等の方面に於いて爲し遂げられたのである。

◇

右の改革に加ふるに日本人は朝鮮人の信頼を得んがために朝鮮の有力者を日本に招待したり、活動寫眞を以つて日本朝鮮間の融和を計つたり、情報部を設けて新施政の紹介に努めたり、代表的朝鮮人官吏學生及び學者を日本に派して其の道の會合に出席せしめたり、日鮮兩人間の社交を奬勵したり、鮮人子弟に日本語の習得を激勵したりして、日鮮兩人間の民族的及び文化的融合に役立つ凡ての機會

を逸さないやうに努めてゐる。

◇

局外者は此の改革案が日本の誠意から出たものであるか、否か、或は果して善い結果を齎すものであるか、否かは之を推量するに困難である。朝鮮人及び朝鮮に永く住んでゐる日本人及び外國人の間にも此の點に關しては意見の相違があるのである。

然し、筆者は總督齋藤男が男の統治及び其の前に横はる種々なる困難に就いて次の如く述べたる時に、其れが正直なる告白である事を信ずるものである。『統治の困難の最大なるものは朝鮮人の性格に存するので、彼等の多くはひねくれてゐるが此點は大に匡正を要する。そして朝鮮人は怠惰である。又現在過激派の手先が金を以つて朝鮮人を敎唆してゐるが、露西亞は悧巧で一度に多くは金を出さない。勿論朝鮮人の中にも朝鮮の幸福のために日本人と協同して行かうと考へてゐる者も多くあるが、彼等から餘りに多くを要求する譯にも行かぬ、——彼等は朝鮮人自身から狙はれてゐる。我等は朝鮮人の意志に反して彼等を日本人にしやうとは欲しないのであるが、只我等は日本の安全のために朝鮮を司配しなければならぬのである。彼等は早晩我等の助力を得なければならぬのであると云ふ事を悟る時が來る事を希望してゐる。彼等單獨では何事もなし得ないのである。』と

◇

㊙

斯くの如き朝鮮に於ける日本統治の權威者である總督の率直なる言葉は、朝鮮には今や平和と融合と友愛が確保されてゐると云ふ今日迄の日本の宣傳とは目醒るばかり相違して居る。

日本にも拓殖局と云ふのがある、けれども其れは大した局ではないので、只文書の仲繼ぎ位のものであつて日本の殖民地總督は首相に對して責任があるばかりで、任地に在つては自由の活動を與へられてゐるのである。

◇

朝鮮在住の外國人は、通りすがりの訪問者が想像する以上に、現統治に尊敬を持つてゐる。然し直接朝鮮人と接觸する外人等は、日本統治の困難及び欠點を言ひたがる。或る信用すべき外人は次のやうな意味の事を云つた。『日本の第一の困難は、彼等が朝鮮人の協力を得ることが出來ないと云ふ事である。勿論民衆の可なりの大部分は決して協力しないと決心してゐる。成程朝鮮人の間には親日派があつて、日本統治は避くべからざるものとあきらめ、其の利益にあずからうとしてゐるのであるが、實際問題となると彼等仲間の間でも日本人に對して一致することが出來ない。一方一般民衆は無頓着と來てゐる。それから『智識階級』はと云ふと是れが主なる攪亂者であるので、彼等の厄介なのは一定の主義方針に執着しないことで、彼等は自ら求むる物をはりつきり意識せずに、而も無茶苦茶にそれを求めてゐるのである。』と（中略）

◇

滿州や西比利には約二百萬の朝鮮人移住者がある。日本の宣傳者は『彼等の多くは朝鮮に於ける生活費の昂騰したために移住したので、一九一九年中に滿州に移住した四萬五千の朝鮮人は大部分此の理由からである。』と云ふてゐる。然し事實は彼等朝鮮人移住者は日本統治に從ふを嫌ふため、或は日本人に土地を奪はれたため國外に出で去つたもので、日本人排斥運動の指導者等は彼等の中から出で來たのであるが、其れ等の朝鮮人は暗殺や謀反や國境襲擊等に依つて日本統治を轉覆し得べしと考へてゐるのである。

◇

朝鮮國民運動の一中心點は上海にあつて、一九一九年に作られ、巴里の平和會議に使を派した『大韓民國假政府』は今や分解したけれども、其れに代つて出來たのが『朝鮮議會』と云ふもので、朝鮮滿州西比利亞布哇及び合衆國にある日本統治反對者たる朝鮮人を代表する百五十人の議員から成つてゐる。其の議員の一人は筆者に次の樣に語つて居る。『我等は今數ケ月間會議を續けてゐる。我等の間には二派あつて一つは暴力に訴へんとするもの他は世界の輿論に訴へんとするもので後者は滿州及び西比利亞以外にある主として亞米利加其の他に住する朝鮮人の意見を代表してゐるのである。我等の困難は此れ等二派の間に、時には感情の疎隔を來たす事と、日本の探偵組織が用意周到至らざる無き

㊙

事である。然し我等の方でも朝鮮で一人捕へられれば其の代りを直ぐ送つてやる丈けだ。』

◇

彼は又斯ふ云つてゐる。『日本の新統治は成効するものではない——チェック族が數百年辛抱して獨立した如く、我等も其れが出來ぬことは無いのである、日本人は朝鮮人の恨みを買ふやうなことばかりやつてゐるのであるし、日本人が朝鮮人の土地を全部奪ひ或は朝鮮人を全部國外に放逐して了ふならいざ知らず、そんなことは出來るものでは無い。』と

◇

朝鮮人中智識階級に屬する人々は、支那に露西亞に望みを掛けてゐて、やがて此等の二國が本來勢力を回復したなら日本が東洋に於いて威張ることは出來なくなるであらうと考へてゐる。

◇

朝鮮から比律賓に來てゐる亞米利加人にして、比律賓には朝鮮に於けるよりも、より大なる自由の精神が行はれてゐる事を誇りと感じない人は無いだろうと思はれるが、其れと同時に比律賓事情に通する何人も、合衆國は經濟的發展に關しては、日本が臺灣及び朝鮮に於いて爲し遂げたる如き成功を比律賓に於いて爲し遂げてゐない事を承認するであらう。現今三百五十萬の人口を有する臺灣の政府の收入は年五千萬弗であるのに、二千百五十萬の人口を有する比律賓の政府の收入は年三千二百萬弗

に過ぎないのである。

◇

日本對朝鮮の問題は結局どうなるか。日本の『民心收攬』を目的とする新統治と其の與ふる物質的恩惠とは、過去の記憶を一掃して、日本統治に對する朝鮮人の信賴を得るや否や。新聞に傳へたる大震災中に於ける朝鮮人の暴動は不安の雲の絕えず漂ふてゐる事を暗示してゐる。日本は斯かる危險を悟つたればこそ軍隊の力で固めやうとしてゐるのである。新統治は卽ち此れを目的としてゐるのだ。

平壤地方法院には珍訴訟事件があつた。それは原告平安南道大同郡古平面上端里居住金次女(一九)、被告同面望月里朴行俊(二五)を相手取り、離婚を訴求したのである。訴狀に曰く「原告は被告と大正十年十二月に結婚して爾來同居して居るが、被告朴行俊は、陰莖甚だ小にして、生來生殖器に不具の點あり、爲めに情慾生活を繼續し難く、從つて夫婦としての愛情全く無く、右は元來原告が被告に斯かる欠點ある事實を知らず、欺かれて結婚したるものなれば、此際法廷に於いて離婚を求むるものなり」と。そこで判官は傍聽を禁止の上、被告を脫衣させ、身體を檢査したところ外形果して偉大ならざるものがあつたので、更に醫師をして被告の陰部を詳密に鑑定させた上公判を爲すことにした。と。

極秘

（以印刷代謄寫）

朝鮮事情機密通信　第二號

秘

朝鮮事情機密通信　第二號　大正十四年二月一日　以印刷代謄寫

在外鮮人並びに國境の不穩

上海假政府の新組織

上海に於ける假政府は、大統領李承晩が、對歐米宣傳運動の爲め、布哇に去り、朴殷植國務總理としてその後ちを襲ひ、新たに國務院なるものを組織すること左の如し

内務總長　李裕弼
財務總長　李圭洪
法務總長　呉永善
軍務兼交通總長　盧伯麟
學務總長　趙尙燮

一

勞働總長　金甲

而して又、假政府は特派員五十餘名を專ら京城に潜入せしめて、各種の秘密調査及び宣傳を爲すと共に、所謂親日鮮人の行動を監視し、時には不意の手段に出つべしと（京城）

滿州朝鮮人統一會

正義府成立

從來滿州に於いて暴力を以つて朝鮮獨立運動を繼續して居た軍政署及び統義府其他主要團体は、時勢の趨移に鑑み、全滿統一的に運動を持久する必要を認め、昨年十一月下旬來吉林省盤石縣に會合して諸般の協議を遂げたが、今回愈々正義府として、新なる中央部を設くることゝし、夫々部署を定めた。

會同者

軍政署代表　李震山
吉林住民會代表　李昌範
吉林省第一部落代表　朴正祚

二

秘

仝　第二部落代表　洪起竜
仝　第八部落代表　金景達
固本契（農民組合）代表　辛亨基
大韓統義府代表　金東三
同　高裕信
民會側　金定濟
同　孟喆鎬
同　白南俊
同　朴錫色
同　鄭欽
（從來總督府援護の親日團体）
大韓光正團代表　尹德甫
同　金虎
民會側　金冠戎
同　方允豊
勞働親睦會代表　李春和

三

秘

同　　　　　　　崔　明　洙
義成團特派員　　承　震
卡倫自治區代表　尹　河　振

宣　　言

從來の運動は、餘りに熱烈にして、而かも效果を奏せざりしは、計畫餘りに空疎にして、在滿同胞の實生活を眼中に置かざりしに由る、仍ち今後一切の虛構を排し光復事業の根本たる經濟基礎の鞏固を圖る爲め、產業の振興を策し、民族文化の向上の爲め、敎育の普及を促すべく、以て吾人が最大目的たる光復事業の完成を誓ふ。

宣　誓　文

正義府を組織し公約を定む

一、徹底せる獨立精神の下に運動の正軌を完全に進行すること

二、全滿州鮮人の福利を主位とする實地運動の意思機關たるべく一切の虛僞的のものを排す

三、運動の人物は現時の環境を超越して犧牲的精神を以て時局に當るべき人たること

四、運動の方針は消極的（軍事侵入）積極的（排日鼓吹）兩方面に注意するは勿論主として實力養成に意を用ふること

四

秘

中央行政委員

李　沰　　吳東振　　李靑天
玄正卿　　李震山　　金容大
金履大　　金衡植　　尹秉庸

實　行　方　法

從來の軍資金募集を全廢して、新に戶別稅（三ケ月以上定住者に對し月三錢又は草鞋三足宛）及び所得稅（五百圓以上の收入ある者に四分の一）を設け、一方靑年子弟を集めて、軍事敎育を施し、殖產契農業及び副業組合、貯蓄組合等を設立し且つ實業の講習を爲すこと、地々集團區域に自治會を設け、禮俗を重んじ患難相救ひ、婚喪相助け、其他、隣保的事業を起し、區會議を始めとし、地方議會、中央議會等を設け、代表者を選りて實行方法を協議する等

因みに從來の暴力妄動より醒め實力養成と獨立精神を結合して、一個民政團體の如き改造を行へるは確かに時勢の一變遷と云ふべく、在滿鮮人一般の思想の變化より來るものと觀ることを得べし

間島總領事暗殺計畫

間島鳳林洞朝陽川附近、朝鮮人部落に於いて、不逞鮮人搜索の爲め出張中の日本警官隊は、家宅搜

五

秘

索の結果、水溝の下に埋めある米國的爆彈四個を發見押收したを手掛りとして、豫め風說中の鈴木總領事以下重要官員鏖殺の陰謀は發覺され、目下連累者調査檢擧中（一月十五日龍井村）

江界郡村民危懼

平安北道江界郡奧地從南從西、漁雷地方の人民は何時不逞團の侵入を見るやと不安を感ずること夥しく警官又賴るに足らぬので家を棄てゝ安全地帶に移居する者續出村落は殆ど空虛に近しと（江界）

獨立隊長射殺さる

一月八日午前六時、間島延吉縣三上溝に於いて、大韓獨立軍第二聯隊第三大隊長申輝慶なる者、同類の趙民讚方に潛伏中、日本領事館警察官之を探知し、大擧包圍して遂に之を射殺した（間島）

不　逞　團　侵　入

去る一月一日早朝平安北道厚昌郡江岸に警察署長引卒の警官隊二十三名は獨立軍十二名に遭遇し劇戰凡そ三十分、四名を射殺し武器、彈藥を多數押收した殘黨は逃走未逮捕（新義州）

又　復　不　逞　團　侵　入

一月十一日夜獨立軍洪碩浩一隊は平北渭原に侵入中のところ、時適ま江岸地帶警戒中の警官隊に衝突し交戰一時間餘、獨立軍三名を射殺しモーゼル銃一挺を押收し、柳原巡査は負傷した（渭原）

六

秘

左傾思想の蔓延

赤雹團の擡頭

京城に於ける純左傾分子の秘密結社赤雹團は、今回公然頭を擡げて來た。その宣言綱領に曰く

【宣言】朝鮮の社會には一個の怪物がある。而してその毒牙は猛獸のそれより銳く、毒手は鐵鋼より堅し。從つて民衆の生活は唯だ呻吟窮困を以つて最後の死滅に近くのみ。然れども生の欲求は人間の本能で、壓迫に擡頭し、搾取に憤怒するは大衆の通性である、これ朝鮮の社會において起生する義擧たると同時に、本團の出現する動機である。然かも又注意を要するものあり、即ち戰線の混雜これである。吾人は左の綱領を目標として犧牲的に惡戰苦鬪せむとす。

【綱領】

一、我等は朝鮮の解放を期す

二、我等は搾取なき新社會の樹立を期す

三、我等は混亂狀態にある朝鮮の解放運動戰線の整理を期す（京城）

七

秘

レーニン追悼會

二十一日はレーニンの死後一周忌に當るを以つて、朝鮮の社會主義者等は、京城西大門勞働學院内に於いて追悼式を行ふた。尚、北風會、ソウル青年會、解放運動社、青年運動社の四團体は聯合してレーニン追慕講演會を開催して無産者の氣勢を揚げて居る。演題及び演士如左

同志レーニンの死を憶ふ　金若水
無産階級革命兒レーニンの一生　馬鳴
農村の無産階級とレーニン主義　徐廷禧
都市無産階級とレーニン主義　辛鐵
無産青年とレーニン主義　金章鉉
勞働反對説を否定す　洪性夏
ロシア革命とレーニン　孫永極
世界無産階級とレーニン　鞠綺烈
勞農露國の憲法に現はれたるレーニン主義　金炳魯
小弱民族解放運動とレーニンの主張　南廷哲

秘

現下の朝鮮とレーニン主義　金錐範

尚同樣の會合が、大邱、平壤、裡里其他地方にも續々行はれつゝあり

ソウル青年會の新活動

京城に於けるソウル青年會は、朝鮮の解放無産階級本位の社會建設を目標として、新に無産少兒運動を起すべく貧民の子弟を糾合しつゝあり（京城）

革命家追悼式

去る十五日は、獨逸革命家にして世界無産青年運動の先導者であつた「カールリブクネヒト」及「ロサ、ルクセンブルク」の第六週忌に當るを以つて、京城新興青年同盟の發起により、天道教堂に於いて、警官監視の下に、盛大なる追悼演説會を開催した。因に右は遠藤氏著アナキスト列傳等の書籍により、最近朝鮮青年に紹介され、理想の革命家として追慕されつゝあり（京城）

正衛團成る

衡平社の別働隊

朝鮮の白丁を以て組織した水平運動の衡平社では、今回其の別働隊として、京城に於て正衛團を組

織し、屠獸業者青年鄭喜燦以下十二名の委員を設けた、その綱領に曰く

一、吾人の生活安定を圖ること
二、吾人の職業を侵害する者ある時は積極的に防禦すること
三、吾人相互の親愛扶助を圖ること

大邱の勇進團

大邱青年の間には、一部親日分子及び富豪の跋扈を膺懲する目的で此程勇進團なるものを組織し、注目を惹いて居る、その部署左の如くである。

委員長李相定、△事業部徐相郁、金大山、尙三植、△人事部崔昌韓、金民同、李寅洙、△社交部崔翼朝、李聖學、安達得、△智育部朴斗山、朴仲煥、△防犯部金漢周、鄭成得、李準雨、韓寅洙、郭竜洙、△書記白得完、李柳載（大邱）

秘

義烈團員李相度大邱に現はる

議會中東京へ侵入者の取次？

北京義烈團員にして平民大學生李相度（二八）は、何時の間にか歸鮮、十八日大邱南山町の實兄なる李相淳方に潜伏して何事か秘密の連絡を爲す模樣あり、（大邱）

秘

大邱に餓口同盟

大邱府德山町崔世基外三十餘名の青年は、今回餓口同盟を組織した。富豪に對する一種の反抗運動で、綱領に曰く『吾人は支配的敎養より解放的敎養を期し、大衆解放の新生活と平等の意織の促進を期し、階級を否定し、新文化の建設を期す』云々

安東に火星會

慶北安東郡青年會其他四團体聯合の上、新に火星會なるものを組織した、無産大衆の團結、朝鮮の絶對解放を叫ぶ爲めだと（安東）

木浦に左傾青年會

木浦及び附近務安郡内八個所の青年會は、今回新青年同盟を組織した、綱領に曰く

一、大衆本位の新社會の建設を期す

秘

二、無産大衆の解放運動の先驅たることを期す
三、妥協的民族運動者の撲滅を期す（木浦）

綾州に無産者會

全南綾州郡青年會及び勞農團体等は、無産大衆の解放、灰色分子の撲滅を標榜して、無産者大會なるものを組織した（光州）

平北宣川に獨立團

平北宣川郡三峰巡査駐在所を襲撃した武裝獨立團三十餘名は、其後再び同地三省洞金弘基方に侵入して資金を强要した。時適ま新年宴會で酔興中の警察官は急報に接して大擧追撃せしも時既に遅く獨立團員は何れへか姿を隠した（宣川）

一七會創立

咸鏡南道北青郡青年聯合會に於いては、去る四日社會革命思想を有する同志十七名を以って、一七會なる秘密結社を造り大衆本位の新社會の建設を目標として秘密裡に活動を試むべく申合せた（北青）

秘

撲滅團出現

咸南端川郡新興青年會に於いては去る一日撲滅團を組織した、目的は社會革命、禁酒、正義の反逆者（親日鮮人）の撲滅を期するにありと（端川）

七七會成立

咸南咸興に於ては青年石讃根以下七十七人會合して七七會を成立した、目的は階級打破、個人の自由發展、及び大衆共存の新理想實現にありと、一種の社會主義的運動である（咸興）

間島に青年同盟

間嶋三道溝朝鮮人私立明新學校内に於いて、今同その附近朝鮮人青年團十二個所の代表者會同して、無産者本位の朝鮮青年聯盟を成立した（竜井村）

時局大同團の失敗

各派聯盟（一、官民一致施政改善、二、大同團結思想善導、三、勞資協調生活安定の三大綱領を標榜して立つた國民協會、維民會、大正親睦會、同民會、相愛會、同光會、青林敎、矯風會、儒道振興會、朝鮮經濟會、小作人相助會の十一團体）は昨年五月三日發會式を擧げた丈けで、何等活動を見なかつたが、其の化身ともいふべき時局大同團は、一月八日夜、京城白水に於いて發會式を擧げ、從來鮮人のみの範圍を擴張して、此日は内地人側も出席し、來會者約七十餘名、林敬鎬の式辭、蔡基斗の趣旨書朗讀、高義駿の會の經過報告等あつて左記事項を決議した。

一、内鮮人の精神的結合を鞏固にし大同團結文化の向上を期すること

一、發起人

金明濬　外數十名

猶同團は趣旨宣傳の爲め、十五名の執行委員を擧げ、全鮮七隊に分かれ巡廻講演を爲すべく、九日朝夫々出發した、日割と辯士は左の如くである。

△光州、全州、公州、元山、平壤（演士蔡基斗、林敬鎬）
△金泉、大邱、昌寧、晋州、釜山（演士高義駿外一人）

秘

秘

△瑞山、禮山、金堤、論山、錦山、淸州、堤川（演士李啓洗、羅弘錫）
△群山、靈光、咸平、羅州、木浦、海南、珍嶋、南原、高敞、順天（演士朴炳哲、池東燮）
△襄陽（演士朴海遠外一人）
△居昌、尙州、榮州、安東、慶州、蔚山、釜山（演士李昌煥、李東埰）
△金浦、江華、金川、瑞興、信川、平壤（演士李豊載外一人）
△迎日、大邱、密陽、金海、統營（演士吳台煥外一人）

所が元々時局大同團なるものは十一團体各派聯盟の化身たると共に新たなる出資者ともいふべき普天敎の別働隊と指目せられ、講演隊は、到る處地方の青年側と衝突し、東亞日報、時代日報等では毎日連續的に攻擊の筆鋒を鋭にし、九日の如きは群山で巡廻講演隊が會場を求め得ず、不得止翌十日群山公立普通學校を借り受けて講演を試みた所、同地方の青年側から反對の演説を爲す者現はれ群衆は起立拍手を爲す等一時混雜を呈し、遂に警官數十名に依り群衆を制止したる後ち、更に講演を繼續したるも、群衆は益々昂奮し、器具の破毀を爲す等の暴行に出でたので遂に時局大同團弊討會と化し去つた、又大邱では講演後辯士の一人蔡基斗は、大邱驛前で多數青年に毆打さるゝに至つた。

朝鮮の飢餓と小作爭議

京城に飢民千六百

京城では今冬飢民凍死者既に八名を出した。これは毎年のことでもあるが、今冬は旱害の結果殊に丐食が多い。外人宣教師がボツ／＼救濟を始めたが、總督府でも官民協力して凡そ一萬圓の金を醵出し、差當りの救濟を施すと云ふ、其の調査によれば、乞者四百一名、差當り凍死に瀕する者八十九名、其他の飢餓者千六百六十四名であると（京城）

慶北全北五萬の飢民

慶尙北道及び全羅南北道は、昨年の旱害の爲め、米七割減収を見、農民は野草木皮を以つて露命をつなぎ、藁細工や水利土木工事の勞働で辛うじて餓死を免かれてゐたが、昨今の冬寒で草の實も凍り果て、凡そ五萬の農家は全く食ふ物もなく餓死を俟つの外ない狀態に置かれる。

秘

南平に餓死者

全羅南道南平郡平野は、旱害の爲め飢民多く、昨今の寒氣に堪えずして餓死する者一日二名を見た、尙、乞者となりて郡會に出づる者路を敝ふ有樣である（木浦）

載寧の東拓小作爭議

黃海道載寧郡北栗面東拓地の小作爭議は前報の通りであるが、其後、東拓は其の解決に苦しみ、小作人中溫良分子を懷柔して別に小作人向上會を造り、之をして反對小作人に對抗せしめたので、一方反對派は益々激昂して、公然小作人組合を組織して事務所を設け、四千餘名は每日そこに炊事を爲しつゝ持久的策戰をやる相で、引き續き形勢險惡である（沙里院）

旱害地の百姓騷動

忠淸南道舒川郡は、昨年非常なる旱害の爲め收獲皆無となり、農家の困憊一方ならぬので、總督府は救濟策として、三十六萬圓の低利資金を與へて水利組合を成立し、工事により勞銀を散布することにした。ところが工事請負人小寺組は罹災民の弱味につけこみ、人夫賃を低減して、堤防土坪六十錢

秘

に定めたる上種々下請負人を介して、言を左右に托し、工賃の支拂を實行せざる爲め、二百の人夫は警察に殺到して、一大騷動を起して居る（舒川）

舒川の水利工事紛糾

旱害救濟勞銀撒布を兼ねて起工されたる忠南舒川水利組合の工事場に於いては、下請負人（內地人）の爲め勞銀を一坪六十錢にねぎられた上、土坪の測量計算をごまかされ、人夫は終日勞苦して尙六十錢の勞銀を得ず、紛糾を重ねつゝあつたが、請負人は賃金低き支那人千餘名を入れて使用し、鮮人夫の仕事場は奪はれたので、結局支那人勞働の救濟となり了れりと。追て紛爭の模樣（舒川）

次回（二月十五日報導）重要記事豫告

一、日露條約と朝鮮人
一、露領に於ける朝鮮人
一、李東暉の書翰
一、何故大同團は失敗するか

秘

朝鮮の社會相

貴族、富豪、親日運動者に拳銃許可

併合以來朝鮮人には一切武器の所持を禁じ、獵銃食刀の大なるものまで之を押收し、狩獵の爲めに特に一郡千名內外を限度として、銃器の携帶許可制を採つて來たが、今回護身用として「ピストル」の携帶を許可した。その許可を受けたる者は△李完用侯爵外朝鮮貴族中十餘名△親日運動者△富豪としては閔泳徽、林宗相、李容汶、張澤等通計二十八人である（京城）

强盗横行

新年劈頭京城では市の中央なる總督官邸下觀水洞金天祐方に短刀强盗現はれたるを始めとし授恩洞竜山東幕にも續出、何れも犯人逮捕に至らず、北は平壤、元山、南は振威、群山、仁川、密陽、公州、三千浦、竜仁、井邑、苗浦と云ふ風毎日數個所宛突發して不安に襲はれて居る

九人組强盗

一月十三日午後十時、忠淸南道瑞山郡遠所面梯木里趙載吉方に九人組の强盗ピストルを以つて侵入、被害多し、犯人未逮捕（公州）

龍山に强盗

一月十三日京城竜江面東幕上里宋欽弼方に凶器携帶の强盗侵入金錢を强奪逃走せり犯人未逮捕（京城）

新年早々離婚訴訟激增

京城地方法院受理件數の多いのは强制執行、損害賠償等であるが本年は新年御用始めの日から離婚事件非常に多く初日は一日五件を見た、是れ畢

秘

覺朝鮮人の急劇なる社會思想の變化から來る過渡期の犠牲である（京城）

僞獨立團詐欺事件

昨今京城に於いては、種々の奸策を弄して田舍の富農子弟を誘惑する浮浪者多く、爲めに毒手に罹る者夥しき中にも此程内地人高利貸、藝娼妓、刑事巡査等が一團となつて全羅北道長水郡山西面鳳控里豪農金氏の子息金龍鎭を誘惑し、上海假政府の爲めに軍資金を送納すると云ふ口實を以つて金五萬圓を提供せしめ夫々關係者に於て着服した事件が暴露され、目下司法官の手に調査中（京城）

青年自殺

大邱の百萬長者慶一銀行頭取張吉相の息が極端なる社會主義者で、家庭と富とを呪咀して愛人と共に毒を仰いで自殺したのは昨年春のことだが、今回又大邱の富家で道評議員、中樞院參議である李柄學氏の子息も親の資産が思ふ樣に使へないので、思想變になり、親と資産を棄てゝ毒藥自殺を遂げたと（大邱）

巡査の强姦

既遂と未遂

咸鏡南道三水郡江鎭面地應里巡査駐在所の首席巡査菊田博は、同里朱學九なる者の妻朴寶佩の美貌に懸想し、日頃習得した朝鮮語で交情を求めたが、頑として應じないので菊田は一日遂に朱學九方に至り制服制帽を脱いで妻女を捉へ、衣服を裂破した上强姦を遂げ、現場に於いて家人の爲め發覺され今回その筋に告訴された（新乫坡鎭）

全羅南道潭陽警察署巡査朴亀鎬（三一）は、同郡水北面舟坪里鄭用熙方に至り、鄭の妻林吉順（一七）を脅迫し、夫鄭に用を云ひ付けて外出せしめた後ち妻女を强姦せむと取り掛つたところ、女の悲鳴に隣人驅け參じて漸く之を救ひ出した（光州）

〰〰〰〰〰〰〰〰

秘

朝鮮の民心傾向と其の政治運動（批評）

一、共鳴なき參政權要求

二、自然消滅の自治說

三、笑殺さるゝ内政獨立

四、具体化しつゝある民族運動

五、南より北より赤化風

六、朝鮮人を包圍する各種空氣

七、日本の無産政党と朝鮮の解放運動

一、共鳴なき參政權要求

昨今、文化の向上に伴ひ、民族的意識が深刻となつて來るに連れ、日鮮同化と内地延長を理想とする參政權獲得運動は朝鮮人間に冷蔑を以つて迎えらるゝに至つた。殊に此の運動は、故閔元植が、騷擾當時、獨立運動者が八道の代表を連署して國際聯盟に朝鮮獨立承認の請願を爲さむとするものに對抗し、その牽制策として之を提起した關係もあり、鮮人は何等か當局が爲めにする一時的策略ならむとの疑念を去らず。且つ其の請願が毎時議會に於いて八百長的に受理せられつゝ更に實現を見ない爲

秘

め、議會の内情と請願の價値とを知らざる彼等は一向信賴を繋がざるに至つた。

凶漢梁瑾煥が閔元植に加へた白刄は、一般親日鮮人に不尠脅威を貽した、會首を失つた國民協會が纔かに餘喘を保つに過ぎざる今日の窮狀を見ても之を知ることができる。現存國民協會幹部の態度は一般民衆の冷蔑するところとなり、今や參政權運動は徒らに痴人の夢として評し去らるゝのみである。

二、自然消滅の自治說

朝鮮の自治說は、騷擾當時京城朴勝彬等七名の鮮人此の說を唱へて東上し、當路に訴ふるところあつたが、彼等は内地人よりは併合に逆行する者として與みせられず朝鮮人よりは獨立に反對する者と認められ一時自家の立場に窮したが當時その趣旨は一般知識階級に相當の共鳴を得たことは、蔽ふべからざる事實であつた。

其後年月を經るに從つて彼等は鮮内の人心意外に惡化し、自治の如き微温的主張の顧みられざるを覺ると共に、之が實現は到底即今に期待すべからざることを知るに及んで、彼等は夫々舊說を抛棄し或は排日に或は親日に散じ去つた。

三、笑殺さるる内政獨立

自治說が立ち消えて後ち擡頭したのは内政獨立の請願運動であつた。此の運動は主唱者鄭薰謨等が何れも無名の雜輩であり、その標榜は單に内政を獨立して朝鮮人の手に委すべしと云ふにあつて根本

秘

の精神頗る明瞭を欠くものある爲め、舊時代の官吏階級、及び無智なる鮮人の一部が若干之に贊同加擔するの外、一般鮮人は格別の注意を惹かず。唯其の運動者が内政獨立の理由前提として云爲する總督政治の批難に對してのみ共鳴を寄せて居た。然るに、其後此の運動の背後に宋秉畯伯のひそめることさ判明するに至つて、宋伯の政務總監運動、乃至其の一味の獵官運動風說と共に一般に笑殺されつゝある。

此の運動に關聯して、客夏憲政會代議士荒川五郎氏一行の渡鮮を見たが一般識者は之を顧みず一部の青年が之に反對したるのみにて所謂内政獨立請願團期成準備會も遂に解散し此の問題は全く社會から忘られて了つた。

四、具体化しつゝある民族運動

獨立萬歲騷擾以後に發生して依然陰密の間に繼續されつゝあるは、民族運動である、文化運動は文化政治と步調を同じうし乍ら方向を異にする。注目に價ひするは、彼等が抽象論から離れて漸次「民族存榮の源泉は經濟力にあり、此の經濟力は一に日本民族に依つて支配せらる。」と云ふ事實に瞬目しつゝ、今や經濟的壓迫の前に於いて唯無條件に赤化せんとしつゝある傾向である。

五、南より北より赤化風

鮮人の思想界が如斯混沌亂離を極めて居る間に、所謂社會主義的思想が、横流しつゝ始まつた。其

秘

の系統は一は南方日本内地より、他は北方露領よりである。

（イ）南よりするものは主として歸還留學生等が媒介となり、日本の社會主義的著書雜誌に依つて靑年學生の間に流布される。未だ初期に屬し、內地のそれに比し萬事が微弱ではあるが、先驅が、靑年丈けに、意外に廣く行はれつゝある。「新生活」（社會主義的色彩ある鮮人の雜誌にして其の筆者は投獄されたり）事件は却つて靑年の血を刺戟した傾がある。

（ロ）北よりするものは露領赤化鮮人が、勞農政府後援の下に行ふものである。其の本体について鍾路署の爆彈事件前後流言されたところによると、

（甲）彼等が赤化を朝鮮獨立成就の手段とするは、チタに於いて李東暉を中心とせる高麗共產黨とイーマンに於いて文昌範を首領とする元武斷派假政府の一派最も有力にして、其下に大小數十種の團隊あり、二重橋事件の金祉燮や先般京城に於いて警官の射殺せる金相玉、近くは議會中大官や議員を暗殺せむと東京に侵入の報ある金元鳳一派の如きも其の暗殺團の一部であると云ふ者がある（乙）獨立に關係なく一擧にして日本朝鮮支那を赤化せむとする全露共產黨の計画であつて主として歸化鮮人が露人と協力し一方日本人をも加へて組織的に赤化宣傳を試むべしと云ふのである

朝鮮人は、目今上下を擧げて、此の傾向に對し不尠恐怖を感じて居る。而かもその外來のものより

秘

尙恐るべきものは生活難と不景氣が醸釀する內的赤化の素質其物である。彼の無智なる下層民衆は無條件に之を歡迎するの風がある。殊に赤化傾向と獨立思想とが混淆して、彼等に一種民族的敵愾氣分を添ゆるにおいて事態は決して輕視することができぬ。

六、鮮人を包圍する各種の空氣

外、世界平和の大勢に順應し、內、朝鮮人向上の機運に投合して、朝鮮に施されたる文化政治が理想に於いて成功の期待充足なるは勿論、彼の國際政局の安定に伴ひ、朝鮮の民衆をして獨立運動の望みなきを知り、妄動の不利を覺らしめたのは確に文化政治の效能である。彼の騷擾當時の盲目的武斷鎭壓が如何に反動を激發せしかを回顧する時は一層此の感を深うするのである。

然るに、理想に於いて當然成功を齎らすべき文化政治が、成功さるべくして、成功を見ないのは何故か。

（一）は內地人の所謂大和魂の發露は、鮮人の心根を躍動せしめずには止まぬ。之を惡意に解釋する者は勿論、善意に看取し、衷心內地人に敬服するものと雖も、その敬服より日本化に至る前に、先づ自己鮮人の意氣地無きを慚愧して、大和魂に對立する朝鮮魂を朝鮮人の空殼の中に盛り立てやうと努力するのである。內鮮民族性の同異を考慮する者は此の点を見逃してはならぬ。

（二）は千餘在留歐米人の態度である。彼等が政治的色彩云々は論外として其の宗敎に於いて敎育に

秘

於いて日本の國情乃至總督政治と全く共鳴せざるところあるは勿論にして、文化政治の企及し能はざる領域に根を卸してゐる。今時、如何に親日の鮮人と雖も、未だ日本の文明を以つて文明の極致と爲し、日本化するを以つて幸福の一途であると信じてはゐない。昨今彼等歐米人と關係鮮人との間に、內訌頻發し、外人の對當局の態度、聊か軟化せるを見て、朝鮮の民心もはや歐米人より離反し去れりと云ふは早計である、如何に排米傳日の朝鮮人と雖も、其の心底を叩けば、朝鮮に於ける歐米人勢力の全く沒落することを好まない。矢張り歐米人の力を以つて日本を制肘したいと思つてゐるに相違ない。彼の以夷制夷的支那式外交思想が今日では鮮人の腦裡に拔くべからざるものとなつた。從來朝鮮の施政が朝鮮人心の機微を捉ふること能はず、往々、歐米人の聲に捉されて、若干の改正を試みたる如きは、正に叢の爲めに雀を驅りたるの觀なくんばあらずである。

（三）は接壤支那及び露國の政情であり、又次は、愛蘭印度の狀態である。此等の事實が續々として朝鮮人の眼前に展開さるゝに於いては、如何に鈍感なる朝鮮人と雖も、民族運動の世界的趨勢を看取せざるを得ぬ。

七、日本の無產政黨と朝鮮の解放運動

文化向上、實力養成など云ふのは、既に過去の念佛而已。朝鮮人は、今世界的無產者運動の趨勢に

秘

順應して、無產者の手によりて小弱なる朝鮮民族の絕對の解放を爲し遂げやうと意氣込んでゐる。頃來內地に於いて日本無產政党がその政綱に於いて植民地の自治を聲明したのは、適ま玆に或る動因を與へた樣な觀がある。即ち朝鮮の諺文各新聞は、之れを以つて滿足せず、日本の無產者も案外不徹底なりとて聊か不滿の意を表し乍らも、一方無產運動者連は著しく活氣を帶び、到るところ會同を開いて氣勢を揚げつゝある。

此の一文は、朝鮮において、機微の事情に通ずる、有力なる一鮮人の、予に送れるものである。觀るところ、やゝ異なるものあれど、大体において、意見よりも報導として、揭載の價値ありと信じ原稿のまゝを各位に致すこととした。（細井肇）

北米監理派基督教宣教費緊縮

朝鮮に於いて北米監理派基督教は、毎年本國の宣敎會社から、百萬圓の補給金を得て可なり優勢の發展を遂げて來たが、今回本國宣敎費緊縮の爲め、右の補給金を四割減額さるゝことになつたので、京城監理師ノーブル博士を委員長にして、その善後策協議の結果、（一）敎役費（人件費）は十四年自一月至六月二割減、七月以後四割減、事務費四割減、（二）附屬小學校九十六校及び中學校二校の補助全廢、及び日曜學校六百ヶ所の半減、（三）附屬病院慈善事業費五割減を決定した。

右は總督府の敎育及び醫療施設が普及した今日、之を減廢するは當然の歸趨ではあるけれども、何分多年經營の歷史あり、又その從事員も二千に亘る多人數のことであるから、今回の縮少は朝鮮布敎界の一大注目を惹いて居る。

朝鮮思想界縱觀（參考資料）

◇

朝鮮の思想界は民族主義と社會主義の二大潮流を以つて區劃され、一進一退、永く論戰を續けて居た。ところが、最近兩派は或る目的の爲めに頻りと接近し、主義の協調を唱へる樣になつて來た。今茲に代表的の主張を紹介する。

先づ民族主義社會主義兩派の提携を必要とする

崔南善（朝鮮獨立宣言書起草者 諺文時代日報顧問）

民族運動と云へば唯だ血統と歷史と傳統とを復舊しやうとする運動のみではない、必ずや富の分配と權力の均衡等を總体とする全民族の幸福の爲にする運動でなくてはならぬ。故に民族問題にして社會問題を包含せぬものはなく、社會問題にして民族問題を意味しないものはない。從つてその運動には合同も離反もない筈である。現今社會運動者は、動もすれば愛國思想の鼓吹を以つて唯だ權力階級と資本閥が有する富の讃美に過ぎないと斷ずるが、それは當らない。目今朝鮮人の對抗する客体は兩派共全く一つのものを的にして居る。尤とも朝鮮人にも資本閥があるが、それは殆んど云ふに足らぬ。「マルクス」や「エンゲルス」の或る部分に社會革命の信條があるとしても、それを

以つて直ちに朝鮮問題を解決しやうとするのは餘りに淺薄である。何の運動でも、朝鮮特種の事情を土臺として立つところに眞の生命がある。吾人は吾人の特殊の事情が指さす通りに進むべきである。例へば、社會運動家等が、宗教を否認する其の理由は彼の藝術、政治その他文明の利具が悉く有產階級や權力階級の爲めの道具である如く、宗教も又其等の階級を、征服せむが爲めの手段、搾取せむが爲めの器具であると云ふのである。然れども、宗教の本質は勿論そう云ふものではない。唯心論を說くまでもなく、宗教は人性の根本要求から生まれて來たのだ、唯だ之を惡用した爲め、現代では、之を惡魔の宗教として民衆が唾棄するに至つた。彼の民衆藝術を、唱道せらるゝ如く、民衆本位の宗教に改鑄したならば、宗教も、必ずしも否認すべきものではないではないか。

又物產奬勵運動に付いて見ても、未だ世界に民族があり國境があり、歷史がある以上、先づ出發点は民族からしない譯には往かぬ。それこそ天下を擧げて「ボルシエヴイキ」の世となり人は物我の別なく言語も「エスペラント」となり、皮膚の色まで全く同色に化して仕舞つたら、その時は吾々計りが、朝鮮人のみを肥さむと努める必要はないかも知れぬが、少くとも現在では彼の社會革命の先驅者たる露國ですら未だ國家の內にあり、民族を以つて固めて居るではないか

勞資の爭議に付いても正確な意味に於いては我が朝鮮には未だ劇烈なる勞資問題が無い。例へ之れありとするも、そは純然たる同族間の問題は尠ない樣である。それも大多數の幸福の爲めとあら

ば勿論必要ではあるだらう。要するに吾人の運動は既に目的が定まつて居るから、兩派の運動が提携して、到達すべきところに到達したその上では、帝王政治にしやうとも、共和政治にしやうとも「ボルシエヴイキ政治」にしやうともそれはその時の問題であると思ふのである。

兩派は結局一致するであろう

曹奉岩（朝鮮勞農總同盟委員）

謂ゆる社會運動なるものは、同一の國家社會に於いても有產階級と無產階級とが對立した場合、その階級鬪爭を前提として、徹底的に社會を改善しやうとする運動である。故に利害が衝突する兩大階級を混同して、唯だ「同一民族」と云ふ漠然たる觀念の下に叫ばるゝ民族運動とは本質上當然差異を免れないのである。實例を以つて見れば、先づ彼の民族的に獨立して居る英國や佛國や獨逸の樣な國でも、最も猛烈に社會運動が起るのを見るであらう。又その反對に、民族運動とも云ふべき反動勢力が、その國の社會運動と相對峙して居るのもある、伊太利の「パシスト」や、日本の赤化防止團、國粹會等がそれ等の民族運動と見ることが出來る。

然し乍ら、若し民族運動者にして、眞實な意味に於いて、互に自己の利害關係を正視すれば、必ずやその中でも、一民族の獨立によつて、その民族の全体が同一の幸福と同一の自由とを得ること

の困難を看破するであらう。詰り勞働階級にある無產大衆は、生產と分配の關係が公平に變更されない限りは何時も同樣に資本家の脚下に呻吟しなければならぬのである。愛蘭國民の大衆が、一旦英國より國權を同收したとて、その日から愛蘭國民全体が平等の幸福を享けるとは認められないではないか。然かのみならず、民族運動そのものも、結局は侵略の正体を發見しない時は、常に皮相的運動として徒勞に歸するのみである。例へば英國が印度を侵略して、自己の植民地と化したのは英國の財閥とその手足たる軍閥等の仕業であつて、その日の糧を得るに汲々たる無產大衆の意識的行動ではなかつた。それ故に斯かる資本主義を征服し得ない限りは、侵略の事實はそのまゝ繼續するのである。だから、民族運動者としても、或る時期に至つて、始めて之を悟る時は、自然社會運動者と一致せる行動を取ることになるであらう。未だこゝに到らざる途程に於いても、消極的政治運動に付いても行動が一致するであらうと信ずる。

論の當否は兎も角、彼等は正に斯く信じ斯く步みつゝある。即ち彼等は日本を共同の敵として鋒を向けて進みつゝある。（未完以下次號）

秘

最近米國評論界に發表されて新たに問題となれる

朝鮮と比律賓に關するルーズヴェルトと日本との秘密條約

ジョンス・ホプキンス大學敎授タイラー・デネト氏公表

カラント・ヒストリー 一九二四年十月號所載

一九〇五年七月二十九日日本の首相にして外相小村侯がポーツマス平和會議に出掛けた留守中外相を兼攝してゐた桂伯はルーズヴェルト大統領の代理者と、極東に於ける日英と合衆國との協同に關し東京在住の亞米利加公使グリスコムさへ知らぬ程の秘密談判をしたが其の結果の報告を受けたるルーズヴェルト大統領は其の代表者に對し七月三十一日に『君が桂伯と爲した會議に對しては滿足に思ふから其の旨を桂伯に傳へて呉れ』と云ふてゐる

其の報告は大略左の如くである

『次のことは日本の首相と自分との間の協議に關する覺書である。

桂伯と自分とは七月二十七日の午前長時間の會議を試みたが比律賓に關し、朝鮮に關し、且つ極東

秘

の平和に關し次の如き意見の交換をした。

第一に亞米利加に於ける親露派の人々が云ふてゐるやうに日本が露國に勝つたのは是れから日本が比律賓を侵略する前提であると云ふことに關して、桂伯は日本は比律賓に對して何等の野心を持つてゐないばかりか比律賓が比律賓人によつて誤つた統治をされたり、或は日本に好意を持たない歐洲の國々によつて支配されたりするよりは、亞米利加の如き日本に親密なる國によつて統治されることを欲すると云ふた

第二に極東の平和に關して、桂伯は極東の平和の維持は日英米三國政府の協力に待つ外他に方法が無いと思ふが此の點に關する合衆國の傳統的政策は正式の條約を結ぶと云ふことは出來ないにしても日英と內約位は出來さうなものだと云ふた。此れに對して合衆國大統領は上院の同意無しには他國と斯る內約も結ぶことは出來ないのであるが、然し合衆國は極東に於ける日英の政策に贊成してゐるのであるから必要の場合には合衆國は日英と協同的な適當の態度に出づるものと日英が當にしてゐてもよいと言ふた。

第三に朝鮮問題に關し桂伯は朝鮮は日露戰爭の直接原因であつたのであるから戰爭の當然の後始末として朝鮮が再び他國と不用意な條約等を取結ばぬやうにしなければならぬと言つた。

之れに對して同伯の意見に贊同の意を表し自分の一個の意見としては、日本が朝鮮に軍隊を駐屯せ

秘

しめて朝鮮が他國と矢鱈に條約などを締結しないやうに監督する必要があると思ふのであるが斷言は出來ぬがルーズヴエルト大統領も恐らく同じ意見であらうと言ふた。そして此の會談の覺書をルート氏及び大統領に送ると云ひ、桂伯は同じく內密に小村侯に送ると云ふた。

首相は非常に會談を希望されたので自分は眞實と思ふ所を正直に述べたのであるが若し言ひ過ぎた所があれば貴下に於て御訂正下さることが出來ると思ふのである。それから桂伯は貴下とルーズヴエルト大統領とに丈け此の模樣を報告して呉れとのことであつたからグリスコムには知らせて無いが若し必要があらば外務省の方から通知出來ることゝ思ふ。

東京から

一九〇五年七月二十九日

華盛頓なる――へ。』

筆者が八月ウイリアムスタウンに於ける政治學研究所に於て此れを發表した時には此は決して『秘密條約』で無いと云ふ議論があつた。然し此れが秘密であつたと云ふのはグリスコムにも知らせなかつたことゝ公の記錄の中にも含まれてゐなかつたことゝそれから發表までは五六人の人にしか知られてゐなかつたことで明かであるし、また此れが條約であつたことは本文の內容からして明らかである此の文書の疑ふべからざることは此れがルーズヴエルト家の監督の下に議會の圖書館にルーズヴエルト私文書として保管されてゐた中から發見されたことによつて明かである。

秘

右文書を讀んで分るやうに日本首相は右會談を自分の方からしきりに求めたことゝ條約が秘密にされんことを希望したことが分る。

第一節に於て桂伯は日本が比律賓に對して何等の野心を有してゐないことを斷言してゐるのであるが、此の桂伯の言は日本が露西亞に勝つた後ちは比律賓や布哇に對し侵略の手を伸すであらうと心配してゐたルーズヴエルト大統領を安心させたに相違無いので、桂伯の此の言があつたればこそ三週間にポーツマス會議が行き詰つた際にルーズヴエルト大統領が仲裁役を勸むるやうになつたのである。

此の會談のあつた二週間後に第二日英同盟の條件が發表されたのであるが此の事實は極めて重大な意味を有してゐるのである何となれば桂伯は右覺書の第二節に合衆國が日英同盟の秘密同盟國たらんことを求めたのに對し、ルーズヴエルト大統領に其の代表者の返答を裏書してゐるからである。

第二日英同盟の前言中には同同盟は極東に於ける平和維持のためであると書いてあるが結局ルーズヴエルト大統領は其の在任中は合衆國政府が其の秘密同盟國として行動すべき旨を個人的に約束したやうなもので假りに上院が斯樣な條約を正式に承認するとしても同じ樣な態度に出でたらうと思はれる。

ルーズヴエルト大統領が日英米三國同盟に贊成してゐたと信ずべき理由は充分にあるのであつて、ルーズヴエルト大統領は日露戰爭中勿論獨立してでゐるが、英米協同的態度に出でゝゐたのである

36頁・37頁は、原本において欠落しています。（不二出版）

秘

三八

『吾人は朝鮮人のために日本に逆ふことは出來ない。朝鮮人は自己擁護のために一指を動かすことの出來ないやうな人民なのだからと云ふてゐる位であるし、朝鮮に關する此の結論は二十五年間亞米利加の國是であつたので若し七月二十九日の協約に交換的意味があつたとしたら、其れは六ケ月以前に決定したる亞米利加の態度に對して、日本政府をして日本が比律賓に干渉しないことを斷言せしめたことになるのであるから却つて亞米利加の上出來だつたとも言へる。

それからルーズヴエルト大統領は日本と露西亞の仲直りが案外早く行はれ、或は兩國間に同盟さへも結ばれるやうになるかも知れないと心配してゐたので氏の政策は日本をして露西亞と結ばずして英米と結ばしめやうとすることにあつた。

一九一四年國務卿ノックスが滿洲鐵道の中立を唱へて一九〇五年八月二十九日の條約を排斥した時に日本が反米的の秘密條約を露西亞と結ぶに至つたのを思ふと、若しルーズヴエルトの政策が續いて行はれたならば斯かる條約は結ばれなかつただらうと考へられるのである

成程ルーズヴエルトの日本との秘密條約に對し事情を考へない非難ならば問題にならぬ。ルーズヴエルト氏は日本は露西亞を破ることによつて亞米利加に利益を與へて吳れたと考へたで此の恩惠に對して何等かの報酬を爲すことが亞米利加の當然の義務と考へたのである。亞米利加の極東政策なるものが概して無代價で何物かを得やうとする傾きがあつたのに比べてルーズヴエルト氏の政策は實に見上げたものと言はなければならない。

朝鮮事情親展書面通信　…趣意摘錄…

朝鮮問題の解決如何は直ちに我が國運の消長に關係致候こと更めて申すまでもなきことながら從來同問題は動もすれば閑却せられ、議會に於ける質問の如きも、質問せんが爲めの質問に止まり何等眞相に觸るゝところなく、新聞雜誌の論説又概ね肯綮に中らず、甚だしきは、天氣、地氣、人氣を異にせる英國の愛蘭、印度乃至埃及に對する植民地事情を擬して、直ちに内鮮關係を論斷せんとするの謬妄に墮するあり。一千七百萬新同胞の利害休戚全く別箇の天地に閑却遺忘せらる、正に是れ國家の大患に御座候。規約御含みの上、先憂後樂の御高志を以つて、御贊助相賜り度、毎月五圓の會費一見不廉なるが如きも朝鮮全道通信網完成に多數の人員と費用を要す、況んや公刊の自由なき書面通信たるに加へて朝鮮の研究理解に資便する著書は無料にて隨時之を送呈せんとするものなり。此等の[illegible]點御賢諒の上、御贊助被成下候樣、邦家の爲め奉懇願候

規

a 機密通信

- 内容　朝鮮裏面の事情を通信す
- 形式　親展書面を以つて報導す
- 回數　不定期　重要問題あらば毎日にても通信を發すべし、重んずるは質にして量にあらず、白紙を黒抹するは我等同人の好まざるところ、大抵毎月一兩回たるべし

b 秘文書

- 内容　朝鮮統治の眞否、事業の虚實に關する嚴正批判
- 形式　親展書面を以つて報導す
- 回數　不定期

c 研究資料の提供

- 内容　朝鮮民族性研究に適切なる古史古書、朝鮮問題解決に必要なる近刊論著（世上に行はるゝものと雖も不必要なる愚著凡書は取らず）
- 形式　第四種郵便を以つて無料贈呈す
- 回數　不定期

本事業を贊助する士人は、本事業の費用として毎月金五圓を支出（前納）せられたし

極秘

騷擾事件ノ概況

朝鮮總督府警務局

騷擾事件ノ概況總目次

騷擾事件概況目次（其ノ一）

騷擾事件ノ概況

今次勃發セシ所謂獨立運動事件ノ企畫ノ内容及事件ノ發端並ニ各道ニ於ケル騷擾ノ情況ニ就テハ屢報セル所ナリ更ニ事件發生前ニ於ケル民心ノ傾向事件ニ關スル外人ノ言動並ニ事件ト在外排日鮮人トノ關係及三月一日事件發生以來同三十一日ニ至ル事件經過ノ概況ヲ記スレハ左ノ如シ

一、事件發生前ニ於ケル民心ノ傾向

西歐戰亂以來在外不逞鮮人等ハ頻リニ祖國復興ノ急務ヲ叫ヒ此ノ風潮ハ大正六年ニ入リ一層熾烈トナリシ情況アリ則チ支那上海居住不逞鮮人申圭植(申檉)等ハ大正六年八月瑞典「ストックホルム」ニ於テ開催セラレタル萬國社會黨大會ニ對シ朝鮮社會黨ノ名ヲ以テ朝鮮ノ獨立ヲ要望シ又米本土及米領布哇在住鮮人ハ同年九月下旬米國紐育ニ於テ開催セラレタル廿五小弱國會議ニ朴容萬ナル者ヲ派遣シタル以來運動ニ奔走シ又露領浦鹽地方在住ノ不逞輩ハ露國過激派ノ勃興ト獨勢ノ東漸ニ因リ西比利亞一帶ノ擾亂ヲ見ルニ至ルヤ間島地方在住不平ノ徒ト氣脈ヲ通シテ過激派ト結ヒ我軍ニ不利ヲ與ヘムト企圖セシモ過激派ノ勢威衰フルニ及ヒ上海、米領地方ト聲息ヲ通シテ事ヲ謀ラムトスルノ情況アリ此等在外鮮人ノ行動ハ戰亂ノ終局ニ近クニ伴ヒ歐洲ニ於テ逐日旺勢トナリシ民族獨立運動ノ情況ト共ニ漸次新聞又ハ通信ニ依リ鮮内地ニ傳ヘラレ漸ク民心ニ動搖ヲ來シ殊ニ戰亂ハ獨逸ノ屈

二一

伏トナリ米國大統領ニ依リ民族自決主義高唱セラルルヤ之ニ關スル論評ト媾和會議ノ將來並ニ之ニ關聯シテ歐洲ニ於ケル民族ノ獨立運動功ヲ奏シ數箇ノ獨立國ヲ生スルニ至ルヘシ等ノ新聞雜誌ノ報道トハ鮮人智識階級及青年子弟ヲ刺戟シ排日者ト否ラサル者トヲ問ハス民族自決ノ思想ニ囚ハレ一種ノ希望ヲ抱クニ至リ媾和會議開催後ニ於テ在外不逞輩カ代表者ヲ媾和會議ニ差遣セムトスル運動ハ或ハ祖國復興ノ成果ヲ齎ラスニアラサルヤヲ翹望シ密カニ其ノ前途ヲ期待セルノ狀況アリ客年末來京城市内ニ於ケル基督敎徒中ニハ外人宣敎師ニ對シ媾和會議ノ結果朝鮮獨立ノ能否ヲ問ヒ又中等程度以上ノ學校生徒中ニハ敎師ニ對シ媾和會議ノ結果朝鮮ノ將來ハ如何ト暗ニ朝鮮ハ帝國ノ羈絆ヲ脫シテ再ヒ獨立スヘキヤ否ヲ問ヒ若ハ媾和會議ニ鮮人參列ノ能否ヲ問フモノ等アリ就中基督敎系學校生徒中此ノ傾向最モ顯著ナリシカ更ニ各道ニ於テハ在外殊ニ米國在住不逞鮮人等ノ運動情況ニ關シ往年ノ海牙密使事件ニ比シ其ノ結果ヲ論スルモノアリ又米國大統領ハ今回ノ媾和會議ニ於テ列國ニ對シ其ノ屬領ヲ獨立セシメ之ヲ共和國ト爲スヘク提議スル由ナルヲ以テ我朝鮮モ不日獨立シテ共和國トナルヘシ若ハ米國大統領提議ノ結果日本ハ今回ノ戰爭ニ依リ領有セシ青島及南洋ノ二島ヲ還付シ次テ朝鮮ノ併合ヲ解クヘシ等ノ風說盛ニ行ハレ侯爵朴泳孝又ハ在米不逞鮮人ノ首領李承晚ヲ以テ大統領ニ擬スルモノアリテ或ハ眞ニ獨立ノ可能ナルヲ信シ又ハ全然獨立ヲ見ル能ハサル迄モ此ノ機會ニ於テ朝鮮カ日本ノ治下ニ在ルヲ悅ハサル事實ヲ世界ニ公表シ將來獨立ノ基礎ヲ形成スルヲ得

六

七

ヘキヲ期待セルモノアリ假令其ノ反對論ヲ唱フル者ト雖唯時機尙早ナリト云フニ止マリ獨立ヲ以テ絕對不可ナリト思惟スル者寧ロ稀ニシテ其ノ抱懷セル感念必スシモ相一致セサルモ苟モ多少ノ見聞アルモノハ何等カノ期待ヲ有セサルモノナキ情況ヲ呈スルニ至レリ今次ノ獨立運動企畫ハ則チ此ノ思想ニ胚胎セルモノニシテ又東京ニ於ケル鮮人留學生等ノ獨立運動ト李太王薨去トハ之カ導火線トナリテ遂ニ騷擾ノ勃發ヲ見ルニ至レリ

二、騷擾事件企畫ノ内容

一般ノ民情前項記載ノ如クナルヲ以テ本春來充分ナル用意ヲ以テ査察ニ努メタルモ何等外形上ニ顯ハルル處ナカリシカ遂ニ二月二十八日夜半ニ至リ宣言書(第一號譯文)ヲ發見シ更ニ三月一日朝ニ至リ別紙(第二號譯文)ノ如キ檄文ヲ京城市内各所ノ鮮人門戶外ニ撒布シアルモノ及東大門、南大門及淑明女學校前ニ別紙(第三號譯文)ヲ貼付シアルヲ發見シ三月一日午後一時迄ニ獨立宣言書署名者三十三名中ノ二十九名ヲ逮捕シ他ノ四名中三名ハ其ノ後間モナク之ヲ檢擧シ尙ホ本件ノ裏面ニ於テ企畫ニ干與セシ有力者ヲ檢擧シ取調タル處企畫ノ内容判明スルニ至レリ

(第一號)

宣言書

我等ハ茲ニ我朝鮮國ノ獨立タルコト及朝鮮人ノ自由民タルコトヲ宣言ス此ヲ以テ世界萬邦ニ告ケ

四三

人類平等ノ大義ヲ克明シ此ヲ以テ子孫萬代ニ誥ヘ民族自存ノ正權ヲ永有セシム半萬年歷史ノ權威ニ仗リテ此ヲ宣言シ二千萬民衆ノ誠忠ヲ合シテ此ヲ佈明シ民族ノ恒久一ノ如キ自由發展ノ爲メニ此ヲ主張シ人類的良心ノ發露ニ基因シタル世界改造ノ大機運ニ順應幷進センカ爲此ヲ提起スルモノナリ是レ天ノ明命時代ノ大勢全人類共存同生權ノ正當ナル發動ナリ天下何物ト雖モ此ヲ阻止抑制シ得ス

舊時代ノ遺物タル侵略主義强權主義ノ犧牲トナリテ有史以來累千年初メテ異民族箝制ノ痛苦ヲ嘗メテヨリ茲ニ十年ヲ過キタリ我生存權ノ剝喪シタル凡ソ幾何ソ心靈上發展ノ障礙タル凡ソ幾何ソ民族的尊榮ノ毀損タル凡ソ幾何ソ新銳ト獨創トヲ以テ世界文化ノ大潮流ニ寄與補裨スヘキ機緣ヲ遺失シタル凡ソ幾何ソ

噫――、舊來ノ抑欝ヲ宣暢セムトセハ時下ノ苦痛ヲ擺脫セントセル將來ノ脅威ヲ芟除セントセハ民族的良心ト國家的廉義ノ壓縮銷殘トヲ興奮伸張セントセハ各個人格ノ正當ナル發達ヲ遂ケントセハ可憐ナル子弟ニ對シ苦恥的財產ヲ遺與セサラントセハ子子孫々永久完全ナル慶福ヲ導迎セントセハ其ノ最大急務ハ民族的獨立ヲ確實トナラシムルニ在リ二千萬各個各人カ方寸ノ刄ヲ懷ニシ人類ノ通性ト時代ノ良心カ正義ノ軍ト人道ノ干戈トヲ以テ護援スル今日吾人ハ進ンテ取ルニ何ノ强カ挫ク能ハサル退ヒテ作スニ何ノ志カ展シ能ハサラン

八

九

丙子修好條規以來時時種種ノ金石盟約ヲ食ミタリトシテ日本ノ信ナキヲ罪セントスルモノニアラス學者ハ講壇ニ於テ政治家ハ實際ニ於テ我祖宗世業ヲ植民地視シ我文化民族ヲ土昧人過シ專ラ征服者ノ快ヲ貪ルノミ我カ久遠ノ社會基礎ト卓犖セル民族心理トヲ無視スルモノトシテ日本ノ少義ナルヲ責メントスルモノニアラス自己ヲ策勵スルニ急ナル吾人ハ他ヲ怨尤スルノ暇ナシ現在ヲ綢繆スルニ急ナル吾人ハ宿昔ヲ懲辨スルノ暇ナシ今日吾人ノ任スル所ハ只タ自己ノ建設アルノミ決シテ他ヲ破壞スルニアラサルナリ嚴肅ナル良心ノ命令ニヨリテ自家ノ新運命ヲ開拓セントスルモノナリ決シテ舊怨及ヒ一時的ノ感情ニヨリテ他ヲ嫉逐排斥スルモノニアラサルナリ舊思想舊勢力ニ羇縻セラレタル日本爲政家ノ功名的犧牲タル不自然ニシテ又不合理ナル錯誤狀態ヲ改善匡正シテ自然ニシテ又合理ナル正經ノ大原ニ歸還セムトスルモノナリ當初民族的要求ニ出サリシ兩國併合ノ結果カ畢竟姑息的威壓差別的不平及統計數字上ノ虛飾ノ下ニ於テ利害相反セル兩民族間ニ永遠ニ和同スル能ハサル怨溝ヲ益々深カラシムル今來ノ實績ヲ觀ヨ勇明果敢ヲ以テ舊誤ヲ廓正シ眞正ナル理解ト同情トヲ基本トスル友好的新局面ヲ打開スルコトカ彼此ノ間遠禍召福ノ捷徑タルヲ明知スヘキニアラスヤ又二千萬含憤蓄怨ノ民ヲ威力ヲ以テ拘束スルハ啻ニ東洋永遠ノ平和ヲ保障スル所以タラサルノミナラス此ニ因ツテ東洋安危ノ主軸タル四億萬支那人ノ日本ニ對スル危懼ト猜疑トヲ益々濃厚ナラシメ其ノ結果トシテ東洋全局ノ共倒同亡ノ悲運ヲ招致スヘキハ明ナリ今日吾

五
六

人ノ朝鮮獨立ハ朝鮮人ヲシテ正當ナル正策ヲ遂ケシムルト同時ニ日本ヲシテ邪路ヨリ出テ、東洋ノ支持者タル重責ヲ全フセシメントシ支那ヲシテ夢寐ニモ免レ能ハサル不安恐怖ヨリ脫出セシメントシ又東洋平和上重要ナル一部ヲナス世界平和人類幸福ニ必要ナル階段タラシメントスルモノナリ是レ豈區々タル感情上ノ問題ナラムヤ

嗚呼新天地ハ眼前ニ展開セラレタリ威力ノ時代ハ去リテ道義ノ時代ハ來レリ過去全世紀鍊磨長養セラレタル人道的精神ハ方ニ新文明ノ曙光ヲ人類ノ歷史ニ投射シ始メタリ新春ハ世界ニ來リテ萬物ノ回蘇ヲ催進シツヽアリ凍氷寒雪ニ呼吸ヲ閉蟄シタリシモノ彼ノ一時ノ勢ナリトセハ和風暖陽ニ氣脉ヲ振舒スルハ此レ一時ノ勢ナリ天地ノ復運ニ際シ世界ノ變潮ニ乘シタル吾人ハ何等ノ躊躇ナク何等ノ忌憚スヘキナシ我カ固有ノ自由權ヲ護全シ生旺ノ樂ヲ飽享スヘク我カ自足ノ獨創力ヲ發揮シテ春滿テル大界ニ民族的精華ヲ結紐スヘキナリ

吾等ハ茲ニ奮起セリ良心ハ我ト同存シ眞理ハ我ト幷進ス男女老少陰欝ナル古巢ヨリ活潑ニ起來シテ萬彙群衆ト共ニ欣快ナル復活ヲ成遂セントス千百世祖ハ吾等ヲ陰佑シ全世界ノ氣運ハ吾等ヲ外護ス著手ハ卽チ成功ナリ只前頭ノ光明ニ向ツテ驀進スルノミト云爾

公約三章

一、今日吾人ノ此擧ハ正義人道生存尊榮ノ爲ニスル民族的要求ニシテ卽チ自由的精神ヲ發揮スル

一〇

モノニシテ決シテ排他的感情ニ逸走スヘカラス

一、最後ノ一人迄最後ノ一刻迄民族正當ナル意思ヲ快ク發表セヨ

一、一切ノ行動ハ最モ秩序ヲ尊重シ吾人ノ主張ト態度ヲシテ飽マテ光明正大ナラシムヘシ

朝鮮建國四千二百五十二年三月　日

朝鮮民族代表

孫秉熙　吉善宙　李弼柱　白龍城　金完圭　金秉祚
金昌俊　權東鎭　權秉悳　羅龍煥　羅仁協　梁甸伯
梁漢默　劉如大　李甲成　李明龍　李昇薰　李鍾勳
李鍾一　林禮煥　朴準承　朴熙道　朴東完　申洪植
申錫九　吳世昌　吳華英　鄭春洙　崔聖模　崔　麟
韓龍雲　洪秉箕　洪基兆

二

（第二號）

譯文

嗚呼痛イ哉我二千萬同胞ヨ我
大行太上　皇帝陛下崩御ノ原因ヲ知レリヤ否ヤ平素健康ニ渡ラセラレ又患報無カリシニ半夜寢殿ニ於テ倉猝トシテ崩殂シ給フ是レ豈常理ナランヤ目下巴里媾和會議ニ於テ民族ノ獨立ヲ提唱セルニ對シ彼レ巧黠ナル日人ノ奸計ハ「韓族ハ日本ノ政治ニ悅服シテ分立ヲ願ハス」トノ證明書ヲ提出シ以テ萬國ノ耳目ヲ欺蔽セントス而シテ李完用ハ貴族代表、金允植ハ儒林代表、尹澤榮ハ宗戚代表、趙重應、宋秉畯ハ社會代表、申興雨ハ敎育、宗敎代表ナリト假稱シテ署名捺印シ是レニ

一、大行太上皇帝ニ批准押寶ヲ迫請シテ其ノ兇ヲ極ム天威赫怒シ嚴譴峻斥ス計出ツル所無ク又他變ヲ恐レテ遂嘱完逆以テ其酖弑ヲ行フニ當ツテヤ尹德榮、韓相鶴二賊ヲシテ膳ニ侍セシメ兩宮女ヲシテ夜御食醢ニ毒藥ヲ和進ス

玉體忽チ軟如〇〇〇（不明）門迸裂シ九竅血湧、卽席天ニ賓シ給フ心痛膽掉、攸言スル所ヲ知ラス而シテ此ノ兩宮女マテ殘藥ヲ飲マシメテ慘殺シ以テ口ヲ緘ス彼ノ賊腸愈々出テ愈々酷ナリ〇〇〇（不明）秋變切齒銘髓以テ一報ヲ期圖スヘキニ拘ラス未タ舊讎ヲ報セスシテ大變ヲ荐生ス彼蒼天ヨ此レ何人ニヨリテ斯ルカ、我民族猶存スルアラハ豈一雪ヲ忘レンヤ且ツ米國大統領ウイルソン氏十三個條ノ聲明ヲ爲シタル以來民族自決ノ聲一世ヲ掀動シ波蘭、愛爾蘭、棲克等十二國ハ共ニ獨立ヲ爲シタリ我韓民族タル者豈此機會ヲ失ハンヤ此ヲ以テ在外同胞ハ此ニ乘シテ以テ國權恢復ヲ疾聲泣訴シツヽアリ然ルニ國內同胞ハ晏然トシテ動カス聲援未タ振ハス大議未タ定マラス念ヘヨ我同胞ヨ今日ハ世界改造亡國復活ノ好機會ナリ擧國一致堅結シテ立タハ既失ノ國權回ス可ク既亡ノ民族救フ

七
八

一一

可ク

先帝　先后兩陛下ノ大讎極怨亦洗フ可ク雪ク可シ起テヨ我二千萬ノ同胞ヨ

隆熙紀元十三年正月　日　仰告

國民大會 〔國民大會〕

（第三號）

貼紙譯文

噫我同胞ヨ、

君讎ヲ快雪シ國權ヲ回復スルノ機會來レリ同聲相應シ以テ大事ヲ共濟セラレムコトヲ要

隆熙紀元十三年正月　日　國民大會

（一）、企畫ノ內容

（イ）、天道敎側

天道敎中央總部ノ元老株タル權東鎭及吳世昌ハ大正七年十二月下旬頃ヨリ屢々相會合シテ世界ノ形勢ヲ論シ民族自決主義ハ今ヤ世界ノ大勢ニシテ既ニ波蘭ハ國家ノ復興ヲ宣言シ「チエツク、スロバツク」民族ハ獨立ヲ宣言シ其ノ他泰西ニ於テハ民族ノ獨立盛ニ唱道セラレ而モ是等ノ運動ハ米國ヲ始メ其ノ他列强ノ援助若ハ容認セル處ナルヲ以テ目下ハ朝鮮獨立ヲ企圖スルニ最好機會タリ

トナシ常ニ新聞通信記事等ニ留意シツヽアリシカ同月下旬頃ヨリ兩名ハ屢々同敎ノ經營ニ係ル京城普成高等普通學校長崔麟ト會合シ其ノ所見ヲ開陳シ獨立運動ノ可否ニ付其ノ意見ヲ求メタルニ崔麟亦之ニ同意シ其ノ實行方法トシテハ帝國政府、貴衆兩院、政黨首領、朝鮮總督ニ對シテハ併合後鮮人ハ一般ニ日本ノ政治ニ服セス其ノ治下ニ在ルヲ欲セサルヲ以テ國權ヲ返還スヘシトノ請願書ヲ提出シ米國大統領及巴里媾和會議ニ對シテハ恒久的平和ヲ基礎トスル新世界カ將ニ建設セラレムトスル今日單リ朝鮮ハ此恩惠ニ漏レ日本ノ壓迫政治ノ下ニ在ルコトヲ訴ヘ其ノ同情ニ依リ國權復興ノ援助ヲ求ムルコトヽシ又一面ニハ大ニ朝鮮人ノ輿論ヲ喚起シ列强ヲシテ朝鮮人一般ノ意思表示ヲ認メシムルニハ單リ天道敎ノ力ヲ以テスルハ不可ナルノミナラス外國トノ交渉關係ヨリスルモ有力ナル耶蘇敎徒ノ團體ト協力シ更ニ貴族及古老ノ一部ヲ加入セシメ以テ其ノ聲ヲ大ニシ大々的運動ヲ開始セハ朝鮮ノ獨立ヲ得ルハ必スシモ至難ノ業ニアラス又此運動ニシテ直ニ其ノ成果ヲ收ムルコト能ハストスルモ朝鮮獨立ノ機運ヲ促進スルニハ偉大ナル效果アルヘシトナシ三名ハ茲ニ獨立運動ノ實行ヲ決意シ本年一月二十五、六日頃相携ヘテ天道敎主孫秉熙ヲ訪ヒ此企畫ヲ陳ヘタル處孫ハ兄等ニシテ既ニ如斯企畫アラハ予ハ何等ノ異存ナシ必ス身命ヲ賭シテ祖國ノ爲ニ努力スヘシト盟ヒ茲ニ天道敎ノ方針ハ一定スルニ至レリ此レ今回ノ騷擾事件ノ發端ナリトス

耶蘇敎徒ト協同運動ヲ開始スルコトニ就テハ決定セシモ同敎徒中ニハ耶蘇敎徒ト交渉ノ任ニ當ル

ヘキ適當ノ人物ナキヨリ崔麟ハ耶蘇敎徒中ニ親交アリ且思想鞏固ニシテ文筆ニ長シ青年學生間ニ最モ信望アル京城三角町居住著述兼出版業者崔南善ヲ說キテ此擧ニ贊同セシムルコトヽシ一月二十七日頃同人ヲ訪ヒ其ノ運動企畫ヲ語リタル處崔南善モ之ニ贊シ自ラ耶蘇敎側ト交渉ノ任ニ當ルコトヲ快諾セリ

其ノ後天道敎ニ於テハ秘密ノ漏洩セムコトヲ虞レ同敎ノ最高幹部ニ對シテモ絕體ニ之ヲ秘シ耶蘇敎側トノ連盟成リ運動實行ノ期略決定スルヤ孫秉熙、權東鎭、吳世昌ノ三名ハ二月二十五日ヨリ同二十七日ニ至ル三日間ニ於テ在京中ノ最高幹部及當時入京中ノ地方最高幹部左記十一名ニ之ヲ傳ヘタリ

本籍　京城府慶雲洞七十八番地
天道敎月報課長　李鍾一　當六十二年

本籍　京城府齋洞三十六番地
天道敎承禮　權東鎭　當五十二年

本籍　京城府桂洞八十一番地
天道敎道師　梁漢默　當五十六年

同　蓮洞百七番地
同　金完圭　當四十三年

本籍　平安南道龍岡郡吾彰面葭陽里
同　洪基兆　當五十五年

本籍　京城府昭格洞百二十二番地
同　洪秉熙　當五十一年

本籍　平安南道中和郡祥原面獐項里
住所　京城府諫洞六十二番地
同　羅龍順　當五十六年

本籍　全羅北道任實郡井邑面南山里
同　朴準承　當五十四年

本籍　平安南道平壤府陸路里
同　羅仁協　當四十八年

本籍　平安南道平壤府鏡濟里
同　林禮煥　當五十五年

本籍　京城府苑洞百五十九番地

同長老　李　鍾　勳　當六十四年

（ロ）、耶蘇教側

崔南善ハ運動ニ加盟シ耶蘇教側ト交渉ノ任ニ當ルコトヲ諾スルヤ明治四十三年總督暗殺陰謀事件ニ依リ處刑セラレタル耶蘇教徒中ノ有力者平安北道定州郡郭山面盆城洞居住李昇薰ト事ヲ謀ラムト欲シ二月十日頃李昇薰ノ設立セシ五山學校卒業生金道泰ナル者當時京城ニ在リシヲ使者トシテ「緊急相談ヲ要スルコトアリ至急上京ヲ仰ク」旨ノ書面ヲ携行五山學校ニ赴カシメタルカ李昇薰ハ當時不在ナリシ爲書面ハ同校教師朴賢煥ニ渡シ朴ハ自ラ此書面ヲ携ヘ當時平安北道宣川ニ於テ開催中ノ耶蘇教査經會ニ列席セル李昇薰ニ交付シ李ハ此書面ニ接シテ直ニ入京シ其ノ知人タル京城昭格洞百三十三番地金昇熙方ニ於テ崔南善ト會見シ崔ハ天道教ニ於テ國權恢復運動ノ企畫アルコト並同教ハ耶蘇教徒ト相提携シテ此運動ニ著手シタキ希望アリ予ニ對シ其ノ交渉ヲ依頼セシヲ以テ耶蘇教ニ於テモ協同事ニ當ラレ度旨ヲ陳ヘシニ李ハ之ニ對シ民族自決主義ニ依リ祖國ノ復興ヲ希望セルハ最近ニ於ケル教徒一般ノ聲ニシテ予モ亦常ニ其ノ機會ヲ窺ヒツヽアル一人ナルヲ以テ各派ノ領袖ヲ説キ倶ニ事ニ當ルヘシトテ此擧ニ賛同シ茲ニ兩教合同ノ端緒ヲ開クニ至レリ而シテ李ハ其ノ夜直ニ宣川ニ引返シ當時査經會ニ列席中ノ左記數名ヲ宣川郡邑內面川北洞ナル梁甸伯ノ居宅ニ招キ崔ト會見ノ內容ヲ語リシニ梁等モ常ニ民族自決主義ニ付論議シツヽアリシ際ナリシヲ以テ孰レモ直ニ之ニ賛同セリ

本籍　平安北道定州郡德達面德星洞
　　李　明　龍　當四十七年
本籍　平安北道義州
　　劉　如　大　當三十五年
本籍　平安北道義州郡舘里面舘里
　　金　秉　祚　當四十三年
本籍　平安北道義州郡宣川郡邑內面川北洞
　　梁　甸　伯　當五十年

李昇薰ハ宣川ニ一泊後直ニ平壤ニ赴キ官憲ノ視聽ヲ欺ク爲假病ヲ構ヘテ平壤耶蘇教經營記笏病院ニ宿泊シ同府內居住ノ耶蘇教領袖タル孫貞道（當四十二年）、吉善宙（當五十一年）、申洪植（當四十八年）ノ三名ト密會シ企畫ノ內容ヲ告ケテ其ノ賛同ヲ得二月十七、八日頃再ヒ上京シ鍾路中央基督教青年會幹事朴熙道（當三十年）ト會合シ李ハ其ノ運動企畫ニ付賛同ヲ勸誘セシニ朴ハ之ニ對シ吾等ハ既ニ京城ニ於ケル耶蘇教ヲ中心トスル青年學生團ヲ以テ運動ヲ開始スヘク協議決定セルヲ以テ賛同シ難シト稱シ之ヲ謝絶セシヨリ李昇薰ハ一應此旨ヲ崔南善及崔麟ニ傳ヘ更ニ朴熙道ニ對シ同一ノ目的ヲ有スル運動ヲ個々別々ニ爲スハ恰モ國民ノ不統一ヲ外部ニ對シ表明スルニモ等シク甚タ不得策ナルヲ以テ合同事ヲ擧クルノ必要ヲ力説シ屢々交渉ノ結果朴熙道ハ之ヲ青年學生側ノ代表者タル耶蘇教經營延禧專門學校生徒金元壁及天道教經營普成專門學校生徒康基德ニ諮リ其ノ賛同ヲ得テ二月二十三日頃李昇薰ニ對シ賛同ノ旨ヲ告ケシカ先之佛教側ハ既ニ天道教ノ企畫ニ賛同シ居タルヲ以テ茲ニ於テ天道教側耶蘇教側佛教側及學生側四派ノ合同愈成立スルニ至レリ

又李昇薰及朴熙道ハ學生側トノ合同成立前後ニ於テ京城南大門外所在耶蘇教經營「セブランス」病院事務員咸台永及李甲成ニ運動企畫ヲ告ケテ賛同ヲ得又在京中ノ左記七名ヲ勸誘運動ニ加盟セシメ更ニ朴熙道ハ京畿道水原郡水原邑內耶蘇教經營三一學校教師金世煥（當三十一年）ヲ京城ニ招致シ同人ヲシテ京畿、忠淸方面ノ勸誘ニ當ラシメ又京畿道南陽郡南陽教會牧師神學士董錫璣ヲ説キテ運動ニ加盟セシメタリ

本籍　咸鏡南道元山耶蘇教會內
　　牧　師　鄭　春　洙　當四十四年
本籍　平安南道平壤府大察里
住所　京城府仁寺洞中央禮拜堂內
　　同　金　昌　俊　當二十六年
本籍　京城府樓下洞二百十四番地
　　基督新報書記　朴　東　完　當三十四年
本籍　京城府典洞三十四番地
　　貞洞教會牧師　李　弼　柱　當五十一年
本籍　京城府水標町六十五番地
　　水標橋禮拜堂牧師　申　錫　九　當四十五年
本籍　京城府都染洞三十二番地
　　宗橋禮拜堂牧師　吳　華　英　當四十年
本籍　京畿道高陽郡龍江面倉前里
住所　黃海道海州郡海州面南本町百八十六番地
　　牧　師　崔　聖　模　當四十六年

（ハ）、佛教側

崔麟ハ二月十日頃京城府桂洞居住元三十本山經營中央學林教師タリシ江原道白潭寺ノ僧侶韓龍雲（當四十一年）ニ對シ運動企畫ノ內容ヲ告ケシ處平素不穩思想ヲ抱懷セル同人ハ大ニ此擧ニ賛シ之ヲ其ノ同志タル京城府鳳翼洞居住慶尚南道海印寺ノ僧侶白龍城（當五十六年）ニ告ケ兩名ハ佛教側代表者トシ

テ崔麟ニ加盟ヲ申出タルヲ以テ崔麟ハ之ヲ李昇薫ニ告ケ同意ヲ求メ茲ニ佛敎側ノ加入ヲ見ルニ至リシカ佛敎側ハ後段記載ノ京城ニ於ケル騷擾ノ際ニ於テ中央學校生徒等カ不穩ノ行動アリシ外運動開始前ニ於テハ地方僧侶ヲ勸誘セシ事實ナキカ如シ

（ニ）、學生側

京城中央基督敎青年會幹事朴熙道ハ本年一月二十三、四日頃同會々員部委員タル耶蘇敎經營延禧專門學校生徒金元璧ト會シ青年會員募集ノ件ニ付協議ノ結果成ルヘク青年有爲ノ士及中學程度以上ノ學校在學生ヲ募集シ耶蘇敎青年學生ノ團結ヲ鞏固ニスルコトヲ議シ其ノ方法トシテ京城ニ於ケル各專門學校卒業生及在學中ノ代表的人物ト認ムル者ヲ撰ミ之ニ對シ會員募集ニ奔走方ヲ依賴スルコトヲ內議シ朴熙道ノ名ヲ以テ一月二十六日頃左記八名ヲ府內觀水洞支那料理店大觀園ニ招待シ同日午後七時半開宴シ朴熙道ハ今回基督敎青年會ニ於テ會員募集ヲ企畫セルニ付愈募集著手ノ際ハ中學程度以上ノ各學校生徒中祖國精神ノ鞏固ナル者ヲ撰ミ應募方勸誘セラレタシト依賴シ一同之ヲ諾シ宴ヲ閉チシカ宴後普成專門學校卒業生朱翼ハ「大戰ノ結果世界ハ新タニ組織セラルルコトトナリ世界地圖ノ色彩ニ變動ヲ來スヘシ新聞ノ報道其ノ他聞知スル處ニ依レハ從來ノ屬國ニシテ獨立シ又ハ他國ノ版圖內ニ在ル民族ニシテ新タニ獨立ノ國家ヲ組織スルモノ數ケ國ヲ算スルハ確實ナリ我朝鮮ニ就テモ媾和會議ノ問題トナル模樣アルヲ以テ此際吾等同胞カ一齊ニ起テ運動ヲ開始セハ或ハ成功スルヤモ計ラレサル情勢ナリ而シテ目下ノ機會ハ運動ノ好時機ト思考セラル諸君ノ意見如何」ト述ヘ之ニ對シ各自意見ヲ吐露シ朴熙道ヲ始メトシ一同之ニ賛シ東京ニ於ケル我留學生モ既ニ獨立運動ヲ企畫シ宣言書ノ發表ヲナサムト企テ居ル際ナレハ朝鮮內地ニ於ケル我等青年學生モ宣言書ヲ發表シ其ノ聲ヲ大ニシ一般ノ輿論ヲ喚起シ以テ世界ノ同情ニ訴フヘシトナシ議略決定セシニ獨リ金元璧ハ「獨立ニハ賛成ナルモ時機尚早ナリ冷靜ニ考フルトキハ朝鮮目下ノ狀態ハ假ニ獨立シ得ルトスルモ完全ナル國家トシテノ體面ヲ保持シ難シト思考ス」依リテ一週間考慮ノ時日ヲ與ヘラレタシト稱シ異議ヲ挾ミシ爲決定ヲ見ルニ至ラサリシカ金ハ學生間ニ於テ最モ勢力ヲ有スル關係ヨリ若シ同人カ此擧ニ賛セサルニ於テハ運動上大ナル影響アルヨリ當日大觀園ニ會合セシ者等ハ屢々同人方ニ會合シ其ノ賛同ヲ促セシカ此間同人ハ外人敎師等ニ付獨立ノ可否ヲ問ヒ又自ラモ之ヲ熟考シ更ニ平安北道宣川ニ赴キ明治四十三年朝鮮總督暗殺陰謀事件ノ際極力不逞輩ヲ援護シ著名ノ排日米人宣敎師タル同地信聖學校長「マッキユーン」ヲ訪ヒ運動ノ可否ニ付其ノ意見ヲ求メタルニ同人ハ「朝鮮ハ未タ獨立ノ資格ナキモ總テ物事ハ實行セサレハ不可ナリ唯考慮スルノミニテハ何事モ成就スヘキモノニアラス」トノ意味ヲ答ヘタリト云フ依テ金ハ「マッキユーン」ノ言ヲ以テ「運動ヲ實行スヘシ實行ハ最後ノ解決者ナリ」トノ意ニ解シ歸來後直ニ賛意ヲ表セリ時ニ二月三、四日頃ノコトナリキ茲ニ於テ議ハ忽チ一決シ宣言書ヲ配布シ運動ヲ實

行スルコトトシ金元璧ハ此旨ヲ延禧專門學校生徒ニシテ同校學生青年會會長タル李秉周ニ告ケ李ハ更ニ之ヲ會員四十名ニ告ケテ其ノ賛同ヲ得此他大觀園ニ會合セシ者等ハ孰レモ其ノ校內及中學校程度ノ學校生徒ヲ勸誘セリ其ノ勸誘ノ經路ハ概ネ左ノ如シ

（朴熙道カ大觀園ニ招待セシ者ノ氏名）

普成專門學校卒業生　朱翼元
元延禧專門學校生徒　尹和鼎
延禧專門學校生徒　金元璧
普成專門學校生徒　康基德
京城專修學校生徒　尹滋英
セブランス病院醫學專門學校生徒　李容卨
京城工業專門學校生徒　朱鍾宜
京城醫學專門學校生徒　金炯璣

(1)、右ノ者ヨリ勸誘セラレ更ニ他ヲ煽動セシ專門學校生徒中ノ重ナル者

延禧專門學校生徒　李秉周
普成專門學校生徒　韓昌桓
京城專修學校生徒　全性得
セブランス病院醫學專門學校生徒　金文珍
京城工業專門學校生徒　金大羽

(2)、右ノ者等ヨリ煽動セラレ更ニ他ヲ煽動セシ中學程度學校生徒中ノ重ナル者

善隣商業學校生徒　李奎宋
中央學校生徒　張基郁
京城高等普通學校生徒　朴快仁
藥學校生徒　全東煥
普成中學校生徒　金玉玞
中央學校生徒　鄭秉憲
儆新學校生徒　康禹烈
徽文義塾生徒　姜昌俊
培材學堂生徒　金永浩

（以上ハ三月十五日迄ノ取調ノ結果判明セルモノニシテ裁判所ニ於テ取調ノ結果多少變動ヲ免レサルヘシ）

以上ノ如クニシテ學生側ノ結束成ルヤ朱翼ハ二月二十日頃迄ニ獨立宣言書ノ起草ヲ了シ各學校ニ

配付スヘク將ニ印刷ニ附セントスル折柄二月二十三日頃李昇薰ト朴熙道トノ交渉成立セシヲ以テ金元璧ハ該宣言書ノ原稿ヲ京城勝洞禮拜堂ニ於テ燒棄セリ

（ホ）、貴族其ノ他ニ對スル運動

獨立運動ニハ貴族及古老ノ大家ヲモ加ヘ以テ民心ヲ得ルノ要アリトノ崔麟ノ發議ニ基キ崔南善ハ時日不詳子爵金允植及併合當時授爵ヲ固辭セシ舊韓國時代大臣タリシコトアル尹用求ヲ訪ヒ聲援ヲ乞ヒシモ時機ニアラストテ斥ケラレ又崔麟ハ是亦併合ノ際授爵ヲ固辭セシ舊韓國時代參政大臣（總理大臣）タリシコトアル韓圭卨ニ聲援ヲ乞ヒシニ金允植、尹用求等カ贊成セハ自己モ贊成スヘシト答ヘシ趣ナルモ其ノ眞相判明セス

以上ハ運動企畫ノ發端並本件ニ關スル各派首謀者間ノ連絡關係並同派内有力者ノ連絡經路ノ概要ニシテ此等ノ有力者ハ更ニ各地方ニ於ケル第二流ノ有力者ヲ勸誘煽動シ斯クシテ漸次其ノ範圍ヲ擴大セシモノナリ

三、東京鮮人留學生ト本件ノ關係

東京鮮人留學生等ハ一月六日ヨリ三日間東京市神田區西小川町朝鮮基督敎青年會館ニ會合シ朝鮮獨立宣言ヲ爲スヘキコトヲ協議シ超エテ二月八日ニ至リ「朝鮮青年獨立團」ノ名ヲ以テ文辭頗ル激越ヲ極メタル「民族大會召集請願書」、「獨立宣言書」、「宣言書附決議文」ナル不穩印刷物ヲ各大臣、貴衆

二一
二二

兩院議員、各國大公使、朝鮮總督府、各新聞、雜誌社、諸學者等ニ郵送シ同日午後三時頃約二百名ノ學生ハ前記會館ニ會合シ宣言書ヲ壇上ニ揭ケ實行ノ方法ヲ發表シ會衆熱狂シテ不穩ノ形勢アリシヲ以テ所轄西神田警察署ニ於テ解散ヲ命シ代表者タル委員十名ヲ檢束シ同月十日出版法違反トシテ司法處分ニ附セシカ爾來學生等ハ依然トシテ不穩ノ言動ヲ絕タス而シテ朝鮮内ニ對シ其ノ情況ヲ通信セシ事實アリシヲ以テ此ノ風潮ハ朝鮮内ニ波及シ殊ニ京城ニ於ケル學生カ此ノ顰ニ倣ヒ妄動セムコトヲ慮リ連絡關係ノ有無ニ就テハ嚴ニ注意スル處アリシモ今回ノ騷擾發生前ニ於テハ其ノ事實ヲ發見スルニ至ラス前項學生等ノ大觀園ニ於ケル會合ハ東京留學生等ト通謀ノ結果ニアラサルヤノ疑アルヲ以テ嚴ニ各關係者ヲ取調タルモ孰レモ之ヲ否認スルヲ以テ今日ニ於テハ連絡關係ノ有無未タ不明ナルモ今回京城ニ於ケル騷擾ニ關シ東京留學鮮人女學生カ東京ヨリ歸來シ京城府内各女學校生徒ヲ煽動セシ事實アリ鍾路警察署ニ於テ取調ノ結果今日迄判明セル處左ノ如シ

黃海道長淵郡松川面松川洞出身當時東京女子學院生徒金瑪利亞ハ東京ニ於ケル鮮人留學生等カ騷擾ヲ惹起セシ際女子親睦會ヲ代表シテ所謂朝鮮青年獨立團代表者ニ金品ヲ寄贈セシ人物ナルカ二月十七日東京出發歸鮮ノ途ニ就キ同十九日頃全羅南道光州居住南宮𣝕（姉婿）方ニ歸着シ同二十一日頃京城ニ來リ約四日間滯在ノ上江原道春川ニ赴キ再ヒ京城ニ引返シタリ而シテ三月一日迄ノ行動ハ未タ判明セサルカ三月二日午後十二時三十分頃ヨリ二月二十八日東京ヨリ歸來セシ平安南道

平壤府大察里出身東京女醫學校生徒黃愛施德ト共ニ耶蘇敎經營梨花學堂ニ赴キ左記七名ト會合シ

梨花學堂敎師	朴　仁　德
同	申　俊　勵
同	金　ハルニン
同大學科生徒	孫　正　順
東京女子美術學校卒業生	羅　蕙　錫
陸軍中尉廉昌爕妻	安　淑　子
耶蘇中央禮拜堂敎師	安　秉　淑

（イ）獨立運動ニハ婦人ノ活動ヲ最モ必要トスルヲ以テ婦人團體ヲ組織シ男子ノ團體ト連絡シ活動スルコト

（ロ）前項ノ目的ヲ完全ニ遂行スル爲ニ婦人團ニ監事ヲ置クコト

（ハ）獨立ノ目的ヲ達スル迄各學校生徒ハ全部休校ヲ斷行スルコト

大要右ノ事項ヲ協議決定シ金瑪利亞、黃愛施德、朴仁德、羅蕙錫ノ四名ハ監事ト爲リ爾來朴仁德ハ貞信學校、新明女學校ヲ始メ其ノ他府内各女學校生徒ヲ勸誘煽動シ羅蕙錫ハ三日京城發京義道開城貞華女塾長李正子及平安南道平壤貞信女學校敎師朴忠愛ヲ訪ヒ協議ノ内容ヲ告ケ其ノ贊同ヲ

二三
二四

得テ五日歸京セリ尙ホ金瑪利亞ハ東京出發前男子留學生中ノ主ナル者ヲ訪フ筈ナリシモ本人ハ女子學院寄宿舍ニ在リ外出自由ナラサルヨリ黃愛施德ヲシテ代リテ男學生ヲ訪ハシメタル處男學生側ヨリ「東京ニ於ケル吾等ノ運動ハ新聞等ニ依リ朝鮮内地ニ報道セラレタルモ新聞記事ハ其ノ眞相ヲ傳ヘタルモノニアラサルヲ以テ鮮内地ノ同胞學生ニ對シ事實ノ内情詳細ヲ傳ヘラレ度」旨依賴セリト云フ而シテ黃愛施德ハ二月二十八日京城ニ入込ミ爾來金瑪利亞ト行動ヲ共ニセシモノナリ

以上ハ金瑪利亞、黃愛施德、朴仁德カ三月十九日迄ニ申立タル事實ノ概要ニシテ彼等カ東京ニ於ケル鮮人男學生ト圖リ朝鮮内地ノ學生等ト連絡ノ任ヲ帶ヒ歸來セシコトハ瞭カニシテ更ニ取調進行ニ從ヒ新事實ヲ發見スヘキヲ信ス

四、運動着手

（一）國權返還ノ請願及獨立援助ノ嘆願

崔麟ハ崔南喜ヲ介シ李昇薰ト交渉ヲ開始スル以前ニ於テ帝國政府其ノ他ニ對シ國權ノ返還ヲ請願シ又米國大統領其ノ他ニ對シ獨立援助嘆願ノ意ヲ有セシコトハ既ニ記載セシ通ナルカ崔麟ハ此ノ目的ヲ以テ新智識ヲ有シ且ツ能文家タル崔南善ニ此カ起草ヲ依賴セシカ其ノ後李昇薰ノ同意ヲ得テ内地ニ於テハ帝國政府、貴衆兩院、政黨首領ニ朝鮮ニ於テハ朝鮮總督ニ請願書ヲ提出シ外國ニ對シテハ

二九

米國大統領及巴里媾和會議ニ列席セル英、米、佛、伊四國委員ニ獨立援助嘆願書ヲ提出スルコトニ決シ崔南善ハ二月十日頃ヨリ同二十三、四日頃迄ノ間ニ於テ其ノ起草ヲ了シ帝國政府其ノ他ニ對スル分ハ平安南道平壤府居住牧師安世桓及京城府居住林圭ナル者ヲシテ此ヲ携行二月二十六日京城出發東京ニ赴カシメ朝鮮總督府ニ對スル分ハ三月一日運動開始ト同時ニ京城醫學専門學校生徒徐永煥ヲシテ之ヲ總督府ニ提出セシメタリ而シテ前記東上者林圭及安世桓ノ兩名ハ東京ニ於テ徐永煥ハ京城ニ於テ之ヲ逮捕シタリ

米國大統領及媾和會議委員ニ對スル分ハ京城居住牧師玄楯ヲシテ之ヲ支那上海ニ携行セシメ同地ニ於テ之ヲ英文ニ飜譯シテ發送スルコトトシ同人ハ二月二十六日京城出發ノコトニ決定セシカ同人出發間際ニ於テ天道教及佛教側ハ崔南善ノ起草セシ嘆願書ヲ可トセシニ俄ニ耶蘇教側ヨリ該嘆願書ハ餘リニ穏健ニ過キ各國殊ニ米國ノ同情ヲ得ルニハ今少シク悲壯激越ノ辭句ヲ用ユルヲ適當トストノ異論出テシヨリ玄楯カ出發前ニ於テ之ヲ添削スルノ餘日ナク爲ニ改訂ヲ加ヘタル上ニテ之ヲ同人ニ送付スルコトトシ玄楯ハ豫定ノ通リ出發セシカ其ノ後審議ノ結果再ヒ原文ノ儘ヲ可トスルコトニ決シ之ヲ「セブランス」病院助手咸台永ニ交付セシカ朝鮮内ヨリ郵送スルトキハ官憲ニ發覺セムコトヲ虞レ同人ハ之ヲ京畿道開城郡開城居住傳道師金智煥ヲシテ支那安東縣ニ携行セシメ同地居住牧師金炳濃ニ交付シ炳濃ヲシテ安東縣ヨリ郵送セシムルコト、シ金智煥ハ三月一日朝京城南大門驛發列車

二五
二六

ニテ安東縣ニ赴キシ事實ヲ探知シ兩名ヲ新義州ニ於テ逮捕セシモ其ノ際金智煥ハ既ニ該書面ヲ金炳濃ノ實子泰圭ニ交付シ泰圭ハ之ヲ受領スルト共ニ其ノ所在ヲ晦マシタルヲ以テ該書類ハ遂ニ押收スルヲ得サリシモノナリ

朝鮮總督ニ對スル請願書並ニ米國大統領ニ對スル請願書ハ別紙ノ如シ尚崔南善ノ自白スル處ニ依レハ帝國政府其ノ他ニ對スルモノハ總督宛ノモノニ類似シ媾和會議委員宛ノモノハ米國大統領宛ノモノト略同樣ノモノナリト云フ

尚ホ本件運動ニ付テハ耶蘇教側ハ日本内地及外國並ニ在鮮外國人宣教師側ニ對スル運動ヲ擔當シ天道教側ニ於テ其ノ費用ヲ負擔スルコトニ豫メ崔麟ト李昇薫トノ間ニ協定シタルモノニシテ孫秉熙ハ此ノ費用トシテ天道教金融觀長盧憲容ヲシテ金五千圓ヲ支出セシメタリ此ノ外天道教及耶蘇教ニ於テ支出セシ費用ハ巨萬ニ達スル見込ナリ

（二）　宣言書ノ發表

獨立宣言書ハ當初三月三日國葬當日ニ於テ之ヲ發表シ示威運動ヲ開始スル筈ナリシモ國葬當日ニ於テ之ヲ爲スハ穏當ナラストノ説多數ヲ占メ更ニ二日之ヲ發表スル筈ナリシモ二日ハ恰モ日曜日ニ相當シ耶蘇教側ニ於テ異論アリシヨリ二月二十五日頃ニ於テ三月一日ヲ以テ愈獨立宣言ヲ爲シ示威運動ヲ開始スルコトニ決定シ此ノ旨重ナル各地方都市ニ通知シ二月二十七日午後六時頃ヨリ約一時間

三〇

三一

ノ間ニ於テ天道教經營普成社ニテ崔南善ノ起草ニ係ル獨立宣言書二萬一千枚ヲ印刷シ之ヲ京城市内及各地方ニ配布セリ其ノ配布セシ地方及配布部數等判明セルモノ左ノ如シ尚ホ該宣言書ニハ運動加盟者悉ク署名スル筈ナリシカ斯クテハ有力者ハ全部官憲ニ逮捕セラルヽニ至ラハ更ニ運動ヲ繼續スル上ニ於テ不得策ナルヨリ宣言書ニハ三十三名ノミ署名スルコトニ變更シ加盟者名簿ハ咸台永之ヲ燒棄セリ

（イ）　天道教側ハ二月二十七日左記ノ者ヲシテ各地方ニ配布セシム

忠南、全南北道地方ハ印宗益四千枚ヲ携行ス

江原、咸鏡南北道地方ハ安商徳三千枚ヲ携行ス

黄海道地方ハ李鼎燮五百枚ヲ携行ス

平安南北道地方ハ金洪烈五千枚ヲ携行ス

（ロ）　耶蘇教側ハ二月二十七日京城勝洞禮拜堂ニ三千枚ヲ交付ス

（此ノ分ハ京城市内及各地方ニ配布セラレタルモノナリ）

（ハ）　佛教側ハ二月二十八日夜韓龍雲ノ手ニ依リ佛教中央學林生徒鄭秉憲外八名ノ手ニ三千枚ヲ交付シ其ノ大部分ハ三月一日夜京城市内ニ配布シ一部ハ地方寺院ニ郵送ス

（ニ）　殘部ノ二千五百枚ノ配布先ハ不明ナルモ主トシテ京城市内ニ配布セラレタリ

二七
二八

尚ホ此ノ外地方ニ於テハ配布ヲ受ケタル印刷物不足ノ爲メ更ニ之ヲ印刷シ配布セシモノ頗ル多ク又該宣言書類似ノ印刷物ヲ配布セシ地方モ亦尠ナカラス

米國大統領ニ提出セシ文書原稿（譯文）

嚴粛ナル信念ト崇高ナル義氣トヲ以テ正義、一般的幸福及恒久的平和ヲ基礎トスル新世界ノ建設ニ奔走勤勞セラルル時代ノ大導率者タル「ウヰルソン」閣下ヨ、我等ヲシテ最眞摯ナル敬意ト深厚ナル祝福トヲ閣下ニ奉呈スルヲ得セシメヨ、閣下ノ義氣ニ感激シ閣下ノ功業ヲ頌祝スル世界大衆中最精誠ナル者トシテ我等朝鮮人有ルヲ記憶セラレンコトヲ二千萬ノ純全タル心ト四千萬ノ顒望スル眼トハ一齊ニ閣下ノ身邊ヨリ離レサルコトヲ念ハレンコトヲ、

全人類的完全ナル幸福ヲ實現セントスル新世界ハ何物ヨリモ先ツ完全ニシテ透徹ナル民族自決主義ノ實際的勝利ヲ要ス然ラサレハ如何ナル名策モ沙上ノ樓廓ニ過キサルハ賢明ナル閣下ノ唱言指示トシテ既ニ世界的承認ヲ經タル所タリ然レトモ或ハ情實ト或ハ因襲ト或ハ國際的姑息トニ因リテ明快ナル結果カ稽遲スルノ念慮無キニアラサルハ心有ル者ノ齊シク焦悶スル所ニシテ一層貫慮ニ勝ヘサルハ歐洲政局トノ關係直接ナラサル問題ニ對シテハ一般的注意カ多少緊張ヲ缺クニ非ラサルヤノ問題ナリ是レ一ノ杞憂ニ過キサルヘキモ閣下一層ノ留意ト一段ノ努力ヲ要スヘキ點ナルヲ信ス」

三二

三三

閣下ヨ今日講和會議ノ大目的ハ閣下ノ屢々宣明セラレタル如ク歐洲戰亂善後ノ爲ノミナラス實ニ人類全體カ再ヒ無益ノ慘禍ニ遭遇セサラシメントスル――又其ノ素因タル一切ノ不合理的狀態ヲ完全ニ除去セムトスル世界的大改造ナリ亞米利加大統領カ可惜貴重ナル人命ヲ犧牲トシ鉅大ナル財物ヲ糜費スルハ此ノ高貴崇嚴ナル理想ノ實現ニ在ルニ非スヤ閣下ノ賢明偉大ナル發見タル民族自決主義ハ直ニ此ニ對スル唯一根本的方法トシテ暴惡、暗黑、抑欝、呻吟ノ聲ヲ永遠ニ此ノ世界ヨリ驅逐勦滅シテ新世界ノ歷史ハ始メテ榮光アル其ノ第一頁ヲ盈スヲ得ヘシ明達ナル閣下ハ他ノ總テノ案件ヨリモ先ツ此レニ對シテ特別ニ力ヲ用キラレムコト世界萬衆ノ齊シク感悅歎服シテ已マサル所ナリ

噫!! 五千年ノ歷史ト二千萬ノ民衆トヲ有スル我朝鮮カ地理上ノ關係ヨリ近代文明ノ洗禮差後シ一面帝國主義ノ國際的犧牲トナリ畢竟日本ノ凌辱ヲ受ケテヨリ最近數十年間ノ歷史ハ實ニ國際史上ニ類例ヲ見サル一大悲劇ナリ唯表面ニ顯露シタル外交的經過ノ數例ノミヲ以テシテモ如何ニ日本ノ背信、無義、不義、不道ノ窮マレリヤヲ知ルニ足ラム、閣下ヨ一八九四年ノ淸日戰爭ハ實ニ朝鮮獨立ノ事實上ノ承認ノ爲ニ起リタルモノニシテ朝鮮ノ獨立ヲ世界ニ紹介シタル者ハ實ニ日本ナリ同年ノ暫定合同條款ハ此ヲ證約シタルモノニシテ其ノ後露國勢力ノ南下ニヨリテ東亞ノ平衡脅威ヲ感スルヤ朝鮮ノ獨立ヲ桿衞スルテフ稱謂ヲ以テ日本ハ露國ト戰端ヲ開キタリ朝鮮ハ其ノ恩義

二九
三〇

ニ感シテ作戰上諸般ノ便宜ヲ供給スルノミナラス主權ノ威嚴ヲマテ犧牲トシ有ユル可能的義務ヲ克盡セリ卽チ一九〇四年ノ攻守同盟的「日韓議定書」ハ之ヲ盟約シタルモノナリ其ノ他一八八四年天津條約以後日本ハ機會有ル每ニ一面朝鮮ニ德色ヲ示シ一面世界ニ誇稱シタルハ朝鮮ノ獨立ニ對スル擔保ナリシナリ朝鮮ハ之ニ感謝シテ一切ノ請求ニ順應シ一切ノ苦痛ヲ忍耐セリ然ルヲ露日和ヲ講スルニ當ツテヤ同盟國タル朝鮮ノ參加ヲ許サス兩國代表者ノ間ニ於テ任意ニ朝鮮ニ對スル宗主權ヲ議定シタル結果日本ハ恣ニ一切ノ舊約ヲ罷棄シ全ク一切ノ宣言ヲ顧ミス只管武力的脅迫ヲ以テ朝ニ外交通信ノ權ヲ奪ヒ夕ニ財政軍事ノ權ヲ取リ司法警察ノ權ヨリ一切行政上ノ機能ニ至ル迄順次剝奪スルニ際シ只「猶國力充實スル迄」トノ藉口ヲ設ケタルノミニシテ其ノ獨立ト領土トハ之ヲ永久ニ保全セムコトヲ明白ニ盟約シタリキ然ルニ內一切ノ武力完全ニ削去セラレ外世界列國トノ直接交涉ノ道斷絕スルニ及ンテヤ暗弱ナル主權者ヲ脅迫シテ一片ノ空文ニ依リ遂ニ數十年來繼續的禍心タリシ朝鮮併合ノ計ヲ遂行シ苛酷ナル警察ト强暴ナル軍隊トヲ以テ有ユル壓制ト恥辱トヲ加ヘタリ日本ノ朝鮮ニ對スル陰險、邪僞、兇惡ノ大要斯ノ如キハ世界ノ公認スル所茲ニ呶々スルノ要アルヲ見ス元來朝鮮ノ位置タル歐洲中原ト相距ル稍遠ク利害ノ相感スル所比較的切實ナラサルモノアリ又當時ニ在リテハ帝國主義ハ列國政治家ノ最高信條タリシヲ以テ不幸ニモ世界的公義ノ判斷ヲ下スヲ得サリシハ最近外交史上特筆スヘキ人類ノ大恥辱ナリ而シテ爾來十數年間寸

三四

三五

鐵無キ我朝鮮人ノ反抗手段ト興復運動トハ可能ト至善トヲ盡シテ崇高悲壯ナル良心發動ノ好例ヲ示シタルハ日本カ如何ニ之ヲ掩蔽セムトスルモ各種ノ機會ニ於テ世界義人ノ同情ヲ博シタルコトト信ス

閣下ヨ日本ノ朝鮮ニ對スル非人道的、不合理的虐政ヲ煩瑣ニ列擧スルハ吾人ノ願フ所ニアラス只吾人ハ日本カ世界ニ對シテハ朝鮮ノ實情ヲ是以上ニ誣罔シ朝鮮ニ對シテハ世界ノ大勢ヲ是以上ニ掩蔽スルヲ忍受スル能ハサルナリ過去現在未來ヲ通シ朝鮮人ヲシテ一切ノ世界的呼吸ト世界的行進トニ同參スルヲ得セシメサル日本人ノ抑壓ヲ是以上ニ忍耐スル能ハサルナリ五千年ノ歷史的國民トシテ外ハ世界文明ノ進行ニ貢献スルノ機會杜絕シ內ハ自家ノ生命力ヲ發揮シ生存權ヲ保障スルノ途無キノ裡ニ在リテ是以上ニ不合理的樂天ヲ繼續スル能ハサルナリ今ヤ過去全世紀辛苦ノ經驗ト許久ノ履歷トヲ以テ文化史上空前最大ノ改化ヲ遂行シ凡事凡物悉ク新ナル祝福、光榮、生氣ニ充溢シツツアルノ時ニ當リ我朝鮮及朝鮮人亦正義ノ軌道ニ同參シ自由ノ慶福ヲ同享シ以テ生存ト發展トヲ主張スル蓋シ吾人ノ正當ナル權利ニシテ神ノ子タル人類トシテノ最高貴ナル義務ナリト信ス

自來朝鮮ハ東洋ノバルガント稱セラル蓋シ古ニ在リテ東洋ノ安危多クハ朝鮮ニ基因シタリシハ姑ク云ハス、最近淸日、露日ノ戰役ノ如キ東亞ノ全局ニ大波瀾ヲ惹起シタル世界的ノ事變カ朝鮮ヲ以

三一
三二

テ其ノ主因ト作スニ徵スルモ朝鮮ノ東洋ニ於ケル國際的地位カ如何ニ審密ナル思量ヲ要スルモノタルヤヲ知ルヘク又汎スラブ主義對汎日耳曼主義ノ衝突カ今次戰役ノ根本的原因ナリトセハ墺太利ノ塞耳維ニ對スル壓迫ハ背後露西亞ノ勢力カ前ニ比シテ失墜シタル結果ニシテ露西亞ノ勢威滅殺ハ朝鮮問題ニ基因セル露日戰役ニ敗ヲ招キタル餘毒ナリ今次ノ大戰役ヲ誘發シタルニ就テモ朝鮮カ微妙ナル關係ヲ有スル實ニ此ノ如ク又戰後ニ於ケル政治經濟上ノ最大問題カ東洋ニ在ルハ世界達識ノ士ノ齊シク明知スル所、日本ノ侵略的大陸發展策カ如何ニ東洋諸民族共通ノ憂患タルコト及日本ノ軍國主義的極東モンロー主義カ如何ニ世界列國ノ機會均等大障害ヲ有スル米、英兩國細心ノ商量ヲ要スヘキ問題タルヤヲ知ルヘシ極東ニ對スル外交的噴火口ヲ永久ニ防塞スルノ必要東洋ノ獨逸ヲ夢想スル日本ノ軍國主義ヲ懲戒スルノ必要、東洋ニ於ケル日本ノ專橫ヲ豫防シテ列國共通ノ利益ヲ擁護スルノ必要及東洋諸民族ノ平和的生存權ヲ保障スルノ必要上換言スレハ政治上、人道上、世界改造上如何ナル點ニ於テモ極東ニ於ケル朝鮮問題ノ合理的解決カ歐洲ニ於ケルバルガン問題ト同等ノ價値ヲ有スルコト明ナリトス今次戰爭ノ目的ハ中歐聯邦ノ攻滅ニ非スシテ人類全般ニ對スル一大脅威タル一般軍國主義ノ攻滅ニ在リ其ノ結果タル今次ノ講和會議カ歐洲ノ改造ノミニ止マラスシテ當然世界ノ改造ニモ及フヘキモノナリトハ閣下カ有ユル機會ニ於テ宣明シタル所ニ非スヤ眞ニ然リ而シテ西洋ノ軍國主義、ニ對スルカ如ク東洋ノ軍國主義ニ對シテモ亦之、

三六

三七

ヲ打破スヘキモノナリ其ノ災禍ノ到來スルニ先チテ逆ニ之ヲ打破シ以テ再ヒ若キ經驗ヲ嘗メサル樣努力スルハ聰明ナル人士ノ當ニ行フヘキ事ニ屬ス可憎可惡ノ軍國主義、侵略主義、壓制主義ノ毒牙ニ遭遇セル憐ム可キ犧牲ヲ救出スルハ洋ノ東西ヲ問ハス倫理的覺醒ヲ有スル時代及人ノ愉快ナル義務ナリ正義ト人道トノ新世界ハ苦痛ト壓制トニ沈淪シ呻吟セル一民族一階級ノ存在ヲモ許ス可カラサルモノナリ世界何レノ隅マテモ何等ノ種類何等ノ形式ヲ以テスルモ人類界ニ慘毒ト脅害トヲ招致スヘキ素因ヲ剿滅スル爲消毒シ手術スルハ今日世界的名醫タル閣下ノ最高尙ニシテ最榮責アル任務タルヘキナリ閣下ヨ神ノ名ヲ以テ人道ノ名ヲ以テ一切ノ不義ヲ悉ク洗滌セヨ一切ノ抑欝ヲ暢叙セシメヨ、世界平和永久ノ基礎タル民族自決ノ機會カ世界的ニ適用セラルル樣實際的ノ勝利ヲ占ムヘク一歩モ假借ナク勇進セヨ吾人ハ閣下ノ明敏達識ニ信頼シ閣下カ義ノ爲ニ勇ナルニ信頼シ閣下ノ自由、仁愛、寛弘、義俠、正直ヲ以テ誇ト爲ス亞米利加人士ニ依頼スルノ情益々深ク又此ノ機會ニ於テ一八八二年以來ノ約言卽チ韓美修好通商條約ノ第一款ヲ想起セサルヲ得ス吾人ハ何レノ時ニ於テモ亞米利加人ハ斷シテ食言者ナラサルヲ確信シ是ニ對シテ常ニ多大ノ期待ヲ有ス全然武力又ハ外交的ニ抵抗力ヲ失ヒタル我朝鮮人ニハ斯クモ深刻ナル壓制ノ下ニ在リテ之ヲ以テ無限ノ慰悦ト爲サザルヲ得サルノ苦衷ヲ告クルモノナリ

有史以來未曾有初出來ノ大經綸家大改革者大建設者ヨ、君ノ良心ト義氣トヲ發用スルニ飽クマテ

三三
三四

勇敢ニシテ徹頭徹尾剛毅ナレ、一時ノ情勢ヲ以テ秋毫モ姑息妥合ノ所爲有ラサレ、全人類ノ期待ハ懸ツテ君ニ在リ新世界ノ運命ハ悉ク君ニ在リ神ノ正義ハ君ニ由リテ始メテ世界的顯示タラントス嗚呼君ノ唱言ト君ノ立法トニ因リテ方ニ誕生セムトスル新世界ニ神ノ恩寵ノ特別ニ豐足ナランコトヲ頌禱スル我朝鮮二千萬民衆ノ熱誠ヲ諒察セヨ、

我自由ト生命トノ敵ニ對シテ永遠ノ戰ヲ宣布スルノ時先ツ第一ニ無上ノ敬意ヲ神ノ使徒、正義ノ闘士タル閣下ニ奉表スルハ我良心ノ命令ナリ

（終）

總督ニ提出セシ文書　（寫）

年所ヲ積ミタル世界ノ慘禍今ヤ止戢ヲ見天時人事共ニ新春ヲ迎ヘシハ四海慶ヲ同フスル處ニシテ尙究竟ノ勝利正義人道ヲ標榜シタル聯合軍ニ歸シ全人類完全幸福ヲ標的トスル有史以來ノ世界的大改造行ハレントシツツアルハ威力ノ犧牲タル者ニ無限ノ希望ト力ト勇氣トヲ與ヘタリ道義漸ク强暴ニ代ハリ理想緊ニ實勢ト合フ今後ノ世界ハ既ニ一切ノ暴戾ナル抑壓ト苟且ナル從順トノ存在ヲ許サス因習的政治家ノ功名心ノ爲ニ誤ラレタル東亞兩民族ノ不自然不合理ナル狀態モ今ヤ根本的ニ改善ヲ加フヘキ時機到來シ内ニ於テハ日增ニ深マリ行ク相互ノ怨溝ヲ撤シ外ニ於テハ遏住スヘカラサル世界ノ大勢ニ順應スルコレ時代必然ノ歸趨ニシテ避クヘカラサルコトナリ

今ニ至リテ兩國併合ノ眞ナル動機如何ヲ穿鑿スルハ無益ノコトナリ唯兩國皇帝ノ詔書ト廟堂ノ宣

三八

三九

言トニ表示セラレタル併合ノ目的ニノミ就キ論スルモ十年ノ實績ト今日ノ大勢共ニ併合ノ無意義不道理ナルヲ確證スルコトナリシコソ遺憾ナレ。

國内ノ秩序ヲ確保シ民心ノ疑懼ヲ掃除シ以テ韓國ノ靜謐ヲ維持シ韓民ノ幸福ヲ增進スルハ併合第一ノ標榜ナリキ然レトモ併合以前數年ニ亘レル韓國内地ノ安寧秩序殆ト收拾スヘカラサル域ニ至リシハ實ニ保護制度ノ施設ニ對スル民族的不平及不安ニ基因シタルコトニシテ夫ハ暴徒ノ名ヲ以テ誣ヒラレタル者概ネ山林讀書ノ士ノ激起ニアラサレハ解散セラレタル軍隊ノ系統的行動ナルニ依リ知ルヘキナリ古クハ歷史的怨嫌アリ今又現實的耻辱ヲ與ヘラレ勢ニ於テ如何トモナシ能ハサルモ義ニヨリテ力抗スルハ國家及主權ニ對スル良心ノ正當ナル發露ニシテ韓人固ヨリ騷擾動亂ノ責ニ任スヘキ理由毫モナク且韓人ニ言ハシムレハ固ヨリ危殆ニ瀕シタル國權ノ擁護以外ニ尊重スヘキ何等ノ秩序ナシ併合ニ依リ之ヲ除カントシテ却リテ油ヲ以テ火ヲ消ス結果ヲ招致シタル理ノ當然ナリト謂ハサルヘカラス兩國ノ併合タル其ノ正當ナル根據ノ有無ハ暫ク論セス强制ト欺瞞トニ滿チタル一片ノ空文ニヨリ五千年歷史ノ權威ト二千萬民族ノ生榮トヲ一朝ニシテ搶奪セラレタル朝鮮人ハ窮天ノ痛徹骨ノ恨ヲ以テ現狀打破政權恢復ヲ圖ルハ秉彝ノ在ル所恒久渝ルヘカラサルコトニシテソノ結果日本人ノ所謂秩序ト靜謐トヲ益々擾搖セシムルハ自然ノ趨勢ナリ是ニ於テカ武斷ノ政治生シ苛酷ナル警察用ヒラレ日本ノ政策權力ヲ主トスルニ隨ヒ朝鮮人ノ欝憤愈々蓄積シ危

三五
三六

險愈々滋長シ而シテ朝鮮人ノ不平愈々現ハルルニ隨ヒ日本ノ抑壓益々ソノ度ヲ加フ斯クノ如キ有樣ニ於テ何ソ疑懼ノ念釋然トシテ心ヨリ幸福ヲ感スル暇アランヤ縱令日本カ朝鮮ニ對シ初メヨリ信義ヲ確守シ又新政ノ方針充分ニ其ノ當ヲ得タリトスルモ累千年自主的政治生活ヲ爲シ來リタル吾人ハ決シテ自己ノ生活ト運命トヲ全然他人ノ手ニ委スルコトニ滿足スル能ハサルハ勿論ナリ況ヤ一方兩國關係ノ實際的發展ヲ見レハ一八七六年「朝日修好條規」以來天津談判ノ如キ日清宣戰書及「暫定合同條欵」ノ如キ日英協約ノ如キ日露宣戰書及「韓日議定書」ノ如キ其ノ他數多ノ公私文言ニ於テハ日本ノ機會アル每ニ世界ニ誇稱シ朝鮮ニ德色シタル朝鮮獨立及領土保全ノ大義ヲ一旦勢宜ヲ得ルヤ弊履ヲ捨ツルカ如クセシニ於テヲヤ且併合以後ノ新政ナルモノハ徹頭徹尾威壓ト差別ト統計上ノ虛飾ト植民地的利用トヲ努ムルノミニテ多少見ルヘキ成績アリトセハソハ卽チ自然的文化過程ト數年續キノ豐稔ニヨリタル經濟的緩和トニ止マリ根本的治安ト前途ニ對スル一般的希望ト生存及自尊心ノ向上的滿足トニ至リテハ毫モ供給シタルコトナク而モ功名ニ急ナル爲政者ハ前後ノ思慮モナク徒ニ情理ニ近カラサル同化ヲ夢ミタルニアラサレハ實力ノ及ハサル財政ノ獨立ヲ妄斷スルノミニテ嘗テ完全ナル基礎ノ永久ナル福祉ニ念ヲ留メタルコトナシ是豈久遠ナル歷史ノ背景ヲ有セル吾人ノ忍住安住スヘキ所ナランヤ併合ノ未タ成ラサルヤ日本ノ上下友好ノ盟邦ヲ俎上ノ肉ノ如ク恣ニ論議ヲ放チ、併合ノ成ルニ及フヤ神功以來千有餘年ノ宿圖今ヤ成就シタリトテ

四〇

四一

征服的愉快ヲ公然ニ祝賀セリキ然レトモ吾人ノ良心ハ此ヲ耻辱ト感セサル程萎縮セシニアラスソノ復新政ヲ布クヤ我カ疆土ヲ植民地視シ我カ同胞ヲ土昧人遇スルハ學者ノ講説政治家ノ施措一般民衆ノ態度一致シテ此ヲ證明シ吾等朝鮮人ハ被征服者タル屈辱ト疑懼トヲ事毎ニ感觸セラレタリ然レトモ吾人ノ神經ハ此ヲ脅威ト思ハサル程頑鈍ナルニアラサルナリ噫歷代世守ノ豐沃ナル疆土ヲ無償ニテ提供シ國家主權ノ威嚴マテ犧牲ニシタル吾人カ得ル所斯ノ如キ專横ト苦痛トニ止マランニハ吾人ノ十年以來ノ新形勢ニ對シ安心立命スル能ハサルモ亦宜ナリ日本人ハ輙モスレハ吾人ノ現代文明ニ對スル能力ノ差等ヲ以テ吾人ノ正當ナル權利ヲ蹂躪スル口實ヲ爲スモ之ハ地理ニモヨルモノニテ又時勢ニモヨルモノナレハ强チ民志ヲノミ罪スルハ甚タ酷ニ失セリト言ハサルヘカラス且數千年以來閉垂シタル帳幃ヲ撤シ洋々タル希望ヲ以テ世界文明ノ大潮流ニ交流幷進スヘク漸ク門前一歩ヲ蹈出シタル朝鮮人ニ突然暗電ヲ落シ遽カニ神魂ヲ飛ハシメタル者日本ニアラスヤ斯ノ如キ過重急激ナル外圍ノ變化ハ吾人ノ正當ナル發達ヲ障害阻滯セシメタルコト實ニ夥シ又姑息的治安ヲノミ得ントスル爲政者ノ方針或ハ敎育ノ畸形トシテ現ハレ或ハ信仰ノ威力トシテ現ハレ〆内ニ於テハ心靈上ノ發展ヲ妨ケ外ニ於テ世界的交涉ノ生スヘキ一切ノ機縁ヲ絶ツコトニ盡力シ靈能ノ發揮ニ因ル地位ノ向上ハ殆ト黄河ノ清ヲ期スルカ如キ觀アリ噫一切ヲ抛出シタル朝鮮人ニ更ニ求ムル犧牲ハ何物ソ、一切ヲ拘束セラレタル朝鮮人ニ可能ナル努力何事ナリトテ吾人ニ斯ノ

三七
三八

四二

如ク無限ナル從順ト忍耐トヲノミ責ムルヤ此ノ不合理不自然不公義ナル狀態ヲ吾人幸福トシテ感謝セサルヘカラサルカ大切ナル遺產トシテ子孫ニ遺與セサルヘカラサルカ此ノ脅威ト不安トニ安住スル吾人ノ倫理的義務ナランヤ此ノ錯誤狀態ヲ永ヘニ繼續スル是併合ノ價値ナランヤ如何ニ贔負目ニ見ルモ民族ノ心理ニ違反スル兩國併合ハ何時マテモ朝鮮人ノ幸福ニアラサルノミナラス且日本ノ期スル所ニモ副フヘキ理由ナキハ過去ノ實績ニヨリ此ヲ明白ニ看取スヘキナリ若十年ノ新政日本ノ誠意ヲ十分ニ披瀝シテ而カモソノ結果此ニ止マレリトセハ併合ノ無意義ナル尙明カニ自證セラレタリト云フヘシ

又兩國併合ノ主要ナル目的東洋ノ平和ニアルハ勿論ナレ共東洋平和夫ノモノ果シテ朝鮮ノ國家的犧牲ト民族的不幸トヲ要セサル、ヘカラサルモノナリヤ朝鮮ノ國家的生命ヲ斷チタル果シテ完全永久ノ東洋平和ノ肥料タランヤ眞正ナル東洋ノ平和ハ公義安固ナル東洋共存主義ノ基礎ノ上ニ始メテ樹立セラルヘキモノニシテ一國ノ慾望ト一時ノ勢力ヲ以テ呑噬ヲ恣ニシテ成立スルモノニアラス何トナレハ是程平和ニ對スル大脅威アラサレハナリ世ニ豈爆裂彈ニテ基礎ヲ奠メツツ建築ノ安固ヲ期スル者アランヤ兩國併合ヲ以テ東洋平和ノ爲ニト云フハ不幸ニシテ此ノ論理的誤謬ヲ有セリ併合ノ斷行ノ如何ニ賢明ナラサル思慮ノ實現タルカハ之ニヨリテ明證セラルヘク如之露國崩壞シ獨逸驅逐セラレ侵略主義、軍國主義既ニ歷史上ノ古物トナリシ今日ニ於テハ東洋平和ノ脅威全

四三

然除去セラレタルト同時ニ併合ノ口實一層虛無ニ歸シタリ今後ノ朝鮮人ニ何ノ爲自己ノ生存權ヲ安價ニテ永久ニ賣拂ヘト云フヘキカ愈々其ノ理由ナキニ苦シマサルヘカラサラン又兩國ノ併合如何ニ東洋平和ニ有害ナル大禍因タルカハ支那人ノ日本ニ對スル心理的變遷ノ如ク有力ナル證據ナシ日清ノ役ニヨリ國際的新經驗ヲ得タル支那ハ日露ノ役ニ至ル迄ハ日本ニ對シ猜疑ヨリ他無カリキ然ルニ日本カ累十年ニ亘レル朝鮮ニ對スル金石ノ約ヲ食ミ威力ヲ以テ併合ヲ强行シタルニ及ヒテハ殊更ニ日本ノ陰險ヲ覺得シ日本ニ對スル疑懼ハ朝野賢愚ノ共通的確信ヲ爲セリ夫最近十年間ノ日支交涉ノ事每ニ圓滑ヲ缺キ齟齬ヲ來ス實ニ朝鮮併合ノ敎訓ニ戒メラレタル所以ナリ又日支親善ノ聲繁ク日支兩國文書ノ上ニ贈酬セラルル程支那人ノ一般的反感ハ夫ト正比例ニ熾烈スルモ畢竟スルニ朝鮮ノ覆轍ヲ踏マサラントスル戒心ヨリ出ツルモノニ外ナラス而シテソノ結果一轉シテ寧ロ歐米ニハ連絡センモ決シテ日本トハ提携セサラントスルニ至リ今ヤ如何ナル大政治家如何ナル大經倫ヲ以テスルモ支那人ノコノ心理ノミハ挽回スルニ由ナキニ至レリ縦令日本カ朝鮮ヲ永得スト云ヘトモ其ノ利タルヤ支那ヲ全失スル害ヲ償フ能ハス又支那ノミナラス滿蒙其ノ他ノ日本ニ對シ多大ナル期待ヲ有シタル者朝鮮併合ニヨリ絶大ナル恐怖ト不安トヲ感シツツアルハ明白ノ事實ナリ噫縦令朝鮮併合ハ一小事ト云ハンモ東洋全體ノ乖離缺裂シテ相互ニ反目スル勢ヲ馴致シタルハ豈尋常ノ事態トシテ等閑ニ付スヘケンヤ之ニ依リ東洋全體ハ自閥橫暴ノ下ニ共倒レトナル禍

三九
四〇

四四

機ヲ醸成シタリ日本ノ責任亦輕カラスト云フヘシ内ニ二千萬含憤蓄怨機ヲ見テ難ヲ思フ民族ヲ軍隊ト警察トヲ以テ威壓シ外ハ東洋治亂ノ主軸タル四億萬支那人ニ永久不磨ノ疑懼ヲ懷カシメ上下一致ノ排斥ヲ行ハシメテ遂ニ東洋共存ノ原則ヲ立ツヘキ餘地ナキニ至レリ斯ル恐ルヘキ趨勢ニ鑑ミ兩國ノ運命ヲ新タニ匡正スルハ時下ノ喫緊事ナラスンハアラス今日吾人一歩ノ得失ハ日本ヲシテ東洋平和ノ支持者タラシメ將又破壞者タラシムヘク、又朝鮮ヲシテ東洋平和ノ安全辦ニモナラシメ噴火口ニモナラシムヘシ豈戒愼スヘキニアラスヤ

復タ單ニ日本自衞上ノ必要ヨリ看ルモ朝鮮併合ノ日本ノ國體ニ取リテ夥大ナル危險性ヲ帶ヒタルハ達識ノ士ノ容易ニ看取スヘキ所ナリ朝鮮人ハ長久ナル政治的經驗ヲ有スルト共ニ民族的自覺益益熾烈ニナリツツアリ日本如何ニ抑壓ト箝制ヲ以テ吾人ニ加ヘンモ吾人ノ本能ヲ錮閉セシムル能ハサルヘク又日本如何ニ掩蔽シ防遏スルトモ新世界ノ思潮ハ薰染漸ク速カニ感愛甚タ鋭シ吾人ノ運命ヲ自力ニテ處理スルハ既ニ時日ノ問題ノミ若シ不幸ニシテ暴力ニ制伏セラレ理性ヲ遂クルヲ得ス吾人ノ不平ハアラユル好マシカラサル形式ニテ現ハルルノ外ナク是ニ於テカ朝鮮ハ自然ニアラユル過激思潮ノ巣窟トナリ朝鮮人ハアラユル危險行爲ヲ以テ職業トナシ直接間接ニ日本ノ治安ヲ脅威スル如何ニ大ナルヘキカハ想像スルニ難カラス自己ノ地位ト歷史ト運命トニ對シ正確ナル自覺ヲ得タル朝鮮人ハ穩當ナル方法ヲ以テ志ヲ得サル場合ニハ生存ト尊榮トノ爲ニ手段ヲ擇ハサ

ルヘキハ當然ノ歸趨ナリ又國際聯盟成立シテ人類ノ歷史上ニ於ケル正義ノ行進益々其ノ歩調ヲ强
クス日本若シ陽ニハ此ノ大勢ニ和同スルカ如ク裝ヒ陰ニハ侵略的大陸發展ヲ以テ基調ヲナシタル
舊政治ノ套習ヲ墨守シ朝鮮併合ノ實績ヲ擧クルニ急ニシテコレ以上ノ抑壓ヲ行ヒ舊誤ヲ匡正スル
ニ力ヲ用ユルコト足ラサランカ改新シタル世界ニ獨リ舊式帝國主義ヲ把持スルモノトシテ世界ノ
疑念ハ悉ク日本ニ輻輳スルヲ免カレサルヘク斯クノ如キ孤立獨往ハ恐ラクハ日本ノ世界的地位ニ
對シ光榮ニアラサルヘシ且ツ日本ノ將來ハ大陸ヨリモ寧ロ太平洋方面ニ在ルニモ拘ラス眼前ニ怒
ヲ懷ク二千萬ノ異族ヲ有シ背後ニ憎ヲ積ミタル四億萬ノ危隣ヲ控フルハ日本ノ自衞上此レヨリ大
ナル不安ナシト云フヘシ隣誼ヲ敦クシテ後援ヲ得ルカ怨敵ヲ作リテ後慮ヲ釋カサルカ日本ノ利害
亦兩國關係ノ新事象ヲ求ムルコト切ナリト云ハサルヘカラス
夫レ併合新政ノ基礎ヲナスモノハ固ヨリ同化ニシテ同化ノ可能ナルヲ信スル一念ハ日本政治家ノ
多數ヲシテ朝鮮併合ノ前途ニ對シ更ニ疑慮ヲ費サヽラシメタリ然レトモ精神ノ融和ヲ要スル兩族
ノ同化ハ決シテ威力ノミニテ成就スル兩國ノ併合ノ如ク容易ナルモノニアラス五千年歷史ニ對ス
ル記憶豈一朝ニシテ消滅スヘク二千萬民衆ヲ通スル族性豈一朝ニシテ喪絕スヘケンヤ或ハ日本語
普及ノ遠カラサルヲ推斷スレトモ朝鮮人ノ中ニ日本語ニ通スル者常語粗解者ヲ悉ク合セテ僅カ十
萬ニ出テス而モ此レ日清役後三十年近クノ努力ト新政十年間絕大ナル心力ヲ傾注セシ結果ナリシ

四一

四二

ヲ思ヘハ言語ノ普及如何ニ長久ナル年月ヲ要スヘキカヲ推知スヘク又最近十數年習俗改化ノ激甚
ナルハ過渡的社會ノ趨勢ノ然ラシムル所ニシテ決シテ日本ノ同化策ノ効ヲ奏シタルモノト視ルヘ
キニアラサルハ贅辯ヲ須ヒサル所ナリ翻リテ不可能ノ方面ニ就キ考察センニ殆ント指ヲ屈スルニ
堪ヘサルモノアリ先ツ德性ニ就キテ言ヘハ朝鮮人ハ大陸的ニシテ日本人ハ島國的ナリ社會ノ基素
ヨリ言ヘハ朝鮮ハ儒敎國ニシテ日本ハ佛敎國ナリ歷史ヨリ言ヘハ朝鮮ハ五千年ニシテ日本ハ其ノ
半ニ過キス言語上ヨリ言ヘハ音韻變化ノ豐約懸隔シ文字上ヨリ言ヘハ表記範圍ノ廣狹逈異ニシテ
朝鮮ハ世界的容量ナルモ日本ハ地方的貧弱ナリ且ツ飮食衣服等ニ至ルモ朝鮮ノ文化的高級ナルニ
比シテ日本ノソレノ實質價値ノ如何ニ低劣ナルカハ固ヨリ定評ノアルアリ新文化ノ過程ニ於テハ
假令幾歩カ落伍シタリト云フヘキモ原價値ノ表現ニ於テハ寧ロ數等ノ高地ヲ先占シタル朝鮮ヲハ
日本ノ誠實ナラサル方法ヲ以テ根本的改化ヲ遂ケントスルハ固ヨリ言フヘク行フヘカラサルコト
ナリ又兩國ハ既往ニ於テ數千年繼續ノ怨隙ヲ有シ現在及將來ニ於テハ經濟上ヨリシテ容易ニ協調
スヘカラサル利害衝突アリ加之兩國併合ハ民族的意思ヲ全然無視シタル一市儈的猾智ニヨリ成リ
其ノ後ノ政敎總ヘテ威壓的差別的ナルハ實ニ威力ヲ以テ撕滅スルコト能ハス歲月以テ磨滅スルコ
ト能ハサル恥辱ト苦痛トヲ吾人ニ與ヘタルモノナリ若干ノ殘飯的恩惠ニ感激シ忠良ヲ心願スル者
ハ世代ヲ易フルモ容易ニ出テ來タラサルヘシ況ンヤ一方ニ於テ世運駸々トシテ進ミ十八世紀以來

ノ一切解放運動ノ最終ノ果實ヲ結フ日目前ニ迫リツヽアルニ於テオヤ假令日本ノ朝鮮ニ對スル同
化策ハ一、二世紀ノ間ニハ滿足ナル効果ヲ收ムルコト可能ナリトスルモ世界大勢ノ朝鮮獨立ヲ促
成スルハ遙カソノ以前ニアルヘキヲ如何セン最後ニ迷夢的開化論者ニ一大痛棒ヲ加フルモノハ五
千年繼續ノ歷史的國家遽然トシテ滅亡シ二千萬繁滋ノ文化的民族渾然トシテ異民族ニ同化セラレ
タル未タ史上ニ見タル實例ナキコトナリ之實ニ社會原則ト民族心理上確固動カスヘカラサル不可
能性アルニヨルモノナレハ朝鮮同化ハ日本ニ取リテ如何ニ必要喫緊事ナルモ太陽日本ノ爲ニ西ヨ
リ昇ラサルヲ如何セン。
要スルニ天下ノ事ハ勢ノミ昔年ノ併合ハ昔年ノ勢ナルカ如ク今日ノ獨立ハ今日ノ勢ナルノミ今日
マテ日本ノ同化ヲ夢ミタルハ今日マテノ勢ナルカ如ク今日吾人ノ獨立ヲ宣スルハ今日ノ勢ナルノ
ミ昔日ニ於テ併合ノ勢ヲ吾人カ遏住スル能ハサリシカ如ク今日ニ於ケル獨立ノ勢ヲ日本又如何ニ
シテ遏住スヘケンヤ今日吾人ノ此ノ擧ハ實ニ世界ノ新運ニ合シ時代ノ新勢ニ應シテ生存ト發展ト
高榮トヲ亨獲スルニ必要ナル正當ノ權利ヲ主張スルノミ決シテ排他的精神ヨリ出タルニモアラス
豈他意アランヤ日本ハ由來明智達識ノ士ニ富ミ且ツ今ヤ一世ノ俊英要路ニ當リシカハ今日ノ大勢
那邊ニ趨嚮シツヽアルカハ早既ニ識認セラレタルヘシ自由思想ト民族主義トヲ以テ基調トナス世
界ノ大思潮方ニ懷山襄陵ノ勢ヲ以テ一代ヲ風靡シ米國大統領ウヰルソン氏ノ提唱ハ國際聯盟ノ保

四三

四四

障無クトモ世界歷史ノ百目ハ此ノ原則ノ下ニ一新セラルル外無キモ明白ニ識認セラレタルヘク天
下大勢ノ轉變既ニ斯ノ如ク沛然トシテ禦ク能ハサルコト明カナレハ今日吾人ノ要求無クトモ兩國
舊來ノ錯誤狀態ヲ改善匡正スルノ焦眉ノ急ナルコトハ明白ニ識認セラレタルヘシ理義兩ナカラ明
白斯ノ如キ事柄ニ就キ更ニ架疊ヲ用フルハ寧ロ迂穴ノ譏ヲ免カレサルヘシ吾人ハ今二千萬全民族
ノ期望ヲ體シ祖國興復ノ第一旗ヲ揚クルニ當リ過去現在未來ヲ通シテ必然的ニ最大ナル友好ヲ持
續セサルヘカラサル日本ノ朝野ニ吾人ノ本意アル所ヲ披瀝スルハ最モ正當ナルコトト信シ敢テ蕪
辭ヲ搆ヘ仍リテ明斷ヲ促カス所ナリ吾人孤ナリト云フ勿レ十六億ノ良心ニ吾人ノ後援アリ吾人弱
シト云フ勿レ二千萬ノ心及ハ吾人ノ武器ナリ噫世界ハ正ニ正義ト人道トノ上ニ一大復活ヲ遂ケン
トス朝鮮及朝鮮人ハ今ヤ生存ト尊榮トニ對スル徹底ナル自覺ヲ有セリ重ネテ言ハン時代ヰ改化サ
レツヽアリ朝鮮人ハ自覺セリト

朝鮮建國四千二百五十二年三月三日

朝鮮民族代表（姓名別輿）

朝鮮總督　長谷川好道閣下

孫　秉　熙印　　吉　善　宙印　　李　弼　柱印　　白　龍　城印　　金　秉　祚印

金　完　圭印　　金　昌　俊印　　權　東　鎭印　　權　秉　悳印　　羅　龍　煥印

羅　仁　協印　　梁　甸　伯印　　梁　漢　默印　　劉　如　大印　　李　甲　成印

李明龍印　李昇薰印　李鍾勳印　李鍾一印　林禮煥印

朴準承印　朴熙道印　朴東完印　申洪植印　申錫九印

吳世昌印　吳華英印　鄭春洙印　崔聖模印　崔麟印

韓龍雲印　洪秉箕印　洪基兆印

五、騷擾事件ト在外排日鮮人トノ關係

騷擾事件ト在外排日鮮人トノ連絡關係ノ有無ニ付獨立宣言書署名者中ノ耶蘇敎側有力者タル李昇薰梁甸伯、吉善宙、安世恒ヲ取調タル處平安南道平壤方面ニ於テハ今次ノ騷擾企畫前既ニ上海居住排日鮮人鮮于爀ノ煽動ニ依リ運動ヲ企畫セシコト判明シ又支那上海ヨリ密カニ京城ニ潛入セシ張德秀ナル者ヲ取調タル處東京ニ於ケル留學生等ノ騷擾ハ上海居住排日鮮人等ノ煽動ニ出テシカ如ク取調ノ結果今日迄判明セル處左ノ如シ

尙ホ在外殊ニ上海地方居住排日鮮人ト本件トノ關係ニ就テハ目下調査中ナルヲ以テ更ニ他日ヲ俟テ判明スヘシ

平安北道定州郡西面出身當時支那上海鮮人ノ經營セル海松洋行内ニ居住スル鮮于爀ナル者ハ明治四十三年總督暗殺陰謀事件ニ干與セシ不逞ノ徒ナルカ本年二月初メ頃平安北道宣川ニ來リ同地居住牧師梁甸伯（總督暗殺陰謀事件關係者ニテ今回事件ノ首謀者ノ一人）ヲ訪ヒ自己今回來鮮ノ用務ハ曩ニ米國大統領ニ依リ民族自決主義提

唱セラルルヤ民族自決ノ聲ハ歐洲各民族間ニ起リ今ヤ世界的風潮トナレリ此ノ機會ニ於テ我朝鮮民族モ獨立運動ヲ企圖セハ必ス目的ヲ達成スルヲ得ヘク既ニ在米同胞ハ李承晚及鄭、宋（閔トモ云フ）ノ三名ヲ代表者トシ巴里ニ差遣セシヲ以テ上海居住同胞モ代表者差遣ノコトニ付協議シツツアリシ折柄米國大統領「ウキルソン」ハ今回ノ講和會議ニ於テ民族自決主義ヲ實現スル爲各國ノ民情視察トシテ其ノ耳目トモ稱スヘキモノ二名ヲ選ミ一名ハ歐洲ニ一名ハ東洋ニ派遣セシカ其ノ一人タル米人某博士ハ本年一月下旬上海ニ來リシヲ以テ支那人ハ其ノ歡迎會ヲ催フシ我同胞モ亦之ニ加ハリシカ其ノ後同博士ニ對シ朝鮮民族獨立運動ニ關シ意見ヲ求メタルニ博士ハ獨立運動ヲ爲スニハ朝鮮人カ日本ノ治下ニ在ルヲ不服トセル意思ヲ世界ニ表明セサルヘカラス尙運動ニ就テハ相當聲援ヲ爲スヘシト語レリ依テ其ノ後上海ニ於ケル同志協議ノ上當時天津ニ在リシ金圭植ヲ招キ同人ヲ巴里ニ派遣スルコトニ決定セリ故ニ此ノ際朝鮮内ニ於テハ其ノ聲ヲ大ニシ獨立運動ヲ實行スルノ要アリ又巴里派遣ノ代表者ニ對シテハ運動費ヲ醵集シ之ヲ後援スルノ要アルヲ以テ此ノ擧ニ盡力セラレ度旨ヲ語リ梁ハ之ニ贊シ極力奔走スヘキヲ盟ヒタルヨリ更ニ平安北道郭山面居住李昇薰（總督暗殺陰謀事件ノ關係者ニシテ今日ノ事件ノ首謀者ノ一人）ヲ訪ヒ梁ニ對スルト同樣ノ談ヲ爲シ其ノ贊成ヲ得轉シテ平安南道平壤ニ赴キ牧師吉善宙ヲ訪ヒ同地ニ於ケル耶蘇敎有力者姜奎燦、安世恒、邊麟瑞、李德煥、金東元、都寅權、金聖鐸、尹愿三（以上ハ共ニ總督暗殺陰謀事件ノ關係有力者ニシテ又吉善宙ハ今回ノ事件ノ首謀者ノ一人）商人尹聖運等ト會シ運動及資金醵集ニ關シ其ノ贊成ヲ得テ上海

ニ去リシカ其ノ後平壤ニ於テハ鮮于爀ノ勸誘ニ基キ獨立宣言ヲ爲スコトニ決シ其ノ方法トシテハ同地耶蘇敎經營崇實大、中學校、崇德高等普通學校、崇義崇賢兩女學校及官立高等普通學校生徒ヲ以テ示威運動ヲ爲シ不平ノ意志ヲ表明スルコトニ意見一致シ學校敎師側ハ尹愿三、生徒側ハ安世恒勸誘ノ任ニ當ルコトニ決定シ學校敎師側ハ崇德高等普通學校敎師咸錫元、同郭權膺、同黃贊永、同金濟鉉ヲ說キ生徒側ハ崇實大學校生徒李普植、朴亨龍等ヲ說キテ其ノ贊同ヲ得更ニ前記咸錫元ハ官立高等普通學校敎師ニ對シ尹愿三ハ又崇義、崇賢兩女學校敎師ニ對シ交涉ノ任ニ當リ斯クテ順次各學校敎師及生徒ヲ糾メ三月三日ノ李太王國葬當日ヲ以テ獨立宣言ヲ爲シ示威運動ヲ實行スルコトニ決定セシカ偶天道敎側ヨリ崔南善ヲ介シ李昇薰ニ依リ合同運動ヲ爲サムコトヲ交涉セシヨリ遂ニ協同事ヲ爲スコトニ變更セシモノナルコト判明セリ

又本籍黃海道載寧郡載寧面柳花里當時支那上海居住張德秀ナル者ハ東京早稻田大學卒業後大正七年五月同地ニ奔リタル不逞ノ徒ナルカ二月二十日京城ニ來リ後仁川ニ潛伏セルヲ發見逮捕シ取調タル處同人ハ一月十六、七日頃上海居住不逞鮮人ノ首領ニシテ當時廣東ニ旅行中ノ申檉（一名圭植、誠ト稱ス忠淸北道淸州出身）ヨリ「世界ノ機運ハ漸次動キツツアリ今回ノ講和會議ハ實ニ世界ヲシテ新シキ歷史ニ入ラシムルモノニシテ殊ニ弱少民族及壓迫セラレタル民族ノ將來ニ光明ヲ認メシムルコト大ナリ朝鮮民族モ此ノ際無自覺ヨリ自覺ニ入リ權利ト正義トヲ主張シ世界ノ公論ニ訴フルニ最好ノ

秋ナリト信ス而シテ我黨活動ノ內容ハ黨略上其ノ詳細ヲ貴下ニ明言シ難キモ要スルニ各地ニ於ケル我同胞ハ獨立ヲ宣言シ運動ヲ開始スル筈ナリ然ルニ日本官憲ハ必スヤ此ノ運動ノ眞相ヲ海外ニ報道スルコトヲ禁スルヤ明カナルヲ以テ貴下ハ日本人ヲ裝ヒ東京及京城ニ赴キ運動情況ヲ上海中華新報記者タル同志趙東祜（本籍不明）ニ通信セラレ度又東京ニハ趙偏雲（本籍不明）ヲ派シタルヲ以テ東京着ノ上ハ早稻田大學控室宛トシ同人ニ通信シ詳細ノ打合ヲセラレ度又東京ノ運動ハ二月初旬京城ノ運動ハ三月初旬ニ實行セラルル筈ナルヲ以テ東京ノ情況通信ヲ濟シタル上ハ直チニ京城ニ赴キ情況ヲ通信セラレ度尙貴下カ萬一日本官憲ニ逮捕セラルルモ黨ノ行動及予ノ氏名ハ絕對ニ祕密ヲ嚴守セラレ度云々」ノ書信ニ接シ此ト同時ニ旅費トシテ銀百弗ヲ送付シ來リシヨリ張德秀ハ東京留學支那人劉某ト僞名シ一月二十七、八日頃上海出發長崎經由二月三日頃東京ニ着シ神田區某旅館ニ止宿シ直ニ趙偏雲ニ此ノ旨ヲ通知シ二月五日夜芝公園山門前ニ於テ同人ト會合セシカ趙偏雲ハ其ノ際東京留學生側ヲ勸誘セシ結果愈來ル八日ヲ以テ獨立宣言ヲ爲スコトニ決定シ既ニ任務ヲ果シタルヲ以テ更ニ此ノ地ニ止マルハ危險ナレハ上海ニ向ケ退去スヘキ旨ヲ告ケ尙多額ノ金員ヲ携帶スルトキハ途中不幸ニシテ日本官憲ニ逮捕サルルカ如キコトアラハ祕密發覺ノ因トナルノミナラス之ヲ沒收セラルルノ虞アルヲ以テ上海中華新報ノ同志タル趙東祜宛ニ送金セラレ度ト稱シ金八百圓（此ノ金員ハ上海ヨリ携行セシモノナリヤ留學生等ヨリ寄贈セシモノナリヤ不明）ヲ渡シタリ而シテ張德秀ハ二月十七日頃東京發渡鮮ノ途横濱ヨリ此ノ金ヲ趙東祜宛送

五三
金セシ旨自白セリ如上李昇薰等及張德秀ノ陳述ヲ綜合スルトキハ鮮于爀及趙鏞雲ハ朝鮮及內地留學鮮人煽動ノ用務ヲ帶ヒ渡來セシモノナルコト瞭カナリ

又同人取調ノ結果ニ依レハ同地ニハ表面鮮人間ノ親睦、融和、艱難相救ヲ目的トスト稱シ內實ハ國權恢復ヲ目的トスル共濟會ナル祕密結社ヲ組織セルカ會員等ハ同會ヲ革名黨、會員ヲ黨員ト稱シ此ノ黨ハ其ノ員數四、五百名ニ達シ北京、天津、滿洲各地及露領方面ニ散在シ又朝鮮內ニモ現在スト云フ而シテ同黨ハ祕密ヲ嚴守シ幹部ハ獨逸式探偵法ニ依リ黨員ニ對シ其ノ人物ニ應シ各別ニ任務ヲ授クルヲ以テ黨員相互間ニ於テモ黨員タルコトヲ知ラス又相識ノ黨員相互間ニ於テモ其ノ任務ヲ口外セサルコトトナリ居ルヲ以テ張德秀ハ鮮于爀來鮮ノ事實及其ノ用務ハ之ヲ知ラサル旨陳述セリ又取調ニ際シテハ當初ハ某人ノ命ヲ受ケ運動情況通信ノ用務ヲ帶ヒ東京ヲ經テ渡鮮シタル事實ノ外絕對ニ自白スル能ハスト稱シ口ヲ緘シテ語ラサリシカ追究ノ結果遂ニ如上ノ事實ヲ陳述セリ

今日迄取調ノ結果得タル處ハ以上ノ通ニシテ所謂革命黨ノ內容及首領等カ如何ナル計謀ヲ爲セルヤハ未タ詳細判明セスト雖上海ハ今次ノ事件ニ重大ナル關係ヲ有スルコト瞭カニシテ且同地ハ由來朝鮮及支那各地並ニ露領方面ト米本土及米領地方不逞鮮人トノ連絡中繼地タルノ觀アリ又不平ヲ抱キ米國ニ奔ル鮮人青年子弟ハ一旦此ノ地ニ留マリ不逞輩ノ斡旋ニ依リ密渡航ヲ爲スノ事實アリ我施政上ニ及ホス禍害甚大ナルモノアルヲ以テ此ノ際將來ノ禍根ヲ芟除スルノ必要アリ

四九
五〇

張德秀等ノ自白ニ依ル同地居住不逞鮮人ノ主ナル者左ノ如シ

本籍　忠淸北道淸州郡南一面銀杏里
　革命黨理事長　申　檉（一名誠、圭植）四十七年

本籍　京城府南大門外
　同理事　金　圭　植　三十七、八年

本籍　京城府水標町
　申　錫　雨　二十七年

本籍　京畿道楊平郡西面新院里
　呂　運　亨　三十五年

本籍　平安北道定州郡西面下端里
　鮮　于　爀　三十七年

本籍　黃海道長淵郡大救面松川里
　南京金陵大學生（目下上海ニ在ルカ如シ）徐　炳　浩　三十五年

本籍　不明
　上海中華新報記者　趙　東　祜　三十年位

五四

本籍　不明
　趙（曹カ）鏞　雲（一名嘯印）三十四、五年

五五
尙最近京城ニ於ケル情報ニ依レハ四月中上海米租界ニ於テ各地ノ鮮人會合議事會ナルモノヲ開催シ講和會議ニ對シ大々的運動ヲ開始スル筈ニテ既ニ鮮內地ヨリモ約六十名ノ者逐次同地ニ向ケ出發シ此ノ費用トシテ貴族、富豪ヨリ數萬圓ヲ醵出セリトノ說アリ又平安南道平壤ニ於テハ朝鮮、北京、天津、奉天、哈爾賓、西北間島各地ノ鮮人約四、五十名ハ四月中上海佛租界愷自邇路長安里ニ於テ高麗國民共和大會ヲ開催ストノ說アリ

又露領「ニコリスク」地方ニ於テハ最近排日鮮人柳東說、曹成煥、朴殷植、申采浩、金夏錫等會合シ朝鮮內ト呼應シテ獨立運動ヲ爲シ又露國過激派トモ連絡シ其ノ後援ヲ得テ運動ノ成行如何ニ依リテハ帝國ト開戰スヘク畫策シツツアル趣ヲ以テ京城某鮮人ニ對シ速ニ渡來セヨト通信シ來レリト云フ前記上海ニ於ケル會合ニハ或ハ過激派モ參加スルニアラサルヤノ疑アリ

六、擾騷事件ノ經過

今次ノ騷擾ハ三月一日京城ニ於テ勃發スルト共ニ地方ニ於テハ平安南道平壤、鎭南浦、安州、平安北道義州、宣川、咸鏡南道元山ノ六個所ニ勃發シ次テ第二日ニ至リ黃海道海州、遂安ノ兩地ニ起リ斯クテ以上ノ各道ハ各地ニ騷擾ヲ惹起シ京畿道郡部ハ三日開城、九日仁川ニ於テ騷擾ヲ惹起シ以來

五一
五二

其ノ他ノ各地ハ表面平穩ナリシモ最近ニ至リ暴民ノ蜂起ヲ見ルニ至リ其ノ他ノ各道ハ五日全羅北道群山ニ八日慶尙北道大邱ニ十日ハ江原道鐵原、咸鏡北道城津、忠淸南道江景、全羅南道光州ノ各地ニ十一日ハ慶尙南道釜山鎭ニ騷擾勃發シ忠淸北道ハ十九日ニ至リ始メテ槐山郡槐山ニ騷擾ヲ見ルニ至リ斯クテ騷擾ハ十三道ニ瀰蔓シ三月三十一日迄ノ騷擾發生地ハ實ニ約四百餘ケ所ノ多數ヲ算スルニ至レリ而シテ南鮮各地ニ騷擾勃發スルニ至ルヤ西、北鮮各道ハ一時鎭靜ニ歸スルノ傾向アリシモ最近ニ於テハ形勢再ヒ險惡ニ陷ラムトスルノ模樣アリ殊ニ國境地方ハ間島ニ於ケル不逞鮮人等ノ妄動ニ伴ヒ將來倍々危險ノ虞アリ尙ホ本件騷擾ノ當初ニ於テハ各都市ハ多クハ示威的運動ヲ爲スニ止マリシカ時日ノ經過ニ伴ヒ漸次惡化シ地方ニ於テハ勿論京城市內ニ於テモ警察官署ヲ襲ヒ之ヲ破壞スル等狂暴ノ行爲ヲ演スルニ至レリ如斯殆ント暴民的行動ヲ執ルニ從ヒ一般ノ民心モ次第ニ險惡ニ陷リツツアリ或ハ將來結束シテ納稅ヲ拒ムカ如キ其ノ他施政上如何ナル事態ヲ演出スルコトナキヤ保シ難キヲ以テ嚴ニ注意中ナリ

今次ノ騷擾カ當初京城及西北鮮地方ニ於テ勃發シ漸次騷擾激甚トナルニ及ヒ始メテ南鮮地方ニ波及セシ所以ノモノハ西北鮮地方ハ基督敎及天道敎ノ根蔕深ク且兩敎ノ敎勢旺盛ニシテ從テ獨立宣言書署名者其ノ他ノ首謀者ハ京城ヲ除ケハ多クハ此ノ地方ヨリ出シ南鮮地方ヨリハ唯僅カニ一、二ノ者ヲ出シタルニ徵スルモ瞭カニシテ要スルニ豫メ密接ナル連絡ヲ保持セシ結果ニ外ナラサルヘシ又今

五六

次ノ騷擾カ主トシテ京城及西、北鮮地方居住者ニ依リ企畫セラレタル所以ノモノハ如上ノ宗敎的關係ニ基クコト勿論ナリト雖亦由來南鮮地方鮮人ハ徒ニ口舌ニ巧ニシテ實行ニ怯ナルニ反シ西北鮮地方人ハ强情忍耐ノ實行ニ勇ニシテ且團結心ニ富ムモノアリ則チ此ノ兩者性情相異ヲ從來ノ事實ニ徵スルニ南方鮮人ハ常ニ上書、建白等ノ手段ニ依リ其ノ不平ヲ訴フルノ傾向アルニ反シ暗殺陰謀事件等ハ多クハ西北人ニ依リ企畫セラレタリ今回ノ事件モ亦主トシテ西北人ニ依リテ企テラレ又其ノ實行モ是ヲ南方ニ比シ迅速ナリシハ蓋シ故ナキニアラス

各地ニ於ケル騷擾ハ多クハ耶蘇敎徒、天道敎徒ノ布敎者又ハ耶蘇敎經營學校敎師若ハ私立學校敎師等ノ京城ニ於ケル首謀者ト氣脈ヲ通シテ獨立宣言書ヲ配布シ又ハ敎徒等ヲ召集シテ之ヲ使嗾、煽動シ以テ騷擾ヲ惹起セシモノナリト雖單ニ宣言書ノ配布ヲ受ケ若ハ他地方ノ騷擾狀況ヲ見聞シ之ニ倣ヒ他ヲ煽動シテ騷擾ヲ惹起セシモノアリ又ハ京城、平壤其ノ他各道首都ニ於ケル中等程度ノ學校生徒等カ廢學シテ鄕里ニ還歸シテ他ヲ煽動セシモノアリ殊ニ南方ニ於テハ李太王葬儀拜觀ノ爲メ京城ニ滯在シ三月一日及ヒ其ノ以後ノ學生示威運動ヲ目擊シ歸鄕後是ヲ吹聽シタルニ因リタルモノ不尠等騷擾ノ直接ノ原因動機モ多雜多樣ナリ而シテ今日ノ騷擾ニ關シ最モ民心ヲ刺激セシモノハ煽動的文書ノ配布ニシテ或ハ李太王ノ死因ハ日本官憲カ賣國奴ヲシテ毒殺セシメタルモノナリトノ印刷物ヲ配布シテ民心ノ激昂ヲ圖リ又巡查補、補助員等ヲ誘惑煽動スルノ手段トシテハ甲地ノ騷擾ノ際良

民ヲ銃殺セシモノハ補助員ナルコト判明セルヲ以テ不日獨立ノ曉ハ補助員ハ全部殺害セラルヘシ又ハ辭職セサレハ一家ハ勿論之ヲ族滅スヘシトノ文書ヲ送リ恐怖心ヲ抱カシメ以テ之カ誘惑ヲ試ミ乙都市ノ巡查補ハ全部其ノ職ヲ抛チ憤然立テ獨立運動ニ加盟セリ等ノ文書ヲ送リ以テ辭職ヲ煽動シ商店ニ對シテハ丙都市ノ商民ハ全部閉店シ以テ運動ニ奔走セリ等虛搆ノ煽動文書ヲ配布シ又ハ閉店セサレハ放火スヘシト脅迫シ工場勞働者等ニ對シテハ鐵道從業中ノ同胞ハ全部職ヲ抛チタルヲ以テ汽車ノ運轉ハ不能トナレリ此ノ際倭奴ニ頤使セラレ運動ニ參加セサルモノハ人ニアラス速カニ自殺スヘシト脅迫煽動シ其ノ他各種ノ不穩文章ヲ配布シタルモノニシテ此等ノ文章中ニハ荒唐無稽ニシテ常識ヲ以テ判斷スルトキハ一顧ノ價値ナキモノモ尠ナカラスト雖現下ノ朝鮮人ノ智識程度ニ於テハ民心ヲ惑亂スルニ相當効力アルモノアリ京城ニ於ケル下層鮮人ニシテ尙ホ且ツ朝鮮ハ獨立シ內地人ハ總テ引揚歸還スヘキモノト信シ內地人ニ對シ其ノ歸還ノ期ヲ問フモノアリ殊ニ官廳名ヲ以テ朝鮮ハ既ニ獨立セリトノ文書ノ配布ニ依リ固ク之ヲ信シ憲兵隊廳舍ノ引渡ヲ要求シ多數ノ暴民ハ兇器ヲ携ヘ分隊ヲ來襲セシ事實アリ其ノ他各都市ニ於ケル商店ノ閉店セシカ如キ多クハ此ノ文書ニ依ル脅迫ニ基クモノナルヲ以テ極力犯人ノ檢擧ニ努メツツアリ

三月中ニ於ケル各道騷擾ノ概況ハ左記ノ通リニシテ軍隊ノ出動、騷擾人員、死傷者數等ノ詳細ハ曩ニ送付セシ諸表及附圖表示ノ如シ

(1)、京畿道

(イ) 京城

獨立宣言書署名者中當時在京中ノ二十四、五名ハ二月二十八日夜府內齊洞ノ孫秉熙方ニ會合シ愈明三月一日午後二時ヲ期シ京城「パコタ」公園ニ於テ獨立宣言ヲ爲スコトヲ申合セ又學生側ハ各專門學校ニ於テハ各校內ニ於テ中學程度ノ各學校生徒ニ對シテハ各學校代表者ヲ貞洞禮拜堂ニ召集シ普成專門學校生徒康基德ヨリ宣言書ヲ交付シ明三月一日午後二時ヲ期シ「パコタ」公園ニ於テ獨立ヲ宣言スルコトニ決定セシヲ以テ此ノ旨各生徒ニ傳達シ同時刻迄ニ集合スルコト又市中ニ示威運動ヲ開始スルニ就テハ吾人ノ意ノ存スル處ヲ表明スルヲ以テ目的トスルモノナルニ依リ苟モ粗暴ノ行動アルヘカラサル旨ヲ訓戒シテ退散シ又女學校生徒側ニ對シテハ朴熙道、金昌俊其ノ他各方面ヨリ三月一日ノ示威運動ニ參加スヘキコトヲ煽動セシカ同夜來都下幾萬ノ學生ハ熱狂シテ殺氣ヲ帶ヒ不穩ノ氣漲レルヨリ首謀者等ハ「パコタ」公園ニ於テ公然獨立ヲ宣言スルニ於テハ靑年學生等カ血氣ニ逸リ狂暴ノ行動ニ出ツヘキヲ考慮シ三月一日朝ニ至リ遽カニ豫定ヲ變更シ仁寺洞朝鮮料理店明月館支店ニ於テ獨立宣言ノ祝盃ヲ擧クルコトトシ當日事故ノ爲メ入京セサリシ吉善宙外三名ヲ除ク外二十九名ハ同館ニ集合セリ依テ全部之ヲ逮捕セシカ三月一日午後二時前後ニ至リ約三、四千名ノ學生ハ豫定ノ通リ鍾路「パコタ」公園ニ集合シ獨立宣言書ヲ朗讀シ一齊ニ萬歲ヲ唱

ヘ鍾路通ヲ西方ニ向テ行進シ示威運動ヲ開始スルヤ群集亦之ニ附和シ其ノ數々萬ニ達シ後數隊ニ分レ德壽宮大漢門前各國領事館前等ニ到リ萬歲ヲ高唱シ或ハ群衆ニ對シ獨立演說ヲ爲シ又市中ヲ練リ廻リシカ當日國葬拜觀ノ爲地方ヨリ入京中ノモノ數十萬ニ達シ混雜名狀スヘカラス依テ總督ハ龍山ヨリ步兵三個中隊ヲ京城ニ招致シ憲兵警察官ヲ援助セシメテ午後七時ニ至リ漸ク鎭靜セシカ運動開始ト同時ニ獨立新聞ト題スル不穩印刷物ヲ群衆ニ配布シ爾來國民新聞、勞働新聞其ノ他各種ノ不穩印刷物ヲ配布シテ頻リニ學生及市民ヲ煽動シ又一面妄動ニ參加セサル者ヲ脅迫シ以テ今日ニ及ヘリ而シテ四日稍靜穩トナレルヲ以テ警備步兵ハ二箇中隊ニ減シタルニ五日再ヒ不穩ノ兆アリ因テ同日未明更ニ一ケ中隊ヲ大漢門附近ニ出シタルニ五日朝學生ヲ中心トスル約四、五千ノ群衆カ南大門驛前廣場ニ於テ騷擾セリ因テ憲兵警察官ハ軍隊ト協力鎭靜セシカ夕刻ニ至リ全ク平靜トナレルヲ以テ步兵ハ一ケ中隊ヲ殘置シ他ハ全部撤去セリ其ノ後市內及市外高陽郡內ノ各所ニ於テ小集團ヲ以テ屢々騷擾ヲ企テシモ何レモ大事ニ至ラスシテ鎭靜セシカ九日朝ニ至リ鍾路通リ方面ノ鮮人店舖ノ大部ハ不逞者ノ脅迫ト又學生等ノ妄動ニ同情ヲ寄スル者モアリテ閉店スルニ至リ且ツ十日午前十時ヲ期シ騷擾セムトスルノ兆アリ因テ軍ハ九日第四十旅團ヨリ大隊長ノ指揮スル步兵三箇中隊及騎兵一箇小隊ヲ市內ニ派遣シテ憲兵警察官ヲ援助セシメ嚴重警戒シタルニ依リ事ナク經過セリ玆ニ於テ十二日三箇中隊ヲ殘置シ他ハ引揚ケ市內ハ表面上

靜穩ニ歸セシカ更ニ二十二日以降ニ於テ市內各所及市外高陽郡內二十數個所ニ騷擾惹起シ而シテ從來ノ示威的運動ハ漸次惡化シテ暴行ヲ爲スニ至リ二十三日以降四日ニ涉リ夜間市內及市外各所ニ於テ電車ニ投石シ乘客ヲ脅迫シテ下車セシメ又二十六日夜間約五十名ノ暴民ハ市內臥龍洞、齊洞、安國洞ノ各警察官派出所ヲ襲ヒ二十七日夜約百名ノ暴民ハ再ヒ齊洞派出所ヲ襲ヒ投石暴行シテ窓硝子ヲ破壞シ殊ニ二十七日ハ警察官ノ制止ニ服セス頑强ニ抵抗セシヨリ遂ニ暴民側ニ二名ノ死亡者ヲ生スルニ至レルヲ以テ三月二十八日步兵三箇中隊ヲ增派シ六箇中隊ヲ市內ニ配置シ警戒ヲ至嚴ナラシメタリ又市外高陽郡纛島ニ於テハ二十六日夜約五百ノ暴民面事務所ヲ襲ヒ雨戸ヲ破壞シ面書記ヲ毆打負傷セシムル等暴行ヲ演シ制止ニ服セサルヨリ止ムナク發砲解散セシメ憲兵側ニ傷者ヲ暴民側ニ死傷者ヲ出スノ狀態トナリ漸次危險性ヲ帶フルノ情アリ附近部落警備ノ爲市內ヲ通シ步兵六箇中隊ヲ出シ警務官憲ト協力警戒ニ任シタル結果二十七日以降ハ再ヒ靜穩ニ歸セリ然レトモ民心ハ漸次險惡ニ陷リツヽアルモノヽ如ク殊ニ中樞院顧問兼經學院大提學子爵金允植及中樞院顧問兼經學院副提學子爵李容植ハ二十六日元郡守李建台ナル者ヲシテ總理大臣ニ提出スヘキ獨立請願書ヲ携行東京ニ赴カシメ更ニ二十八日ニ至リ朝鮮總督ニ對シ同樣ノ請願書ヲ提出スルニ至リシヨリ貴族及儒林ノ耆老中此ノ顰ニ傚ヒ不逞輩ノ妄動ヲ助成セムトスルノ傾向ヲ生スルニ至レリ

又市內各私立學校中ニハ一日休校以來月末ニ至ルモ尙ホ生徒ノ缺席多數ニシテ開校ノ運ニ至ラサルモノアリ尙ホ各學校トモ新入學志願者極メテ少數ナリ

（ロ）　郡部（高陽郡ヲ除ク）

郡部ニ於テハ三月三日開城ニ於テ耶蘇敎南監理派經營好壽敦(ホーストン)女學校生徒主トナリ示威運動ヲ開始シ次テ四日ニハ同派經營松都高等普通學校生徒主トナリ更ニ示威運動ヲ爲シ五日及六日ノ兩日ハ群衆之ニ附和シ暴行ヲ爲シ巡査以下四名ノ負傷者ヲ生シ暴民側ニ一名ノ死者ヲ出シ七日ニ至リ鎭靜セリ之レ本道ニ於ケル騷擾ノ始メニシテ仁川ニ於テハ六日ヨリ九日ニ至ル四日間公立普通學校公立商業學校生徒騷擾ヲ企テ又小集團ノ示威運動アリシモ孰レモ無事解散セリ而シテ此ノ間頻リニ煽動若ハ脅迫的印刷物ヲ配布セショリ二十九日以來商民ノ閉店スルモノ百七十餘戸ニ達セシモ警察署ニ於テ極力諭示ノ結果漸次開店スルニ至レリ其ノ他ノ各地ハ十日前後ヨリ漸次不穩ノ兆アリ各地ニ於テ騷擾ヲ企テシモ十八日楊平郡麻石隅里ニ於テ銃器ヲ使用シ暴民ヲ退散セシメタル外何レモ大事ニ至ラサリシカ二十一日以降ハ驪州一郡ヲ除ク外二十郡約八十箇所ニ騷擾勃發スルニ至レリ而シテ二十一日以降ニ於テハ或ハ憲兵、警察官署、郵便所、面事務所等ヲ襲ヒ又ハ內地人民家ニ放火スル等暴行ヲナシタル箇所尠ナカラス此ノ內武器ヲ使用シテ之ヲ鎭定シ暴民側ニ死傷者ヲ生シタルハ楊平郡麻石隅里、楊州郡長興面、抱川郡新北面、漣川郡百鶴面、富川郡場基里、廣

州郡上一里、坡州郡奉日川、交波、龍仁郡龍仁、水枝面、沙岩里、利川郡麻長面ノ十二箇所ニシテ憲兵警察側ニ於テモ亦若干ノ負傷者ヲ出シ水原郡沙江里ニ於テハ二十八日巡査部長一名暴民ノ重圍ニ陷リ遂ニ悲壯ノ最後ヲ遂ケタリ而シテ暴民ノ最モ暴行ヲ逞ウセシハ水原郡烏山、安城郡陽城ノ二箇所ニシテ烏山ニ於テハ二十九日約八百ノ暴民警察官駐在所、郵便所、面事務所ヲ襲ヒ門扉、窓硝子、電話器等ヲ破壞シ更ニ內地人住家十一戸ノ戸扉全部ヲ破壞シ陽城ニ於テハ三十一日夜約二千ノ暴民蜂起シ警察官駐在所ニ放火全燒セシメ更ニ郵便所及面事務所ヲ襲ヒ書類、器物全部ヲ破壞シ又內地人二戸ノ家具、商品全部ヲ家外ニ持出シテ之ヲ燒毀シ又電柱二本ヲ倒シ燒棄スル等狂暴ヲ逞ウセリ

(2)、忠清北道

淸州郡淸州ニ於テ二日多數ノ獨立宣言書ヲ發見シ次テ十日夜ニ至リ同地公立農學校生徒ハ同盟休校ヲ企テタリ之レ本道ニ於ケル騷擾ノ始ニシテ其ノ後ニ至リ同郡米院、槐山郡槐山、淸塘、沃川郡伊院、永同郡鋤山ノ五箇所ニ於テ騷擾ヲ惹起セシカ就中米院、伊院、淸塘ニ於テハ暴民制止ニ服セス頑强ニ抵抗セシヲ以テ發砲解散セシメ暴民側ニ少數ノ死傷者ヲ生シタリ而シテ同道十郡中三月中ニ於テ騷擾ヲ惹起セシハ以上ノ四郡ナリ

(3)、忠清南道

六日扶餘郡林川邑內ニ於テ七名ノ天道敎徒ハ同地憲兵駐在所ニ出頭シ京城ハ既ニ獨立セルヲ以テ我等ニモ獨立ノ權利ヲ與ヘラレタシト申出タリ之レ本道ニ於ケル運動開始ノ端緒ニシテ次テ十日ニ至リ論山郡江景ニ騷擾勃發シ續イテ扶餘、天安、禮山、公州、大田、牙山、燕岐、舒川ノ八郡二十餘箇所ニ騷擾ヲ惹起セシカ就中天安郡良垈ニ於テハ二十八日約二百ノ暴民同地憲兵駐在所ヲ襲ヒ銃器ヲ奪取セムト企テ又電線ヲ切斷スル等暴行ヲ逞ウシ舒川郡舒川ニ於テハ二十九日約二千ノ暴民棍棒等ノ兇器ヲ携ヘ同地警察署ヲ襲ヒ器具、窓硝子ヲ破壞スル等暴行ニ出テシヲ以テ兩地トモ銃器ヲ使用シ之ヲ鎭壓セシカ此ノ騷擾ニ於テ巡査三名負傷シ暴民側ニ數名ノ死傷者ヲ出セリ保寧、洪城、靑陽、瑞山、唐津ノ五郡ハ三月中騷擾ナシ

(4)、全羅北道

三日全州郡全州及益山郡裡里ニ於テ獨立宣言書ヲ街路ニ撒布セルヲ發見シ次テ五日ニ至リ群山府ニ於テ耶蘇敎南長老派經營學校敎師生徒並ニ信徒約百名示威運動ヲ爲シ十二日全州、二十一日任實郡芳溪里、二十三日同郡獒樹ノ一府二郡四箇所ニ於テ運動ヲ企テ騷擾ヲ企テシモ唯獒樹ニ於テ暴民カ警察官駐在所及面事務所ニ押寄セ暴行セシ外孰レモ大事ニ至ラスシテ解散シ他ノ十二郡ニ於テハ三月中騷擾ナシ

(5)、全羅南道

二日順天郡順天ニ於テ獨立宣言書ヲ發見シ次テ十、十一、十三ノ三日ニ渉リ光州郡光州ニ於テ耶蘇教南長老派經營崇一學校生徒其ノ他耶蘇教徒ヲ中心トスル一團ノ群衆示威運動ヲ開始シ十四、十五日ノ兩日ハ靈光郡靈光、十八日ハ潭陽郡潭陽、二十日務安郡務安　二十一、二十二ノ兩日ハ濟州島ノ一島四郡五箇所ニ於テ九回ニ渉リ示威運動ヲ爲シタルモ唯濟州島朝天ニ於テ二十二日暴民ノ一團カ被告人ヲ奪還セムト企テタルニ對シ威脅ノ爲メ發砲解散セシメタルノミニテ何レモ大事ニ至ラス鎭靜ニ歸シ他ノ一府十七郡ニ於テハ三月中騷擾ヲ惹起セス

(6)、慶尙北道

八日大邱府ニ於テ耶蘇教北長老派經營啓聖學校及同信明女學校並ニ官立高等普通學校生徒示威運動ヲ開始シ群衆之ニ附和シ市中ヲ練リ廻リタリ之レ本道ニ於ケル騷擾ノ始メニシテ其ノ後同府ニ於テハ十日及三十日ノ兩度騷擾ヲ企テシモ間モナク解散セシカ三十一日ニ至リ不逞輩ノ煽動ト脅迫ニ依リ市内樞要街區ノ鮮人店舖ハ閉店スルニ至レリ而シテ郡部各地ハ十一日以降金泉、迎日、義城、慶州、漆谷、安東、盈德、奉化、尙州、英陽、青松ノ十一郡二十餘箇所ニ於テ騷擾勃發（内三箇處ハ未然ニ防止ス）シ殊ニ安東、盈德ノ兩郡内及義城郡桃里院、青松郡和睦ニ於テハ暴民狂暴ヲ逞ウシ頑强ニ抵抗セシヲ以テ武器ヲ使用シ之ヲ鎭壓シ暴民側ニ死傷者ヲ出シ憲兵警察側ニ於テモ負傷者ヲ生スルニ至リシカ就中安東郡ニ於テハ十七日ヨリ二十二日ニ至ル六日間ニ於テ安東郡廳、安東地方法院支廳、警察署、泉旨、永安ノ各警察官駐在所ヲ襲ヒ投石暴行シ又鞭巷、新德ノ兩駐在所ヲ破壞シ盈德郡ニ於テハ十八、十九日ノ兩日盈德、寧海、柄谷、蒼水ノ各地ニ暴民蜂起シ警察官駐在所、學校、面事務所ニ損害ヲ與ヘタリ而シテ他ノ一島九郡ニハ三月中騷擾ナシ

(7)、慶尙南道

三日釜山府及馬山府ノ兩地ニ於テ獨立宣言書ヲ發見セシカ十一日ニ至リ釜山鎭ニ於テ同地濠州長老派經營日新女學校生徒等同校英人女教師及鮮人女教師等ノ煽動ニ依リ示威運動ヲ爲セリ之レ本道ニ於ケル騷擾ノ始メニシテ次テ馬山府、密陽、東萊、昌寧、統營、宜寧、陜川、晋州、咸安、河東、山淸、居昌、梁山、咸陽ノ一府十三郡二十餘箇所ニ於テ騷擾ヲ惹起シ就中咸安郡咸安ニ於テハ十九日警察官駐在所、郡廳、郵便所、登記所、學校ノ建物若ハ器具ヲ破壞シ又東萊郡龜浦、陜川郡三嘉、柏山、陜川、草溪、咸安郡郡北、山淸郡丹城、居昌郡居昌ノ各地ニ於テハ或ハ駐在所、面事務所、郵便所ヲ破壞シ若ハ制止ニ服セス暴行ヲ逞ウセシヲ以テ發砲解散セシメタルカ應援步兵及憲兵警察側ニ少數ノ負傷者ヲ出シ暴民側ニモ死傷者ヲ出セリ蔚山、金海、昌原、固城、泗川、南海ノ六郡ハ三月中騷擾ナシ

(8)、黃海道

一日黃州、沙里院、瑞興、延白、遂安及瓮津郡内ニ於テ耶蘇教徒及天道教徒ノ手ニ依リ獨立宣言書ヲ配布セシ事實ヲ發見セシカ二日ニ至リ天道教徒ヲ主トスル約三百ノ暴民黃州警察署ヲ襲ヒ暴行ヲ爲セリ之レ本道ニ於ケル騷擾ノ始メニシテ次テ黃州、鳳山、延白、遂安、谷山、海州、載寧、安岳、信川、殷栗、松禾、長淵、金川ノ十三郡三十餘箇所ニ騷擾勃發シ就中遂安ニ於テハ三日天道教徒ノ一團約五十名乃至百五十名ハ憲兵分隊及郡廳ヲ引渡スヘシト稱シ三回ニ渉リ喊聲ヲ擧ケテ分隊構内ニ殺到シ暴行ヲ爲シ又延白郡延安、白川、載寧郡載寧、内宗里、安岳郡溫井洞、信川郡信川、松禾郡松禾ノ各地ニ於テハ或ハ憲兵官署ニ來襲シ又ハ制止ニ服セスシテ狂暴ヲ逞ウセシヲ以テ發砲解散セシメタルカ憲兵、警察側ニ少數ノ負傷者ヲ出シ暴民側ニ若干ノ死傷者ヲ出セリ三月中ニ於テ騷擾勃發セサルハ平山、新溪、瓮津、瑞興ノ四郡ナリ

(9)、平安南道

本道ニ於テハ一日平壤、鎭南浦、安州ニ騷擾勃發シ次テ十二郡約三十箇所ニ騷擾アリシカ此ノ騷擾ハ殆ント一日ヨリ十日迄ノ間ニ起リ十日以後ハ二十三日以降ニ於テ安州郡立石外三箇所ニ於テ騷擾アリシノミナリ而シテ如斯短時日ノ間ニ於テ一時ニ各地ニ騷擾勃發セシ所以ノモノハ本道ハ耶蘇教及天道教ノ教勢最モ旺盛ニシテ今次ノ事件ニ多數ノ首謀者ヲ出シタル關係上豫メ各地トモ密接ナル連絡ヲ保持セシ結果ニ外ナラサルヘシ

平壤ニ於テハ一日午後一時ヨリ耶蘇教監理派及長老派信徒ハ李太王奉悼會ヲ擧行スト稱シ前者ハ教會堂ニ約八百名後者ハ學校ニ約一千名集合シ弔意ヲ表シタル後突然獨立宣言書ヲ朗讀シ續イテ不穩ノ演說ヲ爲シ終リテ市民ニ示威運動ヲ開始シ同日夕刻ニ至リ多數ノ暴民ハ警察署ニ殺到シ投石暴行シ爾來連日騷擾ヲ企テシモ軍隊ノ出動ト憲兵、警察ノ警戒トニ依リ五日以來表面鎭靜ニ歸セリ然レトモ民心ハ逐日險惡ニ陷リ四日以來鮮人商店ノ過半ハ閉店シ各私立學校ハ全部休校シ官立學校モ約半數ノ缺席者ヲ生シ就中耶蘇教經營各學校生徒ハ殆ント全部官立高等普通學校生徒ノ大半ハ其ノ鄕里ニ歸還スルニ至リシカ此ノ内小數ノ者ハ全道各地ニ密行シ爾來騷擾ヲ煽動セルヤノ情況アリ又各地中騷擾ノ最モ激甚ナリシハ安州郡安州、中和郡祥原、江西郡江西、咸從、龍岡郡溫井、成川郡成川、陽德郡陽德、孟山郡孟山、寧邊郡寧遠ノ各地ニシテ何レモ兵器ヲ使用シ騷擾ヲ鎭定シ彼我共ニ若干ノ死傷者ヲ生シタルカ就中成川ニ於テハ四日午前十時頃邑内各官、公衙ヲ始メ一般ニ獨立宣言書ヲ配布セシ者アリシカ間モナク約二百ノ暴民ハ棍棒、鎌、斧等ヲ携帶シテ憲兵分隊ニ來襲シ窓硝子其ノ他ノ器具ヲ破壞スル等暴行ニ出テシヲ以テ發砲解散セシメタルカ此ノ騷擾ニ於テ分隊長ハ重傷ヲ負ヒ同日午後ニ至リ遂ニ落命シ暴民側ニ六十餘名ノ死傷者ヲ生シ孟山ニ於テハ十日午後約二百ノ天道教徒ノ一團同地憲兵分遣所ヲ襲擊シ上等兵一名卽死シ補助員一名重傷ヲ負ヒ暴民側ニ五十餘名ノ死者ト若干ノ傷者ヲ出シ沙川ニ於テハ四日數百ノ暴民同地憲兵駐在所ニ來襲セシヲ以テ極力鎭壓ニ努メシモ彈藥ヲ射盡シ上等兵以下四名ハ遂ニ壯烈ナル最後

六九

ヲ遂ケタルカ暴民側ニ死者十二、負傷者若干ヲ出セリ

三月中ニ於テ騷擾勃發セサリシハ价川ノ一郡ナリ

(10)、平安北道

一日宣川ニ於テハ耶蘇敎北長老派經營信聖學校生徒數百名市中ニ示威運動ヲ爲シ義州ニ於テハ約三百名ノ耶蘇敎徒敎會堂ニ集合シ騷擾ヲ企テシヲ以テ解散ヲ命シタリ之レ本道ニ於ケル騷擾ノ始メニシテ其ノ後宣川ニ於テハ三日午後ニ至リ國葬遙拜式ヲ名トシ耶蘇敎徒ハ北敎會堂ニ天道敎徒ハ敎會堂ニ集合シ其ノ後合シテ約一千五百名ノ集團トナリ各官衙ニ押寄セ四日ハ約六千名ノ群衆示威運動ヲ開始シ連日混雜ヲ極メタルモ軍隊ノ來援ト警察ノ警戒ニ依リ群衆ニ數名ノ負傷者ヲ出シタルニ止マリ大事ニ至ラスシテ表面靜穩ニ歸シ又義州ハ一日以來屢々騷擾ヲ企テシモ何レモ大事ニ至ラス五日鎭靜ニ歸セシカ更ニ二十七日ニ至リ約三千ノ暴民投石暴行シ再ヒ險惡ノ形勢アリ其ノ他本道ニ於ケル騷擾發生地ハ十郡約三十箇所ニシテ此等ノ各地中義州郡廣坪、水江鎭、玉ロ鎭、龍川郡南市、永山、鐵山郡鐵山、朔州郡朔州、龜城郡新市、龜城、定州郡定州ノ各地ニ於テハ暴民狂暴ヲ逞ウセシヲ以テ發砲鎭壓セシカ我ニ少數ノ負傷者ヲ生シ暴民側ニ若干ノ死傷者ヲ出セリ

三月中ニ於テ騷擾勃發セサルハ新義州、泰山、雲山、熙川、博川、碧潼、渭原、江界、慈城、厚昌ノ一府九郡ニシテ騷擾既發ノ郡ト未發ノ郡トハ相半シ未タ各地ニ瀰漫スルニ至ラサルモ最近對岸支那地ニ於ケル排日鮮人等カ妄動ニ出テムトスルノ情況アルヲ以テ將來注意ヲ要スルモノアリ

六五

六六

(11)、江原道

二日平康郡平康三日金化郡金化、金城及其ノ他ノ四箇所ニ於テ獨立宣言書ヲ發見セシカ越エテ十日ニ至リ鐵原郡鐵原ニ騷擾勃發シ次テ同郡葛末面、華川郡華川、上西面、橫城郡橫城、金化郡昌道ノ四郡七箇所ニ騷擾アリ就中華川郡上西面ニ於テハ二十八日約二千ノ暴民同面々事務所ヲ襲ヒ面長及補助員ヲ傷ケ面書記二名ヲ拉去シ更ニ華川邑內ニ來襲セムトセシヲ以テ發砲鎭定シ又金城郡昌道ニ於テハ二十八、二十九ノ兩日多數ノ暴民蜂起シ憲兵駐在所及面事務所ヲ襲ヒ窓硝子ヲ破壞スル等暴行セシニ依リ發砲解散セシメタルカ兩地トモ暴民側ニ若干ノ死傷者ヲ出セリ

他ノ十六郡ニハ三月中騷擾ナシ

(12)、咸鏡南道

一日元山ニ於テハ耶蘇敎牧師郭明理ナル者獨立宣言書ヲ配布セシカ同日午後四時ニ至リ約二千五百ノ群衆市中ニ示威運動ヲ開始シ一時混雜ヲ極メタルモ二日ニ至リ鎭靜ニ歸シ咸興ニ於テハ三日耶蘇敎加奈陀長老派經營永生學校生徒中心トナリ高等普通學校、公立普通學校生徒及其ノ他ノ群衆之ニ附和シ示威運動ヲ開始シ爾來連日騷擾アリ彼我共ニ若干ノ負傷者ヲ生セシカ軍隊ノ出動ト

七〇

七一

憲兵警察ノ警戒ニ依リ八日鎭靜ニ歸セリ其ノ他三月中ニ於テ騷擾勃發セシハ十一郡約三十箇所ニシテ定平郡新南上里宣德場、利原郡利原、端川郡端川、大新里、長津郡古土里、洪原郡手浦、新興郡新興ニ於テハ或ハ憲兵警察官署ニ來襲シテ廳舍ヲ破壞シ又ハ制止ニ服セス暴行セシヲ以テ發砲制壓セシカ就中古土里ニ於テハ約二百ノ暴民憲兵駐在所ニ來襲セシヲ以テ發砲制壓セシモ衆寡敵セス遂ニ構內ニ闖入シ憲兵軍曹及當時在所中ノ計手ヲ毆打負傷セシメ又兵器、書類、器具等悉ク破壞燒却セリ以上各地ノ騷擾ニ於テ我ニ少數ノ負傷者ヲ生シ暴民側ニ若干ノ死傷者ヲ出セリ

三月中文川、德源、安邊、甲山ノ四郡ニハ騷擾勃發セス

(13)、咸鏡北道

七日咸鏡南道元山耶蘇敎禮拜堂ヨリ城津加奈陀長老派敎會宛獨立宣言書ヲ郵送シ來リシカ越エテ十日ニ至リ城津加奈陀長老派經營普信學校生徒及敎徒約二百五十名示威運動ヲ開始シ警戒ノ警察官ニ對シ瓦礫ヲ投シテ暴行シ十一日ハ長老派經營濟東病院ニ約七百ノ敎徒集合シ同日十時頃市內ニ殺到シ內地人ヲ毆打スル等狂暴ヲ逞ウセシヲ以テ發砲鎭壓セリ之レ本道ニ於ケル騷擾ノ始メニシテ次テ同郡內及吉州、明川、鏡城、會寧、清津ノ一府四郡約二十箇所ニ騷擾勃發セシカ明川郡花台ニ於テハ十四日及十五日ノ兩度約五千ノ暴民憲兵分遣所及面事務所ヲ襲ヒ面長ヲ毆打シ又十五日夜面事務所及面長宅ニ放火シ同郡雩祉場ニ於テハ十七日約七百ノ暴民警察官駐在所ニ來襲暴行セシヲ以テ兩地トモ發砲鎭壓シ我ニ少數ノ負傷者ヲ生シ暴民ニ若干ノ死傷者ヲ出セリ

他ノ六郡ニハ三月中騷擾ナシ

六七

六八

七、騷擾ト外國宣敎師ノ關係附鮮人ノ崇米思想

今回ノ騷擾ニ際シ外國人殊ニ米國人ノ言動ニ就テハ尠カラス一般ノ注意ヲ喚起シ一種ノ疑ト惡感ヲ起サシメタルハ蓋フヘカラサルノ事實ナリトス而シテ其ノ眞情ヲ見ルニ米國宣敎師ト雖各敎派ニ依リ又同一敎派ト雖個人トシテ其ノ言動ハ元ヨリ一樣ナラス故ニ一般的ニ米國宣敎師ハ不都合ナリ等ノ斷定的誹難ヲ加フルハ愼マサルヘカラス然レトモ其ノ大部ハ鮮人ニ同情ヲ寄スルト共ニ我官憲ニ對シ反感ヲ有シ騷擾ノ鎭撫其ノ他ノ處置ニ關シ常ニ仔細ノ注意ヲ拂ヒ些ノ缺點アラハ之ヲ捉ヘテ得得タル狀アルノミナラス動モスレハ誇大ニ吹聽セントスル等甚タ誠意ノ缺クルモノアルハ是亦蓋フヘカラサル事實ナリ加之一部ノ者ニ在テハ內心本邦人ヲ蔑視シ否ラサルモ鮮人ニ對シ平素自己ノ勢力ヲ扶殖スルカ爲メ故ラニ本邦人ヲ輕視スルカ如キ態度ヲ示スモノアリ是等ノ言動ハ今回ノ事件ニ際シ不言ノ中ニ鮮人ニ對シ一種ノ依賴心ヲ起サシメ率ヒテ彼等ノ不穩行爲ヲ助成セシメタルハ明カナルニ加ヘテ鮮人特ニ自己敎派信徒等ノ騷擾行爲ニ向テハ全然不關知ノ態度ヲ取リ進ンテハ援助敎唆ヲモ爲シタル形跡アル者アリ彼ノ敎會堂又ハ禮拜堂等ヨリ幾多犯罪ノ用ニ供セラレタル物件ヲ發見シ甚タシキハ犯人藏匿ノ行爲アリタルニ徵スルモ概ネ其ノ眞情ヲ窺知スルニ足ルモノアリ而シテ

七二

是等ノ事實ハ啻ニ一二ノ場所ニ止マラス殆ト全鮮各地ヲ通シテ概ネ其ノ軌ヲ一ニセルハ甚タ怪訝ニ堪ヘサル所ニシテ唯佛國宣教師ノ單リ其ノ顰ニ準ハサル又聊注目ニ値ス

宣教師ノ眞意果シテ奈邊ニアリヤハ今俄ニ斷定シ難キモ諸般查察ノ結果ヲ綜合スルニ事件發生前ニ於テ信徒タル鮮人ヨリ半ハ懇請的ニ半ハ協議的ニ將タ又多少將來ニ對シ脅威的意味ヲ以テ運動開始ニ關スル意見ヲ求メラレタルハ事實ナリ此時ニ當リ若シ是ヲ否認センカ將來鮮人信徒ノ信頼ヲ失ヒ三十年來刻苦築キ上ケタル基礎ヲ一朝ニシテ覆サルルノ悲境ニ陷ルヘキヲ顧慮シ表面援助ヲ與ヘサルモ尠クモ同情的態度ニ出テタルハ明カナリ且ツ米國宣教師等カ平素動モスレハ信徒ニ對シテ共和民主的思想ヲ鼓吹シアル關係ト日本ニ對スル自尊的言動トハ此場合彼等ノ獨立運動ニ對シテハ是ヲ阻止スルカ又ハ不賛ノ意ヲ示スヘキ言辭ヲ有セサリシモノナリ而シテ運動勃發以來各地ノ情勢漸ク險惡トナリ暴民ノ行動ハ漸次凶暴ニ赴クニ從ヒ我官憲ノ態度亦漸次峻烈トナルヤ彼等ハ將來自己布教ニ關スル利害關係ヨリ打算シ自己行動ノ非ヲ宗教ノ袖下ニ隱レントシ日本官憲ノ處置ヲ宗教ノ壓迫ニ歸セントシ手段ヲ盡クシテ各方面ノ情況ヲ內查シ事ノ當否ヲ問ハス軍隊又ハ警察官憲ノ武力使用ニ對シ誇大ニ吹聽シテ暴虐極リナキモノトナシ白國ニ於ケル獨逸軍ノ夫レニ比シテ喧々其ノ非ヲ鳴ラシ終ニ責ヲ總督武斷政治ニ歸シテ基督教壓迫ノ名ノ下ニ總督政治ヲ攻擊セントシテ今ヤ全力ヲ傾注シアルカ如シ

今次ノ事件ニ際シ鮮人等カ米國大統領ニ倚リテ以テ獨立ヲ得ント企テシハ最近ニ於ケル世界ノ大局ニ鑑ミ米國ニ倚賴スルヲ以テ最モ有利トセシニ依ルモノナルコトハ想像ニ難カラスト雖又永年間培ハレタル鮮人ノ崇米思想ヨリ出テタルモノナルコトハ看過スヘカラサル點ナリトス則チ外國宣教師等ハ併合以前ニ在リテハ治外法權ヲ楯トシテ政治的ニ鮮人信徒ヲ庇護シ當時實力ナキ韓國政府ハ是等外人ノ行動ニ干涉スル能ハス之ヲ傍觀セシ結果ハ今日ニ於テモ此ノ惰力ニ依リ中流以下ノ鮮人ニアリテハ帝國ノ權力ハ外人ニ及ハサルモノト誤信ヲ抱カシムルニ至レリ是レ鮮人カ外人中最モ在住者ノ多數ナル米人ニ倚賴シ米國ヲ崇拜スルニ至リシ原因ノ一タリ又日露戰役後帝國ノ勢威韓半島ヲ掩フニ至リ鮮人間ニ排日思想勃興スルヤ米國宣教師等ハ巧ニ此ノ思潮ニ投シテ獨立思想ヲ鼓吹シ特ニ平安南北道地方ニ於テ教勢ノ進展ヲ策シタリ是レ米人經營ノ長老、監理兩派カ日露開戰以來頓ニ教勢伸張シ今日ノ大ヲ致シタル原因ノ一ニシテ又鮮人間ニ崇米思想ノ昂上セシ一因タルヘシ而シテ併合後ニ於テハ彼等宣教師モ漸次愼重ノ態度ヲ持シ露骨ノ言動ヲ愼メルモ尙ホ陰ニ排日思想ヲ鼓吹シ若ハ鮮人ノ排日的言動ニ同情ヲ表セルハ從來ノ事例ニ徵シテ瞭カナル處ナルカ殊ニ明治四十三年ニ起リタル尹致昊等ノ總督暗殺陰謀事件ノ如キハ平安南道平壤及平安北道宣川居住米人宣教師中殆ント之ニ干與セサルモノナカリシコトハ當時ノ情況之ヲ證シ其ノ以前伊藤公、李完用伯ノ暗殺陰謀ニモ亦裏面ニ米人アリシトノ說アリ又日米ノ利害衝突ハ遂ニ免レ難キ運命ニシテ日本カ將來戰フヘ

キ敵ハ米國ナリトハ既ニ日露戰爭當時ヨリ鮮人間ニ行ハルル浮說ニシテ其ノ後ニ至リテハ殆ント豫言ト見做サレ十數年前ヨリ不平鮮人中ニハ此ノ機ニ乘シ獨立ヲ企ツヘシト爲シ米國ト結フノ必要ヲ論議シツツアリシカ殊ニ今次ノ大戰ニ際シ帝國ノ西比利亞出兵後ニ於テハ日本開戰ニ關スル浮說盛ナリシカ大戰ノ結果ハ遂ニ聯合軍ノ勝利ニ歸シ米國大統領ニ依リテ民族自決主義高唱セラル、ヤ在鮮米人宣教師等ハ鮮人信徒ニ對シ聯合國ノ戰勝ハ全然米國參戰ノ結果ニシテ米國ハ正義人道ノ上ニ立チ世界人類ノ爲ニ戰ヒ人類ヲ戰爭ノ慘禍ヨリ救ヒ恒久的平和ヲ目的トスル世界ノ改造ニ努力セルコト、米國ハ世界和戰ノ鍵ヲ握レルヲ以テ米國ニ順フモノハ榮ヘ米國ニ反抗スルモノハ亡フカ如キ誇張的ノ言ヲ以テ頻リニ米國崇拜熱ヲ鼓吹セシ情況アリ而シテ又鮮人等カ各國宣教師中特ニ米人ニ倚賴スル所以ノモノハ上述ノ如ク彼等カ鮮人ヲ待ツニ同情ヲ以テシ其ノ意志ニ迎合シ其ノ企圖ヲ助成スルニ依ルモノナルコト勿論ナリト雖亦米本土及米領布哇地方ニハ多數ノ不逞鮮人居住シ常ニ米國官憲ノ庇護ヲ受ケツヽアリ且又鮮內ニ於ケル耶蘇教關係ノ有力者中外國ニ留學セシモノハ多クハ米國ニ學ヒタル者ナルヲ以テ人心自ラ米國ニ趨クハ人情ノ自然ニシテ不平ヲ抱キ海外ニ奔ル青年學生ノ多數カ米本土若ハ布哇ニ赴クモノ所以ナキニアラス又近時鮮人ノ著作ニ係ル小說ハ多クハ鮮人孤兒カ日本人ニ救ハレ日本人ニ依リテ教育セラレ後米國ニ赴キ兩親ニ邂逅シ美人ヲ娶リテ平和ノ家庭ヲ形成スト云フカ如キ筋書ヲ骨子トセルモノ多ク以テ鮮人崇米思想ノ一端ヲ窺知スルニ足ルモノ

アリ

鮮人ノ崇米思想ハ如上ノ通ニシテ又最近ニ於ケル米人宣教師等ノ言動ハ鮮人ノ思想ニ大ナル影響ヲ及ホシ今次ノ事件ヲ間接ニ助成シタリト稱スルモ誇張ノ言ニアラサルヲ信ス唯今次ノ騷擾ニ於テ單リ米人ニ止マラス英人宣教師カ之ヲ煽動セシ事實アルハ特ニ注意ヲ要スヘキ點ナリトス

騷擾勃發前後ニ於ケル外人ノ言動中主ナルモノヲ擧クレハ左ノ如シ

(一) 京城駐在米國總領事「ベルグホルツ」ハ鮮人カ自己ノ意見ヲ公表シ民族自決主義ヲ唱フルハ人類ノ特權ニシテ彼等ノ主張ニ耳ヲ借サス猥リニ高壓手段ヲ執ルハ當ヲ失セリトノ意見ヲ懷キ間接鮮人等ヲ援助シ且ツ米國宣教師等ニ對シ若シ警察カ彼等ノ權利ヲ侵害スルカ如キ場合アルトキハ官憲ト交涉シ充分保護スヘシト語リタル由ニテ宣教師等ハ意ヲ安ンシ總領事ニ信頼シ騷擾ニ對スル我官憲ノ態度ヲ探リツヽアリトノ聞込アリシカ其ノ後米人間ニ「ベルグホルツ」ノ以上ノ言動ヲ證スルニ足ルヘキ信書ノ往復ヲ爲シタル事實ヲ偵知セリ

(二) 長老、監理六派合同經營ニ係ル京城南大門外所在「セブランス」病院長米人「エビソン」ハ基督教ノ最高學府タル京城市外高陽郡延禧面所在延禧專門學校々長ナルカ同校ヨリハ今回ノ騷擾事件ノ學生側首謀者タル金元壁其ノ他ヲ出シ又同病院ヨリハ今回ノ事件ノ首謀者タル咸台永、李甲成ノ徒ヲ出シ同病院附屬醫學專門學校ヨリモ事件關係者ヲ出シタルカ同病院醫師「スコフイルド」ハ今

同ノ事件ニ付最モ鮮人ニ同情ヲ表セル一人ト認メラレ朝鮮人ニ逢フ毎ニ贊辭ヲ呈シツヽアリト云フ三月五日南大門停車場前廣場ニ於テ學生ヲ中心トスル四、五千名ノ群衆騷擾ヲ惹起セシ際此ノ群衆中前記病院鮮人看護婦十一名ハ繃帶ヲ携帶シテ混シ居タルカ同院ニ於テハ豫メ當日ノ騷擾ヲ知リ看護婦ヲ派遣シタルコトハ瞭カニシテ又當日「スコフイルド」及聯合通信囑託米人「テーラー」ハ騷擾ノ情況ヲ視察シ居タリ三月十八日同病院家宅搜索ノ上差押ヘタル物件中騷擾ノ情況ヲ記載セル「タイプライター」摺ノ印刷物一枚ヲ發見セシカ右ハ本國ニ報告シタルモノト察セラル尙ホ當日家宅搜索執行ニ際シ同院長「エビソン」ハ英米兩國人ノ爲ニ家宅搜索ヲ拒ムト稱シ反抗的態度ヲ示セシモ檢事ハ職權ニ依リ執行セリ

（三） 京城駐在米國總領事「ベルグホルツ」ハ三月五日ノ騷擾ノ際附近ニ停立シテ情況ヲ視察シ又朝鮮ホテル滯在中ノ米國「サクラメレトプレス」社長「ブイ、エス、マツククラン」モ當日自働車ヲ驅リ騷擾ノ狀況ヲ視察シアリシカ此ノ他騷擾毎ニ外人ノ自働車ヲ驅リテ其ノ情況ヲ視察セルモノ多シ

（四） 京城居住米人宣敎師「ビリングス」ハ今回ノ騷擾事件ニ付事實ヲ揑造シ日本官憲ハ耶蘇敎人ヲ首謀者ト爲シ平壤ニテハ敎人五、六人ヲ十字架ニ縛シ「十字架ノ味ヒ如何」ト敎人ヲ凌辱シ又十三、四歲ノ女子ニ罰金ヲ科シタリ斯ノ如キ不法ハ世界ニ於テ始メテ見ル處ナリ吾等ハ日本官憲ノ耶蘇敎壓迫ヲ世界ニ公表セサルヘカラスト稱シ「クンス」、「アンダーウツド」、「クラム」、「スコフイル

七三
七四

ド」、「ビリングス」其ノ他數名調査委員トナリ材料ヲ蒐集シ「耶蘇敎壓迫論」ナルモノヲ編纂スヘク計畫セリト云フ

（五） 全羅北道沃溝郡開井面龜岩里南長老派經營永明學校ニ於テ舊韓國國旗及獨立宣言書ヲ作製セルヲ探知シ三月五日同校長米人「リントン」宅及校舍内外敎會並ニ同校敎員宅ヲ搜索シ敎會内ヨリ二千枚ノ獨立宣言書ヲ發見セシカ右ハ京城ヨリ配布ヲ受ケタルモノヲ謄寫セシモノニテ既ニ若干ハ附近ノ敎會ヘ配布セシ形跡アリ校長「リントン」ハ本件ニ關シ何等知ル處ナシト語リツヽアルモ三月五日群山ニ於ケル騷擾ハ同人及敎師「ブール」、「ハリソン」等カ敎唆煽動セシ疑アリ

（六） 三月八日慶尙北道大邱ニ於ケル騷擾ノ際耶蘇敎經營新明女學校敎師米人「バーグマン」ハ同校生徒五十名ノ示威運動團ニ隨行シ居ル事實アリ又米人宣敎師「エルドマン」、「ブレエイア」ハ騷擾前後ニ於テ自轉車ニ乘リ市中ヲ視察シ「ブルーエン」、「ウイン」及看護婦「ベキンス」等ハ騷擾後ニ於テ市中ヲ徘徊視察シ又當日米國宣敎師中騷擾狀況ヲ耶蘇敎附屬病院ノ階上ヨリ撮影セシモノアリト云フ

（七） 平安南道平壤府居住米人宣敎師「モヘツト」ハ朝鮮人カ暴擧ニ出テス宣言書ヲ發表シテ堂々ト示威運動ヲ開始セシ狀況ハ頗ル巧妙ニシテ賞讃ニ値ス之ニ對スル日本官憲ノ取締ハ甚タ酷ニシテ耶蘇敎ニ對スル迫害ナリト稱シ騷擾ニ對スル官憲ノ措置ヲ調査スヘシトノ說アリシカ其ノ後三月十

六日同派所屬米人宣敎師「ホールドクロフト」ヲ大同郡ニ派遣シ情況ヲ調査セシメツヽアリ尙ホ各地ノ情況ハ鮮人布敎者ヨリ同人ニ報告シツヽアリ又同人ハ三月九日章台峴敎會堂ニ於テ「騷擾ニ關スル被拘禁者ノ無事ヲ禱リ且ツ目下全世界ノ裁判中ニ在レハ不安ノ狀態ニ在ル多クノ兄弟姉妹等モ神ノ權能ニ依リ安穩ニ生活シ得ル樣ニセラレ度シ」ト祈禱シ三月十六日ノ日曜禮拜ニ於テハ「目下我敎ノ牧師長老等ハ獄舍ニ呻吟シ居ルモ神ノ現在スルアリ敢テ落膽スル勿レ信仰ヲ進メテ大膽ナルヘシサレハ安全ナル禮拜ヲ爲シ得ヘキ機會到來スヘシ」ト述ヘ聽者ヲシテ「神ノ後援アリ屈スルコトナク這般ノ運動ヲ續行セヨ必ス成功スヘシ」トノ意味ヲ含メル如ク感セシメタリ

（八） 平安北道宣川居住米人宣敎師「マツキユーン」ハ著名ノ排日者ニシテ明治四十三年朝鮮總督暗殺陰謀事件ノ際ハ之ニ干與セシ人物ナルカ最近總督府ノ施政並ニ今日ノ騷擾ニ對スル官憲ノ措置ヲ批難シ北京ノ外字新聞ニ通信セリトノ說アリシヲ以テ注意中ノ處三月二十一日上海「チヤイナプレス」及三月二十二日上海「ノースチヤイナデリーニユース」ハ帝國ノ朝鮮統治ヲ論難セル記事ヲ掲ケタル事實ヲ發見セリ右ハ「マツキユーレ」カ執筆シ曩ニ來鮮中ナリシ北京萬國風俗改良會幹事「スキング」カ携行セシモノヽ如シ又今回ノ獨立運動事件ノ學生側首謀者タル基督敎經營延禧專門學校生徒金元璧ハ運動決行ノ可否ニ付煩悶シツヽアリシカ一月二十八、九日頃京城府所在「セブランス」病院内ニ於テ「マツキユーン」ト會シタルヨリ同人ニ對シ米國ニ於ケル朝鮮人ノ情態並ニ

七五
七六

米國人ノ朝鮮人ニ對スル感情ヲ問ヒタルニ同人ハ同情云々ニ就テハ米國人ハ餘リ考ヘ居ラス自己ノ運命ハ自己ニ於テ開拓スヘキモノナリ「チエツクスロバツク」ニセヨ「ポーランド」ニセヨ自分自ラ獨立シタルモノニシテ他國ハ其ノ後ニ於テ同情セシモノナリ故ニ鮮人モ自己ノ事ハ自己ニ於テ處理スヘク唯考フルノミニテハ不可ナリ進ンテ行ハサルヘカラスト答ヘタルヨリ遂ニ運動ヲ企圖スルコトヲ決意セシ旨自白セシカ當時「マツキユーン」カ金元璧ノ陳述以上ニ獨立運動ノ必要ナルコトヲ煽動セシコトハ想像スルニ難カラス

（九） 咸鏡南道咸興ニ於ケル三月三日以來ノ騷擾ハ加奈陀人宣敎師「ヤング」ノ經營ニ係ル永生學校ノ鮮人敎師及生徒其ノ中心トナリ居レルカ「ヤング」ハ騷擾前同校生徒ニ對シ世界ノ大勢ハ民族自決ノ機運ニアルコトヲ告ケ鮮人ノ奮起ヲ促スヘキ講演ヲ爲シ又加奈陀人宣敎師「マグレー」モ生徒ニ對シ「ポーランド」其ノ他ノ民族カ獨立セシコトヲ語リ生徒ヲ煽動セシ形跡アリ「マグレー」ハ三月六日ノ騷擾ノ際現場ニアリシカ鮮人ヲ煽動セシ疑アリ又同人ハ騷擾ノ實況ヲ撮影セシ疑アリ

（十） 咸鏡北道城津加奈陀長老派英人宣敎師「グレーソン」ハ三月十日以降ノ同地騷擾前同地濟東病院ニ於テ自ラ獨立宣言書及獨立新聞ヲ謄寫版ニテ印刷シ多數配布セシメタル疑アリ被告鮮人ノ陳述ニ依レハ同人ハ三月七日夜自宅ニ於テ今回同地ニ於ケル騷擾事件ノ首謀者十三名カ會合シ京城ノ騷擾情況視察ノ爲メ人ヲ密派スルコトヲ議スルヤ之ニ贊成シ今回ノ獨立運動ハ新聞ニ現ハレ媾和

會議列席ノ各國委員ハ之ヲ聲援スルヤモ知レスト述ヘ騷擾ヲ煽動シタリト云フ本人ハ證人トシテ取調ニ着手セリ

（十一）京畿道開城所在監理派經營好壽敦（ホーストン）女學校在學生徒中咸鏡南道元山ニ歸來セシ者ノ語ル處ニ依レハ三月三日以來ノ同地騷擾ノ際同校生徒ヲ指揮セシハ校長米人「ワグナー」ニシテ又同派經營松都高等普通學校生徒ヲ指揮セシハ同校校長米人「ワツソン」ナリト云フ而シテ女學生等カ騷擾ニ參加セシハ校長「ワグナー」カ今回ノ媾和會議ニ於テ我米國ノ提議ニ依リ朝鮮ハ獨立國トナルカ故ニ此ノ機ヲ失セス獨立運動ヲ爲シ我米國ノ提議ヲ聲援スヘシト煽動セシニ依ルモノニシテ又學生等カ歸鄕ニ際シ同校長ハ三月十五日ヨリ更ニ朝鮮全道ニ渉リ獨立運動ヲ企ツルヲ以テ歸鄕後ハ女子ト雖獨立宣言ノ趣旨ヲ敷衍シ一般鮮人ヲ覺醒シ目的ノ遂行ニ努力セサルヘカラスト告ケタリト云フ

（十二）三月十一日慶尚南道釜山鎭ニ於ケル騷擾ノ際同地濠洲長老派經營日進女學校校長英人女宣教師「ダビス」及教師「ホツキング」ハ「フリシヨ」（萬歲ヲ唱ヘヨトノ意）ト高唱シテ生徒ヲ指揮シ生徒ハ之ニ和シ萬歲ヲ唱ヘ行進セシカ先之校長「ダビス」及鮮人女教師朱敬愛ハ教員一同ニ對シ各地ニ於テ獨立運動ヲ開始セシヲ以テ我校ニ於テモ擧行スヘシト提議シ一同之ニ贊シ之ヲ生徒ニ傳ヘ三月十日同校高等科生徒十一名ハ運動ニ要スル舊韓國旗五十ヲ製作シ同校寄宿舍監督「メンゼス」ニ渡シタルカ同人ハ後證據ヲ煙滅スル爲メ之ヲ燒棄シタル事實アリ

八、不穩文書

今回ノ騷擾ニ於テ不逞輩カ煽動若ハ脅迫的不穩印刷物ヲ配布シツツアル情況ヲ第六項ニ於テ記載セシカ其ノ二、三ヲ譯出スレハ左ノ如シ

新朝鮮民報　第一號　（三月五日）

○公約三章ヲ銘心セヨ

（一）今日吾人ノ此ノ擧ハ正義、人道、生存、尊榮ノ爲メニスル民族的要求ナレハ自由的精神ヲ發輝スヘク決シテ排他的感情ニ走ルコト勿レ

（二）最後ノ一人ノ存スル限リ而シテ其ノ最後ノ一刻迄民族ノ正當ナル意思ヲ快ク發表セヨ

（三）一切ノ行動ハ最モ秩序ヲ尊ヒ吾人ノ主張ト態度トハ徹頭徹尾公明正大ナレ

右ハ三月一日午後三時三十分朝鮮民族代表孫秉熙氏外三十二人ノ發表シタル宣言書中ノ公約ニ係ル我新朝鮮民報ハ此ノ三章ノ公約ヲシテ益闡明ナラシメンカ爲ニ發刊シタルモノナリ

○朝鮮民族代表孫氏就縛後ノ動靜　氏ハ目下警務總監部ニ拘禁セラレツツアルカ官憲ハ本日ヨリ飲食物ノ差入レヲ禁止シタリト云フ

○夜半ノ獨立鍾　昨夜十二時頃鍾路普信閣ニ於テ學生ト覺ホシキ者三人吊鍾ヲ亂打シツヽアリシ

處巡査此レヲ認メテ何ンカ爲メニ亂打スルヤト詰問シタルニ彼等ハ「獨立ノ鍾ヲ撞クナリ」ト曰ヘリ依テ巡査ハ彼等ニ向ヒ速ニ出テ來ルヘキヲ命シタルニ彼等ハ「心行ク迄撞クヘシ」ト稱シ十二分ニ撞キ終リテ意氣軒昂縛ニ就キタリト云フ

○亂暴ナル先生　官立高等普通學校生徒ハ目下同盟休校中ナルカ同校生徒朴圭璜カ生徒中或ハ登校スルモノアルヤモ知レスト思惟シ路ニ要シテ見張リツヽアリシ處日人教諭此レヲ發見シテ氏ヲ學校ニ連行シテ手足ヲ制縛シ指間ニ燒火箸ヲ挿入シテ骨ヲ露出セシメ加之「バツト」ヲ以テ頻リニ亂打シ流血淋漓タラシメタリ

○同盟退校　京城内官公私立各學校生徒ハ同盟退校ヲ決行セシカ其ノ内所謂日鮮同化ノ趣旨方針ニ依ツテ其ノ心神ヲ訓育サレタル各官立學校生徒カ而カモ其ノ主唱先達ト爲レリ吁、知ラス彼等カ再ヒ登校スルハ果シテ何ツレノ日ソ

○兩校學生同盟退校　水原官立農林學校及京釜線餠店驛公立農業學校生徒ハ本日同盟退校ヲ爲セリト云フ

○全國ノ大義擧　三月一日午後二時三十分朝鮮民族代表孫秉熙氏外三十二人ノ士カ朝鮮獨立ヲ宣言スルヤ此レト同時ニ義州、宣川、定州、平壤、鎭南浦、晉州、元山等ノ各地ニ於テモ同樣大義擧ヲ見ルニ至レリ此等ノ行動ハ秩序整然トシテ態度亦公明正大ナリ噫、夫レ斯クノ如ク各地期セスシテ同時ニ同一行動ニ出テタルモノハ卽チ此レ天意ノ然ラシムル處ナリト曰ハスシテ何ンソ

建國四千二百五十二年三月五日

覺醒號　第一號　（三月一日）

喜ハシキ哉二千萬ノ兄弟姉妹諸君、吾人ハ今ニシテ漸ク長夜ノ眠ヨリ醒メ十有餘年堅忍鬱積ノ煩悶亦漸ク晴レタリ我同胞諸君、諸君ハ勇猛ニシテ才智アル英雄豪傑タル事ヲノミ思フ勿レ吾人ノ至誠天ニ徹スレハ天亦感應シ天地神明佑ケサルモノナシ我朝鮮獨立ノ此ノ擧ハ世界ノ公道、人類社會ノ正則ニシテ實ニ公明正大ナリ此レカ爲メニ世界ヲ擧ケテ感動シ天亦嘉納セラル吁夫レ斯クノ如クニシテ誰レカ克ク此レヲ防キ得ヘシトスルモノソ吾人ハ茲ニ錦繡ノ江山三千里、二千萬民衆ノ一分子トシテ指ヲ嚙ミ鮮血ヲ灑テ太極旗ヲ畫キ此レヲ手ニシテ今ヤ衝天ノ慨アリ然ルニ何事ソ我朝鮮ニ生ヲ享ケタル我民族ニシテ往々默々トシテ此レヲ傍觀シツヽアルモノアリ何ソ夫レ痛憤ニ堪ヘンヤ吁望ムラクハ我同胞諸君、諸君ハ宜シク老ヲ扶ケ幼ヲ携ヘテ奮起シ以テ此ノ獨立運動ニ邁進セラレン事ヲ若シ夫レ同胞中尙且默々トシテ動カサルモノアラハ天必スヤ此レヲ罰セン

朝鮮獨立新聞（譯文）　第十一號　（三月二十一日發行）

○義氣アル郡守　平安南道安州通信ニ據レハ同郡ニ於テハ此回銃殺セラレタルモノ十餘名アリ之カ會葬ノ際同郡々守ハ其ノ死者ノ胸ニ雙手ヲ當テ血ヲ揮ツテ汝ハ死シタルモ汝カ死ヲ以テ盡セシ

朝鮮ハ此レヨリ永遠ニ獨立スヘキヲ以テ安ンセヨト云ヒ終リテ郡守ノ音度ニテ一同會集シ太極旗ヲ立テ萬歲聲裡ニ葬儀ヲ營ミシカ警察署ニテハ直ニ郡守ヲ逮捕シ平壤ニ押送シタリト實ニ感スヘキ人物ニアラスヤ官吏タル同胞以テ如何トナス

○日本農民ノ暴行　黃海道載寧通信ニヨレハ同所ハ此回ノ事件ニヨリ傷害セラレタルモノ過年討伐ノ時ヨリモ甚シト同所ノ日人農民ハ兇器ヲ携ヘ纖弱ナル男女ヲ殺害シタルニ憲兵等ハ却テ之ヲ稱讃シツツアリト我等豈此ノ如キ虐待ヲ甘受センヤ同胞ヨ

○殘忍ナル日人　平壤通信ニ依レハ騷擾ノ際日本消防隊ハ其ノ器具ヲ携ヘ男女老少ヲ無法ニモ傷害シ死傷者其ノ數ヲ知ラス又閉店シタル商民ニハ暴刑ヲ以テ開店セシメ深夜ノ日本人ノ暴行ノ爲外出スル能ハスト日本ハ東洋ニ於ケル獨逸ノ如キ蠻族ニアラスヤ

○憲兵所ノ暴惡　黃海道安岳郡溫井面ニ於テハ騷擾ノ際日本兵等ハ發砲シテ死傷算ナカリシカ其ノ内負傷者三名ハ京城南大門外濟衆院ニ來リテ加療中ナルカ上京ノ途中駐在所每ニ立チ寄リテ各所ニ於テ笞刑ニ遭ヒ就中載寧邑ノ憲兵分隊ニ至リテハ數日間毆打セラレ脅迫ニ遭ヒ且ツ無道ナル分隊長ハ京城ニ行カスニ此處ニテ治療セハ可ナラスヤトテ甚シキ刑罰ニ處セラレタル爲全身笞ノ跡アリテ傷キシ狀態ハ實ニ見ルニ忍ヒサルモノアリト殘忍暴惡何ソ此ノ極ニ達スルヤ銃傷ヲ負ヒタル者ニ對シ何ノ不足アリテカ惡刑ヲ苛スルモノソ天帝ハ如斯者ヲ何時マテカ赦シ給ハム同胞ヨ

速ニ此ノ羈絆ヲ脫セサレハ我生命ヲ保全スルコト能ハサルヘシ

○平和會ノ大運動　清國廣東在留我同胞等ハ平和會ニ委員ヲ派遣シ各國委員ト氣脈ヲ通シ一大運動ヲ爲シタル旨新聞ニ記載アリ果然我等ノ目的ハ東山ニ昇ル日ノ如キ勢ヲ以テ進ミツツアルヲ知ルヘシ

（終）

勞働會報　第二號

朝鮮建國四千二百五十二年三月二十一日

△群山勞働會ノ行動　過般我勞働會○○號群山支部ニ於テハ壯烈ナル示威運動ヲ爲シタルカ當時某同胞カ携ヘタル旗ノ字カ少シ拙ツカリシ爲メ日本人發行群山日報ハ之ヲ笑草トシテ嘲リタルヨリ○○號ハ其ノ輕薄ナルヲ憤リ益々壯快ナル活動ヲ起スヘシト云フ（群山一記者）

△女學生ノ哀痛ナル死　○○女學校在學中ノ一妹ハ暴惡無道ナル日本警察官ノ爲ニ捕ヘラレ酷毒ナル惡刑ニ遭ヒタルモ終始一貫壯烈ナル行動ヲ以テ正義ヲ叫ヒツヽ無慘ニモ死シタリト云フ而シテ彼ノ野蠻極マル警察側ニ於テハ之ヲ隱蔽セント氣ヲ採ミ居レリト

△北京英字新聞ノ記載　支那北京發行英字新聞ニヨレハ我媾和委員ハ日本官憲ノ毒惡ナル警察ヲ巧ミニ潛リ千辛萬苦ノ末佛國巴里ニ到着シ十二ケ條ノ理由ニ基キ朝鮮ノ獨立ヲ主唱シタリト

△反獨立派ノ行動　總督府ノ旨ヲ含ミテ或連中ハ今回ノ獨立運動ニ反動スヘシトノコトナリシカ彼等ト雖モ四千年來神聖ナル血族ニシテ我同胞ナリ之ニ應セサリシト然レトモ未タ自ラ其ノ過ヲ

覺ルコト能ハサル者アリ捺印ヲ請求シテ廻ル者アリト我神聖ナル兄弟姉妹ハ決シテ其ノ手ニ乘ラサルヲ要スト

△我勞働會兄弟ノ同盟罷業說　我勞働兄弟ハ困難ナル生活ヲ顧ミス一齊ニ同盟罷業ヲ爲スヘシト官吏側ニ於テモ之ト同樣企畫アルヘシト觀測セラル

◎我勞働會兄弟ノ○○○（不明）爲スヘキ事項　兄弟ヨ、我等ハ正義ト人道ニヨリテ我等ノ自由ト獨立トヲ求ムルモノナルヲ以テ斷シテ如何ナル事ニモ亂暴ナル行動ハ一切爲ス可カラス特ニ此ノ點ハ心得置カルヘシ

（終）

嗚呼京城市民諸氏ヨ

痛哉我祖先ノ熱血ヲ以テ死守シタル漢陽ノ山河ハ吾人ノ時ニ至ッテ失フ處ト爲レリ吁吾人ハ何ノ面目アッテ祖先ニ見ヘンヤ今日吾人ノ朝鮮獨立ノ宣言ハ敢テ輕擧妄動ニ非ス世界ノ大勢ニ順應シテ正義人道ノ下ニ祖先ノ遺志ヲ貫徹セント欲スルモノナリ此ノ秋ニ際シ三十萬ノ民衆ヲ有スル京城市民カ對岸ノ火災視シテ一人ノ熱血男子ノ出現ヲ見サルハ實ニ痛嘆ニ堪ヘサル所ナリ願ハクハ市民諸君勇敢活潑ノ精神ヲ以テ奮起努力セラレンコトヲ

立テヨ同胞

吾人カ朝鮮獨立ノ此ノ擧ハ決シテ輕擧妄動ニ非ス正義人道ニシテ而カモ公理天則ナリ同胞ヨ恐怖

シ疑惑シ猶豫シ且依賴スルコト勿レ吁吾人ノ正義ニ對シテハ彼等ノ武力果シテ何ンスルモノソ同胞ヨ吾人ハ世界ノ大勢ニ順應シテ立テリ彼レ例令甘言武力ヲ以テスルモ敢テ動スルコト勿レ彼ノ甘言ヤ武力ヤハ既ニ此レ一ノ虛像ノミ幻影ノミ立テヨ同胞我檀箕ノ祖靈ハ雙手ヲ擧ケテ吾人ヲ迎ヘ天地ノ神明ハ前途ヲ照シテ吾人ヲ待テリ若シ夫レ吾人ニシテ此ノ千載一遇ノ好機ヲ逸セハ幸運ノ女神ハ長ヘニ吾人ノ頭上ヲ去ラン

中樞顧問、贊議、其ノ他鮮人高等官ニ送リタルモノ（譯文）

眼ヲ擧ケテ一タヒ天下ノ大勢ヲ瞥セヨ邦家ハ民族自決ヲ以テ最上ノ主義ト爲シ曩ニ國際聯盟ノ成立スルアリ又從テ十餘國ノ獨立ヲ見タリ夫レ埃及、猶太、印度其ノ他諸國ハ孟春ノ新萠ノ如ク昔日ノ貧弱小國ハ雨後ノ草木ノ如ク全世界ノ種族ハ新空氣新時間的ニ包容セラレ眞正ナル人類ノ幸福ヲ樂マントシツツアリ此ニ由テ之ヲ觀ルニ少クトモ半萬年ノ歷史鮮明ナル我民族ノ獨立ハ世界ノ大勢ト稱センヨリ合理的ニ成立スヘキ可能性ヲ有スルモノナリ曷ソ理ニ違フ可ケンヤ茲ニ於テカ千九百十九年三月一日ノ吉日ヲトシ我民族ノ頭領タル謀士、壯士ハ我民族ノ棟梁タル忠勇ナル學生ヲ以テ一大團結ヲ爲シ義ヲ朝鮮各郡市ニ擧ケ朝鮮民族ノ獨立ヲ宣言ス失色委憚ノ禽獸、江山亦吾輩ト同樂スルカ如ク學生勞働輩ノ萬歲ノ高聲ニ海沸キ山動ケリ、閣下ヨ閣下ハ朝鮮人官吏ノ最上階級トシテ大廈高樓ニ執務スト雖モ滅亡シタル朝鮮人ナリトノ名稱ノ下ニ彼ノ日人ノ小使給仕

ニマテ凌辱侮蔑ヲ受ケツツアルヲ閣下安ソ骨髓ニ徹セサラン東西ノ革命史ニ徵スルニ纎弱ナル女子ノ革命ニ加入セルハ事業成就ヲ表示シタルカ如シ況ヤ前朝ノ雨露ニ浴シ世界ノ大勢ニ通曉スル閣下カ袖手傍觀スルカ如キハ有血男兒ノ一月モ任ニ留マル可カラサル所從テ後世子孫ヲシテ永遠ニ奴隷タラシムルノミナラス男女學生勞働者ノ義擧ニ對シ碌ニ爲スナシ更ニ何ノ顏アリテカ世上ニ出入セントスルカ吾輩二千萬朝鮮獨立大會ハ此ノ際一言ヲ呈セントス一身ヲ犧牲ニ供シ第一着トシテ漢陽市內ノ官吏同盟退職ヲ斷行セラレナハ賤夫モ之ヲ赦シ鄙夫モ爲ニ起チ以テ二千萬ノ生靈ハ閣下ノ義擧ニ對シ粉骨碎身セム千萬配慮、後世子孫ノ怒恨ヲ貽スコト勿レ

朝鮮建國四千二百五十二年三月八日

朝鮮獨立民族大會

八九

鍾路署刑事巡査補ニ對スル脅迫文（譯文）

天何ソ私アラン然レトモ已ムヲ得スシテ怨マシメ神明何ソ相關スルアラン然レトモ已ムヲ得スシテ反目セシム、嗚呼、無道ナル勝熙ヨ、五臟六腑アラハ汝自ラ覺ラン、汝モ朝鮮ノ血統ヲ受ケ汝祖先以來神聖ナル朝鮮民族ナル嘉名ノ下ニ生キ來レリ汝今日父母ノ肉ヲ削リ兄弟ノ血ヲ啜ル天若シ意アラハ何ソ天罰ナカラン神若シ意アラハ何ソ殃禍ナカラシ從來齷齪タル名ノ京鄕ニ傳ハリテ聞ク者ヲシテ切齒扼腕セシムルハ有リ振レタル事ニ屬ス而シテ今ニ至リテハ各人寃ヲ含ミ却テ沈默ト變シ同時ニ腕ヲ撫シテ其ノ機會ノ到ルヲ俟ツノミ、アー、冷暖ヲ覺ユルノ感覺アラハ改メテ

八五

再ヒ熟考セヨ、汝ノ親族家眷ハイザ知ラス其ノ他ノ者ニアリテハ誰カ一片ノ汝ノ肉ヲ食ハンコトヲ願ハサルモノアランヤ余亦一握リノ食鹽ヲ持シテ機ノ至ルヲ待ツ一人ナリ

八六

ア、禽獸ニモ劣レル勝熙ヨ、觀スヤ彼ノ毒禽猛獸モ猶ホ子ヲ生ミタル跡ニハ思ヲ遺シ其ノ同族ヲ愛スルニアラスヤ況ヤ天ヲ頂キ地ヲ踏ム人類トシテ父母兄弟ノ肉ヲ割賣シ以テ區々タル生命ヲ保タントス豈朝鮮民族ノ爲慨嘆セサランヤ假令汝ハ屍體ヲ俎上ニ曝ラシ汝ノ父母兄弟（單ニ汝一家ノミヲ指ス）ハ火焰ノ裡ニ死ストスルモ必スヤ汝ノ子孫有ラン之等ハ萬波ノ玄海ヲ渡リテ行カシメントスルノ計畫ナリヤ之レ尙ホ未來ニ屬スル事項ナルモ現在頭上ニ切迫セル汝身上ノ殃禍ヲ如何ニセントスルカ然レトモ今汝非命ノ死ヲ望ムモノニアラス却テ害セラルルコト無カラムカヲ恐ルルモノナリ今ハ何人ト雖汝ヲ保護セムトスルモノナリ之レ汝ノ爲ニスルニアラスシテ後日機會來ルノ日汝ヲ俎上ニ置キテ數點ノ膾ヲ作ラムカ爲ノミ、アー、生カス可カラサル勝熙ヨ、再三思惟セヨ、彼ノ男女兄弟等ハ何ノ爲ニ今日鐵窓ノ下ニ呻吟スルヤ彼等ハ殺人强盜ナリヤ如何ナル罪ナリヤ汝ハ「義魂」ナル語ヲ解スヘクモアラサレトモ彼等ハ義士ニ非ラスヤ汝若シ「人」ノ心アラハ險ヲ冒シテ是等ノ人々ヲ救ヒ出サヽル可カラス否寧ロ斯クスル能ハストスルモ幼少男女學生及有望ナル紳士等ヲ汝ノ掌中ニ幾十名トナク水火ノ中ニ陷レツツアルニアラスヤ言念此ニ及ムテヤ余ハ之ヲ筆ニスルニ忍ヒス流涕滂沱タルヲ禁スル能ハス獨リ汝ノ身上ニ對シテノミ忿心ヲ有スル

九〇

モノニアラサルモ男兒一片ノ節氣、果然忍ヒサルモノアルノミ是ニ於テカ汝モ亦反省セヨ、彼ノ日本官憲ト雖モ汝ヲ信スルノ程度果シテ幾何ソヤ、日本人中義士アラハ汝等ノ面ニ魂唾一點ヲ禁セサラム、

斯クノ如キコトヲ聞クニ隨ツテ朝鮮現時ノ經營ヲ咀呪セムノミ然レトモ之レ明天ノ明カニ證明スル所、地下ノ汝ノ祖先之ヲ證參セム、敢テ多言ヲ要セス只汝今日ノ行動ハ父母ニ事ヘ、妻子ヲ養フ者ノ爲スヘキ事ナリヤヲ熟考セヨ、余ハ汝ノ業ヲ罷メヨト云ハス寧ロ切々トシテ汝ノ業ヲ勤メムコトヲ勸告ス而シテ後日長板橋上ニ於テ相見ム、——アー恐ルヘキ彼ノ血ヲ啜ル刑事!! 豈汝人ノミナラム汝ノ輩ノ總稱!!

四二五二、四月　日

義勇團長外

勝熙　痛展

（四月十五日脫橋）

九一

八七

騷擾事件ノ概況

其二　四月中ノ經過

三月一日ヲ以テ勃發セシ騷擾モ京城ニ在リテハ警戒ノ嚴ナリシ爲運動ノ餘地少ク爲ニ四月上旬ニ至リ漸ク平靜ニ歸シ唯タ外形上不安ノ觀アルハ市內鮮商店ノ大部分カ不逞鮮人ノ脅迫ニ藉口シ依然閉店ヲ繼續セルニ過キサリシコト是ナリ然ルニ四月一日重モナル商店主ヲ京畿道廳ニ召喚シ開店ノ戒告ヲ與ヘタル結果漸次開店シ中旬ニ入リテハ全市殆ント平常ト異ナルナキ市況ヲ見ルニ至レリ然レトモ不逞ノ徒ハ絕ヘス運動ヲ繼續シ或ハ學生ヲ道ニ擁シテ停學ヲ强要シ或ハ不穩文書ヲ配付シテ人心ヲ惑亂シ或ハ電車ニ投石シ若ハ軌道ニ石ヲ橫ヘテ其ノ運轉ヲ妨ケントスル等苟モ機會ノ乘スヘキアレハ之ヲ逸セサランコトニ努メツツアル狀況ナリ

地方ニ在リテハ三月下旬ヨリ四月上旬ニ亘リ鮮內一般ノ人心漸次惡性化シ且警備機關ノ缺乏ニ乘シ鐵道沿線ヨリ順ヲ逐フテ僻陬ノ地ニ波及シ又其ノ手段ニ於テモ棍棒、鎌、鍬或ハ竹槍等ノ兇器ヲ使用シテ警察官署、駐在所、郡廳、面事務所、普通學校等ヲ襲ヒ或ハ破壞シ或ハ放火シ若ハ內地人商店ニ投石シ巡查補、憲兵補助員ノ居宅ヲ侵シ其ノ甚タシキニ至リテハ鎭撫ノ警察官ヲ慘殺スル等最モ獰猛ヲ極メ暴戾至ラサル所ナカリシカ之ニ對スル官憲ノ處置モ檢擧、鎭壓兩ナカラ漸ク峻厲ヲ加フルト共ニ憲兵ニ在リテハ四月上旬內地ヨリ補缺憲兵五十六名ノ補充ヲ受ケ別ニ七十二名ヲ採用シテ兵力ノ充實ヲ圖リタルノミナラス更ニ內地ヨリ增派憲兵六十五名ノ來援ト補助憲兵三百三十九名ノ來着セルアリ警察ニ在リテハ三月三十一日新任敎習中ノ巡查六十二名ヲ臨時卒業セシメ尙三月中ニ募集シタル巡查四十九名モ一ケ月ノ短期敎習ヲ以テ卒業配置シタリ又軍隊ニ在リテハ新ニ六箇大隊ノ臨時派遣セラルルアリテ周密ナル分散配置ニ就キ警務官憲ト相俟ッテ警備ノ至嚴ヲ致シタルニ依リ四月中旬ニ至リ各地共表面上殆ト鎭靜ニ歸シ唯タ其ノ以後ニ在リテ重ナル出來事ハ十五日京畿道水原郡提岩里ノ耶蘇敎會堂ニ於ケル不穩狀況ニ際シ死傷者二十餘名ヲ出シ耶蘇敎會堂一棟、民家二十餘戶ヲ燒失スルニ至リタルト十七日忠淸北道堤川郡堤川ノ市日ニ於テ約一千ヨリ成ル群衆ノ暴動ニ際シ死傷者三名ヲ出シタルト十八日慶尙南道晉州ニ於ケル騷擾事件ノ公判閉廷後約二千ノ暴動ニ際シ死傷者ヲ出シタルトノ三件ニ過キサルナリ

不逞徒ノ脅迫ニ依リ又ハ御付合的ニ前後ノ思慮モナク輕擧妄動シタル多數ノ下級鮮人等モ昨今ニ至リ其ノ眞相ノ明カナルニ從ヒ漸ク自覺セルモノノ如ク殊ニ良民間ニ近時反天道敎、反耶蘇敎熱ノ勃發シ既ニ或ル地方ニ於テハ部落民全部彼等ニ絕交スルアリ或ハ右兩敎ヲ脫敎スルアリ殊ニ四月中平安北道內ニ於テ耶蘇敎會堂四、天道敎會堂一火災ニ罹リタルカ其ノ原因ハ何レモ彼等反敎徒ノ放火ト認メラルルニ徵シ之ヲトスルコトヲ得ヘシ然レトモ不逞徒ノ裏面ニ於ケル暗流ハ依然トシテ至ル所ニ橫溢スルノ狀況ニシテ從テ流言蜚語盛ニ行ハレ且運動ノ方法モ頗ル巧妙機敏ニシテ各地トノ連絡モ能ク行ハレ不穩文書ノ配布、落書、鮮人官吏ニ對スル辭職脅迫等ハ今尙ホ其ノ跡ヲ絕タサルノ狀況ニアリ

四月中ニ於ケル騷擾總件數ハ三三九件ニシテ其ノ中黃海道ノ五七件、京畿道ノ五一件、慶尙南道ノ四五件、江原道ノ四五件、忠淸南道ノ四〇件最モ猖獗ヲ極メ之ニ亞クモノハ忠淸北道ノ二六件、平安北道ノ二六件、慶尙北道ノ一九件ニシテ稍平穩ナルモノハ全羅南道ノ一一件、咸鏡北道ノ九件、全羅北道ノ五件、平安南道ノ四件、咸鏡南道ノ一件ナリトス之ヲ要スルニ三月下旬ヨリ一般ノ傾向漸次惡性化シ從テ四月上旬ニ於ケル騷擾ハ前月ニ比シ最モ猛烈ヲ極メタルモ警務機關及軍隊ノ活動ニ依リ中旬以後ハ概シテ平穩ニ歸シタリ尙ホ京城及各道ニ於ケル概況ハ左ノ如シ

一、京　畿　道

（イ）京　城

府內鮮人各商店ハ騷擾勃發以來漸次閉店シ三月中旬ニハ府內ヲ通シ殆ント閉店セサルモノナキニ至リ經濟上ノ影響ハ勿論民心ニ不安ノ念ヲ與ヘ延テ種々ノ流言蜚語行ハレ公安ヲ害スルコト甚シク爲ニ一面犯人ノ檢擧ニ努メ一面開店ニ關シ種々ノ手段ヲ講シタルモ商民等ハ不逞徒ヨリ脅迫ヲ受クルニ藉口シ反面ニ於テハ被檢擧者ノ放還ヲ主張シ依然開店スルニ至ラス依テ四月一日閉店ノ重ナル者六十名ヲ道廳ニ召喚シ道長官警務部長列席ニテ開店ノ警告ヲ與ヘ戒告書ヲ交付シテ請書ヲ徵シ尙ホ他ノ閉店者ニ對シテモ同樣ノ戒告書ヲ交付シ同時ニ百名ノ步兵出動シ一層警戒ヲ加ヘタルニ彼等モ漸ク諒得シテ漸次開店スルニ至リ十日前後ニハ全市殆ント開店シ市況平常ト異ルコトナカリシモ商況ハ一般購買者ノ寡少ナルト未タ地方ヨリノ取引開始セラレサル爲平時ノ取引ノ三分ノ一ニ減少シ頗ル不振ノ狀態ニ在リ

各公私立學校ハ何レモ四月一日ヨリ授業ヲ開始セントセシモ公立普通學校ノ外登校者殆ントナクシテ本月ニ入ルモ未タ開始スルニ至ラス只救世軍士官學校ノミ毫モ騷擾事件ニ關係セス最初ヨリ授業ヲ繼續シ居レリ

以上ノ外一時小康ヲ保チ市內概シテ平穩ナリシカ二十三日「臨時政府宣佈文」「國民大會趣旨書」「宣布文」ナル不穩文書ヲ發見シ又同日鍾路通ニ於テ四五名ノ學生風ノ者三本ノ小旗ヲ振リ萬歲ヲ唱ヘツツ疾走シタルヲ以テ鍾路署員之ヲ追跡セシニ小旗ハ路傍ニ放棄シテ所在ヲ失セシカ翌二十四日右ノ內二名ヲ逮捕シタリ

（ロ）部　郡

三月下旬水原郡水原邑內及城湖面烏山里ニ於ケル激烈ナル騷擾ノ影響ハ遂ニ四月上旬ニ至リ道ノ

九七

中央部ニ屬スル高陽、金浦、坡州、抱川、加平、廣州ノ六郡以外ノ二府十四郡ニ波及シ其ノ中最モ狂暴ナルモノハ四月一日ニ於ケル振威郡平澤ノ襲擊、安城警察署ノ襲擊、長湍郡廳及同郡大南、江上兩面事務所ノ襲擊、放火、漣川郡山串里、驪州郡梨浦、長湍郡九化及開城郡豊德ノ四憲兵駐在所ノ襲擊、二日驪州郡驪州ニ於ケル暴行、三日水原郡雨汀、西安兩面事務所ノ襲擊及花樹警察官駐在所勤務巡査ノ慘殺、安城郡二竹面事務所ノ襲擊、驪州郡驪州面ノ郡廳襲擊、楊平郡楊平邑及砥堤面曲水ニ於ケル暴行、六日廣州郡實村面事務所ノ襲擊、開城郡嶺南面面長居宅ノ放火、七日楊平郡石黑里憲兵駐在所ノ襲擊、十日始興郡始興面長居宅ノ放火、十九日利川郡夫鉢面ニ架シアル沃河橋ノ放火（橋梁長六十五間ノ内三十間燒失損害約一萬圓餘）ノ如キ是レナリ殊ニ長湍郡江上面ニ於ケル暴動ハ約二千ノ暴民市日ヲ利用シ面事務所ニ押寄セ構内ニ堆積シ在リシ藁ヲ取リ出シ之ニ放火セシニ依リ發砲解散セシメ一面消防ニ努メタルモ遂ニ廳舍附屬建物及書類器具等全部燒失セリ其ノ後一時解散シタル暴民ハ更ニ鎌、棍棒、瓦礫等ヲ携ヘ同面九化場憲兵駐在所ニ押寄セ投石暴行スルヲ以テ再ヒ發砲解散セシメタル處暴民ニ死者一、傷者十數名ヲ出シタリ又水原郡雨汀面及西安面ニ於ケル暴動ハ天道敎ヲ中心トセル約一千ノ暴民先ツ雨汀西安ノ兩面事務所ヲ襲ヒテ之ヲ破壞シ書類全部ヲ燒棄シ尙ホ西安面長ヲ拉去スル等ノ狂暴ヲ逞フシツツアル內暴民ノ數ハ漸次增加シテ約二千ニ達シ更ニ雨汀面花樹警察官駐在所ヲ襲ヒ包圍暴行スルヲ以テ同所駐在巡査川端豊太郎

五
六

ハ發砲シテ之ニ應戰シタルモ衆寡敵セス彈丸盡キ遂ニ慘殺セラルルニ至レリ茲ニ於テ暴民等ハ勢ニ乘シテ同所ニ放火シ建物及書類ノ一部ヲ除クノ外之ヲ全燒シ尙ホ巡査補一名モ打撲傷ヲ受ケ一時人事不省ニ陷リタリ

以上ノ狀況ナルヲ以テ水原郡內南陽、發安、新旺、沙江及水原、安城兩郡ニ介在セル振威郡內西井里、安中、鳳南、栢峯ノ八警察官駐在所ハ警備ノ關係上三日乃至五日ノ間ニ於テ一時之ヲ引揚ケタルカ爾餘ノ各郡ニ於ケル運動ハ各附近ノ山頂ニ登リテ篝火ヲ焚キ或ハ多衆群集シ萬歲ヲ唱フル等ニ過キスシテ中旬ニ入リ道內概ネ平穩ナリシモ獨リ水原郡發安場地方ハ前月來ノ餘禍ヲ受ケ人心未タ安定セス爲ニ內地人婦女十四餘名ハ危險ヲ冒シテ一時避難シ殘留男子九名ハ孰レモ武裝シテ警務官憲及守備兵ト連夜徹宵警戒ニ努メツツアル狀態ニテ流言蜚語未タ其ノ跡ヲ絕タス形勢頗ル混沌タルヲ以テ守備隊長ハ種々偵察ノ結果過般來同地方ニ於ケル騷擾ノ原因ハ同面提岩里（發安場ヨリ西南約十五丁ノ位置ニ在リ）ノ耶蘇敎徒並ニ天道敎徒ニアルコトヲ聞キ四月十五日部下十一名ヲ率ヒ巡查、巡查補ト共ニ同地ニ至リタルニ耶蘇敎會堂ニ集合スル敎徒等ノ反抗ヲ受ケ射擊シテ暴民側ニ死者二十名傷者一名ヲ出シ尙ホ此ノ混亂中西側隣家ヨリ火ヲ發シタルカ偶々暴風起リテ耶蘇敎會堂ニ延燒シ遂ニ二十餘戶ノ民家ヲ燒失スルニ至レリ（道內騷擾發生件數五一、暴民死者五七、傷者一〇六我死一、傷四）

九八

九九

二、忠淸北道

四月上旬ニ於テ京畿道ノ餘波ヲ受ケ十郡中道ノ東北方ニ屬スル忠州、丹陽二郡ヲ除ク外中部以南ハ一トシテ騷擾セサル郡ナク就中頻繁ニ發生シ而カモ比較的狂暴ニ涉ルモノハ鎭川郡石峴、長楊、廣惠院ノ三憲兵駐在所ノ襲擊及萬竹面事務所ノ破壞並ニ同面長書記ニ對スル毆打（一日）廣惠院市場ノ民家破壞（三日）永同郡梖木、錙山兩警察官駐在所ノ襲擊竝鶴山面事務所ノ破壞及桑松ノ苗木數萬本ノ燒棄（三日）永同市場ノ暴行（四日）秋風嶺憲兵分遣所物置場ノ火災（五日）及同分遣所ノ襲擊（六日）槐山郡靑川憲兵駐在所及長延面事務所ノ襲擊（一日）竝ニ同事務所ノ再襲ニ依ル建物、器具、帳簿ノ破毀（二日）陰城郡泉坪警察官駐在所ノ襲擊及長湖院ニ於ケル二千乃至三千ヨリ成レル暴動（四日五日）沃川郡靑山憲兵駐在所ノ襲擊（三日）等是レナリ以上ノ外ハ篝火ヲ焚キ又ハ萬歲ヲ唱和スルニ過キサリシカ十七日ニ至リ突如堤川郡堤川ノ市日ヲ利用シ約一千ノ群衆運動ヲ開始シ步兵將校以下十五名出動シ極力制止スルモ肯セス警察署ヲ襲擊シ暴行スルヲ以テ發砲解散セシメ死者一、重傷二ヲ出シタリ（道內騷擾發生件數二六、暴民側死一八、傷二六）

三、忠淸南道

本道ニ於テハ十四郡ノ內唐津、保寧、扶餘、舒川ノ四郡ヲ除キ其他ノ各郡ハ何レモ騷擾ヲ見サル處ナカリシカ其ノ內最モ狂暴ニ涉ルモノヲ擧クレハ一日大田郡大田ノ暴動ニ於ケル巡查、巡查補三

七
八

名ノ負傷、同郡儒城憲兵駐在所ニ對シ鋤、鍬等ノ兇器ヲ以テスル襲擊、天安郡並川憲兵駐在所ニ對スル事務室窓硝子、留置場ノ壁及構內鐵條網ノ破壞、消防器具ノ奪取、憲兵伍長ノ拉去（間ナク奪還シタリ）及同地郵便所ノ襲擊、公州郡廣亭憲兵駐在所ノ襲擊破壞、二日牙山郡新昌憲兵駐在所ノ門戶破壞及面役所ノ投石、普通學校ノ破壞、三日禮山郡大川憲兵駐在所ノ襲擊及二百乃至二千ヨリ成ル群衆ノ公州郡敬天、灘川、論山郡魯城、論山ノ四警察官駐在所ニ對スル襲擊、四日江景市場ノ暴行、牙山郡仙掌憲兵駐在所ノ襲擊、瑞山郡大湖芝面長ニ對スル脅迫、天宜警察官駐在所ノ襲擊中巡查、巡查補ノ負傷駐在所建物ノ破壞、五日禮山郡禮山ニ於ケル約二千ヨリ成ル暴民ノ暴動及靑陽郡定山憲兵駐在所ノ襲擊、六日再ヒ同駐在所ヲ襲擊セントシテ鎭撫中ノ步兵ニ對スル反抗、七日洪城郡長谷面事務所ノ破壞ノ如キ是レナリ而シテ之カ鎭撫ニ付テモ武力ヲ用ヒタル所多ク就中天安郡並川憲兵駐在所襲擊ノ際ニハ暴民ニ死者十四、重傷者二、輕傷者若干我ニ輕傷二ヲ出シ又瑞山郡天宜警察官駐在所襲擊ノ際ニハ巡查重傷ヲ負ヒ駐在所全部破壞セラレタルカ應援隊ノ活動ニ依リ首謀者以下二十一名ヲ逮捕シタルモ尙ホ不穩ノ兆アル爲在留內地人十四名ハ瑞山ニ引揚クル等ノ狀況ナリシヲ以テ警備ノ關係上天安郡北面、寶山院、燕岐郡西山ノ三憲兵駐在所ハ四日ニ瑞山郡天宜警察官駐在所ハ五日ニ（但シ十二日復舊）同郡南面滿地兩警察官駐在所ハ十二日ニ何レモ一時引揚ケノ已ムヲ得サルニ至レリ

一〇〇

十三日以來一般靜穩ニシテ何等ノ事故ナカリシニ十七日午後一時燕岐憲兵駐在所勤務李補助員居宅ノ柵ヨリ發火シ延長約十間ヲ燒失セリ同補助員ハ騷擾ノ鎭撫及犯人ノ檢擧ニ付他補助員ニ拔ンテ努力セシヨリ一般人民ノ反感ヲ受ケタル爲彼等不逞者ヨリ放火セラレタルモノト認メラル（道內騷擾發生件數四〇、暴民側死三七、傷三九、我傷一〇）

四、全羅北道

本道ハ概シテ平穩ニシテ騷擾ノ發生セシハ一府十四郡中僅ニ南原、金堤、益山、鎭安ノ四郡ニ止レリ就中三日南原郡梧信憲兵駐在所ニ群衆約五百ノ來襲及四日同郡南原市場ニ約一千ノ暴民集合暴行シ暴民側ニ死者五、傷者三ヲ出シタルヲ其ノ最ナルモノトス尙十四日午後八時三十分頃新仁驛鐵橋々脚ノ火災ニ罹リタルヲ憲兵及驛員ニ於テ發見直ニ消止メタルカ其ノ原因ハ不逞鮮人ノ所爲ト認メラル（道內騷擾件數五、暴民側死一三、傷七）

五、全羅南道

四月中ニ於ケル發生區域ハ木浦、咸平、靈光、長城、光陽、順天、寶城、唐津、海南ノ一府八郡ニ亘ルト雖靈岩郡西面鳩林ノ普通學校生徒カ同面事務所ニ押寄セントシタル外ハ何レモ萬歲ヲ唱和シタルニ過キス尤其ノ企畫カ普通學校ノ生徒ニ成ルモノ多キヲ占メ殊ニ八日木浦ニ於ケル運動カ南長老派耶蘇教經營ノ貞信女學校卒業生ノ煽動ニ出テタルハ聊カ他ト其ノ趣ヲ異ニセルモノアルヲ見ル

九

一〇

尙人員配置ノ關係上長城郡新興里憲兵駐在所ハ一時之ヲ引揚ケタリ（道內騷擾發生件數一一、暴民側傷七）

六、慶尙北道

三月中ニ於テ一時强烈ナリシ大邱府ニ於ケル學生ノ獨立運動モ月末ニ至リ漸ク下火トナリタルカ郡部ニ於テハ三月中最モ激烈ヲ極メタル寧海、安東、禮安ノ三郡ニ於ケル暴動ノ餘波ヲ受ケ四月ニ入ルモ前半ケ月間ハ尙各地ニ續發セルヲ見ル卽チ二日星州郡星州ニ三日醴泉郡金谷及善山郡海平ニ四日盈德郡長沙ニ六日金泉郡開寧、豐穰及永川郡新寧ニ八日善山郡龜尾、永川郡新寧ニ九日尙州郡化北及榮州郡豐基ニ十一日榮州郡長壽ニ十二日善山郡善山及淸道郡梅田ニ十五日聞慶郡身北等ニ發生シ就中二日ニ於ケル星州ノ暴動ハ同日ノ市日ヲ利用シ午後二時頃約六十ノ暴民騷擾ヲ企テシヲ以テ首謀者十六名ヲ逮捕解散セシメタリ然ルニ同七時更ニ邑內數ケ所ニ數百ノ暴民集團シ其ノ內約四百ノ一團ハ警察署ニ押寄セ暴行セルヲ以テ發砲退散セシメタルニ退散セシ暴民ハ再ヒ邑外ノ山上ニ集合シ篝火ヲ焚キ邑內ニ襲來セントスル形勢アルヲ以テ嚴重警戒中同十時頃約百名ノ暴民市場ニ集合シ制止ヲ肯セス暴行セシニ依リ發砲解散セシメ暴民側ニ死者一名負傷者若干ヲ出シタリ又三日夜善山郡海平ニ於ケル暴動モ約五十名ノ暴民カ棍棒ヲ携ヘ同地警察官駐在所ニ押寄セ投石等ノ暴行ヲ爲セシヲ以テ之又發砲解散セシメ若干ノ負傷者ヲ出セリ

四月中發生セサリシハ一府二十三郡中大邱、慶山、慶州、迎日、英陽、靑松、安東、義城、軍威、漆谷、高靈、鬱陵島ノ十三府郡島ニシテ是等ノ府郡島ハ概シテ平穩ナリシト雖四圍ノ狀況及人員補充ノ關係上盈德郡丑山ニ臨時警察官出張所ヲ設ケ靑松郡梨田警察官駐在所ハ一時之ヲ引揚ケタリ（道內騷擾發生件數一九、暴民側死一）

七、慶尙南道

四月中南鮮ニ於テ最モ頻發シタルハ本道ニシテ前半ケ月ハ素ヨリ後半ケ月ト雖月末迄殆ト續發セルヲ見ル又其ノ手段ニ於テモ棍棒又ハ竹槍ヲ携ヘ或ハ銃器ヲ奪去スル（後ニ奪還ス）等多クハ惡性ヲ帶ヒ猖獗ヲ極メタルモノ多シ就中警察署又ハ憲兵分遣所ノ襲擊セラレタルモノ二日ニ統營、咸陽ノ二箇署所、警察官又ハ憲兵駐在所ノ襲擊セラレタルモノ一日ニ梁山郡梁山、二日ニ蔚山郡彥陽三日ニ昌原郡鎭東（同時ニ郵便所モ襲擊破壞セラル）及咸安郡漆原、四日ニ密陽郡基龍（破壞）五日ニ蔚山郡下廂及金海郡進永ノ七箇所郡廳ノ襲擊セラレタルモノ四日ニ南海郡南海（同時ニ普通學校ヲ襲擊シ窓硝子ヲ破壞ス）一箇所鎭撫中ノ警察官及步兵ヲ包圍シテ反抗シタルモノ六日ニ河東郡辰橋等アリ其ノ他比較的多衆暴動シ且狂暴ニ涉ルモノハ三日昌原郡熊川ノ約二千、十二日金海郡長存面ノ約二千、十八日晋州ニ於ケル騷擾事件ノ公判閉廷後被告人ノ押送途中約二千ノ暴民妨害ヲ加ヘタルモノ等ニシテ從テ之カ鎭撫ニ付テモ非常手段ヲ用ヒタル爲暴民ニ多數ノ死傷者ヲ出

一一

一二

シタリ而シテ發生ノ地域ヲ地理的ニ考察スレハ道ノ東南部ニ密ニシテ卽チ密陽、金海、東萊、昌原ヲ最トシ蔚山、統營、河東、南海之ニ次キ西北部最モ少ク全ク發生セサリシハ二十一府郡中居昌、宜寧、昌寧ノ三郡ナリトス（道內騷擾發生件數四五、暴民側死一五、傷五四、我傷七）

八、黃海道

四月中ニ於ケル暴動ハ前半ケ月ハ殆ト毎日平安南道ニ接續スル谷山、遂安、黃州ノ三郡及東南沿岸ノ延白郡ヲ除ク外道內各郡ニ瀰漫シ其ノ發生件數モ全鮮ノ首位ヲ占ム殊ニ七日ノ如キハ其ノ區域九箇所、八日ハ八箇所ニ涉リ就中頻發シタルハ平山郡最モ盛ニシテ長淵、金川、載寧、信川、安岳ノ各郡之ニ次ク又其ノ手段ニ於テモ憲兵分遣所ヲ襲ヒシモノ平山郡漏川ニ一、警察官又ハ憲兵駐在所ヲ襲ヒシモノ平山郡麒麟、鳳山郡銀波、海州郡翠野場、竹川、梨本、長淵郡苔灘（以上警察）金川郡市邊里、口耳、瑞興郡綠鞍、載寧郡海昌、新換浦、松禾郡水橋、安岳郡東倉、甕津郡長峴、信川郡棗隅、石塘、柳川、司倉、平山郡文山（以上憲兵）ノ二十箇所、面事務所ヲ襲ヒシモノ海州郡西邊面、茄佐面、長淵郡候南面ノ三面ニ達シ殊ニ漏川分遣所ニ於テハ其ノ暴行最モ猛烈ナリシ爲非常手段ヲ用キテ暴民側ニ死者三、傷者一、我ニ六ノ傷者ヲ出シ又麒麟駐在所ニ於テハ事務室ニ闖入シテ窓硝子ヲ破壞シ暴民側ニ死者三ヲ出シ又候南面事務所ニ於テハ面書記ヲ毆打シ尙巡査補ノ實父カ暴動ニ加擔セストテ其ノ巡査補ヲ毆打シタル上家宅ノ一部ヲ破壞シ其ノ他海州ニ於テハ內地人ノ家屋數戶ニ

投石暴行シテ窓硝子ヲ破壞シ巡査二名ニ負傷セシメ長淵郡夢金浦ニ於テハ鎭撫中ノ巡査ヲ石ヲ以テ毆打負傷セシメ一面郵便局及內地人居宅ノ窓硝子ヲ破壞スル等ノ暴擧ヲ演シタリ之ヲ要スルニ本道ノ暴動ハ地域ニ於テモ件數ニ於テモ將タ手段ニ於テモ實ニ全道ニ冠タルノ狀況ニ在リ（道內騷擾發生件數五七、暴民側死一一、傷一五、我傷一五）

九、平安南道

本道ハ全道ニ先チ京城、宣川、義州、元山ト同ク平壤、鎭南浦、安州ニ於テ三月一日ヲ以テ暴動勃發シ爾來短日月ノ間ニ价川郡ヲ除ク道內各郡ニ傳播シ而モ最モ强烈ヲ極メタリシカ四月ニ入リテハ一日成川郡守カ郡民慰撫ノ爲陸中面巡視中天道敎徒百餘名其ノ宿舍ニ至リ獨立萬歲ヲ高唱シ及同日安州郡立石面書堂敎師カ學童ヲ集メ萬歲ヲ高唱シ六日中和郡看東面看東市日ヲ利用シ約四百ノ群集カ妄動シタルト十六日同郡守カ驛屯土小作料値上ケニ關シ唐川面ニ出張說明中不穩ノ形勢アリシ四件ニ過キスシテ其ノ他ハ一般ニ靜穩ナリ但シ人員補充ノ關係上寧遠郡生泉憲兵駐在所ハ三日一時之ヲ引揚ケタリ（道內騷擾件數四、彼我死傷ナシ）

一〇、平安北道

四月中最モ多ク發生セシハ一日ニシテ其ノ數十三件ニ上リタルモ其ノ後ハ一日一回乃至三回若ハ皆無等ニ激減シ十日以後ハ全ク終熄セリ暴動ノ地域ハ二十府郡中宣川、渭原、厚昌及平安南道ニ接

續セル定州、博川、寧邊、熙川ノ七郡ヲ除ク外道內各郡ニ瀰漫シ就中稅關監視署ノ襲ハレシモノ新義州府ニ一、憲兵分隊ノ襲ハレシモノ昌城郡昌城ニ一、警察官又ハ憲兵駐在所ノ襲ハレシモノ鐵山、新義州兩郡ニ各一（警察）昌城ニ二（憲兵）面事務所ノ襲ハレシモノ義州、龍川、鐵山ノ三郡ニ各一ヲ出シ殊ニ中ノ島稅關監視署ニ於ケル暴動ハ多數ノ暴民署內ニ闖入シテ建物全部ヲ破壞シ家具衣類等ヲ燒毀シ又義州郡枇峴ニ於テハ巡査補ノ家宅ヲ襲ヒテ巡査補ニ打撲傷ヲ與ヘ同郡水鎭面ニ於テハ屠獸場及親日朝鮮人ノ家宅ニ放火シ朔州郡大館ニ於テハ客月三十一日以來數千ノ群衆示威運動ヲ繰リ返シタルカ六日ニ至リ六、七千ノ群衆中約二百名ハ決死團ト稱シ暴行スル等形勢不穩ナリシヲ以ヲ之ヲ鎭壓ニ付テモ武力ヲ用ヒタル所多ク從テ道內ヲ通シ暴民側ニ死傷者百餘名ヲ出シ我ニモ十餘名ノ傷者ヲ出シタリ以上ノ狀況ナルヲ以テ警備ノ關係上定州郡天台及龜城郡士氣兩憲兵駐在所ハ二日ニ之ヲ引揚ケタルモ志氣ハ七日天台ハ十四日何レモ之ヲ復舊セリ

尙本月中道內ニ於テ耶蘇敎會堂ノ火災ニ罹リタルモノ定州郡ニ二、郭山郡ニ一、朔州郡ニ一又天道敎會堂ノ火災ニ罹リタルモノ定州郡ニ一、其ノ他博川邑內鮮人家屋ニ五回ノ出火アリ是今回ノ暴動ニ關係アル放火ト思料セラルルモ一道內ニ斯ク多數ノ火災ヲ出セルハ注意スヘキ所ナリトス

（道內騷擾件數二六、暴民側死二三、傷一一二、我傷一二）

一一、江原道

本道ニ於ケル四月中ノ暴動ハ二十郡中春川、華川、杆城、麟蹄、平昌ノ五郡ヲ除クノ外道內各郡ニ瀰漫シ前半ケ月ハ一日トシテ發生セサルコトナク從テ官公署ニシテ襲擊ヲ受ケタルモノ襄陽警察署、伊川憲兵分遣所及原州、洪川、通川、鐵原四郡內ニ於ケル各面事務所各一、伊川郡支下里憲兵駐在所、通川郡庫底里、襄陽郡其士門ノ兩警察官駐在所等九箇所ニ達シタリ而シテ三日洪川郡道寬里ニ於ケル暴動ハ頑强ニ反抗セシヲ以テ暴民ニ死者七、傷者二ヲ出シ四日襄陽ニ於ケル暴動ハ前日來兩班及耶蘇敎徒ノ一部カ市日ヲ利用シ暴動ヲ開始スヘク計畫シタルコトヲ探知シ首謀者二十二名ヲ逮捕シ嚴重警戒セシニ拘ラス四日ニ至リ邑內ノ形勢險惡トナリ午前、午後兩回ニ運動ヲ開始シタルカ夜ニ入リ附近ノ暴民約六百ハ邑內ノ暴民ト合シ前日ノ被檢擧者ヲ奪還スヘク警察署ニ殺到シ投石又ハ棍棒ヲ揮ヒ遂ニ事務室ニ闖入シタルヲ以テ來援セシ步兵ト協力シ拔劍又ハ發砲シテ之ヲ解散セシメ暴民側ニ三名ノ死者ヲ出シ橫城ニ於テハ約一千ノ暴民棍棒ヲ携ヘ投石暴行シテ各商店ノ門戶ヲ破壞シ最後ニ二十一日寧越郡守カ民心指導ノ爲兩邊面ニ出張中約七十名ノ暴民ニ包圍セラレ僅ニ身ヲ以テ免レタルヲ終リトシ爾來道內一般平穩ニ歸シタリ次ニ七日旌善郡道巖面ニ於テ橫溪里民約百三十獨立萬歲ヲ唱ヘツツ東項里ニ向ハントセシヲ鮮人書堂敎師及鮮人道路工夫ノ兩名ハ彼等ニ對シ總督ノ諭告ヲ讀聞セ解散セシメタリト云フ不逞鮮人ノ跋扈セル今日ニ於テハ稀ニ見ル奇特行爲ナリトス（道內騷擾發生件數四五、暴民側死三四、傷一二、我傷三）

一二、咸鏡南道

四月五日以來咸興及元山ノ主ナル鮮商人ハ何レモ閉店シタルモ官憲ノ訓諭ニ依リ十二日頃ヨリ漸次開店シ爾來道內一般平穩ニシテ唯八日約五十ノ暴民咸興郡德川憲兵駐在所ヲ襲擊シ十三日拂曉咸興公立尋常小學校倉庫、內地人家屋及鮮人家屋各一ヨリ出火シ倉庫一棟ヲ全燒セシカ其ノ原因ハ何レモ不逞徒ノ放火ト認メラル

以上咸興郡ヲ除クノ外他ノ十六郡ハ概シテ平穩ナルモ警備ノ關係上四月十三日利原郡東面群仙港ニ憲兵出張所ヲ設置シタリ（道內騷擾發生件數一、彼我死傷ナシ）

一三、咸鏡北道

本道ノ暴動ハ十二郡中淸津、穩城、茂山、鏡城、明川、富寧ノ一府五郡ニ過キサルモ就中淸津府ニ於テハ四月一日各洞民四回ニ亘リテ運動ヲ開始シ耶蘇敎徒ノ如キハ盛ニ路傍演說ヲ爲シテ良民ヲ煽動シ明川郡西面ニ於テハ十日、十四日ノ二回ニ亘リ運動シ穩城郡永忠面ニ於テハ四日面長、書堂敎師首唱ノ下ニ約百五十ノ暴民投石又ハ棍棒ヲ揮ヒ暴行セシニ依リ發砲解散セシメ暴民ニ死者二ヲ出シタリ但シ警備及人員ノ都合ニ依リ慶興郡下檜洞、會寧郡鹿野、蒼泰洞、細洞、慶源郡防銀洞、茂山郡虛彥洞ノ六憲兵駐在所ハ何レモ九日明川郡熊店警察官駐在所ハ同十四日之ヲ引揚ケタリ

（道內騷擾發生件數九、暴民側死二）

（五月十五日記）

騷擾事件概況目次（其 三）

騷擾事件ノ概況

其ノ三

一、騷擾ト民心

三月一日騷擾以來鮮人ノ之ニ對スル感想其ノ他騷擾ノ民心ニ及ホシタル影響等ニ關シ各道警務部ノ報告概要ヲ摘錄スレハ左ノ如シ

一、京畿道

（一）京城

（イ）騷擾ト貴族ノ言動

貴族中ニハ併合ハ日韓兩國意志ノ合致ニ依リ行ハレタルニ係ハラス併合後ニ於ケル內地人ノ態度ハ甚タ不遜ニシテ假ヘハ議會ニ於テ朝鮮ヲ呼フニ殖民地ナル名稱ヲ以テシ又官憲ハ朝鮮ノ舊慣、禮式等ヲ尊重セス寧ロ舊慣ヲ破壞シツツアリト稱シ暗ニ墓地規則ノ制定ノ如キハ鮮人一般ノ反感ヲ招キ今次騷擾ノ一因ヲ爲セルカ如キ言ヲ弄スルモノアリ又騷擾事件勃發以來貴族ノ大部分ハ內地人トノ面會ヲ避クルノ風アリ又貴族中ニハ今回ノ騷擾ハ武力ニ依リ一時鎭靜スルモ某國（米國カ）ヨリ密偵入込ミ居リテ騷擾首謀者ト連絡ヲ保持シ之ヲ援助セルヲ以テ事件ハ結局彼等ノ手ニ依リテ某國ニ移

サレ獨立ハ實現スヘシト信シ居レルモアリト云フ

時勢ニ通セサル貴族中ニハ媾和會議ノ結果帝國ハ無條件ニテ膠州灣ヲ支那ニ還付スルコトニ確定セリ依テ朝鮮ノ獨立モ可能ナリト確信セルモノアリトノ聞込アリシカ殊ニ三月二十八日子爵金允植及子爵李容植カ獨立請願書ヲ總督ニ提出スルヤ倍動搖ヲ來タシ若シ獨立實現ノ場合アラハ今日ニ於テ獨立黨ニ加擔シ置カサレハ將來不利ヲ招クヘシト稱シ懸念シ居ル者アリトノ說アリ

又子爵宋秉畯等ノ一派ハ獨立ハ到底不可能ナルヲ以テ此ノ際帝國政府ニ對シ左記各項ノ要求ヲ爲スヲ急務ナリト稱シ居レリト

記

一、殖民地ナル名稱及制度ヲ改革スルコト
二、出版及言論ノ自由ヲ與フルコト
三、選擧權ヲ附與シ議員ヲ議會ニ列席セシムルコト
四、鮮人ヲ帝國政府ノ閣員ニ列セシムルコト
五、文武官任用及待遇ヲ內鮮人同等トスルコト
六、朝鮮ニ大學校ヲ設立シ青年學生ノ敎育ヲ內地人同樣ト爲スコト
七、陸海軍人服役義務ヲ內、鮮人同樣ト爲スコト

（ロ）獨立ノ能否ニ關スル鮮人ノ感想

有識階級ノ鮮人中ニハ今回ノ騷擾ハ在外鮮人其ノ他有力ナル煽動者アルコトハ瞭カニシテ鮮人カ往年ノ軍隊解散以來兵器ヲ有セサルニ係ハラス今回ノ擧ニ出テシハ深ク信頼スル處アルニ依ルヘシト稱シ暗ニ米國ノ後援ニ依リ獨立ノ目的ヲ達スヘシトノ信念ヲ有スル者アリト云フ

又反之此ノ運動ハ結局失敗ニ歸スルヤ瞭カナルヲ以テ壓制的ニ至急鎭撫ノ必要アリトノ意ヲ漏スルモノアリ

其ノ他一般鮮人中ニハ獨立宣言書ヲ發表シ萬歲ヲ唱ヘナハ媾和會議ニ於テ獨立ヲ承認スヘシト思惟セシニ今日ニ至ルモ承認ノ模樣ナク又海外同胞カ豫備會議ニ提出シタリト稱スル請願書モ今尚米國大統領ノ手ニ在ルカ如ク到底成功ノ望ナシト稱シ失望ノ嘆聲ヲ漏スモノアリ

如上ノ通リ鮮人中今回ノ事件ニ對シ反對ノ意見ヲ抱ケル者尠カラスト雖民心ハ漸次惡化セムトスルノ傾向アリ

（以上三月中）

（ハ）朝鮮獨立說

朝鮮ノ獨立ハ本年六月頃決行セラルヘク目下支那奉天地方ニテハ舊韓國時代ノ解散軍人竝光復會員等相提携シテ獨立運動ヲ企畫シツツアリトノ流言アリ

（ニ）不逞者ノ間島移住

不逞者ハ鮮内地ノ警戒嚴ニシテ示威運動ヲ繼續スルコト能ハサルヨリ續々西北間島ニ移住シ在間島不逞鮮人ト共謀シ露國過激派ト通シテ示威運動ノ再擧ヲ企畫スヘシトノ巷説アリ

（ホ）　制令ニ對スル感想

四月十五日制令第七號政治ニ關スル犯罪處罰ノ件ニ對シ智識階級ニ屬スル鮮人ハ何レモ規定ノ峻嚴ナルニ驚愕シ同令ハ既ニ拘禁中ノ孫秉熙一派ニモ適用セラルルニアラスヤト杞憂セル者アリ尚同令ノ内容ヲ知レル鮮人等ハ互ニ警戒シ群衆ノ場所ニ接近セサルニ如カスト傳ヘ居レリ

（ヘ）　鮮人旅行取締部令ニ對スル感想

四月十五日警務總監部令第三號朝鮮人ノ旅行取締ニ關スル件ニ對シ朝鮮人ハ非常ナル苦痛トシ到ル所ニ於テ話題ニ上リ居レルカ又或者ハ如何ニ之カ取締ヲ勵行スルト雖モ國外ニ出テントセハ新義州方面ヨリ密カニ支那安東縣方面ニ脱出スルコト容易ナリト語レリ

（ト）　煽動者ノ變裝

頃日大田方面ヨリ入京セシ者ノ語ル所ニ依レハ地方ニ於テハ不逞者中總督府官吏ノ服裝ニ變裝シ煽動スル者アリ又郵便配達夫ニ變裝シ檄文ヲ配付スル者アリト云フ（四月十九日）

（チ）　天道教道師ノ言動

天道教道師呉榮昌ノ言ナリト云フヲ聞クニ當局ハ將來本教ヲ解散セシムルナランモ教徒ノ思想ハ之ヲ如何トモ爲シ能ハサルヘク將來ノ成行如何ニ拘ラス飽迄教徒ノ結束ヲ固ウシ活動スル考ナリ云々

（リ）　地税納入告知書ニ對スル狀況

京城府ヨリ四月十五日地税納入告知書ヲ發シタルニ對シ蓮洞永信學校ニ同校生徒及鍾路基督青年會學生數名會合シ地税及家屋税ヲ納入セサルコトヲ決議セリトノ説アリ右ニ關シ市民間ニ於テモ學生等カ斯ル決議ヲ爲シタル以上ハ吾々モ行動ヲ共ニスヘシト協議シツツアリト聞込ミアリ（四月二十一日）

（ヌ）　騷擾ニ對スル感想

智識階級ノ一部鮮人ハ帝國ノ朝鮮統治ニ對シテハ多少ノ不平ナキニアラサルモ朝鮮ニシテ日本ト併合セサランカ必ス白色人種ノ侵ス所トナリ現狀ニ比シ却テヨリ以上ノ冷遇ヲ受ケ迫害ヲ被ムルヤ瞭ナリ然ルニ今回耶蘇教及天道教徒ノ煽動ニ依リ吾人ノ爲不利益ヲ招致スヘキ無謀ノ獨立運動ヲ惹起スルニ至レリ顧ミレハ二十餘年前ニハ東學ノ亂起リテ國家ヲ危ウシ今又其ノ末流タル天道教ト耶蘇教ニ依リ騷擾ヲ惹起ス我カ朝鮮ハ遂ニ是等耶蘇教ノ爲滅亡スルニ至ルヘシトノ嘆聲ヲ洩スモノアリ（四月二十二日）

（ル）　京城商民ノ怨聲ト悲觀

京城商民就中東大門及南大門市場ニ於ケル商人ハ三月一日京城ニ於ケル騷擾以來閉市スルニ至リシ

モ其ノ當時ハ未タ各地平穩ナリシ爲取引高ハ平時ニ比シ殆ント大差ナカリシカ運動ハ漸次地方ニ瀰漫シ現今ニ於テハ開店セシモ取引ハ未タ舊ニ復セス爲ニ往々閉店スル者ヲ生シ極メテ悲慘ノ狀態ニアルヨリ獨立運動ノ如キハ生存ヲ完フシテ後ニナスヘキ事ナラスヤト怨聲ヲ洩シ大ニ悲觀シ居ル者多數ナリト云フ

（ヲ）　鮮人部青年ノ希望

一般鮮人官吏及學生中ニハ朝鮮人ニモ内地人ト同シク徴兵令ヲ適用シ兵役ノ義務ニ服セシメ又官吏ノ待遇モ内地人同樣ト爲シ自治ヲ許サレタシトノ口吻ヲ洩ラスモノアリ

（ワ）　天道教徒ノ退散

各地方ノ天道教徒ハ從來教主孫秉熙ノ狡猾ナル僞瞞手段ニ乘セラレ朝鮮獨立ノ曉ニハ教徒ヲ以テ政府ヲ組織シ各郡守等モ悉ク教徒中ヨリ採用スヘシトノ説ヲ信シ居リタルニ今回ノ獨立宣言後我教徒ニハ何等ノ效果ナキノミナラス却テ多數ノ入監者及死傷者ヲ出シタリト稱シ茲ニ始メテ彼等ハ其ノ虚説ナルコトヲ悟リタルモノノ如ク京畿道及平安北道地方ニ於テハ退教スル者續出セリト云フ

（カ）　日本カ共和制トナレリトノ説

内地ニ於テハ吉野博士ノ説ニ依リ既ニ共和政府成立シ内地人中之ニ對シ萬歳ヲ高唱セシ者アリ如斯内地ニシテ共和制ヲ採用セハ朝鮮ノ獨立モ遠カラス實現スヘシトノ巷説アリ（四月二十四日）

（ヨ）　貴族告訴提起説

尹德榮、尹澤榮、宋秉畯、李完用、閔丙奭等ノ各貴族ハ男爵朴齊斌ヲ被告トシ京城地方法院ニ告訴ヲ提起セムト協議中ナリト云フ其ノ内容ハ曩ニ朴齊斌カ總督ニ對シ提出シタル建白書ニ貴族中ノ某々ハ李太王殿下ヲ殺害セシ者ナリ先ツ彼等ノ宮中出入ヲ禁シ又法ニ依リ相當ノ刑罰ヲ加ヘ以テ李太王殿下ノ復讐ヲ爲スニアラサレハ一般ノ民心ヲ慰撫シ難シトノ意見ヲ上申シタル趣ナルヲ以テ其ノ筋ニ訴ヘ人民ノ疑ヲ釋キ全ク無關係ナル事ノ證明ヲ求メムトスルニアルモノノ如シト云フ

（タ）　流言ト市民

四月二十三日五名ノ鮮人ハ共和萬歳、國民大會等ト書シタル旗ヲ打振リ京城鍾路通ヲ行進シ萬歳ヲ唱ヘタルカ之ニ對シ學生等ハ巴里ヨリ朝鮮ノ獨立確定セシ電報到着セリト稱シ而カモ警戒嚴重ナル市中ニ於テ白晝國民大會ト書シタル旗ヲ打チ振リ萬歳ヲ高唱セシハ朝鮮ノ獨立確實ナルコトヲ立證スルモノナリトノ説盛ナリ（四月二十六日）

（レ）　一般學生ノ意嚮

騷擾ノ爲メ一時閉校セシ市内學校ハ目下開校準備中ナルカ之ニ對スル一般學生ノ意嚮ヲ探聞スルニ我々ハ曩ニ獨立運動開始ノ際既ニ休學ヲ決心シ同盟休校ノ連判狀ニ調印セリ然ルニ今授業ヲ開始シタリトテ同志ニ對シ何ノ面目アリテ登校セムヤト稱シ堅キ決心アルモノノ如ク父兄ニアリテハ開校

八

ヲ希望シ居ル者少カラサルモ學生ニ登校ノ意思ナキ者尚多キヲ以テ結局開校スルモ多數ノ缺席者ヲ見ルヘシト云フ者アリ

（ソ） 學校狀況

京城醫學專門學校及京城工業專門學校ハ曩ニ授業ヲ開始スヘク生徒ノ登校ヲ促シタルニ登校者ハ極メテ少數ニシテ開校ノ見込立タス殊ニ醫學專門學校生徒ノ如キハ登校ヲ誓約シタルニ不拘故意ニ缺席スル者アリ之カ爲一年生二十名、二年生十九名、三年生六名ニ對シ本月二十六日停學處分ヲ爲セシカ尚情況ニヨリ斷然タル處置ニ出ツヘキ方針ナリト云フ（四月三十日）

（ツ） 開校狀況

（一） 京城工業專門學校ニテハ本科一、二年生及傳習所一年生ニ對シテハ四月二十日マテニ登校進級試驗ニ應シ又本科三年生及傳習所二年生ニ對シテハ四月末日迄ニ登校卒業試驗ヲ受クヘシトノ通知ヲ發シタルカ四月二十日迄ニ登校應試シタル者左ノ如シ

一年生　在籍者三十三名中一名　　二年生　同　二十四名中一名
三年生　同　十一名中二名　　傳習所一年生　同　二十二名中一名
傳習所二年生　同　二十三名中一名

（二） 京城醫學專門學校ニテハ四月十日以來在籍生徒總數一九七名中日々十一名乃至六十三名登校シ居レリ

（ネ） 媾和會議ト不逞鮮人ノ風評

巴里媾和會議ニ於テ日本ノ要求タル山東問題カ危機ニ陷リタルニ對シ日本委員ハ强硬ナル態度ニ出テ政府亦聯盟ヲ脫退セントスルカ如キ命令ヲ發シタル等ノ新聞記事ヲ見不逞鮮人等ハ大ニ自覺セントスル傾向アリ彼等ノ語ル所ニ依レハ日本ハ山東問題ニ關シテハ孤立ヲ辭セス武力ニ訴フルモ之ヲ讓ラサル覺悟アルモノノ如シ故ニ假令今回ノ騷擾ニ依リ朝鮮獨立問題カ媾和會議ノ議ニ上ルモ日本ハ山東問題ヨリモ重大視スルハ勿論ナルヲ以テ米國カ如何ニ干涉ヲ試ミルモ戰爭ヲ以テスルニアラサレハ目的ヲ達シ難カルヘク而モ今日ノ形勢ヨリ推スニ米國カ戰ヲ賭シテ迄朝鮮ヲ助ケ日本ト爭フカ如キコトナキハ明ナルヲ以テ吾等ノ目的ハ到底實現セサルヘシト稱シ愼重ノ態度ニ出ツル者漸次增加ノ傾向アリ（五月四日）

（ナ） 朝鮮貴族ノ言動

男爵金宗漢ノ語ル所ナリト謂フヲ聞クニ元來朝鮮ハ淸國ノ屬國トナリ居リテ獨立或ハ共和等ト云フ語句スラ知ラサリシモノナリ然ルニ日本ニ於テ支那ノ羈絆ヲ脫セシムヘク朝鮮ノ獨立ヲ計畫セシメ遂ニ日淸戰爭ノ結果一獨立國トシテ李王ニ皇帝ノ稱號ヲ稱ヘシメタルヲ以テ朝鮮人ハ始メテ獨立ノ二字ヲ解シタルモノニシテ今回ノ騷擾事件ニ關シテモ之カ其ノ因ヲ爲シタルモノナリト稱シ他ノ鮮

九

一〇

人等モ同感スヘキ談話ナリト共鳴シ居レリト云フ

（ラ） 耶蘇敎勢一斑

騷擾以來耶蘇敎特ニ北長老及北監理派ニ屬スルモノノ敎勢甚タ振ハス每日曜日ニ於ケル信徒ノ禮拜狀況ヲ視察スルニ新門內、東大門及蓮洞ノ各敎會竝宗橋、勝洞ノ禮拜堂（以上長老派）ニ參集スル者平時ノ約三分ノ一ニ減シ又貞洞及尙洞ノ監理派敎會ノ如キ敎徒ノ參集不定ニシテ信徒ハ未タ不安ノ念ニ驅ラレ居ルモノノ如シ又敎徒中騷擾ニ加擔セサル者ハ將來外國人經營ニ依ラサル純粹ナル朝鮮人敎會ノ設立ヲ希望スル者多シ（五月六日）

（ム） 日米開戰說

一部不平者中ニハ媾和會議ニ於ケル帝國ノ山東省ニ關スル要求ハ米國委員ノ反對ニ依リ失敗ニ歸シ日本ハ遂ニ媾和會議ヲ脫退シ結局日米ノ開戰ハ免レサルヘシ等ノ言ヲ弄スル者アリシカ最近新聞、通信等ニ依リ帝國ハ其ノ要求ヲ貫徹セリトノ報傳ヘラルルヤ此ノ輩ハ米國ニシテ日本ノ要求ヲ容ルルトセハ朝鮮ノ獨立ハ到底覺束ナカルヘシト悲觀シ又學生中ニハ日本ノ要求ハ支那政府ノ認諾セサル處ナルヲ以テ將來米國ハ支那ヲ援助シ日本ト開戰スヘク朝鮮ノ獨立ハ尙有望ナリトノ言ヲ漏スモノアリ（五月十日）

（ウ） 儒生ノ妄動警告

議州通一丁目居住儒生鄭在華五十三年ハ曰ク今回ノ騷擾事件ハ米國宣敎師ニ關係ヲ有スル耶蘇敎及天道敎徒ノ妄動的行爲ニ出テタルモノニシテ今後吾等朝鮮人ハ之ニ惑ハサレス耶蘇敎及天道敎ニ對抗スル何等カノ機關ヲ設立シ再ヒ妄動ニ出テサル樣指導シ朝鮮將來ノ安泰ヲ計ラサルヘカラス云云尙同人ハ目下頻リニ排米的運動ヲ開始シ又近ク妄動者ニ警告文ヲ配布スヘク準備中ナリト云フ（五月十一日）

（キ） 猶太獨立說ニ對スル學生ノ感想

數千年前國亡ヒテ領土ハ分割セラレ民族ハ流離四散スルニ至リタル彼ノ猶太ハ今回ノ媾和會議ニ於テ獨立シ既ニ內閣ヲモ組織セリ抑モ猶太ノ獨立ハ耶蘇敎ノ歷史ニアル救主ノ豫言ノ的中セシヲ證スルモノナリ然レトモ唯一ノ原因ハ猶太人カ國亡フルモ落膽スルナク他國ニ散在シテ常ニ祖國ニ對スル思想ヲ涵養シ數千年間ノ久シキニ亘リ獨立ノ志ヲ斷念セス且他國ニ散在シテ實力ヲ養成シタルニ因ル吾等朝鮮青年モ猶太人ノ此ノ精神ヲ模範トセハ假令今回ノ獨立運動ハ不成功ニ終ルモ將來之ヲ達成スル時機アルハ必然タリ吾等ハ朝鮮內ニアリテ日本ノ壓迫下ニ敎育ヲ受クルノ念ナシト云フ學生多數アリ就中儆神學校生徒最モ多數ヲ占ム當該校長米國人「クンス」ノ言ニ依レハ同校生徒中國外ニ密行セントシ父兄ニハ上京登校スヘシト稱シ入京シ居ルモ登校セサル者全生徒ノ約半數ニ達セリトト云フ（五月二十日）

一一

（二）郡部

（イ）騷擾ニ對スル感想竝ニ言動

仁川ニ於ケル基督敎徒天道敎徒及一部ノ青年等ハ併合ハ不自然ニシテ鮮人ノ幸福ニアラス相異レル民族間ニハ利害竝ニ意志ノ合致セサル點多シ故ニ獨立スルヲ得ハ鮮人ノ幸福之ニ過クルモノナシト雖日本ハ到底之ヲ承諾セサルヘク而シテ吾人ハ日本ニ對抗スヘキ何物ヲモ有セサルヲ以テ結局今回ノ擧ハ不成功ニ終ルヘキモ一般ニ對シ民族獨立ノ觀念ヲ注入シタルハ將來獨立ノ基礎ヲ鞏固ニセシ所以ニシテ多大ノ效果アリトノ信念ヲ抱ケルモノアリ

其ノ他一般鮮人ニ獨立國ナル美名ニ憧憬シツツアルモ假ヘ獨立スルモ到底現在以上ニ文明ヲ促進シ又生命財產ノ安固ヲ望ミ得ヘカラス且各列强ノ間ニ伍シテ遜色ナキニ至ルカ如キハ全然不可能ナルヲ以テ寧ロ現在ノ儘日本ノ治下ニ在ルヲ可ナリトストノ意ヲ漏スモノアリ一般ノ民心ハ未タ甚シク險惡ナラサルモ今ヤ「大韓獨立萬歲」ナル語ハ普ク鮮人間ニ流行シ五、六年ノ兒童ニシテ之ヲ唱和シ戯ルルカ如キ情況ナルヲ以テ今後ノ經過ニ就テハ嚴ニ注意ヲ要スルモノアリ

開城地方ニ於テハ從來官憲ニ好意ヲ表シ常ニ警察署ニ出入シ居タル鮮人有力者モ騷擾突發以來全然態度一變シ假ニ署員ヲシテ之ヲ訪ハシムルモ口ヲ緘シテ何事ヲモ語ラス

開城鮮人面相談役ハ三月二十七日來ノ會議ニ出席セサルヨリ面吏員ヲ派シテ出席ヲ促シタル處別ニ意見ナキヲ以テ多數ノ意見ニ賛成スヘシト答ヘ出席セス

地方農民ノ官憲ニ對スル態度一變シ官廳ノ雇員ノ如キハ騷擾發生以來更ニ出入セス用便ノ爲メ臨時雇入レムトスルモ應スル者ナキ情況ニテ此ノ傾向ハ漸次僻陬ノ地ニ波及シツツアリ

安城地方ニ於テハ借地又ハ借家セル內地人ニ對シ立退キヲ迫リツツアリ漸次內地人ヲ驅逐セムトノ念ヲ萌セルカ如シ

水原地方ニ於テハ騷擾發生以來鮮人ノ官憲及內地人ニ對スル態度一變シ市中ニ於テモ傲慢ノ態度ヲ以テ殊更ニ道ヲ讓ラス喧嘩ヲ挑ムカ如キ風アリ

交河地方ニ於テハ鷄龍山ノ岩中ヨリ一枚ノ紙現ハレ陰二月十五日ハ萬歲ヲ唱フル日ニシテ十回唱フレハ一家ヲ保チ二十回唱フレハ祖國ヲ復シ此ノ趣ヲ書シ二枚傳フレハ一身ヲ保チ八枚傳フレハ忠臣孝子トナリ之ヲ傳ヘサレハ天罰ヲ受ク云々ト記シアリタリトノ迷說流布セラレ之ヲ信シテ萬歲ヲ高唱セシモノアリ（因ニ鷄龍山ハ忠淸南道論山郡ニアリ將來李氏ニ代リ鄭氏此ノ地ニ奠都ストハ古來鮮人一般ニ迷信セル處ナリ）

坡州郡地方ノ生徒父兄等ハ京城ニ於ケル騷擾ニ關與セシ儒生中同地方出身者カ出獄セルヲ聽クヤ彼等ノ行動ハ實ニ男ラシキ行動ニシテ祖國ノ爲ニ犧牲トナリタルハ丈夫ノ本領ナリト稱シ之ヲ賞揚セリト（三月中）

（ロ）獨立運動煽動

今回ノ騷擾ニ加入セサリシ者ノ家屋ハ悉ク燒毀セラルヘシ故ニ此ノ災難ヲ免レントスルニハ憲兵ノ强壓手段ヲモ恐レス各官廳所在地ニ於テ獨立萬歲ヲ三回以上高唱スルヲ要スヘシ又ハ朝鮮ノ騷擾ニ關シ米大統領ハ太ク朝鮮ニ同情ヲ寄セ媾和會議ニ朝鮮獨立ノ提議ヲ爲スヘク曩ニ佛國ニ向フ途中日本ハ大統領ヲ暗殺セントシタルモ果サス爲ニ重大ナル國際問題ヲ惹起シ居レリト稱シ民心ノ煽動ニ努メツツアリト

（ハ）鮮人ノ妄動不參加誓約

高陽郡一山地方ニテハ騷擾勃發以來檢擧處罰シタル者百九十八名ニ及ヒタルカ其後將來妄動ヲ爲ササル旨誓約セル者多數アリテ民心全ク舊ニ復シ現ニ今回一山憲兵駐在上等兵ノ轉勤ニ際シ有力者ハ此ノ機ニ當リ是非會食ヲ共ニシ懇談ヲ交ヘ度旨申出テタルニヨリ面長以下有力者二十名及內地人五名ト共ニ會食シタルカ彼等ハ深ク前非ヲ悔ヒ今後若シ他地方ヨリ不逞者入込ミ里民ヲ煽動スル等ノ者アラハ直ニ駐在所ニ申告スルハ勿論更ニ進ンテ里民協力之ヲ逮捕シ引渡スヘシト稱シ種々懇談ヲ交ヘタル後解散セリ（四月十九日）

（ニ）兩班、儒生ノ感想

一般ニ朝鮮ノ獨立ヲ希望シ居ルモノノ如ク彼等ハ日韓併合前ニハ相當ノ待遇ヲ受ケタルニ併合後常民ト同樣ノ取扱ヲ受クルハ最不滿ナリ若獨立成就セハ吾人ハ韓國時代ニ於ケルト同樣ノ官職ヲ與ヘラレ社會ノ上班ニ立ツコトヲ得ヘシト稱シ中ニハ目下ノ如ク萬歲ヲ唱ヘ騷擾セハ吾人民族ノ爲却テ不利益多カルヘク寧ロ表面鎭靜ヲ裝ヒ窃ニ兵器ヲ準備シ時機ノ到來ヲ待ツ方有利ナリト稱スル者アリ又或者ハ今回ハ朝鮮全道期セスシテ獨立萬歲ヲ唱ヘタルハ全ク不思議ノ現象ニシテ之ニ依リ察スレハ或ハ獨立氣運ノ自然ニ回轉シ來リタルモノナルヘシト唱フル者アルモ又一部ノ者ハ萬歲ヲ唱フル意味ハ知ラサルモ朝鮮獨立セハ恰モ一度死シタル親ニ再會スル思アリテ之ニ過クル喜ナキモ獨立ハ蓋信シ得ヘカラサルコトナリト云フ者アリ

（ホ）一般人民ノ感想

吾等カ今日ノ如ク生命財產ノ安固ナルヲ得ルニ至リシハ全ク併合ノ賜ナリ若朝鮮ニシテ獨立セハ再ヒ併合前ニ於ケルカ如キ苦境ニ陷ラサルヘカラスト寧ロ獨立ヲ望マサル者多キヲ占メ居ルモ中ニハ今回ノ騷擾ハ朝鮮全道ニ涉リ實行サレタルモニノシテ之カ爲警務官憲ニ檢擧サルルトモ一家ノ爲ニ爲シタルニアラスシテ朝鮮ノ爲ニ盡シタルモノナレハ何等恥ツル處ナシト云フ者アリ又朝鮮カ獨立セハ財政困難ナルヘキモ情ヲ訴ヘ米國ノ後援ヲ求メナハ何等憂フル所ナシト稱スル者アリ又或者ハ獨立セハ如何ナル官職ニモ就クコトヲ得ヘシ若ハ內地官吏ト朝鮮人官吏トハ俸給ニ大差アリ是不可ナリ等シク日本人ナレハ同樣ノ待遇ヲ爲スヘキト唱フルモノナリ尙一般今回ノ騷擾ニ依リ內地人ハ

今後一層朝鮮人ヲ壓迫スルニ至ルヘシト杞憂セル情アリ（四月二十六日）

（ヘ）　軍隊增派後ノ狀況

開城憲兵分隊管內ハ曩ニ軍隊ノ派遣及補助憲兵ノ配屬セラレシ以來檢擧峻嚴トナリシヨリ一般ニ恐怖ノ念ヲ生シ今更妄動ヲ後悔スル者多ク現ニ開城東面內ノ住民六十三名ハ連名ノ謝罪狀ヲ認メ憲兵駐在所ニ之ヲ差出シ將來ヲ誓ヒテ引取リタルヲ始メ其ノ他附近數ケ里ニ於テモ單ニ附和雷同シタル愚民等ハ深ク前非ヲ悔ヒ陳謝スル者日々多キヲ加ヘ只管赦免ヲ哀願シツヽアル狀況ナリ

（ト）　面事務所來襲ノ理由

今回ノ暴動ニ際シ各地共面事務所ノ多ク襲ハレタルニ對シ開城地方ニテハ其ノ理由ニ付面長ハ郡守ノ命ナリトテ數年來土地ノ狀況ニ適セサル養蠶ヲ無暗ニ奬勵シ桑苗ヲ各戸ニ配布シテ强制的ニ之ヲ植付シメ其ノ成育ノ如何ニ至リテハ更ニ顧慮セス次テ蠶種ヲ配當シ代金ヲ强徵シテ農民ノ利害等ハ全然度外視シテ顧ミス爲ニ農民一般ノ反感ヲ買ヒツヽアリシカ偶々今回ノ騷擾ニ際シ期セスシテ一齊ニ面事務所ニ對スル不滿勃發シタルモノナリト云フ者アリ（四月二十七日）

（チ）　鮮人有志ノ說諭

京城居住實業家芮宗錫ハ四月二十二日漣川郡中面三串里ニ展墓ノ歸途立寄リ面內ノ有志者十一名ヲ集メ大要左ノ如キ談話ヲ爲シタルカ聽者ハ多ク前非ヲ悔悟シ居ル折柄ナレハ之ニ依リ一層覺醒セルモノヽ如シ

現下鮮內各地ニ於ケル騷擾妄動ノ原因ハ「ウイルソン」大統領ノ提唱セル民族自決主義ニ胚胎シ彼ノ狡猾ナル天道敎主孫秉熙一味及耶蘇敎宣敎師等ノ信徒增加ヲ圖ラントスル一ノ手段トシテ各地ノ良民ヲ煽動敎唆シタルモノナリ然レトモ所謂民族自決主義ナルモノハ戰亂ノ爲滅亡シタル國家ヲ再興セシメムトスルモノニシテ戰亂ト何等關係ナキ朝鮮ニ適用セラルヘキモノニアラス又天道敎ハ舊東學黨ノ變名ニシテ日韓併合ハ彼等一進會ノ建白ニ依リ成立ノ基礎ヲ爲シタルモノナリ今回ノ如キ妄擧ハ矛盾ノ最モ甚シキ所爲ナリ若シ朝鮮ノ獨立ヲ事實ナリトセハ自分モ之ヲ悅フ一人ナリト雖日本カ日清日露ノ兩役ニ不尠犧牲ヲ拂ヒタルニ徵スルモ朝鮮ノ獨立ヲ承諾スル理由ナク又媾和會議ニ於テモ何等問題トナラサルハ勿論ナリ然ルニ不逞輩ノ流布スル虛說又ハ煽動ニヨリ妄動ヲ敢テシ爲ニ死傷者ヲ出シ又ハ住家ヲ燒毀スルカ如キハ最モ愼マサルヘカラス各自ハ宜シク警戒シ不逞漢ノ出入等ニ關シテ速ニ警務官憲ニ申告スルヲ可トス（四月二十九日）

（リ）　騷擾後ノ淸潔檢査成績

高陽郡崇仁面及楊州郡九里面、和道面地方ニ亘リ今回春季淸潔法ヲ施行シタルカ住民ハ曩ニ騷擾アリシ關係上若シ今次ノ淸潔法施行ニシテ不成績ノ事アランカ官憲ノ疑ヲ受クル虞アリトシ例年言ヲ左右ニ托シ兎角怠リ勝ナリシ部落モ自ラ進ンテ執行セシヨリ例年ニ比シ好成績ヲ收メタリ（五月二十日）

二、忠淸北道

（一）　鮮人ノ感想

有識者及中產階級以上ノ鮮人ノ多數ハ獨立ノ不可能ナルヲ語リ運動ニ熱狂セル不逞輩竝ニ學生等ノ妄動ヲ批難シ騷擾鎭靜後ニ於テ官憲ハ良民ニ對シテモ嚴重ナル取締ヲ加フルニ至ルヘシト杞憂セルモノアリ各地有力鮮人ノ思想ハ今尙健實ナルモ學生等ハ不穩ノ風潮ニ驅ラレ忠淸北道ノミ沈默シ居ルハ他道ヨリ意氣地ナシト罵ラレ吾等ノ耻辱ナリ等ノ言ヲ漏スモノアリ（三月中）

（二）　區長ノ訓戒

鎭川郡梨月面松林里區長兩班申玨熙當五十二年ハ郡內屈指ノ富豪ナルカ四月二日同里民ハ同人ヲ訪ヒ獨立萬歲ヲ高唱セムト促シタルニ對シ「松林里ニ居住シ居ル者ニシテ吾カ言ニ從ハサル者ハ松林里ニ住居ヲ構ヘシメス吾萬歲ヲ高唱スルニ至レハ汝等モ等シク高唱スヘシ」ト稱シ里民ノ輕擧ヲ制止セシカ同夜十時頃ニ至リ隣村中山里老隱里外二三箇里民ハ篝火ヲ焚キ示威的運動ヲ開始セシヨリ里民ハ再ヒ申ヲ訪ヒ切ニ獨立運動ヲ爲スヘク迫リタルニ同人ハ頑トシテ之ニ應セス「汝等若シ吾言ヲ用ヒス妄動セハ小作地全部ヲ取上ケ里內ニ居住スルヲ許サス汝等ハ如何ナル根據アリテ獨立萬歲ヲ唱フルヤ又之ヲ唱ヘテ何ノ效果アリヤ殊ニ當里ニハ憲兵駐在セリ汝等カ暴動スルニ於テハ人民保護ノ任ニアル憲兵モ遂ニ最後ノ手段ヲ執ルヘシ」ト說キシヨリ里民モ之ニ服シ盲動セサリシト（五月十五日）

三、忠淸南道

（一）　煽動的流言

三月初旬京城ヨリ歸來セシ鮮人中京城及西北鮮地方ニ於テハ猛烈ナル獨立運動ヲ開始シタルニ獨リ忠淸南道ハ冷淡ニシテ官憲ニ迎合シ何等ノ運動ヲ爲サヽルハ全ク忠淸南道人ノ無能無氣力ヲ表白セルモノニシテ忠淸人士ニシテ上京セハ危害ヲ加ヘラルヘシトノ流言ヲ放チタルモノアリ

（二）　鮮人ノ不穩言動

燕岐郡守ハ三月二十九日東面事務所ニ鮮人一同ヲ集メ輕擧妄動セサル樣訓諭中一鮮人ハ退場セムトセシヲ以テ其ノ理由ヲ訊ネタルニ郡守ハ吾等ニ對シ獨立萬歲ヲ高唱スヘシト勸誘スト思ヒノ外之ヲ制止セムトスルハ意外千萬ニテ斯カル講演ハ聽クノ必要ナシト答ヘタルヲ以テ嚴戒セリ

（三）　有識鮮人ノ感想

保寧郡地方ニ於ケル中流以上ノ鮮人中ニハ朝鮮ニシテ果シテ獨立セハ大ニ奮勵努力セサルヘカラサルモ今日迄ノ經過ハ徒ニ慘劇ヲ演スルノミニシテ何等ノ效果ナキカ如シ故ニ吾等ハ今後ノ成行ヲ見テ決意スヘシトノ意ヲ漏スモノアリ（三月中）

（四）　警告文ノ剝離

襄ニ論山郡各面ニ配布掲示シタル道長官ノ警告及守備隊長ノ戒令ノ多クハ剝離サレタリ（四月十九日）

（五）　騷擾犯人ニ對スル里民ノ態度

曩キニ今回ノ事件ニ依リ洪城郡內ニ於テ處分セラレタル犯人三名ニ對シ犯人居住地ノ里民一同申合セ見舞トシテ金品ヲ贈與スヘキ企畫アルヲ探知シ所轄警察署ニ於テ其ノ不心得ヲ訓諭シ中止セシメタリ（四月二十二日）

（六）　各階級ノ感想

事件勃發後ニ於ケル民心ノ變化ニ付內査シタル鮮人各階級ノ感想若ハ不平ノ重ナルモノヲ擧クレハ左ノ如シ

（イ）　一般官公吏（一般官吏一九 郡面吏員一一 計三十名ノ感想中主ナル者十六名ヲ計上ス）

不　平…俸給ノ內地人ニ比シ著シク差額アル事（官吏七名 面吏員一名）

同　…內地人官吏ハ鮮人官吏ヲ小使視ス　（官吏三名）

希　望…臨時手當ヲ支給サレタシ　（面吏員五名）

（ロ）　警察官吏及憲兵補助員（警部二、巡査、巡査補一九 憲兵補助員一〇 計三十一名中主ナル者ヲ計上ス）

希　望…人材ヲ登用シ昇進ノ道ヲ開カレタシ（警部一名巡査、巡査補三名 憲兵補助員三名）

同　…退隱料ヲ支給サレタシ　（巡査補三名）

同　…巡査補ノ制ヲ廢シ巡査ノ待遇ヲ受ケタシ（巡査補三名）

同　…俸給ヲ內地人ト同樣ニセラレタシ　（巡査補三名）

（ハ）　兩班儒生（老人二十九名中主ナル者十一名ヲ計上ス）

不　平…現代ノ敎育ハ机上ノ學問ニシテ實際ノ用ヲ爲サス（六名）

同　…四民平等ハ不可ナリ　（三名）

同　…新敎育ノ爲長幼ノ序ナキニ至ル　（三名）

（ニ）　富豪及有力者（十六名中主ナル者十一名ヲ計上ス）

不　平…諸稅ノ重キハ不可ナリ　（六名）

同　…共同墓地制ハ不可ナリ　（二名）

其ノ他…寄附金ノ多キヲ迷惑ス　（三名）

（ホ）　一般農民（二十三名中主ナル者十一名ヲ計上ス）

不　平…强制的ニ諸苗ヲ栽培セシムルハ迷惑ナリ　（七名）

同　…賦役ノ多キヲ怨トス　（四名）

（四月二十六日）

（七）　高壓後ノ傾向

事件勃發以來高壓的手段ヲ採リタル結果一般部落民間ニ於テハ近時官憲ニ對シ頗ル從順ノ態度ヲ持シ例年ノ春季道路修繕ノ際ニ於ケル賦役人夫ノ如キ何レモ言ヲ左右ニ託シ出役ヲ拒ム者多カリシニ比シ本季ノ如キ何レモ擧テ出役ニ應スルノミナラス其ノ態度モ例年ニ比シ亦良好ナルカ如シト

（八）　靑年思想ノ惡化

無智ノ農民ハ守備隊ノ分散配置等ニ依リ鎭靜ニ歸シタルカ如キモ有識階級ニ屬スル靑年等ノ思想ハ漸次惡化シツツアリテ天安郡豐西地方ニテハ近時道傍ノ並木ヲ折損スルモノ多キヲ以テ各所ニ之カ禁止ノ木札ヲ樹テタルニ夜間何者カ殆ト其ノ全部ヲ破毀シタル者アリ

（九）　守備隊配置ト民心安定

天安郡木川地方ノ在留內地人ハ少數ノ爲メ危險ヲ慮リ引上ケタル者アルヨリ鮮人等是全ク朝鮮カ獨立シタルモノナリト思料シ居タルカ今回各地ニ守備隊ノ駐屯スルヲ見ルヤ彼等ハ其ノ誤ナルヲ悟ルト共ニ斯ク多數ノ軍隊カ派遣サレタル以上ハ到底朝鮮ノ獨立ハ不可能ナリト語リツツアリ（四月二十六日）

（一〇）　下層民ノ悔悟

燕岐郡地方下層民ハ四月十日ニハ朝鮮ハ愈獨立シ全道韓國國旗ヲ掲揚シ祝意ヲ表スヘシト聽キ窃カニ其ノ日ヲ期待セシニ今以テ其ノ事實ナキヨリ觀レハ獨立ハ不可能ナルヘシト稱シ妄動ノ非ナルヲ悟レル模樣ナリ又靑陽郡地方モ民心漸次靜穩ニ歸シ騷擾參加者ニシテ前非ヲ悔ヒ警察官署ニ出頭其ノ罪狀ヲ自首シ謝罪ヲ爲スモノアリ（五月三日）

（二）　騷擾ニ對スル感想

鮮人有識階級者中ニハ「今回ノ騷擾ヲ惹起シタル徒輩ハ愚モ亦甚シ是等ハ多ク不逞鮮人ノ脅迫煽動ニ依リ輕擧妄動セシモノニシテ之ヲ放置セシカ漸次擴大シ彼等ハ倍暴威ヲ逞シ遂ニハ暴徒ト化シ良民ヲ害スルニ至ルヘシ然ルニ今回軍隊ノ駐屯ニ依リ暴民等ハ次第ニ威壓セラレ殆ト靜穩ニ歸シ其ノ堵ニ安スルニ至リタルハ全ク軍隊駐屯ノ效果ニシテ一ニ日本帝國ノ威力ニ外ナラス」トナシ永久軍隊ノ駐屯ヲ希望シ居レルモノアリ

（三）　妄動死者ニ對スル里民ノ感想

靑陽郡ノ一鮮人ハ四月五日數百ノ暴民ノ先頭ニ立チ靑陽憲兵分遣所定山駐在所ヲ襲ヒ暴行ヲ逞セシ爲同所員ノ銃丸ニ當リ斃レタルカ當時住民等ハ國ノ爲忠死セルモノナリト稱シ居リタルモ現今ニ至リ獨立ノ成ラサルヲ知ルヤ態度一變シ死者ノ行爲ヲ罵笑シ妻子ハ食ニ窮スルモ里民中之ヲ顧ミル者ナク債權者ハ同家族ニ對シ債務ノ履行ヲ迫ル等極メテ冷淡ナル取扱ヲ爲シツツアリ

（三）　市場解停

豫テ騷擾ノ虞アル地方ニ於テハ最モ之カ誘因トナル市場ノ開市ヲ差止メアリタル處四月十二日以降道内一般鎭靜ニ歸シ逐日舊態ニ復シツツアリテ住民等ハ煽動ニ依リ暴動シタルヲ痛ク悔ヒ里民ハ一同署名捺印セル請願書ヲ提出シ市場ノ解停ヲ請願スル箇所不尠依テ情況ニ應シ曩ニ停止處分ヲ爲シタル市場四十箇所中五月二日迄十一箇所ヲ解停セリ

（四）　軍隊配置ト騷擾鎭靜

各地ニ多數ノ軍隊配置セラレ其ノ威力ヲ示シタルト同時ニ大勢ニ通セサル地方民等モ軍隊カ僻陬ノ地ニ至ル迄配置セラレタルヲ見テ朝鮮ノ獨立云々ハ全ク虛ナリシコトヲ悟ルニ至リ漸次妄動ノ無益ナルヲ自覺シ且一般農民ハ現今農繁期ニ入リタルヲ以テ漸次農業ニ從事シ一般鎭靜ヲ見ルニ至レリ（五月四日）

（五）　犯人ニ對シ金品贈與企畫

元鳥致院每日申報支局主任金在衡ハ里民ヲ煽動シ騷擾ヲ惹起セシメタル科ニ依リ淸州地方法院支廳ニ於テ懲役二年ニ處セラレタルカ之ニ對シ鳥致院鮮人青年會ハ大ニ同情ヲ寄セ同會長孟義燮及有力者協議ノ上其ノ家族ニ金品ヲ贈與セムト企畫セシヲ以テ諭示中止セシメタリ

（六）　鮮人ノ迷說

燕岐郡地方ニ於テハ媾和會議ノ結果世界各國ハ財產均分主義ヲ執ルコトトナリ之ニ關スル宣言書總督府ニ到着セシカ京城居住內地人ハ早クモ之ヲ聞知シ該宣言書ノ發表見合セ方ヲ嘆願セシ爲總督ハ祕密會議ヲ開キ審議中ナルカ近ク發表ヲ見ルニ至ルヘク愈此ノ主義ニシテ實行ノ曉ハ東西洋等ノ區別モ全然撤去セラルルニ至ルヘシトノ風說アリ

大田郡地方ニ於テハ四月中旬京城居住內地人ノ一團ハ日本民主國萬歲ヲ高唱シ示威運動ヲ開始セシヨリ約七十名ハ逮捕セラレ內地ニ押送セラレタルカ其ノ原因ハ日本人中民主國ヲ希望スル者今次ノ媾和會議ニ運動ノ準備トシテ此ノ擧ニ出テシモノナリトノ說ヲ流布スル者アリ

（因ニ此ノ外騷擾發生以來鮮人ニシテ社會主義的言辭ヲ弄スル傾向アリ或ハ過激派又ハ社會主義者等カ此ノ機ニ乘シ破壞的言辭ヲ弄シ陰ニ主義ノ宣傳ニ努メツツアルニアラサルヤノ疑アリ嚴ニ注意中）

（七）　鮮人ノ悔悟

論山郡地方鮮人ハ妄動ヲ悔悟シ自首スル者漸次增加シツツアリテ同郡魯城上月兩面民約二百名ハ四月二十六日魯城警察官駐在所ニ出頭シ其ノ罪狀ヲ自首シ其ノ他面長區長等ニ於テ二十名乃至三十名ヲ引率シ所在警察官署ニ出頭自首セシメ前非ヲ陳謝シツツアルヲ以テ單ニ附和雷同セシ者ニ對シテハ懇諭ノ上歸還セシメツツアリ（五月十日）

（八）　懇談會ト鮮人ノ希望

曩ニ天安郡守主催ノ下ニ天安公立普通學校ニ於テ官民懇談會ヲ開催シ鮮人有力者五十六名參會セシカ彼等ハ大要左ノ如キ意見希望ヲ開陳セリ

（イ）　墓地規則反對　吾等朝鮮人ハ尊族崇拜ノ念最深ク父母墓地ノ如キ萬般ノ事情ヲ顧ミス其ノ地ヲ選定シ子孫ノ繁榮ヲ希フ慣習アリシニ新政以來共同墓地ニ關スル規則發布セラレ爲ニ吾等ハ一朝ニシテ久シキ舊慣ヲ打破セラレ最尊フヘキ父母ノ死體ヲ地勢極惡ナル共同墓地ニ埋葬スルハ甚タ遺憾トスル所ナリ將來ハ自己所有山アル者ニ對シテハ其ノ山ニ埋葬スルモ差支ナキコトニ改メラレタシ是吾人少數者ノミノ意見ニアラスシテ朝鮮人一般ヲ通シテノ希望ナリ（有力者五名ノ希望）

（ロ）　內鮮人同等待遇　始政十年吾等愚昧ノ朝鮮人モ新智識ヲ得ルニ至リタルハ感謝ニ堪ヘサルモ今日內地人カ朝鮮人ヲ遇スル往昔兩班カ常民ニ對スルカ如ク輕侮スル者多シ今吾人ハ參政權及徵兵令ノ施行ヲ要求セハ政府ハ之ヲ許容サルヘキ乎吾等ハ內鮮人ノ差別的待遇ヲ廢シ等シク內地人同樣ノ取扱ヲ受ケンコトヲ希望ス畢竟今回ノ騷擾モ此ニ基因スルモノト信ス（有力者四名ノ布望）

（ハ）　桑苗配布反對　近時官憲ヨリ畑ノ有無ニ不拘一般ニ桑苗ヲ配布セラルルニ不拘營業的ニ桑圃ヲ有スル內地人ニ對シテハ毫モ之ヲ强制セラレス其ノ理由ヲ知ルニ苦シム桑苗ヲ植付クヘキ畑ナキ鮮人ハ已ムナク小作スル畑ニ植付ケ居ルモ地主ハ之ニ反對シ若應セサレハ小作地ヲ取上ラルルヲ以テ貧民ハ一般ニ困却シ居レリ先ツ桑ヨリモ日常食用ニ供スル穀物ノ增收方ニ付キ指導セラレンコトヲ希望ス（右同）

（ニ）　內鮮人差別撤廢　近時新聞紙ノ報道ニ依レハ日本媾和委員ハ媾和會議ニ人種差別撤廢問題ヲ提議シタルカ諸外國委員ノ反對ニ依リ遂ニ否決サレタリト云フ吾人ハ等シク　陛下ノ赤子ニシテ民族的差別待遇ヲ受クルハ內地人カ媾和會議ノ人種問題ノ否決ニ對スルト同シク憤慨ニ堪ヘス現ニ均シク面吏員ニシテ內地人面長ハ五十圓乃至百圓ノ俸給ヲ得ルニ鮮人ハ僅ニ八圓乃至十五圓ニ過キス今日鮮人勞働者ト雖一日七十錢乃至一圓ノ勞銀ヲ得ツツアルニ比スレハ鮮人面書記ノ日當ノ如キハ一食代ニ過キス今回ノ騷擾原因ニ付テモ第一ハ內鮮人ノ差別的待遇ニアルモノノ如シ爲政者カ將來此ノ點ニ付注意改善セラレンニハ鮮人ノ同化モ容易ナルヘシト思料ス（同右）

（九）　誓約書提出

曩ニ騷擾ヲ爲シタル牙山郡內十二面ノ住民ハ五月三日迄ニ何レモ面長、區長誓約書ニ連判ノ上所轄溫泉里憲兵分遣所ニ出頭シ今後ハ必ス官憲ノ命ヲ遵守シ斷シテ騷擾ヲ爲ササル旨ヲ誓約セリ（五月十一日）

(二) 有識階級ノ感想

大田郡地方ニ於ケル知識階級ニ屬スル鮮人ニシテ今次ノ騷擾事件ノ成行ヲ冷靜ニ觀望シ居タル者ノ感想ヲ綜合スルニ騷擾鎭靜後ニ於テ日本政府ハ表面溫情ヲ以テ鮮人ヲ遇スヘキモ裏面ニ於テハ從來ニ比シ却テ甚シキ差別的待遇ヲ爲シ懲罰的ニ諸税ヲ重課スルハ勿論倍權利自由ヲ束縛スルニ至リ生活ハ一層困難トナルヘシ是鮮人カ自ラ求メタル罪ナリト雖一部不逞輩ノ妄動ニ依リ善良ナル同胞ヲ此ノ境涯ニ陷ルハ慨嘆ニ堪ヘス故ニ吾等ハ今後不良分子ノ侵入ヲ防キ一日モ速ニ秩序ヲ恢復シ正業ヲ勵ミ以テ官憲ニ對シ吾人ノ眞意ヲ表明セサルヘカラスト云フニ在ルカ如シ(五月十五日)

(三) 巡視ノ自殺

忠淸南道廳巡視金鳳仁四十四年ハ五月二十三日自宅ニ於テ剃刀ヲ以テ割腹自殺ヲ遂ケタルカ其ノ死因ヲ調査スルニ本人ハ性質頗ル溫順朴直職務ニ忠實ニシテ上下ノ信認最モ厚ク十二年間終始一日ノ如ク勤續セル模範的巡視ナリシカ同地永明學校ニ通學セル長女(十七年)カ四月一日公州市場ニ於ケル騷擾事件ニ參加セルノ嫌疑ニテ官憲ノ取調ヲ受ケタルヲ非常ニ恥チ自己ハ多年日本官憲タル道廳ニ奉職シ多大ノ恩顧ヲ受ケタルニ長女ニシテ斯ル事アリテハ道廳ニ對シ申譯ナキノミナラス多數ノ部下ヲ指揮監督スル身トシテ現職ニ止マルコト能ハスト稱シ爾來悶々トシテ樂マス最近病氣ト稱シ自宅ニ引籠中ナリシカ遂ニ意ヲ決シ辭職センコトヲ數回願出テタルモ聽許セラレス一方長女ハ其後

モ我意ヲ飜サス自宅ニ於テ萬歳ヲ獨唱スルコトアリテ如何ニ懇諭スルモ到底改悛ノ模樣ナキヨリ同人ノ煩悶ハ益々加ハリ遂ニ自殺ヲ決意シ二十三日午前九時頃家人ノ隙ヲ窺ヒ鋭利ナル剃刀ヲ以テ割腹自殺ヲ爲シタルモノナリ

以上ノ情況ナリシヲ以テ道廳ハ勿論一般官民ノ同情スル者多ク弔慰ノ如キモ忽ニシテ二百數十圓ニ達シ會葬者モ亦頗ル多數アリタリ(五月二十九日)

四、全羅北道

(一) 有識階級ノ感想

有識階級及資産家中ニハ獨立運動ハ一部野心家ノ陰謀ニ過キス朝鮮ノ現狀ハ到底獨立スルコト不能ニシテ徒ニ盲動シテ累ヲ他ニ及ホスハ遺憾ナリ朝鮮カ今日ノ泰平ヲ致シ文化ヲ促進シタルハ明治大帝德澤ニ外ナラサルヲ以テ吾人鮮人ハ永遠ニ此ノ聖恩ヲ仰カサルヘカラス然ルニ天道敎及耶蘇敎徒ノ不逞ノ徒カ獨立ヲ宣言シ擾亂ヲ惹起セシハ甚タ不都合ニ付再起スル能ハサル樣嚴重ナル制裁ヲ加ヘサルヘカラス彼等ハ國賊タルト共ニ朝鮮ノ良民ヲ荼毒スルモノナリト稱スル者アリ

又朝鮮ニシテ獨立スルモ到底列强ノ間ニ伍スル能ハス何國カノ保護ヲ受ケサルヘカラサルヲ以テ人種ヲ異ニスル歐米人ノ保護下ニ立ツヨリハ寧ロ日本ノ治下ニ在ルヲ可トスト唱フルモノアリ又朝鮮獨立ノ能否ニ付疑念ヲ抱キ果シテ獨立可能トセハ運動ニ參加スルモ可ナリトノ口吻ヲ洩ス者アリ

今回ノ事件ハ非常識ノ妄動ニ過キス元來朝鮮ハ日本ニ併合セラレサレハ露國若ハ他ノ强國ニ併合セラルヘキ運命ニ在リシハ當時ノ狀態ナリシナリ故ニ吾人ハ併合ニハ反對セス然レトモ獨立シ得ル時期到達セハ獨立ヲ得度トハ鮮人一般ノ希望ニシテ要スルニ四五十年後ノ問題ナリ而シテ今回ノ事件ハ媾和會議列席各國委員ノ評論ニ上ルヘキヲ以テ今回ノ運動カ將來ノ獨立ニ效果アルヤ必セリ等ノ言ヲ弄スルモノアリ

(二) 學校生徒ノ感想

南原公立普通學校ニ於テハ同校四年生二十三名ニ對シ試ミニ時局ニ對スル感想ヲ無記名ニテ筆記提出セシメタル處不穩ノ答案ヲ出シタル者多數ナリシヲ以テ校長ハ其ノ不心得ヲ懇諭セリト云フ其ノ内主ナルモノ二三ヲ擧クレハ左ノ如シ

(イ) 騷擾ハ惡事ナルモ朝鮮人ノ立場ヨリスレハ惡事トハ思ハレストノ意味アルモノ(三名)

(ロ) 內地人ト同一ノ待遇ヲ受ケ度トノ意味アルモノ(一名)

(ハ) 朝鮮ノ地圖ヲ描寫シ朝鮮獨立スヘシトノ意味アルモノ(一名)(三月中)

(三) 騷擾ノ目的

耶蘇敎徒及學生中ニハ今回ノ騷擾ハ直ニ以テ獨立ノ目的ヲ達セントセルモノニアラス唯聲ヲ大ニシテ之ヲ永繼シ朝鮮カ眞ニ日本ノ政治ニ悅服シ居ラサルコト及日韓併合ハ朝鮮民族ノ意思ニアラサル

コトヲ歐米ノ列强ニ知ラシメムトスル示威運動ニシテ之ニ依リ列國ノ同情ヲ求メ然ル後獨立ノ目的ヲ達セムトスルモノナリ然ルニ日本官憲ハ最近ニ至リ之ヲ鎭壓スルニ高壓手段ヲ以テス是レ當ニ主謀者等ノ術中ニ陷リタルモノニシテ質朴ナル良民ハ爲ニ官憲ノ擧措ヲ恨ミ倍反感ノ氣勢ヲ高潮セシメ以テ一層騷擾ヲ大ナラシメムトスル吾人ノ期待ニ合シタルモノナリト言ヲ弄スルモノアリ

(四) 鮮人官吏ノ言動

郡書記某ハ其ノ知友ニ對シ今回ノ獨立運動ハ吾等朝鮮人トシテ悅ハサルニ非ラサルモ此際朝鮮人タル立場ヨリ目的ヲ達セントセハ官吏タルノ義務ニ反シ官吏タルノ義務ヲ全フセントセハ鮮人トシテノ立脚地ヲ失シ目下吾人ノ境遇ハ一進退谷マレル狀態ニシテ頗ル困難ヲ感スル所ナリト語レリト云フ(四月十八日)

(五) 騷擾犯人ノ言動

四月十八日田中總督府視學官ハ全州監獄分監ニ至リ今回ノ事件ニ依リ入監中ノ私立耶蘇紀全女學校女敎員及生徒數名ヲ分監內訊問室ニ呼出シ誤リタル不穩思想ヲ抱持シ騷擾ヲ爲シタル結果斯ル囹圄ノ苦ヲ受クルニ至リ後悔スル所ナキヤ速ニ良心ニ立歸リ良民トナルヘシト諭シタルニ彼等ハ頑トシテ服セス我等ハ神ノ援助ノ下ニ朝鮮ノ獨立ヲ企圖シタルモノニシテ假令身命ハ如何ニ成リ行クモ獨立運動ハ斷シテ中止スル能ハスト答ヘタリト云フ(四月二十六日)

（六）　道內一般ノ狀況

表面平穩ニ向ヒ今後再ヒ騷擾ヲ惹起スルカ如キ情況ナキモ裏面ニ於ケル民心ノ傾向ハ依然險惡ニシテ不穩文書ノ撤布及流言蜚語盛ニ行ハレ郡守面長等ニ鮮人官吏ハ連袂辭職スヘシト脅迫シ或ハ地方有力者ニ對シ獨立運動ニ加入ヲ强フル等排日的思想ハ全般ニ擴大シツヽアリ

（七）　鮮人ノ米國信賴

鮮人一般ハ佛國ニ於ケル媾和會議ノ結果朝鮮ハ獨立スヘク米國人ハ鮮民族ノ希望ヲ充分ニ了解シ居ルヲ以テ盛ニ獨立運動ヲ援助シツヽアリ然レトモ此ノ際如此言ヲ漏ストキハ官憲ノ注視ヲ招ク虞アルニヨリ暫ク沈默ヲ守ラサルヘカラスト爲シ一般ニ警戒シツツアルノ觀アリ

（八）　死傷者ニ對スル同情

四月三日南原ニ於ケル騷擾ノ際死傷セル者ニ對シ一般民ハ之ヲ獨立運動ノ犧牲的代表者トシテ滿腔ノ同情ヲ寄セ葬儀費等ハ各里民之ヲ負擔シ盛大ナル葬儀ヲ執行セントシ甚シキニ至リテハ銘旗ニ「義勇ノ柩」ト記シ或ハ義捐金ヲ募集セントスルカ如キ擧動アリシヲ以テ嚴重警告ヲ與ヘ中止セシメタル事實アリ又死亡者ノ遺族ハ一般民ノ同情アルヲ奇貨トシ益激昂シ埋葬ニ當リ官憲カ殺害セシ者ニ對シ埋葬ノ認許ヲ受クル必要ナシ等不穩ノ言辭ヲ弄シタルヲ以テ其ノ不心得ヲ諭シ手續ヲ履行セシメタルコトアリ

（九）　面吏員ノ辭職

人民ニ直接スル面長面書記ノ如キハ騷擾勃發以來不逞鮮人ノ脅迫又ハ種々ノ流言蜚語ニ依リテ後難ヲ恐レ其ノ進退ニ躊躇シ居ル者多カリシカ此ノ程南原郡內ニ於テ面長六名及面書記七名辭表ヲ提出スルニ至レリ依テ南原憲兵分隊長ハ郡守ト協議ノ上官憲ノ保護ニ信賴シ妄說ニ惑ハサル樣懇諭ノ上辭意ヲ飜サシメタリ

（一〇）　新聞記事ト鮮人ノ感想

近來鮮人官吏及其ノ他ノ鮮人ニシテ各種新聞ヲ購讀シ媾和會議ニ關スル記事ニ注意スル者多キ傾向アリ而シテ彼等ハ日本委員ノ孤立又ハ日本ノ提議不採用或ハ日本ヲ除外シタル四大國巨頭ノ密議等ニ關スル記事ヲ見テ密カニ喜悅シ居ルノ風アリ（五月六日）

（一一）　鮮人ノ反米的言動

近時群山府地方ニ於テハ鄭堪錄（著者不明ニシテ豫言樣ノコトヲ記シアリ）ニ「殺我者小頭無足」ノ句アリ從來其ノ意味不明ナリシカ今回ノ騷擾ニ依リ判明セリ卽チ「米」ノ字ハ上下左右何レヨリ見ルモ同一ニシテ足ナク頭ノミナリ是レ小頭無足ナリ故ニ之ヲ現在ノ事實ニ當テ嵌ムレハ鮮人カ米國人ノ煽動ニ乘シ萬歲ヲ唱フルモ何等ノ利益ナキノミナラス自滅ニ陷ルヘシトノ意ニシテ則チ我ヲ殺ス者ハ米人ナリ我々朝鮮人ハ今ニ於テ自覺セサレハ滅亡ヲ免レサルヘシトノ說盛ニ流布セラレツツアリ（五月二十六日）

五、全羅南道

（一）　騷擾勃發ト民心

騷擾勃發以來官憲ニ對シ漸次傲慢ナル態度ヲ示シ鮮人官吏ニ對シテハ一般ニ之ヲ輕侮スルノ傾向アリ又鮮人中當然獨立シ得ルモノノ如ク妄信スル者漸次增加スルト共ニ內地人ニ對シ敵意ヲ持ツ傾向アリ（三月中）

（二）　鮮人ノ迷說

潭陽郡邑內附近下層鮮人靑年間ニハ朝鮮獨立ノ曉ニハ財產ヲ平等ニ配與セラルル由ナルヲ以テ貧困者ニ取リテハ無上ノ幸福ナリト稱シ獨立ノ實現ヲ期待セル情況アリ（五月十日）

（三）　被告ノ無罪ト住民ノ態度

曩ニ康津ニ於テ示威運動ヲ企畫シタル金安植外十一名ハ長興支廳ニ於ケル判決ニ對シ控訴シ大邱覆審法院ニテ無罪ノ判決ヲ受ケ五月八日晝頃鄕里康津ニ歸來ノ豫定ナリシヲ以テ康津公立普通學校生徒男百六十六名女十六名ハ敎員ニ無斷ニテ邑內ヲ距ル約十丁ノ箇所ニ赴キ彼等ヲ出迎フヘク待合セ居タルヲ發見シ警察官ニ於テ說諭ヲ加ヘ一先ツ歸校セシメタル後郡當局及學校職員立會ノ上生徒ニ戒告ヲ與ヘ且生徒中ノ重ナル者ニ付調査スルニ彼等ノ多クハ金安植等ハ何レモ朝鮮ノ爲盡瘁シタル者ナレハ其無罪歸宅スルニ至リタルハ一同ノ悅フ處ニシテ各人期セスシテ出迎ニ赴キタルモノニシテ決シテ他ノ煽動又ハ勸誘ヲ受ケタルニアラス尙此ノ事ヲ校長ニ申出ツルモ許サレサルヲ慮リ殊更ニ無斷ニテ出迎ニ赴キタルモノナリト稱シ居ルモ或ハ他ノ使嗾煽動ニ依ルモノニアラスヤト思料セラルル點アリ又金安植等無罪歸鄕ノ結果左ノ如キ說ヲ爲ス者アリ

（イ）　大邱ニ於テ無罪トナルヘキ者ニ對シ長興支廳ニ於テ全部有罪ノ判決ヲ爲シタルハ感情ニ出テタル裁判ニシテ實ニ不都合極レリ

（ロ）　長興支廳ニ於テ有罪ノ判決ヲ受ケタル者カ大邱ニ於テ無罪トナルヘキ理由ナシ然ルニ之ヲ無罪トナシタルハ是近ク朝鮮獨立スルカ爲ナリ

（ハ）　長興ニ於テ笞刑ノ判決ヲ受ケタル學生モ控訴ノ結果無罪トナレリ從テ同人等ニ對スル退校處分モ取消スヘキモノナリ若シ之ヲ取消ササレハ同盟退學ノ止ムナキニ至ルヤモ知レス云々（五月二十日）

六、慶尙北道

（一）　騷擾ニ對スル有力鮮人ノ感想

有識者中ニハ今回ノ騷擾ヲ以テ靑年ノ前途ヲ誤ラシムル無謀ノ行爲ナリト評スル者アリ又耶蘇敎牧師等カ子弟ヲ煽動シ騷擾ヲ惹起シタルヲ慨シ外人宣敎師ニ對シ惡感ヲ抱ケルモノアリ

民主政體民族自決主義ハ世界ノ風潮ニシテ日本獨リ君主政體タルハ理ナシ時機ヲ得ハ日本モ民主政

體トナルヘシト語レルモノアリ

耶蘇敎有力者中ニハ獨立運動ニ參加シ捕ヘラレシ者ハ戰場ニ於テ名譽ノ戰死ヲ遂ケタルニ同シ元來吾人カ耶蘇敎ヲ信スルハ祖國ノ獨立ヲ得ンカ爲ニ外ナラス今日ノ機會ヲ得タルハ天帝ノ加護ナリ等ノ言ヲ弄スルモノアリ(三月中)

（二）　日米開戰說

米國ノ「アンダーソン、メーヤー」會社ヨリ支那北方政府ニ對シ窃ニ兵器ヲ供給セル新聞記事ニ對シ大邱地方ノ鮮人間ニハ是レ米國カ日本ニ對スル挑戰的態度ニシテ近ク日米間ニ戰端ノ開カルル前兆ナリ而シテ今回ノ騷擾事件ニ關聯シ日本官憲カ米國人ノ家宅及其ノ經營ニ係ル敎會並附屬學校ヲ搜索シタルカ如キ日本モ亦開戰ノ意アルヲ想像スルニ足ルモノアリト評スル者アリ(四月十九日)

（三）　內地人ニ對スル反感

四月十七日大邱府尹以下府廳員五名ハ達城郡達城面琴湖江ニテ釣魚中ノ處十餘名ノ鮮人對岸ヨリ罵言ヲ吐キツツ投石シ釣魚ヲ妨害シ一行カ歸路ニ就クヤ又熾ニ投石セシ者アリ又同二十日夜達成郡嘉昌憲兵駐在所ノ廳舍ニ投石シ窓硝子七枚ヲ破壞シ逃走シタル者アリ

（四）　軍隊ノ增派ト感想

軍隊ノ增派ニ關シテハ今ヤ管內一般ニ周知セラレ今後騷擾ニ加擔シ妄動スルカ如キコトアラハ往年

一四六
一四七

暴徒鎭壓當時ニ於ケルト同樣軍隊ハ武器ヲ使用シ斷乎タル處置ニ出テ殺戮スルニ至ルヘシトテ著シク畏怖ノ念ヲ抱ク者多ク從テ一般ニ自省ノ念ヲ喚起セシメタルカ良民中ニハ此ノ際玉石混淆ノ取扱ヒヲ爲サザル樣官憲ノ注意ヲ望ムト稱スルモノアリ

（五）　自制團ト部民

道內ニ於テハ官民ノ妄動ヲ警ムル爲豫テ自制團ナルモノヲ組織シ團員ノ調印ヲ求メツツアルカ部民中ニハ官憲ハ之ヲ巴里ニ於ケル媾和會議ニ提出シ鮮人カ併合ニ對シ何等不平ナキ證據トセラルルニアラスヤトノ疑ヲ抱ケルモノアリ依之觀之表面平穩ナルモ一般民心ノ趨向未タ良好ナラサルヲ察スルニ足ルモノアリ(四月二十六日)

（六）　不穩文書投書

四月二十二日大邱地方法院長尾檢事ニ對シ內地人ノ名義ヲ以テ「本月十八日ノ公判ヲ聞クニ今回ノ騷擾事件ノ關係者七十一名ニ對シ懲役ヲ言渡シタリト云フ何罪ニ依リ懲役ニ處シタルカ汝等ハ伊藤博文ノ暗殺セラレタル實況ヲ見シヤ汝等ノ如キ者ヲ暗殺スルハ掌ヲ覆スカ如ク易々タルモノナリ若此ノ書ヲ見タル後直ニ關係者ヲ釋放セサレハ汝等判檢事ハ暗殺セラルヘシ」トノ鮮文脅迫狀ヲ郵送シタル者アリ(四月二十七日)

（七）　耶蘇敎ニ對スル反感

盈德郡盈德地方ノ耶蘇敎徒中騷擾事件ニ關係シテ檢擧セラレタル者ノ家族等ハ耶蘇敎ヲ信仰セシカ爲妄動ノ渦中ニ投シ不幸ヲ招キタルモノナリト稱シ當初入敎ヲ勸誘シタル者ヲ甚シク憎惡シ口論ニ出ツル者一再ナラス爲ニ近來信徒著シク減少シ殊ニ盈德面錦湖洞耶蘇長老派敎會堂ノ如キ最近ノ日曜日ニ於テ一名ノ禮拜者ナキ狀態ナリ(四月三十日)

（八）　鮮人ノ反感

昌原郡昌原邑內鮮人ハ老若男女ヲ問ハス內地人ニ反感ヲ抱キ內地人商店ニ入リ來リ汝等ハ何レ近キ內ニ內地ニ引揚ケサルヘカラス到底永ク此ノ地ニ居住スルヲ得サルヘシ等ノ言ヲ弄シ又北面地方ニ於テハ朝鮮ハ既ニ獨立セリ依テ內地人ハ急遽內地ニ歸還セサレハ危險ニ陷ルヘシ等脅迫的ノ言ヲ弄スルモノアリ同郡大山面地方鮮人ハ內地人ノ雇傭ニ應セス又ハ內地人商店ニ對シ賣懸代金ヲ支拂ハス若ハ田畑ノ耕作物ヲ盜ミ其ノ他諸種ノ方法ニ依リ迫害的態度ヲ示シツツアリ

（九）　細民ノ生活其ノ他ニ關スル影響

昌原郡地方鮮人細民ハ從來內地人地主ニ對シ籾ノ收穫ヲ以テ納付スル契約ノ下ニ麥ノ小作料納付ヲ延期シテ生活ノ資ニ充テ又ハ籾ノ收穫ヲ擔保トシテ春夏ニ於ケル生計資金ヲ借入ルルヲ例トセルモノ多數ナルカ騷擾勃發以來內地人ハ將來ノ危險ヲ慮リ右ノ如キ契約ヲ見合セ其ノ他一時的ノ金錢ノ融通ヲモ手控ヘツツアル結果鮮人ハ自然鮮人資產家ヲ賴ルニ至リ內地人トノ從來ノ關係ハ中絕スルニ至レリ

一四八
一四九

又內地人商人等ハ騷擾ノ危險ヲ慮リ商品ノ仕入ヲ躊躇セルト一面騷擾以來鮮人トノ意思疎隔シ鮮人ハ自然鮮人商店ヨリ物品ヲ購求スルノ傾向ヲ生シ商業不能ノ傾向ヲ呈スルニ至リ又市場ニ於ケル鮮人飮食店ハ騷擾ノ際酒食ヲ提供セシ多數ノ鮮人カ混雜ニ紛レ代金不拂ノ儘立去リ料理店ノ如キモ此ト類似ノ厄ニ遇ヒ加フルニ市場一般ニ不振狀態ニアルヨリ生活困難トナリ其ノ他ノ小商人モ大打擊ヲ蒙リ窮乏ノ極今日ニ於テハ騷擾煽動者ヲ恨ミツツアリ尙ホ目下ノ狀態ニシテ永續セハ生活難ヨリ來ル犯罪ノ增加ヲ免レサルヲ以テ民心ノ緩和不逞者ノ檢擧ニ努メツツアリ(五月二日)

（一〇）　官ノ施設ト影響

高靈郡茶山面地方ニ於テハ騷擾勃發以來不穩貼紙又ハ種々ノ流言蜚語熾ニ行ハレ漸次民心惡化ノ傾向アリ一部不逞輩ハ此ノ間ニ乘シ部民ヲ煽動シ官ノ施設ニ反對セシムルモノノ如ク現ニ頃日面內棉花耕作人一同連署ノ上陸地綿ノ耕作ニ反對シ其ノ趣ヲ總督ニ上書セントセシ事實アリ依テ郡守ハ加諭ノ上之ヲ中止セシメタルカ尙熾ニ反對ヲ唱ヘツツアルヲ以テ高靈警察署長ハ同地ニ出張シ一般民ニ加諭スルト共ニ煽動者タル書堂敎師一名ヲ檢擧シ拘留十五日ノ處分ヲ爲シタリ

（一一）　耶蘇敎嫌忌

淸道郡大城面地方ニ於テハ三月中耶蘇敎助手ノ煽動ニ依リ學生等多數示威運動ヲ爲シ夫々處分セラ

レタル結果爾來其ノ父兄ハ勿論一般面民ニ至ル迄耶蘇敎ヲ嫌忌スルコト甚シク殊ニ過般清道ニ自制團ナルモノ組織セラレ妄動ノ非ナルヲ感知シタル以來一層嫌忌排斥ノ念加ハリ同面楡湖洞區長ノ如キハ有害無益ナル耶蘇敎ノ撤廢處分ニ關シ何等カノ手段ヲ講セラレタシト稱シ警察官憲ニ願出テタル事實アリ

（三）騷擾犯人判決ト感想

四月二十八日尙州支廳ニ於テ騷擾事件ノ犯人六名ニ對シ判決言渡アリタルカ傍聽者ハ同地方ノ兩班儒生及青年等約百五十名アリシカ彼等ノ多クハ騷擾事件ノ被告人等ハ毫末モ不正ノ行爲アリテ所罰セラレシ者ニアラス國家ノ爲犧牲トナリタル者ナレハ其ノ處罰ハ寧ロ彼等ノ光榮トスル處ナルヘシ而シテ吾等朝鮮人ハ必スヤ各階級ヲ通シ彼等犧牲者ヲ忠臣義士ト崇メ些ノ惡評ヲ放ツモノナカルヘク眞ニ彼等ハ憂國ノ志士ニシテ兩班タルノ身分ヲ辱メサル者ナルヲ以テ潔ク判決ニ服シ敢テ控訴スルカ如キコトナク刑辟苦楚ヲ甘受スルナラント語リタリト云フ

（三）有識階級ノ感想

盈德地方ノ有識階級者ハ今回ノ騷擾事件ノ原因ハ佛國ノ媾和會議ニ於テ各國共其ノ占領地ヲ自國ニ於テ處分スルコトナク之ヲ國際聯盟會議ニ委任スルコトナリ又青島モ支那カ還付ヲ要求セシニ依リ朝鮮モ此ノ際獨立運動ヲ爲スニ於テハ當然獨立シ得ルモノト妄信シタル結果今回ノ騷擾ヲ惹起シタルモノト云ハサルヘカラス而シテ假令今日獨立スルモ獨立後ノ財政及軍備ヲ如何ニスルヤ現ニ世界各國ハ休戰後ト雖競フテ軍事上ノ研究ニ沒頭シ武器ノ精鋭ト軍隊ノ訓練ニ餘念ナシ彼ノ國際聯盟ノ齋ス平和ノ如キ一片ノ空想ノミ敢テ信スルニ足ラス今日朝鮮カ何等軍備ナクシテ獨立セシカ日本ノ治下ヲ離ルルコトヲ得ルトスルモ更ニ他ノ强國ノ版圖ニ歸センノミ吾人ハ寧ロ同種族タル日本ノ治下ニアルヲ希フモノナリ云々ト語ル者アリ（五月六日）

一五〇 一五一

（四）敎育制度ニ對スル兩班ノ感想

醴泉郡地方一部ノ兩班中ニハ今回ノ騷擾犯人ハ各地共新敎育ヲ受ケタル若年者最多シ此レ畢竟新敎育ノ弊ナルヲ以テ自己ノ子弟ニハ新敎育ヲ受ケシメス舊時ノ如ク書堂ニ於テ漢文ヲ修得セシムヘシト語ル者アリ

（五）鮮人ノ反抗的態度

奉化郡法田面地方鮮人ハ近方桑苗ノ配付ヲ拒ミ又ハ配付セラレタル桑苗ヲ夜間窃ニ面事務所門前ニ拋棄スル者アルヲ以テ所轄分隊ハ郡廳ト連絡シ諭示シツツアリ（五月十日）

（六）耶蘇敎徒ニ對スル反感

奉化郡明湖面乃川里耶蘇敎徒金在禮ハ最近同里民ニ對シ吾敎徒多數ハ今回ノ獨立運動ニ參加シ逮捕セラレタルモ孰レモ上帝ノ加護ニ依リ罪ナキコト判明シ放免トナレリ幸福ナラスヤト誇張ノ言ヲ弄

セシヨリ里民等ハ汝等耶蘇敎徒カ妄動セシ爲一般人民ハ嚴重ナル取締ヲ受ケツツアルニアラスヤ耶蘇敎カ如何ニ良民ヲ害シツツアルカヲ知ラサルヤト稱シ同人ヲ攻擊セシ事實アルカ此ノ外同地方民ハ一般ニ耶蘇敎ニ對シ漸次反感ヲ抱キツツアリ

（七）耶蘇敎ノ衰勢

金泉郡内ニ於ケル北長老派各敎會、禮拜堂ハ日曜毎ニ敎徒參集シツツアルモ騷擾以來ハ漸次減少シ目下ハ參集者從來ノ三割內外ニ過キス敎勢不振ノ情アリ

（八）法令實施ノ成績

英陽郡青杞面ハ同郡内ニ於テ最初ニ騷擾ヲ惹起セシ地ナルヲ以テ英陽憲兵分遣所ニ於テハ實施ノ困難ヲ豫想シ四月三十日清潔法ヲ實施セシニ事實ハ之ニ反シ頗ル良好ノ成績ナリシヨリ其ノ原因ヲ内査セシニ同地區長及一部ノ有力者ハ曩ニ妄動者ヲ出シタルヲ悔悟シ豫メ部民ニ對シ官憲ノ命ニ抗シ暴民ノ名ヲ蒙ルカ如キ愚昧ノ擧ニ出ツルノ非ナルヲ諭シタルヨリ部民ハ之ニ服シ進ンテ清潔法ヲ實施スルニ至リシコト判明セリ（五月十五日）

（九）耶蘇敎徒ニ對スル反感

盈德郡柄谷面遠黄洞附近部民ハ過般寧海柄谷地方ニ於ケル騷擾ハ耶蘇敎徒ノ煽動ニ因リ遂ニ一般ニ累ヲ及ホシタルモノナリシ彼等信徒ヲ憎惡スルノ念漸ク深ク信徒ニ遭遇セハ之ヲ惡罵シ又信者ト往來スル者近時著敷減少シ爲ニ信徒等ノ家族ハ外出ヲ憚リ飲料及雜用水汲取ノ如キモ夜間窃ニ所用ヲ辨シツツアル狀況ナリ

一五二 一五三

（一〇）朝鮮佛敎ノ活動

永川郡銀海寺住持ハ近時耶蘇敎ニ對スル批難ノ聲高キニ乘シ敎勢ノ擴張ヲ圖ラント畫策中ノ處過般末寺タル軍威郡義興面水泰寺ニ一僧侶ヲ派遣シ同寺住持ト協力セシメ熱心布敎シタル結果信徒四十名ヲ得尙引續キ信徒勸誘中ナリ（五月十七日）

（一一）救世軍ニ對スル反感

青松郡眞寶面理村洞ニ於ケル這般ノ騷擾ハ盈德郡知品面救世軍士官權泰源ノ使嗾煽動ニ基因シ爲ニ過般洞民等ハ官憲ノ嚴重ナル戒告ヲ受ケタルヲ恥辱トシ畢竟洞內ニ救世軍ノ如キ邪敎アリシ爲斯ル失態ヲ演スルニ至リタルモノナリト稱シ洞民結束シテ該敎徒ノ排斥ヲ協議シタル模樣ナルカ目下同洞救世軍支營勤務正尉朴根實ハ此ノ情勢ヲ見テ將來布敎ノ至難ナルヲ察シ他ニ轉任方大邱地方營ニ上申セリト云フ

（一二）內地視察歸還者ノ時局談

軍威郡居住兩班裵應錫ハ過般內地ノ視察ヲ終ヘ歸來シ此ノ程洞內有志者十數名ニ對シ次ノ如キ感想談ヲ爲シタルカ聽者ニ多大ノ感動ヲ與ヘタルカ如シ

過般ノ騷擾ヲ最モ冷靜ニ觀察スレハ誠ニ愚ノ極ナリ自分ハ今回內地ニ旅行シ各般ノ事物ニ付詳細視察ヲ遂ケタルカ內地ノ發展ハ實ニ驚クノ外ナシ日本ヲ一等國トシテ列强ノ認メタルハ當然ニシテ內地ノ狀況ヲ一度視察セサレハ日本帝國ノ國威ヲ知ル能ハス尙內地官憲ハ朝鮮人ニ對スル取扱極メテ叮嚀ナルヲ感シタリ過般ノ騷擾ハ韓國ノ獨立ヲ圖リ將來ノ幸福ヲ得ルニアリト云フモ韓國獨立セハ却テ人民ノ不幸トナルハ明ナリ又日本以外ノ他國ト併合スルモ到底今日以上ノ幸福ヲ得ルコト能ハサルヘシ云云

七、慶尙南道

（一）　鮮人有力者ノ談話

密陽地方ニ於ケル兩班富豪中ニハ今回各地ニ勃發セシ騷擾ハ併合以來ノ壓迫ニ對スル反動ニシテ就中下級內地人官吏等ハ鮮人上流者ニ對スル禮ヲ知ラス恰モ四人ニ對スルカ如キ態度ヲ以テ接スルモノアリ此ノ非常識ナル弱輩カ官廳ノ事務ヲ取扱フカ爲メニ官民ノ意思疎隔シ又居住內地人等ハ一般鮮人ニ對シ侮蔑的言辭ヲ弄シテ徒ラニ反感ヲ買ヒ大國民タルノ襟度ニ乏シ此等ハ今次事件ノ主因タルヘシト語ルモノアリ

河東郡地方ニ於テハ今回ノ事件ハ朝鮮人ノ智識ノ進步ニ伴フ當然ノ結果ナリ則チ日本官憲ハ口ニ朝鮮人ノ同化ヲ云爲シ一視同仁ヲ標榜セルモ事實上差別的待遇ヲ爲セルコトハ今日ニ於テハ鮮人中多

一五四
一五五

少智識アルモノハ何人モ知悉セル所ナリ內鮮人對等ノ待遇ヲ爲スニアラサレハ將來ト雖施政至難ナルヘシト語レルモノアリト

密陽地方ヨリ國葬拜觀ノ爲メ上京歸來セシ者ノ中ニハ京城ニ於ケル有力者ノ說トシテ今回ノ獨立運動ハ米國ノ煽動ニ依ルモノニシテ米國ハ日本ヲシテ「マーシャル」「カロリン」ノ二島ヲ拋棄セシムル策略トシテ民族自決主義ニ依リ恰カモ朝鮮カ獨立シ得ルモノヽ如ク諷シ以テ鮮人ヲシテ騷擾ヲ惹起セシメ此ヲ媾和會議ノ問題トシ日本ノ兩島占有ニ關スル主張ヲ牽制セムトスルノ策ナルヘシト語ルモノアリ

（二）　騷擾煽動ト詐欺

朝鮮獨立ニ參加セサル者ハ獨立ノ曉ニ白丁（穢多）トシテ取扱ハレ普通民ト差別的ノ待遇ヲ受クルコトニ內定セリトノ言ヲ弄シ他ヲ煽動セルモノアリ

又無智ノ鮮人中朝鮮ハ必ス獨立スヘシト妄信セルニ乘シ獨立ノ曉ハ高官ニ周旋スヘシト欺キ金錢ヲ詐取スル者アリ現ニ國務大臣ニ就職セシムヘシト欺キ金二千圓ヲ詐取セシ事實ヲ發見檢擧セリ（三月中）

（三）　獨立說ト財產均分主義

下層民階級ニテハ今尙獨立萬歲ヲ高唱スル者アルカ彼等ノ間ニハ朝鮮ハ既ニ獨立セリ而シテ大總統

選出ノ曉ニハ國民全般ニ涉リ財產ノ均分ヲ得ラルヘシト稱シ稍共產主義的言辭ヲ弄スル者アリ

（四）　學校ノ狀況

釜山公立商業學校ニテハ四月一日ヨリ授業ヲ開始セシモ生徒總數百十一名中出席者五十餘名ニ過キス而シテ不登校生中ニハ地方ヨリ登校ノ爲來釜シ居ル者十名內外アルモ他ノ生徒カ登校セサルニ於テハ授業ヲ受クル心地セスト稱シ寄宿舍ニ入ラス旅宿ニ留リ居ル狀況ナルヲ以テ校長ハ極力登校ヲ促シ居レリ尙釜山警察署ニ於テモ生徒ノ動靜ニ付嚴密注意警戒シ居レリ

釜山鎭ニ於ケル濠洲長老派經營ニ係ル日新女學校ハ四月一日ヨリ開校シ百十名ノ生徒中五十八名登校シ居レルカ同校ハ曩ニ騷擾事件ニ關シ校長「デヴイス」ノ行政檢束及女敎員並上級生ノ收監セラレ居ル者アルト一面父兄ニ未タ不安ノ念去ラサル爲斯ク多數ノ不登校生アルモノヽ如シ尙校長ハ今暫ク學業ヲ授ケス單ニ祈禱ノミニ止ムヘシト稱シ居レリ

（五）　騷擾事件ニ對スル鮮人ノ意向

釜山日報社長ハ今回ノ騷擾事件ニ關シ四月十九日京城ニ於テ各新聞社長ノ會同アルヲ以テ其ノ際意見ヲ開陳スル爲豫メ釜山地方鮮人ノ意向ヲ聞キ置ク要アリトシ十三日同社株主ノ重ナル鮮人九名ニ付騷擾ノ原因及善後策ニ付意見ヲ聞キタルニ其ノ所見多岐ニ亘ルモ之ヲ要スルニ「（一）今回ノ騷擾ノ原因ニ付テハ種種アルヘキモ內地人ハ朝鮮人ニ對シ同化云云ト唱フルモ反面ニ於テハ朝鮮人ヲ劣

一五六
一五七

等視シ侮蔑スルコト甚タシク爲ニ鮮人ハ心中密カニ不平ノ念ヲ抱キ居ル折柄米國大統領ノ提唱セル民族自決主義ニ依リ「チエツク、スロバツク」ノ獨立ヲ見朝鮮モ亦米國ノ後援ニ依リ獨立シ得ヘシト思料シタル天道敎及耶蘇敎徒等ノ運動勃發ヲ動機ニ併合ノ際ニ於ケル宣明ニ反スル對鮮人ノ待遇ニ慊焉タル怨恨カ一時勃發シ遂ニ全鮮ニ波及セシモノナラン又內地人ハ支那人ニ對シテモ口ニ日支親善ヲ唱ヘ唇齒輔車ノ關係ヲ說クモ名實伴ハス之ヲ「チヤンコロ」ト輕侮スルカ爲支那人ノ反感ヲ買ヒ居レリ現ニ媾和會議ニ於ケル支那ノ態度ニ徵スルモ日支提携ノ行ハレサルハ其ノ證據ニアラサルヤ根本的同化ノ實ヲ擧ケ將來白人ニ對スル黃色人種ノ共同一致ノ力ヲ有效ニ發揮センニハ宜シク民族的偏見ヲ去リ朝鮮人ニ對シテモ均シク內地人ト同樣ノ待遇ヲ與ヘ官吏ノ俸給ノ如キモ之ヲ區別セス平等ノ待遇ヲ與フルニアリ若シ否ラサレハ騷擾ハ假令兵力ヲ以テ一時制壓スルコトヲ得ヘキモ思潮ハ何者ヲ以テスルモ制壓スルコト能ハサルヘク更ニ時ニ應シ機ニ觸レテ再ヒ勃發スルノ時アルヘシ」等其ノ主ナルモノナリシト云フ

（六）　騷擾煽動說

三月一日以來吾人同胞叫喚ノ聲ハ天地神明ニ通シ遂ニ日本政府モ已ムナク鮮人武官ノ增俸及文官任用令ノ改正ヲ行ヘリ更ニ進ンテ運動ヲ增大セハ最後ニ自治制ヲ布キ代議士ヲ選出スルニ至リ吾人ノ目的ヲ達スルコトヲ得ヘシト唱フルモノアリ又或ル者ハ吾人今回ノ運動ハ日本人ト同樣ノ待遇ヲ受

ケ又ハ自治制ヲ得ントスルカ如キ小問題ノ爲ニアラス其ノ目的トスル處ハ武器ヲ有セサル我カ民族トシテ最善ノ方法タル示威的運動ヲ媾和會議終了ノ日マテ繼續シ斷然日本ノ覊絆ヲ脫セントスルニアリ而シテ此ノ目的ヲ達セムカ爲ニハ最後ノ一人トナルモ止マサルノ覺悟ナカルヘカラスト煽動スル者アト云フ(四月十八日)

(七) 騷擾事件被告ニ對スル感想

密陽郡內ニ於ケル靑年等ハ曩ニ同地ノ騷擾ニ關シ檢擧セラレタル被告ニ對シ彼等ヲ憂國ノ志士ナリト稱シ將來朝鮮獨立ノ曉ニハ世人ノ尊敬ヲ受クヘク吾人モ此ノ際運動ニ參加セサレハ遂ニ世人ノ指彈ヲ受ケ將來社會ニ立ツコト能ハサルノ悲境ニ陷ルヘシト語リ又被告等ノ父兄ニ於テモ窃ニ之ヲ誇リ居レリト云フ

(八) 獨立運動費出資者

密陽郡下西面內ノ兩班二名ハ曩ニ全羅北道井邑ニ旅行シ同地居住ノ車敬德ナル者ノ勸誘ヲ受ケ朝鮮獨立ノ曉ニハ國務大臣ニ推薦ヲ受クルコトヲ內約シ國權恢復ノ運動資金トシテ金二千圓ヲ提供シタル事實アルヲ所轄密陽憲兵分遣所ニ於テ探知シ之ヲ檢擧セリ

(九) 官有地拂下ト浮說

今回密陽郡廳ニ於テハ其ノ筋ノ命ニ依リ官有地約二十町步ノ拂下ニ關シ小作人ノ便益ヲ圖リ之ニ拂

一五八
一五九

下優先權ヲ附與スヘキ夫々準備中ノ處之ニ對シ一部ノ鮮人ハ朝鮮ノ獨立ハ動スヘカラサル事實ニシテ近ク日本人ハ朝鮮ヲ引揚ケ日本ニ歸國スル筈ニ付引揚前官有地ノ拂下ヲ爲シ出來得ル限リ朝鮮人ノ金錢ヲ多ク持チ歸ラントスル計畫ナレハ今現金ヲ支拂ヒテ吾人ノ所有ト爲サストモ引揚後ハ當然吾人ノ所有ニ歸スヘキモノナルヲ以テ拂下ヲ受クル要ナシトノ說ヲ流布スル者アル爲土地拂下希望者モ一時其ノ成行ヲ傍觀スル態度アルヨリ流言者ヲ嚴重取締リ且良民ニ對シテハ其ノ浮說ニシテ信スヘカラサルコトヲ說諭セリ(四月二十一日)

(一〇) 新聞記事ト朝鮮人

內地新聞ヲ購讀セル鮮人靑年中ノ或者ハ過般某政客カ東北地方ニ於テ將來朝鮮人ニ自治ヲ許スヘシト講演シ又某大官カ將來ノ朝鮮政治ハ文治政治ニ改メ朝鮮人ニ相當ノ地位ヲ與フヘシト新聞記者ニ語リタリト云フ新聞記事ニ對シ是今回ノ騷擾カ其ノ效果ヲ奏シタルモノト謂フヘシ吾人ハ尙將來倍强固ナル決心ヲ以テ權利ノ伸張ニ努力セサルヘカラスト語リ居レリト云フ

右ニ對シ朝鮮ノ事情ニ精通セル內地人ハ今回ノ騷擾ニ依リ朝鮮人ニ何物カヲ獲得セシムル如キ談ハ假令一時ノ鎭撫策トスルモ丌ハ朝鮮人ニ將來無謀ナル念ヲ抱カシムル素因ヲ與フルモノニシテ恩ニ狃ルル彼等ノ特性タル驕慢ノ態度ヲ益益助長セシムルモノナリト評スル者アリ(四月二十三日)

(一一) 民心ノ惡化

三千浦ニ於テハ三月二十五日騷擾勃發以來取締嚴重ナル爲表面平穩ニ歸シタルカ裏面ニ於テハ騷擾後民心惡化セル傾向アリ現ニ數日前內地人婦人數名郊外ニ遊山ノ歸途多數ノ鮮童之ニ瓦礫ヲ投シタルコトアリ又從來內地人トノ衝突ハ之ヲ避クル風アリシカ近時ハ却テ彼等ヨリ進ンテ喧嘩ヲ求メムトスル傾向アリ全ク從前トハ民心一變セルノ觀アリ(四月二十六日)

(一二) 面吏員ノ辭職

河東警察署管內ニ於テハ軍隊配置後表面靜穩ニ歸シタルカ如キモ裏面ニアリテハ不逞漢カ巧ニ活動ヲ爲シ面吏員及良民ヲ脅迫シ居ルモノノ如ク爲ニ河東郡內十四面長中現ニ其ノ職ニ止マリ居ル者僅ニ三名ニシテ殊ニ花開面ノ如キハ面長以下總辭職ヲ爲シ其ノ他ノ面吏員ニ於テモ誠意ヲ以テ執務スル者極メテ少數ナルヨリ面行政ハ殆ト中絕ノ有樣ナルヲ以テ郡守ハ專ラ面吏員ノ慰撫ニ努メ又河東署長ハ極力犯人ノ檢擧ニ努メツツアリ(四月二十九日)

(一三) 鮮人僧侶ノ妄動

密陽郡丹場面所在表忠寺僧侶ハ四月四日同面台龍洞ノ騷擾ノ際卒先シテ暴擧ニ出テシカ同寺ハ文祿ノ役ニ殊功アリシ松雲大師ノ開山ニシテ死後表忠寺ナル勅號ヲ得今尙「淸虛大禪師寶藏錄」其ノ他當時ノ事蹟ヲ記載セル書籍ヲ藏置セル等ノ關係ヨリ豫テ僧侶等カ排日思想ニ化セラレ居タルニ因由スルモノノ如シ(五月十日)

一六〇
一六一

(一四) 脅迫文ト辭職

金海郡內ノ面長中辭職勸告ノ脅迫文ノ配布ヲ受ケタル者數名アリ就中下界及生林ノ兩面長ハ非常ニ恐怖シ辭職願ヲ提出セシヲ以テ郡守ニ於テ懇諭ノ上一應辭表ヲ撤回セシメタリ(五月十一日)

(一五) 朝鮮民族自滅說

馬山地方鮮人學生間ニハ將來朝鮮ニ於ケル內地人ノ勢力增大スルト共ニ內地人ノ勢力下ニ衣食スル鮮人及內地人ニ雇傭セラルル鮮人ハ倍多数トナリ而シテ是等ハ不知不識ノ間ニ內地人ニ同化セラレ又支那間島其ノ他各地ニ移住セル鮮人ハ數十年後ニ至ラハ外國人ト結婚スル者多數ニ上リ遂ニ民族觀念ヲ忘却スルニ至ルヲ以テ今日ニ於テ民族自決主義ニ依リ祖國ノ恢興ヲ圖ルニアラサレハ遂ニ獨立ヲ得ルノ機ナク朝鮮民族ハ自滅ヲ免レサルヘシト唱フル者アリ(五月十九日)

(一六) 面吏員ノ辭職理由

密陽郡內十三面長中騷擾後面長ノ辭職ヲ願出テタル者既ニ八名ニ及ヒ殊ニ丹場面ノ如キ面吏員悉ク辭職シ面行政機關ハ中止ノ實況タリ而シテ其ノ表面ノ理由ハ不逞輩ノ脅迫ニ依リ職ニ安スル能ハスト云フニアルモ間ニハ內地諸新聞ニ朝鮮視察員ノ談片トシテ內鮮人官公吏ノ俸給ニ等差ヲ設ケアルハ今回騷擾ヲ惹起セシ原因ノ一タル如ク記載シアル爲同盟辭職ノ擧ニ出テタランニハ必ス指定面長タル內地人ニ給スルカ如キ高額ノ給料ヲ得ルニ至ルヘシトノ野心ヨリ辭職ヲ願出テタルモノアリト

云フ(五月二十日)

（一七）　自制團加入ニ反對

金海郡廳ニ於テハ道長官ノ內訓ニ基キ各部落每ニ自制團ヲ組織シ團員ノ申合書ヲ徵シ民心ノ安定ヲ計ラントシテ既ニ各面ニ吏員ヲ派シ之カ實行ニ努メツツアルカ各部落民中ニハ之ニ對シ日韓併合當時一進會ノ勸誘ニ依リ鮮民約一萬有餘名ノ者調印シ之ヲ日本政府ニ送リ日韓併合ヲ容易ナラシメタル事例アリ朝鮮ハ今回ノ獨立運動ニ依リ今ヤ獨立ノ氣運ニ向ヒツツアリ故ニ日本政府ハ其ノ善後策トシテ申合書ニ調印ヲ徵シ之ヲ更ニ佛國巴里ノ媾和會議ニ提出シ朝鮮人ノ請願ニ係ル獨立問題ヲ撤回セントスル政策ナリ此ノ際朝鮮人ハ自重シ往年一進會ノ勸誘ニ依ル調印ノ愚ヲ再ヒセサルコトニ注意セサルヘカラスト稱シ調印ニ應スル者尠ク中ニハ相當知識階級ノ者ニアリテモ印ノ落失ニ藉口シ調印ニ反對スル者アリ

（一八）　細民ノ生活難

陝川郡內ニ於テハ騷擾後各部落ヲ通シ流言蜚語熾ニ行ハレ民心ハ依然トシテ險惡ニシテ日米開戰説又ハ日本ノ施政方針ハ益々高壓ヲ加フルニ在リ等ノ浮説流布サルルヲ以テ中流以上ノ者ハ將來ヲ杞憂シ金錢ノ貸借又ハ土地ノ賣買ヲ見合セ可成現金ヲ貯藏スルノ傾向ヲ生シ爲ニ細民ハ生活上ニ困難ヲ感シ此ノ狀態ニシテ持續センカ到底生活スルコト能ハストテ間島其ノ他ノ地ニ移住ノ意ヲ洩ス者アリ

一六二　一六三

（一九）　獨立說ト暴擧

陝川郡內僻陬ノ各地ニ於テハ騷擾事件勃發後傷害事件著シク增加シ告訴告發頻發ノ狀況ナルヲ以テ其ノ原因ヲ探究スルニ無智ノ暴民ハ朝鮮ハ既ニ獨立セリ從テ新政府ノ組織完了ニ至ラサル以前ニアリテハ從來ノ法規ハ全然其ノ效ヲ失ヒ林野ノ官民有區分ノ如キ當然消滅セリ故ニ林產物採取等勝手タルヘシト稱シ法規ヲ無視シ慣行ヲ破リ亂暴ノ擧ニ出テ之ニ反抗スル者ニ對シテハ現今ノ狀態ハ無政府ナリ事ノ勝敗ハ腕力ニ依テ定マルモノナリト放言シ結局喧嘩口論ヲ挑ミ遂ニ傷害事件ノ增發ヲ見ルニ至レリ

（二〇）　負傷者ノ治療費醵出

四月三日昌原郡鎭東面社洞里騷擾ノ際ニ於ケル暴民負傷者九名ハ馬山府都町三省病院(鮮人經營)ニ於テ治療シツツアルヲ以テ治療費ノ出所ニ付調査シタルニ鎭田面長權五鳳ハ隣接鎭北面及鎭東面長ト協議シ今回ノ負傷者ハ何レモ國家ノ爲努力セシ者ナレハ之ニ對スル治療費ヲ醵出セラレタシト右三面各區長及有力者ニ通知シタル處一般ニ負傷者ニ同情シ鎭東面二百三十三圓四十錢鎭北面九十四圓四十五錢及鎭田面(面長所在不明ノ爲金額未詳)ノ醵金ヲ得テ負傷者ノ治療費其ノ他ノ費用ニ充當シ居リタル事實判明セリ

（二一）　流言蜚語

河東郡ハ軍隊配備ニ伴ヒ警戒周到ナル結果表面輕擧妄動スル者ナク鎭靜ニ歸シタリト雖今尙流言蜚語熾ニ行ハレ民心ノ緩和ハ當分不可能ナリト認メラレ就中部民中ニハ軍隊ノ駐屯ハ一時的ナリ之カ引揚ケ後ハ大ニ活動スヘキ時期アルヘシ又ハ日本政府カ如何ニ強壓スルモ乖離セル現下ノ民心ハ到底融和シ能ハサルヘク我朝鮮ノ最後ノ決定ハ米國大統領「ウイルソン」氏カ媾和會議終了後必ス朝鮮獨立援助ノ爲來鮮スル筈ナレハ今二三ケ月後ニハ何レニカ決定スルナラン等ノ言辭ヲ弄スル者アリテ民心頗ル不穩ナリ

（二二）　面吏員ノ執務狀況

曩ニ辭表提出ノ河東郡各面長ハ郡守及警察署長ノ諭示ニ依リ一應辭表ヲ撤回シタルモ事實執務セサル者多ク一般面吏員ヲ通シテ一人若ハ二人カ一時間乃至二時間出勤スルノミニシテ何等爲スコトナク退所スル狀態ナルヲ以テ之カ事由ヲ內査スルニ何レモ依然不安ニ感シ居ルノミナラス人心著シク過激ニシテ徵稅勸業ノ如キ殆ト面ノ指令ハ一モ行ハレス爲ニ職務ノ遂行不能ナルニ依レリト

（二三）　學生ノ惡戲

河東公立普通學校生徒ハ五月三日校庭ニ於テ「フートボル」ノ遊戲ヲ利用シ頻ニ萬歲ヲ高唱シツツアルヲ以テ警察官出張シ制止シタルモ彼等ハ恰モ嘲弄的態度ニテ尙萬歲ヲ高唱セシ後漸ク中止シタルカ尙五月一日同郡赤良面東山里ヨリ河東邑內ニ通スル路傍ノ並木ニ獨立萬歲ト書セル紙片數十枚及美濃紙形ノ太極旗ニ獨立萬歲ト記セルモノヲ貼付シアルヲ發見セシカ或ハ同校生徒ノ所爲ナラントト思料セラルル點アリ(五月二十三日)

一六四　一六五

（二四）　內地人商人排斥企畫

密陽郡邑內鮮人資產家ハ資本金十萬圓ヲ以テ雜貨店ヲ經營シ鮮人ハ一切內地人商店ヨリ物資ヲ購買セサルコトトスヘク密ニ協議シツツアリトノ聞込アリ注意中(五月二十六日)

八、黃海道

（一）　騷擾ニ對スル感想

黃州地方鮮人官公吏及有職者中ニハ鮮人一般ニ泰平ヲ謳歌シツツアル今日騷擾ヲ惹起スルニ至リシハ誠ニ遺憾トスル所ナルカ事件ノ裏面ニハ必ス外人アルヘシト爲シ或ハ朝鮮ノ獨立ハ可能ニアラサルヤトノ疑惑ニ驅ラレツツアル情況アリ

鳳山郡地方鮮人有力者中ニハ今回ノ擧ノ如キハ寸效ナシ鮮人ハ須ラク隱忍持久シ愛蘭ノ英國ニ對スルカ如ク自治ヲ要求スルノ時機ヲ俟タサルヘカラスト語レルモノアリ

載寧地方有力鮮人中ニハ政府ハ內鮮人ニ對シ同等ノ取扱ヲ爲スト稱スルモ事實上ニハ大ナル等差アリ此ノ點ハ鮮人ノ最モ不滿トセル處ナルヲ以テ朝鮮ノ平和ヲ維持セムト欲セハ同等ノ待遇ヲ與ヘサ

ルヘカラスト稱スルモノアリ又米國大統領「ウイルソン」ハ朝鮮人ニ對シ大ニ同情ヲ寄セ鮮人有力者ニ對シ媾和會議ニ於テ獨立運動ヲ援助スヘキニ付鮮人ハ一般ニ併合ニ反對ナリトノ意志ヲ表示セサルヘカラスト語レリト故ニ此ノ意志表示ノ方法トシテ騷擾ヲ煽動セシカ如シ鮮人トシテハ獨立不可能トスルモ米國ノ治下ニ屬スルヲ希望スルモノナリトノ言ヲ弄スルモノアリ

海州地方鮮人有力者中ニハ若シ朝鮮カ獨立スヽトスルモ日本ノ保護ヲ受クルニアラサレハ現在ノ露國ノ如ク悲慘ノ境遇ニ陷ルヘシ且媾和會議ニ於テ朝鮮ノ獨立ヲ認ムルヤ否ヤモ疑問ナルニ其ノ根帶ヲ究メスシテ徒ニ騷擾スルハ不可ナリト云フモノアリ又官吏中今回ノ騷擾ニ依リ收監セラレタル鮮人ノ數ハ蓋シ少數ニアラサルヘシ彼等ハ吾々同胞ノ爲犧牲ト爲リタルモノナリ然ルニ吾々ハ總督府ヨリ俸給ヲ受ケ無爲銷日スルハ慚愧ニ堪ヘサル處ナリ云々ト同情的言ヲ漏スモノアリ

天道敎徒中ニハ世人ハ今回ノ獨立運動ヲ以テ輕擧妄動ナリト冷笑スルモノアルモ後日必ス朝鮮ハ獨立スヘク其ノ曉ニ於テ我敎徒ハ無上ノ光榮ト幸福ヲ得ヘシト傲語スルモノアリ

耶蘇敎徒中ニハ日本官憲ハ米國ノ勢威ニ恐レ米國人ノ行爲ニハ干涉スル能ハス此ノ際米國大統領ノ宣言セル民族自決主義ニ依リ飽迄運動ヲ繼續セハ遂ニハ獨立ノ目的ヲ達スルヲ得ヘシト稱シ之ヲ確信セルモノアリ(三月中)

(二) 騷擾後ニ於ケル施政觀

一六六
一六七

智識階級ノ朝鮮人ハ今後ノ施政觀ニ付語テ曰ク內地諸新聞紙ニハ今回ノ騷擾ハ日本カ朝鮮統治ヲ誤リタルニ起因ス卽チ內鮮人平等主義ヲ採用シテ施政方針ヲ一變センカ直ニ妄動ハ鎭靜シ得ヘシトノ記事ヲ揭載シアリ而シテ之カ事實トシテ實現セハ吾人ノ幸福ハ此上ナキモ政府ハ恐ラク之ヲ實現セサルヘシ若シ之ニ左袒シ直ニ此ノ平等主義ヲ採用センカ鮮人ノ權利ヲ主張スル者續出シ其ノ鎭定ニ一層ノ困難ヲ來スヘク政府ハ今回ノ事件ニ鑑ミ將來モ尙武斷政治ヲ以テ施政ノ方針ト爲スヘキハ勿論又實際ニ於テ武斷政治ヲ以テセサレハ所期ノ效果ヲ收ムルコト能ハサルヘシト云フ者アリ

(三) 騷擾ト耶蘇敎徒

載寧地方耶蘇敎徒間ニハ該地方ニ於ケル獨立運動ハ各地共耶蘇敎徒ヲ中心トシテ開始セシカ是レ一般鮮人ニ對シ耶蘇敎徒ノ誇トスル所ナリ殊ニ老幼婦女子ニ至ル迄應援シタルハ一入賴母シキコトナリト傲語シツヽアリト云フ

(四) 面吏員ノ辭職

獨立運動ニ好意ヲ有スル面吏員等ニシテ部民ノ脅迫煽動ト事務繁忙ニシテ執務不能ノ名ノ下ニ辭職ヲ企畫セル者アリ現ニ安岳郡文山面長及龍山面長ハ既ニ辭表ヲ提出セリ(四月二十二日)

(五) 面吏員ニ對スル脅迫

金川郡內ニ於テハ騷擾發生以來郡民ノ態度一變シ稅金ヲ納付スル要ナシ或ハ面長ヲ打殺スヘシ又ハ

面事務所ヲ燒拂フヘシ等面吏員ヲ脅迫スルヤニテ近來辭意ヲ漏ス者不尠趣ナルカ面長等ハ後難ヲ恐レテ脅迫者ヲ口外セス

(六) 宣敎師ノ檢擧ト鮮人信徒ノ感想

朝鮮人耶蘇敎徒ノ多ハ宣敎師等ノ巧言ニ欺カレ彼等宣敎師ニ對シテハ如何ニ日本官憲ト雖之ニ干涉スルコトヲ得サル如ク思惟シ居リタルニ今回ノ事件ニ依リ米人宣敎師ノ檢擧及家宅搜索等ヲ見聞シ假令米國人ナリト雖法ノ前ニハ如何トモスル能ハサルカ如シ然ラハ敢テ米國人ヲ信賴スルニ足ラスト稱シ脫敎セシ者アリト云フ(四月二十九日)

(七) 騷擾ノ鮮人思想上ニ及ホシタル影響

騷擾ノ鮮人思想上ニ及ホシタル影響ノ反映トシテ今日迄ニ現ハレタル具體的事實ヲ擧クレハ左ノ如シ

(イ) 從來內地人醫師ノ診療ヲ受ケツヽアリシ者及內地商人ト取引關係アリシ者竝ニ內地人商店ヨリ物品ヲ購入シツヽアリシ者ハ漸次減少シツヽアリ

(ロ) 鮮人各階級ヲ通シ從來內地人ト親交アリシ者ハ可成出入ヲ避ケムトシツヽアル傾向アリ

(ハ) 從來一部不平者中ニハ陰ニ內地人ヲ呼フニ倭奴ナル侮蔑ノ言辭ヲ用フル者アリシカ近來ハ平然トシテ內地人ヲ呼フニ此ノ語ヲ以テシ又自ラ大韓國人ト稱スルニ至レリ

一六八
一六九

(ニ) 從來鮮人巡査、巡査補ニ對シ親交アリシ者ハ近來一般ニ之ヲ避ケムトスルノ風アリテ甚タシキニ至リテハ途中相遇フモ態ト挨拶スラナササル者アリ

(ホ) 殷栗、長淵地方ニ於テハ郵便貯金ヲ爲ス者減少シ反之拂戾請求者增加シツヽアリ之レ獨立實現ノ曉ニハ預金請求ノ權利消滅スヘシトノ妄想ニ出テタルカ如シ

(八) 妄動參加者ノ家族ノ悔悟

瀛川及麒麟地方ニ於テ騷擾ニ參加シ死傷セル者ノ家族等ハ近時獨立ノ不可能ナルヲ覺知スルト共ニ妄擧加擔ノ非ヲ悔ヒ既ニ騷擾後ニ於テ逃走セシ煽動者ヲ怨ミ彼等ニシテ歸還セハ之ヲ逮捕シ官憲ニ引渡スヘシト語ル者アリ又瑞興郡地方ニ於テ騷擾ニ參加シ負傷後死亡セル者ノ內ニハ煽動者ヲ逮捕シ讎ヲ報スヘシト遺言セル者アリテ漸次輕擧ヲ悔ヒ煽動者ヲ惡ムノ傾向顯著トナリツヽアリ(五月三日)

(九) 清潔檢査ニ對スル民心ノ感想

四月二十六日ヨリ三日間ニ亘リ載寧邑內ノ春季清潔法ヲ實施シタルカ鮮人側ハ例年ニ比シ一般ニ成績良好ナリシヲ以テ其ノ原因ヲ調査スルニ今回ノ清潔檢査ハ騷擾勃發後第一回ノ檢査ナレハ例年ニ比シ一層嚴重ナルヘク若シ此ノ際不都合ノコトアラシカ不逞ノ徒ト誤マラルルコトヲ慮リ充分ノ注意ヲ拂ヒタルモノヽ如シ尙彼等ハ家族全部門口ニ於テ檢査員ヲ送迎シ表面著シク好感ヲ裝ヒツヽア

リ(五月十七日)

九、平安南道

（一）騷擾ニ對スル感想及傾向

平壤ニ於テハ今回ノ騷擾殊ニ耶蘇敎徒ノ行動ニ反感ヲ抱キ大々的反對運動ヲ起スヘシ等唱フルモノアリ郡部地方ニ於ケル下層民ノ多數ハ朝鮮ハ全ク獨立セリト信シ又ハ今回ノ騷擾ニ依リ獨立シ得ヘシト信セルモノアリ

耶蘇敎徒及不良學生等ハ「獨立運動ハ一部宗敎團及學生等ノミノ事業ニアラス官公吏モ商人モ農夫モ擧テ起タサルヘカラス我等カ命ヲ捨テテ運動シツツアルニ晏如トシテ業ヲ營ムハ非國民ナリ獨立ノ日迄ハ商店ハ開店スヘカラス」「獨立ハ疑ナク成功スヘシ二千萬同胞ハ最後ノ一人迄奮鬪セサルヘカラス我祖國ト子孫ノ爲メ赤キ血ヲ惜ムヘカラス」「百年壓制ノ下ニ生キムヨリ一日ノ自由ヲ樂ムヘシ」等不穩ノ言ヲ弄シ又ハ不穩ノ印刷物ヲ配布シ頻リニ煽動ニ努メツツアルヨリ民心ハ漸次險惡ニ陷ルノ傾向アリ

騷擾ニ干與セシ耶蘇敎及天道敎徒中西北間島ニ移住ヲ企ツルモノ多キ傾向アリ

獨立運動成功ノ曉ハ人民ノ富ハ平等ニ分配セラレ運動ニ參加シタル者ハ納稅ヲ免除シ死傷者ニハ恩賞ヲ施スヘシ又ハ米國ハ近ク獨立ノ援助ノ爲メ多數ノ兵ヲ送ルヲ以テ近ク日本兵ト衝突シ動亂ハ倍熾烈トナルヘシ若ハ耶蘇敎及天道敎ハ共同シテ上海某英字新聞ヲ買收シ運動狀況ヲ詳報シ列國ノ同情ヲ得テ所期ノ目的ヲ達スヘク企畫セリ等ノ說ヲ流布スルモノアリ(三月中)

（二）騷擾事件及制令ニ對スル感想

平壤居住辯護士李基燦ハ騷擾事件及制令ニ對シ今回ノ騷擾カ勃發スルニ至ルマテニハ多少ノ時日ヲ要シタルモノノ如シ當局カ之ヲ未發ニ防止スルコトヲ得サリシハ平素言論ノ自由ヲ壓迫スルヨリ各其ノ思想ヲ吐露スルトキハ口禍忽チ到ルコトヲ怖レ善惡共ニ口ヲ緘シテ語ラス又筆ヲ束ネテ書カス斯テハ民意ノ在ル所ヲ知リ得サルヘシ今少シク言論ノ自由ヲ認ムレハ不平アル者ハ施政ノ缺陷ヲ忌憚ナク發表シ統治上ノ參考トナルヘキコト多カルヘシ尙今回ノ事件モ當局カ叙上ノ方法ニ依リ民意ノ歸嚮ヲ察シ之ニ依リ策應シタランニハ必ス事ヲ未前ニ防止スルコトヲ得タリト信ス

四月十五日發布セラレタル制令第七號政治ニ關スル犯罪處罰ノ件ハ騷擾事件ニ對スル威嚇法令ナリ然レトモ騷擾ハ既ニ終熄ニ近キタルヲ以テ當分同令ヲ適用スルコトナカルヘシ(四月二十三日)

（三）騷擾ト宗敎ニ對スル反感

大同郡內ノ一般部民ノ耶蘇及天道敎徒ニ對スル憎惡ノ念漸ク盛トナリ吾等ノ生活ノ安固ヲ破壞シタル者ハ彼等ナリ彼等ハ眞ニ我同族ヲ救ハントスルモノニアラスシテ反テ死地ニ導クモノナリト痛罵ヲ加フル者アリ爲ニ或ハ脫敎シ又ハ信者ニアラサルコトヲ裝ハントシテ故ラニ飲酒シ又ハ信者タル

表札ヲ撤スル者多シ以上ノ情況ナルヲ以テ龍山面ノ耶蘇敎附屬學校增築計畫及南串面ニ於ケル天道敎傳道室新築計畫ハ今回中止セリ(四月二十七日)

（四）鮮人旅行取締部令ニ對スル感想

平壤居住辯護士洪在祺ハ曰ク朝鮮人旅行取締ニ關スル部令ノ趣旨ハ不逞鮮人ノ取締上發布セラレタルモノニシテ一時的ノモノタルヘク不逞者等ハ自繩自縛ニ陷リ寧ロ當然ノ事ト思ハルルモ之カ爲一般良民ハ旅行上尠カラサル手數ヲ要シ實ニ迷惑至極ナリ又取締官憲ニ於テモ事務多端ノ折カラ其ノ繁ニ堪ヘサルヘシ然レトモ吾人ハ此法令ノ發布ヲ怨マス不逞鮮人ノ跋扈一日モ速ニ終熄シ同令ノ適用ナキニ至ルノ日ヲ待ツノミト語レリ(五月二日)

（五）耶蘇敎徒排斥

平原郡宇白里耶蘇敎長老派牧師高士英ハ去ル三月中石岩里市場ニ於テ約一千名ノ群衆ヲ煽動シ示威運動ヲ爲シ目下逃走中ノ者ナルカ爾來同里民ノ非耶蘇敎徒ハ同敎徒ノ暴擧ニ依リ多少ノ被害ヲ蒙リタルノミナラス彼等暴動ノ爲生活上ノ不安ヲ感スルニ至リタルヲ以テ耶蘇敎徒ヲ排斥スルノ念深ク里民ハ耶蘇敎徒ノ重ナル者ニ對シ退去ヲ迫リタルカ敎徒中崇實學校生徒高燦璿ハ六月一日ニハ朝鮮ハ獨立スヘシ其ノ際汝等ハ耶蘇敎徒ノ壓迫ニ堪ヘサルヘシ杯ト暴言ヲ吐キ之ニ應セサリシモ終ニ同里區長以下四十七名ハ斷然彼等ノ退去ヲ要求シタル結果耶蘇敎徒ノ主ナル者八戶ハ四月十八日何レモ移居スルニ至レリ(五月四日)

（六）媾和會議ノ形勢ト鮮人ノ感想

平壤地方鮮人中ニハ五大强國中英佛米三國ハ相提携シテ日本及伊太利ノ要求ヲ斥ケタルヲ以テ伊太利ハ遂ニ脫退セリ日本モ亦人種平等問題ヲ否決セラレ且山東問題モ不利ノ形勢ナルヲ以テ此ノ侮辱ニ堪ユル能ハス脫退シ或ハ支那若ハ米國ト開戰スルニ至ルヘク其ノ際ハ朝鮮人ハ獨立運動ヲ爲シ日本ニ反抗セルヲ以テ必然戰端開始ト同時ニ虐殺セラルルヲ免レサルヘシト稱シ騷擾煽動者ノ無謀ヲ罵ルト共ニ恐怖ノ念ニ驅ラレ居ル者尠カラス(五月四日)

（七）耶蘇敎徒ノ不穩言動

平壤府內各派耶蘇敎會ノ禮拜集會ハ依然不振ノ狀態ニアリテ集會人員ハ騷擾發生前ノ半數以下ニアリ故ニ傳道者ハ只管敎勢ノ挽回ニ腐心シ爲ニ往々不穩ノ言動ニ出ツルコトアリ現ニ曩日監理敎南山峴敎會水曜禮拜ニ際シ司會者李光國ハ祈禱中「上帝ノ權能ニ依リ彼等ハ近ク放免セラルヘシ又彼等ノ希望通獨立運動ノ成功スル樣祈禱ス云々」トノ言動アリ依テ平壤警察署長ニ於テ其ノ不心得ヲ警告セリ

（八）騷擾ニ對スル感想

平壤府尹及警察署長ハ四月二十四日ヨリ二日間府民ヲ召集シ騷擾ニ關スル訓話ヲ爲シタルニ第一日

ハ約三百名第二日ハ約六百名集會セルカ這般ノ運動ニ對スル彼等ノ感想ヲ綜合スルニ概ネ左ノ三種ニ大別セラルルモノノ如シ

(イ) 獨立ハ不可能ナリ(少數)

(ロ) 半信半疑ノ念ヲ抱ク者(大多數)

(ハ) 媾和會議終了迄ニハ必ス獨立ス(十分ノ三)

(九) 耶蘇敎學校ニ對スル反感

龍岡郡瑞和面耶蘇敎所屬新興學校ハ今回ノ事件ニ依リ校長及敎員逮捕セラレタル爲爾來休校中ノ處耶蘇敎徒ニアラサル生徒ノ父兄等ハ子弟ノ敎育ヲ曠廢スルニ至リタルハ校長以下職員ノ不都合ナル行動ニ依ルモノナリトシ甚シク耶蘇敎ニ反感ヲ抱キ此ノ際普通學校ニ轉校セシムヘシト主張シ面長ニ對シ轉校方申出タリ

(一〇) 農民ノ間島移住

近時地方下層農民中ニハ生活上ノ不安ニ驅ラレ爲ニ間島移住ヲ企ツル者增加ノ狀況アルヲ以テ同地方民等ノ感想ヲ內査スルニ左ノ如クニシテ之レ移住企畫ノ一因ヲ爲セルカ如シ

(イ) 朝鮮獨立セハ新政府ハ國庫資金ナキヲ以テ苛斂誅求昔日ニ倍スルモノアルヘシ

(ロ) 獨立不能トナラハ朝鮮人ニ對スル憎惡ノ念ヲ以テ諸事取締嚴重トナリ法令雨下シ賦斂一層甚シキモノアルヘシ

一七四 一七五

(二) 耶蘇敎徒ノ不穩言動

孟山郡北倉耶蘇敎會堂ハ騷擾前信徒三十三名ナリシカ近時六十名ニ達セシヲ以テ其ノ內情ヲ調査スルニ信徒中禹公烈ナル者アリテ朝鮮ノ獨立ハ確實ナリ其ノ際信者ハ幸福ヲ得ラルヘシト唱ヘ入敎ヲ勸誘セシニ基因スルカ如シ(五月二十三日)

(三) 鮮人有識者ノ談話

平壤ニ於ケル鮮人有識者中ニハ近來內地人有力者中騷擾事件ノ發生ヲ不可解トシ其ノ原因ヲ問フ者アリ又其ノ觀察モ同シカラサルカ吾人ノ觀ル所ハ內地人カ朝鮮人ヲ奴隸視シタルニ基因セルモノト信ス現ニ京城ニ於テハ今回鮮人カ辯護士會長ニ當選シタルニ對シ物議ヲ生シ居ルニアラスヤ是鮮人ヲ劣等視スルカ故ナリ唯此ノ一點ニ就テモ鮮人上下ノ感情ヲ害シタルコト尠カラス內地人カ此ノ態度ヲ改メ平等ノ待遇ヲ爲シ鮮人ノ向上ヲ圖ラハ鮮人ハ內地人ニ悅服スルト共ニ總督政治ヲ謳歌スヘシ內地人カ茲ニ著眼セスシテ騷擾ノ原因ヲ究メムトシ其ノ善後策ヲ講セムトスルモ蓋シ至難ノコトタルヘシ又鮮人ノ敎育機關ノ整備ヲ圖リ知識ノ向上ヲ期スルハ實ニ刻下ノ急務ナリ尚朝鮮人ニ對シ課稅上留意スヘキハ面倒ナル少額ノ稅金ヲ徵收セサルニ在リ假令ハ收入印紙稅ノ如キ其ノ額ハ實ニ徵々タルモノナルモ鮮人ハ非常ニ其ノ煩ヲ厭ヘリ一部鮮人中課稅苛酷ナリトノ不平ヲ漏ス者アルハ

金額ノ多キヲ謂フニアラス面倒ナル諸稅ヲ徵收スルヲ喜ハス不平ヲ漏スモノナルヲ以テ大ニ當局ノ考慮ヲ要スヘシ云々ト語ル者アリ(五月二十六日)

(三) 鮮人ノ感想

平壤府紀笏病院(耶蘇敎經營)醫師張震燮ハ媾和會議ノ狀況ヲ觀ルニ山東問題ハ日本ノ强硬ナル態度ニ依リ聯合國ハ讓步シ日本ノ主張ヲ容ルルニ至レリ此ノ點ヨリ察スルニ朝鮮獨立ノ如キモ如何ニ狂奔騷擾スルモ到底成功覺束ナク却テ之カ爲不利ヲ招クニ至ルヘシ然レトモ這般ノ騷擾及李承晚ノ媾和會議ニ提出セル請願書ニヨリ朝鮮倂合ハ朝鮮人多數ノ民意ニ非ラサルコトヲ各國ニ知ラシメ且朝鮮人一般ハ獨立思想ヲ注入シ得タルハ朝鮮ノ爲最モ幸福ナリト語レリト云フ

(四) 巡査補ニ對スル暴行

騷擾鎭壓後漸ク民心平靜ニ歸シタルカ如キモ實際ハ然ラス一時武力ニ壓セラレ靜穩ヲ裝ヒ居ルモノニシテ官憲ニ對スル反感ハ依然タルモノアリ現ニ中和警察署祥原駐在所巡査補金淇般ハ五月二十二日午前九時頃犯罪捜査ノ爲管內下道面方面ニ出張シタルニ同面大井里ニ於テ豫テ手配中ノ賭博犯人一名ニ出會之ヲ同行シ同面南山里ヲ通過中里民約四十名ハ該犯人ヲ奪還セントシテ同巡査補ヲ包圍シ暴行ヲ加ヘタルヲ以テ極力防衞シタルモ衆寡敵セス負傷シ遂ニ被告ヲ奪取セラレ又同巡査補ノ案內者トシテ同行セル一人民モ巡査補ヲ助ケタル爲重傷ヲ負ヘリ依テ巡査部長以下三名及祥原守備隊ヨリ十名ノ應援ヲ得テ現場ニ急行シ嫌疑者若干名ヲ檢擧シ目下取調中ナルカ如斯ハ直接騷擾事件ニ關係ナキモノノ如キモ從來例ヲ見サル所ニシテ騷擾後ニ於ケル民心ノ如何ニ惡化セルカヲ窺知スルニ足ルヘシ(五月二十九日)

一七六 一七七

一〇、平安北道

(一) 騷擾ニ對スル感想

龍川郡地方有力者中ニハ今回ノ運動ハ米國大統領ニ依リ民族自決主義カ高唱セラルルニ至リシヨリ在外排日鮮人カ之ヲ好機トシ朝鮮內地ノ不平者ト呼應シ騷擾ヲ惹起セシモノニシテ縱令獨立ノ目的ヲ達セサル迄モ鮮人カ日本ノ治下ニアルヲ不平トセル意志ヲ表明セムトセシニ外ナラサルヘシ又朝鮮ハ古來官尊民卑ノ國ナレハ官吏ノ待遇如何ハ民心ノ向背ニ至大ノ關係アリ然ルニ倂合後鮮人官吏ノ待遇當ヲ得サルハ民心ノ離反スル所以ノ一タルヘシ其ノ他內鮮人ノ差別的待遇ヲ爲シ同化ヲ望ムカ如キハ實ニ皮相ノ感ナキ能ハスト語ルモノアリ又朝鮮人ハ到底自力ヲ以テ起ツ能ハサル國民ナリ古來眞ニ獨立ノ體面ヲ維持セシハ極メテ短期間ナリ今日ニ於テ若シ獨立セハ再ヒ惡政頻出シ支那ト同樣ノ狀態ニ陷リ日ナラスシテ又他國ニ倂合セラルルコト瞭カナリト唱フルモノアリ

龜城郡地方有力鮮人中ニハ萬一獨立シタリトスルモ國家ヲ經倫スヘキ人物ナシ又獨立後ニ於テ國家ノ經費ヲ何レニ求メムトスルヤ朝鮮ノ獨立ハ事實不能ノコトナリト稱スルモノアリ

新義州警察署ニ檢擧セラレタル被告人中鮮人巡査巡査補ニ對シ諸君ハ朝鮮人ニアラスヤ朝鮮人ナラハ獨立運動ニ參加セヨト嘲弄的言辭ヲ弄セシモノアリ(三月中)

(二) 脅迫文配布

頃者道内一般ノ官民ニ對シ「日本ノ政府ノ幢下ニ於テハ絶對ニ官公職ヲ奉セサルコト現ニ官公吏タル者ハ速ニ辭職スヘシ否ラサレハ殺害スヘシ又日本官憲ト交渉ヲ爲スヘカラス税金ノ徴收ニ應スヘカラス日本語ヲ使用シ日本人ト談話シ又ハ取引ヲ爲スヘカラス」トノ不穩文書ヲ頻々配布スル者アルヲ以テ嚴密犯人ノ捜査ニ努メ一面民心ノ不安ヲ除去スルニ努メツツアリ

(三) 騷擾ニ對スル反感

定州地方ニ於テハ騷擾以來開市ヲ中止シ居ルタメ所在人民ノ生活上ニ及ホシタル影響甚シク爲ニ彼等ハ天道敎徒ヲ驅逐スヘシ耶蘇敎會堂ヲ燒燼スヘシト豪語シ信者ヲ見レハ吾人ハ汝等ノ爲ニ糊口ニ窮ス飯ヲ與ヘヨト迫リ天道敎及耶蘇敎ヲ排斥スル者多ク依テ信徒等ハ何レモ良民ノ激昂ヲ恐レ漸次所在ヲ晦ス者多キヲ加フル狀況ナリ(四月十八日)

(四) 高壓手段ト天道敎及耶蘇敎徒ノ逃避

頃日昌城朔州地方ニ於ケル暴民ニ對シ憲兵及守備兵カ兵器ヲ使用シタル以來天道敎徒及耶蘇敎信者ハ甚シク恐怖シ居タルカ偶楚山守備隊ニ赴ク兵八十名通過セシヨリ一層畏怖シ天道敎徒ハ殆ント全

一七八
一七九

部耶蘇敎徒ハ過半數山奥又對岸支那地ニ逃避セリ

(五) 天道敎ニ對スル反感

龜城郡地方ニ於テハ曩ニ天道敎徒ノ煽動ニ依リ騷擾ヲ惹起シタル結果徒ニ貴重ノ人命ヲ殺傷セラレ又産業上ニモ不尠損害ヲ蒙ルニ至レリト稱シ部民ノ天道敎徒ニ對スル反感ヲ抱ク者漸次多キヲ加ヘ輕擧妄動ヲナスモノ減少セシカ部民ハ天道敎ヲ絶滅シ敎徒ヲモ殺害スヘシト稱シ鄕間之ト交際スル者ナシ尙良民ハ各市場ニ自衞團ヲ組織シ騷擾團ノ通過又ハ獨立萬歲ヲ高唱スル者アランカ團員一齊ニ之ヲ阻止シ退去ヲ迫ル等自ラ警防ニ任シツツアリ

(六) 軍隊慰問者ニ脅迫文配布

博川ニ於テハ曩ニ駐屯軍隊ニ對シ官民有志相諮リ各自相當ノ金品ヲ醵出シ其ノ勞ヲ犒ヒタルカ之ニ加ハリタル有力ナル二名ノ鮮人宅ニ對シ「日本兵ノ勞ヲ犒ハハ極端ナル後患アルヘキヲ警醒スヘシ」ト脅迫文ヲ投入セシ者アリ(四月十九日)

(七) 住民ノ誓言ト開市

義州郡枇峴市場ハ同地ノ騷擾事件以來開設停止中ノ處同地方一般住民ハ頗ル困憊ノ色アリ四月十七日同地住民ノ有志鮮人等三十名ハ枇峴警察官駐在所ニ出頭シ速ニ開市方ヲ哀願スルト同時ニ今後若シ不逞徒輩ノ入市スルアラハ直ニ警察官憲ニ内報シ捜査其ノ他ノ便宜ヲ計ルハ勿論自衞的ニ市場ノ

秩序維持ニ努ムル旨誓言セシニ依リ閉市以來ノ狀況ニ鑑ミ差支ナシト認メ開市ヲ許シタリ

(八) 騷擾事件ニ對スル感想

道内最モ僻陬ノ地ト目セラルル厚昌郡厚州(義州ヨリ百數十里ヲ隔ツ)地方ノ住民ハ這回ノ獨立運動ハ朝鮮全道ハ勿論内地及海外渡航者間ニ於テ頻ニ奔走シツツアルモノノ如ク又對岸移住鮮人間ニ於テモ近時獨立宣言書ヲ配布シ各地ニ集團協議シ居ル狀況ナルモ吾等鴨綠江岸ニ居住スル者ハ舊韓國時代ニ比シ現政治下ニ居ル方最モ有利ニシテ且幸福ナリ舊韓國時代ニハ政府ノ壓迫ト對岸支那地ヨリ受ケタル迫害ハ枚擧ニ遑アラス若シ運動其ノ效ヲ奏シ朝鮮獨立實現セハ併合前ト同樣再ヒ苛斂誅求ニ苦マサルヘカラスト稱シ却テ獨立運動ヲ排斥シ現政ヲ希望スルノ狀況ニシテ鐵道沿線地方ノ民情ト全ク相反セリ(四月二十四日)

(九) 騷擾ト天道敎徒脫敎

碧潼郡地方ニ於テハ騷擾勃發ノ爲一般經濟界ニ及ホシタル影響不尠爲ニ良民ノ天道敎徒ニ對スル憎惡ノ念ハ日ニ昂進シ天道敎徒ハ社會ノ大罪人ナリ彼等ニ小作セシムヘカラス牛馬ヲ貸與スヘカラス又交際スヘカラス彼等カ貴重ノ生命ヲ殞セシハ天罰ノ然ラシムル所ナリ等ト稱シ敎徒ヲ壓迫スルヨリ敎徒等ハ止ムナク對岸支那地ニ逃避スル者多キ狀況ニテ土着ノ有力者ハ爾後一切天道敎ヨリ干係ヲ絶チタリト稱シ同敎ニ關スル一切ノ書類物品ヲ燒却シ汚心ヲ洗滌シタリトテ一般ノ信用ヲ求ムル

一八〇
一八一

ニ汲々タル狀態ナリ(四月二十九日)

(一〇) 耶蘇敎徒ノ退敎

泰川耶蘇敎會(監理派)傳道師朴應鶴ナル者今回突然敎會ニ辭表ヲ提出シテ曰ク各地ノ騷擾ヲ見ルニ殆ント耶蘇敎及天道敎徒ヲ中心トセサルナク此等敎徒ノ妄動ハ一ニ敎職者タル者ノ煽動ニ出テタルモノト認ムル外ナシサレハ吾等敎職ノ任ニ在ル者ハ騷擾ニ干與シタルト否トヲ問ハス自然部民ノ信望ヲ失ヒ又官民ノ疑惑ヲ招クノ虞アリ從テ自己經營ノ商業ニ及ホス影響モ尠カラス故ニ此ノ際脫敎シテ專念正業ニ勵ム考ナリト稱シ退敎セリ(五月六日)

(一一) 施政ニ對スル感想

朝鮮人官吏及代書業者等ノ唱ヘ居レル施政ニ對スル感想左ノ如シ

(一) 人民ノ喜悦シ居ル事項

(イ) 治安維持　併合前ハ官吏ノ收賄又ハ盜賊ノ橫行等ニ依リ良民ハ塗炭ノ苦ニ泣キシモ併合後各行政機關ノ完備ニ依リ各自安シテ其ノ業ニ從事スルコトヲ得ルニ至リタルコト

(ロ) 四民平等　併合前ハ兩班儒生常民ノ區別アリテ常民ハ奴隷ノ如ク又如何ニ才能アルモ登用ノ道ナカリシカ併合後ハ四民平等トナリ人材登用ノ道ヲ開カレタルコト

(ハ) 交通機關ノ整備　鐵道、電信、電話、道路、港灣等ノ施設ハ到底鮮人ノ企畫シ能ハサル所殊ニ郵便

綱ハ如何ナル僻地ニモ設ケラレ爲ニ人民ノ便宜ヲ受クル多大ナルコト

(ニ)土地所有權ノ確定　從來土地所者權ニ付テハ完全ナル公認ナク爲ニ種々ノ紛爭ヲ惹起シタルモ併合後土地調査ノ結果土地臺帳ヲ作製セラレ所有權ノ限界ヲ明ニシ此等ノ紛爭ヲ一掃セラレタルコト

(ホ)裁判ノ公平　併合前ハ郡守、面長等ノ感情ニ依リ罪ノ有無及輕重ヲ左右セラレタルモ今日ニアテリハ裁判ノ公平ニ依リ寃罪ヲ蒙ルカ如キコトナキニ至リタルコト

(ヘ)醫療機關ノ整備　理由ヲ略ス

○苦痛トスル事項

(イ)墓地規則　朝鮮ハ古來ノ習慣上遺族ノ死者ニ對スル禮ト又子孫繁榮ノ爲メ展望最モ佳良ナル地ヲ撰ミテ埋葬シ來リシニ墓地規則施行後ハ貧富ノ別ナク共同墓地ニ埋葬セサルヘカラサルハ最モ苦痛トスル所ナリ

(ロ)火田取締　火田制ヲ設ケラレタル爲山嶽地帶ノ住民ハ主要食物ノ産額減少シ其ノ苦痛一方ナラス

(ハ)税金賦課　從來ヨリ賦課セラレ居ル地税等ニ對シテハ別ニ苦痛ヲ感セサリシモ日常生活ニ必要ナル酒煙草ニ迄課税セラレ又自家用家畜ノ屠殺ニモ税金ヲ徵セラルルハ永年ノ習慣ニ反シ著シク苦痛ヲ感ス

一八二
一八三

(ニ)願屆　日常ノ生活ハ一ニ法規ニ依テ律セラレ爲ニ願屆ヲ要スルモノ多ク煩累ニ堪ヘス殊ニ死者アリタル場合ノ如キ家族ハ悲哀ノ裡ニアリテ尙診斷書ニ埋葬願ニ種々ノ費用ト手續ヲ要スルハ貧者ニ於テ一層苦痛トスル所ナリ

(ホ)官吏ノ給與　朝鮮人官吏ハ內地人ニ比シ給與甚タ薄シ今少シク內地人ノ待遇ニ接近セシメラレタシ

(ヘ)內地人ノ侮辱　下層內地人ノ勞働者等ニシテ相當知識アル者及有產階級ノ朝鮮人ニ對シ侮辱的言動ヲ爲ス者多シ朝鮮人ハ之カ爲內地人ニ對シ憤慨スル者尠カラス

(ト)桑苗植付　桑苗ノ植付ヲ强制セラレ爲ニ主要食物ノ耕作面積減少シ直接糊口ニ困難スルモノアリ

(三)　耶蘇敎ニ對スル反感

五月八日在宣川耶蘇長老派米國人宣敎師「マツキユーン」「ランペ」ノ二名定州郡耶蘇敎會堂ニ至リ入敎勸誘演說ヲ爲シタルカ定州邑內良民ハ非常ニ激昂シ三月一日以來耶蘇、天道敎等ノ無謀ノ擧ニ依リ吾々人民ハ一大打擊ヲ蒙リ市場ハ中止セラレ產業及商業上ニ多大ノ損害ヲ來シ一時良民中ニハ將ニ餓死窮境ニ瀕シタル者アリシカ幸官憲ノ恩惠ニ依リ市場ノ開始ヲ見漸ク舊態ニ復セントスル今日

宣敎師ノ來リテ布敎ヲ爲スカ如キハ最モ不都合ナリ若シ耶蘇敎及天道敎ノ勢力從前ノ如ク隆盛トナランカ又復彼等ノ妄擧ニ依リ忌ムヘキ事態ノ再燃ナキヲ保セス耶蘇及天道敎ハ此ノ際積極的ニ絕滅スヘシトシテ約三百名自制團ニ加入シ自衞策ヲ執リツツアリ(五月二十三日)

(三)　鮮人ノ獨立思想

二、三有力者ノ言ナリト謂フヲ聞クニ吾人ハ三食ヲ二食ニ減スルモ尙一個ノ獨立國タランコトヲ希望ス而シテ其ノ一小弱國タルハ敢テ介意スル所ニアラス日韓併合以來既ニ十年其ノ間敎育ニ產業ニ其ノ他各般ノ施政ニ於テ一般ニ優遇セラレタリト雖各機關樞要部ノ首位ハ悉ク內地人ニ獨占セラレ吾人ハ其ノ配下ニアリテ恰モ使用人ノ如ク頤使輕用セラル殊ニ近年郡守面長ノ如キモ漸次內地人ヲ以テ之ニ代ラシメツツアリテ吾カ民族ノ前途ハ寒心ニ堪ヘサルモノアリト云フ

(四)　獨立思想ノ瀰漫

騷擾ハ漸ク終熄ヲ告ケタリト雖不穩思想ハ各階級ヲ通シテ一般ニ瀰漫シ最モ僻陬ノ地タル中江鎭地方ノ下層民ニ至ル迄普及シ現ニ曾テ鴨綠江ニ墜落溺死シタル憲兵補助員金澤龜ノ死屍過般發見セラレタル際一人夫ハ其ノ屍ニ對シ「貴下モ獨立萬歲ヲ唱ヘスシテ死亡シタルハ殘念ナルヘシ」ト涕ナカラニ私語シタル如キ其ノ一班ヲ窺フニ足ルモノアリ而シテ同地方民ノ多クハ今ヤ朝鮮ノ獨立運動ハ著々其ノ功ヲ奏シ今又山東問題ハ日支間ノ重大案件トナリ國交斷絕センモ知ルヘカラサル秋ニ當

一八四
一八五

リ米國ハ沒義非人道ナル日本ノ壓迫ヲ受ケツツアル鮮支人ヲ救濟セントシツツアルヲ以テ遂ニ日米開戰ノ已ムナキニ至ルヘク若開戰ノ場合ハ日本ノ敗戰ニ歸スルヤ必セリ然ラハ結局日本ハ山東ヲ支那ニ還附シ朝鮮ヲ獨立セシムルニ至ルヘシトノ說ヲ流布スルモノアリテ之ヲ信シ居ルモノ多シ

(五)　天道敎徒ノ脫敎

定州郡海山面天道敎徒二十三名ハ頃日天台憲兵駐在所ニ出頭シ今回ノ如キ暴擧ニ出テタル天道敎ノ敎徒タリシコトハ今更深ク悔悟スル所ニシテ今後ハ同敎ヲ脫退シ眞ノ農民トシテ家業ニ從事スヘキ旨申出テタリ

(六)　耶蘇敎會ノ打擊

宣川邑內ニ於ケル耶蘇敎徒ハ騷擾勃發巳前每週日水兩度ノ集會ニ南北敎會ヲ通シテ約二十名時トシテハ三十名以上ノ參集者ヲ見敎勢盛ニシテ殊ニ三月一日以來ハ信敎徒增加ノ模樣アリシカ其ノ後騷擾鎭壓ト共ニ當初彼等カ夢想セシ獨立ハ畫餠ニ歸シタルノミナラス却テ多クノ死傷者ト無數ノ犯人ヲ出シタルヲ以テ近時每週兩度ノ集會ニ際シ南北兩敎會ニ參集スル者著シク減少シ僅ニ五六名ニ過キス爲ニ米國人宣敎師「マツキユーン」ハ躍氣トナリ專ラ敎勢ノ挽回ニ努メツツアリ(五月二十九日)

十一、江原道

（一）　天道敎徒ノ妄想

天道敎徒中ニハ國權恢復ハ我天道敎ノ目的ニシテ孫秉熙先生ハ今回此ノ目的ヲ達成スル爲ニ獨立ヲ宣言セシモノナレハ敎徒タル者ハ熱心運動セサルヘカラスト稱シ他ヲ煽動スルモノアリ又金化憲兵分隊ニ於テ十餘名ノ天道敎徒タル被告ニ對シ朝鮮ハ既ニ獨立シタリト信セシヤ又ハ獨立シ得ヘシト信シタルヤト問ヒタルニ何事モ先生（孫秉熙ヲ指ス）ノ爲スコトニテ吾等ニハ判ラスト申立テ又何カ不平アリテ運動ニ參加セシヤトノ問ニ對シ共同墓地規則飼犬ノ撲殺鵞口瘡豫防ノ爲メ健康ナル畜牛ノ交通ヲモ禁止セラルルハ不平ナリト申立タリ（三月中）

（二）　面吏員ニ對スル態度

面吏員ニ對スル一般民ノ意向ハ各地ヲ通シテ良好ナラス現ニ這回各郡ニ於テ面ヲシテ一般ニ桑苗ヲ配付セシメタルカ之ニ對シ桑苗ノ受領ヲ拒ミ又ハ一旦受領スルモ夜間面長ノ自宅ニ投棄スル等ノ者アリ殊ニ甚シキハ朝鮮ヲ獨立セシムルニハ下級行政機關タル面吏員ヲ鏖殺シ面事務所ヲ破壞スルヲ以テ最モ捷徑ナリト稱シ直接間接ニ面吏員ヲ脅威スル者アル爲吏員中辭職ヲ願出ル者アリ

（三）　智識階級ノ感想

鮮人官公吏及智識階級ノ多クハ內鮮人ノ差別的待遇ハ不可ナリト異口同音ニ不平ヲ漏シ又內地人下層民ニ至ルマテ相當ノ地位アル名望家又ハ學生等ニ對シテモ「ヨボ」ト輕侮的ノ言辭ヲ以テ稱呼スルハ實ニ憤慨ニ堪ヘス抑モ今回ノ騷擾ハ獨立運動ヲ以テ主タル目的トスルモノニアラス要ハ差別的待遇ヲ撤廢セシムルニアリ這回鮮人ノ蹶起ハ當然ノコトナリト唱ヘ居レルモノアリ

一八六
一八七

（四）　天道敎徒ノ頑迷

天道敎徒ノ或者ハ敎主孫秉熙ノ獨立宣言アリタル以上ハ如何ナル障碍アルモ敎徒トシテ之カ實行ヲ期セサルヘカラス生アル者ハ何レノ時ニカ一度ハ死セサルヘカラス何ソ死ヲ恐レンヤト豪語シ又各地ニ於ケル騷擾ハ實ニ痛快ナリ然ルニ何故我同胞タル鮮人警察官ハ吾等ノ行動ヲ內偵スルヤ吾人ハ將來倍聲ヲ大ニシ所期ノ目的ヲ達セスンハ熄マス云々ト語レルモノアリ（五月六日）

（五）　在外鮮人ト過激派通謀說

獨立運動ハ不幸幾多ノ犧牲ヲ拂ヒ遂ニ失敗ニ終リシト雖今ヤ在外同胞ハ露國過激派ト通謀シ日本ニ對シ開戰ノ準備中ナレハ結局獨立ノ目的ヲ達スルニ至ルヘシト語ル者アリ（五月二十六日）

十二、咸鏡南道

（一）　騷擾加入者ノ概況及感想

有產階級ニ屬スル鮮人ニシテ騷擾ニ干與セシモノハ少數ナリ又耶蘇敎徒、天道敎徒ニ附和雷同セシ地方農民ノ如キハ他ノ煽動ニ乘シ無意味ニ萬歲ヲ唱ヘタルニ過キス今日ニ於テハ煽動者ヲ怨ミツツアリ

元山ニ於ケル耶蘇敎有力者中ニハ併合ノ際日本ハ鮮人ヲ日本人ト同等ノ待遇ヲ爲スヘキ旨ヲ聲明セリ然ルニ併合十年後ノ今日ノ狀態ハ如何內地人ハ鮮人ヲ奴隷視スルカ故ニ鮮人ハ之ヲ不快トセサルヲ得サルナリ此ノ差別的待遇ヲ撤去スルニアラサレハ縱令今回ノ騷擾カ法ノ威力ニ依リ一時鎭定スヘシトスルモ永久ノ鎭定ヲ望ムコトハ不能ナルヘシト語レルモノアリ（三月中）

（二）　騷擾ト良民

良民中ニハ併合以前ハ苛歛ニ苦ミ誅求ニ泣ク者多カリシカ併合後ニ至リテハ完全ナル保護ノ下ニ各種ノ產業モ漸次發達シ又鐵道、道路、港灣等ニ在リテモ全ク面目ヲ一新シ庶民ハ其ノ堵ニ安シ多大ノ幸福ヲ享有シツツアルニ何故今回ノ如キ騷擾ヲ惹起セシカ吾人ハ其ノ眞意ヲ知ルニ苦ム所ナリ如斯暴擧ハ何等益スル所ナキハ勿論反テ朝鮮人ニ對スル日本ノ政策ヲシテ高壓的ナラシメ倍苦境ニ陷ルモノナリ假ニ獨立運動ノ成功ヲ見タリトスルモ施政ノ局ニ當ルモノ果シテ今日ヨリ以上ノ善政ヲ布キ得ルヤ頗ル疑問ナリ

尙各地ノ狀況ヲ見ルニ騷擾ニ參加セシハ何レモ資產階級ニ屬セサルモノノミニテ彼等不逞漢ノ死傷又ハ處罰ヲ受クルカ如キハ當ニ天罰ノ然ラシムル所ナリ吾人ハ騷擾ノ一日モ速カニ鎭定センコトヲ切望ス云々ト語ル者尠カラス

（三）　宣敎師ト暴民ノ父兄

三月中咸興ニ於ケル騷擾事件ノ爲收監セラレタル者ノ父兄等ハ曩日英國人宣敎師「マグレー」ヲ訪問シ朝鮮ノ獨立ハ何時頃實現セラルルヤト問ヒタル處「マクレー」ハ自分ハ何時頃實現スルヤ知ラサルモ或ハ今後十年位ハ駄目ナラムト答ヘタルニ彼等父兄ハ之ヲ聞キ一同落膽シ然ラハ收監中ノ子弟ハ如何ニナルヤト悲歎ニ暮レ居レリト（五月四日）

一八八
一八九

（四）　金融組合員募集狀況

咸興金融組合ニ四月二十八日ヨリ會員ヲ募集シツツアルカ進ンテ應募スル者多數ニシテ成績良好ナリ是民心平靜ニ歸シツツアル反映ナルカ如シ

（五）　納稅狀況

咸興郡咸興面ニ於ケル戶稅及戶別割ハ同地騷擾ノ爲一時徵稅ヲ延期シ四月二十八日ヨリ郡廳ニ於テ納稅ヲ督促シツツアルカ一人ノ之ヲ抗拒スル者ナク成績良好ナリト又北靑郡地方ニ於テハ騷擾鎭靜ニ赴クニ從ヒ納稅成績却テ從來ニ比シ良好ナルカ鮮人ハ滯納スルトキハ官憲ノ注意ヲ惹クヲ恐レ此ノ傾向ヲ生スルニ至リシカ如シ

（六）　市場民ノ妄動防止協議

文川郡龜山面豐田里市場民ハ若市場ニ於テ獨立萬歲ヲ高唱シ又ニ騷擾ヲ企畫スル者アルトキハ直ニ駐在所ニ密告シ萬一騷擾ヲ惹起シタル場合ハ擧テ之ヲ防止スヘキ旨協議セリ（五月十日）

（七） 天道敎徒ノ覺醒

豐山天道敎區長朱炳南ハ騷擾事件ノ關係者トシテ咸興檢事局ニテ取調中ノ處今回證據不充分ノ爲放還セラレ豐山ニ歸來シタルカ同地ノ親族其ノ他四、五十名ヲ集メ自分ハ騷擾事件ノ嫌疑者トシテ二十日以上未決監ニ投セラレタルモ幸ニ無事歸宅スルコトヲ得タリ然レトモ自分ハ無罪トナリタリト雖妄擧ヲ企ツルカ如キ天道敎ニ止マルコト能ハス本日限リ退敎シ一切天道敎ト關係ヲ絕ツヘシト同敎ノ信スヘカラサルコト及之ヲ信シテ却テ不利益トナルコトアルヲ語リタルニ集合者ハ之ヲ聞キ始テ覺醒セシモノ如ク吾等モ一同退敎スヘシト稱シ既往ノ誠米代及敎堂建築費等多額ノ出金ヲ爲シタルヲ後悔シ居レリ尙之カ爲同地方ニ於ケル婦人敎徒ハ從來京城地方ノ婦人ノ如ク頭髮ヲ後頭部ニテ結束シ居リタルヲ俄ニ一變シ同地方ニ於ケル普通婦人ト同樣前方ヨリ二分シ頭部ニ卷キ付クルニ至リ同敎ヲ退敎スル者不尠狀況ニシテ豐山地方ハ到底同敎ノ維持困難ナルヘシ（五月十一日）

（八） 耶蘇敎ノ信徒ノ言動

元山府ニ於ケル耶蘇敎信徒等ハ日本政府ハ苟モ騷擾事件ニ關係セシ者ハ外人宣敎師ト雖容赦ナク處罰シツツアルヲ以テ如何ニ米國大統領カ民族自決主義ヲ高唱スルモ朝鮮ノ獨立ハ不能ナルヘシト稱シ近時稍悔悟ノ情アリシカ最近京城ニ於ケル宣敎師會ヨリ歸來セシ元山居住米人宣敎師「ブランナン」ハ家人及雇人等ニ對シ如何ニ日本カ反對スルモ朝鮮ノ獨立ハ來ル六月ニ至レハ媾和會議ニ於テ決定スルヲ以テ失望スヘカラスト語リシヤニテ之ヲ傳聞セシ敎徒等ハ再ヒ六月ニ至レハ獨立スヘシト妄信シ他ヲ煽動シ居レルヤノ聞込アリ（五月十五日）

（九） 書堂敎師ノ感想

咸興郡咸興面書堂敎師林夔植ハ近時各地ニ於テ朝鮮ノ獨立ヲ唱導シ老幼婦女子ニ至ル迄萬歲ヲ高唱シテ其ノ業ヲ怠リ國法ヲ犯シテ刑餘ノ人トナリ又ハ殺傷セシ者アルハ眞ニ遺憾ノ至リナリ現政治下ニアルト我朝鮮ノ獨立治下ニアルト何レカ幸福ナルカハ朝鮮古來ヨリノ歷史ヲ繙ケハ直ニ解決セサルヘキ問題ナリ現下ニ於ケル鮮內地ノ發展ハ全ク日韓併合ノ賜ニ外ナラス斯クシテ庶民ハ昔日ノ苛歛誅求ノ苦ヲ免レ何レモ安樂ニ生活シ得ルニ至リタルニアラスヤ然ルニ古今ノ靑史ニ通セサル靑年學生等ハ狂喜シテ朝鮮ノ獨立ヲ叫ヒ居ルモ到底事ノ成ラサルハ勿論ナリ而シテ如斯妄想ヲ懷カシムルニ至リタル動機ハ耶蘇崇拜ノ一部民ト天道敎主孫秉熙ノ罪ナリ孫ノ人格ニ付テハ識者間既ニ定評アリ彼カ配下ニ集マル敎徒ノ多クハ目ニ一丁字ナキ迷信者多シ又耶蘇敎徒ニ於テモ同樣社會ノ最下級者カ然ラサレハ不逞徒輩ノ集合ノミ取ルニ足ラサル彼等輕輩ノ擧措ニシテ成功セサルハ當然ナリ又飜テ日本ノ立場ヨリ觀察スルニ日淸戰爭以來幾多ノ生靈ト巨額ノ財貨ヲ投シテ國防上ノ見地ヨリ日韓併合ヲ遂行シタルモノナレハ朝鮮ノ獨立ヲ承認スル理由ナシ殊ニ今日ノ日本ハ世界五大强國ノ一ニシテ何等勢力ナキ一部鮮人ノ蠢動ニヨリ動搖スヘキモノニアラス吾人ハ速ニ彼等不逞輩ヲ膺懲

シテ民心ノ安定ヲ圖ラシムコトヲ希望シテ止マス云々ト語レリ

（一〇） 有力者ノ感想

新興郡東古川面居元郡守柳承海ハ今回ノ騷擾事件ニ付語リテ曰ク過般新興郡內ノ住民ハ獨立運動ノ爲何レモ萬歲ヲ高唱セリ然レトモ萬歲ノ高唱ニ依リ獨立シ得ラルヘキモノニアラス假リニ獨立シタリトスルモ財力ナク軍備ナク剩ヘ國家ヲ調理スヘキ人物ナシト謂フモ過言ニアラス忽チ白人ノ跳梁ニ委セラレ現在ヨリ以上ノ苦楚ヲ嘗メサルヘカラサルニ至ルハ瞭然タリ吾人ハ朝鮮ノ如キ一小弱國ニシテ獨立セシヨリモ寧ロ亞細亞人種卽チ黃色人種ノ同盟ニ依リ橫暴ナル白人ニ對抗シ眞ニ世界永遠ノ平和ヲ得吾等黃色人種ニ些々タル小競合及感情問題ヲ一掃シ以テ此ノ雄大ナル企畫ニ向テ進行セントコトヲ希望ス云々（五月十七日）

（一一） 私立學校生徒父兄ノ感想

咸興郡德山面私立東德學校ニテハ新學期ヲ開始セントスルモ在學生カ登校セサルノミナラス新入學生皆無ナルヨリ校長以下關係者及各里區長ハ四月末協議ノ結果各里ニ入學スヘキ人員ヲ割當テ又在學者ニ登校ヲ勸誘セシモ依然全部ノ登校ヲ見ル能ハス僅ニ十一名ノ登校者アルノミナルヲ以テ之カ原因ヲ內査スルニ今回妄動者ノ多クハ學生ニシテ是不必要ナル敎育ヲ施シタル結果ナリ依テ今後ハ書堂ニ於テ漢文ヲ學ハシムレハ充分ナリトテ父兄ハ之ニ應セサルモノノ如シ（五月二十二日）

（一二） 天道敎々有財產寄附

騷擾後天道敎ニ對スル憎惡ノ念ハ近時頓ニ昂進シ天道敎徒ハ社會ニ於ケル大罪人ナリ昨今諸物價ノ騰貴セルハ全ク各地騷擾ノ爲運搬ニ從事スル者減少セシニ依ルモノニシテ又鮮人旅行取締令ノ發布ヲ見ルニ至リタルモ同ク天道敎徒ノ妄動ニ原因スルモノナリト稱シ從來彼等ニ貸與セル牛馬ヲ取リ返シ或ハ小作契約ヲ解除スル等一般ニ蛇蝎視セラルルニ至リシヨリ長津郡ニ於ケル敎徒ハ愈悔悟シ同敎有力者等協議シテ曰ク今回ノ騷擾ヲ勃發セシメタルハ畢竟吾人天道敎徒ノ無謀ナル擧ニ出テタル結果如斯社會一般ヨリ指彈擯斥ヲ受ク吾人敎徒ハ全ク敎主孫秉熙ヲ神ノ如ク誤信シ居タルハ慚愧ニ堪ヘスヤ孫秉熙ハ囹圄ノ身トナリタルノミナラス孫ノ爲全鮮幾千ノ罪人ヲ出シタリ其ノ邪敎タルコト言語ニ絕ス何ソ信仰ノ價値アランヤ今日限リ斷然退敎シ各生業ニ精勵スルニ如カスト協議一決シ長津敎區長金陽信ハ敎徒一同ヲ代表シ同敎區所有ノ現金百七十六圓水田三千三百八十坪及朝鮮式家屋二棟竝宅地三百三十三坪ヲ郡內面事務所ニ寄附ヲ申出テ正規ノ手續ヲ了シ全ク長津敎區ハ撤廢ヲ見ルニ至レリ

（一三） 硬貨拂底ト妄說

硬貨拂底ノ爲洪原金融組合ハ之カ緩和ノ爲本年一月ヨリ三月末日迄ニ壹錢銅貨七十圓更ニ四月一日ヨリ五月十五日迄ニ五十五圓ヲ取寄セ拂出シタルニ不拘目下市場ニ一錢銅貨殆トナク一般商取引上

ノ困難ヲ感シツツアルヲ以テ其ノ原因ヲ取調フルニ朝鮮カ獨立セハ現在ノ紙幣ハ不換紙幣トナリ通用セサルニヨリ其ノ場合ノ損害ヲ防クニハ硬貨ヲ貯藏スルニ如カストノ浮說ヲ流布スル者アル爲ニ之ヲ信シ銀貨ハ勿論銅貨ニ至ル迄之ヲ貯藏シ使用セサルニ基因スルモノノ如シ（五月二十九日）

十三、咸鏡北道

（一）騷擾犯人ニ對スル感想

曩ニ鏡城郡輸城ニ於テ騷擾事件ニ關シ檢擧セラレタル犯人ノ家族及近親中ニハ更ニ悲觀セル者ナク其ノ大部分ハ無罪トナルヘキヲ信シ居レリ又有罪ト覺悟シ居ル者ニアリテモ悲觀セサルハ勿論國家ノ爲ニ盡シタルモノノ如ク思料シ却テ處罰セラルルヲ名譽ト爲シ居ル模樣アリ其ノ他一般民ニアリテモ略之ト同樣ノ感想ヲ有シ居レリ現ニ本月十一日清津支廳公判廷ニ於テ騷擾事件ノ首謀者二名カ飽迄獨立運動ヲ繼續シ目的ノ達成ニ努ムル決心ナリト申立シヲ賞揚シ居ル者尠カラサル狀況ナリ

（四月二十三日）

（二）新法令ニ對スル感想

今回發布セラレタル騷擾ニ對スル制令ノ處罰規定ヲ見ルニ其ノ第一條ニ於テハ十年以下ノ懲役ニ處ストアリテ一見驚ク者アランモ第二條ニ於テ發覺前自首シタル者ニ對シテハ減刑又ハ免除ストアルヲ以テ何等驚クニ足ラス要スルニ總督府ノ目的ハ處罰ニアラスシテ全ク朝鮮人威嚇ノ爲設ケタル規則ナレハ決シテ之等法規ニ顧慮スルノ要ナシト謂フ者アリ

尙朝鮮人旅行取締ニ關スル部令ニ對シテハ良民ト否トヲ不問一般ニ不尠苦痛ノ念ヲ懷キ居ルモノノ如シ

（三）軍隊駐屯ト民心安定

（イ）騷擾勃發以來一般鮮人ノ心理狀態ハ極度ニ緊張シ婦女ニ至ル迄民族自決獨立萬歲等ノ不穩言辭ヲ弄スルカ如キ狀態ナリシヲ以テ鮮人官吏中ニハ自己ニ災禍ノ波及センコトヲ恐レ戰々兢々トシテ安セサル者多カリシカ守備隊ノ配置ヲ見ルニ及ヒ大ニ意ヲ强フシタルモノノ如シ

（ロ）有產階級ノ輩ハ騷擾ニ參加セサリシカ今回ノ軍隊派遣ニ依リ一般民ヲ覺醒セシメ民心ヲ鎭撫シ各其ノ業ニ安セシムルコトヲ得ルハ至大ノ幸福ナリト歡ヒ居レリ

（ハ）一般鮮人間ニ於テハ軍隊ノ駐屯ヲ見今後獨立萬歲ヲ唱フル事能ハサルヘシ若之ヲ唱フレハ直ニ射殺セラルヘシト噂シ居レリ

（四）排日鮮人ノ虛報

曩ニ在京城某耶蘇敎徒ヨリ長白耶蘇敎徒代表者劉一優ニ宛タル信書中左ノ如キ事項ヲ記載シアリタルヲ發見シタルカ斯ル誇大ノ通報ヲ爲シ以テ在外鮮人ヲ煽動シ若ハ宣敎師ノ敎唆ニ依リ海外ノ通信ニ登載セシメントスルモノニアラサルヤト思料セラル

左記

韓人獨立運動ノ近況

自一九一九年三月一日 自同十日 十日間獨立運動人員

基督敎徒　三十萬以上　內學生十萬以上（全部休校）

天道敎徒　三百萬以上　內勞働者五十萬以上（罷業）

佛敎徒　一萬五千以上　儒生五萬以上　婦女五萬以上

敎育家　一萬五千以上　小兒三萬五千以上

計四百六萬五千人以上（除在外者）

同上逮捕及慘死之人

逮捕男　五萬人以上　同女二千人以上

死者男　一萬人以上　同女三百人以上

負傷男　五萬人以上　同女一千人以上

小兒死傷者　三百人以上

朝鮮民族ノ代表者

（孫秉熙以下三十三人ノ氏名記載シアリ）

以上三十三名ノ重要人物ハ何レモ投獄セラレ孫秉熙ハ訊問ニ當リ唯死アルノミト答ヘタリト

又日人ノ鮮人ヲ遇スル最モ慘虐ヲ以テシ志士ノ尿道ニ燒火箸ヲ挿入セリ豈慘ナラスヤ如斯非人道主義ノ日本人ヲ米國人ハ五强國中ニ引キ入レントス取ルニ足ラサルモノナリ（四月二十六日）

（五）女學生誓約

城津耶蘇敎加奈多長老派附屬普信學校女學生羅秉善ハ四月二十七日同地警察署勤務ノ金警部ヲ訪ヒ過般騷擾ノ際吾校生徒カ群衆ニ加ハリ妄動セシハ今更申譯ナシ今後ハ如何ナル事アルモ生徒一同謹愼シ再ヒ不心得ノ行爲ニ出テサルヘシト女生徒一同ヲ代表シテ誓約セリ

（六）新聞記事ノ影響

清津地方ノ鮮人有力者等ハ一般ニ支那新聞紙ヲ購讀シツツアリテ西比利亞及支那地ニ於テハ既ニ朝鮮假政府ヲ設置セルモノノ如ク信シタルモノ少カラサリシカ「ヴエルサイユ」ニ於ケル吾媾和委員ノ態度最モ强硬ナリシ爲山東問題モ良好ナル解決ヲ告ケタリトノ記事諸新聞ニ揭載サルルヤ彼等ノ態度一變シ之レ日本ノ勢力强大ニシテ媾和會議ニアリテモ重キヲ爲セルニ因ルモノナレハ朝鮮ノ獨立ハ到底問題トナラサルヘシトノ說ヲ爲スニ至レリ

（七）事件關係死亡者ニ對スル義捐金募集

曩ニ穩城郡北蒼坪ニ於ケル騷擾ノ際首謀者崔基哲ナル者死亡セシカ最近同地崔祐吉外六名主トナリ

崔基哲ノ死ハ韓國ノ獨立遂行上犧牲トナリタルモノナリト稱シ其ノ行爲ヲ賞揚シ同人ノ遺族ニ對シ義捐金ヲ贈ルヘク穩城郡永月面民六十七名ヨリ寄附金六十餘圓ヲ許可ナクシテ募集セル事件ヲ發見シ首謀者ヲ檢擧セリ

（八）　普通學校生徒ノ不穩行動

城津郡監溟普通學校ハ曩ニ同地騷擾ノ際多數ノ參加生徒ヲ出セシカ目下職員不足ノ爲上席生徒ヲシテ敎授ニ當ラシメツツアリ然ルニ四月二十七日四年生姜斗範ナル者ヲシテ同級生ニ修身ノ敎授ヲ爲サシメタルニ同人ハ修身書第四卷第二十五課第一項ニ「我御先祖ノ方々ハ遠大ナル思召テ日本國ヲ建テ」云々トアルヲ「大韓國」ト變更シ「昔カラ今迄四千年モ誠ニ美シイ風ヲ爲シテ居ル」云々ト敎授セシ事實アリシカ最近又修身書中兩　陛下ニ關スル一部ヲ抹消シ居ル生徒アルヲ發見セリ

（九）　學生ノ不穩文書配布

鏡城公立農學校生徒級長及副級長ノ二名首謀者トナリ二年生二十餘名ト共ニ獨立運動ニ關スル密議ヲ爲シタル結果一年生モ贊同セシメ太極旗作製及宣言書起案撒布夫々擔任ヲ定メ五月二十二日同盟休校ヲ爲シ事ヲ擧クルコトトナリ同日未明不穩文書十數枚ヲ城内外ノ各所ニ配布シタルヲ直ニ發見シ生徒九名ヲ檢擧セリ

一九八
一九九

二、騷擾ト外國人ノ言動

既報後ニ於ケル外國人ノ言動中重要ナルモノヲ擧クレハ左ノ如シ

（一）　宣敎師米國總領事ニ迫ル

四月十日夜米國宣敎師「ノーブル」外六名同伴米國總領事ヲ領事館ニ訪ヒ吾人宣敎師ハ歐洲大戰中何レノ國ニアリテモ迫害ヲ受クルコトナク國籍ノ如何ヲ不問互ニ握手シ各其ノ敎務ヲ遂行シ來リタルカ獨リ朝鮮ニ於テハ然ラス宣敎師ハ促ヘラレ敎會堂ハ燒カレ又平壤釜山其ノ他ニ於テ拘禁セラレ又ハ拘禁セラレントシタル者既ニ八名ニ及ヘリ然ルニ米國官憲ハ此等ノ事實ニ對シ何故漫然看過スルヤ又將來如何ナル方針ナルヤ佛國領事ノ如キハ過般同館鮮人雇書記カ騷擾事件ニ關シ拘禁セラレタルニ對シ再三總督府ヲ訪問シ該書記ヲ釋放セシメタル例モアレハ（佛國領事ヨリ再三申出テアリタルモ未タ釋放シタルコトナシ）速ニ方針ヲ示サレ度シト問責シタルニ總領事ハ本件ニ關シテハ目下考究中ナリト答ヘタリト云フ

（二）　親日宣敎師排斥

米國人宣敎師ノ言ニ據レハ在鮮宣敎師ハ其ノ數約四百名ナルカ京城居住米國人宣敎師「スミス」及英國人宣敎師「ゲール」外一名ハ日本人ト親密ニ交通シ特ニ總督府ニ對シテハ密接ノ關係アリトテ彼等三名ヲ排斥セントシ昨今ハ宣敎師間ノ祕密通信ヲ同人等ニ送ラサル由ナリ

（三）　米國人宣敎師ノ警戒

今回ノ事件ニ關シ宣敎師中特ニ米國宣敎師ハ煽動者ノ嫌疑ヲ受ケ既ニ平壤ニテハ檢擧セラレタル事實アルヨリ吾人米國宣敎師ハ此ノ際特ニ注意シ居宅内ニハ一切騷擾關係書類等ヲ置カス其ノ他萬般ノ事ニ留意スルヲ要ス尙日本人ノ不法行爲ニ付テハ後日協議スル所アランモ取敢ヘス現在ニ於テハ身邊ノ警戒ヲ緊要トスヘキ旨相互祕密ニ通報シ居レリト云フ

（四）　米國總領事排斥說

四月十一日京城府蓮池洞米國人「クンス」方ニ府内米國北長老派關係ノ宣敎師「トムス」「ビリングス」「クラーク」「ルキス」等男女二十三名總美順會（毎月例會ノ宣敎師會）ノ名ノ下ニ會合協議シタリト云フ内容ヲ聞クニ今回ノ事件ニ對スル官憲ノ取締ヲ誹謗シ且此ノ際全道ニ散在スル約四百ノ米國人宣敎師ヲ結合シ大々的對抗策ヲ講スヘシト稱シ又前米國總領事「ミラー」ハ吾人宣敎師ヲ優遇シ至大ノ便宜ヲ供與シタルモ現總領事「ベルグホルツ」ハ之ニ反シ毎ニ吾人ヲ冷遇シ一點ノ誠意ヲ認ムル能ハス現ニ平安南道地方ニテハ日本官憲ハ吾人ノ敎會ヲ閉鎖セシメ居レリ斯ル事例ハ彼ノ歐洲大戰中ニ於テスラ見サル所ナリ然ルニ昨日「ノーブル」宣敎師等カ總領事ヲ訪問シタル際ノ如キ總領事ハ宣敎師ノ拘禁家宅搜索其ノ他ニ關シ目下考究中ナリト稱シ未タ日本政府ニ何等ノ抗議モ申込マサルハ不都合ト謂ハンコハ將來敎會ノ消長ニ影響スル所甚大ナルヲ以テ此ノ際吾人ハ本國政府ニ陳情シ總領事ヲ更迭セシメサルヘカラスト協議セリト云フ

二〇〇
二〇一

（五）　外國人ノ情報作製

今回ノ騷擾事件ニ關シ各地ニ於ケル運動ノ狀況及之ニ對スル警察及軍隊ノ行動ニ關スル情報ヲ蒐集シ毎日「セブランス」病院内ノ外國人私宅ニテ「タイプライター」刷ト爲シ居レリト云フ（四月十六日）

（六）　宣敎師ノ祕密會

四月十五日午後二時ヨリ西大門聖經學院内ニ於テ宣敎師「ノーブル」同「クーゾル」同「バンカー」等二十名集合十四日學校敎會堂等ノ家宅搜索ニ對シ善後策ヲ協議シ結局在鮮宣敎師全部連名ニテ本國政府ニ請願スル所アルヘク而シテ其ノ請願書ハ領事ヲシテ本國政府ニ進達セシムルカ又ハ代表者ヲ選ヒ歸來セシムルカ其ノ一ヲ選フヘク何レモ此ノ儘ニテハ到底在鮮スルコト能ハスト述ヘ又平壤「モーリー」宣敎師ノ裁判ニ付檢事ハ六ケ月ノ求刑ヲ爲シタル由ナルモ敎會ノ宣敎師トシテ信徒ヲ其ノ家ニ宿泊セシムルニ何ソ罪アラントテ宣敎師「ジョーダイン」ヲシテ當局者ニ交涉シ一面鮮人辯護士ヲシテ辯護セシメ狀況ニ依リテハ本國ヨリ辯護士ヲ呼寄スヘク如何ニシテモ無罪タラシムヘシト協議シタリト云フ

（七）　家宅搜索ト宣敎師ノ言動

十四日教會學校等ノ家宅搜索ヲ行ヒタルニ對シ梨花學堂長「フライ」及儆新學校長「クンス」カ某鮮人ニ對シ今回ノ家宅搜索ノ結果日本人ノ所謂證據物件ナルモノハ一モ得ル所ナク彼等ノ目的ハ達セラレサリキ素ヨリ吾等宣教師ノ經營スル所ニハ曾テ容疑ノ書類等ハ一モ無ク何等憂フル處ナシ然レトモ吾人ハ豫テ此事アルヘキヲ慮リ既ニ數日前祕密ニ相通シ置キタリト語レリト

（八）　延禧專門學校長ノ日本官憲攻擊

四月十四日京城地方法院檢事カ延禧專門學校ヲ搜索シタルニ對シ校長英國人「エヴイソン」ハ搜査官憲ノ行爲ヲ不法ナリトシ十四日日本官憲カ余ノ管理スル學校ノ搜索ヲ行ヒタルカ何等騷擾ニ干係アリト認ムヘキ物件ナキヲ以テ無法ニモ學校用ノ地圖及生徒敎授用ノ講義按ヲ持チ歸ラントセシニヨリ同校市島敎師ハ搜査官ニ對シ右ハ騷擾事件ニ干係ナキコトヲ説明シタルニ官憲ハ之ヲ中止セリ抑モ斯ノ如キ搜査手段ハ其ノ目的ノ那邊ニアルカヲ疑ハスンハアラス名ヲ騷擾事件ノ家宅搜索ニ藉リテ我我外國人ノ經營セル朝鮮人敎育ヲ根底ヨリ覆サントスル手段ニ外ナラスト稱シ非常ニ憤慨シ居レリト云フ

（九）　米國副領事ノ行動

米國總領事館副領事「カーチス」外二名ハ十六日自動車ニ乘リ水原郡内發安場及堤岩里ニ至リ燒失家屋ノ現狀ヲ視察シ死傷者及暴民中ニ耶蘇敎徒及天道敎徒ノ有無並內鮮人ノ戶數等ヲ調査シ同日歸京シタルカ同地鮮人中ニハ副領事等ノ視察ヲ以テ朝鮮ノ獨立ハ容易ナルカ如ク思惟セル者アリ（四月十八日） 二〇二 二〇三

（一〇）　宣敎師ノ言動

米國人宣敎師「デミイング」カ他ノ米國人宣敎師ノ談話ナリトシテ語ル所ヲ聞クニ「吾カ米國宣敎會ノ朝鮮ニ布敎ヲ開始シテ以來僅ニ四十年ニ過キサルニ其ノ間前後三回ニ渉リ宣敎師ノ排斥ト耶蘇敎ノ壓迫ニ遭遇セリ其ノ第一次ハ大院君ノ當時第二次ハ寺內總督時代ニ於ケル陰謀事件第三次ハ今回ノ獨立運動事件ニシテ第二次ハ勿論殊ニ今回ノ事件ノ如キ吾人宣敎師ノ煽動シタルモノニアラスシテ朝鮮人ノ自動的天意ノ存スル所ニ隨ヒテ運動ヲ開始シタルニ不拘日本人ハ吾人宣敎師ヲ敎唆若ハ煽動ノ嫌疑者トシテ熾ニ排斥シツツアリ」ト吾等米國人ハ廣ク世界ニ基督敎ヲ傳道シツツアルカ如斯布敎上ノ困難ハ單リ朝鮮ノミニシテ世界ニ其ノ比ヲ見サル所ナリ吾人ハ寧ロ此ノ惡政治ヨリ逃レテ歸國スルニ如スト（四月二十一日）

（二）　米國宣敎師ノ祕密會

今回宣敎師聯合會ニテハ特別委員ヲ選定シ四月十七日午後八時ヨリ貞洞居住米國人宣敎師「ビリングス」方ニ於テ祕密會ヲ開キ時局ニ對スル應急策ヲ討議シタルカ要ハ今回ノ事件ニ關シ全鮮ニ於ケル禮拜堂ノ破壞耶蘇敎壓迫及宣敎妨害其ノ他日本ニ不利ナル種々ノ狀況ニ付詳細取調ヘ之ヲ本國ノ傳

道本部ニ報告シ善後策ヲ講スル目的ヲ以テ調査終了次第宣敎師中ヨリ委員一名ヲ選出シ渡米セシムルコトニ決定セリトノ説アリ

（三）　米國總領事ノ談

京城駐在米國總領事ハ米國新聞記者ニ對シテ曰ク朝鮮人ハ五百年來ノ自國ノ壓迫政治ニ對シテハ多少ノ不平不滿ノ念ヲ抱持シ居リタルニ不拘流石ニ最後マテ之ヲ外部ニ發表セサリシカ併合並其ノ後ノ待遇ニ付テハ不尠反感ヲ抱キ居リ而モ之ヲ發表スル機會ノ到來ヲ待チツツアリシモ未タ其ノ期ヲ得ス沈默ノ裡ニ表面無事ヲ裝ヒ十年ヲ經過セル今日マテ何等ノ象徵ヲ現ハササリシヲ以テ日本官憲ハ事ノ表裏ヲ究メス眞ニ同化シツツアルモノト信シテ疑ハサリシ結果如斯騷擾ヲ惹起スルニ至リタルモノナリ云云ト語レリト

（三）　米國宣敎師ノ言動

セブランス病院醫師兼宣敎師米國人「ヴアンバスカーク」ハ基督敎經營ニ係ル學校病院等ノ家宅搜索ニ對シ甚シク憤慨シ是非之カ報復手段ヲ講セントスルモ到底朝鮮ニアリテハ術策ヲ施ス餘地ナキヲ以テ寧ロ本國ニ歸還シ全力ヲ注キテ排日的輿論ヲ喚起シ日本ノ對米外交上ニ一大痛棒ヲ與フレハ其ノ目的ヲ達スルコトヲ得ヘク依テ近キ將來ニ於テ歸國スル筈ナリト語レリトノ説アリ 二〇四 二〇五

（四）　米國宣敎師ノ祕密會

曩ノ祕密會ニ於テ協議ノ結果先ツ全鮮宣敎師代表者「ノーブル」「アンダーウット」「ワツソン」「ベアード」「アダムス」及「マンキユーン」ノ連署ヲ以テ左ノ如キ請願書ヲ本國傳道本部ニ提出スルコトニ決定セリト云フ

（イ）　今回朝鮮ノ獨立運動ハ全國民ノ自發ニ依ルモノニシテ宗敎別ヨリ見レハ全鮮內總テノ宗敎徒ヲ通シテ參加シ而カモ首魁ハ天道敎敎主タルニ不拘日本人ハ故ラニ基督敎ノミヲ壓迫シ則チ禮拜堂ヲ破壞シ且其ノ集合ヲ禁止セル所アリ是耶蘇敎ヲ撲滅セントスルモノニシテ正ニ國際公法上ノ違反ナリ

（ロ）　朝鮮內ノ傳道事業ニ從事スル者ハ英佛米等ノ各國人アルニ不拘特ニ米國人宣敎師ヲ獨立運動ノ嫌疑者トシ其ノ家宅ヲ搜索シ或ハ之ヲ招致シテ取調ヲ爲セリ尙英國宣敎師ノ日本官吏ニ毆打セラレタル事件ニ付（日本官吏ハ英國宣敎師ヲ毆打シタルコトナシ）其ノ理由ヲ質シタルニ米國人ナリト信シ之ヲ毆打セリト答ヘタリ是外國人宣敎師中特ニ米國人ヲ排斥セントスル事瞭ナル事實ナリ

（ハ）　日本內地及朝鮮內ノ各日本新聞ハ今回ノ事件勃發當時ヨリ米國宣敎師ニ對スル揑造記事ヲ揭載シ之ヲ攻擊スルコト甚シク殊ニ東京發行新聞中米國領事館ニテ朝鮮獨立新聞ヲ印刷セリトノ全然事實無根ノ記事ヲ揭載セルアリ且又宣敎師カ何等聞知セサルニ不拘其ノ言ナリトシテ不實

ノ記事ヲ掲ケ之ヲ中傷シ以テ米鮮人間ヲ離間セントセシモノニシテ是吾人ノ宣敎ヲ妨害スルモノナリ

(ニ) 未詳

(ホ) 日本官憲ハ多數ノ密偵ヲ使用シ宣敎師ノ家ニ出入スル多數ノ鮮人及親交アル者ヲ調査シ兩者ノ來往ヲ困難ナラシメントス是宣敎師及其ノ交通ヲ遮斷セントスルモノナリ

吾等米國宣敎師カ朝鮮ニ宣敎ヲ開始シテ以來既ニ四十年ニ垂ントス其ノ間如斯困難ニ遭遇セルハ未曾有ノ事ナルノミナラス世界ノ歴史ニ曾テ其ノ類ヲ見サル處ナリ其ノ間本部ニテハ個人ノ通信等ニテ知得セルモノアランモ不日在鮮宣敎師ノ境遇ト狀況トヲ詳細ニ調査シ代表委員ヲ派遣スルコトトセルモ先ツ其ノ大要ヲ錄送ス可然承知アリタシ

(五) 宣敎師ノ行動

京城及各地方耶蘇敎宣敎師等ハ騷擾事件ニ關スル鮮人死傷者及其ノ家族ニ對シ食料品及衣服ヲ給與シ以テ人心ヲ收攬センコトヲ協議シ將ニ著手セントシツツアリト云フ(四月二十三日)

(六) 宣敎師ノ行動

北監理敎會米國人「ウエルチ」監督ハ四月二十三日京城發長崎ニ向ヒタルカ其ノ旅行ノ事由ナリト云フヲ聞クニ騷擾事件勃發以來當局ノ米國宣敎師ニ對スル査察頗ル嚴重ヲ極メ居ルノミナラス民間

二〇六
二〇七

ノ非難攻撃甚シキヲ以テ宣敎師側ニ於テモ之ニ對應スル反對運動ヲ畫策シツツアリ然ルニ同人ハ監督トシテ其ノ職責上之等ノ相談ヲ受ケサルヘカラサルカ如キ事情トナリ又一部ノ者ハ同監督ヲ利用セムトスル傾向アルヨリ此ノ儘滯京セハ結局妄動ノ渦中ニ投スルコトトナリ不利益ヲ招ク虞アルヲ以テ遂ニ意ヲ決シ名ヲ內地ノ敎勢視察ニ藉リ一時京城ヲ遠サカリタルモノナリト云フ

(七) 米國人ノ動靜

延禧專門學校學監米國人「エー、エル、ベッカー」ハ一年間ノ休暇ヲ得テ四月二十三日京城發歸國ノ途ニ就キタルカ同人ハ今回ノ事件ニ關聯スル家宅搜索等ニ關シ大ニ不滿ヲ懷キ居リ歸米ノ上ハ出來得ル限リ雪辱的報復手段ヲ講スヘシト揚言シ居タリト云フ(四月二十六日)

(八) 外國人ノ言動

京城居住南監理派宣敎師英國人「ハーディ」カ鮮人傳道師ニ語リタル談片ニ今次ノ世界大戰ニ於テ伊太利及白耳義ノ二國ハ多大ノ損害ヲ蒙リ居ルニ不拘媾和會議ニ於テハ輕視セラレ其ノ發言ヲ認メラレサル狀態ナルニ朝鮮人カ僅ニ獨立萬歲ヲ唱ヘタリトテ媾和會議ノ問題トナラサルハ明瞭ナリ若シ朝鮮ニシテ衷心其ノ希望ヲ貫徹セムト欲セハ死ヲ決シテ騷擾ヲ爲スニアラサレハ同會議ノ問題トナラスト暗ニ煽動的言辭ヲ弄シタリト云フ

(九) 鮮人ノ旅行取締ニ對スル感想

儆新學校長米國人「クンス」ハ今回ノ鮮人旅行取締ニ對スル部令發布ニ對シ何レノ國ト雖自國人カ國內ヲ旅行スルニ當リ旅行券若ハ證明書ヲ必要トスル國家ナシ然ルニ今回發布ノ部令ニ依レハ之ヲ必要トスルカ如シ是朝鮮カ獨立運動ニ依リ獨立シタルモノト認メタル結果如斯規則ヲ發布シタルモノナルヘシ然レトモ運動ノ煽動者ハ何レモ窃ニ旅行シツツアリト嘲笑的ノ言ヲ弄セリト云フ

(一〇) 外國人ノ日米開戰說

長老派宣敎師兼「セブランス」病院々長英國人「エヴイソン」ハ近時朝鮮及支那地方ニ於テ日米ノ國交上面白カラサル情況アルハ日本軍人中日米開戰ヲ熱望シ居ル者アルニ基因スルモノニシテ殊ニ今次ノ朝鮮騷擾事件ニ關シ種々ノ機會ヲ利用シテ故ラニ米國人宣敎師ヲ非難攻撃シ多大ノ壓迫ヲ加ヘツツアルハ開戰ノ前提トシテ日本人ノ敵愾心ヲ喚起シ併セテ米國人ノ反感ヲ挑撥セムトスル手段ニ外ナラス尙日米開戰ニ關シテハ單リ日本人ノミナラス米國人軍人中ニモ之ヲ希望シ居ル者尠カラス其ノ理由ハ曩ニ米國カ歐洲戰爭參加ノ爲折角種々ノ準備ヲ爲シタルモ間モナク休戰トナリタルヲ以テ勢ヒ軍備ヲ縮少セサルヘカラサルコトトナリタルモ之ヲ永ク維持スル爲ニハ政策トシテ日本ト戰端ヲ開クノ要アリト云フ者不尠ト語リタリト云フ(四月二十七日)

(一一) 外人視察員來鮮

二〇八
二〇九

北長老派宣敎師兼「セブランス」病院長「エブイソン」ハ今回ノ朝鮮獨立運動事件ニ對シ在鮮宣敎師ハ耶蘇敎壓迫ノ狀況ト多數ノ人民虐殺セラレタルコトヲ報告シタル結果長老派傳道本部ニテハ現狀ヲ實地調査スルコトニ決定シ既ニ視察員ハ米國ヲ出發セリト語レリト(四月三十日)

(一二) 宣敎師聯合委員會ノ內容

四月初旬ヨリ西大門町一丁目聖經學院ニ於テ各派宣敎師聯合委員會ヲ開會中ノ處其ノ內容ナリト云フヲ聞クニ同委員會ハ今回ノ騷擾事件ヲ調査シ米國ヘ通報スヘキ機關トシテ特設シタルモノニシテ表面朝鮮語及傳道方法ヲ研究スルモノナリト稱シ居ルモ事實ハ然ラス各地ニ散在セル宣敎師等カ憲兵警察官ノ行動其ノ他民情等細大洩サス精査ノ結果ヲ同會ニ通報シ委員ハ之ヲ取纏メ其ノ主任タル「ケーブル」自宅ニ於テ「タイプライター」刷トナシ米國總領事館ニ持參シ同館ノ公用書類ノ如ク裝ヒ五日目每ニ本國ヘ發送シ居レリト云フ(五月二日)

(一三) 外國人經營學校狀況

弼雲洞培材女學校ハ五月一日ヨリ幼稚科及普通科ノミヲ開校シタルカ登校生徒ハ九割以上ニシテ他ノ一割ハ何レモ家事ノ都合ニヨリ缺席セルモノナリ而シテ最モ危險ナリト認メラルル高等科ハ寄宿生約四十名ハ歸鄉シ在京者僅少ニシテ未タ開校ノ運ニ至ラス形勢ヲ觀望シツツアリト云フ

尙同校鮮人敎師中ニハ今回ノ事件ニ關シ溫和派ト妄動派ノ二派ニ分レ校長英人「バーザ、エー、スミス」及光熙町分校長米國人「ルイス」ノ兩人ハ初メ溫和派ナリシモ後妄動派ニ誘ハレ間接ニ煽動ノ

態度ニ出テ居タリシモ近時ノ形勢ニ依リ大ニ自覺シ他ノ誹ヲ招クヲ顧慮シ愼重ノ態度ヲ執リ校勢ノ維持ニ努メ居レリト(五月四日)

(二四) 宣教師歸國ト言動

米國人宣教師ニシテ七年勤續ニ對スル一年間ノ休暇ヲ得歸國スル者多數ナルカ彼等ハ歸國ニ際シ異口同音ニ鮮人敎徒ニ對シ吾等ハ朝鮮ノ宣教師ナレハ決シテ朝鮮ノ事ヲ忘レス朝鮮ニ於ケル現下ノ狀況ニ關シテハ外國ニ在ル者モ一般ニ之ヲ知レリト雖吾人歸國ノ上ハ一層鮮人ノ心情ヲ公表シ飽迄目的ニ副フ如ク努ムル筈ナレハ心配スルコトナク安神シテ可ナリト懇ニ諭シ出發セリト云フ(五月六日)

(二五) 米國宣教師ノ祕密會

宣教師聯合會ヨリ選出セル獨立運動事件調査委員「アンダーウッド」「ビリング」及「クンス」等十餘名ハ五月三日宣敎師兼培材學校長「ノーブル」方ニ於テ祕密會ヲ開催シタルカ内容ハ宣敎師中ヨリ米國宣敎師本部ニ派遣スヘキ全權委員選擧ニシテ曩ニ定期休暇ニテ歸國セシ延禧專門學校學監「ベッカー」ヲ監理派宣敎師代表ニ貞信女學校長「ルイス」ヲ長老代表兼女宣敎師代表者ニ選定シ總テノ狀況ヲ報告セシムルコトニ決定シタリト云フ(五月十一日)

(二六) 耶蘇敎壓迫論發行方策

米國宣敎師ノ祕密會ニ於テ計畫セル騷擾事件ニ關スル耶蘇敎壓迫論ハ其ノ第一卷ヲ脫稿シ之カ發行方法ニ付執筆者タル「ビリングス」及「アンダーウッド」等ハ之ヲ米國ニ送リ在外鮮人ノ名ヲ以テ著作發行セシムルコトニ內定シ尙第二卷以下モ續刊ノ筈ナリト(五月十七日)

(二七) 耶蘇敎敎勢挽回策

騷擾以來耶蘇敎各派トモ甚大ナル打擊ヲ被リ每日曜ニ於ケル禮拜者著シク減少シタルニ對シ外國宣敎師間ニ於テ過日來屢協議會ヲ開キ之カ善後策講究中ナリシカ彼等ノ態度平靜ナルヨリ其ノ內容ヲ探聞スルニ長老派ニアリテハ急激ナル善後策ヲ主張シタル由ナルモ南北監理派ノ多數宣敎師等ハ未タ鮮人ノ思想平常ニ復セス妄想ヲ抱ク者アルニヨリ假令敎勢挽回ノ手段ヲ執ルモ其ノ效果ヲ得サルノミナラス總督府ノ疑ヲ解ク上ニ於テ甚タ不利ナルヲ以テ來ル七月各派宣敎師元山ノ避暑地ニ集合シ方針ヲ確立シ本年秋期大傳道會ヨリ敎勢挽回ノ方法ヲ實行スルコトトシ夫レ迄ハ總督府ノ耶蘇敎ニ對スル態度及鮮人思想ノ變化ヲ觀察スト云フニ決定セシモノノ如シ

(二八) 獨立運動ニ對スル外人ノ批評

長老派書記米國系英國人「オインス」ハ某鮮人ニ對シ余ハ朝鮮獨立運動起ルヤ其ノ成功ヲ信シテ疑ハサリシニ鮮人ハ單ニ示威運動ニ依ル萬歲ヲ唱ヘタルノミニテ何等ノ結果ヲ見スシテ終了セリ抑モ示威運動ナルモノハ世界何處ニ於テモ事ノ大小ヲ問ハス一時ノ不平ヲ愬フル爲ニ行ハルルニ過キス

二一〇
二一一

シテ別ニ大事ニアラサルナリ鮮人ニシテ今日ノ場合此ノ儘ニ終ランカ寧ロ爲サザルニ如カス此ノ際鮮人ハ密ニ世界ノ通信機關ト連絡ヲ保チ身命ヲ堵シテ事ヲ爲スニアラサレハ不立不可能ナリ云々ト鮮人ノ不甲斐ナキヲ難シタリト云フ(五月二十日)

(二九) 米國人ノ言動

京城府南米倉町居住米人齒科醫「ハーン」ハ支那上海ニ旅行中五月上旬同地在住排日鮮人ニ對シ騷擾ヲ煽動セシ事實アルカ同人ハ十二日夜歸來シ往訪者ニ對シ鮮人ハ目下武力ノ威壓ニ依リ表面平靜ナルモ彼等ノ獨立思想ハ益々增大シツツアリ試ニ彼等ノ感想ヲ問ヘハ下層民ト雖非道ナル日本ノ壓制ヲ免レ獨立スルヲ得ハ明日死ストモ可ナリト答フル狀況ナリ朝鮮人ノ思想如此ナルハ來鮮二十年未タ嘗テ見サル處ナリ尙余ハ日米戰爭ヲ到底避クヘカラサルヲ信スルモノナリ何トナレハ曩日來支那英字新聞ニ排日煽動記事ノ揭載セラレツツアルハ米國領事館員ノ寄書ニ係ルモノニシテ從來支那朝鮮ニ關スル斯ノ種ノ行動ハ米國人個人ノ行爲ニ過キサリシニ今回ノ事アルニ鑑ミルニ米國政府當路者ノ間ニ排日的傾向アルハ瞭ニシテ是正ニ日米開戰ノ萠芽ト見ルヲ得ヘシ云々ト語レリト云フ

(三〇) 鮮人耶蘇傳導師ノ辭職

京城府冷洞居住北監理派米人宣敎師「ゲール」ノ語ル處ニ依レハ忠淸南、北道同派鮮人傳導師全部ハ手當金ノ增給ヲ要求セシモ之ヲ容レサルト又騷擾後社會一般ノ攻擊ニ堪ヘス遂ニ同盟辭職ヲ申出タル由ナルカ同派ニテハ此ノ儘放任セハ全鮮傳導師ニ波及シ其ノ影響容易ナラサルモノアリトシ善後策ニ付協議中ナリト云フ(五月二十六日)

(三一) 外人ノ鮮人學生海外渡航煽動

「セブランス」病院醫師米人「スコフイルド」及同長老派書記「オインス」ハ朝鮮人學生ニ對シ猶太ノ獨立成功ハ國內在住者ノ運動ニ非スシテ總テ國外在住者ノ力ニ因リシモノナリ現今朝鮮ニ於ケル獨立運動ノ狀況ヲ見ルニ朝鮮內地ニ於ケル運動ハ一時全鮮ニ亙リ熾烈ナリシモ今ヤ火ノ消エタルカ如ク更ニ見ルヘキモノナシ寧ロ鮮內ノ運動ハ之ヲ中止シ彼ノ猶太ノ例ニ倣ヒ海外ニ多數渡航シ猛烈ニ運動ヲ行ハハ身ニ危險ノ及フ事ナク且其ノ效果モ亦僅少ナラサルヘシ斯クシテ間斷ナク活動ヲ繼續セハ自然外國ノ同情モ加ハリ來ルヘシ云々トテ海外渡航ヲ激勵セシ爲學生中ニハ此ノ言ニ動カサレテ渡航準備ニ取掛レル者モ不尠ト云フ

(三二) 外國人ノ獄死者遺族慰藉

天道敎道師ニシテ孫秉熙ト共ニ獨立宣言書ニ署名シタル梁漢默ハ五月二十六日西大門監獄ニ於テ死亡シ死體ハ同日午後四時頃其ノ遺族ニ引渡サレタルカ「セブランス」病院長英國人「エヴィソン」外二名ノ外國人ハ自動車ニテ同人宅ヲ訪ヒ死體ヲ詳細ニ檢査シ拷問又ハ毒殺等ノ疑ナク監獄醫診斷ノ通リ腦溢血症ニ相違ナシト告ケ尙弔問ノ爲來合セタル者等ニ對シ梁氏ノ肉體ハ死スルモ其靈魂ハ永

二一二
二一三

生シ韓國ノ爲ニ盡ス所アルヘシ諸氏モ梁氏ノ素志ニ做ヒ決心ノ覺悟ナカルヘカラスト述ヘ立踊タリト云フ（五月二十九日）

（二三）宣敎師會ノ外國新聞通信

平安南道平壤長老派及監理敎兩派米國人宣敎師等ハ這回ノ騷擾事件勃發後特ニ平壤宣敎師會ナルモノヲ設ケ會長ニ崇實學校敎師「ライナー」副會長ニ宣敎師「ウエルボン」ヲ選定シ表面布敎上ノ合議機關ノ如ク裝ヒ居ルモ裏面ニ於テハ專ラ獨立運動ト之ニ對スル官憲及內地人等ノ行動ヲ調査シ本國ニ通信スルハ勿論支那英字新聞ニ投稿シ密ニ獨立運動ニ應援ヲ與ヘ居ル形跡アリ又一方市俄古「デイリーニユース」北京天津「タイムス」記者「ガイルス」及北京在住萬國改良會東洋支部長兼萬國通信新聞總理タル「イー、ダブリユー、トウイング」ト連絡通信ヲ爲シ居ル模樣アリ尙神戶發行四月二十日「ジヤパン、クロニクル」紙ニ揭載ノ獨立新聞關係者李輔植ノ逮捕ニ對スル記事ノ如キ前記「ライナー」ノ通信ニ依ルモノノ如シ（四月二十七日）

（二四）宣敎師ノ騷擾狀況報告

咸鏡北道會寧居住加奈陀長老派英人宣敎師「バーカー」ハ同地方ニ於ケル今回ノ騷擾事件ニ關シ耶蘇敎徒ヲ煽動セル疑アル者ナルカ彼ハ騷擾事件ニ關係セル者ノ員數職業死傷者及被拘禁者ノ氏名年齡員數所刑者數並騷擾ノ狀況及之ニ關スル寫眞等ヲ蒐集シ詳細ニ亘リ京城英國總領事ニ逐次報告シ居

二二四
二二五

レリ而シテ「バーカー」ハ曰ク騷擾事件ニ關スル報告ハ在鮮宣敎師ハ京城總領事ニ又在滿洲宣敎師ハ奉天總領事ニ報告スルコトトナリ居レリト

尙右ハ「バーカー」カ往訪ノ會寧憲兵分隊長ニ領事宛ノ報告書ヲ示シ且親シク語リタル要領ナリ（四月十八日）

（二五）米國人家宅搜索

北長老派宣敎師	米國人	Ele M mowry
同	右	Samuel Amoffett
北長老派及北監理派聯合經營崇實學校敎師	同	A. W Gillis
同	右	Robert M Mcmartric
同　右崇實學校中學部敎師	同	Ralph Oliver Reiner
同　右崇實女學校敎師	同	Velma Lee Snook
外國人小學校敎師	同	Anna Giuins
北長老派宣敎師	同	Villiam M Baird

前記米國人等ハ平壤ニ於ケル今回ノ運動ニ關係セル疑アルヲ以テ平安南道警務部ニ於テ嚴密內偵中ノ處今回「モーリー」及「モヘツト」方ニ平壤ニテ發行セル獨立新聞發行者及官民ヲ脅迫セシ犯人等潛

伏シ居ルコトヲ探知シタルヲ以テ平壤地方法院檢事正ニ家宅搜索及犯人逮捕方ヲ請求シ四日午後四時ヲ期シ之カ實行ニ著手セリ

檢事三名ニテ先ツ「モーリー」及「モヘツト」方ヲ同時ニ著手シ憲兵警察官四十名ヲ必要ノ箇所ニ配置シ犯人ノ逃走ヲ防キ又檢事ニ數名ノ警察官ヲ補助セシメ家宅搜索ニ著手スル旨ヲ告ケタルニ何レモ米國總領事ノ承認書提示方ヲ要求セシニ付檢事ハ相當法規ニ基キ行フ旨ヲ告ケ搜索ヲ行ヒタル結果前記「ギリス」以下六名方ニ犯人ノ潛伏及右二戶搜索ノ際犯人逃込ミタル形跡アルニヨリ檢事ハ更ニ六戶ニ就キ搜索爲シ左記ノ如ク犯人及證據物ヲ發見セリ

尙「モヘツト」方ニ潛伏セシ獨立新聞發行關係ノ首謀者タル李輔植ハ警戒線ヲ突破逃走セシニヨリ直ニ追跡セシメタルモ未タ縛ニ就カス

檢事ハ搜索處分終了後夜ニ入リ「モヘツト」及「モーリー」ノ兩名ヲ呼出シ取調ノ結果「モーリー」ハ犯人藏匿罪トシテ平壤監獄ニ拘留シ「モヘツト」ハ自宅構內ノ別棟建物內ヨリ證據物件ヲ發見セラレタルモ該建物ハ鮮人學僕其ノ鍵ヲ保管シ居ルヲ以テ其ノ出入ニ付テ全ク關係ナク且自家ニ出入スル鮮人等ノ行爲ニ付テモ全然關係セサル旨申立ツルニヨリ鮮人犯人取調ノ上ニアラサレハ適確ナル證憑ナキヲ以テ釋放セリ

記

獨立新聞發行及騷擾事件逮捕者氏名

犯人潛伏場所	職業	氏名
エ、ダブリユー、ギリス	崇實中學校生徒	洪仁燁
同	京城醫學專門學校三年生	金鼎相
同	中和海鴨面長長老敎會助事	吳能祚
エラ、エム、モーリー	崇實中學校生徒	朴基福
同	崇實大學校生徒	金泰述
同	崇實中學校生徒	李仁善
同	崇實中學校敎師	金永淳
サミユエル、エ、モヘツト	崇實大學校生徒	李謙浩
ウイリヤム、エム、ベヤード	崇實大學校生徒	朴亨龍
崇義女中學校寄宿舍	崇義女中學校敎師サルモン（女）ノ女中	金泰勳
同	崇義女中學校傭人（女）	吳鳳順

二二六
二二七

押收タシル證據物件

品名	數	藏匿ノ場所
謄寫版	一臺	崇義女中學校寄宿舍（モヘット所有）
休校宣言書	數通	モヘット方邸內空屋（印刷ヲ爲シタル家屋）
謄寫版	二臺	同
獨立新聞（京城ニテ發行ノモノ）	一	同
騷擾事件情報（定州ヨリモヘットニ送付ノモノ）	一	同

三、騷擾事件ニ關聯セル犯罪ノ檢擧

三月一日騷擾勃發以來全道各地ニ於テ不逞者ノ煽動的犯罪行ハレタルカ其ノ主ナルモノ二、三ヲ例示スレハ左ノ如シ

（一）獨立請願運動ニ關スル件

本年三月騷擾ノ勃發スルヤ慶尚南道居昌郡郭鍾錫、慶尚北道星州郡張錫英、宋浚弼、金昌淑、宋圭善ノ五名ハ京城方面ニ於テハ既ニ獨立運動勃發シ騷擾セルニ拘ラス慶尚北道附近ニ於テ何等ノ計畫ヲ爲ササルハ不可ナリトシ同三月中ニ於テ朝鮮總督ニ提出スヘキ朝鮮獨立請願書ヲ起草シ終ルヘシト主唱シ獨立請願運動ノ企畫ヲ爲スニ至レリ其狀況左ノ如シ

一　被告人住所氏名

			氏名	年齡
本籍	慶尚南道居昌郡加北面儒生		郭鍾錫	七十四年 二二八 二二九
本籍	慶尚北道星州郡月恒面儒生		張錫英	六十九年
本籍	同	草田面	宋浚弼	五十一年
本籍	同	面兩班	宋圭善	四十一年
本籍	同	月恒面兩班	李基定	三十七年
本籍	同	碧珍面兩班	李鳳熙	四十年
本籍	同	面兩班	張鎭洪	四十七年
本籍	同	月恒面兩班	李基允	二十九年
本籍	同	草田面兩班	李炳喆	三十七年
本籍	同	高靈郡高靈面兩班	李寅光	四十二年
本籍	同	草田面兩班	李德厚	六十五年
本籍	慶尚北道星州郡草田面兩班		成大湜	五十一年
本籍	同	碧珍面兩班	呂相胤	五十五年
本籍	同	大家面兩班（未逮捕）	金昌淑	四十一年
本籍	同	月恒面兩班（同）	李基聲	五十二年

			氏名	年齡
本籍	同	草田面兩班（未逮捕）	李定基	二十五年

二　犯罪事實

本年三月騷擾ノ勃發スルヤ慶尚北道內ニ於ケル兩班儒生ヲ糾合シテ巴里ノ媾和會議ニ朝鮮獨立承認請求書ヲ提出セント企畫スル所アリシカ後ニ至リ右ノ企畫ハ甚タ迂ナリ寧ロ朝鮮獨立請願書ヲ朝鮮總督ニ提出シ以テ意思ノ發表ヲ爲スニ如カスト意見一致シ張錫英及宋浚弼ニ於テ同三月中各別ニ右請願書ヲ起草シ終リ彼此對照ノ上其ノ內徹底的ノモノヲ提出スルコトトシ本年三月末右兩名ノ起草セシモノヲ對照シタルモ尙意ニ充タサル點アリトシ更ニ請願書草案ニ著手中本件發覺シタルモノナリ

三　措置

本件ハ四月十五日大邱地方法院檢事正ニ事件送致シタリ

（二）獨立運動ニ關スル不穩文書頒布者檢擧ノ件

四月九日京城ニ於テ「朝鮮民國臨時政府組織布告文」ナル別紙不穩印刷物ヲ頒布セシモノアリ捜査中ノ處左記ノ者等カ調製配布セシモノナルコト判明セリ其ノ概要左ノ如シ

記

本籍　平安北道寧邊郡泰平面館下洞
住所　京城府安國洞　無職（天道敎徒）　朴理根　當三十年　二三〇 二三一

本籍　平安北道龜城郡西面龜岩里
住所　不定　無職（天道敎徒）　許益煥　當四十年位

本籍　忠淸北道提川郡寒水面寒泉里
住所　京城府梨花洞　醫師　權熙穆　當二十七年

本籍　江原道春川郡龍北面龍山洞
住所　京城府益善洞　無職　李林洙　當二十七年

一　犯罪ノ概要

前記ノ內權熙穆ヲ逮捕シ當部ニ於テ取調タル處朴理根、權熙穆、李林洙ノ三名ハ大正八年二月二十日頃理根方ニ會合シ天道敎及耶蘇敎ハ米國大統領「ウキルソン」ノ提唱セル民族自決主義ニ基キ祖國ノ恢興ヲ期スヘク最近ニ於テ獨立ヲ宣言シ運動ヲ開始スルコトトシ目下兩敎有力者ノ間ニ謀議シツツアリサレハ吾等青年モ此ノ好機ヲ逸セス同志ヲ糾合シ獨立運動ヲ開始セサルヘカラストナシ愈運動ニ著手スルコトニ決シ先之同人等カ義兄弟ノ約ヲ結ヒシ本籍咸鏡南道新興郡加平面芝洞當時支那大連常盤町居住兩替商李政當三十六年ナル者ヲ呼寄セ運動企畫ニ付協議スルコトトシ同月二十五日頃李林洙ハ李政ニ對シ「朴兄病氣危篤生前面會シタシ」トノ僞電ヲ發シ李政ハ三月二

日朝京城ニ到著セシヲ以テ獨立運動ニ付協議セシモ同人ハ當時病氣ノ故ヲ以テ運動參加ヲ拒絶セシヨリ前記ノ三名ハ此ノ以前ニ於テ本件ノ企畫ニ賛同セシ權熙穆ト共ニ四月七日午後八時頃朴理根方ニ會シ既報ノ不穩文書ヲ印刷シ翌八日午前七時頃迄ニ約四百通ヲ調製シ同日京城府内ニ配布セリ而シテ此ノ印刷ニ要セシ器具紙等ハ一切許益煥カ天道敎財務部員李某ヨリ供給ヲ受ケ又不穩印刷物ノ原稿モ同人カ李某ヨリ受取リタルモノナルコト判明セシモ益煥ノ所在不明ニシテ逮捕スルコト能ハサルヲ以テ不穩文書ノ起草者及本件ト天道敎徒ノ關係ハ未タ不明ナリ

二　措置

本件ハ保安法違反及出版法違反トシテ權熙穆ハ身柄ト共ニ他ノ三名ハ所在不明ニ付事件ノミヲ四月二十三日京城地方法院檢事ニ送致セリ

朝鮮民國臨時政府組織布告文

朝鮮半島ハ精鋭ナル民衆ノ誠忠ト進化セル時代ノ大勢トニ依リ茲ニ獨立ノ確實ナル基礎ヲ成シ世界ノ萬邦ト比肩シ文明ノ歩調ニ伍列スヘキ機運ニ進メリ

國家ヲ愛シ福利ヲ圖ル吾等二千萬民族ハ忠ヲ盡シ力ヲ竭シ國民タル義務ヲ一毫ノ差錯ナク善美ニ履行スルコトヲ自決シ過去ノ歷史ヲ良心ノ命スル處ニ従ヒ銘肝スルコトヲ自盟スルト同時ニ一日タリトモ無政府狀態ノ存在スルコトヲ憂ヒ國民大會一同ト自主黨一同トハ京城ニ聯合會ヲ開キ孫秉熙氏ヲ正都領ニ李承晩氏ヲ副都領ニ選擧シ又別冊ノ如キ朝鮮民國臨時政府創立章程ヲ議定シ茲ニ之ヲ宣布ス

別　冊

朝鮮民國臨時政府創立章程

第一章　組　織

第一條　朝鮮國民大會ト朝鮮自主黨トハ聯合會議ノ名議ヲ以テ朝鮮ヲ朝鮮民國ト稱シ茲ニ臨時政府ヲ組織ス

第二章　主　權

第二條　朝鮮民國ハ二人ノ都令ヲ選擧シ之ヲ統轄ス

第三條　都領ハ之ヲ分チテ正都領副都領ト稱ス

第四條　都領ハ連署ヲ以テ民國統轄權ヲ行フ但都領中ノ一人事故アリ或ハ缺位ノ場合ニ於テハ一人ニテ之ヲ獨裁スルコトヲ得

二人共ニ缺位ノ場合ニ於テハ新ニ選擧セラルルマテ内閣總務卿之ヲ代行ス

第三章　機　關

第五條　都領府外ノ臨時政府ニハ内閣總務及左ノ各部ヲ置ク

一、外　務　部
一、内　務　部
一、軍　務　部
一、財　務　部
一、學　務　部
一、法　務　部
一、殖　産　部
一、交通務部

第六條　各務部ニ務卿一人副官一人ヲ置キ都領之ヲ任免ス

副官ハ務卿ノ代理權ヲ有ス

第七條　内閣總務卿ハ各務卿ノ首班トシテ行政ノ統一ヲ保持ス

第八條　各部務卿ハ其ノ意見ニ基ケルモノハ何等ノ事件タルヲ問ハス總務卿ニ提出シテ閣議ヲ求ムルコトヲ得

第四章　立　法

第九條　都領府及各務部所屬ノ職員及職務ハ都領之ヲ定ム

第十條　都領ハ三十人以上ノ委員ヲ自選シ民國約法ヲ定ム

第十一條　約法ハ臨時政府ノ權限ヲ規定シ又ハ憲法制定委員會ノ組織及其ノ當該委員選擧方法ヲ制定シ之ヲ內閣會議ニ附シ承認ヲ得ルコトヲ要ス

第十二條　憲法制定委員會ハ民國憲法ヲ制定シ又ハ國會組織法及議員選擧法ヲ制定ス

第十三條　都領ハ統轄權行使上必要ナル命令ヲ發スル外、法律ニ代ルヘキ準法ヲ制定スルコトヲ得

但約法成立後ニ於テハ約法ニ依リ行フコトヲ要ス

第十四條　現行總督府令中國體ニ違反セサル法律ハ當分ノ間其ノ效力ヲ繼續ス

無效ニ歸シタル總督府令ハ都領府令ヲ以テ公布ス

第五章　外　務

第十五條　民國ハ國際聯盟ノ一員トシテ將來ノ世界平和ニ貢献スル義務ヲ充分ニ履行スヘキモノトス

第十六條　韓日合併條約及其ノ前後ノ朝鮮ニ關スル對外條約ハ總テ無效ニ歸シ世界萬邦ニ對スル國交ハ一切更新修好スヘキモノトス

第十七條　日本ニ對シテハ舊怨ヲ拋棄シ嶄新ナル親交ヲ結フ但左ノ事項ハ特ニ要求ヲ貫徹スヘキモノトス

一、現在及將來ニ於テ互換條件アルモノノ外一切特殊ノ利權ハ之ヲ認メス

二、總督ノ配下ニ在ル日本公務員ハ一切無償撤還スルモノトス但事務引繼終了迄ハ從來ノ給料ヲ支給ス

三、本年三月一日以降日本ノ武力行動ニ依リ生シタル生命身體財產ノ損害ニ對シテハ日本政府ニ於テ之ヲ賠償スヘシ

四、甲午(一八九四年)以後國家的又ハ個人的ヲ以テ日本カ不法行爲ニ依リ取得シタル朝鮮ノ物品ハ贓物ノ現存スル範圍內ニ於テ之ヲ返還スヘシ(甲午ハ日清役ノ意)

五、民國內ニ駐屯スル日本ノ陸海軍ハ總テ武裝ヲ解除シ指定ノ期間內ニ撤退スヘシ陸海軍ノ設備及武器ハ現狀ノ儘民國ニ引渡スヘシ

六、國有官有及公有財產ハ動產不動產ヲ問ハス現狀ノ儘全部民國ニ引渡スヘシ

七、私設ノ鐵道及電氣郵便機關ハ相當ノ補償ヲ以テ民國ノ國有ニ統一スヘキモノトス

八、朝鮮銀行、拓殖會社其ノ他半公的性質ヲ有スル機關ハ總テ之ヲ民國ニ引渡スヘシ但個人ノ所有株ハ相當ノ評價ヲ以テ民國ニ於テ之ヲ買上ク

九、個人ノ所有ニ係ル鑛業漁業及沿岸航路ニ關スル特權及其ノ他ノ財產權ハ動產不動產ヲ問ハス年限アルモノハ其ノ年限迄年限ナキモノハ向後指定ノ年限ニ必ス處分スヘシ

三三六
三三七

第十八條　民國內ニ在ル一切ノ外國人ハ民國人同樣ノ保護ヲ受ケ相當ナル納稅ノ義務ヲ有ス

第六章　內務

第十九條　地方行政ハ自治制ノ發達ヲ期ス

第二十條　現在ノ地方行政區劃及其ノ制定ハ當分ノ間從來ノ例ニ依ル

第二十一條　行政警察上治安及秩序ハ國民ノ道德心ヲ本位トシテ言論、出版、集會、結社ノ相對的自由ヲ認ム

第二十二條　警察吏ノ拷問ハ之ヲ禁止ス

第七章　軍務

第二十三條　陸海軍軍備ハ國際聯盟ノ結果ヲ待チ之ヲ實行ス

第八章　財務

第二十四條　本年度歲入ハ總督府編成ノ豫算ニ依リ歲出ハ都領府令ヲ以テ之ヲ定ム

第二十五條　民國政府ハ總督府ノ有スル財產上ノ權義ヲ繼承ス但日本政府ニ對シテハ民國紀元以前ニ於テ關係アルモノハ何等債權債務ノ發生無キモノトス

第二十六條　貨幣制度ハ將來一定ノ制度成立スル迄日本貨幣ヲ通用ス

第九章　學務

第二十七條　義務敎育制度ヲ實施シ最高文明式敎育機關ヲ完備ス

第十章　法務

第二十八條　民國ニ在ル一切ノ外國人ハ均シク民國法令ニ服從スヘキモノトス

第二十九條　現在ノ裁判制度ハ當分ノ間之ヲ存置ス

第三十條　民國成立以前ニ於ケル一切ノ政治犯人ハ既決未決ヲ問ハス總テ之ヲ解放ス

第十一章　殖產

第三十一條　產業ノ發達ヲ保護シ物產ノ調節ヲ目的トスル關稅政策ヲ用フ

第三十二條　社會政策ノ中和ヲ得ル範圍內ニ於テ重要產業ノ國營策ヲ實行シ又國民均產主義ヲ行フ

第十二章　交通

第三十三條　郵便電信及鐵道ノ諸行政ハ萬國共通法規ニ依リ之ヲ整理ス

附則

本章程ハ憲法施行ノ日マテ效力ヲ有ス

年號ハ朝鮮民國元年ト稱ス

朝鮮民國元年四月十日

朝鮮國民大會
朝鮮自主黨　聯合會

三三八
三三九

都領府令第一號

都領ハ民國臨時政府創立章程ニ依リ各部務卿及副官ヲ任命シ茲ニ之ヲ公布ス

各部務卿

一、內閣總務卿　李承晩
一、外務卿　閔瓚鎬
一、內務卿　金允植
一、軍務卿　盧伯麟
一、財務卿　李相
一、學務卿　安昌浩
一、法務卿　尹益善
一、殖產務卿　吾世昌
一、交通務卿　趙鏞般（般ハ雲ノ誤リナラン）

附則

本令中副官ハ當分ノ間之ヲ發表セス

朝鮮民國元年四月十日

朝鮮民國正都領　孫秉熙
副都領兼内閣總務卿　李承晚

都領府令第二號

佛蘭西巴里ニ開ク萬國々際聯盟會議ハ參列スル民國外交委員トシテ李承晚閔瓚鎬ヲ指定シ茲ニ之ヲ公布ス

朝鮮民國元年四月十日

朝鮮民國正都領　孫秉熙
副都領兼内閣總務卿　李承晚

(三)　不穩文書印刷配布者檢擧ノ件

京城鍾路警察署ニ於テ「警告文」ト題スル騷擾煽動ヲ目的トスル不穩印刷物ヲ發見シ四月十八日京城所在耶蘇敎經營培材高等普通學校生徒張龍河ナル者ヲ嫌疑者トシテ逮捕取調タル處更ニ共犯者ヲ發見シ取調ノ上保安法違反及出版法違反トシテ刑事訴追ニ附シタリ犯罪ノ概要左ノ如シ

記

一、犯人ノ氏名

本籍　江原道原州郡原州面下洞里
培材高等普通學校三年生　張龍河　當二十年

本籍　京城府寬勳洞百〇七番地
無職(元高等普通學校生徒)　李春鳳　當二十年

本籍　京畿道振威郡梧城面火盤里
培材高等普通學校二年生　李鳳舜　當二十二年

本籍　江原道金化郡金化面邑内
同　三年生　廉亨雨　當十八年

本籍　江原道三陟郡以下不詳
同　二年生　金箕鮮　二十年位

本籍　平安南道以下不詳
無職　金一善　二十二年位

本籍　咸鏡南道利原郡以下不詳
京城私立普成學校二年生　孔興文　二十年位

本籍　全羅南道順天郡順天面長興里
京城私立中央學校生徒　徐廷浩　當二十三年

二、犯罪事實ノ概要

(一)　張龍河ハ李春鳳ト共ニ三月七日頃京城寬勳洞居住辯護士李基燦方ニ於テ炭酸紙ヲ以テ朝鮮ノ獨立ハ確實ナルヲ以テ此ノ際我同胞ハ死ヲ期シテ奮起スヘシトノ意味ノ警告文數十枚ヲ調製シ安國洞方面ニ配布セリ

(二)　三月十五日張龍河ハ前項ト略同樣ノ原稿ヲ起草シ李春鳳、李鳳舜ト共謀シ李基燦所有ノ謄寫版ヲ無斷ニテ使用シ約三十枚ヲ印刷シ安國洞方面ニ配布セリ

(三)　金一善ハ三月二十八日頃「朝鮮獨立新聞」第十六號ナル不穩ノ原稿ヲ起草シ李春鳳、張龍河ト共ニ前項同樣ノ方法ヲ以テ數十枚ヲ印刷シ之ヲ京城市中ニ配布セリ

(四)　孔興文ハ四月一日頃「半島ノ木鐸」第一號ナル不穩ノ原稿ヲ起草シ京城府臥龍洞徐廷浩ノ住所ニ於テ李春鳳、徐廷浩、張龍河ト共ニ謄寫版ヲ以テ約百枚ヲ印刷シ安國洞方面ニ配布シ更ニ同月十二日頃第二號約百枚ヲ印刷シ京城市中ニ配布セリ

(五)　孔興文ハ四月十三日頃「八面ヨリ觀察シタル朝鮮ノ慘狀」ト題スル帝國ノ半島統治ヲ誹謗セル不穩文章ヲ起草シ徐廷浩方ニ於テ李春鳳、張龍河、廉亨雨、金箕鮮ト共ニ一組八枚宛ヲ約四十組ヲ謄寫版ヲ以テ印刷シ京城市中ニ配布セリ

(六)　李春鳳、張龍河、廉亨雨、徐廷浩ハ四月二十二日及同月二十五日ノ兩度「半島ノ木鐸」第二及「半年ノ木鐸」特別號ナル不穩印刷物各一千枚ヲ謄寫版ヲ以テ調製シ京城市中各所ニ撒布セリ

三、措　置

張龍河以下五名ハ五月一日身柄ト共ニ事件ヲ京城地方法院檢事ニ送致シ孔興文、金一善、金箕鮮ノ三名ハ逃走所在不明ニ付事件ノミ送致シ引續キ所在捜査中

半島ノ木鐸第一號(譯文大意)編輯兼發行少年半島社

社告　平時ニ於ケル創刊ニハ發刊ノ辭的ノ文章ヲ掲クルヲ例トスルモ今日ノ如キ非常ノ際ニ於テハ是レ一ノ閑漫事ナリ依テ吾人ハ直入的ニ所見ヲ述ヘントス諸君之ヲ諒セヨ

納税ハ絕對ニ抗拒セヨ　南山中腹ニ屹立セル總督府ハ我等ノ切齒痛惡スル所ニハ相違ナキモ此レ元々我等カ建設シタル所ナリ惡魔鷹犬ノ所謂警吏ハ我等ノ刻骨ノ忿怨アルニハ相違ナキモ是又我等カ養成シタルモノナリ自ラ建設シ自ラ養成シテ此ニ向ツテ痛惡シ忿怨スルハ愚ノ骨頂ナリト云フヘシ何ソヤ曰ク我同胞ヨ試ニ朝鮮總督府ノ歲入歲出豫算ヲ見ヨ實ニ五千萬圓ニ上ルニアラスヤ之レ我等ノ膏血ニシテ之ヲ以テ總督府ヲ建設シ之ヲ以テ惡魔警吏等ノ鷹犬ヲ養成シタルモノニアラスヤ然ラハ則チ我等ハ自繩自縛ニ陷リ自獄自囚タルコト明カナリ既往十年ヲ回顧スルニ武力ノ强壓ヲ受ケ奸政ノ詐欺ヲ被リ天理ノ循環ヲ待チツヽモ啞聾盲癩ノ不具者ト成リ終レ

リ然レトモ武力ヲ除外スル今日、正義ヲ唱導スル今日、世界改造ノ今日何ニカ畏レ何ヲ憚リテカ甘シテ自獄自囚、自縄自縛ノ愚擧ヲ作サレヤ納税ヲ抗拒スルハ魔窟魔種ノ根源ヲ拔キ擧國一致ノ精神ヲ發揮スルモノナリ我同胞ヨ斷行セヨ我同胞ヨ卑怯ナル勿レ敵ハ必スヤ我身體ヲ刑罰セム二千萬ノ民族ヲ刑罰スルニハ八萬方里ノ疆城ハ監獄ト化セム敵ハ必スヤ我財產ヲ差押フヘシ五百萬戶ノ財產ヲ差押フルニハ五百萬ノ執達吏ヲ要スヘシ我同胞ヨ斷行セヨ我同胞ヨ卑怯ナル勿レ

納税ナルモノハ國民タル義務ノ一部ナリ我民族ハ既ニ世界ニ對シテ獨立ヲ宣言シ民族自決ノ正義ヲ主張スル今日ナリ倭奴政府ニ對シテ何等ノ義務アラン我同胞ヨ納税ハ絕對ニ抗拒セヨ

紀元四千二百五十二年四月一日

（其ノ他ノ不穩文書ハ添付ヲ省略ス）

（四）　獨立運動ニ關スル不穩文書頒布者檢擧ノ件

四月二十三日京城ニ於テ別紙譯文ノ如キ「臨時政府宣佈文」其ノ他ノ不穩文書ヲ頒布セシモノアリ捜査中ノ處左記ノ者等ノ所爲ナルコト判明セリ

一、犯人ノ氏名

本籍　咸鏡北道清津府青松面

住所　京城府昭格洞申備植方　普成高等普通學校生徒　張　彩　極　當二十二年

本籍　咸鏡南道北青郡良家面中里

住所　京城府嘉會洞李根眞方　右　同　李　鐵　當二十一年

本籍　咸鏡北道鏡城郡朱北面利龍洞

住所　京城府嘉會洞李根眞方　右　同　金　玉　玞　當二十四年

本籍　咸鏡南道北青郡良家面中里

住所　京城府嘉會洞金順吉方　東京明治大學生徒　李　春　均　當二十四年

本籍　慶尙北道尙州郡尙州面仁鳳里

住所　京城府桂洞　無職　金　思　容　當三十六年

本籍　京城府吉野町二丁目　無職　崔　上　德　當二十一年

本籍　平安北道厚昌郡厚昌面富興里

住所　京城府昭格洞申備植方　中東學校生徒　尹　佐　鎭　當二十一年

本籍　京城府舟橋町　雜貨商　劉　泰　應　當二十七年

二、犯罪事實ノ概要

張彩極、李鐵、金玉玞ノ三名ハ曩ニ孫秉熙等ノ獨立宣言ニ干與シ檢擧セラレタル天道教經營私立普成高等普通學校崔麟及京城ニ於ケル騷擾事件ノ學生側首領タル朱翼ノ部下トシテ騷擾勃發以來不穩ノ行動ヲ繼續シツツアル內咸鏡南道北青郡光德面出身當時東京明治大學生金裕寅當二十七年ナル者東京ヨリ京城ニ來リ四月中旬「國民大會」ト標榜シ不穩ヲ企畫セシヨリ此ノ氣脈ヲ通シ李春均以下ヲ勸誘シテ此ノ擧ニ加盟セシメシカ四月中旬頃本籍不詳文一球ナル者支那安東縣ヨリ「臨時政府宣佈文」ナル不穩印刷物ヲ携ヘ京城ニ來リ金思容ニ其ノ配布方ヲ依托シ金ハ之ヲ李春均ニ交付セシヨリ「國民大會趣旨書」及「宣布文」等ノ不穩文書ト併セテ之ヲ京城市中ニ配布シ以テ民心ヲ煽動セムト企テ四月二十日ヨリ三日間ニ亘リ市內諫洞百十七番地禹泰鼎方ニ於テ尹佐珍主トナリ高等普通學校生徒羅鍾河中東學校生徒金宗石ト共ニ謄寫版ヲ以テ該「臨時政府宣佈文」多數ヲ印刷シ同二十三日午前中如上不穩印刷物ト共ニ之ヲ市內諫洞及松峴洞方面ニ配布シタリ又之ト共ニ張彩極及崔上德ハ劉泰應外四名ヲシテ同日正午頃市內鍾路通普信閣前ニ於テ「共和萬歲」ト書シタル旗ヲ振リ獨立萬歲ヲ高唱セシメ以テ騷擾ヲ煽動セムト企畫シ五名ハ之ヲ實行セシモ直チニ鍾路警察署ニ發見セラレ逃走セシモノナリ

不穩文書中「國民大會趣旨書」及「宣布文」ハ金裕寅カ張彩極ニ交付セシモノニシテ之カ印刷ニ使用セシ木版ハ金裕寅ノ住所タル西大門町一丁目百八十七番地ニ於テ發見押收セシモ同人ハ逃走所在不明ノ爲メ其ノ起稿者等ハ判明セス

三、措　置

本件ハ當部ニ於テ取調ノ上保安法違反及出版法違反トシテ五月十五日京城地方法院檢事ニ送致シ所在不明ノ者ニ對シテハ嚴重捜査中

臨時政府宣佈文

四千三百年間繼承シ來リタル朝鮮民族ノ歷史的權利ニ基キテ新世界ノ大勢ニ順應シ子孫萬代ノ生存ト發展ノ自由ヲ得ル爲メ朝鮮ノ獨立國タルト朝鮮民族ノ自由民タルコトヲ已ニ世界萬邦ニ宣言セリ假令朝鮮ノ國土ハ未タ日本軍隊ノ占據スル處ナリト雖此ハ先ニ白耳義カ獨逸ノ占據スル處トナリシト等シク朝鮮ノ主權ハ儼然トシテ存在セルモノトス我民族ハ先ニ日本ノ我民族ニ對スル統治權ニ付テハ「當時之カ認否ニ關スル民族的意思表示ヲ爲サザリシヲ以テ今回茲ニ全民族一致シテ正式ニ之ヲ否認スルノ意思ヲ發表セリ」此際我民族ハ更ラニ世界萬邦ニ對シテ朝鮮ノ獨立國タルコトト朝鮮民族ノ自由ナルコトヲ宣言シ並テ全民族意思ニ基テ臨時政府ノ成立セシコトヲ茲ニ佈告ス

過去通好ノ諸友邦及正義人道ノ基礎ノ上ニ新ニ建設セラレタル各國ハ我國ニ對シ深厚ナル同情ト

友誼ヲ表スヘキコトヲ確信ス

紀元四千二百五十二年四月　　日

朝　鮮　民　族　大　會

臨時政府令第一號

○納税ヲ拒絶セヨ

敵カ暴力ヲ以テ我國土ヲ占領シテ以來我國民ハ敵ニ武力ト民族的結合ノ機會ヲ奪ハレ十年間敵ノ横暴下ニ奴隷ノ羞辱ヲ忍受シ來リタルカ今ヤ我國民ハ民族的團結ト政治的統一ヲ完成セリ最早敵ノ奴隷ニアラス而モ堂々タル獨立朝鮮國民ナリ毫モ敵ノ支配ヲ受クルコトナク納税ハ國民ノ國家ニ對スル義務ナルヲ以テ既ニ正式ニ敵ノ統治權ヲ否認シタル以上敵ニ厘毛ノ租税モ與フル勿レ完全ニ國土ヲ敵兵ノ手ヨリ救出スルノ時マテハ一切ノ租税ヲ免除ス假令敵ノ官吏カ納税ヲ强要スルコトアルモ「吾等ハ朝鮮國民ニシテ日本ノ奴隷ニアラス」ト必ス强硬ニ拒絶スヘシ而シテ里カ團結シ面カ團結シ郡、府モ亦大團結ヲ爲シ死ヲ以テ彼ニ抗拒スヘシ

臨時政府令第二號

○敵ノ裁判ト行政上凡テノ命令ヲ拒絶セヨ

我國民ハ敵ノ裁判ト警察及行政上總テノ命令ヲ拒絶セヨ而シテ面毎ニ自治體ヲ組織シテ行政司法及警察ノ各委員ヲ選擧シ國土恢復ノ完成スル迄秩序維持ノ任ニ當ルヘシ此ハ國民タルノ義務ナルノミナラス本令ニ違反スル者ハ永遠ニ國民權ヲ喪失シ且敵ト見做サレ財産名譽ハ勿論生命ニ至ルマテ保全スルコト能ハサルニ至ルヘシ

二三八
二三九

國民大會趣旨書

我朝鮮民族ハ過般孫秉熙氏等三十三人ヲ代表トシテ正義ト人道ヲ基礎トシ朝鮮獨立ヲ宣言セリ今其ノ宣言ノ權威ヲ尊重シ獨立ノ基礎ヲ鞏固ナラシメ人必然ノ要求ニ酬ヒン爲此ニ民族一致ノ動作ヲ以テ大小ノ團結ト各地方代表者トヲ以テ本會ヲ組織シ此ヲ世界ニ宣布ス

我朝鮮民族ハ四千二百餘年間自主自立ノ國家ト特殊ノ創造的文化ノ偉史ヲ有シ正義ト人道ヲ尊重スル平和的民族ナリ實ニ世界文明ノ一株主ニシテ人類進化ノ一助手ナリ堂々タル世界的ノ尊榮ト健全ナル國民性ノ精華トシテ決シテ異民族ノ非人道不自然ノ箝制ニ壓セラレ同化セラルル處ノモノニアラス又況ヤ精神的文明ハ吾族ヨリ二千年ノ後進タル彼日本ノ物質的侵略タルヲ得ンヤ

日本カ過去ノ鐵石盟約ヲ食言シ我ノ生存權ヲ侵害スルハ世界ノ共知スル處ナリ吾族ハ今日本昨昔ノ非ヲ論スルニ非ラス又過去ノ宿怨ヲ思フニアラス只生存ノ權利ヲ確保シ自由平等ヲ伸張シ正義人道ヲ擁護シ東洋平和ヲ保全シ世界公安ヲ尊重スル爲我朝鮮ノ獨立ヲ主張スルニアリ實ニ神ノ命令ニシテ眞理ノ發動、正當ノ要求適法ノ行爲タリ此レヲ以テ世界公論ヲ決シ日本ノ改悟ヲ促ス

世界平和ヲ威脅セシ軍國主義ノ日本ハ正義ト人道ノ下ニ屈服シテ永遠ナル平和ヲ以テ世界ヲ改造スル此際ニ於テモ獨リ反省ナキ乎自覺ナキ乎自然ト大勢ニ逆テ在來ノ錯誤ヲ固執スル結果ハ徒ニ兩國民ノ幸福ヲ削滅シ進ンテ世界ノ平和ヲ危險ナラシムルノミナラス本會ハ日本政府ヲシテ早晩非人道的侵略主義ヲ抛棄シ東洋鼎立ノ友誼ヲ確保セシムルコトヲ切實ニ主張シ之ヲ日本國民ニ警策ス

嗚呼日本カ吾族ノ生命力ニ因ル此文明的行動ニ對シテ野蠻的武力ヲ殘虐肆行スルハ人類良心ニ堪爲スル處ナルカ我二千萬民族ノ誠衷熱血ハ此不正理的壓迫ニ因テ枯盡スルモノニアラス萬一日本カ終始改悟スル處ナクンハ吾族ハ不得已最後ノ行動ニ出テテ最後ノ一人迄最後ノ一刻迄完全ナル朝鮮ノ獨立ヲ期成スルノミナリ正義ト人道ヲ以テ勇進スル吾族ノ前ニ何敵カアラン只最大ノ誠意ト最善ノ努力ヲ以テ國家的獨立ト民族的ノ自主ヲ世界ニ主張スヘシ

朝鮮建國四千二百五十二年四月

國　民　大　會

十三道代表者

李　晩　植	李　容　珪	康　　勳	金　　遾	崔　銓　九
李　來　秀	柳　　植	金　明　善	奇　　寔	金　　鐸
朴　漢　永	李　鍾　郁	柳　　瑾	朱　　翼	金　顯　峻
朴　章　浩	宋　之　憲	姜　芝　馨	洪　性　郁	鄭　潭　敎
李　容　俊	李　東　旭	張　　櫃	張　　根	朴　　鐸

二四〇
二四一

決議事項

一、臨時政府組職ノ件

一、日本政府ニ向テ朝鮮ノ統治權ノ撤去ト軍備ノ撤退ヲ要スル事

一、巴里媾和會議ニ出席ノ人員ヲ選定スル事

一、朝鮮人ニシテ日本官廳ニ在職ノ官公吏ハ一切退職スル事

一、一般人民ニ對シテ日本官廳ニ各項納税ヲ拒絶スル事

一、一般人民ハ日本官廳ニ對シテ一切請願及訴訟行爲ヲ爲ササル事

宣　布　文

茲ニ國民大會ハ民意ニ基キ臨時政府ヲ組織シ國民代表トシテ巴里媾和會議ヘ出席スル委員ヲ選定シテ約法ヲ制定シ此ヲ宣布ス

朝鮮建國四千二百五十二年四月　　日

國　民　大　會

臨時政府閣員

執政官總裁　李承晩
國務總理總裁　李東輝
外務部總長　朴容晩
内務部總長　李東寧
軍務部總長　盧伯麟
財務部總長　李始榮　次長　韓南洙
法務部總長　申奎植
學務部總長　金奎植
交通部總長　文昌範
勞働局總辨　安昌浩
參謀部總長　柳東説
次長　李世永

評定官

趙鼎九　朴殷植　玄尚健　韓南洙
孫晋衡　申釆浩　鄭良弼　玄楯
孫貞道　鄭鉉湜　金晋鏞　曹成煥
李奎豐　朴景鍾　朴環翊
李範允　李奎甲　尹解

巴里媾和會議ヘ國民代表者トシテ出席スル委員

李承晩　閔瓚鎬　安昌浩
朴容晩　李東輝
金奎植　盧伯麟

約法

第一條　國體ハ民主ヲ採ル事
第二條　政體ハ代議制ヲ採ル事
第三條　國是ハ國民ノ自由ト權利ヲ尊重シテ世界平和ノ幸福ヲ增進セシムル事
第四條　臨時政府ハ左ノ權限ヲ有スル事
一、一切内政
一、一切外交
第五條　朝鮮國民ハ左ノ義務ヲ有ス

一、納税
一、兵役
第六條　本約法ハ正式國會ヲ召集シテ憲法ヲ發布スル迄適用ス

（五）獨立運動資金調達團檢擧ノ件

忠清北道清州郡北二面石花里一〇ノ一
當時住所不定天道教中央總部議事員　洪一昌　當三十八年
京城府嘉會洞七十九番地無職　崔東昊　當二十三年
江原道鐵原郡鐵原面官田里一五四番地
當時京城府崇四洞八番地趙賢元方
長谷川町私立簿記學校生徒　崔昱　當二十四年
江原道鐵原郡鐵原面官田里五三番地
當時京城府崇四洞八番地趙賢元方
江原道杆城郡西面白川里番地不詳
當時京城府崇四洞八番地趙賢元方　邊史用　當二十八年
中央學校生徒　金蓍濟　當二十二年
江原道鐵原郡鐵原面花地里三九二番地
當時京城府崇四洞八番地趙賢元方滯在　梁在漢　當二十五年
平安北道新義州老松町六丁目一一番地
當時安東縣市場通九丁目三番地　呂補鉉　當二十六年
平安北道義州郡光城面彌勒里十統六戸農　李萬馨　當二十一年
（以上逮捕）
平安北道新義州榮町番地不詳

未逮捕　張　世　國　三十四五年位

右者近來朝鮮獨立運動ニ關シ拳銃彈丸等ヲ所持シ資金調達ノ計畫ヲ爲シツヽアリトノ聞込ミアリ京畿道警務部ニ於テ搜査中ノ處同人等ハ在上海不逞鮮人等ト氣脈ヲ通シ資金調達ヲ爲シツヽアルノ事實ヲ確メ前記洪一昌外七名ヲ逮捕シタリ其ノ事實ノ概要左ノ如シ

一、洪一昌ハ天道敎議事員ニシテ過般孫秉熙一派カ逮捕セラレタル以來孫ノ近親タル崔東曦崔東旲等ト目的ノ遂行ニ付謀リタル處同人等モ之ニ賛同シ上海ニ於テ既ニ假政府組織ノ聞ヘアルニ付同地ニ密行シテ連絡ヲ取ルノ要アリトシ洪一昌、崔東曦ハ本年四月四日京城出發同月二十日上海ニ到著シ李光洙、元貞龍、金龍雲等ト會合協議ノ上資金調達ニ決シ洪一昌ハ歸鮮ノ上崔東旲ト會合資金調達ニ從事スルカ爲五月二十日夜入京シタリ

一、洪一昌ハ入京後崔東旲ト密會シ在上海同志ノ指命ヲ語リ第一著ニ天道敎ヨリ資金ヲ取出サントト相談シタルモ該金ハ官憲ノ監視アル爲不可能ナリ然ルニ同敎員吳智泳方ニハ同敎ノ金約四五千圓預ケアリ未タ官憲ニテモ承知セサル由ニ付取出ス事容易ナルヘシ然レトモ其ノ手段トシテ內地人刑事巡査ニ變裝シ之ヲ取出スニ如カストナシ同志崔東旲ハ崔昱、邊史用、金蒼濟ニ右ノ旨ヲ明カシ豫テ此ノ企畫ニ賛同セシ安東縣憲兵分隊通譯呂補鉉ヲシテ刑事ニ變裝セシムルコトニ決定崔昱ヲ安東縣ニ遣ハシテ同人ヲ呼寄セタリ

二四六
二四七

一、梁在漢ハ崔昱ノ知人ナルカ爲同人ノ紹介ニ依リ其ノ資金トシテ約四五千圓ノ出資ヲ諾シ既ニ三百十圓ヲ洪一昌ニ提供シタリ

一、尙本件ニ關シ拳銃一挺發見押收シタリ

（六）　不穩文書頒布企畫者檢擧ノ件

今回朝鮮民族大同團ノ名ヲ以テ別紙ノ如キ不穩文書ヲ配布シ以テ民心ヲ煽動セムト企畫セル事實ヲ發見セリ其ノ概要左ノ如シ

一、犯人ノ氏名

本籍　忠淸南道洪城郡洪州面玉岩里
住所　京城府鍾路通五丁目百七十八番地楊濟般方
（逮　捕）　無職　崔　益　煥　（一名錫勳）　當三十年

本籍　不詳
住所　支那滿州海龍縣
（未逮捕）　無職　全　協　（國煥又ハ道鎭ト稱ス）當四十五年位

本籍　慶尙北道榮州郡邑內

住所　同　上
（未逮捕）　無職　金　燦　奎　（號石然）　當五十五年

本籍　慶尙北道金泉郡金泉面南山町
住所　京城府鍾路通五丁目百七十八番地楊濟般方
（逮　捕）　無職　權　泰　錫　當二十五年

本籍　京城府長沙洞百三十七番地
住所　京城府通洞百五十五番地
（逮　捕）　無職　李　能　雨　當三十五年

本籍　京畿道水原郡安龍面松山里
住所　同　上
（逮　捕）　材木商　羅　景　爕　當五十三年

本籍　慶尙北道寧海郡學城洞
住所　京城府仁寺洞五番地李仁魯方
（逮　捕）　京城醫學專門學校生徒　金　永　喆　當二十二年

二四八
二四九

外　十　八　名

二、犯罪事實ノ概要

崔益煥ハ居常不穩思想ヲ抱懷セル不逞ノ徒ナルカ本年三月一日孫秉熙等三十三名カ獨立宣言ヲ爲シ捕ヘラルルヤ之ヲ遺憾トシ更ニ各階級ヲ代表セル人物ヲ糾合シテ民族ノ意志ヲ媾和會議及米國大統領ニ通シ其ノ援助ニ依リ獨立ノ目的ヲ達成セムト企テ全協ト謀議ノ上之カ實行ニ著手スルコトニ決シ先ツ「朝鮮民族大同團」ナル結社ヲ組織シ運動ヲ開始スル方針ヲ以テ三月下旬ヨリ四月上旬ノ交金燦奎ヲ說キテ此ノ企畫ニ參加セシメ全協、金燦奎ノ兩名ハ貴族儒林等中流以上ノ階級ニ同志ヲ求ムヘク運動シ崔益煥ハ青年及勞働者ノ方面ニ對スル勸誘ヲ擔任スルト共ニ主トシテ各種文章ノ立案、印刷及配布ノ任ニ當ルコトトナリ權泰錫ヲ說キテ印刷其ノ他ニ要スル費用ヲ出金セシメタル上同心勸誘ノ手段トシテ「宣言書」「陳情書」「方略及機關」ト題スル不穩文書ヲ起稿シ又支那新聞ノ拔萃ナル「佈告ト題スル文書トヲ併セテ四月中旬以降數日ニ亘リテ全協ト共ニ之ヲ印刷ニ附シ其ノ幾部ヲ密ニ配布シ更ニ別累ノ「宣言書」「警告文」及「日本國民ニ告ク」ト題スル不穩文書ヲ起稿シ汎ク內鮮人間各方面ニ頒布シテ民族獨立運動ノ氣勢ヲ海外ニ知ラシメムト欲シ五月十六日頃權泰錫ト共ニ之ヲ印刷シ一方前記陳情書ヲ支那上海ニ於ケル同志ノ手ヲ經テ巴里媾和會議ニ列席セル各國委員及米國大統領ニ送致スヘク渡航費等ノ調達ヲ求ムル爲李能雨ニ情

ヲ告ケテ他ヨリ出金方ヲ奔走セシメ且同人ヲ通シテ羅景燮ヲシテ勞働者ニ使嗾シテ朝鮮人間ニ對スル文書ノ配布ニ當ラシメ又金永喆ヲシテ內地人間ニ對スル文書配布ノ方法ヲ講セシムルコトヲ約シ進ンテ多數團員ノ加入ニ依リ團體組織ヲ完了セムト圖リツツアル內官憲ノ取締嚴重ナル爲急遽上海ニ逃レムトシ未タ一般ニ對スル文書ノ配布ヲ爲スニ至ラサリシカ李能雨ヨリ調金ノ報告ヲ得、共ニ出發セムト企テ未タ果ササル內逮捕セラレタルモノナリ金燦奎ハ舊韓國時代ニ於テ參判ノ職ニ在リ上流社會ニ交際アルヨリ侯爵朴泳孝、男爵金嘉鎭、閔泳達等ニ對シ密ニ說ク處アリシ由ナルモ本人ハ五月十日頃慶尙南道居昌地方ニ於ケル儒生郭鍾錫ノ門下ニ遊說スト稱シ出發セシ儘所在不明ナルヲ以テ犯狀詳カナラサルカ同人ハ大邱地方ニ潛伏シ居ルニアラスヤト思料セラル又全協ハ元一進會評議員ニシテ京畿道富川郡守タリシコトアルカ併合ニ不平ヲ抱キ舉家西間島ニ移住シタルモノニシテ崔益煥逮捕ノ前日迄ハ京城ニ在リシモ其ノ後所在不明ナリ

三、措　置

本件ハ當部ニ於テ取調ノ上大正八年四月制令第七號違反トシテ六月六日京城地方法院檢事ニ送致セリ尙本件ノ主謀者タル崔益煥、全協等ハ孰レモ詐欺、橫領等ノ前科ヲ有シ今回ノ獨立運動ニ當リテモ其ノ計畫ノ遂行ト共ニ一面之ヲ利用シ財產上不正ノ利ヲ圖ラムトスル意ニ出テタルモノナルカ如キ疑アルノミナラス本件ニ關聯シテ共犯者タル李能雨ハ詐欺及賭博罪ヲ羅景燮ハ贜物收受罪ヲ犯シタルコト判明シ別ニ該當罪名ヲ以テ送致セリ、從來ニ於ケル此ノ種事犯者ト稍其ノ選ヲ異ニスルヲ見ル

二三〇
二三一

宣　言　書

我カ朝鮮民族ハ二千萬誠衷默契ノ發動ニ依テ半萬年歷史ノ權威ニ倚リ人類大同ノ新要求ニ應セントシ世界平和ノ大原則ヲ遵リ正義人道ノ永遠ナル基礎ヲ確立センタメ過般我朝鮮獨立ヲ宣布セリ關係ハ既ニ國際的ニシテ又人類的ナリ吾カ族ハ寸毫モ排他ノ淺慮ナク公道ト正理ヲ尊重シテ光明正大ナル行動ト平和善良ナル方法ヲ以テ解決ヲ列國ノ正議公論ノ決定ニ待ツモノナリ日本ハ在來ノ錯誤ヲ改革セス人類良心ノ希望ヲ蹂躪シテ世界平和ノ威信ヲ無視シテ非人道ノ慘毒ナル武力ヲ以テ我文明的生命力ノ發作ヲ虐殺スルハ世界全人類ノ認容シ能ハサル公憤ナリ況ヤ我カ二千萬民誓死的最後ノ決心アリ我族ハ民族的精神ノ自覺ヲ持重シテ生存上機能ノ自信ヲ發揮シテ嚴格ナル主張ヲ貫撤スルノミナラス今ヤ時局進展ノ形勢ニ鑑ミ事態難易ノ機微ヲ察シ全我族一致ノ動作ヲ以テ十大社會各團結ト各地方區域出選人員ヲ統一綜合セシメン爲本團ヲ組成シテ我族永世ノ歸趣タル三大綱領ヲ擧ケテ此ヲ世界ニ宣言ス

三　大　綱　領

一、朝鮮永遠ノ獨立ヲ完成スルコト

一、世界永遠ノ平和ヲ確保スルコト

一、社會ノ自由發展ヲ廣博スルコト

朝鮮建國四千二百五十二年五月二十日

朝　鮮　民　族　大　同　團

決　　議

一、三大綱領ヲ體現シ日本政府ヨリ朝鮮統治ノ現在施設ヲ完全ニ引キ繼キ卽チ總督政治ヲ撤去シテ穩健ナル社會發展ノ施設ヲ實行スルコト

一、巴里萬國媾和會議ニ赴キシ我代表委員ヲ促勵シテ列國ノ我朝鮮獨立ヲ公認セシムルタメ聯盟ニ加入スルコト

一、完全ナル獨立政府成立スル時迄假政府ヲ援助シテ國民事務ヲ處理スルコト

一、日本ノ我族獨立施設ニ對シ暴虐ナル武力ヲ以テ抑壓スルコトヲ至急撤廢セシメ併セテ日本軍隊ヲ撤去セシムルコト

一、日本ニシテ我朝鮮獨立ヲ認メス暴虐ヲ續行スル時ハ止ムヲ得ス最後ノ手段ニ出ツ可ク之レニ關連スル結果一切吾等其ノ責ニ任セス

一、外國人ノ生命財產ハ一律ニ保護スルコト

二三二
二三三

日　本　國　民　ニ　告　ク

嗚呼東洋五億萬ノ民生、其ノ同文同德ノ友誼ヲ相保ツ事ヲ幸福トスルカ又ハ其疑懼怨恨ノ惡緣ニ相惱ムヲ名譽トスヘキカ是レ實ニ日本國民ノ一大覺醒ヲ要スル處ナリ抑モ數千萬ノ生靈ヲ罪惡ノ働キニ犧牲セシメタル今回ノ大戰ハ吾人人類ヲシテ眞正ナル人道的文明ノ永遠ナル建設ヲ切實ニ要求セシメタルナリ因テ民族生活セラレ國民道德ハ革命サレルナリ大平等大自由ノ眞理ハ今方ニ吾人ノ眼前ニ開展サレ强權扈拔ノ恐怖世界ハ其ノ殘影ヲ失ヒ正義人道ノ大同世界其ノ曙光ヲ放チタリ久シク良心ノ呵責ニ迫ラルル方ニ新潮ノ推盪ニ乘シタル我朝鮮民族ハ半萬千文化史ノ權威ヲ杖キ人類大同ノ新要求ニ應シテ世界平和ノ大原則ニ遵シ正義人道ノ永遠ナル基礎ヲ確立セシメンカ爲メ東洋鼎立ノ福祉ヲ完全ナラシムル爲メ我朝鮮獨立ヲ宣布シタルナリ此ハ實ニ共存同榮ノ至誠ニ出テタルモノニシテ毫モ歷史的感情ニ因ラサリシナリ日本ヲ排斥スルニアラス近隣ヲ絕チ遠交ヲ招クニアラサルナリ三百年來ノ宿怨殊ニ十年間骨髓ニ浸徹セル憤恨ハ今日最早前夜ノ夢、過眼ノ雲ニ附シ去レリ新時代ノ順潮ニ處スル我カ族ハ今更之ヲ論スルニアラス唯如何ニスレハ兩民族ノ間、難解不拔ナル惡緣ヲ一掃シ東洋永遠ノ樂園ニ五億萬人ノ團欒ヲ樂マンカノ純一ナル丹衷アルノミナリ（日本人ニ世界的度量ナキ爲メ吾等ノ苦心ヲ煩ハス）嗚呼日本國民ヨ猛省セヨ時代ニ遲レタ軍國主義ノ犧牲トナッテ他ヲ害シ己ヲ亡ホス愚事アル勿レ惟フニ日本ハ最近三十年間駸々ト武ヲ用ヒ東洋征服ノ妄計ヲ立テ

詐欺强迫以テ永世ノ友誼ヲ頼ムヘキ我朝鮮ヲ占奪シ又支那ヲ蠶蝕シテ世界ニ强ヲ爭ヒタル結果ハ今日何等ノ所得アリヤ必竟スルニ空殼的强國ノ虚名ヲ誇ルノミ實ハ内ニ民生ノ膏澤ヲ浚シ生計ノ疲癈ヲ極メ民性ヲ惡化セシメ外ニ我二千萬ノ怨恨ヲ構ヒ支那四億人ノ憤怒ヲ買ヒ列國ノ嫌忌ヲ招キ因ツテ世界人情ヲ敵待スルニ至リタルニアラスヤ日本今日ノ孤立ハ何カ爲メカ人種問題ノ否決ハ何カ爲メカ日本年來ノ政策卽チ侵略主義ノ先天的惡習ヲ改メサルニ因レリ人ヲ咎メス己ニ反省セヨ小利ヲ捨ツルニ吝ナラス（否ナ眞ノ利ニアラス實ハ自家滅亡ノ禍因ナリ）永遠ナル幸福ヲ計ル明見ナキカ世運必然ノ大勢力ニ順應シ遠ク未タ未來ヲ洞觀シ罪惡ノ成功ニテ占有シタル朝鮮ヲ機早ク獨立セシメ支那ニ對スル非理的作爲ヲ改新シテ至誠一念以テ共存同榮ノ實蹟ヲ擧ケ五億萬民族ノ後援ヲ得テ堂々ニモ世界的ニ人類的ニ正義人道ノ大實行ヲ列强ニ嚴命スル大度宇ナキカ大勇氣ナキカ何ソ區々末葉タル殖民的政策ニ國力ヲ犧牲スヘキカナ只我三大民族ノ相互ニ和協ナラサルコソ眞ニ惕勵タルヘキナリ果シテ吾等克ク一心同志其利害ヲ同シクシ進退ヲ共ニスレハ日本ノ人口縱令一億ヲ越ユルトスルモ何ソ其生活ニ天地ナキヲ憂フヘキヤ日本ノ政治家ハ目前ノ小利ニ迷フカ爲世界的經綸新時代ノ抱負ニ接觸シ能ハサルハ我等東洋ノ將來ヲ憂フモノノ歎恨措カサル處ナリ嗚呼危機迫レリ東洋安寧ノ大危機迫レリ日本若シ在來ノ方針ヲ全改セス錯誤無謀ナル淺見ニ執着シ人道自然發揚ノ權能ヲ無視シ我朝鮮獨立ヲ肯認セス返ツテ書殺ノ繼續ヲ能事トスルカ我二千萬衆ノ神聖ナル最後決心ハ餘儀ナク最後行動ニ出テ世界全人類ノ義勇ヲ動カシ十年間耻辱ノ穢塵ヲ一掃シ正義人道ノ最後勝利ヲ摶サン然ラハ折角建設シツツアル世界平和ヲ破壞スルモノモ日本ナレハ五億萬ノ生靈ヲ兵刄ノ慘禍ニ投スルモノモ日本ナリ萬億ヲ滅ホスモ日本ニシテ日本ヲ滅スモ日本自身ナリ必ラス噬臍ノ痛ミ後悔及ハサルアラン「痛覺セヨ」無謀千萬ナル彌縫ノ小策ヲ棄テ、根本的方針ヲ立テ世界大勢ヲ挽轉スルニ足ル偉大ナル卓見ヲ斷行セヨ一日モ早ク我朝鮮獨立承認ヲ宣布セシメヨ結果ハ必ス多大ナル幸福ノ報ヒ有ラン嗚呼人生ノ同志タル日本國民ヨ苟クモ人類的良心アリ新國民タル智能アラハ宜シク反省セヨ前非ヲ確立セヨ新見ヲ、目睫ニ迫ル東洋ノ慘禍ヲ如何ニセン夢寐ノ間ニ滅亡ヲ致ス日本ノ禍機ヲ如何ニセン冀クハ無謀ナル政府ノ罪惡的政策ニ盲從セス國民自覺ノ卓見ヲ神靈ニセヨ須ラク冷靜ナル諒察ト遠大ナル企圖ヲ有シ人類大同ノ歸趣ニ遲レハ殊ニ我等兩民族ノ間昨昔ノ惡緣ヲ轉化シ永世ノ隣誼ヲ確保スル事アルヲ警策ス

朝鮮建國四千二百五十二年五月　日

朝鮮民國大同團

陳情書（譯文原文ハ諺漢文鐵筆謄寫板摺日本半紙五枚）

朝鮮民族大同團ハ正義人道ヲ基礎トシ永遠ノ平和ヲ確立スル萬國媾和會議ニ書ヲ呈シテ我二千萬民衆ノ情ヲ陳フ

惟ルニ我朝鮮ノ檀君以來完全ナル自由民族ニシテ四千二百餘年ノ長キ歷史ヲ有シ實ニ世界ノ有數ナル最古文明ヲ有ス假令舊時代ニ於テ朝鮮王室ト支那皇室間ニ隷屬的關係ハ有リシモ之ヲ以テ民族自由主義ニ何等ノ影響ヲ及ホス事無シ朝鮮ハ依然トシテ朝鮮族ノ朝鮮ニシテ外國ニ支配ヲ受クヘキモノニアラス侵略主義ヲ以テ發達セル日本ハ最初ヨリ東洋共存ノ誠意無ク表面ニ東洋平和ヲ假粧シ陰ニ東洋併呑ノ計ヲ立テ朝鮮指導ノ口實ニ干涉ノ途ヲ開キ我政府ヲ攪亂シ我皇后ヲ弑殺シ侵略ノ地步ヲ確立シタリ日清戰爭ノ結果ニヨリ一千八百九十五年ニ英、米、佛、獨、露ノ諸國ト共ニ韓國獨立ヲ公認シ之ヲ確實ニ保存スルヲ協約セリ韓國獨立ノ保全及東洋平和維持ノ爲一千九百四年ニ日露戰爭ヲ開クニ際シ日韓同盟ヲ成シ我韓國ハ軍政財政其他諸般ノ援助ニ盡力シ其戰爭ノ終局ニ及ヒ日露ノ媾和會議ヲ開キ日本ハ在來ノ野心ニ直ニ暴露シ同盟國タル我韓國ヲ會議ニ參加スルヲ許サス任意ニ韓國ニ對シ優越權ヲ獲取シ日露戰線ニ出動セシ兵力全部ヲ以テ我國ヲ脅威シ皇帝竝ニ政府ヲ脅迫シ國力ヲ充實シ獨立スルヲ得ル迄ナリト詐稱シテ保護條約ヲ壓制締結シ皇帝ニ於テハ斷然批准ナキヲ以テ擧兵入闕シテ大臣ヲ幽閉シ印章ヲ强奪シ渠ノ手ニヨリ作書捺印シテ壓制的條約ヲ結ヒタル後我國ノ外交權ヲ奪去シテ列强ト直接交通ノ途ヲ斷チ我官民ノ反抗ヲ武壓シテ日本ノ保護國トナセリ我皇帝ニ於テハ此ヲ辨明ノ爲メ海牙萬國平和會議ニ密使ヲ派遣セシ事ハ列强既ニ承認セル事ニシテ且ツ彼ハ我內政ヲ束縛シ徵兵令實施スルマテト詐稱シ軍隊ヲ解散シ民間ノ武器ニ至ルマテ押收シテ相當ノ時期マテナリト詐稱シテ司法權ヲ奪去シ因リテ日本軍隊及憲兵警察ヲ各地ニ配置シ吾族ヲシテ全ク無抵抗者タラシメ後ニ愛國ノ感想ニ富ム光武皇帝ニ迫リ讓位セシメ德壽宮ニ廢處シ忠良ナル大臣ヲ驅除シテ日本買收ノ叛臣賊子ヲ以テ所謂合併內閣ヲ組織シ祕密ト武力ノ裏ニ於テ測ラスモ大膽ナル併合條約ヲ締結シ因リテ我傳國重寶ヲ强奪シ合併詔勅ヲ壓制的ニ下シ各國ヲ欺瞞シテ韓國君民ノ自ラ合邦ヲ願フモノナリト誣罔ノ事ヲ公布シ一個軍國政府ノ野心ノ爲ニ五千年ニ近キ文化ノ宗族ハ奴隷トナルコト茲ニ十年ナリ

合併以後日本ノ朝鮮統治政策ヲ略擧スレハ其ノ統計上朝鮮人ノ負擔ハ七千萬圓ヲ超過スト雖モ朝鮮人ノ爲メ支出スル經費ハ所謂敎育費四十萬圓ニ過キス其ノ餘ノ全部ハ總テ我朝鮮人壓迫侵害ノ目的タリ又ハ日本人ノ利益ノ爲メ支出スルノミナリ而シテ敎育ハ劣等ノ敎育ヲ施シ歷史的國民性ヲ刈除シテ日本人ノ許ニ奴隷タルヘキ性能ヲ涵養スルノミニシテ優秀ナル人格的修養ヲ徹底的ニ障碍シ其ノ自由權ヲ剝奪シテ民衆ヲ奴隷ニ待遇シ甚シキハ信敎企業ノ自由ニ至ルマテ拘束シ法規適用ノ暗毒及警察行政ノ殘虐ヲ以テ人民智能ノ自然ノ發育ヲ抑壓シ一擧一止ノ動靜ニ至ルマテ拘束シテ吾等在來ノ美風善俗ヲ毀破シ且ツ交通發展ニ假托シテ人民ノ私有土地ヲ無賠償ヲ以テ强奪シ民衆ヲ無報酬ニテ强制使役シ全朝鮮人民ノ生計上至大ノ關係ヲ有スル土地ヲ彼ノ拓殖會社ニ交付シ無制限ナル日本移民ノ占據ニ供シ其他重要機關ノ獨占及利益權衡ノ專橫經濟政策ノ運用ヲ害シ金融ヲ操縱シ產業

ヲ拘束シ以テ物質的發展ヲ阻止シ吾族ヲシテ失業破産ノ悲慘ニ陷ラシメ僻巷窮途凍餓盡滅セシメ生活ヲ求メテ外地ニ移流スル者年々增加シ半萬年來ノ主人タル吾族ヲ驅除撲滅シ客來ノ日本ヲシテ代立セントスル人類的良心無キ宿策ヲ實行セリ

且ツ日本ハ吾族ノ機會向上ヲ猜慴シ吾族ノ人類共同目的タル博愛ニ基因シテ「チエーク」族ヲ援助シ西伯利亞遠征軍隊ヲ編成出動スルヲ阻害セリ又彼ハ吾族ノ獨立復興運動ヲ仇讐ト視テ之ヲ陰虐ノ方法ヲ以テ列國ノ視聽ヲ掩蔽シ世界ノ物議ヲ防止センカ爲彼ノ狗五、六人ヲ使役シテ朝鮮ノ各階級代表ナリト假稱シ合併ハ朝鮮人民ノ所願ニ出タリトスル追認的誣罔ノ證書ヲ作成シテ捺印シ更ニ太上皇ノ批准押印ヲ强迫セルモ許サレサリシヲ恐レ遂ニ毒殺ヲ敢行セリ而シテ甚シキニ至リテハ我國族ノ獨立宣言ヲ發布シ光明正大ナル行動及平和善良ナル言論ヲ興起シテ會同幸福ヲ祝スルニ際シ武力ヲ以テ壓迫シ劍銃ヲ以テ射擊セラレシモノ又ハ拘禁セラレシモノ幾萬ナルヲ知ラス殊ニ愛國ノ熱血ニ興奮セル妙齡子女ヲ慘殺シ言ヲ暴動鎭定ニ托シ拘禁ノ男女ニハ惡毒ノ刑具ヲ施シ肉體ヲ毀損シ生命ヲ奪ヒ私有財產ヲ沒收セリ又日本人ノ勞働者ヲ使用シ朝鮮衣服ヲ着裝セシメテ暴行ヲ爲サシメ其禍ヲ吾族ニ嫁シ夜間ニ街上ノ通行人ヲ亂打セシメテ通行ノ杜絕ヲナサシメ之カ爲メ我全國商人ハ憤慨シ閉店スレハ銃劍ヲ以テ開市ヲ迫リ且ツ隱避不在ノ商店ハ門戶ヲ破開シテ店內ニ亂入シ野蠻無道ノ殘虐ヲ續行セリ之レ全ク世界ノ公眼ヲ無視シ吾族ヲ永久ニ滅亡セシメントスルモノナリ元來日本ハ韓國ノ武力其他物質的實力上獨立スルニ足ラストノ口實又東洋平和ノ維持ヲ理由トシテ豫メ軍隊ヲ解散シ武力ヲ皆無ナラシメ百般ノ干涉實力ノ發展ヲ防害阻止スル等前後矛盾セシ事實ハ其野心ノ一例タルヲ掩蔽スルコト能ハス又韓國君民ノ自ラ合邦ヲ願ナリト誣稱セルモ璽寶ヲ强奪シテ詔勅ヲ壓制的ニ下シ幾個ノ賊臣ト合邦條約ヲ任意作成シ其ノ當時大小官僚ハ强烈ニ反抗シ悲慘ナル最後ヲ遂ケシ者多ク多數人民ハ赤手空拳ヲ以テ暴虐ノ日本軍隊ト數年ニ亘ル血戰ヲ行ヒ種々ノ獨立復興運動ハ絕ヘス內外ニ澎湃シタリ彼ノ强制的合邦ハ何ヲ以テ合意ノ併合ト云フ可キヤ如斯大詐欺强迫ノ一時的成功ハ此ヲ以テ大局ヲ彌縫シ得ヘキモノニアラス

正義ト人道ノ勝利ヲ以テ世界軍國主義ノ根底ヲ打破シ永遠ノ平和ヲ共保スル國際聯盟ノ實施ハ今日ナリ吾族ト日本人間ニ利害相反シ氷炭相容レサル關係ハ何時迄モ勢ヒ相容レサル民族的大慘禍ヲ必演スヘシ吾族ハ天賦タル生存ノ權利ヲ確保ノ爲獨立自由ヲ主張シ正義及平和ヲ以テ世界ヲ改造スル時勢ニ遭遇シ此ノ不自然非合理ノ顚倒狀態ヲ改善匡正シ以テ東洋平和ヲ擲亂ノ禍源ヲ根本的ニ除去スルヲ世界ニ要求スルハ實ニ正當ナル權利ニシテ適法ナル行爲ナリ世界ノ列國ハ此ニ贊同ノ意アルヲ信シ特ニ世界的障碍物タル彼ノ軍國野心ヲ根絕セシメ永遠ノ平和ヲ確保スルノ義務アル四千餘年ノ德義文化ニ長養セル吾等ハ自由ノ實權ヲ回復セシ後ニハ必ス世界平和ニ少ナカラサル供獻ヲナスヘク我民族代表諸氏モ既ニ媾和會議ニ赴キタリ全朝鮮民族大小團結及各方區域代表ノ統一綜合ヲ以テ

成立セル本團更ニ吾族ノ前後ノ事情ヲ茲ニ開陳ス

大議ノ公決ヲ以テ正議ニ基因セル我朝鮮獨立ヲ公認セラルルヲ敬要ス

朝鮮建國四千二百五十二年四月　日　（一千九百十九年）

朝鮮民族大同團

右代表者

皇族總代

縉紳團總代

儒林總代

宗敎團總代

敎育團總代

青年團總代

軍人團總代

商工團總代

勞働團總代

婦人團總代

地方區域總代

米國送本ハ左ノ如シ

陳情書

朝鮮民族大同團ハ正義及人道ヲ基本トスル大米國大統領ウイルソン氏閣下ニ書ヲ呈シ情ヲ陳フ

（北間島萬國媾和會議ニ送本ト同一ナリ）

願クハ閣下ハ此ヲ媾和會議ニ附議公決セラレテ正義ニ基困セル我朝鮮獨立ヲ公認スルヲ切望ス

朝鮮建國四千二百五十二年四月　日

方略

正面方針及裏面策略ニ分チ正面方針ハ平和善良ヲ基トシ　裏面策略ハ彼ルノ頑惡不誠ニ對應スル爲メ已ムヲ得ス祕密トス

一、全族ヲ統一シ固有ノ一定勢力ヲ扶植シ外來ノ勢力ニ依賴セサルコト

一、檀祖　創業ノ朝鮮魂ノ一大敎育ヲ普及シテ世界ノ新趨勢ト一致シ文明行動ヲ主トスル精神力ヲ實顯スルコト

一、國民各個ノ趣味情景ノ集合タル各團體ノ標的ヲ保重シ健全忠良ノ團體ヲ樹立スルコト

一、國民行爲ノ主腦　神經線、耳目、手足等ト成ル祕密機關ヲ設置スルコト

一、國民社交同盟ヲ形成シ敵ニ對スル社交關係ヲ廢止スルコト

（但シ個人ニ對シテハ恩威並施ノコト）

一、國民經濟同盟ヲ形成シ有無相通シ水火相濟ス又敵對シテハ經濟關係ヲ中止シ金銭貸借物貨ノ需要、食料、原料、勞力其ノ他一切供給ヲ斷絶スルコト

二、列國ノ敎義ヲ通覽シ隣邦トハ友誼ヲ結ヒ敵ヲ孤立ノ窮地ニ陷ルルコト

一、敵ノ世界的浸略ノ陰謀ヲ沮止攻擊シ人類共同ノ正義人道、平等自由ヲ實行擴張シテ列國ノ同情ト援助ヲ得ルコト

一、米國ノ德義的方針及經濟的發展ニ相互順應シテ進出スルコト

一、中華民國ト唇齒ノ友誼ヲ結ヒ攻守同盟ヲナスコト

三、日本人民ヲシテ正義人道ヲ自覺セシメ非人道ノ政府ヲ打破改造シテ友邦トシテノ新交ヲ出現セシムルコト

一、外交孤立ノ影響ヨリ民衆輿論ノ破裂ヲ生セシムルコト

一、經濟的窮困（特ニ食糧原料、朝鮮經濟的施設ノ破壞）ニ基困スル秩序ノ攪亂ヲ爲スコト

一、非人道政府跋扈ノ反動タル社會爆發ノ大顚覆大改革ヲ行フコト

朝鮮建國四千二百五十二年四月　日

朝鮮民國大同團

二六二
二六三

登校學生諸君ニ

「父上ヨ私ハ同族ノ爲祖國ノ爲私ノ身ヲ犧牲ニ供セムト欲ス母上ヨ私ハ千萬過去ノ我祖先ノ基業ノ爲又億萬將來ノ我子孫ノ幸福ト安寧ノ爲ニ私ノ身ヲ犧牲ニ供セムト欲ス故ニ少シモ之ヲ苦痛ト思ハス」トテ刑台杖下ニ飮泣吐血シテ呻吟シナカラモ「嗚呼外ニ在ル我同胞ノ後援的運動ハ如何ナリシヤアー痛タ、」嗚呼彼ノ我血族ノ苦痛果シテ如何ソヤ？我等ハ果シテ彼等ノ爲ニ如何ナル後援的運動ヲシツツアリヤ？アー學生諸君ヨ今日我半島ノ狀態ハ諸君ヲシテ先導者タルノ任ヲ許セルニアラスヤ諸君ニシテ學生ナル者ハ完全ナル社會ノ一人タル資格ヲ具備セサルヲ以テ政治又ハ大勢ノ如キハ我カ任ニアラス又我以外ニモ有爲ノ人多シト爲シ無事ヲ希フノ意思ヲ以テ過去ノ眞正ナル行動ヲ目シテ輕擧妄動ナリトシ所謂悔悟誓約ノ下ニ首ヲ垂レ恥ヲ冐シ精神的不自由不平等ノ敎育ヲ受ケントスルカ試ミニ思ヘ諸君ノ行動ハ果シテ不當ナリヤ？又人類的良心ニ基クモノニ非スヤ嗚呼白及砲烟ノ裡ニ奮鬪努力スル彼ノ兄弟ノ苦痛ト犧牲トハ誰ノ爲メニスルモノナリヤ我等ハ同胞ノ義務ヨリスルモ同窓ノ情誼ヨリスルモ當然大目的行動ヲ取ルヘキニアラスヤ余ハ徒ニ諸君ノ登校ヲ脅迫制止セムトスルモノニアラス諸君ハ無智ナル父母ノ命令又ハ非誠意的先生ノ指導ニ從フヘキニアラス應ニ自覺スル所アルヘキナリ熟考セヨ諸君今日ノ登校ヲ假令正當ナリトスルモ諸君ハ當初意ヲ決シテ同

盟的行動ニ出テ乍ラ飜然前日ノ同盟ヲ無視シ私利的行動ヲ取ラントシ私腹ヲ肥サムトシテ他人ヲ溝壑ニ陷ルルモノナリ豈國民道德上民族的精神上人類的倫理界ノ爲大ニ悲憤慷慨ノ情ヲ禁スヘケンヤ今ヤ吾族ノ獨立ハ米統佛相ニ在ラス吾族ハ當ニ自決自佐ヲ以テ最大ノ誠意ニ依リ奮鬪努力セハ焉ソ道德公論ナカランヤ嗚呼學生諸君千思萬考以テ千古ノ鴻業ヲ樹テヨ

四千二百五十二年五月十三日

東京留學生車世運　京城通過寄

機　關

中堅機關ト附設機關ニ兩分シ中堅機關ハ永久存置シ附設機關ハ時局ト事勢ニ依リテ隨時存廢ス

一、中堅機關ハ中央樞機ニ當リ六部ニ分ツ左ノ如シ

一、統宰部　國內一切ノ事務ヲ總覽ス

二、樞密部　統宰部ヲ輔翼シ各部ヲ指導シ運用立策ニ當ル

三、常務部　諸般施設ヲ鞅掌シ一般庶務ヲ執行ス

四、外務部　一切外交事務ヲ掌理ス

五、財政部　一般財政事務ヲ掌理ス

六、武政部　一切用武事務ヲ管理ス

二六四
二六五

二、附設機關ハ中央機關ノ決定事項ヲ施設執行スルモノニシテ各部ノ監督下ニ附設セラル左ノ如シ

一、樞密部監督ノ下ニ民勸委員會、通信任員會、制度硏成委員會、機關新聞社ト地方補域團體及宗敎團、儒林團、僧紳團、軍人團、商工團、靑年團、勞働團、等各社會代表委員ヲ以テ成ル國民議事會ヲ附設ス

一、常務部監督ノ下ニ國民大會ヲ附設ス

一、外務部監督ノ下ニ國民外交委員會ヲ附設ス

一、財政部監督ノ下ニ國民經濟同盟會ヲ附設ス

一、武政部監督ノ下ニ義勇團、軍人敎育會ヲ附設ス

三、各任員ハ各團體及地方代表中ヨリ選出シテ各其ノ資格ニ適合シタル事務ニ當ラシム

大韓民國臨時政府ノ成立（本紙ハ朝鮮文三號活子ニテ縱六寸五分横一尺四寸ノ洋紙一枚ニ印刷シアリ）

國務總理　李承晚
內務總長　安昌浩
外務總長　金奎植
法務總長　李始榮

財　務　總　長　崔　在　亨
軍　務　總　長　李　東　輝
交　通　總　長　文　昌　範

大韓民國臨時憲章宣佈文

神人一致シ中外協應シテ漢城ニ義ヲ起セシ以來三十有日平和的獨立ヲ三百餘州ニ光復シ茲ニ國民ノ信任ヲ以テ完全ニ組織セシ臨時政府ハ恒久完全ナル自主獨立ノ福利ヲ我子孫黎民ニ世傳センカ爲臨時政院ノ決議ヲ以テ臨時憲章ヲ宣布ス

大韓民國臨時憲章

第一條　大韓民國ハ民主共和制トス
第二條　大韓民國ハ臨時政府カ臨時議政院ノ決議ニ依リテ此ヲ統治ス
第三條　大韓民國ノ人民ハ男女貴賤及貧富ノ階級ナク一切平等ス
第四條　大韓民國ノ人民ハ信教、言論、著作、出版、結社、集會、信書、住所、移轉、身體及所有ノ自由ヲ享有ス
第五條　大韓民國ノ人民ニシテ公民ノ資格アル者ハ選擧權及被選擧權ヲ有ス
第六條　大韓民國ノ人民ハ教育、納稅及兵役ノ義務ヲ有ス
第七條　大韓民國ハ神ノ意思ニ依リテ建國ノ精神ヲ世界ニ發揮シ進ンテ人類ノ文化及平和ニ貢獻センカ爲國際聯盟ニ加入ス
第八條　大韓民國ハ舊皇室ヲ優待ス
第九條　生命刑身體刑及公娼制ヲ全廢ス
第十條　臨時政府ハ國土恢復後滿一箇月內ニ國會ヲ召集ス

大韓民國元年四月　日

臨時議政院議長　李　東　寧
臨時政府國務總理　李　承　晩
內　務　總　長　安　昌　浩
外　務　總　長　金　奎　植
法　務　總　長　李　始　榮
財　務　總　長　崔　在　亨
軍　務　總　長　李　東　輝
交　通　總　長　文　昌　範

宣　誓　文

尊敬シ熱愛スル所ノ我二千萬同胞國民ヨ民國元年三月一日我大韓民族カ獨立ヲ宣言シテヨリ男女老少凡テノ階級ト凡テノ宗派ヲ論セス一致團結シテ東洋ノ獨逸タル日本ノ非人道的暴行ノ下ニ於テ極メテ公明ニ極メテ忍辱ニ我民族ノ獨立ノ自由ヲ渴望スル實思ト正義ト人道ヲ愛好スル國民性ヲ表現セリ今世界ノ同情ハ翕然トシテ我國民ニ集中セリトス此ノ時ニ當リテ本政府ハ全國民ノ委任ヲ受ケテ組織セラレタリ本政府ハ全國民ヨリ受ケタル使命ヲ專心戮力シテ臨時憲法ト國際道德ノ命スル處ヲ遵守シテ國土光復ト邦基確國ノ大使命ヲ果サンコトヲ茲ニ宣誓ス

同胞國民ヨ奮起スヘシ吾々ノ流ス一滴ノ血ハ子孫萬代ノ自由ト福樂ノ價ナリ神ノ國ノ建設ノ貴キ基礎ナリ吾々ノ人道ハ恰モ日本ノ野蠻ヲ教化スヘク吾々ノ主義ハ亦日本ノ暴力ニ勝ツヘシ同胞ヨ起テ最後ノ一人マテ鬪フヘシ

政　綱

一、民族平等國家平等及人類平等ノ大義ヲ宣傳ス
二、外國人ノ生命財產ヲ保護ス
三、一切ノ政治犯人ヲ特赦ス
四、外國ニ對スル權利義務ハ民國政府ト締結ノ條約ニ依ル
五、絕對獨立ヲ誓圖ス
六、臨時政府ノ法令ニ違越スル者ハ敵ト認ム

大韓民國元年四月　日

大　韓　民　國　臨　時　政　府

時局ヲ望観スル空論者ニ警告ス（意譯）

獨立中興ノ事業ハ我朝鮮魂ノ精華ニシテ天地ノ氣運ニ際會シタルモノナルヲ以テ自覺自信力ニ賴リ我固有ノ本領ヲ發揮セムノミ何ソ他邦他人ノ援助ヲ俟ムヤ我二千萬民愛國ノ精神ハ天地ノ眞理ト睥明シ時勢ノ變化ニ伴ヒ相增減スルモノアラス但其ノ行動ニ於テ時機ヲ察セサルヘカラサルヲ以テ或ハ十年ノ久シキニ亘リ耐忍屈辱スルアリシモ一タヒ之ヲ發揮セハ三千里ノ大地一時ニ震驚センカ如キハ卽是レ五千年來伏在セル我朝鮮魂ノ發揮シタル精華ニ外ナラス豈亦舊時代ノ片影ト新思潮ノ餘波ナリト謂フヘケムヤ要ハ天下ノ氣運ニ適應シ世界人類ノ同歸スルニアリ

或ハ曰ク我國ノ民力ハ暗愚ニシテ列强ノ後援ハ薄弱ナリ而シテ日本ハ强硬ノ體度ヲ把持シ大局ノ氣勢ハ混沌タリ加フルニ媾和會議ハ公平ヲ缺キ山東問題亦不幸ニ終リ何レモ我國家ノ爲不利ナラサルハナシ云々ト

然レモ其ノ所謂民力トハ果シテ如何ナルモノソヤ大砲軍艦ノ暴力ハ本來我民族ノ尙用セサル所ニシテ且今後ニ於ケル世界平和ノ必要ニモアラス我ノ貴フ所ハ我民族ノ固有セル報國ノ精神ヲ發揮スル

ニアルノミ方寸ノ胸中猶能ク天地ノ大機ヲ旋轉スヘキヲ以テ二千萬人ノ丹誠ヲ一團ト爲シ三千里大地ノ中興ヲ企畫スルニ於テ何カアラムヤ

先皇帝(李太王ヲ指スカ)ハ一死國家ニ報ハレシヨリ萬機皆活躍セリ我代表者一聲ノ下ニ於テ賴ムニ足ルヘキヲ證明シテ餘アリ殊ニ列國ハ三月以來我民族ノ獨立ヲ贊助シ公議決定ノ後之ヲ媾和會議ニ提案シテ已ニ通過シタルモノナリ然リ各國ノ援助ハ益々其ノ機會ヲ促スモノナルヤ抑或ハ我カ爲ニ日本ヲ征討シ積憤ヲ雪キタル後ニ於テ眞個ノ援助ヲ許サムトスルカ否ナ今日ハ其ノ時機ニアラス我民族ハ宜シク自作自成ノ本ヲ養ヒ以テ其ノ成熟ノ果ヲ俟ツアルノミ又宜シク理數回轉ニ任セ以テ形勢ノ必至ヲ期シ全民族ヲ救濟スルト共ニ我朝鮮獨立ノ日ヲ謳歌スヘキナリ何ソ區々タル外援ノ有無ニ關セムヤ日本ノ如キハ天運ヲ明察シ機運ヲ回轉スルノ道ヲ悟ラス一意ニ利ヲ爭ヒ其ノ暴虐ヲ極ムルハ偶々以テ天理ヲ自損シ徒ラニ其ノ罪惡ヲ增進スルアルノミ

媾和會議ニ於テハ時ニ非公道ノ決定ナシトセサルモ後日自ラ反正遷善ノ日アルヘシ蓋シ聯盟道義ノ精神ハ固ヨリ不滅ナリ(眞正ナル公道ニアラサレハ眞箇ノ平和アラス而シテ世界ハ必ス人類ヲ保全スヘキ大同平和ノ日アルヘシ)民族自決ノ形勢ハ不休ナリ(大國ノ小國ヲ保護スルハ小國ノ爲ニ然ルニアラス小國ノ安寧ニ賴リ其ノ自國ノ平和ヲ期セリ)之ヲ以テ列國ハ公道ヲ放棄シテ日本ノ暴虐ヲ保助スルノ理ナカルヘシ山東ニ關スル不幸ハ未タ確定ノ事ニアラス從テ日本ノ勢力ヲ增進シタルニアラス畢竟支那當事者ノ躊躇セシ過失ニ過キサルモノトス故ニ山東事件ノ克復ハ他日彼ノ四億萬民ノ活動如何ニ於テ決スルヲ得ヘク更ニ我獨立運動ノ權威ニ關スル所ナキヲ知ヘシ然レトモ日本ノ衰微ヲ待テ我獨立ヲ企テムト欲セハ千百載ヲ經ルト雖必スヤ獨立ノ日ナカルヘシ其ノ艱難ヲ避ケテ坐ナカラ滅亡ニ就クカ如キハ國民トシテ之ヲ思ハサルヘカラス

或ハ曰ク獨立ヲ宣言シテヨリ今ヤ二閱月ヲ經過セリ而シテ媾和會議ハ已ニ終局ヲ告ケタルモ獨立ノ實權ニ於テハ渺漠トシテ捕捉スル所ナシ是レ所期ノ大事ハ幾ムト違算ニ了ルニアラスト云々

既往十年間積憤ノ餘期待ノ情ニ於テハ深ク之ヲ咎ムルニ足ラスト雖事機自ラ順序アリ吾人期待ノ功果ハ固ヨリ天地ノ公理ト共ニ自然實現スルヲ知ル已ニ世界公道ノ聲援ヲ得タル以上ハ惟其ノ時機ノ到來ヲ待ツアルノミ彼ノ猶太ノ天佑ヲ期待シ白耳義ノ回復ヲ視ルカ如キ亦必然ノ理ナリ其レ然リ宜シク勇氣ヲ激勵シテ天機ノ旋轉ヲ觀測スヘシ豈二閱月ノ短日月ヲ以テ我永久ノ鴻業ヲ成就スヘキモノニアラムヤ

或ハ曰ク今日ノ形勢ニ於テ獨立ヲ期スルハ徒ニ生民ノ慘害ヲ招クアルノミ宜シク時世ノ推移ヲ待テ大局ノ安定ヲ圖ルヘシ云々

噫亦謬レリ此ノ時ハ何ノ時ナルソ我民族存亡ノ判定期ナリ奮發スレハ能ク自由ノ境ニ生キ無窮ノ樂ヲ亨クヘシ躊躇スレハ必ス億萬仞ナル不滅倭火ニ墜落セムノミ此ノ際ニ於テハ寸時寸歩ノ放心ヲ許サス事體形勢大局ハ皆我決心ニ賴リテ定マル所タルヲ以テ我自ラ我事ヲナササレハ天何ソ我ヲ佑ケ

人亦我ヲ助ケムヤ目下ハ國民外交ノ時代ナルヲ以テ之ヲ事實ニ求メ之ヲ輿論ニ徵シテ公議ヲ決定スヘシ各國ノ如キハ代表アリタル後ハ必ス全國民ノ奮起アルヲ常トス故ニ各國爭權ノ優劣ハ其ノ國民自助ノ如何ニ依テ決スルモノ多シ以上ノ事實ハ愚夫ト雖既知ノ實證アルニ拘ハラス我中流社會ノ諸氏ハ蠢然トシテ些ノ感覺ナキヲ奈何セム

顧ルニ我ノ獨立ヲ宣言セシ以來我國民ノ活動ハ如何ソ果シテ能ク公道ヲ主持シ正義ヲ宣揚シ眼前ニ世界ヲ控ヘ腋下ニ大局ヲ扼シ列强ノ國民ニ對待シテ蠻勇ナル日本ノ大赫怒ヲ粉碎スルヲ得ンヤ曰ク否我二千萬人ノ同胞ハ宜シク朝鮮魂ノ良能ヲ煥發シ天機ノ微動ニ應驗シテ生死利鈍ヲ顧ミス倭兵ノ前ニ勇往スルコト無人ノ境ヲ行クカ如シ孰カ其ノ壯烈ヲ欽仰セサラム如此ハ眞ニ是レ我檀君ノ遺族タルニ愧サルモノナリ惜ムラクハ全國民團結ヲ形成シテ世界各國ノ外交場裡ニ馳驅スルヲ得サリシハ其ノ罪果シテ誰ニ歸スヘキヤ知識階級中ノ有力諸氏ニシテ徒ニ觀望空談ヲ弄シ國民事務ニ注意セサルノ罪ナラサルヘカラス或ハ先輩或ハ同輩ノ國家ノ爲ニ身命ヲ擲チ九死ニ一生ヲ期シテ海外ニ奔走スルヲ視テ尋常ノ茶飯事ト爲シ坐ナカラ成功ノ如何ヲ論スルカ如キハ其ノ良心ニ於テ愧ル所ナキヤ公憤ニ蹶起シ道義ニ勇進シタル賢子良孫ヲ指シテ不良ノ行爲トナシ之ヲ倭奴ノ學校ニ學ハシムルハ抑モ如何ナル父祖ノ心ソ各地ノ同胞ハ家產ヲ倭奴ノ火ニ燒棄セラレ父兄ヲシテ倭ノ毒及ニ倒レシメ猶且獨立ヲ喚叫シテ遂ニ倭奴ノ獄ニ繫カルルカ如キ我同族ノ慘狀ヲ目擊シ毫モ救濟ノ道ヲ盡サス却テ輕擧妄動ヲ以テ之ヲ誅責スルモノノ如キハ實ニ倭奴ノ心術以下ニ屬スル人非人ナリ此ノ天運ノ克復民族共奮ノ日ニ際シ獨リ富豪ニ誇リテ安逸ヲ擅ニシ國祉ヲ害シ民禍ヲ姤ムニ至リテハ其ノ罪十年前ノ賣國奴ニ讓ラス五百年來國朝ノ鴻恩ニ浴シタル身ヲ以テ田父野人ノ忠勇ニ愧ル所ナキカ苟モ胸中一點ノ光明アルモノハ敢テ之ニ倣フニ忍ヒサルナリ四千年禮義ノ宗族ニシテ之ヲ他人ノ室家ト聞ヘシムヘカラス願クハ諸氏之ヲ猛省シ千載一遇ノ幸運ヲ失スルナク協力一致稍躊躇アルヲ容サス一刻遲ケレハ一刻ノ害ヲ存シ一疑ヲ生スレハ百魔祟ヲ招クヘシ唯夫レ誠心ノ一貫ヲ期スルノミ義理ニ安ンスレハ能ク大勇ナリ公道ニ怒レハ能ク天ヲ動カス若シ能ク天ヲ動スヲ得ハ何ソ倭奴ノ蠻勇ヲ懼ルルニ足ラムヤ嗚呼諸氏ヨ彼ハ無義無信多貪多詐ニシテ已ニ大國民ノ度量ナク侵略ヲ以テ能事ト爲シ往古啓發ヲ受ケタル舊恩ヲ思ハス秀吉以後三百年來我土ヲ僭竊スルカ如キ其ノ憤恨ハ上下ノ忘ルル能ハサル所ナリ特ニ十年間ニ於ケル虐政ノ蹟ハ我民族ヲ撲滅セサレハ息マサルモノニシテ想フニ必ス諸氏ノ心肝ニ銘記セラルルナラム我二千萬同胞ハ正義人道ノ義兵ヲ擧ケテ我赫怒ヲ示スト同時ニ我權威ヲ發揚シ寧ロ蠻劍ノ下ニ玉碎スルヲ以テ光榮トナサムノミ

建國四千二百五十二年五月二十日

朝鮮民族大同團民勸委員會

(七) 獨立運動煽動者檢擧ノ件

慶尙北道達城郡尹相泰及大邱府徐相日、李始榮、李永局、鄭雲騏等ハ大正四年陰正月十五日同道達城郡壽面大明洞安逸庵ニ詩會ト稱シテ集會シ朝鮮國權回復團中央總部ヲ組織シ尹相泰外八名ハ各頭書ノ役員ニ選定セラレ一切ノ經費ハ總部ニテ支出スルコトトシ陰正月十五日ヲ紀念日ト定メテ檀君大皇祖ヲ奉祀シ他日機會ヲ得テ國權回復運動ニ從事スヘキヲ協定セシカ本年三月騷擾ノ勃發スルヤ獨立運動ノ煽動ヲ爲シ或ハ巴里媾和會議ニ提出スヘキ請願書ヲ上海ニ携行セシメ或ハ獨立運動資金ノ募集ヲ爲シタリ其ノ狀況左ノ如シ

一、被告人ノ住所氏名

本籍 慶尙北道大邱府市場北通リ貿易商
外交部長 徐相日 三十三年
本籍 同 大邱府横町大邱銀行員
李永局 三十一年
本籍 同 大邱府南山町天道敎敎區長
祕密係 洪寅一 四十四年
本籍 同 達城郡月背面上仁洞元郡守
中央總部統領 尹相泰 三十八年
本籍 同 所 農元領事
禹夏敎 四十七年
本籍 同 星州郡星州面 農
裵相淵 三十年
本籍 慶尙南道統營郡統營面
徐相懽 三十三年
本籍 同 大邱府京町二丁目 農
徐昌圭 三十八年
本籍 同 大邱 銀行副支配人
文書部長 徐丙龍 三十五年
本籍 同 迎日郡興海面中城洞
片東鉉 三十三年
本籍 同 尙州郡高州面
趙弼淵 四十四年
本籍 慶尙南道馬山

金基聲 二十九年
（以上逮捕）
本籍 慶尙北道星州郡月恒
張錫英 六十九年
本籍 同 同 星州面
裵相濂 年不詳
本籍 同 慶州郡光復會員
朴尙鎭 年不詳
本籍 同 大邱府鳳山町
鄭雲騏 年不詳
（以上入監中）
本籍 慶尙北道達城郡月背面上仁洞無職
遊說部長 舜泳鄭 年不詳
本籍 同 大邱府堅町無職
交通部長 李始榮 三十八年
本籍 同 漆谷郡若木面元大邱銀行員
申相泰 年不詳
本籍 同 同 倭館面
李守默 同
本籍 同 大邱府南町元辯護士
金應夔 三十八年
本籍 慶尙南道統營郡統營面穀物商
徐相灝 五十一年
本籍 慶尙北道高靈郡元普成中學校敎師
南亨祐 四十五年
本籍 同 達城郡嘉昌面亭岱洞
曹肯燮 年不詳
本籍 同 慶州郡
崔浚 同
本籍 同 大邱府西千代田町

本籍 慶尙南道鎭海	鄭 龍 基	四十二年
本 籍 同 陜川郡以下不詳	卞 相 泰	年不詳
交 通 部 長	朴 永 模	年不詳
本 籍 同 馬山	李 亨 宰	同
本 籍 同 昌原	安 　 廓	同
本 籍 忠淸南道牙山郡以下不詳		
勸 誘 部 長	金 　 圭	同
本 籍 全羅道以下不詳		
決 死 隊 長	黃 炳 基	同

（以上未逮捕）

二七八
二七九

一、犯罪事實

（一）本團ハ廣ク同志ヲ糾合スルカ爲各地ニ支部ヲ置キシカ本年三月騷擾事件ノ勃發ニ際シ中央總部ヨリ慶南咸安晋州方面ニハ總部ヨリ申相泰、卞相泰、兩名ヲ派遣シテ示威運動ヲ爲スヘク煽動シタリ

（二）中央總部ニ於テハ騷擾勃發以來上海ニテ假政府ヲ設置シ滿洲蘇項嶺ニ於テ盧伯麟ヲ敎官トシテ三萬ノ兵ヲ敎練シ居レリト稱シ之カ資金トシテ各地ニ一定ノ金額ヲ割當テ醵出セシムルコトトセリ之ニ依テ裵相淵ハ額面五千圓ノ約束手形ニ月日ヲ記入セスシテ徐相日ニ交付シ徐相懽徐相灝ハ本年陰四月初旬割當額六萬圓中ノ一部トシテ金一萬圓ヲ送付シ崔浚亦其ノ出資ヲ爲セリ

（三）本團ハ郭鍾錫張錫英等ノ獨立運動ト連絡ヲ有セリ乃チ尹相泰ハ本年四月上旬頃團員曹肯燮ノ執筆ニ係ル獨立陳情書草案ハ曹ノ名望高カラサルヲ以テ郭鍾錫張錫英等ノ企畫セル巴里媾和會議ニ提出スヘキ請願書ヲ受取リ金應燮ヲシテ之ヲ上海ニ携行セシメタリ

三、措　置

本件ハ罪跡確實ナリト思料シ六月九日所轄檢事ニ事件送致セリ而シテ上海ニ携行シタル請願書ノ連名者郭鍾錫外百三十六名ナルニ付該連名者ニ關シテハ尙內査中

四、不穩文書

今次ノ騷擾ニ於テ煽動的不穩文書ノ配布カ民心ヲ刺戟動搖セシメタルコト甚大ナルコトハ騷擾事件ノ概況第一報第六項記載ノ通ニシテ一時ハ鮮人公官吏ヲシテ其ノ去就ニ迷ハシメ殊ニ巡査補、補助員等ハ恐怖心ニ驅ラレ爲ニ警察ノ活動ヲ減殺シタルコト尠シトセス而シテ不逞輩ハ騷擾鎭靜後ノ今日ニ於テモ尙ホ依然トシテ此ノ方法ニ依リ民心ノ煽動ニ努メツヽアリ最近ニ發見セシモノ二、三ヲ譯出スレハ左ノ如シ

（一）獨立新報　第六號　四月六日發行

論說二十八日京城ニ於テ千餘ノ同胞カ敵ニ虐殺セラレタル報ニ接シ今日亦定州ニ於テ同胞百十一人敵ニ虐殺セラレシ報ニ接ス全國各處ニテ相似タル虐殺行ハレ而モ日ヲ逐テ甚シキ由ナリ

三月一日我カ族カ平和ノ爲極メテ公明正大ニ極メテ當然ナル要求ヲ宣言シテ以來數十萬ノ兄弟姉妹ハ毆打セラレ侮辱禁錮セラレ或ハ惡刑ニ處セラレ數百ノ學校敎會家庭ハ破壞セラレ而シテ敵ハ軍隊ニ不足ヲ告ケ商民迄武器ヲ執テ我カ同胞ヲ虐殺スルニ至リシカ既ニ一ケ月餘ヲ經過セリ此ノ一ケ月間ノ陰忍ハ實ニ人道及東洋平和ノ爲ナルカ我カ族ノ忍耐力ハ既ニ極度ニ達シ我等ノ血ハ公憤ニ沸騰ス之レ以上ノ陰忍ハ實ニ我等ノ弱點ヲ示スモノナリ況ンヤ平和ハ既ニ敵ノ爲ニ破壞サレ終リ又今ヤ我等モ最後ノ手段ニ出ツル外ナシ劒ハ劒ヲ以テ血ハ血ヲ以テ報ユル外ナシ我民族及日本民族ノ永遠的血戰ハ開始セラレタリ愛國者ヨ起テ

二八〇
二八一

定州電

三月二十九日平北定州ニ於テ我獨立軍數萬名獨立示威運動ヲ擧行セシカ當日敵ニ殺サレタル我獨立軍ヲ倭奴等ハ停車場附近ニ大穴ヲ堀リ百十一人ヲ埋葬セシカ死者ノ親類等ハ之ヲ要求セシモ倭奴ハ其等ノ人ヲ亂打シ屍體ヲ引渡サヽリシト謂フ

倭國ノ蠻行定州ニテハ倭兵及倭消防隊我獨立軍四十名ヲ捕虜トシ鳶口ニ引掛ケ引キ立テ歩キシト彼等倭奴ハ果シテ人類ト謂ヒ得ヘキカ之レ實ニ三島殺人鬼ノ本色タル蠻行ヲ曝露セシモノナリ

申醫師捕虜トナル定州ニ於ケル獨立示威運動ニ傷キタル我獨立軍ノ負傷者ヲ治療センカ爲施藥セシ申醫師ハ倭兵ニ亂打セラレタル上捕縛セラレタル由

五山學校破壞セラレタル定州五山中學校ハ我等ノ共ニ戴ク李承薰氏ノ設立敎育ニ係ルモノナルカ當日倭兵カ一齊ニ破毀セリト謂フ

天道敎堂燒カル定州天道敎堂ハ彼ノ倭兵等ノ不汙黨（强盜團）ノ行動ニ依リ放火セラレシ由ナリ

飜譯欄

李完用ノ家ニ投石二十七日三淸洞高等普通學校附近ニ約三百名ノ獨立軍集リ大韓獨立萬歲ヲ唱ヘ示威運動ヲ爲セシカ彼等ハ更ニ進ンテ玉洞完用ノ家ニ赴キ投石シテ曰ク「今ヨリ九年前國ヲ賣リタル盜賊李完用」ト罵倒セル由（英文大陸報譯）

朴仁浩ノ訓諭　天道敎道師朴仁浩ハ倭奴ノ威迫ヲ避クルコト能ハス同敎友ニ一通ノ訓諭ヲ發セリト謂フ

獨立成就迄埋葬セス三月一日ヨリ今日迄正義ト人道トヲ高唱シ赤手空拳ヲ以テ怨讐ノ凶器ニ抵抗シテ以來茲ニ月餘トナリヌ而シテ其ノ間捕縛セラレ禁錮セラレ又負傷シテ苦ム者多數ナルカ不幸ニシテ生命ヲ怨讐ノ手ニ奪ハレシモノ千萬ニ達ス而シテ倭政府ニ於テハ死者ノ關係者ヲ尋ネ之カ埋葬ヲ强請セシモ彼等ハ大韓獨立後埋葬スルモ遲カラサルニ依リ愚鈍比類ナキ犬共杞憂スル勿レト之レヲ拒絶セル由倭奴ノ警察崩壞「斯ク多數ヲ捕ヘテハ處置シ得ヘキカ」ト所謂當局タル倭奴ハ新シキ懸念ヲ爲シ始メタリ〇〇〇ニ於テハ今回獨立軍ノ捕ハルルモノ頗ル多カリシカ收容室頗ル狹隘ナリシ爲其ノ儘崩レテ潰レタル由

雜錄

耳ヲ塞イテ鈴泥棒　近日本國ニ於テハ禽獸ニ等シキ倭奴等カ我カ獨立團ヲ虐殺スル旨ノ消息外部ニ傳播セルカ倭奴ハ本國在住ノ米國宣敎師ノ所爲ナリトシテ之ヲ怨ミ居ル由實ニ笑止ノ事ナリ例ヘ宣敎師等語ラストモ世間ノ人ニハ何レモ二ツノ眼二ツノ耳一ツノ口アリ親シク見或ハ聞カハ如何テ口ニテ語ラサルコトヲ得ヘキヤ

愚ナル彼ノ倭奴遲鈍ナル知覺ヨ只韓國内ニ宣敎師等在住スルカ爲ノミト思フヤ我等ノ眼ハ四千萬アリ耳モ亦四千萬アリ口モ二千萬アリ尙外ニ多數ノ外國人アルニ依リ如何テ宣敎師ノミカ之カ見之ヲ聞キ之ヲ語ルヘキ茲ニ至リテハ愚鈍モ比亦類ナシト謂フヘシ

此ノ文明ノ世ニ斯ク愚鈍ナルニ於テハ如何テ生存シ得ヘキ俗俚ニモ足ナキ話ハ瞬間ニ千里ヲ行クト斯ク愚鈍ナルニ於テハ如何テ世ニ生存シ得ヘキ畢竟滅亡ノ外ナカルヘシ(代惘生)

對話　晝寢坊

(A)　世ノ中ノ寶ノ中テ何カ一番高價カ知テ居ルカネ君

(B)　金剛石白金ダラウ、エート一寸待チ給ヘモツト高價ナモノハ有ルカシラ

(A)　ナイコトカアルカイ君ハ一體大韓國獨立ノ消息ヲ聞カナカツタカネ、コンナコトヲ聞カン樣ナ耳ナラ切ツテ捨テ給ヘ、ソンナ耳ハ全ク時代的チヤナイカラネ大韓テハ今方々テ血ヲ流シテルジヤナイカアノ熱血ハ一番高價ナモノタヨ、血コレコソ、ホントニ評價シ難イ寶シヤナイカ

(B)　無價ノ寶ト云フカ人間ノ血ハ、トウシテ、ソンナニ尊イノカ、ソンナ馬鹿ラシイコトハ措イテ置ケヨ、ソンナコトハ明日ヤルコトトシテマア煙草テモ一吹ヤリ給ヘ、オイ君コレテモ値段ハ十五錢十錢トスルンタヨ

(A)　ホー君カコンナ重大ナ事ヲ知ラン位タカラ君ノ無智モ甚シイタラウ歴史ヲ見給ヘ華盛頓ノ流

シタ血ハ米國ヲ蘇生セシメタ價値カアリ、ネルソンノ血ハ英國ヲアンナニ强大ニシタシ又日露戰爭テ日本ノ流シタ血ハ日本ヲ五大强國ニシタ價値カアルシヤナイカ例ヘ倭奴ノコトテモヨイコトハヨクヤツタト褒メテ藥モ飮マセナケレハナラナイカラネ

(B)　ソーシテ

(A)　ソシテ見レハ今度大韓ノ人達カ流シテ居ル血モ三千里ノ江山ヲ取リ戻ス價値カアルコトニナルテハナイカ、サウタラウ君答ヘ給ヘ

(B)　ホントニサウタネ僕モ今ヤヤツト分ツタヨ

廣告欄

檀君大皇祖御天節紀念式ヲ來ル十三日(日曜)ニ擧行スヘキニヨリ茲ニ廣告シ兼ネテ在留同胞諸氏ノ深厚ナル御援助ヲ切望ス

(場所及時間ハ追テ廣告ス)

四二五二年四月六日上海高麗僑民親睦會

(二)　獨立新報　第十號　紀元四千二百五十二年四月十一日

春來リ何レノ草木モ根莖枝葉欣々然トシテ茂ラントス而シテ花タルモノハ花トナリ葉タルヘキハ葉トナル之夫ノ至公無私ヲ示スモノナリ公道及正義ハ人類ニ對スル春ナリ人皆之ヲ好ムモ或ハ時ニ弊トナツテ滅スルコトアリ普天ノ下ニ生靈塗炭ニ陷リシカ今ヤ黑雲一除セラレ日月復ヒ明トナリ歐洲戰爭終ヲ告ク

大ナル哉偉ナル哉大統領ウイルソン氏ノ民族自決主義ヨ萬邦皆之ヲ感喜ス嗚呼我等カ半萬年ノ照々タル歴史ハ一點ノ汚穢ヲ受ケ過去十年間ヲ彼ノ三島異族ニ凌辱セラル陰極則陽生ハ我等ノ愛スル所ニシテ之我愛スル人封旗ノ理致ナリ卽チ之レ不運極ツテ泰運來ルモノナリ今ヤ公道暢然タルニ依リ一線ノ春光東西ノ半島ニ先達セリ而シテ我等ノ同胞男婦老幼ノ別ナク狂スルカ如ク醉フカ如ク祖國ノ獨立ヲ高唱シ公道ヲ世上ニ暢明セントシ彼ノ公道ノ逆賊タル無耻無廉豺狼ノ如キ倭奴ハ狡猾ナル計策ト强悍ナル手段トヲ以テ之ヲ阻止セントシ蠻行ヲ以テ濫リニ殺人ヲ行フ

然リト雖之畏慴スヘキ所ニアラス昔秦始皇帝ハ强悍無道ニシテ六國ヲ併呑シ兵乃ヲ銷鑠セシモ二世ニシテ亡ヒタリ之强暴ノ公道ニ對敵シ得サル好例ニシテ彼ノ倭奴ノ如キハ滅亡ノ日期シテ定ムヘキノミ

我韓族ノ獨立ハ之韓國ノ維新ニシテ過去ヲ弔ヒ將來ヲ祝賀セムトスルモノナリ

倭奴ヨ將來ノ禍根ヲ顧ミス孜々トシテ惡ヲ爲スハ洵ニ可惜可嘆ノコトナラスヤ三島ノ小國如何テ長久ヲ望ミ得ヘキ

然レトモ我等ハ只空言ノミヲ以テ彼ヲ誹謗シ又ハ空言ヲ以テ大韓獨立ヲ高呼セントスルモノニアラ

ス斯ノ如キハ徒ニ無益ナルノミナラス寧ロ大害アレハナリ我等ハ必ス實力ヲ養成シ不塞不崩終始一貫ヲ期スルモノナリ

嗚呼哀ナル哉彼ノ終南山ノ草木ハ悲ヲ含ミ漢江ノ清水爲ニ流レス赤手空拳ヲ以テ祖國ノ爲ニ起チ倭奴ノ長劍利銃ノ下ニ慘殺セラレタル諸人ハ誰カ我等ノ親類故舊タラサルモノアルヘキ是等幽靈亦祖國ノ爲ニ悲ム之ヲ想ヘハ實ニ涙モ流レス心亦之カ爲哀ム能ハス

我等ハ如何ニシテ彼ノ幽靈ヲ慰ムヘキカ一枚ノ弔文ヲ以テスヘキ又ハ涙盃ヲ以テ魂魄ヲ慰ムヘキカ否是等ハ總テ諸幽ノ所願ニアラス只我等カ勇敢前進シテ見機百作事ニ臨ンテ懼レス目的ヲ達シテ大韓獨立ヲ完成スレハ上天ノ靈魂亦瞑スヘキニ依リ如何テ我等ノ責任重大ナラサルヘキ

京城電

今回ノ獨立運動開始以來十三道ニ亘テ之ヲ應セサル處ナク甚シキニ至リテハ七八歲ノ小兒迄奮起セサル者ナキ有樣ナレハ實ニ之レ擧國一致ト謂フヘシ近日各學校ハ倭政府ノ壓迫ニ堪ヘス或ハ開校セシ如キモノアルモ授業時ハ敎師カ學生ニ對シ倭語ヲ以テ「我國ノ首府ハ何處ナリヤ」ト問ヘハ愛ラシキ我學生ハ韓語ヲ以テ高聲ニ「ソーウル（京城）ソーウル（京城）ナリ」ト答ヘ又時々敎室內ニ於テ大韓獨立萬歲ヲ唱フルヲ以テ倭奴ノ敎師共ハ膽ヲ潰シテ爲ス處ヲ知ラサル由（大陸報ヨリ）

所謂總督ナル者ノ辭職　朝鮮總督ト自稱スル長谷川リヨンガム（令監）ハ寺內內閣當時ニ山縣元老ト稱スル屍ノ如キ者ヨリ派送セラレテ赴任セシカ爾來屢々辭職セムトセシモ日本全國ヲ通シテ長谷川令監ノ如キ人物ナキカ爲今日迄其ノ意ヲ得サリシカ今回倭國官制改正ニ當リ辭退スルコトニ決シタリシカ意外ニモ大韓獨立ト稱スル大火起リ非常ニ激烈ニシテ治安上好成績ヲ見ルコト能ハサル事情ニ依リ强硬ニ辭退スルコトヽセリト謂フ

二八六
二八七

平壤在住米國敎師三人捕ハル　四月九日共同通信者ヨリ來レル通信ニ據レハ平壤崇實學校ハ今回ノ獨立運動ノ中心トナリ米國敎師某氏ハ韓人十一人ヲ隱匿セシ外宣言書等ノ證據書類ヲ發見セラレシトテ某氏外二名捕ハレタル由ナリ

倭政府ノ毒策　八日ノ倭京電ニ據レハ今回ノ我カ獨立ハ順序ヨク進行シ且全世界ニ於テ之ニ同情セサルモノナキヲ以テ彼ノ倭政府ハ之ニ對シ濫ニ妄語ヲ加ヘ且我等ヲ過激派ト稱シ討滅ノ計策ヲ以テ軍六大隊憲兵四百人ヲ本國ニ派遣スト謂フ

外界消息

中國專權特使ノ電　中國ヨリ佛京巴里萬國平和會ニ派送セシ特使等ハ政府ニ打電シテ曰ク「韓國問題ハ不日平和會議ニ提出セラルヘク若シ問題圓滿ニ解決スル時ハ同時ニ中國ニ於テモ多大ノ關係アル筈ニ付中國ハ先ツ速ニ南北平和ヲ決定スヘシ」ト謂ヒタル由

和平共進會ノ決議案　上海世界和平共進會ニテハ一昨日午後二時嵩山路十八號事務所ニ於テ緊急會

議ヲ開キ歐州媾和會議ニ對スル中國ノ主張八ヶ條ヲ決議セシカ第五條ニ「朝鮮カ完全ナル獨立國タルコト」ヲ主張ストアリタリ

（三）　自由民報（十ノ五號）四月十六日

編輯兼發行人　LH
印刷人　CP
印刷所　서울

●新聞記者ヲ痛罵ス

新聞ナルモノハ文明國ノ寶鑑ナリ進化界ノ警鍾ナリ民族之ニ賴リテ向上シ社會ハ之ニヨリテ發展スサレハ其ノ實論公的ニシテ其ノ事實眞的ニシテコソ是ヲ寶鑑ト云フヘク價値アリト云フヘク而シテ警鍾タルノ資格アリト謂フヘキナリ萬一假飾又ハ誣妄アルカ如クンハ民族ノ向上ハ姑ク舍キ却テ墮落スルノ害毒ヲ貽スヘク社會ノ發展ハ阻止サレ却テ退步ノ災禍ヲ與フルモノナリ而シテ近日所謂京城、每日兩報ヲ見ルニ其言論全ク奸譎ニシテ其事實全ク虛僞、有ヲ無トシ正ヲ不正トシ讀者ノ耳目ヲ眩恍セシメ吾人ノ心志ヲ惑ハシムルヲ以テ目的トナス實ニ正義人道ノ世代ノ公賊タリ嗟呼兩部ノ執筆者ヨ良心ヲ顧ミヨ如何ナレハ恥ヲ知ラサル痛罵ヲ繼キテ呼嗟ノ嘆聲ヲ禁スル能ハサルナリ

●印刷物僞造

去ル八日龍山印刷局ニテハ李承晚ノ旅行記ナル虛文ヲ僞造印刷シ其人等ヲ利用配布セントシツツアルカ一般同胞ハ其ノ陰謀ニ對シ痛惜シツツアリ

二八八
二八九

●負傷同胞大不幸

彼ノ無道ナル銃劍ノ負傷ヲ蒙レル同胞ハ幸ニ濟衆院ニ入院シ親切ナル慈善治療ヲ受ケツツアル中去十一日所謂總督府醫院ニ凡テ强制的ニ移院セシメタルカ其理由ハ日本人ノ手ニ亂打サレタル其ノ慘狀ヲ外國人ニ表示スルハ自己ノ無道ヲ世界ニ廣布スルト同シク卽チ之ヲ畏レタルノ結果ナリトノコトナルカ其ノ毒手ノ如何ナル治療ヲ受ケツツアルモノナリヤ誠ニ不幸ナリト云フ

●彼ハ到處ニ逢敗

南米洲イロイス報道ニヨレハ日本駐米石井大使ハ朝鮮獨立事件ノ無根ナルコトヲ米國政府ニ提案シ該政府ニテハ該事件ハ列國媾和會議ニ於テ議決スルノ事項ナリ米國政府ハ無關係ナリトノ答ヲ以テ退ケタルニ石井大使ハ其儘退出シ近日歸國ノ途ニ就クヘシトナリ

●外國ノ輿論

米國ニテハ朝鮮獨立事件ニ對シ各新聞各雜誌ハ一般ニ記事ヲ掲載シ賛揚藉々タリトノ旨駐鮮米人某氏ノ令孃ハ其ノ父親ニ對シ音信ヲ送リ來レリトナリ

●加洲ノ排日

加奈太ニテハ日本人ノ土地所有ヲ絕體ニ反對シ同上院ニテハ日本人カ米國歸化スルコトヲ得サル一般的法律ヲ要求シタリト云フ

●我政府成立

去ル八日上海ニテハ我臨時政府ヲ組織シ世界ニ宣布シタリ（上海通信）

●我代表者ハ媾和會議ニ參加權ヲ得タリ

我代表者カ巴里ニ到着シタルコトハ既報ノ如クナルカ萬國媾和會議ニ參加シ諸般ノ權能ヲ獲得スルニ至リシコトハ事實ニシテ今ヤ喜フヘキ消息ニ至ルモ遠キニアラサルヘシ

●上海ノ日本人排斥

上海ニテハ日本人ノ排斥甚タシク物貨ハ勿論日本人ニハ家モ貸サス公園ノ如キモ日本服ヲ以テ入ラシメス各新聞各國人ハ飽クマテモ排斥ヲ行ヒ之ニ反シ朝鮮民族ニハ無雙ナル同情ヲ與ヘツアリ吾等ハ進ムヘキノミ（上海通信）

●地方消息

近日各地方ノ獨立示威ハ依然トシテ激烈ナルカ彼ノ行爲ハ益々亂ニシテ到ル處發砲ヲナシ殺人ヲ敢テシ毒行無雙ナリ之ニテ世界ノ公眼ヲ欺罔セントスルカ

臨時政府令第一號（四月十五日平安北道義州及宣川ニテ配布）

●納稅ヲ拒絕セヨ

敵カ暴力ヲ以テ我國土ヲ占領シテ以來我國民ハ敵ニ武力ト民族的結合ノ機會ヲ奪ハレ十年間敵ノ橫暴下ニ奴隸ノ羞辱ヲ忍受シ來リタル今ヤ我國民ハ民族的團結ト政治的統一ヲ完成セリ最早敵ノ奴隸ニアラス而モ堂々タル獨立朝鮮國民ナリ毫モ敵ノ支配ヲ受クルコトナク納稅ハ國民ノ國家ニ對スル義務ナルヲ以テ既ニ正式ニ敵ノ統治權ヲ否認シタル以上敵ニ厘毛ノ租稅モ與フル勿レ完全ニ國土ヲ敵兵ノ手ヨリ救出スルノ時マテハ一切ノ租稅ヲ免除ス假令敵ノ官吏カ納稅ヲ强要スルコトアランモ「吾等ハ朝鮮國民ニシテ日本ノ奴隸ニアラス」ト必ス强硬ニ拒絕スヘシ而シテ里カ團結シ面カ團結シ郡府モ亦大團ヲ結爲シ死ヲ以テ彼ニ抗拒スヘシ

臨時政府令第二號

●敵ノ裁判ト行政上凡テノ命令ヲ拒絕セヨ

我國民ハ敵ノ裁判ト警察及行政上總テノ命令ヲ拒絕セヨ而シテ面每ニ自治體ヲ組織シテ行政、司法、及警察ノ各委員ヲ選擧シ國土恢復ノ完成スル迄秩序維持ノ任ニ當ルヘシ此ハ國民タルノ義務ナルノミナラス本令ニ違反スル者ハ永遠ニ國民權ヲ喪失シ且ツ敵ト看做サレ財產名譽ハ勿論生命ニ至ル迄保全スルコト能ハサルニ至ルヘシ

（四）誓告文（四月十六日平安南道龍岡郡ニテ配布）

我朝鮮ハ天運ノ循環ニ依リ自由獨立ヲ爲スコトヲ得タリ今回朝鮮ノ獨立ヲ宣言スルニ當リ左記事項ヲ誓告ス

（一）日本政府ニ於テ管理スル稅金ハ一切之ヲ納入セサルコト

（二）日本ヨリ輸入スル荷物ヲ排斥シ且日本商品ニ對シ非買同盟ヲ爲スコト

以上二項ヲ嚴守スル爲之ヲ犯ス者ハ其家屋ニ放火シ懲戒スヘシ

朝鮮民族代表者告

（五）新韓民國政府宣言書（四月十七日平安北道鐵山、宣川、義州地方ニ配布）

今回吾人ノ此擧ハ正當ナル使命ナリ而シテ必然要求ナリ是レ東洋永遠ノ平和ヲ維持シ戰禍根絕スルニ足ル原因ノ發露ナレハ此ノ責任ノ重且大ナルハ勿論世界平和上ノ一大光明ナリ〇〇（二字不明）獨立宣言後彼ノ暴惡ナル日本ハ非人道的毒手ヲ以テ代表者ヲ捉囚シ數萬人ヲ殺傷シ而モ恒常狡猾ナル手段ヲ以テ此ノ事實ノ眞相ヲ世界ニ隱匿セントスルモ今ヤ公平無私ナル上天アリ何ソ之ヲ許容センヤ現今外國ノ報道界ハ吾國ノ狀況ヲ詳論スルアリ之レ吾人ニ豫テノ陰謀ヲ發表スル機會ヲ與ヘタルモノナリ依テ正當ニ吾人ノ重大ナル責任ヲ迅速ニ進行スル爲メ玆ニ政府ヲ組織シ約法七ケ條ヲ規定シ之ヲ世界ニ宣言發布スルモノナリ

建國四千五百二十二年四月　日

執政官	李東輝
國防總理	李承晚
內務次長	曹成煥
外交部長	朴容萬
外交次長	金奎植
財務部長	李始榮
同次長	李春藝
交通部長	文昌範
同次長	李喜侃
勞働部長	安昌浩
同次長	閔瓚浩
但內務部長	未定

（六）朝鮮人官吏ニ警告（四月二十七日慶尙南道警務部巡査補ヘ郵送シ來リシモノ）

噫乎　朝鮮總督府官公吏在勤ノ我同胞諸君ヨ國亡ビ　家破レテ爾來十餘年吾人ノ生命ノ犧牲、權利ノ剝奪、奴隸ノ困辱タル其等ノ情況ハ二千萬個々斷腸ノ想ナリ

天道順還、一陽來復、强權武力ハ自然ニ失墜シ、正義人道ノ權威ハ自然ニ伸張スベシ玆ニ於テ我全國男女長幼ハ專心精意熱血ヲ以テ白刄ヲ冐カシ赤拳ヲ以テ朝鮮獨立ヲ宣言ス　其ノ壯烈ナル志氣

誰レカ感動セサランヤ
軍警ノ暴虐慘殺モ人謀ニ及フ可キソ
上帝ノ憫恤シ給ヒシ事實ニ吾人至恨ノ極ナリ
官公吏諸君ハ仇讐ノ奴隷ト成リ唯衣食ノ爲メ其ノ恥辱ニ甘ンスヨリハ此ノ際正ノ爲メ身ヲ退キ仇讐ノ奴隷トナル勿レ

獨立宣言後ノ九日

（七）警告文（五月六日釜山地方法院統營支廳鮮人判事ニ郵送シ來リシモノ）

嗚呼　我同胞ヨ　四千年傳來ノ錦地江山ハ他人ノ殖民地ナリ二千萬檀聖ノ子孫ハ他人ノ奴隷トナリ吾人ノ日常目觸指スル所總テ熱涙遺憾ノ種ナラサルハナシ　其ノ間最モ吾人ノ毛骨、悚然、五臟破裂ノ感アルハ吾人カ玉ト愛スル子孫ニ對スル敎育ナリ全鮮四百餘ノ官公立學校ハ吾人ノ愛子愛孫ノ精魂ヲ拔カントスルモノニシテ佩刀ノ敎員ハ愛子等ヲ斬殺スル執行官ノ如シ、吾人ハ如何ナル苦痛ニモ堪フ可シト雖モ此ノ如ク將來半島ノ種族ヲ滅絶セラレ祖先ノ墳墓ヲ異族ノ牛羊放牧ノ地ト爲スコトハ堪ヘサル所ナリ

閔忠正ノ遺書ニ　夫要生者必死　死者必生ト在リ諸氏ハ此際一時的死アルモ將來永久ノ生ヲ得サル可カラス

天使降臨　自由ヲ民族ニ與ヘラレン　天日復命　枯木花咲ク時モアラン　嗚呼　同胞奮起セヨ

遵守ノ規約

一、吾人ノ行動ハ正々　堂々　破壞的暴行ヲナサス
一、吾人ハ外人或ハ物貨ノ排斥ヲナサス　然リト雖モ凶暴ナル日本商民カ我等同胞ニ危害ヲ加ヘタル者ニ對シテハ容赦セス膺懲ス　其ノ手段トシテハ我等同胞老幼男女ハ日本ノ商品ヲ購入セサルコト
一、我等ヲ殺害スル目的ヲ以テ來駐セル日本軍隊ニ茶菓ヲ供スル爲メトテ寄附金ヲ集ムル由ナルモ吾人ハ一厘一錢タリトモ出サス
一、最近某々地方ニ於テ所謂自制團ナルモノヲ組織シテ我等同胞ニ捺印ヲ强制スルモノアリ然シテ之ヲ以テ智識階級ノ眞意ナリト稱シテ世人ヲ欺カムトス其ノ奸兇手段益々出テ、奇怪ナリ此ノ如キ者ハ勿論又之レニ加盟スル者モ總テ民族ノ叛逆人ト視ル
一、鮮人官吏ノ目下其職ヲ去ラサル多少事由在リト雖モ同胞ノ冷評嘲笑ヲ受ケツヽ尙ホ探偵ニ從事シ日本官憲ノ援助ヲ爲ス如キ者ハ同胞ノ叛逆人トシテ處置ス

京城獨立團告

（八）學生諸君へ（五月十二日私立養生高等普通學校ニ投入ノモノ）

他國ノ學生ナリトセハ目下ハ遊フヘキ時節ニ非ス勉强スヘキ秋ナリ近日ハ學校ノ命令ヨリ倭敵ノ威嚇ニヨリ父兄ノ效諭ニヨリ自念自思スルニ無識ニシテハ獨立スル能ハス獨立スルトモ勉强セサレハ之ヲ維持スル能ハスト爲シ或ハ學校ニ通學センカナト考フル者モ無キニ非ラサルヘシ、サハサリナカラ每事大小アルカ如ク亦先後アリ大問題下ニ於テ小問題ヲ解決スヘシ小問題下ニ大問題ヲ荊波スル能ハサルナリ無界獨立ヲ宣言シタル國民カ敵國ノ敎育會下ニ受ケサル理由タルヤ我等兄弟ハ皆一般タラサルヘカラス或者ハ獄中ニ囚鳥トナリ或者ハ海外ニ烈涙ヲ流シツツアルニ或者ハ風呂敷包ヲ抱ヘテ學校ニ通フコトヲ得ヘキカ何トシテモ同祖上ノ同子孫ナリ死ネハ諸共生キルモ共ニスシテ勉强モ共ニ爲スヘキニアラサルカ現在ノ如クニシテ求メテ倭敵ノ奴隷タリ終ラハ勉强何ノ效カアラン學生諸君ヨ諸君ハ勿論內心ハ既ニ決セルモノアランモ未タ決スルニ至ラサル者ノ爲ニ一言ヲ忠告セン自今一箇ノ月ヲ待ツテ我等ノ目的ヲ達セル後新政府ノ新敎育令下ニ於テ海外ノ兄弟ト獄中ノ兄弟ト共ニ自由ノ天地ニ神聖ナル敎育ヲ受テ見ン

尙終ニ一言セン彼倭敵奈何ニ我等ヲ牛馬ノ如ク見ルト雖モ斯ノ如ク野蠻ノ行爲ニ出ツルトハ知ラサリキ彼等モ人ナラハ我等モ人ナリ況ンヤ吾人青年學生ヲ斯クモ蔑視スルカ一方ヨリハ吾等ヲ捕ヘテ之ヲ殺戮ヲ敢テシ一方ヨリハ吾等ヲ强制シテ奴隷學校ニ出校セシム斯クノ如キ倭奴ノ威嚇手段ハ誠ニ笑フニ堪ヘタリ

吾等ハ一日モ早ク出校ヲ希フ者ナリトイヘ斯ノ如キ無道ナル倭奴ノ行爲ヲ憎惡シテ登校セサルナリ
此理ヲ能ク辨ヘ諸君ハ自ラ諒察セラルヘシ

米日戰爭論

米國ノ動員ハ私利ノ爲ナリヤ將又正義ノ爲ナリヤ
古今以來數千年ノ歷史上數億萬ノ生命ヲ賭セル無數ナル戰爭モ之ヲ分類スレハ正義人道ノ爲ニスル正義ノ戰ト私利私慾ノ爲ニスル野心ノ戰爭トニ概別スルヲ得ヘシ平和ヲ組織セムトスル今日ノ世上ニモ二種ノ好戰國ヨリ一ハ天地崩ル、トモ正義ノ爲ニ戰ハムトスル者ト他ハ地球碎カル、トモ自家ノ野心ノ爲ニ戰ハムトスル者是ナリ將來完全ナル平和ヲ見ントセハ二種ノ戰立スル能ハサル事實ハ畢竟相戰ウテ雌雄ヲ決セサル可ラス今地球上ノ大小諸國合シテ百ニ餘ルモ其ノ性質上何レモ前記ノ二種ニ屬スルコトヲ知ルヘシ今此ノ二種ノ諸國ヲ聯邦組織トシテ地球上ニ唯二國ヲ建設スルトセハ正義ノ王國ハ米國ナリ野心ノ王國ハ日本是レナリ正義ノ爲ニスル者ト野心ノ爲ニスルモノトカ一地球上ニ衝突ナクシテ止マンヤ此レ米國及日本ノ戰爭ノ原因ナリ日本人常ニ曰フ米國ハ人道正義ノ名ヲ藉リ野心ヲ充タサムトスル機關ヲ作ルモノナリトサレト諸氏ハ恆ニ他ノ說ノミ聞クニ非ラス一度思ヒヲ茲ニ致セ一、米國ハ歷史上ヨリ見ルモ正義ノ爲ニハ戰鬪ヲ好ム國民ニ非サルカ二、經濟上ヨリ見ルモ物產豐富他國ノ食糧ヲ羨マス三、地理上ヨリ見ルモ土地廣濶氣候適切他國ノ領土ヲ羨マス

短キ百年ノ一生ハ食ヒテ用キ用キテハ殘リ心ノ儘ニスルモ尚殘ルモノヲ何ヲカ不足ナリトシテ自己ノ尤モ貴キ生命ヲ犧牲ニシテ戰死ヲ好マン此ハ如何ニ見ルモ物質不足ヨリ來ル野心ニ非ス精神上ニ受クル正義ヲ忘レサルニ基因スルニアラサルカ此ニ反シ日本ヲ見ヨ一、經濟上ヨリハ食糧不足二、地理上ヨリハ土地狹小氣候不良三、歷史上ヨリハ日清日露兩戰爭皆野心ノ爲ニセルノミナラス先天的ニ彼等ノ國民性カ乞食的ニシテ彼等カ如何ニ人道ヤ正義ヲ口ニスルトモ誰カ之ヲ信セン日本人或ハ言ハン米國ハ朝鮮ノ爲ニ日本ト戰フカ如キコトハ萬無カルヘシト勿論朝鮮ノ爲メニ戰フカ如キコトハ萬無カルヘキモ然カモ正義ノ爲ニ彼等ヲ討伐シ止マサルヘシ然レハ將來起ルヘキ米日戰爭ハ單ニ米日兩國ノ戰爭ニ非ス世界ノ戰爭正義ト不義トノ衝突野心ト道德トノ合戰ナリ此戰ノ勝敗ハ實ニ造物主ノ本心ニ依リ判決セラルヘキモノタリ

我軍政府動員說

滿洲通信員ノ報道ニ依ルニ數週間前我臨時政府ニ於テハ日本政府ニ對シ最後通牒ヲ發シ之ヲ拒絕スルカ如キコトアランカ我カ政府ハ秋毫ノ究如ナク宣戰ヲ布告スヘシト

騷擾事件ノ概況 其四

（自三月一日 至六月三十日 在外鮮人ノ獨立運動概況）

目　次

騷擾事件ノ概況

其ノ四　自三月一日至六月三十日在外鮮人ノ獨立運動概況

國外居住ノ不逞鮮人等ハ朝鮮併合以來常ニ其ノ獨立再興ヲ夢想シ帝國ノ朝鮮統治ヲ呪咀シ新聞雜誌ヲ發刊シテ不穩ナル文辭ヲ揭ケ且種々ナル名稱ノ下ニ結社團體ヲ組織シ排日思想ノ皷吹ニ努メツツ機會アル每ニ無智蒙昧ノ徒ヲ煽動使嗾シテ妄動ヲ試ミントセルハ從來屢報セル如クニシテ近ク媾和來ノ聲ト共ニ「ウイルソン」大統領ノ唱道セル民族自決ノ聲ハ彼等不逞鮮人ニ恰モ空谷ノ跫音タルカ如キ感ヲ與ヘ在米鮮人ノ上院外交委員ニ對スル請願運動ヲ先驅トシテ朝鮮獨立ノ聲ハ露領滿洲等ニ在ル鮮人間ニ熾ニ高唱セラレ此ノ時機ヲ以テ實ニ千載ノ一遇ト爲シ各地競フテ代表者ヲ佛國ニ派遣セントスル等種々ノ運動ヲ起スニ至レリ

而シテ之等運動ノ或ハ通信ニ或ハ新聞ニ依リ頻リニ報道セラルヽニ至リテ民族自決主義ハ早晚祖國復興ノ光明ヲ齎スヘシトノ期待ヲ抱カシメ漸次朝鮮內鮮人知識階級殊ニ青年輩ノ思想ニ動搖ヲ來サシメタリ折柄本件運動者トシテ上海方面ヨリ有力ナル不逞鮮人巧ミニ內地、朝鮮ニ潛入シ一ハ平素絕ヘス排日的不穩行動ヲ以テ得意トスル東京留學生等ヲ煽動シ遂ニ本年二月彼等ヲシテ朝鮮ノ獨立ヲ宣言スルニ至ラシメ又一ハ平素歐米宣敎師等ノ薰陶ニ依リ帝國ヨリモ寧ロ歐米ニ依賴セントスル思

二

想ヲ有スル朝鮮内耶蘇敎徒ヲ煽動シテ密ニ謀議ヲ凝ラシツツアリシニ恰モ同時天道敎徒ノ首領等ハ此ノ時機ニ於テ朝鮮ノ獨立ヲ謀ラント企テ之ヲ耶蘇敎徒ニ交渉シケレハ茲ニ愈々耶蘇、天道兩者協同事ヲ擧クルニ決シ遂ニ朝鮮ニ於ケル這回ノ騷擾ヲ惹起スルニ至リシナリ

然ルニ今回ノ騷擾ハ國外在住不逞鮮人ノ併合以來間斷ナキ祖國恢復ヲ目的トスル排日的運動ニ其ノ基源ヲ發シ「ウイルソン」ノ民族自決主義ノ主張ニヨリテ高潮シ上海排日鮮人ノ煽動之カ導火線トナリシモノナルモ彌々朝鮮ノ騷擾勃發スルニ及ヒテハ又更ニ間島及露領方面ニ逆ニ傳播セラレテ此等各地亦騷擾ヲ見ルニ至レリ

而シテ朝鮮ニ於ケル騷擾ハ益々擴大スルト共ニ事態漸ク惡化シ來ルノ傾向ヲ示シタル爲最近内地ヨリ特ニ軍隊ノ增派アリ警務官憲ト協力以テ嚴重ナル警戒ヲ加フルニ至リタレハ近ク鎭定ヲ見ルニ至ルヘキモ之ニ反シテ國外ニ於テハ從來ニ比シ更ニ熾烈ナル妄動ヲ爲サントスルノ情勢アリ

這般支那官憲ニ於テハ本件不逞鮮人ノ行動ニ對シテハ地方軍隊及警務官憲ニ對シ取締方屢諭告ヲ發シ之カ警防取締ニ努メ又露國官憲ニ於テハ表面上取締ニ關スル我要求ニ應シツツアルカ如シト雖其ノ態度常ニ明瞭ヲ缺クノ嫌アリテ隔靴搔痒ノ感不尠乃チ朝鮮獨立運動ニ付將來注意ヲ要スヘキハ再ヒ騷擾勃發以前ニ復リテ朝鮮内ヨリモ寧ロ鮮外就中上海浦潮亞テハ間島米國等ニ移ルヘシト思料セラル左ニ三月一日朝鮮騷擾以後國外ニ於ケル不逞鮮人獨立運動ノ狀況ヲ概說セン

三〇二
三〇三

一、北間島及琿春方面

一、間島龍井村ニ於テハ三月八日以來主ナル不逞鮮人等集會シ各地ニ於ケル運動ニ共鳴シ大ニ氣勢ヲ擧ケンコトヲ企圖シ多數ノ宣言書ヲ印刷スル等準備中ナリシカ同十三日之カ宣言書ヲ發表シ同時ニ龍井村ノ東北約五町ノ地點ニ於テ學生其ノ他多數集合シ龍井村ニ向テ行動シ其ノ途中ニ於テ附和雷同シタル者ヲ加ヘ約四千名太極旗ヲ翳シ市場ニ押寄セタルヲ以テ支那歩兵團長孟富德ハ部下ヲ率ヒテ出動シ制止シタルモ應セス遂ニ支那軍隊發砲シ群衆中ニ死者十四名負傷者約三十名ヲ出シ午後三時半漸ク解散セリ

二、三月十三日　和龍縣東良上里社養武亭子第三國民學校ニ於テ同校敎師二名指揮ノ下ニ生徒四十名及附近鮮人約三百名集合宣言書ヲ配布シ主ナル者演說ヲ爲ス等ノ行動アリタリ

三、同日　延吉縣二道溝ニ於テ鮮人男女七百餘名集合シ太極旗ヲ翻シ朝鮮獨立祝賀會ヲ開キタリ當日ニ多數ノ支那人モ朝鮮ノ獨立ヲ祝スル爲參加セリト

四、三月十六日　延吉縣頭道溝ニ於テハ午後一時ヨリ韓族獨立宣言會ヲ開催シ會衆一千餘名ニ達シ之等ノ群衆商埠地内ニ入込マントセシモ支那警察ノ爲制止セラレ止ムナク商埠地ノ北方畑地ニ於テ宣言ヲ發表シ主ナル者六名ノ演說アリテ同四時解散セリ

五、三月十七日　延吉縣守信社二道溝市場ニ於テ約四千名ノ鮮人集合シ韓國獨立萬歲ヲ高唱シ解散

三

四

シタルカ群衆中ニ同地耶蘇敎徒婦人等混入シ二道溝巡警局長支那人玉某ノ妾鮮婦人ハ婦人ヲ代表シ高處ニ上リ演說ヲ爲サントシタルモ出動中ノ支那巡警ニ制止セラレ其ノ目的ヲ達シ得サリシト

六、同日　東寧縣三岔口ニ於テ秦學新首謀トナリ群衆四千名獨立宣言運動ヲ爲セリ

七、三月十八日　間島青山里ニ於テ耶蘇敎徒、天道敎徒中心トナリ學生ヲ合シ約九百ノ群衆獨立運動ヲ爲シタルモ武裝セル支那巡警ノ爲ニ解散セラレ舊韓國旗ハ全部押收セラレタリ

八、三月二十日　琿春ニ於テハ朝來支那軍警相當ノ警戒ヲ爲セシモ多數ノ群衆ハ警戒線ヲ突破シ首謀者數名ハ不穩過激ノ演說ヲ爲シ獨立萬歲ヲ高唱スル等ノ行動アリシモ午後一時解散セリ

九、三月二十三日　延吉縣壽山里同義合ニ千數百名ノ鮮人集合シ各自太極旗ヲ手ニシテ獨立萬歲ヲ高唱シ首謀者玄圭日、金河範カ三月十五日世界各國ヨリ朝鮮獨立ヲ承認シタル旨入電アリト告ケ午後七時頃解散シタリ

一〇、三月二十四日　安圖縣關地ニ於テ同地居住ノ鮮人大倧敎徒等約二百名集合シ朝鮮獨立萬歲ヲ高唱シ大祝賀會ヲ催シタリト

一一、三月二十五日　和龍縣沙器洞ニ於テ約百五十名ノ鮮人喇叭ヲ吹奏シ獨立萬歲ヲ高唱シタルモ隨時解散セリ

一二、三月二十六日　間島局子街ニ於テ獨立祝賀會ヲ開催スル筈ニテ前日來同地附近ニ集合セル者約二千名ニ達シタリシカ支那軍警二百餘名出動シ嚴戒ヲ加ヘタルト一面首謀者間ニ内訌起リシ爲ニ中止セリト

三〇四
三〇五

一三、同日　正午汪淸縣百草溝地方畑地ニ於テ鮮人約一千餘名ノ群衆ハ各自太極旗ヲ打振リツツ韓族獨立宣言祝賀會ヲ擧行シ獨立萬歲ヲ連呼シ且三名ノ演說アリタルモ何等騷擾ナク午後三時解散セリ

一四、三月二十七日　安圖縣城ニ於テ鮮人約四百名集合シ獨立宣言祝賀會ヲ擧行セリ

一五、三月二十八日　汪淸縣羅子溝ニ於テ鮮人約千名集合獨立宣言祝賀會ヲ擧行セリ

一六、同日　延吉縣守信社九沙坪ニ於テ琿春以南獐足登、金塘村、初召尾、蓮花洞、六道泡子、王泉洞、黑頂子各學校敎師、生徒並同地方鮮人等約四千名集合シ獨立宣言式ヲ擧行セシカ首謀者タル琿春居住天道敎主務長李河英ハ「吾人二千萬同胞カ十年前ニ日本ニ併呑セラレ今日迄屈辱的壓迫ヲ受ケ之ニ忍ヒスシテ他國ニ流浪シテ辛苦艱難ヲ嘗メ機ノ到ルヲ待チ居タルニ今回佛國ニ於ケル萬國媾和會議ニ於テ米國大統領「ウイルソン」氏ノ提唱ニ係ル自決主義ニ基キ愈々母國モ獨立シ得ルカ如キハ各自愛國心ノ旺盛ナリシニ基因ス」トノ演說ヲ爲スヤ一般集合者ハ太極旗ヲ翳シ獨立萬歲ヲ高唱シ續テ數名ノ者交々獨立ニ關スル演說ヲ爲シタルニ對シ是亦群衆ハ太極旗ヲ捧ケ獨立萬歲ヲ高唱シ終リテ此ノ盛大ナル宣言式ハ大ニ圖們江ヲ隔ツル母國同胞ニ示スノ必要アリトテ太極旗ヲ翳シ獨立萬歲ヲ連呼シツツ江岸ヲ練リ歩キ午後四時散會シタリ

五

一七、同日　和龍縣太拉子ニ於テモ宣言書ヲ發布シ運動ヲ爲ス筈ナリシカ支那官憲ノ禁止ニ依リ中止スルニ至レリ

一八、三月二十九日　和龍縣善化社江長洞ニ於テハ同社長崔錫奎首謀者トナリ約百名ノ部落民ヲ集合シ韓國獨立萬歲ヲ高唱シタル後解散セリト

一九、三月三十日　琿春縣漢德子ニ於テ黄丙吉ハ同地鮮人數十名ヲ集メ獨立運動ニ關スル演說ヲ爲シ尙同胞ハ普ク耶蘇敎徒タランコトヲ勸誘シタル後韓國獨立萬歲ヲ高唱シ解散シタリト

二〇、同日　汪淸縣「グウドウサン」(屈隆山?)咸北柔遠鎭對岸ニ於テ鮮人約三百名韓國旗ヲ打振リ示威運動ヲ爲セリ

二一、四月一日　琿春縣他道溝ニ於テ黄丙吉首謀トナリ群衆約二千獨立萬歲ヲ高唱シ示威運動ヲ爲セリ又「シヤタイジン」溝ニ於テモ同樣ノ運動ヲ行ヒタリト

二二、四月四日　延吉縣樺田社樺田子ニ於テ鮮人一千五百名集合獨立宣言祝賀會ヲ催シタルカ數名ノ演說アリタル後萬歲ヲ三唱シテ解散セリ

二三、四月六日　延吉縣平崗上里社三道溝轉心湖耶蘇敎學校內ニ於テ附近各村有力者三十餘名及同校生徒四十餘名ヲ會シ獨立問題ニ關スル協議會ヲ開キタルカ席上同校敎師鄭明洙ハ左記要領ノ演說ヲ爲シ賛成ヲ得タリト

(1)集合ノ有力者ハ其ノ洞民ヲ勸誘シ獨立運動ニ盡力セシムルコト

(2)日本領事館ニ訴願類ノ提出ヲ嚴禁スルコト

(3)領事館カ本運動ニ關シ鮮人ヲ逮捕セントスルトキハ暴力ヲ以テ抵抗スルコト

(4)寄附金募集ノ際ハ悉ク之ニ應セサルヘカラサルコト

(5)集合ノ有力者ハ朝鮮獨立新聞記事ヲ村民ニ周知セシムルコト

(6)各人ハ身分ノ知レサル旅客ニ對シ本運動ニ關スル祕密ヲ嚴守スルコト

三〇六　三〇七

二四、四月九日　琿春縣九沙坪居住鮮人ノ李甲長ノ還曆祭ニ近鄕ヨリ約二百名ノ不逞鮮人集合シ酔ヲ帶ブルニ從ヒ大韓獨立萬歲ヲ連呼シ宛然獨立祭ノ如キ感ヲ呈シタルカ同夕刻解散セリ

二五、四月十二日　間島延吉縣龍井村ニ於テ明東耶蘇學校職員生徒ヲ中心トシテ組織シタル忠烈隊員等二百餘名ハ當日市日ヲ利用シ示威運動ヲ爲サントテ約三十名龍井村市場ニ入込ミ多數ノ民衆ニ示威運動ノ參加ヲ勸誘シ又他ノ者ハ市場ヲ距ル約八丁ノ土城浦ニ潜伏シ市場ニ於テ豫期ノ如ク示威運動ヲ開始スルニ至テハ之ニ應シ一齊ニ氣勢ヲ揚ケ市場ニ侵入スル計畫ニテ午後四時ヲ合圖ニ事ヲ擧ケントシタルモ市場取締ノ帝國領事館巡査及支那巡警ト共ニ首謀者六名ヲ逮捕シ解散セシメタリ

二六、四月二十四日　咸鏡北道防垣鎭憲兵駐在所憲兵補助員金奎煥ハ對岸狀況視察ヲ兼ネ物資購入

ノ爲私服ニテ和龍縣湖川街ニ出張シタルニ同地正東學校生徒等十數名ノ爲日本ノ犬ナリトテ麻繩ニテ捕縛セラレ同校ニ引致シ天井ニ吊リ下ケ或ハ毆打シ一時人事不省ニ陷ラシメ同校內ニ監禁シ三日間每日反覆暴虐ヲ加ヘツヽアルヲ附近鮮人之ヲ發見シ支那巡警局ニ急報シタレハ巡警數名出張關係者ト共ニ同局ニ引致取調ノ上和龍縣署ヘ護送セシヲ以テ直ニ帝國總領事ヨリ支那官憲ニ交涉ノ上同二十九日被害補助員ヲ引取リ龍井病院ヘ入院セシメタリ

二七、四月二十四日ヨリ同二十六日ニ至ル三日間琿春韓堵道溝ニ於テ李東輝、李範允及秦學新等不逞ノ徒會合シ左ノ如キ決議ヲ爲セリ

(1)朝鮮侵入運動ハ佛國派遣代表者ノ電報ヲ俟チ若シ媾和會議ニ於テ韓族獨立運動ハ一部鮮人ノ妄動ナリトテ顧ミラレサル場合ニ直ニ決行ノコト

(2)右行動ハ執政官タル李東輝ノ命令ニ依リ各方面同時ニ決行スルコト

(3)朝鮮內地ノ同志ト連絡シ日本側密偵等ノ暗殺ヲ爲スコト

(4)運動費及隊員募集ニ努ムルコト

二八、五月三日　午後十一時間島龍井村東洋拓殖會社所有建物(元警察官々舍)ヨリ出火一棟全燒同四日午前三時半帝國總領事館接續建物(救濟會事務所及宿直並小使室トシテ使用セシモノ)ヨリ出火シ同接續建物ハ全燒シ其ノ際救濟會書類ノ大部分モ烏有ニ歸セシカ其ノ原因ハ兩者共忠烈隊員ノ放火セシ疑アリ

三〇八　三〇九

二九、五月十四日　咸鏡北道會寧ヲ出發シ間島龍井村ニ向ヘル天寶山居住日本人某ハ和龍縣勸鶴城ニ於テ棍棒ヲ取持セル約二十名ノ鮮人學生ニ暴行ヲ加ヘラレントシタルヲ逃走漸ク難ヲ免カレタリ

三〇、同日夜和龍縣太拉子南世極方ニ於テ馬晋、柳河天等不逞鮮人十餘名會合シ左ノ如キ決議ヲ爲セリ

(1)國民議會間島支部補助機關トシテ間島ニ新國民團ヲ組織スルコト

(2)新國民團ニ團長及自治委員ヲ設ケ間島在住韓民族間ノ係爭事件ハ自治委員ニ於テ調査ノ上仲裁スルコト

但シ重大事件或ハ官憲ノ裁斷ヲ要スルカ如キ事件發生ノ場合ハ之ヲ支那官憲ニ訴訟ヲ提出シ一切日本官憲ニ訴訟セサルコト

(3)自治委員ハ間島各地ノ有力者中ヨリ支那語ニ堪能ナル者ヲ任ス

(4)新國民團長以下各委員ニハ國民議會間島支部ヨリ委任狀ヲ交付スルコト

(5)自治委員ハ常ニ受持管內ヲ巡視シ係爭事件ヲ日本官憲ヘ提訴スルヲ禁シ公平ニ之カ仲裁ノ勞ヲ執ルコト

右決議ノ上團長ニ馬晉ヲ推選セリ

三一、五月十七日　國民議會間島支部長具春先以下ノ幹部二十名ハ明東學校ニ集合シ韓族獨立ノ宣傳、寄附金ノ募集、日本側密偵ノ暗殺鮮人官吏ノ辭職勸告及鮮人居留民會ノ解散、勸告方法等ヲ決議セリ

三二、五月十八日　咸鏡北道鍾城郡行營居住鮮人金某外三名ハ商用ノ爲和龍縣鶴城ニ至リシニ同地學成學校生徒十八名ノ爲ニ取調ヲ受ケ毆打セラレタリ

三三、同日支那領中琿春ニ於テ住所氏名不詳ノ內地人一、鮮人二名ハ同地不逞鮮人ノ爲拳銃ニテ射殺セラレタリト

三四、五月十八日　鮮內地侵入軍先發隊ト自稱スル隊長趙應順ハ部下十八名ヲ率ヒ頭道溝方面ヨリ間島東梁社利樹洞ニ來リ一泊翌十九日下廣浦方面ニ向ヒタリト

三五、同日銃器ヲ携帶セル獵夫體ノ鮮人四十二名ハ間島德化社孟哥洞ヲ經テ受圖縣方向ニ向ヒタリト

三六、同日午後三時頃學生體ノ鮮人約百五十名ノ一團太極旗三旒ヲ翳シ汪清縣汪淸方面ヨリ咸鏡北道穩境對岸涼水泉子ニ來リ約二時間休憩後琿春方面ニ出發セリト

三七、五月十九日　咸鏡北道鏡城郡龍城面輸城居住崔元一ナル者所要ノ爲間島龍井村ニ旅行シ歸途四茂社三屯ニ於テ日本ノ密偵ナリトテ不逞鮮人八名ヨリ毆打取調ヲ受ケタリ

三八、五月二十日　延吉縣局子街「センコウショ」ニ於テ多數ノ支那人會合シ山東問題ト韓族獨立運動トヲ關聯セシメ激烈ナル演說ヲ爲セリ

三九、同日夜間島龍井村朝鮮人民會長李熙悳ハ龍井村耶蘇病院附近ニ於テ獨立運動幹部數名及明東學校生徒約二十名ノ爲ニ暴行ヲ以テ拉打セラレ同校ニ監禁中脅迫ヲ受ケテ同民會解散ノ宣告文ニ捺印ヲ强要セラレタルカ彼等不逞ノ徒ハ該宣告文ヲ同地方ヘ配布セリ

四〇、五月三十日　和龍縣太拉子明東學校生徒ナリト自稱スル青年約三十名ハ合化社南坪洞耶蘇教徒宅ニ分宿シ獨立運動ニ關スル不穩言動ヲ爲シツツアリト、又同校生徒十數名ハ其後四茂社大倧敎徒宅ニ潛伏シ何事カ謀議シ且彼等ハ會寧、龍井村間ノ電線ヲ切斷シ日人タル通行者特ニ郵便遞送人ヲ殺害スヘシト稱シ居レリ

四一、不穩文書ノ配布

間島方面ノ不逞鮮人ハ「我ノ消息」ト題スル左ノ如キ不穩文書ヲ頒布シテ民心ヲ煽動シツ、アリ

大韓民國元年六月一日

五月三十一日巴里電

巴里媾和會ニ於テ我等ノ外交總長金奎植氏ノ大韓民國全權大使タルヲ承認ス

巴里媾和會議ニテハ我等ノ外交總長金奎植氏ヲ完全ナル我ノ全權大使トシテ承認シ大韓民國ノ凡テノ事情ヲ平和會席上ニ於テ發表スル言權ヲ與ヘタリト

大韓民國萬歲萬歲萬歲々々

四二、圖們江方面ニ於ケル獨立宣言示威運動ト祕密結社

（イ）建國會　琿春ニ於テハ黃丙吉、朴致煥ノ兩名首謀トナリ組織セルモノニシテ同志ヲ糾合シ軍資金二十五萬留ヲ募集シ且武器三百挺ヲ集メンコトヲ企畫シツツアリ

（ロ）忠烈隊　和龍縣太拉子明東學校及正東學校職員生徒ヲ中心トシテ組織セルモノニシテ隊員三百二十名ニ達シ現在ハ首領金學洙ナリ同隊ハ本年一月吉林ニ於ケル支那人ノ排日團白龍團ヨリ機關銃一挺ヲ購入シ藏匿セリト三月十三日龍井村ニ於ケル示威運動ニハ全員悉ク之ニ參加シ其ノ過般ハ拳銃ヲ所持シ居リタリト又三月二十一日間島帝國總領事館警察署ニ於テ姜鎭宇ナル者ヲ取押ヘ取調ヘタル際左ノ如キ辭令ヲ所持セルヲ發見セリ

朝鮮獨立運動忠烈隊法務部司令部

年　月　日

忠烈隊第二聯隊副團長ヲ命ス　姜鎭宇

（ハ）自衞團　在局子街支那道立中學校鮮人學生及卒業生ヲ中堅トシテ組織セラレタルモノニシテ團員千百餘名ニ達シ現在ノ團長ハ崔經浩ナリ同團ハ五連發銃四十餘挺ヲ藏シ居レリト而シテ三月十三日龍井村ニ於ケル示威運動ノ際同團員中ニ拳銃ヲ所持シタル者三十餘名アリテ當日支那軍隊ノ發砲スルヤ之ニ對抗セントシタルモ同運動首謀者ノ之ヲ差止メタル事實アリ

（ニ）朝鮮國民議事會　間島延吉縣局子街ニ於テ元米國留學生金永學ナル者會長トナリ朝鮮獨立新聞ヲ發刊シ極力民心ノ煽動ニ努メツツアリ

（ホ）大韓獨立期成總會　間島延吉縣局子街甲灣子ニ本部ヲ置キ將來分、支會ヲ各地ニ設クル筈ナリト而シテ總會ノ下ニ左ノ六部ヲ置キ役員ヲ定ム

會長　具春先　副會長　馬晋

議事部員　劉禮均　金秉治　崔元一

高龍煥　裵享湜　姜九禹

李台峴　李鳳雨　金舜文

金躍淵　金明德　鄭載冕

金信根　崔文益　朴貞勳

財務部員　柳讚熙　徐成權　張夾咸

交渉員長　高容煥　裵享湜
編輯部員　柳河天　崔起鶴　金精
通信部員　李弘俊　姜伯奎　金尙浩
警衛部員　朴貞勳　崔雄烈　李春成
　　　　　張禹純

（ヘ）自由公團

在局子街大倧敎徒ヨリ成レル祕密結社ニシテ團員一萬五千人ニ達シ現在團長ハ大倧敎東道司敎ノ職ニ在ル徐一ナリ同團ハ今後ノ獨立計畫ニ要スル費用トシテ團員ヨリ月一圓宛ヲ徵收シ居レリト謂フ

（ト）獨立運動議事部

汪清縣羅子溝方面ニ於テ韓族獨立運動ノ中央機關トシテ組織セラレタルモノニシテ其ノ役員ノ判明セルモノ左ノ如シ

部長　金宗植
財務兼總務　朴昌俊
幹事　南永化
同　金洛汝
評議員　金汝雲　崔正國　金天甫
書記　李成烈
財務員　呉伯汝

三一四　三一五

（チ）大韓國民議會支部

間島龍井村加奈陀長老耶蘇敎會ニ屬スル基督敎徒ヲ中堅トシテ組織セラレタルモノニシテ琿春縣春化郷南別里ニ在リ其ノ役員左ノ如シ

會長　李明淳　副會長　朴貫一
總務　徐允默　副財務　呉玄京
書記　呂南燮　呉宗煥
地方聯絡係長　羅正化　交渉係　黄丙吉　羅正化
（但シ事ヲ擧ケントスル場合團體ノ指揮長ハ黄丙吉ニ一任スルコトトナリ居レリ）

（リ）猛虎團

明東正東兩學校生徒其ノ他私立學校生徒及露領ヨリ間島ニ來レル二十歳以上ノ過激ナル青年ニ

ヨリ組織セラレアルモノニシテ團長ニ小營子光成學校敎師金商鎬ヲ戴キ龍井村局子街及頭道溝附近ニ其ノ機關ヲ設ケ一ヶ所每ニ十數名ノ團員アリテ各自拳銃ヲ所持セリ其ノ目的ハ日本側建物及官舍ニ對シ放火スルコト、日本側鮮人官吏ノ辭職勸告及脅迫、資産ヲ有スル鮮人ニ對シテハ寄附金ノ强要ヲ爲ス

彼ノ五月二日ニ於ケル龍井村總領事館建物（救濟會管理）及五月四日總領事館本館接續建物ノ出火燒失並ニ總領事館警部玄時運、巡査安仁鍾、趙複煥等ニ對シ脅迫狀ヲ送リ或ハ拳銃ヲ以テ威嚇セシ如キハ孰レモ本團員等ノ處爲ナリトス

四三、間島地方ニ於テ發行セル不穩印刷物

這回ノ獨立運動ニ關シ各地ニ於テ種々ナル不穩印刷物ヲ發行セルカ今日迄發見セルハ延吉縣龍井村ニ於ケル柳河天執筆ノ「朝鮮獨立新聞」、同人ノ編輯ニ係ル東青村ノ一民新聞、李弘俊ノ手ニ成リシト謂フ「吾人ノ手紙」、明東學校ニ於ケル「自由ノ鍾」及頭道溝地方ニ於テ發行セル「太極旗」等ニシテ何レモ盛ニ各地方ヘ配付セラレツツアリト

二、西間島地方

一、三月十二日　通化縣金斗伙洛耶蘇敎會ニ於テ同敎徒及其ノ他ノ鮮人約四百名集合シ萬歳ヲ唱ヘ示威運動ヲ行ヒタリシカ其ノ際同地移住鮮人桂成柱ヲ日本官憲ノ密偵ナリト稱シテ捕縛シ三日後之ヲ殺害セリト尙同地鮮人青年會員（同會ハ以前ヨリ組織アリテ會員四百名ナリト）ハ獨立運動費ト稱シ移住鮮人ヨリ金員ヲ强徵シツツアルヲ以テ支那官憲ニ於テハ巡警ヲ各地ニ派シ太極旗ヲ押收シ首謀者ヲ取調ヘ居レリト

三一六　三一七

二、同日　柳河縣三源浦ニ於テ約二百名集合萬歳ヲ高唱シ鮮人耶蘇敎牧師等數名獨立ニ關スル演説ヲ爲シタリ

三、三月十六日　正午長白縣ニ於テハ鮮人天道敎徒約三十名舊韓國旗ヲ押立テ同地ニ駐在スル我憲兵（上等兵以下八名）ヲ襲ヒシカ豫メ支那官憲ト打合ノ上平安北道惠山鎭ヨリ憲兵ヲ赴援セシメ首謀者三名ヲ檢束シ解散セシメタリ

四、三月十七日　柳河縣大沙灘普興學校ニ鮮人男女約五百名集合シ韓國獨立宣言祝賀會ヲ開催セリ

五、同日　午後七時ヨリ長白街李昌云方ニ於テ長白縣在住耶蘇敎徒及各區面長其ノ他有力鮮人約三十餘名集合シ密議セルヲ支那官憲ニ於テ解散セシメタリ

六、三月二十一日　午後一時頃輯安縣楊子橋子居住鮮人李永哲林任豐等主謀トナリ附近耶蘇敎徒約七十名ヲ集合シ獨立萬歳ヲ高唱シ示威運動ヲ爲セリ

七、同日　同縣韮菜園子居住扶民團員首謀トナリ附近耶蘇敎徒及其ノ他ノ鮮人百名集合シ獨立萬歳

高唱セリ

八、同日　興京縣旺淸門移住鮮人約四百名ハ義勇團ナルモノヲ組織シ耶蘇敎會堂ニ集合太極旗ヲ樹テ獨立萬歲ヲ高唱セルヲ支那官憲ニ於テ解散ヲ命シタルモ肯セサル爲發砲シ團員卽死九名ヲ出シ漸ク解散セリ

九、三月二十二日　柳河縣大沙灘鮮人學校ニ於テ多數ノ鮮人集合シ獨立宣言祝賀會ヲ開催シタルニ支那官憲ノ爲ニ解散セシメラレタリ

一〇、三月二十三日　桓仁縣ニ於テ兵器ヲ所持セル鮮人暴民約四百集團セシヲ同縣知事ハ兵力ニ訴ヘテ之ヲ鎭壓セリト

一一、三月二十五日　午後三時頃輯安縣致和堡大檜溝居住天道敎區長金忠益首謀トナリ天道敎徒約六十名ヲ集メ太極旗及天道敎弓乙旗ヲ押立テ獨立萬歲ヲ高唱シ終テ行列ヲ作リ市街ニ入ラントセシ際同地支那官憲ノ爲ニ制止セラレ解散セリ

一二、臨江縣帽兒山附近ニ於テハ左記ノ如キ宣言書ヲ配布シ頻リニ煽動シツツアリト

朝鮮獨立宣言書（譯文）

吾等ハ茲ニ朝鮮ノ獨立、朝鮮人ノ自主ヲ宣言ス此ヲ以テ世界萬國ニ告ケテ人類平等ノ大義ヲ復命シ此ヲ以テ子孫萬代ニ傳テ民族自存ノ正權ヲ有セシム

發起人　韓　圭　卨　郭　宗　錫　田　愚

崔　麟　尹　用　求　孫　秉　熙

吳　世　昌

一三、三月二十九日　臨江縣八道溝ニ二百名ノ鮮人集合示威運動ヲ爲サントセルヲ支那官憲ノ爲ニ解散ヲ命セラレシカ同三十日午前十一時再ヒ同地鮮人學校ニ約三百名集合シ舊韓國旗ヲ揭ケ萬歲ヲ高唱シ不穩ノ情勢ニアリシヲ支那官憲ノ爲ニ解散セシメラレタリ

一四、三月三十一日　午前十一時頃輯安縣沖和堡小陽岔西邊下界天道敎々區長金呂植及敎徒百二十餘名ハ大陽岔保甲局附近ニ集合獨立萬歲ヲ高唱シ更ニ外岔溝市街ニ入リ午後二時頃各自太極旗及不穩文字ヲ記シタル旗ヲ手ニシ市內ヲ練行セントセシヲ支那官憲ノ爲ニ制止セラレテ解散セリ

一五、同日　正午輯安縣太平溝磊石岔耶蘇敎會堂前ニ太極旗ヲ交叉シ同地耶蘇敎牧師白時完主唱トナリ同敎徒及天道敎徒約四百名集合獨立萬歲ヲ高唱シ附近ヲ練行シツツアリシヲ支那官憲出張制止セシ爲午後五時漸ク解散セリ

一六、四月一日　寬甸縣小不太遠ニ於テ附近在住鮮人約百名集合シ獨立萬歲ヲ高唱シツツ同地鮮人組合支部ニ殺到シ支部長李燦奉ニ向ヒ「汝等ハ既ニ朝鮮カ獨立セル今日マテ日本官憲保護ノ下ニ成レル組合ノ事務ヲ取扱フハ甚タ不都合ナリ速ニ中止セサレハ殺害スヘシ」ト脅迫スルヨリ李燦奉ハ其ノ誤解ヲ諭スモ肯カス各自携帶ノ棍棒ヲ打振リ益々暴行ヲ爲シ李燦奉及支部評議員李鳳奎ヲ捕縛亂打シタル上渾江ニ投入セントシ且支部ニ備附ノ民籍簿ヲ持出シ人民等ニ分給シツツアル際支那官憲來リ極力之ヲ制止シ解散セシメタリ

一七、四月二日　海龍縣大荒溝耶蘇敎會堂ニ於テ約三百名ノ鮮人集合シ柳河縣三係浦扶民團ノ通知ニ依リ銃器購入費支出ノ協議ヲ爲シ各人ヨリ應分ノ醵出ヲ爲シタリト

一八、四月三日　輯安縣西聚堡花甸子居住耶蘇敎徒崔錫俊、李尙根外六名ハ致和堡双岔河田俊杰方ニ來リ「今回韓國ハ獨立シタルヲ以テ吾等移住鮮人ハ韓族會ヲ組織シテ團結ヲ謀ル計畫ニ付加入セラレタシ」ト告ケ附近鮮人二十餘名ヲ同家ニ集メ加入方ヲ勸誘シタル後獨立萬歲ヲ連呼シテ引揚ケタリト

一九、四月八日　天道敎徒約二百名輯安縣通溝鮮人組合總支部ヲ襲フ目的ニテ舊韓國旗ヲ押立テ獨立萬歲ヲ高唱シツツ同縣麻線溝ヲ經テ通溝ニ向ハントセシヲ支那官憲ニ於テ阻止解散セシメ首謀者五名ヲ通溝ニ連行領事館警察駐在所巡査之ヲ說諭ノ上放遣セリ

二〇、同日　午後五時ヨリ長白縣第一正蒙學校生徒二十五名ハ大韓獨立萬歲ヲ連呼シ長白市中ヲ行列シツツアリシヲ支那官憲ノ爲ニ解散セシメラレタリ

二一、四月十日　長白縣居住劉一優、李昌云、金秉潤等首謀トナリ天道敎徒、耶蘇敎徒及學校生徒等約七十名ハ咸鏡南道惠山鎭上流普惠面松峰里ニ於テ鮮內地ノ同志ト勢ヲ合シ惠山鎭ニ侵入スヘク三々伍々江岸ヲ徂徠セシカ我カ官憲ノ警戒嚴重ナリシ爲遂ニ目的ヲ達セスシテ引返シタリ

二二、四月十日　午後四時寬甸縣大、小不太遠及下漏河附近ノ鮮人約三百名石柱子ニ集合シ朝鮮獨立萬歲ヲ高唱スル等一時不穩ノ狀態ナリシモ薄暮ニ及ヒ自然解散セリ

二三、同日　桓仁縣上漏河二道陽岔桓東學校ニ於テ郭鍾錫首謀トナリ附近同志百餘名ヲ集メ獨立萬歲ヲ高唱シタリ

二四、四月十二日　輯安縣皮條溝第七區長金洛九ハ鮮人二百餘名ヲ集合セシメ獨立萬歲ヲ高唱シテ解散セリ

二五、四月十七日　同縣第九區長崔錫第八區長李昌德等發起トナリ紅石磊子ニ於テ移住鮮人約四百名集合シ韓國獨立萬歲ヲ高唱シテ解散セリ

二六、四月十八日　午後二時頃輯安縣祥和堡移住鮮人約二百名楸皮溝ニ集合シ舊韓國旗ヲ打振リ獨立萬歲ヲ高唱シツツ江岸ヲ練リ歩キシカ同三時頃支那官憲ニ於テ解散セシメタリ

二七、東三省韓族生計會ノ首領鄭安立、呂準等ハ朝鮮獨立ノ大計畫ヲ樹テ南滿洲鮮人ノ請願書ヲ作リ吉林省孟督軍ニ請ヒ支那政府ノ手ヲ經テ公式ニ萬國媾和會議ニ朝鮮獨立承認案ヲ提出セントシ東三省各縣鮮人ニ飛檄シタリト

二八、四月十九日　輯安縣碰子溝第六區長金吉甫ハ同地鮮人二百五十餘名ヲ集合セシメ獨立萬歲ヲ唱ヘ解散セリ

二九、同日　同縣古馬嶺大陽岔ニ於テ第十區長金廷俊ハ同地鮮人約三百名ヲ集合セシメ獨立萬歲ヲ高唱シ即日解散セリ

三〇、同日　午後四時頃輯安縣馬蹄溝附近ニ於テ不良鮮人約七百名集合シ鮮地侵入ノ協議中ナリシヲ支那巡警ノ爲ニ解散セシメラレタリ

三一、四月二十日　午前七時頃輯安驛外岔溝下流五丁ノ江岸樹木ニ多數ノ舊韓國旗ヲ吊シアルヲ平安北道雲海川憲兵駐在所員發見シ支那官憲ニ通告シテ撤去セシメタリ

三二、同日　輯安縣橫浮子溝ニ於テ第十一區長金河龍ハ鮮人三百名ヲ集合セシメ獨立萬歲ヲ高唱シ同日解散セリ

三三、四月二十二日　同縣老菜地居住鮮人數名第六區長金亨珍方ニ來リ韓國獨立團員ハ獨立萬歲ヲ唱ヘサル者ハ獨立團ノ反對者ナルヲ以テ暗殺スヘシト脅迫シツツアル由ナレハ當地方モ獨立萬歲ヲ唱フヘシトテ鮮人約百名ヲ集合シ共ニ太陽岔ニ向フ途次支那百家長ノ爲ニ阻止セラレシモ肯セス首謀者ト認ムル鮮人七名ヲ逮捕シ支那官憲ヘ押送セラレントシタルモ區長金亨珍ノ哀願ニ依リ放還サレタリト

三四、寬甸縣石柱子不逞鮮人李萬熙、金貞祿等首謀者トナリ左ノ如キ盟約ヲ爲シ各自捺印ノ上更ニ日ヲ期シ多數ヲ集メ獨立運動ヲ開始スルノ計畫ナリト

(1) 日本憲兵ノ密偵ハ發見次第ニ殺害スルコト又之等密偵ヲ宿泊セシメタル者ハ同シク殺害スルコト

(2) 今後如何ナル場合ヲ問ハス集合ノ通知ヲ受ケタル時ハ迅速ニ集合シ何レモ生死ヲ共ニスルコト

三五、五月四日　通化地方ヨリ潜來セル不逞鮮人二十名ハ輯安縣楡樹林子朝鮮人組合支部事務室破壞ノ目的ニテ同地ニ殺到セシモ支那巡警ノ爲阻止セラレ其ノ目的ヲ達セス解散セリト

三六、六月一日　輯安縣沖和堡外岔溝居住內地人賣藥商新美吉次郎ハ若干ノ藥品ヲ支那人ニ背負ハセ行商ノ爲通化方面ヘ旅行ノ途中雙岔河ニ於テ不良鮮人二十餘名ノ爲重傷ヲ蒙リ支那官憲ノ保護ヲ受ケツツアリ

三七、六月七日　平安北道中江鎮分隊補助員金光秋ハ左ノ如キ譯文ノ脅迫ヲ受ケタリ

譯　文

姓カ金ニテ名ヲ光秋ト呼フ人物ハ日本人ノ犬トナリ種々ノ事ヲ探偵シアリ汝モ韓人ナラスヤ當今韓人一般ハ寢食ヲ忘レ汝ヲ怨ミ居ルナリ幸ニ精神アラハ支那頭道溝ノ邊昌根ノ家ニ來レ喰セテモ

遣ル生命モ保護シテモ遣ル若之ニ應セサルトキハ汝ノ家族諸共殺害シ家屋ハ燒キ拂フヘシ依テ玆ニ深ク考慮スヘシ

元年六月二日　　趙　川　沟

邊　昌　根

三八、西間島方面ニ於ケル獨立運動ノ機關トシテ組織セラレタル祕密結社

（イ）扶民會

寬甸縣不太遠地方居住不良鮮人ノ組織セルモノニシテ目下會員約四百名アリテ左ノ如キ會則ヲ設ケ獨立運動費ノ募集ニ奔走シツツアリ

扶民會則

(1) 本會ヲ扶民會ト稱シ事務所ヲ寬甸縣不太遠自背溝金羽英方ニ置ク

(2) 會員ニシテ同集會ニ出席セサル場合ハ其ノ理由ヲ申告スヘシ

(3) 通常會ハ一月三十日及八月三十日ノ二回ト定ム

(4) 會長及其ノ他ノ役員ハ會員ノ選擧ニ依リ之ヲ定ム

(5) 會費ハ常會ノ際支出スルコト

(6) 會員中重罪ヲ犯シタル時ハ各役員之ヲ審査シ本會ニ提出ノ上合議處分スルコト

(7) 必要事項發生ノ場合ハ臨時會ヲ開ク

(8) 會員中ニ不法ナル者アルトキハ相當處罰スルモノトス

(9) 日本官吏ノ侵入シタル時ハ會員一齊ニ集合處分スルモノトス

(10) 吾等同胞ハ相互ニ救助シ生死ヲ倶ニスルコト

(11) 日本官憲ノ密偵ヲ發見セハ本會ニ急報シ或ハ急速處分トシテ殺害スルコト

（ロ）一心會（或ハ義兵團トモ稱ス）

撫松縣東崗ニ於ケル排日鮮人李晩悟等ノ組織セル祕密團體ニシテ會員五百名ニ達セハ通化方面ノ同志ト呼應シ一擧鮮地ヲ衝キ倭奴ヲ追放シ目的達成ノ曉ハ義兵應募者ハ顯官ニ登用ス等ノ說ヲ流布セシメ盛ニ會員ノ募集ニ努メツツアリ

（ハ）獨立團（一名南滿洲大韓獨立團トモ稱ス）

本部ヲ柳河縣三源浦ニ置キ各地ニ支部ヲ配置シ常ニ排日行動ヲ逞フシアリシ扶民團ノ改稱セルモノニシテ日本側指導ノ許ニ設置セル朝鮮人組合各支部等ヲ脅迫シテ團員ニ加入セシメ殊ニ這回ノ獨立運動ニ關シテハ西間島地方ニ於ケル最有力ナル團體トシテ活動セルモノナリ

（ニ）韓族會軍政府（扶民團ノ別稱ニアラサル？）

四月初旬本會ニ於テハ會員中有爲ノ青年ニ對シ軍事的訓練ヲ施シ事ヲ擧クルノ準備ヲ整ヘ一方

在柳河三八亘自新楔ト合併シテ單ニ軍事ノミヲ司ル軍政府ヲ組織シ之ヲ韓族會ニ隷屬セシメ其ノ本部ヲ柳河縣孤山子ニ設クト謂フ

（ホ）義軍講習所

樺甸縣ニ於テ組織セルモノニシテ鮮人農民中ヨリ二十歳以上三十歳以下ノ壯丁約四百名ヲ强制募集シ毎日兵式敎練ヲ爲シツツアリ敎官ハ姜應浩、金文三ノ兩名ニシテ經費ハ寄附金ヲ以テ充當シ居レリト謂フ

（ヘ）獨立團

輯安縣融和堡朱淸溝居住韓應昌方ニ於テ附近鮮人約八十名會合シ獨立團ヲ組織スルコトヲ協議セシカ團員約二百名ニシテ其ノ役員左ノ如シ

總務長	崔　永　涉	
檢察員	金　昌　元	黄　三　守　李　昌　益
通信員	韓　應　七	朴　應　濟　許　京　俊
交涉員	催　俊　源	韓　國　賢　宋　伊　鳳
檢督	崔　珍　涉	車　正　輯　金　昌　洙

三二六
三二七

三、浦潮方面

一、三月十五日浦潮ニ於テハ示威運動ヲ行フヘク種々準備ヲ爲シタリシモ戒嚴令施行地ノコト故必ス嚴重ナル壓迫ヲ受クルナラントノ危惧ヲ抱ケルト且最近露國官憲ヨリ新韓村民會ノ閉鎖ヲ命セラレ加之今回彼等ハ露國要塞司令官ニ對シ示威運動及各國領事館ニ宣言書ヲ配布スルコトヲ出願シタルニ同官ハ集會ハ全然之ヲ許サス又其ノ他國交ヲ害スヘキ行爲ハ一切之ヲ嚴禁スヘシト命シタル爲遂ニ其ノ實行ヲ見ルニ至ラサリシカ十七日午後四時浦潮領事館ニ露文及諺文ノ宣言書（京城ニ於テ配布セルモノト大同小異）ヲ帝國政府ニ傳達ヲ請フ旨ノ文書ヲ添ヘテ立去リタル二名ノ鮮人アリ次テ午後五時新韓村ニテハ各戸一齊ニ大極旗ヲ掲揚シ國民議會長文昌範ハ各國領事館ト露國官廳ニ宣言書ヲ配布シ午後六時ヨリ學生等數台ノ自動車ニ分乘シ太極旗ヲ打振リ市中ヲ練行シタルヲ以テ露國官憲ハ之等ノ運動ヲ禁止シ學生二名ヲ拘引シ新韓村ノ太極旗ハ悉ク之ヲ引卸サシメタリ

二、「ニコリスク」ニ於テモ同日朝宣言書ヲ發シ多數ノ鮮人集合運動ヲ爲セリ

三、三月十八日　「スパースコエ」ニ於テ約五百名ノ鮮人集合シ宣言書ヲ配布シ示威運動ヲ爲シタルニ依リ我派遣軍隊ハ露國官憲ヲ援助シテ之ヲ解散セシメタルカ鮮人數名負傷セリ

四、三月二十一日　「ラズドリノエ」ニ於テ約三百名ノ鮮人集合シ我軍隊ヲ襲フノ情勢アリシモ露國民兵之ヲ解散セシメタリ

五、三月二十六日　浦潮金致寶方ニ於テ「老人同盟團」ナルモノヲ組織シ男女ヲ問ハス四十六歳以上七十歳迄ノ老人ハ此ノ際獨立運動ニ奔走スル青年ニ多大ノ勢援ヲ與フヘシトノ目的ニテ團長ニ金致寶、理事ニ洪範道、劉尙敦等十六名ヲ選擧シ頻リニ會員ノ募集ニ努メツツアリ

六、三月二十七日　「ハバロフスク」青年會長呉成默ハ「ラズドリノエ」ニ來リ同地韓族會事務室ニ鮮人青年三十餘名ヲ集メ決死隊ニ加入ヲ勸誘シタルニ多數ノ加入者アリテ約四百名ニ達シ彼等一令ノ下ニ直ニ應召スヘシト誓ヒタリト

七、四月三日　咸鏡北道土里對岸鹿島露語學校生徒及父兄其ノ他有力者約四十名ハ同校ニ集合シ煙秋鮮人自治團ヨリ朝鮮獨立宣言式ヲ擧行スヘキ旨通知アリタリトテ之カ實行方法ヲ協議セリト

八、四月七日　圖們江對岸露領鹿島ニ於テハ浦潮地方ヨリ不逞鮮人入込ミ各部落ノ有力者及各學校ニ宣言書ヲ配付シ獨立運動ヲ勸誘セシカ同地ニ居住ノ鮮人ハ孰レモ太極旗ヲ掲ケテ大ニ氣勢ヲ昂メ就中學生等ハ熱狂的態度ニテ奔走シ支那領防川洞書堂敎師ノ如キハ約三十名ノ生徒ヲ指揮シ喇叭ヲ吹奏シ萬歳ヲ高唱シツツ集合シ午後三時頃ニ至リ同所高地ニ約千名群集シ韓國獨立萬歳ヲ連呼シタル後解散セリ

九、四月十八日　午前二時頃浦潮新韓村姜俊秀宅ニ十數名ノ不逞鮮人闖入シ燈火ヲ消シ暗黑ト爲シタル上同人ヲ民會ニ引摺リ行キ日探ナリト責メ暴行ヲ加ヘタリ

三二八
三二九

一〇、四月二十七日　金夏錫、池健、徐日範、李榮等不逞ノ徒ハ新韓村ノ酒店ニ於テ我密偵鮮人ニ暴行ヲ加ヘタリ

一一、四月二十九日　浦潮新韓村韓民學校ニ於テ金喆訓議長ノ下ニ崔才亨、文昌範以下二十一名ノ主ナル排日鮮人集會シ上海ノ臨時政府承認問題ヲ討議シ其ノ結果假承認ノ體トシ同政府カ露領ニ移轉ノ後ニ於テ一致行動ヲ爲スヘシト決議セシカ該政府ハ日本軍ノ西伯利撤退後露領ニ移ル豫定ナリト謂フ

一二、獨立新聞ノ發行

四月二十九日　浦潮ニ於テ謄寫版摺半紙大ノ獨立新聞第一號ヲ發行シ約五千枚ヲ印刷配布セリ

一三、五月四日　浦潮新韓村姜良五方ニ於テ青年同志會ヲ開催シ銃器ノ購入ヲ決議シタリト

一四、五月七日　浦潮新韓村小學校內ニ青年會ヲ開キ日本品非買決議ヲ爲シ來會者六十餘名之ニ賛成セリト

一五、露領方面ニ於ケル獨立運動ノ機關トシテ組織セラレタル祕密結社

（イ）韓族獨立期成會

浦潮ニ於テ金夏錫ノ組織セルモノニシテ浦潮、「ニコリスク」、韓族會ト相連絡シ獨立運動ニ奔走シツツアルカ其ノ計畫ハ露領東淸鐵道沿線地方、間島、琿春及西間島地方ニ散在スル同志中ヨリ

一萬人ヲ募リテ鮮內地ニ侵入シ武力示威運動ヲ開始スルコト而シテ本運動ハ最後ノ手段ニシテ其ノ目的トスル所ハ韓族自決運動ヲ佛國ニ於ケル萬國媾和會議ノ問題タラシムルニ在リトテ其ノ實行方法ニ二說アリ

第一說　募集シタル一萬人ノ同志ヲ二手ニ分ケ第一隊五千人ハ先發隊トシテ武器ヲ携帶セス圖們江國境ヨリ咸鏡北道ニ侵入シ各自太極旗ヲ打振リ萬歲ヲ唱ヘツヽ京城ニ進出ス途中日本官憲ニ阻止セラレ逮捕或ハ引致セラルル者ハ其ノ儘トシ其ノ殘餘ハ京城ニ向ツテ驀進スヘク一面後方第二隊五千人ハ武器ヲ携帶シテ間島及琿春各地方ヨリ咸鏡北道ノ國境ヲ襲擊シ一地ヲ占領シ韓族共和政府ノ所在地ト爲スカ或ハ間島ニ於テ假政府ヲ組織スルコト

第二說　同志一萬人一團トナリテ武器ヲ携行シ咸鏡北道ヲ襲擊シテ一地ヲ占領シ韓族共和政府ヲ設ケ同時ニ朝鮮各地ニ義兵ヲ蜂起セシメ日本軍警ニ對抗スルコト

金夏錫ハ京城ヨリ露領ニ同行セシ數名ノ同志ト共ニ韓族會ト協力シ本計畫遂行ノ爲ニ義兵ノ糾合義金ノ募集及武器類ノ蒐集ニ努メツツアリテ其ノ狀況ハ

(1)　露國歸化鮮人軍人派ノ糾合ハ煙秋居住崔才亨及「ハバロフスク」居住金仁洙ノ兩名專ラ之ヲ擔當ス

(2)　露領在住鮮人ハ大々的ニ軍資金ノ募集及銃器ノ蒐集ニ努メツツアリテ銃器ハ一戶一銃ヲ提供スルコトトシ若銃器ヲ得ル能ハサル者ハ代金ヲ納メ居レリト

(3)　舊暴徒派ノ集合ニハ李範允之ニ當リ間島、琿春及安圖縣、撫松縣方面ニ密使ヲ派シテ舊配下ノ糾合ニ努メツツアリ

(ロ)　青年會

浦潮ニアリテ其ノ組織ハ未タ詳ナラサルモ內務部、軍務部、中樞部及評議部等ノ各部ヲ設ケアリテ其ノ內評議部長ハ崔鳳基ニシテ會長及各部長ノ徽章トシテ上部三線ハ金線、中央太極、左右梨花、下ノ三線ハ赤布、普通會員ハ上部金線ナキモノヲ孰レモ胸間ニ帶ヒ居レリト謂フ

(ハ)　大韓國民議會

主トシテ露領在住北派鮮人ノ組織セル團體ナリ會長文昌範、副會長金喆訓、書記吳昌煥ニシテ曩ニ在浦潮帝國總領事館ニ露文、諺文ノ宣言書ヲ帝國政府ヘ傳達ヲ請フ旨ノ文書ヲ添ヘテ置去リタルト又同地駐在十一ヶ國ノ領事館並露國官憲ニ宣言書ヲ配布シ新韓村ニ示威運動ヲ爲シタルハ何レモ本會ノ行動ニシテ李東輝ノ後援會タルノ觀アリ

(ニ)　老人同盟團

浦潮在住不逞鮮人崔秉瓛、金致寶、朴般植、李得萬、尹余玉等ノ老人連發起トナリ三月二十六日金致寶方ニ發會式ヲ擧ケ團長ニ金致寶、財務ニ朱于漸、書記ニ徐相矩、理事ニ洪範圖、劉尙敦等十六

名ヲ選擧シ男女ヲ問ハス四十六歲以上七十歲迄ノ老人ハ此ノ際獨立運動ニ奔走スル青年輩ニ勢援ヲ與フヘシトノ目的ニテ組織セラレタルモノニシテ其ノ後李嵩、金學永、車大有、崔侍從、劉泰純等ヲ傳國委員ニ選ヒ各地方ニ派遣シ團員ノ募集ニ努メツツアリ曩ニ同團代表者トシテ李發等五名ノ一行京城ニ來リ鍾路普信閣前ニ於テ各自携ヘタル舊韓國旗ヲ翳シ萬歲ヲ高唱シ中一名ハ自ラ小刀ヲ以テ咽喉部ヲ突キ鮮血ニ塗レシ儘附近ヲ馳廻リツツ在リシヲ逮捕シ取調タルニ彼等ノ內李發及鄭致允ノ二名ハ全ク不逞ノ徒ニ煽動セラレ妄動シタルモノニシテ前非ヲ悔ヒ居ルコトヲ認メタルヲ以テ懇諭ノ上旅費ヲ給シ歸鄕セシメタリ而シテ他ノ三名ハ目下取調中

(ホ)　大韓新民團

大韓基督敎(聖理敎)信徒ノ團結セルモノニシテ初メ琿春縣草頂帽子ヲ根據トセシカ最近支那官憲ノ取締嚴重ニシテ同志ノ支那領居住ハ甚タ不安ナルモノアリ露領ニ於テハ日本官憲カ鮮人逮捕ノ權利ナシトノ理由ニテ本部ヲ浦潮ニ移シ會務ヲ處理シツツアリト其ノ役員左ノ如シ

團長　金圭冕　經理局長　李存洙　財務　韓京瑞　書記　朴在涉

總察　李仁、李文俊

四、哈爾賓及上海方面

一、哈爾賓ニ於テハ同地發行遼東報ノ煽動的記事ト北滿地方不逞鮮人等ノ敎唆トニ依リ從來影ヲ潜メツツアリシ不逞ノ徒モ漸次擡頭シ來ルノ情勢ナリシカ四月九日夜露國「ホルワット」麾下ノ鮮人軍人五十餘名ハ同地駐在ノ我共同隊ニ向ヒ突然發砲セシニ依リ我兵ハ直ニ武裝ヲ整ヘ之ニ對抗シタルニ彼等ハ退却逃走セリ其ノ際彼等ノ遺棄セル自動車二臺及小銃若干ヲ捕獲セリ

二、哈爾賓在住露國「ホルワット」麾下ノ鮮人傭兵ノ言ニ依レハ朝鮮獨立運動第二回騷擾ヲ起サントスル計畫ノ下ニ最近朝鮮內地ヨリモ渡滿スルモノ多ク既ニ約三千ニ達シ其ノ內ニ日本留學生(李崔)外數十人アリト彼等ハ朝鮮內地ヨリ吉林附近ハ汽車ニ乘シ同地附近ヨリ陸行シテ東清沿線掖河附近ニ來ルモノ多シト而シテ彼等ハ義勇兵ト稱シ其ノ一團ハ李副尉之ヲ指揮シ通化縣ヨリ局子街附近ヲ經テ圖們江ヲ渉リ朝鮮ニ向フ計畫アリトノ情報アリ

三、五月十日頃　哈爾賓ニ於テ上海方面ヨリ來リタル一鮮人ノ所持セル朝鮮青年獨立團代表者トシテ左記十一名ノ署名セル宣言書ヲ入手セシカ其ノ內容ハ京城ニ於テ配布セルモノト大同小異ナリ

崔八鏞　尹昌錫　金度演

李琮根　李光洙　宋繼日

金尙壽　崔謹愚　白寬洙

金尙德　徐椿

四、上海ニハ表面ハ鮮人間ノ親睦、融和艱難相救フヲ目的トスト稱シ內實ハ國權恢復ヲ目的トスル

共濟會ナル祕密結社ヲ組織シ會員等ハ同會ヲ革命黨、會員ヲ黨員ト稱シ其ノ數四五百名アリテ北京、天津、滿洲各地及露領方面ニ散在スト謂フ而シテ同黨員ハ祕密ヲ嚴守シ幹部ハ獨逸式探偵法ニ依リ黨員ニ對シ其ノ人物ニ應シ各別ニ任務ヲ授クルヲ以テ黨員相互間ニ於テモ黨員タルコトヲ知ラス又相識ノ黨員相互間ニ於テモ其ノ任務ヲ口外セサルコトニナリ居レリト同地居住黨員ノ重ナル者左ノ如シ

革名黨理事長　申　檉（一名圭植ト謂フ）

同　理事　金　圭　植

申　錫　雨　呂　運　亨　鮮　于　爀　徐　炳　浩

趙　東　祐　趙　鏞　雨（一名嘯印）

五、四月十四日　上海米租界ニ於テ各地ノ鮮人會合議事會ナルモノヲ開催シ媾和會議ニ對スル大々的運動ヲ開始スル筈ニテ既ニ鮮内地ヨリモ約六十名ノ者逐次同地ニ向テ出發シ此ノ費用トシテ貴族富豪ヨリ數萬圓ヲ醵出セリトノ説アリ又朝鮮、北京、天津、奉天、哈爾賓、西、北間島各地ノ鮮人約四、五十名ハ四月二十六日ヨリ同三十日マテ五日間上海佛租界愷自邇路長安里ニ於テ高麗國民共和大會ヲ開催スルト謂ヒ其ノ他李東輝ノ鐵路滿洲ヲ經テ同地ニ向ヒ、李在明ノ米國ヨリ祕密書類ヲ携ヘテ同地ニ到着セリ或ハ李東寧其ノ他不逞鮮人首領ノ同地ヲ中心トシテ徂徠セルカ如キニ徵セハ上海ハ獨立運動ノ策源地ニアラサルカヲ疑ハルルナリ

六、四月十七日　上海北四川路基督敎青年會場ニ於テ呂運亨ナル者首謀者トナリ鮮人約千名ヲ集メ此ノ千載一遇ノ好期ニ際シ吾人ハ共同一致祖國ノ復興ヲ計ラサルヘカラス云云トテ大ニ激勵的講演ヲ爲シタリト

七、假政府閣員ノ推擧

在上海不逞鮮人等ハ假政府閣員トシテ左ノ通推擧セリ

總　理　李　承　晩　代理　李　東　寧

內部總長　安　昌　浩　次長　申　益　希

外部總長　金　奎　植　次長　玄　楯

司法部總長　李　時　衡　次長　南　衡　佑

軍部總長　李　東　輝　次長　曹　成　煥

交通部總長　文　昌　九　次長　鮮　于　爀

財部總長　崔　在　亨　次長　李　載　崗

右ノ外各部ニ六名乃至八名ノ事務執行委員アリト

八、四月二十九日　政府ヲ援助スル議決機關トシテ大韓民國議政院法ナルモノヲ制定シ同法ニ依リ

左ノ如キ各道代議員ヲ選擧セリ

京　畿　道　申錫雨　鄭大鎬　吳義善　李起龍

忠清南北道　洪冕熹　申　檉　李命敎　兪政根

慶尙南北道　金正默　柳璟煥　白南圭　金昌淑　金東瀅

江　原　道　李駿駜（一字不明）朴容珏　宋世浩

咸鏡南北道　李春塾　洪　濤　張道成　康偉鍵　林鳳來

黃　海　道　金甫淵　李致晙　孫斗煥

平安南道　孫貞道　金鉉軾　李喜儆

平安北道　金重祚　李元翼　李光洙

支　那　領　曹聖煥（本名曹煜）黃公浩

米露領ハ未定ナリト

九、四月三十日　各道代議員ハ上海佛租界愷自爾路長安里ノ假政府事務所（表面ハ朝鮮民團役所）ニ於テ議長ニ孫貞道副議長ニ申檉ヲ選定シタリ

一〇、五月一日　各道代議員會ヲ假政府事務所ニ開催二十二名集合左ノ件ヲ決議セリ

一、資金收入方法トシテ救國義務金募集ノコト、其ノ手段トシテ不日上海集合者全員ヲ集メ演説シテ出金ヲ求メ又朝鮮內地ノ資產家ニ賦課命令書ヲ發シ人ヲ特派シテ徵收スルコト

二、外國並外國人ノ交涉及觸融ヲ一層振張密接ナラシムルコト

三、朝鮮內各戶ニ稅金ヲ賦課シ以テ日本政府ニ納稅セシメサルコト

四、財政審査員ヲ撰定シテ左ノ三名當選ス

曹冕煥　兪致根　金甫淵

五、法律及請願審査委員ヲ選擧シテ左ノ三名當選ス

洪冕熹、吳義善　孫斗煥

一一、上海ニ於ケル假政府ノ定メタル假憲法（英文）ノ譯文左ノ如シ

朝鮮共和國假政府組織ノ布告

首相　李　承　晩　內相　安　昌　浩

外相　金　圭　植　藏相　崔　才　亨

陸相　李　東　輝

朝鮮共和國假憲法

一、朝鮮共和國ハ北米合衆國ニ倣ヒ民主的政治（政府）ヲ採用ス

二、朝鮮共和國ノ國民ハ男女ノ別、社會上ノ地位或ハ財產ニヨリ區別ヲ設クルコトナク平等タル

ヘシ

三、朝鮮共和國ノ人民ハ信教、言論、集會、結社ノ自由ヲ亨有スヘシ

四、朝鮮共和國ノ人民ハ公民タル以上凡テ選擧及官吏タルノ權ヲ有ス

五、朝鮮共和國ハ世界ノ平和ト文明ヲ期スル國際同盟ニ加盟スヘシ

六、朝鮮共和國ハ之ニ依リテ共和國ノ建設サレタル國民的理想ノ神意ニ一致スルコトヲ表明スヘシ

七、國民會議及假政府ハ版圖カ完全ニ回復サレタル後一ケ年内ニ議會ヲ召集スヘシ

國民會議ハ議會カ召集セラルル迄ハ議會ヲ代行スヘシ

朝鮮共和國第一年四月十日

一二、五月三日　會議ノ結果上海臨時政府員トシテ決定シタル者左ノ如シ

國務院總理　李承晩ノ下ニ趙院九、趙鎬般、洪濤、李春塾

內務部　安昌浩ノ下ニ　申益(翼?)熈、尹顯振、徐丙浩、韓偉健、趙東珍、裵亨湜、金龜、崔謹愚、金大地、朴承業

外務部　金奎植ノ下ニ　玄楯、張運相、李光洙、白南薰、李光

財務部　崔才亨ノ下ニ　金澈、金應僣、宋世浩、具榮弼、徐成權、崔浣、金弘權、韓南洙

法務部　李始榮ノ下ニ　南亨佑、金應燮、韓基岳

軍務部　李東輝ノ下ニ　曹成煥、金案璿、申徹、金忠一、朴崇奉

交通部　文昌範ノ下ニ　鮮于爀、梁濬明、李範敎、李京漢、尹愿三、金璟原、李泳費、李鳳洙、申國權、林玄

三三八
三三九

一三、五月三日　午後三時ヨリ各道代議員會ヲ假政府事務所ニ開催出席者二十二名議長ハ孫貞道ニシテ前回ノ決議ニ基キ各道委員ヨリ金員徵收方法ニ付意見ヲ徵シ討議協議ノ結果假政府ヨリ提議シタル

一、人口稅ノ名目ニテ鮮內一般民ニ稅金賦課

二、義務金トシテ金圓徵收

三、內債募集(債券發行)

四、外債募集

ノ四項ニ對シ義務金募集ハ議員及閣員ハ携帶金ノ內三ケ月間位ノ生活費ヲ殘シ全部提供ノコト、各道ヨリノ來集者ヲ集メ各別ニ募集スルコト、各道ヨリ更ニ二三人ヲ選ヒ鮮內地ニ差遣スルカ又ハ其ノ三人ノ名義ヲ以テ募集スルコト、人口稅及內國債募集問題ハ假政府ニ於テ決定發表スルコトニ決議セリ

一四、五月三日　青年團員約二十五名集合セシカ團員李康熈渡鮮ノ狀況ヲ報告シ青年ノ吉林及露領

方面ニ赴クコトニ就テハ曹成煥周旋スルコト等ヲ報告セリ

一五、五月四日　在上海鮮人青年會內ニ更ニ青年團ナルモノアリテ各別ノ行動ヲ爲シタルモ之ヲ合併シテ統一スヘク青年會事務所ニ關係者約三十名集合シ協議ノ結果合併スルコトニ決シ名稱ヲ青年團トシ左ノ役員ヲ擧ケ假政府內閣ヲ援助スルコトトシ午後十二時解散セリ

團　長　金鼎穆　副團長　韓炳基

庶務部長　李奎甲　通信部長　吳益豹

財務部長　文白奎

評 議 員　盧泰然　康炳弼　羅基瑚　裵東善

尙庶務部ニ更ニ軍部、警務部、祕密部、印刷部ノ四部ヲ置ク係員左ノ如シ

軍部兼警務部長　康炳弼

祕密部　李奎甲　康炳弼　吳益豹

印刷部　朴　震　盧泰然

右軍部、警務部、祕密部ハ其ノ目的主トシテ青年團內ノ警保ニ任シ青年ヲ吉林ヘ派遣シ軍人ヲ養成セントスルモノナリ

一六、五月四日　在上海青年團印刷部ヨリ謄寫版摺ノ青年報第一號ヲ發行セリ

三四〇
三四一

一七、五月六日　午後三時ヨリ各道代議員會ヲ假事務所ニ開催出席者十九名ナリシカ平北代議員金秉祚ハ曩ニ資金募集者トシテ各道ヨリ三名ノ委員ヲ擧クルコトニ決定セシカ平北方面ニ該委員ハ政府ヨリ直接辭令ヲ交付スルカ又ハ口達セサレハ委員タル資格ナキ慣習ナリ各議員如何ト提議シタルニ一議員ハ何故斯ク謂フヤト反問シタルニ更ニ他ノ議員ハ委員中ニ不良分子(官憲ノ密偵ノ意)アルヲ以テ現金携帶者ト雖出金ヲ肯セスト述ヘ種々議論ノ末傍聽ヲ禁止シ祕密會議トシ其ノ不良分子ヲ詮議シタルニ忠淸道議員洪冕熹、李命敎ナラントノ疑アリ其ノ取調委員ニ兪政根、李光洙、申錫雨ノ三名ヲ選定シ六日夜以來取調中ナリ

一八、五月七日　巴里金奎植ヨリ要求ノ金員募集方協議ノ爲假政府內閣會議ヲ催シ八萬七千圓ヲ送金シ同時ニ假政府モ完全ニ成立セリ極力運動ヲ繼續セヨトノ意味ヲ打電シタリ又該電報ノ發送ト前後シテ李承晩ヨリ政府ノ委任狀ヲ發送セハ公債ヲ募集スルコトヲ得ヘシトテ其ノ委任狀ヲ要求シ來リ金奎植ヨリモ朝鮮假政府ノ特使ナル委任狀ヲ發送セヨ媾和會議ハ更ニ延期セラレ我運動モ有效ニ進捗シアリトノ意味ノ電報達シ假政府ニ於テハ在上海佛國辯護士ニ依頼シ七百圓ノ報酬ニテ右委任狀ノ作製中ナリト

一九、五月七日　上海ニ於テ開催セラレタル支那國民大會ニ當リ鮮人等青年獨立團ノ名ヲ以テ排日的不穩文書ヲ寄書シテ排日熱ヲ煽リ且朝鮮人約三十名ハ右大會ニ參加セリ

二〇、上海在住朝鮮人ハ媾和會議ニテ獨立絶望トナレハ決死隊ハ戎克船ニテ渡航シ朝鮮各地ニ大騷擾ヲ起シ一面日本內地ノ大工場ヲ破壞スル爲爆裂彈ヲ製造スルノ決議ヲ爲シ連判帳ニ記名セル者多シト

二一、上海ニ於テハ韓國獨立運動費募集ノ目的ヲ以テ「新高麗共和上海救國情友會」ト稱スル團體ヲ組織シ吉林、長春、浦潮、奉天、安東並鮮內各要地ニ支部ヲ置キ之カ募集員ヲ派遣シ募金ノ傍ラ各地諸般ノ內狀ヲ探知蒐集スヘキ目的ノ下ニ著々奔走中ナリト

五、其ノ他

一、四月七日米國華盛頓ニ於テ朝鮮臨時政府外務大臣ノ名ヲ以テ朝鮮ハ米國ノ制度並同一精神ノ許ニ基督敎獨立國ヲ建設ストノ宣言書ヲ發表セル者アリ

二、米國及布哇ニ在ル朝鮮人ノ代表者ハ四月十六日米國「フイラデルフイヤ」ニ於テ朝鮮人會議ヲ開キタリシカ會スル者約八十名ニシテ獨立宣言書ヲ朗讀シ且巴里ニ於ケル聯合與國代表者ニ對シ獨立請願書ヲ發セリト

三、最近佛國巴里ニ於テ朝鮮人「ゼーキモウジック」、及「エス、キム」ノ兩人朝鮮人代表者ト稱シ密ニ佛國政府及有力者ニ對シ朝鮮獨立ヲ爲シ日本ヲ中傷スル書類ヲ分配シツツアリ

四、在北京申檉ハ南京支那革命黨員ト謀リ黨員六名ヲ臺灣ニ送レリト

叙上ノ情況ハ朝鮮ニ於テ騷擾勃發以來國外ニ波及セル不逞行動ノ一班ニシテ朝鮮人ノ居住セル地方ハ男女老幼ヲ問ハス事々物々朝鮮獨立問題ニ關セサルハナク而シテ近次彼等ノ行動ハ日ヲ逐フテ險惡ノ傾向ヲ帶ヒ來リ正ニ所謂第一期ノ示威運動ヲ終リ第二期ノ武力運動ニ移ラントスト稱シ頻リニ朝鮮國境ノ襲擊ヲ傳ヘ所在ニ決死隊ノ組織成レリト謂ヒ或ハ銃器ノ蒐集ニ努メツツアリトノ情報アルヲ以テ我警務官憲ニ於テハ軍隊ト協力國境ニ於ケル警備ヲ嚴ニシ彼等不逞ノ徒ヲシテ乘スルノ隙ナカラシムルヲ期セリ

朝鮮騷擾事件總計一覽表

道名	騷擾箇所數	騷擾回數 暴行	騷擾回數 無暴行	未然防止	騷擾人員	同上檢擧人員	騷擾地管轄別 憲兵	騷擾地管轄別 警察	死傷 暴民 死	暴民 傷	軍隊 死	軍隊 傷	憲兵 死	憲兵 傷	警察 死	警察 傷	其ノ他 死	其ノ他 傷	官公署及民家其ノ他破壞數
京畿	一四三	七六	一四九	三八	一六九、三〇〇	二、六九三	一四三	八二	七三	二四〇	—	—	—	一〇	二	三	—	三	五六 △一〇
忠北	三二	二二	一六	三四	二六、四二〇	三二五	一一	二六	二八	五〇	—	—	—	三	—	八	—	—	一八 △一
忠南	五六	三一	三四	一八	三五、五〇五	五七九	三八	二七	三九	一三一	—	一	—	—	—	七	—	四	九 △三
全北	一一	四	九	一三	六、二五〇	一七六	九	四	一〇	一七	—	—	—	—	—	—	—	—	六
全南	一〇	三	一一	一八	三、二四〇	二三〇	五	九	—	四	—	—	—	—	—	—	—	—	—
慶北	二七	一六	一四	四五	一六、五七三	一、五三三	五	二二	二五	六九	—	—	—	—	—	一三	—	三	一八
慶南	六八	三七	六四	三四	一〇八、九一三	一、三三六	三八	六三	五〇	一三六	—	二	—	一〇	—	六	一	三	二二 △三
黃海	八一	四〇	六四	三八	三七、五九八	一、六四六	七八	二六	三六	七九	—	—	—	二五	—	五	—	三	一五
平南	三六	一七	二三	二〇	四六、八一八	一、三六五	二三	一八	一二四	一六六	—	—	六	六	—	二	—	二	一四
平北	五九	四一	五三	四四	八六、六二九	一、二六九	五七	三七	一〇七	三四九	—	—	—	一七	—	一	—	二	八 △三
江原	三三	一六	二五	二六	一六、三四九	五三〇	二七	一四	二三	四三	—	一	—	三	—	一	—	六	一六
咸南	四三	二三	三八	二二	二四、二一七	一、〇六九	四二	一八	二七	九四	—	—	—	五	—	四	—	四	五 △三
咸北	二一	八	一六	八	九、八三〇	四一七	一三	一一	一三	四一	—	—	—	—	—	五	—	—	—
總計	六一八	三三二	五一五	三五七	五八七、六四一	一三、一五七	四八八	三六〇	五五三	一、四〇九	—	四	六	八八	二	六四	一	三〇	一八六 △二三

備考

一、表中△印ハ電車、電線、電柱等ノ被害ヲ示ス

二、檢擧人員ハ騷擾當時ニ於ケルモノノミヲ示ス例令ハ騷擾當日ニ於ケル檢擧人員ノ合計ハ本表ノ一三、一五七ナルモ四月盡日迄ノ檢擧總數ハ二六、七一三ナルカ如シ

三、騷擾地管轄別ハ騷擾回數ニ依リ調査シタルモノトス

四、騷擾地ニ於ケル死亡數ト原籍地又ハ其ノ他ニ於テ埋葬シタル數ト一致セサルコトアリ其ノ理由左ノ如シ

（イ）死者ハ騷擾地居住者ニアラサル者多キヲ以テ騷擾地ニ於ケル死者數ヨリ埋葬地ニ於ケル埋葬認許證ノ數多キ場合アリ

（ロ）騷擾ノ主動者ハ多ク他地方ニ出テテ煽動シタル者多ク故ニ其ノ騷擾地ニ於テ騷擾シタル者カ原籍地ニ於テ埋葬スル者アルニ因ル

（ハ）騷擾ニ關スル死傷者ノ調査ハ頗ル困難ナリ其理由ハ傷者ハ現場ヲ逃走シテ原籍地ニ歸還シ死亡シタル者ハ騷擾ニ關セサルカ如ク裝ヒ埋葬スル者及逃走所在不明者アルニ因ル

五、本表ニハ憲兵、警察官所在地外ニ於テ騷擾シタル者ニシテ後日發見シタル者及五十名以內ノ人員ニシテ單ニ萬歲ヲ唱ヘタルニ過キサル者ハ之ヲ計上セス箇所數左ノ如シ

京畿 三七	忠北 五	忠南 三七	全北 六
全南 一一	慶北 三四	慶南 二二	黃海 二三
平南 三八	平北 六	江原 七	咸南 七
咸北 九	合計 二四二		

不逞運動ノ真相

朝鮮總督府警務局

一、上海假政府ニ對スル一般鮮人ノ感想

イ、假政府組織以來經過ノ概要

由來上海ノ地タルハ米本土布哇及支那各地方在住排日鮮人ト鮮内排日鮮人トノ連絡中繼地ニ當リ警察取締亦嚴ナラス且日常ノ生活費低廉ナルヲ以テ不逞者自然此地ニ集マリ夛年排日鮮人ノ巣窟タルノ觀アリ彼等ハ大正四年申圭植、朴殷植等居住鮮人ヲ以テ大同輔國團ヲ組織セシ以來不逞運動機關漸ク整ヘ各種ノ陰謀頻々企劃セラルルニ至レリ而シテ大正八年所謂朝鮮独立騷擾ノ発生スルヤ彼等ノ活動益盛ニシテ同年五月安昌浩米國ヨリ上海ニ來ルニ及ヒ所謂假政府ノ成立ヲ見タリ假政府ノ幹部ハ永ク海外ニ漂浪シタル者或ハ鮮内地ニ於テ國法ノ禁ヲ犯シタル者或ハ事業ニ失敗シタル者又ハ猟官失敗者等ニシテ換言スレハ落伍者前科者不平家ノ一團ニシテ彼等ハ所謂独立運動ノ美名ニ隱レ非望ヲ遂ケ名聲ヲ博シ且生計ヲ裕ニセンコトヲ期待セルモノナリ當時米國ノ勢威世界ニ冠タルノ觀アリシヲ以テ事大思想ニ捉ハレタル彼等ハ一意亞米利加ヲ過信シ崇拜シ米國ニ頼レハ何事モ成ラサルナシト誤信シ又ウヰルソンノ勢望ニ眩惑シ其ノ提唱セル民族自決主義宇宙ノ真理ニシテ新世界ハ所謂十四ケ条ノ宣言ヲ根據トシテ改造セラルヘキモノト臆測セリ茲ニ於テ在米鮮人先ツ不逞ノ陰謀ヲ企劃シテ甘言巧辞ヲ以テ人心ヲ蠱惑シタリシ處當時形勢頗ル彼等ニ有利ナリシヲ以テ鮮人一般彼等ニ傾倒シ當ニ聲援ヲ與フルノミナラス一時ハ鮮人全体ノ政府タルカ如ク思料シ彼等ノ命ニ聽從セルモノモ亦少カラサリシヲ以テ彼等ハ得意滿面ノ態タリ

鮮人ノ米國ニ頼ラントスルハ前述理由ノ外ニ明治四十年ニ帝國ノ羈絆ヲ脱セムトセル海牙密使事件ノ黒幕ニ韓國政府顧問ハーバートアリ同四十三年四月寺内総督暗殺陰謀事件ノ裏面ニ在鮮米國宣教師マツキユーム其ノ他ノ米國宣教師多数アリ平壤ニハ騷擾勃発當時騷擾犯人ヲ藏匿シテ罰金百圓ニ處セラレタル米國宣教師モーリーアリ又上海米國宣教師「ヒッチ」父子ハ不逞鮮人ノ為ニ努力シ所謂人口税ノ出納

ニ當レルアリ又鮮内外ニ於ケル各種不穏運動ニハ米國宣教師派ニ属スルモノ直接間接ニ関係セルアリ現ニ鮮内ニ於テ検挙セル各種ノ不逞事件ニ米國宣教師又ハ彼等ノ監理ニ属スル耶蘇教團体又ハ耶蘇教徒カ関係セルコト多ク如何ニ不逞運動ノ背景ニ米國宣教師カ潜ミ居ルカハ別紙犯罪事件写ニヨリ闡明スヘシ之ヲ以テ鮮人ハ米國及米人ハ進テ彼等不逞運動ヲ援助スルモノト誤解シ米國ヲ背景トシテ盲動ヲ敢テシタリト雖騒擾遂ニ失敗ニ歸スルヤ彼等ハ互ニ訶罵排擠シテ李承晩李東暉安昌浩皆其ノ職ヲ去リ李光洙金義善等歸順シテ亦昔日ノ観ナシ之ト同時ニ一般鮮人ハ米國ノ必スシモ頼ムニ足ラサルヲ見又假政府ノ實力ナキヲ知リ又幹部輩概ネ賣名ノ小人軽佻ノ才子ニシテ到底大事ヲ托スル能ハサルヲ感シ今日ニ至リテハ假政府ノ威信勢望ハ全ク地ニ失墜セリ

③

而シテ上海假政府創設以來ノ經過ヲ通覧スルニ盛衰甚シキ真ニ驚クヘキモノアリ即チ創立ヨリ大正八年十月李堈公逸走ニ至ル間第一期ハ所謂全盛時代ト稱スヘク内ニ於テハ彼等ノ意氣軒昂トシテ其ノ結合比較的固ク外ニシテハ頗ル米國ノ後援ヲ有スルカ如ク[illegible]一般鮮人ヲシテ多大ノ期待ヲ懐カシメタリ次ニ大正九年十二月李承晩布哇ヨリ上海ニ來レル迄ヲ第二期トシ此期ニ於テハ大正九年六月佛國官憲第二次ノ假政府ノ解散及独立新聞ノ閉鎖ヲ命スルアリ又財政窮迫人心離散甚シクシテ内訌益激烈トナリ安昌浩一派ノ外ハ殆ント勢力圏外ニ駆逐サルルニ至リシヲ以テ李承晩ハ假政府部内ノ融和ヲ計ランカ為特ニ歸來シタリト雖状勢日ニ非ニシテ僅ニ李東暉ノ國務総理ヲ免セルノミニシテ彼亦大統領ノ地位ヲ去ラサルヘカラサルニ至リ再ヒ布哇ニ逸走セリ其後今日迄ヲ第三期トシ末期最モ振ハス啻ニ内外ノ信望ヲ失墜セルノミナラス寧ロ嫌悪ノ情ヲ以テ指彈サルルニ至レリ

ロ、假政府ニ對スル鮮人感想ノ變遷

イ、普通一般ノ鮮人感想

普通ノ鮮人ハ概ネ無學文盲ニシテ時局ニ對スル智識ニ乏シク彼等ノ多クハ騒擾ノ何者タルヲ解セス独立萬歳ノ何タルカヲ辨ヘス唯不逞

④

若煽動教唆ニヨリ又ハ他人カ之ヲ唱フルヲ以テ我モ亦附和雷同シタルモノニシテ當初ハ單ニ上海ニ假政府トカ稱スルモノノ設置セラレタリトノ説ヲ耳ニシタル徒ニテ別ニ特記スヘキ感想ナカリシカ如シ其ノ後假政府ノ聲望隆々トシテ一般ニ之ヲ尊敬スルニ及ヒ彼等ハ理由ナク之ヲ信用シ甚シキハ我帝國ノ統治ヲ脱シ彼等ハ自己政府ヲ有セルカ如ク感シタル者モ少カラス要スルニ無學没分暁ナルカ為ニ屢々人言ニ惑ハサレ時々感想ヲ二三ニスルモノニシテ今ニ於テハ彼等殆ント上海假政府ナルモノヲ信頼セス

ロ、所謂智識階級ノ感想

所謂智識階級ト稱スルハ其ノ種類雜多ニシテ正當ノ理解ヲ有スル者半可通ナル者不平ヲ懷キ徒ニ亂ヲ好ム者等悉ク之ヲ網羅セリ

（甲）正當ノ理解ヲ有スル者概ネ有識有產ノ人ニシテ彼等ハ大體朝鮮ノ狀勢ヲ知リ帝國ノ統治ノ下ニ於テ安穩生活ヲ營マンコトヲ欲スルカ如シ故ニ彼等ノ多數ハ独立騷擾勃發ノ直後上海僭稱政府ノ設立ヲ見ルモ其成功ヲ信セス其ノ幹部タル者ハ浮浪者前科者若クハ落伍者ナルヲ見テ到底大事ヲ托スルニ足ラストセルカ如シ但シ假政府ノ勢威甚タ盛ニシテ其ノ宣傳巧妙ヲ極メ愚民ノ多數假政府ヲ信用スルニ及ヒ彼等モ亦群衆心理ニ罹リテ一時ハ独立運動ノ成効スルヤヲ疑ヒ多少假政府ニ對シ一種ノ期待ヲ懷ク者無ニシモアラス但シ警察力充実シ陰謀團ノ檢擧續發シ新政着々緒ニ就クニ及ヒ彼等ハ直ニ覺醒シテ復惑ハサルノミナラス不逞者名ヲ独立ニ藉リテ強盜殺人ノ殘虐ヲ恣ニスルニ對シ非常ニ嫌惡シ假政府ノ覆滅ヲ望ンテ止マサル風アリ而シテ彼等ハ旧韓國時代ノ秕政ヲ追想シテ帝國ノ統治ト比較シ安定ノ生活ヲ營ムヲ悦フノ情アリ蓋シ彼等ハ鮮人事ヲ用ユル時ハ放縱恣睢到ラサルナク万民其ノ堵ニ安ンスル能ハサルヲ憂フルナリ又米人ニ頼リテ独立スレハ事每ニ米國ノ掣肘ヲ受ケ其ノ不幸測ル可ラサルヲ恐ルルカ故ナリ

（乙）朝鮮ニハ一知半解者即チ半可通ナル者アリ又挾雜ナル者アリ挾雜トハ各人ノ間ヲ往來シテ巧ニ言語ヲ弄シテ私利ヲ計ルノ徒ナリ又形勢觀望者アリテ絶ヘス時運ノ變遷ヲ見テ非望ヲ遂ケントスル者アリ彼等ハ定見アルニ非ス常操アルニ非ス唯風雲ノ去來ヲ見狀勢ノ變化ヲ察シ野心ヲ僥倖セントスル者ナリ所謂智識階級ト稱スル者ノ多クハ此輩ニ屬ス時局發生以來彼等ハ當初上海假政府ヲ危ミタルカ如キモ稍成効ノ觀ヲ呈スルヤ彼等ハ盛ニ同志ヲ糾合シテ各種ノ團体ヲ作リ陰ニ假政府ト連絡シテ行動スル處アリ然リト雖彼等ハ概ネ凛乎タル精神氣概ヲ欠キ又官憲ヲ恐ルルコト甚シキヲ以テ其ノ行動正大ナラス故ニ假政府ノ勢力旺盛ナリシ時ハ其ノ別働隊タルカ如クナリシモ大勢一度定リテ以來ハ復積極的行動ヲ執ラス只怨言毒語ヲ放チ不平ヲ唱ヘ鬱憤ヲ洩シツツアリ

（丙）其ノ他無職業者前科者落伍者ノ輩ハ其ノ秩序ヲ忘レ變態社會ヲ望ミ混亂雜沓ニ乘シテ地位ヲ得ントシ復活セントシ野心ヲ僥倖セント欲ス故ニ上海假政府ノ組織成ルヤ彼等ハ大ニ之ヲ歡迎シ相策應シテ陰謀ヲ企テタリ故ニ三月一日騷擾勃發以來京城ハ陰謀ノ策源地タルノ觀ヲ呈シ人心恟々物情極

テ騒然タリシハ其ノ故ナキニ非ス但シ彼等ハ所謂傷者ニシテ陣頭ニ立テ号令スルノ資格ナシ妖言ヲ放チ蜚語ヲ傳ヘ人心ヲ惑乱スルコトツカラサルモ決シテ輿望ヲ荷フテ大衆ヲ指導スル能ハス加之彼等ハ相互ニ和スルコトナク常ニ嫉妬排擠ヲ事トスルヲ以テ大規模ナル組織アル行動ヲ為ス能ハス秩序回復ト仝時ニ彼等ノ宣傳モ漸ク効ナク遂ニ概屏息セリ

3、青年ノ感想

上海假政府ノ中堅ハ概我國ニ留學セル青年ナリ我國ニ留学セルモノハ維新以降我國運ノ隆盛ナルヲ見テ轉タ感慨無量ニ堪ヘスシテ自ラ揣ラス力量ヲ顧ミス歴史ヲ無視シ四圍ヲ考慮セス時局発生スルヤ千歳一遇ノ機トシ軽擧盲動ニ從ヘリ而シテ彼等ハ先輩ヲ咒咀シ國ヲ亡セルハ先輩ナリ國権ヲ恢復スルハ我等ナリト稱シ其ノ意氣甚タ盛ナルモノアリシモ上海假政府ノ盛衰ニ伴フテ彼等モ亦消長シ初メハ脱兎ノ如クニシテ終リハ處女ニ似タリ當初彼等ノ標語ハ朝鮮ノ独立ニアリシモ次テ実力養成ニ変シ又一時ハ熱心ニ実力養成ヲ唱ヘテ青年團ヲ組織シ夜学校ヲ興セルモ漸次衰替シテ概ネ有名無実ノモノトナレリ

之ヲ要スルニ独立騒擾ハ鮮人ノ事大思想米國ニ傾キタルヲ以テ最大ノ原因トシ上海假政府ノ徒大ニ米國ノ後援アルヲ唱ヘテ民心ヲ惑乱セリト雖ウヰルソン失脚シ國際聯盟振ハス米國必スシモ恃ムニ足ラサルヲ見ルニ及ヒ鮮人ノ思想ハ一変シ假政府ノ聲望全ク失墜セリ加之各種ノ陰謀悉ク破砕サルルヲ以テ不逞ノ徒意氣全ク沮喪シ鮮内ノ良民帝國ノ威力ヲ信シテ其ノ堵ニ安ンスルニ及ヒ金銭ヲ以テ援助セサルカ故ニ假政府ノ財政窮迫シテ不逞ノ輩衣食ニ苦ミ或者ハ僅ニ強盗ニヨリテ糊口ノ資ニ供スルニ至レルカ故ニ外ハ世人ノ信用ヲ失シ内ハ同志ノ軋轢ヲ生シ破綻百出窘窮困弊何等為ス能ハス或ハ万一ヲ僥倖セントシテ短銃爆弾ヲ以テ鮮内ノ侵襲ヲ計リテ殺人鬼ノ名ヲ博シ或ハ最後ノ希望ヲ米國議員團ノ入鮮ニ懸ケテ騒擾ヲ企テタリシモ悉ク失敗シ内外ノ鮮人ヲシテ轉タ假政府ノ兇暴残虐無為無力ナルヲ感知セシメタリ而シテ一般民心ハ朝鮮ノ現状ニ於テ到底独立ノ不可能ナルヲ自覚シ帝國統治ノ下ニ於テ經濟状態ヲ改善シ教育ヲ振興シ以テ實力ヲ養成スヘシトスルニ至レリ

二、上海仮政府ノ内訌事實

朝鮮人ハ猜疑心ニ富ミ團結力ニ乏シク動モスレハ嫉妬排擠ヲ事トシ互譲輯睦ノ風ヲ缺ク上海仮政府ノ内訌ノ如キハ此ノ通有性ヲ現實化セル典型ト稱スルモ不可ナシ

上海仮政府組織セラレタルハ大正八年五月ナリト雖其ノ前四月朝鮮民國臨時政府組織布告文又ハ草ニ宣布文或ハ新韓民國政府宣言書ヲ頒布シ擅ニ各種憲章ト閣員ノ顔觸ヲ記載シタルモノアリ此ノ中比較的廣ク宣傳セラレタルモノ左ノ如シ

執政官總裁　李羕晩　　國務總理　李東輝
外務部總長　朴容晩　　内務部總長　李東寧
軍務部總長　盧伯麟　　財務部總長　李始榮
法務部總長　申圭植　　學務部總長　金奎植
交通部總長　文昌範　　勞働局總辨　安昌浩
参謀部總長　柳東説

當時政府ノ組織アルニアラス人民ノ集合アルニアラス憲章ト稱スルモ私人ノ私草ニ属シ任免ノ如キモ何等権限ニヨルニアラス全ク架空ニ属セリ而シテ五月安昌浩米國ヨリ上海ニ帰来セルヤ所謂大韓民國臨時政府ヲ組織シ左ノ閣員ヲ發表セリ

國務總理　李承晩　　内務總長　安昌浩
外務總長　金奎植　　法務總長　李始榮
財務總長　崔在亨　　軍務總長　李東輝
交通總長　文昌範

要スルニ米國ニ在リシ李承晩、安昌浩、金奎植等ト、シベリヤ、滿洲ニ流浪セル李東輝、李始榮、李東寧、文昌範等ト二派ヲ以テ至要ノ構成分子トセルモノナリ而シテ李東輝等ノ一派ハ彼等ハ武力ヲ有シ鞏固ナル根據ヲ有スルカ故ニ仮政府ハ彼等ノ基礎ノ上ニ立ツヘキモノト信セルカ如ク李承晩安昌浩等ハ朝鮮ノ独立ハ一ニ米國ノ後援ニ頼ルヘキヲ以テ政府ノ中枢ハ彼等ニヨリ掌握セサルヘカラサルモノト思料セルカ如シ前者ハ常ニ武力ヲ以テ問題ヲ解決セムト欲スルカ故ニ之ヲ武断派ト稱シ後者ハ宣傳ヲ以テ功ヲ收メムトスルヲ以テ之ヲ文治派ト稱セリ

當初李東輝等ハ露領ニアリテ京城ニ於ケル臨時政府組織ヲ耳ニシ倉皇上海ニ来レハ安昌浩等既ニ政府ヲ組織シ恣ニ閣員ヲ發表シタルヲ見憤慨措ク能ハス決然露領ニ皈ラムトセルモ調停ノ結果漸ク其ノ意ヲ翻シ在任セリト雖意平カナラス斯クシテ文治武断ノ両派ハ創設當時ヨリ反目スルニ至レリ

安昌浩以下仮政府ノ幹部トナル輩ハ概ネ平安道出身者ナリ京畿以南ノ人ハ従来平安道ノ者ヲ軽視スルノ風アリテ李東寧、申奎植等所謂畿湖派ハ安昌浩等ニ対シテ反感ヲ抱クコト甚大ナリ故ニ地方的ニ畿湖派、平安派ノ暗闘アリ

更ニ李承晩、安昌浩等ハ李朝ニ対シ五百年ノ恨ヲ有シ共和民主ノ主義ノ下ニ政府ヲ組織セムトシ現ニ憲法ヲ發表セリ然レトモ李東寧以下ハ必スシモ共和國タルヲ欲セス李王ヲ復辟セシムルモ亦可ナリト

シ屢々李王、李堈公等ノ脱走ヲ計画シ根本主義ニ於テ彼等ハ必スシモ一致セス而シテ平安派ハ飽迄独立ヲ要望スルニ対シ畿湖派ハ参政権ノ獲得若ハ現状以上ノ利益ヲ獲ルヲ以テ満足スルノ意向アリ従テ硬軟両論往々衝突セリ

斯ノ如キヲ以テ彼等ハ一時同一傘下ニ集マレリト雖主義感情ヲ同フセス其ノ勢力ヲ競争スルカ故ニ政府ノ組織ハ始メヨリ鞏固ナラス之ニ加フルニ特有ノ排擠嫉妬性アルカ故ニ円満ニ事ヲ議スルコト難ク屢々讒構迫害シテ暗闘ハ遂ニ明闘ト化セリ

李東輝ハ実力我ニ在リト稱シテ大ニ政府ノ改善ヲ論シ六月遂ニ李東輝ヲ執政官總裁ニ朴容萬ヲ外務總長ニ李東寧ヲ内務總長ニ盧伯麟ヲ軍務總長ニ李始栄ヲ財務總長ニ申奎植ヲ法務總長ニ金奎植ヲ学務總長ニ文昌範ヲ交通總長ニ安昌浩ヲ労働總辦トシ一段落ヲ了リ更ニ八月憲章ヲ改メ大統領制ヲ採用シテ李承晩ヲ大統領トシ李東輝ヲ國務總理ト為シ其他概ネ前任者ヲシテ継兼セシムルコトトセリ

然レトモ朴容萬、文昌範、柳東説等李東輝ノ下風ニ立ツヲ憤リ就任ヲ肯セス柳東説ノ如キハ屢々仮政府ノ命令ニ反抗シ単独ノ行動ヲ執レリ而シテ此ノ各總長互ニ相和セス而シテ彼等ノ計画屢々失敗シテ其ノ実力ヲ疑ハルルヤ羅昌憲等ノ青年輩ハ茲ニ野心ヲ生シ平素彼等ノ専横ヲ憤レル一味徒党ヲ結束シテ大正九年五月金嘉鎮ヲ首領ニ仰キ鉄血團ヲ組織シ以テ仮政府ノ顚覆ヲ企テタリ彼等ハ先ツ仮政府幹部ニ対シテ聲討文ヲ発シ或ハ謄写版機関新聞ヲ発行シ其ノ團員ヲ故ナク仮政府警務局ニ引致セル不法ヲ鳴ラシ團員ヲ詰束シテ仮政府内務部ヲ襲撃シタリ一時彼等ノ勢力ハ隆々タリト雖一蹶振ハス党與次第ニ四散シ羅ノ如キハ遂ニ純然タル党徒トナレリ然レトモ鉄血團襲撃ノ為仮政府ノ鼎ノ軽重ヲ問ハレ昔日ノ聲望ナク加之ルニ朝鮮ヨリノ資金絶ヘタルヲ以テ結果財政窮乏シ困厄名状スヘカラス茲ニ於テカ不平ノ聲愈々高ク内訌益々甚シク政府部内全ク統制ヲ失ヒ李東輝、安昌浩以下領袖各私党ヲ作リテ互ニ相拮抗シ主義ノ抗争感情ノ衝突金銭ノ奪取日ニ露骨トナリ殆ント拾収スヘカラス於茲大統領李承晩ハ調停ノ労ヲ執ラムカ為ニ布哇ヨリ上海ニ来リ「部内ノ統一ヲ急務トスルコト及財政ノ窮迫ハ自己ニ於テ救済スヘシ」トノ二大政綱ヲ提ケテ絶叫シタリト雖何等ノ反響ナシ大正十年一月仮政府ノ洪冕憙、李裕弼等ハ前記鉄血團員十数名吾人倶楽部員約三十名ト結束シ議政院会議ニ先ケ積弊打破ノ標榜ノ下ニ大ニ政府攻撃スルヤ不平者翕然トシテ之ニ呼応シ時局ハ益々紛糾セリ仮政府ハ國務院会議ヲ開キテ之カ対策ヲ講スルヤ李東輝ハ大統領制ヲ非難シテ議院制ニ改メムトシ李承晩、安昌浩ハ依然大統領制ヲ固執シテ譲ラス李東輝ハ又仮政府ヲ西比利ニ移サムコトヲ提議シ亦李承晩之ニ反対セルヲ以テ李東輝ハ憤然南京ニ去リ文武両派全ク乖離セリ而

シテ李承晩ノ聲明ハ事毎ニ齟齬スルノミナラス財帑缺乏ノ際彼ニ何等ノ策ナキヲ以テ衆彼ヲ無能トナシ不平党ノ攻撃益々猛烈ナリ

不平党ニ二派アリ一ハ政府ヲ顛覆スヘシト為スモノニシテ金立、元世勲、李漢永、張健相、金在喜、金科奉、金德、盧武寧、金萬鎌等之ニ率ヒ他ハ政府ヲ改造スヘシト為スモノニシテ崔昌植、李光洙、李喜儆、王三德、洪冕憙、李裕弼等ヲ領袖トス而シテ彼等カ政府攻撃ノ要点ハ「閣員ノ野鄙的行動、李承晩ノ委任統治提唱、閣員カ各自徒党ヲ樹テ地方的感情ニ流レ毫モ公共的義務心ナク財政ノ運用亦當ヲ得ス随テ独立運動ハ漸次退歩ヲ来セリ」ト云フニ在リ當時朴容萬ハ北京ニ在リテ國民代表會ヲ開キテ上海不平團ト連絡シ聲討文ヲ発シ且仮政府ニ對シ一切ノ書類引渡ヲ要求シテ之ニ依リ現閣員ノ非行不始末ヲ摘発シ攻撃ノ材料ニ供セムト呼號シタルヲ以テ上海不平党ノ気勢愈々高ク李承晩ハ二月中旬頃議院制ヲ採用セムトスルノ意アルコトヲ仄カシ以テ民心ノ緩和ヲ図リシモ激昂セル不平党ハ事茲ニ至リテハ李承晩、安昌浩ノ退職ヲ見サレハ止マスト稱ヘ元世勲、王三德、劉礼均等発起トナリ國民大會開會ノ準備會ヲ組織シ激越ノ辭句ヲ綴リテ政府ヲ罵倒シ盛ニ印刷物ヲ頒布セリ仮政府ハ偶々該発企者トシテ安東瓚、崔東植、朴殷植等ノ署名ヲ見テ之等ヲ詰責シ仮政府警務局長金亀等ハ朴殷植及其ノ子始昌ヲ殴打シテ侮辱ヲ加フルヤ紛争ハ愈々激甚トナレリ李承晩ハ止ム

ヲ得ス仮政府職員全部辞表提出ヲ命シ又李東輝ノ復職ヲ慫慂シ以テ不平ヲ緩和セムトセルモ成功セス鉄血團ノ残党ハ名ヲ正救團ト改メ三月一日長文ノ政府攻撃文ヲ印刷配付シタルヲ以テ仮政府ハ全ク無援孤立ノ状態ニ陥リ而シテ金奎植、盧伯麟等ハ時局紛糾ノ原因ハ李承晩ノ委任統治提唱ニ在リト為シ速ニ引責辞職スヘキヲ勧告セルヲ以テ李承晩ハ最後ノ窮策トシテ三月中旬李東寧、申圭植等ヲシテ協議會ト稱スル政府擁護ノ一團体ヲ設ケシメ黄中顯、尹琦燮、趙琬九ノ輩ヲ陣頭ニ立タシメ「現政府ヲ信任セス閣員ヲ排斥スルモ後継者難ヲ如何ニセント況シヤ内部ノ和合ヲ欠キ敵ヲシテ其ノ隙ニ乗セシムルノ愚ヲ學フハ絶対ニ不可ナリ」トノ趣旨ニ依リ同志糾合シ屢々演説會ヲ開キ又ハ宣傳ビラヲ撒布シ或ハ仮政府幹部ヲ招待シテ宴會ヲ開キ大ニ政府擁護ニ努ムル所アリ又「一、臨時政府ヲ絶対ニ擁護スルコト二、光復ノ精神ト協進主義ヲ鼓励スルコト三、國税ノ納入ヲ励行スルコト四、軍事ノ服習ヲ督進スルコト」ノ四項ヲ綱領トセル宣言書ヲ発表シタリト雖気勢甚タ昂ラス反之反対党ノ勢力日ニ加ハリ安昌浩以下時局紛糾ノ原因ハ李承晩ノ委任統治ノ提唱ニ在リト攻撃スルニ至レリ此ノ時ニ方リ李東輝ハ南京ヨリ帰来シテ窃ニ時機ヲ窺ヒ金若山等ハ北京國民大会促進會及北京青年團ノ代表者トシテ突如上海ニ入リ不平者ト結束シテ将ニ非常手段ニ出テムトセルヲ以テ形勢頗ル険悪ナルモノアリ

李承晩ハ偶々議政院ヲ召集シ定員ニ満タサルニモ拘ラス五月二日
ヲ不適法ナカラ會議ヲ開キ李承晩ハ議員ト共ニ
「日米ノ関係極端ニ疎隔シツツアル折柄須ク現状ヲ
維持シ以テ機會ヲ待ツヘシ」トノコトヲ議決シ控除ノ
血路ヲ求メシト畢北京國民大會ハ議政院ニ対シ定
數ニ充タサル會議ニ一部鮮人ノミヲ以テスル會議ハ
二千万同胞ノ民意ニ反シ國賊的行為ナリトシ李承
晩ニ対シテハ速ニ引責辭職スヘシト電請シ来レリ
偶々當時政府反対派タル國民代表會ハ激昂ノ結果二派
ニ岐レ一ハ政府派領袖ノ首級ヲ屠リタル者ニ対シ
懸賞ヲ與フヘシト論シ一ハ之ヲ否トシ彼等ハ内訌
ヲ生シ自ラ頓挫セリ然レトモ形勢険悪ナルカ故ニ
安昌浩ハ五月七日突如労働總辨ヲ辭シテ野ニ下リ
呂運亨ト共ニ國民代表會開催ヲ論シ民意ヲ徴スル
処アリ茲ニ於テ李承晩ハ到底難関ヲ脱スル道ナキ
ヲ覚リ五月十九日米國ニ向テ逃走セリ
李承晩逃走後ハ申奎植依リテ國務總理ヲ摂スト雖
実権已ニ仮政府ニ存セス安ハ國民代表會ニ熱中シ
是非九月十五日頃ヲ以テ開催セムト焦慮シ之カ準
備委員トシテ上海側ヨリ金奎植、元世勲、呂運亨、尹
顕振、李鐸北京側ヨリハ朴建秉、崔穆ノ両名出席
シタリ既ニ國民代表會ト称ス●仮政府ノ実権ナキ
ヲ証スルモノナリ
安昌浩ハ李承晩ノ委任統治ヲ非難セルモ金奎植等
ハ更ニ安ハ曩ニ李承晩、鄭漢景等ノ委任統治請願ニ
賛成ノ意ヲ表セリトシテ其ノ反覆ヲ非難シ安ハ興
士團ヲ提ケテ自ラ護ラムトスルヤ北京青年團ハ一
挙ニ之ヲ打破セムトシ南北抗争ノ観アリ更ニ協議
會ハ尹琦燮、張鵬、申翼熙、申奎植等李承晩ノ密旨ニ従
フテ秘密ニ左ノ四方針ヲ決定シ以テ國民代表會ニ
対抗ヲ図ルヤ玄楯（一度米國公使ニ任セラレタルモ李承晩ノ為メ免職セラレタル者）ハ窃ニ
此ノ内情ヲ探知シテ之ヲ北京朴容萬ニ内通シ「米國
政府ニ對シ委任統治請願ノ取消ヲ申込ムヘク」從慂
シ朴容萬ハ駐支米國公使ヲ経テ之カ取消願ヲ米國
政府ニ提出セリト云フ

記

イ、絶對ニ現政府ヲ維持スヘク李承晩ハ渡米ノ上
極力金銭運動ニ努ムルコト
ロ、上海仮政府ヲ將来米國ニ移スコト
ハ、申奎植ハ支那人方面ニ有力ナル連絡アルヲ以
テ同人ハ國務總理ノ職責ヲ以テ充分ノ活動ヲ
継続スヘク全権ヲ與フルコト

斯クシテ文武両派畿湖平安ノ対抗ノ外不平党対仮
政府幹部、國民代表會対政府擁護派等ノ党争相踵キ
且各党ノ中更ニ党ヲ樹テ派ヲ分チ軋轢排擠到ラザ
ルナシ加之金銭欠乏其ノ極ニ達シ甚シキハ妻子ヲ
遺棄シテ逃走スルカ如キ状ナルヲ以テ黄白ノ有無
ハ直ニ勢力ニ関係シ党員ノ異動多クハ金銭ノ多寡
ニ決セラルルノ状況ニシテ殆ト節義情操地ヲ掃フ
テ人事ノ轉変真ニ驚嘆ニ値ストニフ
但今回米國ノ提唱ニ依リ太平洋會議開會ノコト決
スルヤ彼等ハ好機逸スヘカラストナシ再ヒ握手シ

テ一大活動ヲ始メ以テ萎微セル独立運動ヲ復活シ該會議ニ対シ朝鮮ノ独立ヲ要求シ局面ノ一轉ヲ展殺セムトセリ茲ニ於テ使ヲ各方面ニ派シ米國朝鮮上海ニ於テ相策應シテ運動セムト企テ多少内訌休ミタルカ如シト雖會議ニ派遣スヘキ代表者ノ選定ヲ争フテ容易ニ決セサルノミナラス復ヒ内訌ヲ生スル形勢アリ加フルニ之カ費用ニ苦ミ懊悩焦慮ノ状スヘカラサルモノアリト云フ

左ニ仮政府幹部ノ異動竝ニ党派別ヲ略記スレハ別表ノ如シ

上海ニ於ケル各種團体

一、民團　露飛路第三〇七號

民團長	梁瀗		
總務	康景善		
常議員	韓鎭教	徐丙浩	李祐弼
	金仁全	張鵬	鮮于爀
	金泰淵	金淳愛	安秉瓚
	尹琦燮	金龜	金弘叙
	呂運弘	都寅權	崔昌植
	金元慶		

備考　臨時政府ノ規定セル居留民團規則ニ基キ設立

二、仁成學校　康寧里二號　セルモノニシテ政府系統ニ属ス

校長	呂運弘
教師	金元慶
仝	尹宗植
仝	金泰淵
生徒	二、三十名

備考　主トシテ上海在住不逞鮮人ノ子弟ヲ収容シ居レリ

三、愛國婦人會　政府系統　民團内

會長	金元慶
副會長	李信愛
財務部長	李華淑
會員	約五十名

備考　政府系統ト認メラル

四、大韓紅十字會　民團内

會長	李喜儆
副會長	安定根
顧問	李承晩
同	李東輝
同	安昌浩
同	文昌範
監事	玉觀彬
同	金泰淵

在上海僭稱臨時政府及民團幹部異動一覽表

年	月	大統領	執政官総裁	國務總理	内務総長	仝次長	外務総長	仝次長	法務総長	仝次長	財務総長	仝次長	軍務総長	仝次長	交通総長	仝次長	學務総長	仝次長	勞働総辨	議政院議長	仝副議長	民団長
大正八年	四月十日			(黄海)李承晩	(平南)安昌浩	(京畿)申翼熙	(京城)金奎植	(京城)玄楯	(京城)李始栄	(慶南)南亨祐	(咸北)崔在亨	(咸北)李春塾	(咸北)李東輝	(京城)曹成煥	(咸北)文昌範	(平北)鮮于爀				(忠南)李東寧	(平南)孫貞道	(京城)呂運亨
	仝三十日			(忠南)代理李東寧											(不就任)					(平南)孫貞道	(忠北)申圭植	
	六月		(咸北)李東輝	(平南)代理安昌浩	(忠南)李東寧		(江原)朴容萬				(京城)李始栄		(黄海)盧伯麟				(京城)金奎植		(平南)安昌浩			
	七月		(廃止)				(不就任)		(忠北)申圭植	(京畿)申翼熙		(慶南)尹顕振		(咸南)李春塾		(全南)金澈						
	九月	(黄海)李承晩		(咸北)李東輝				(慶南)張建相														
	十一月			(九、六、二〇 辞退)		(慶南)李圭洪		(平南)鄭仁果										(咸南)李春塾				
大正九年	二月													(平南)金羲善				(九二一 辞任)				
	五月													(九二五 辞退)								
	七月			(咸北)李東輝?																		
	九月							(京畿)申翼熙		(京城)安秉瓚											(忠南)金仁全	
	十一月									(九、一一、二 辞退)					(慶南)南亨祐							
	十二月																					(京城)張鵬
大正十年	三月			(忠南)代理李東寧																		
	四月																					(忠南)洪冕憙
	五月			(忠北)代理申圭植		(京城)趙琬九		(平南)李喜儆						(京城)尹琦燮	(平南)孫貞道					(忠南)洪冕憙	(平北)趙尚燮	(京城)梁濬
	六月																	(忠南)金仁全	(京城)代辨李始栄			
	七月											(平北)李裕弼										
	八月	(黄海)李承晩		(忠北)代理申圭植	(忠南)李東寧	(京城)趙琬九	(平南)代理李喜儆	(平南)李喜儆	(忠北)申圭植	欠	(京城)李始栄	(平北)李裕弼	(黄海)盧伯麟	(京城)尹琦燮	(平南)孫貞道	(全南)金澈	(京城)金奎植	(忠南)金仁全	(京城)代辨李始栄	(忠南)洪鎮	(平北)趙尚燮	(京城)梁濬

理事　徐丙喆

備考　但ヶ赤十字ヲ標榜シテ不逞資金ヲ得ントスルノ手段ニ出ツ政府派ト認

五、大同團

總裁　金嘉鎮

理事　羅昌憲

備考　大正九年五、六ヶ月頃別働隊トシテ鐵血團ナルモノ組織セラレ政府ニ對シ反對ノ旗幟ヲ飜シタルモ目下本團ハ無勢力ノ状態ニアリ

六、獨立新聞

主筆　趙東祐

備考　臨時政府ノ機關新聞（獨立報ヲ改題）

七、新生活

主筆　金萬謙

記者　金河球

備考　過激派機關紙李東輝派

八、興士團

團主　安昌浩

主義　修養無盡（言守秘密）

團員　約三十名

備考　安昌浩在米當時ノ創設ナシテ平安黄海道出身ノ者ヲ網羅シ相當勢力ヲ有ス

九、新大韓同盟團

團主　南亨祐

副團主　申采浩

團員　約四十名

備考　過激急進派ニシテ朴容萬、李東輝系ニ屬シ江原慶尚全羅道出身者ヲ網羅ス大正八年創立

一〇、勞働黨

主務者　呂運亨

黨員　約百名

備考　大正九年十月頃安昌浩ノ興士團ニ對抗シテ生レタルモ色彩極メテ不鮮明ナリ京城出身者ヲ中心トシ各道ノ者アリ李東寧、李始榮、申翼熙等ノ後援アリ

一一、大宗教

教務者　申奎植

主義　檀君尊崇

團員　約二十名

備考　京畿道忠清道出身者中多年支那ニ在留シタル者ヲ以テ組織ス

一二、新韓青年黨

主務者　金奎植

副主務者　金澈　韓松溪

主義　獨立宣傳

團員　約三十名
備考　大正八年創立元機関雑誌「新韓青年」ヲ発行セシモ廃刊セリ園員ハ漸次興士社團ニ轉入スル傾アリテ目下衰勢ヲ示ス

一三、東洋平和團
團長　孔仁
主義　鮮人ノ教育振興
團員　約十名
備考　大正九年十月頃創立目下勢力無シ

一四、耶蘇教會
牧師　金東祚
主義　耶蘇教ヲ利用シテ獨立運動宣傳
教徒　約六十名
備考　大ナル勢力ナキモ注意ヲ要ス

一五、留日學生親睦會
主査　申翼熙
主義　日本ニ留学セル者ノ親睦ヲ標榜スルモ不逞行動ニ對スル後援的性質ヲ有ス
團員　約五十名
備考　大正八年創立無気力ニシテ不熱ナルノ観アリ

一六、昌復團
團長　金聲根
主義　危害行動
團員　約十名
備考　大正八年ノ創立ニシテ朝鮮各地ノ官署及重要人物ノ破壊暗殺ヲ目的トシ併セテ團員ノ養成ヲ行フモ近来志願者ナシト

一七、青年團
團長　任在鎬
主義　獨立運動援助
團員　無
備考　勢力皆無

一八、消毒團
團長　孫斗煥
主義　社會ノ不正者ヲ消毒ス
團員　約五十名
備考　大正八年創立平安南道出身者ヲ中心トシ其他各道人アリ

一九、鐵血團
團長　盧武用
幹部　羅昌憲　金基源　金載熙
主義　假政府
團員　約四十名
備考　大正九年五月創立京畿道江原出身者ヲ中心トシ其他

二〇、正敎團　各道ニアリ目下勢力不振

二一、協誠團　鐵血團ト略ボ其ノ内容ヲ同フス

主宰　尹琦燮
仝　趙琓九
仝　黄中顯
主義　政府擁護
團員　百二十九名
備考　大正十年三月創立假政府幹部ヲ中心トス

二二、義勇團

團長　孫貞道
主義　假政府幹部身邊保護
團員　約二十名
備考　西鮮派ヲ中心トシ大正九年末頃創立

二三、吾人俱樂部

主宰　洪冕熹
主義　社會共産主義
黨員　四十名
備考　南鮮派ノ色彩アリ

二四、新韓文化同盟黨

團長　呂運亨
主義　朝鮮人文化向上獨立期成
團員　二、三十名
備考　米國共産黨ト聯絡アリト

二五、社會黨

主宰　李東輝
主義　過激派
團員　同派員全部
備考　北鮮派ヲ中心トシ腹心ノ部下ヲ網羅ス

二六、義烈團

團長　金元鳳
後援者　張建相　金在善
　　　　李小山　金大地
主義　冒險團ニ仝シ
團員　目下勢力ナシ

二七、中韓親友會

會長　申圭植
顧問　朴殷植
主義　支那人ト提手
團員　四五十名
備考　努力ノ結果ニ依リ漸次勢力ヲ得ツヽアリ排日支那人ノ賛同スル者多少アリト云フ

二八、ハインスベクト俱樂部

主宰　李英黨
主義　政府擁護

團員　四十名

三、在上海假政ガ全鮮民ノ代表機関ニ非ザル事ヲ証スルニ足ル事實
大正八年四月京城ニ於テ執政官以下ヲ選ビタルハ是レ二三子ノ私選セルモノニシテ何等ノ権原ナク又人民ノ投票若クハ総會ノ決議等ニ基クモノニ非ズ要之私製私選ナリ全年五月上海ニ於テ安昌浩等ノ製造セル假政府ノ組識及人選モ亦同ジ六月ノ改選モ八月ノ大統領制モ亦少数者ノ擅ニ制定選任セルモノナリ隋シテ政府ト称スルモ鮮人之ヲ承認セルニ非ズ帝国之ヲ認ムルニ非ズ列国之ヲ承認セルニ非ズ朝鮮人自ラ彼等ヲ称シテ不逞鮮人ト称スルガ如キハ彼等ヲ以テ正當ナラサル者即チ匪徒トシテ處遇スル事ヲ証スルモノナリ、

不逞鮮人ハ強盗ヲ為サンガ為ニ假政府ト連絡アル團体ヲ製造シ印顆ヲ刻ミ辞令書ヲ作リ自ラ官職ヲ冒認スル事ヲ常トス何人モ彼等ヲ承認セル事ナク要スルニ自擅ノ僭称ナリ、

元来李承晩、李東輝、安昌浩、李東寧等落伍者前科者失意者等ニシテ平常朝鮮ニ於テ輿望ヲ荷ヘルモノニ非ズ師表ト仰ガル、モノニ非ズ從ッテ彼等ニ政治ヲ托セントスル意志アルモノナク彼等ハ風雲ニ乗シテ可ニ宣伝ヲ為シテ野郎自大ヲ強賣セルモノト言フモ不可ナシ愚昧ノ朝鮮人ハ孫東熙ヲ大統領タラシメントスル希望アリ然レドモ孫ノ如キ到底識者ノ賛同ヲ得ル能ハズ、

又前表示ス如ク各総長次長以下屢々交迭セリト雖モ其ノ交迭ノ如キ極メテ乱暴ニシテ不逞者ト雖モ必ラズシモ之ヲ認知セズ

仮ニ上海ニ在リシ者合理的ニ憲法ヲ制定シ官吏ヲ選任セリトスルモ上海及海外在住者ハ僅ノ少数ニシテ鮮内ニ在ル千七百万人ノ周知スル処ニ非ズ故ニ彼等自カラ僭シテ官吏ト詐称スルモ何等朝鮮千七百万人ノ代表機関ニ非サル事明白ナリ否朝鮮人ハ彼等不逞輩濫ニ武器爆弾ヲ携帯シテ鮮内ニ入リ良民ヲ脅迫シテ財産ヲ強奪シ甚シキハ殺人ノ残虐ヲ敢テスルヲ以テ非人道的團体トシテ彼等ヲ社會ノ公敵ト看做シツヽアリ
彼等モ亦其ノ罪ヲ自覚スルガ故ニ哀ヲ乞フテ帰

帰順ヲ嘆願シツヽアリ若シ彼等ニ正當政府ノ自信アラバ何ヲ苦シデ投誠帰順ヲ衷訴セシヤ。

四、在米不逞鮮人ノ運動ニ對スル一般鮮人ノ感想

獨立運動勃發以来李承晩、盧伯麟、徐載弼、玄楯、鄭漢景等ノ如ク米國ニ在リテ大ニ活動シ外交ハ勿論同國内ニ於ケル獨立宣傳及公債募集、愛國金收合ニ瘁シタル事蹟ニ對シテハ所謂親米派鮮人主トシテ基督教徒ハ當初多少感謝ノ意ヲ表シタル者ナキニアラサルヘシト雖一般鮮人ニ於テハ全ク彼等ノ消息ニ通セサル爲メ何等ノ感想ヲ有セス客年末来李承晩、金奎植、盧伯麟等相次テ上海ニ来リ仮政府前外務次長タリシ玄楯其ノ後ヲ承ケテ委員長トナリ諸般ノ指揮ヲ執ルヤ鄭翰景、徐載弼等之ヲ快トセス既ニシテ玄楯ハ上海仮政府ニ對シ對米外交ノ緊急ヲ申報シ日米開戦ノ風評ヲ利用セシコトヲ乞フニ及ビ李承晩之ヲ容レテ玄楯ヲ駐米公使ニ任命スルヤ鄭徐両名ハ玄楯ニ公使任命ノ辞令ヲ交付セサルノミナラズ曩ニ玄楯ガ委員部保管金中ヨリ千五百余弗ヲ横領費消セル事實ヲ摘發シテ之ガ回収訴訟ヲ提起セリ暫クニテ玄楯職ヲ免セラレ鄭徐ハ彼ニ旅費ヲ給シテ米國ヨリ帰還セシメタリ又李東輝金立等露國過激派ヨリ巨額ノ金ヲ得ルモ之ヲ仮政府ニ提供セスシテ自ラ之ヲ着服シ大ニ物議ヲ醸セル事實アリ其他鮮内ニテ所謂軍資金ヲ募集セシ者概ネ之ヲ横領スルヲ例トスルヲ以テ此等ノ醜悪ナル事實漸ク社会ニ周知セラルルニ及ビ世人漸ク志士ト称スル不逞者ノ非事醜行ニ驚キ又彼等ノ和衷協同ノ徳ヲ缺キ排擠誹謗スルニ齷齪シツヽアリ而シテ彼等ノ宣言悉ク反古ニシテ何等實現セサルヲ見其心事ヲ疑ヒ其實力ヲ蔑視シ復期待スル所無シ

五、所謂独立運動資金募集ニ対スル一般ノ感想

大正八年三月騒擾勃発以来ハ鮮内ノ民心恟々トシテ物情極メテ騒然混雑ノ裡ニ一年ヲ過シタリ仮政府ノ派遣セル愛国金収合委員六七月ノ頃ヨリ鮮内各地ニ潜入シテ富豪ヲ脅迫シテ独立運動資金ヲ強奪シ或ハ不穏ノ言動又ハ文書ノ頒布ニ依リ青年学生輩ヲ煽動シ以テ其非行ヲ援助セシメタリ翌九年ニ入リテ民心漸次安定シ警察威力次第ニ加ハルニヲ以テ良民徒ニ独立ノ美名ニ藉リテ金品ヲ強奪スル不逞輩ノ慣用手段ニ乗セラルヽナキニ至レリ次テ人民自ラ進ミ自衛団ヲ作リ官憲ト協力シテ警戒ニ従事スルニ至リ従来時局ヲ標榜セル匪賊タル強盗ノ如キ忽ニ逮捕セラレ民心全ク安定セリ十年ニ入リテハ僅ニ国境方面ノ一部ヲ除クノ外ハ全部一帯ニ亘リ殆ント所謂独立運動資金募集員若ハ時局ヲ標榜スル強盗ヲ見ス殆ド今初期ヨリ最近ニ至ルテノ感想ヲ叙スレハ概ネ左ノ如シ

(イ)初期ハ大正八年中

大正八年三月騒擾勃発以降人心未タ安定ヲ欠キ思想混沌トシテ朝鮮ノ独立ニ関シ半信半疑ノ間ヲ往来シ居リ去就ニ迷ヒツヽアル状況ナリシカ此時期ニ当リ上海仮政府愛国金収合委員ノ証ヲ携帯セル所謂独立運動資金募集員ナル者鮮内各地ヲ徘徊シ富豪ヲ脅迫シ或ハ種々不穏文書又ハ飾エル不穏言動ヲ弄シ青年学生輩ヲ煽動シテ巧ニ所謂独立資金ヲ募集ヲ為シ表面僭称政府ニ送金スルカ如ク装ヒ裏面ニ於テハ酒食ノ資ニ充テタル者ナラサルハ左記第六項背任事實ノ項ニ記載セル通ニシテ要スルニ彼等ハ時局ヲ種ニ一儲セムトシ又ハ酒食ノ資ヲ得ントスル扶雑ノ氣賊輩ナルカ其手段方法カ巧妙ナルト又時局柄民心不安ノ時ナルニヨリ動モスレハ彼等ノ慣用手段ニ乗セラレタル者モ尠カラサリシカ人心漸ク平定ニ向ハントスル同年末ニ至リテ一般ハ朝鮮独立ノ望ナキコト、仮政府ノ無為無能ニシテ叉リ浮浪輩カ生活ノ資ヲ得ル目的ヲ以テ時局ニ標榜シ勝手ニ設立シタルモノナルコトヲ覚知セルモノヽ如ク不逞輩ノ運動資金強要ノ脅迫ニ容易ニ應スルモノナキ傾向ヲ生セリ

(ロ)中葉ハ大正九年中

鮮内人心ノ平静ト仮政府ノ内容暴露ニ依リ資金ノ募集不能トナルニ至ルヤ所謂仮政府派遣ノ資金募集員ハ茲ニ兇悪ナル強盗殺人犯ト化シ所在ニ惨憺忍ナル所為ヲ敢テシ金品ノ略奪ヲ試ムルニ至レリ以上一般人ハ所謂運動資金募集員ニ対シ憎悪ト反感ヲ激発シ彼等ヲ蛇蝎視スルニ至リ啻ニ資金ノ募集ニ応セサルノミナラス里民ノ間ニ自衛団ヲ組織シテ彼等ノ来襲ニ備ヘ犯罪事實ヲ密告スルノミナラス却テ賊ヲ逮捕シ(別紙咸鏡南道報告寫添付)之ヲ警務官憲ニ引渡スニ至レリ由来朝鮮ハ犯罪申告ヲ厭フノ風習アリ犯罪捜査上最モ遺憾トナシツヽアル處ナリ然ルニ部

洛民カ各自一致シテ自衛團ヲ組織シ進テ犯罪ノ串告ヲ為シ賊ヲ逮捕スルカ如キ現象ハ奇トスルニ足ラス又以テ一般民カ如何ニ軍資金募集運動ヲ嫌悪シツヽアルカヲ立證スルニ足ラム

(八)最近(大正十年中)警務官憲ノ厳密ナル取締ト一般民心ノ自覚トニヨリ本年ニ入リテハ國境方面ノ平安北道及咸鏡南道ニ斯速ノ如ク對岸亂賊ノ借入アルヲ除クノ外鮮内地ニ所謂独立運動資金募集ナル者ノ徘徊スル者ナキヲ以テ之ニ對スル感想トシテ記スヘキ事項ナシ

平安北道ノ状況ニ関シテハ前項ト大差ナキヲ以テ之ヲ記セス

六所謂独立運動資金募集者ノ背任事實

上海仮政府ハ當初愛國金收合委員ナルモノヲ設ケ一定ノ證票ヲ携帯シテ鮮内ニ入ラシメ所謂独立運動資金ヲ募集セシメ若シ任意ニ財物ヲ提供セサル者ニ對シテ往々脅迫シテ強奪セリ仮政府ノ優勢ナリシ頃ハ任意寄付者尠カラサリシモ其衰フルニ及ヒ短銃ヲ以テ脅迫スルコト甚タシク此等独立資金募集業ノ有利ナルヲ見ルヤ無頼不逞者相踵テ名ヲ独立運動ニ藉テ資金強奪ヲ敢テスルニ至リ由来鮮人ハ私利ヲ先ニシ公益ヲ後ニス募集金ノ仮政府ニ入ルモノハ十ノ一ニ足ラス私嚢ニ入レ遊興ノ資ニ費スヲ例トシ況シヤ純粋私利ノ為ニ募集スルモノ、如キハ全然仮政府ニ送ラルヽコトナシ大正九年二月仮政府財務總長ノ発シタル財務部布告第一號ノ如キ最モ的確ノ例証ナリ（別紙参照）總督府ニ於テ調査シ得タル主ナル實例ヲ擧クルモ實ニ左記ノ通リニシテ其背任行為ハ真ニ驚クヘキモノアリ

イ、平安北道義州郡枇峴面弘希洞金希山又ハ金鐸事金秉學ハ大正九年二月頃ヨリ五月頃迄ノ間義州、鉄山、宣川ノ各郡ニ於テ独立資金約五萬圓ヲ募集シ曽テ独立團又ハ上海仮政府ニ提出セシコトナキヲ以テ支那地不逞鮮人等ハ彼ヲ銃殺スヘシト稱シ専ラ其所在ヲ捜索中ナリト尚ホ金秉學ニ對シ金員ヲ支出セシ各地ノ鮮人ハ大イニ憤慨シ居ルモ之ヲ官憲ニ訴出スル譯ニモ行カス胸中頻ル煩悶シ居レリト

ロ、大正九年四月十八日北間島軍政署員朴文順以下二十名ハ延吉縣八浦江ニテ独立資金募集中ナル不逞鮮人九名ヲ捕ヘ独立軍ニ名ヲ藉リ私腹ヲ肥スモノナリトテ之ヲ殺害セリ

ハ、独立團韓國文團檢察長李秉裕ハ大正九年中平北楚山郡南面新村放火行為ニ参加シタルモノトハカ楚山郡東面地方ニテ資金三、四百圓ヲ強募シタルモ独立團ニ納付セス私腹ヲ肥シタルタメ大正九年陰十一月八日韓安縣霸王樹ニテ同志ノタメ殺害セラレタリ

ニ、借稱楚山郡厳金文燕ハ豫テ募集シタル独立資金五千圓ヲ携帯シ大正十年一月上海ニ向フ途中安東縣ニ四月初旬迄滞在シ所持金全部ヲ費消シ行

衛不明トナリタリト云フモ一説ニハ金二千圓ヲ
支那人某ニ預ケ置キ奉天方面ニ逃走シタリト、

ホ、支那寛甸縣地方不逞鮮人等ハ大正十年三月頃團体ニ入ラス單独ニテ軍資金ト稱シ金品ヲ強募スル者アルタメ光復軍憲兵隊ニ於テハ盛ニ之等ヲ検挙シ銃殺ニ處シツヽアリ、

ヘ、支那寛甸縣小雅満金龍洞ハ大正十年三月末頃移住鮮人ヨリ多額ノ金員ヲ徴収シ之ヲ着服セシコト発覚シ五月二十五日頃全縣下漏河ニ於テ同志ノタメ射殺セラル

ト、在支那長白縣独立軍備團評議員兼軍資金募集員鄭二星ハ十年四月頃臨江縣七、八道溝又長白縣十一道溝地方ニテ募集セシ軍資金八百余圓ヲ私消セシコト発覚團内ノ信用失墜シ近ク射殺セラルヘシトノ風評アルタメ撫松縣方面ニ逃走シタリト

チ、最近迄米國ニ在リテ独立資金募集中ナリシ当時駐米公使玄楯ハ自已ノ保管ニ係ル独立資金中ヨリ千五百余弗ヲ費消セルヲ十年四月頃同僚鄭翰景ノタメ発見セラレ公使ヲ免シ東洋ニ送還セラレタリ

リ、在間島不逞青年團検察員金昌緬ハ十年五月頃移住鮮人ヨリ金員ヲ強奪シ之ヲ團長ニ納付セス費消シタル廉ニ依リ検察員ヲ免セラレタリト

ヌ、在露領不逞鮮人領袖文昌範ハ十年七月頃義兵九千名ヲ有スル共産黨ナリト自稱シ朝鮮人及露國人ヨリ独立資金三萬五千円ヲ募集着服シタルコトヲ同僚範圍ニ察知セラレ洪ハ升外政府ニ密告シタル處直ナニ銃殺スヘシトノ命令アリシモ同志ノ懇願ニ依リ漸ク放免セラレタリト、

ル、在支那長白縣興業團募捐隊長金元瑞ナル者ハ各地ニテ多額ノ資金ヲ強募シタルモ上納セサルタメ十年八月頃上海仮政府ハ本人ニ對シ死刑ヲ宣告シ之カ執行方ハ軍備團ニ下命シタリト、

財務部布告第一號

今時宜ノ利弊ニ鑑ミテ従来ノ愛國金收合委員ノ制ヲ全廢シテ大韓民國二年三月一日ヨリ同委員ノ職ハ當然失職トナリ従テ信票ハ無效トセリ一般國民ハ此旨ヲ了解シテ今後愛國金ヲ納支スルトキハ當該官廳ニ直接スルカ或ハ團體ノ親信人ヲ經テ納支シテ民國元年發行ノ獨立公債ニ應募スルヲ可トスヘシ

大韓民國二年二月二十四日

財務總長　李始榮

七、不逞鮮人ノ非人道的行為

鮮人ニハ残虐性アリ又脱線性アリ一度常軌ヲ逸スレハ暴虐残忍轉タ人ノ心膽ヲ寒カラシム大正八年慶尚北道清道ニ於テ吽哆教徒ハ臨検セル警察官ヲ殺シ石塊ヲ以テ其頭部ヲ破砕セルカ如キ九年平安北道江界ニ於テ夫婦ヲ縛シ石油ヲ注キ生キナカラ家屋ト共ニ之ヲ焼キタルカ如キ真ニ酸鼻ノ極ナリ鮮人ハ同胞ノ残忍性ヲ知ルカ故ニ変乱ノ際ハ必ス妻子ヲ避難セシムルヲ例トシ古来ノ文書ハ戦禍擾乱ノ惨状ヲ記セサルハナシ之ヲ今回ノ時局ニ見ルモ彼等ハ七可殺ノ宣言ヲ発シ殺戮ヲ敢テシ其員数爆弾投擲事件九件殺傷ノ件数鮮内ニ於テハ大正九年中百二名十年二十九名鮮外ニアリテハ九年百七十四名十年九十七名計四百二名ノ多キヲ算ス被害者ハ概ネ鮮人ニシテ彼等ハ平然同族相屠レルモノナリ左ニ其ノ事例ノ主ナルモノヲ列記スヘシ

イ、爆弾投擲

大正八年九月二日斎藤総督赴任セラルルヤ姜宇奎ハ南大門駅頭ニテ爆弾ヲ投シ死者二名負傷者十餘名ヲ出セリ又九年八月平安南道警察部庁舎、同月平安北道新義州停車場九月同道宣川警察署及郡庁々舎、釜山警察署、平安南道江東警察署、同年咸鏡南道仲坪場警察署ノ八箇處ニ爆弾ヲ投セルアリ其他災害ヲ未然ニ豫防シ爆弾ヲ発見押收シタルモノ實ニ十二件六十八箇ノ多キニ及フ

2、人命殺傷

仮政府ハ其施政方針ニ「七可殺」ヲ掲ケ公然殺人ヲ標榜シテ残虐ナル（非人道的行為ヲ敢テセリ其）数鮮内ニ於テ大正九年ノ殺傷一〇二名十年二九名在外ニアリテモ九年ノ殺傷一七四名十年ハ九七名ニシテ九年ニ比シ十年ノ減少セルハ一ニ警察力ノ充實ト鮮内外民心安定ノ結果ナリ右ノ死傷ヲ區別スレハ左ノ如シ

(イ) 對内地人

内地人ニ對スルモノハ鮮内地ニ於テ大正九年死一〇、傷一四、十年死四、傷三罹災者ノ員数ハ警察官ナリ又鮮外ニ於テハ九年死九、傷一、十年死傷共皆無計死二三、傷一八、死傷合計四一名ヲ算ス

(ロ) 對朝鮮人

朝鮮人ニ對スルモノハ鮮内ニテハ大正九年死三八、傷四一、同十年死一六、傷六、鮮外ニアリテハ九年死一〇九、傷五六、十年死七九、傷一一、計死二四二、傷一一四、死傷合計三五六名ノ多キニ達セリ

(ハ) 對外國人

外國人ニ對スル非人道的行為ハ支那人ノミニシテ鮮内ニ於テハ大正九年中死一、鮮外ニアリテハ大正十年中死四、傷三、計死五、傷三、死傷合計八名ナリ尚甚シキハ大正九年八月米國議員團ノ来鮮ヲ機トシ平安北道對岸支那寛甸縣ニ根據ヲ有スル不逞鮮人團光復軍營決死隊長ト稱スル金栄哲外十餘名カ京城ニ侵入シ議員團ヲ南大門駅ニ擁シ之ニ爆弾ヲ投下シ議員ヲ殺害シテ朝鮮ノ独立ヲ企画スヘシト称シ密カニ計画ヲ続シツヽアルヲ事

前ニ探知シ首領金崇哲以下十数名ヲ検挙シ爆弾三個、拳銃三挺、弾丸百六十発ヲ押収シタル事件アリ。

爆弾投擲一覧表

年月日	場所	個数	摘要
大正八年九月二日	京城南大門駅頭	投擲 一	浦潮ヨリ来リタル姜宇奎総督暗殺ノ目的ヲ以テ将ニ貴賓室ヨリ発車セントスル総督並ニ随員乗用ノ馬車ニ爆弾ヲ投下シ死者二名負傷者二十餘名ヲ出セリ
大正九年七月六日	慶尚南道密陽	三	不逞鮮人郭在驥等ハ密陽ニ於テ大臣ヲ暗殺シ各官庁ヲ爆破スヘキ目的ヲ以テ上海ヨリ密輸セルヲ探知シ京畿道第三部ニテ発見検挙
同年九月二十日	同道金海郡東面武店里姜許根方	一三	郭等カ先ニ密輸シタリト称スルモ其所在不明ナリシカ捜査ノ結果遂ニ之ヲ発見ス
同年八月三日	平安南道第三部新築庁舎	投擲 一	爆破ノ目的ヲ以テ投擲セシモ僅カニ窓硝子ヲ破壊シタルノミ後犯人ヲ検挙ス
同年八月十三日	平安北道新義州停車場	同 一	破壊ノ目的ヲ以テ投擲セシモ僅ニ階段ノ一部ヲ損シタルノミ後犯人ヲ検挙ス
同年八月二十一日	京城	三	決死団長金栄哲外十余名ニテ米国議員団総督府鍾路署ニ投擲ノ目的ヲ以テ光復軍総営ヨリ派遣セラレタルモノ発見検挙ス
同年九月一日	平安北道宜川警察署及郡庁	投擲 二	宜川署受付口ヲ破壊ス 同郡庁土地台帳倉庫ニ投シタルモ不発
同年九月十四日	釜山警察署	同 一	朴載赫ナルモノ上海仮政府員ノ使嗾ニ依リ署務室ニ投ス署長微傷ヲ負ヒ犯人ハ重傷ヲ負フ即時犯人ハ検挙ス
同年九月十八日	平安南道江東警察署	同 一	何等損害ナシ十月十二日犯人ヲ検挙ス
同年九月二十四日	咸鏡北道清津	六	浦潮在住不逞者金鼎夏ノ教唆ニ依リ警察署其他ニ投スル目的ヲ以テ潜入セルヲ発見検挙ス
同年十月十二日	慶尚北道大邱	(ダイナマイト) 一	公団員ノ携帯セルヲ発見スルト共ニ犯人ヲ検挙セリ
同年十一月七日	咸鏡南道三水郡仲坪場警察署	投擲 一	不逞鮮人庁舎破壊ノ目的ヲ以テ投シタルモ不発ナリシ為被害ナシ
同年十二月十日 十二月十三日	平安北道鉄山郡西林面仁水洞 同竜川郡外上面安平洞	八 二	光復合団員朴光世ノ隠匿シタリシモノ六個ヲ道第三部捜査班ニ於テ発見押収ス 同団員金仁尚ノ隠匿シタルモノ同右
同年十二月二十七日	慶尚南道密陽警察署	投擲 二	密陽邑内南面崔敬鶴ナルモノ同署ヲ破壊スル目的ヲ以テ投擲ス第一不発第二爆発セシモ硝子窓ノ一部下ニ僅少ノ損傷ヲ与ヘタルノミ他ニ被害ナシ
大正十年一月三日	咸鏡南道三水郡三南面	(捕獲用) 二	九三水郡書目朴其俊ガ対岸ヨリ携帯帰来セルヲ発見押収ス
同年二月二十一日	咸鏡南道恵山鎮警察署	(自製粗造ノモノ) 二	同署員捜査班対岸二十三道溝ニテ不逞団ノ巣窟ヲ襲撃セル際発見押収ス

大正九年中時局ニ因ル遭難者道別一覧表

道名	種別	死 警察官	死 官公吏	死 人民	死 計	傷 警察官	傷 官公吏	傷 人民	傷 計	合計 死傷
京畿道	内地人	一	-	-	一	-	-	-	-	五
	鮮人	一	-	-	一	-	-	三	三	
忠清北道	内地人	-	-	-	-	-	-	-	-	一
	鮮人	-	-	-	-	-	-	一	一	
慶尚南道	内地人	-	-	-	-	一	-	-	一	二
	鮮人	一	-	-	一	-	-	-	-	
黄海道	内地人	-	-	-	-	-	-	-	-	三
	鮮人	-	一	-	一	一	一	-	二	
平安南道	内地人	三	-	-	三	-	-	-	-	五
	鮮人	一	-	-	一	-	-	一	一	
平安北道	内地人	二	一	-	三	三	-	一	四	六〇
	鮮人	五	七	一七	二九	六	-	一七	二三	
	支那人	-	-	一	一	-	-	-	-	
江原道	内地人	-	-	-	-	-	-	-	-	一
	鮮人	-	-	-	-	-	-	一	一	
咸鏡南道	内地人	-	-	-	-	三	四	-	七	一四
	鮮人	-	-	二	二	三	-	二	五	
咸鏡北道	内地人	一	-	二	三	二	-	-	二	一三
	鮮人	-	-	三	三	三	二	-	五	
合計	内地人	七	一	二	一〇	九	四	一	一四	一〇四
	鮮人	八	八	二二	三八	一三	三	二五	四一	
	支那人	-	-	一	一	-	-	-	-	
總計		一五	九	二五	四九	二二	七	二六	五五	一〇四

年月日	場所	種類 数	摘要
仝年四月二十二日	咸鏡北道茂山郡東面降仙洞	（銅鉄製竜甲形）二	北間島大韓国民会西部地方総人会ヨリ軍資金募集ノ為メ派遣セル安[illegible]ナルモノ携帯侵入シ山中ニ隠匿セシモノニシテ咸興警察署ニテ本人ヲ検挙シタル為メ発見押収ス
仝年五月二十七日	咸鏡南道元山府廣石洞山中	（仝右）四	齋藤総督ニ爆弾ヲ投セシ犯人姜宇奎ノ干係者安敦厚ナルモノ仝山林中ニ便器ニ入レ隠匿シアリシヲ発見押収ス
仝年六月十三日	咸鏡北道三水郡好仁面下岸風里	（仝右）一	端川郡出身李徳容ナル者ノ此対岸ヨリ侵入シタル際携帯セルヲ発見押収ス
仝年六月二十四日	平安北道新義州停車場	（仝右）一	仝駅構内下水溝改修ノ際土砂中ヨリ発見ス
仝年七月五日	咸鏡北道鏡城郡朱北面寶化堡	（鶏卵大捕獲用）二二	七月三日朱北面青稲洞ニ七八名ノ賊侵入シ洞民ヨリ金三百円ヲ強要シタル事実届出ニヨリ所轄駐在所ニ手配逮捕セルモノニシテ爆弾携帯犯人朱宗海外一八名ヲ逮捕シ爆弾ヲ押収

京畿ノ部

日時	場所	遭難者	員数 死	員数 傷	遭難ノ状況
八、五	開城東本町	人民		一	時局ヲ標榜シ軍資金ヲ強要シ棍棒ヲ以テ殴打シ軽傷ヲ負ハシム
八、一一	同	人民		一	時局ヲ標榜シ軍資金ヲ強要シ棍棒ヲ以テ殴打シ軽傷ヲ負ハシム
八、二二	開城郡青郊面裕陵里	人民		一	右同
一二、四	府内雲泥洞九七	巡査	二		護送中ノ近藤李刑事カ捕縛セムトセシニ犯人ハ隠シ持チタル拳銃ニテ射殺ス

忠北ノ部

日時	場所	遭難者	員数 死	員数 傷	遭難ノ状況
九、一〇	太田郡九側面新東里	人民		一	上海假政府員ナリト稱スル者来リ棍棒ヲ以テ李尚爾ヲ殴打在金ヲ強奪ス
					慶南ノ部
九、一四	釜山警察署	署長		一	事務室ニ公務用件アル如ク装ヒ署長ノ傍ニ近寄リ爆弾ヲ足元ニ投シ殺害セムトシ軽傷ヲ負ハス
一二、八	宣寧郡柳谷面漆谷里	巡査	一		挙動不審者連行中拳銃ニテ射殺サル
					黄海ノ部
八、一五	殷東郡	郡守	一		不逞鮮人ノ為ノ崔郡守ハ拳銃ニテ射殺セラル
					平南ノ部
七、三〇	安州郡燕湖面東四里	巡査	一		挙動不審ノ鮮人ヲ誰何シタルニ拳銃ヲ発射宮本巡査ヲ殺害逃走シタリ
八、三	平壌七星門外箕林里	巡査		一	道庁舎ニ爆弾ヲ投シタル不逞鮮人捜査中ノ横山巡査ヲ拳銃ヲ発射負傷セシメ逃走セリ
八、七	大同郡龍山面厚盧里	巡査	一		上記ノ場所ヲ通行中六名一団ノ不逞鮮人ノタメ拳銃ニテ射殺セラル(内地人)
八、九	平壌鏡齋里	人民		一	自動車運転手上記ノ場所ヲ通行中不逞鮮人拳銃ヲ発射シ負傷セシメ逃走セリ
八、二四	順川郡新倉面新四里	巡査	二		不逞鮮人ヲ誰何中拳銃ニテ射殺セラル
一二、七	順川郡舎人面安國里	巡査		一	午前四時頃順川署員ハ不逞團ノ潜伏所ヲ襲ヒ巡査一名負傷ス

3

平北ノ部

日時	場所	遭難者	員数 死	員数 傷	遭難ノ状況
三、一五	義州郡義州	巡査(死) 仝妻(傷)	一	一	金巡査宅ニ一名ノ不逞鮮人侵入拳銃ニテ巡査ヲ射殺シ妻ニ重傷ヲ負ハシ逃走セリ
三、一五	宣川郡台山面	面長(死) 面書記(死)	二		對岸不逞鮮人三名台山面事務所ヲ襲ヒ面長面書記ノ両名ヲ拳銃ニテ射殺シ公金約八〇〇円ヲ強奪逃走セリ
三、二〇	義州郡古館面東上洞	住民		一	元新義州署刑事巡査洪方ニ二名ノ不逞鮮人侵入拳銃ヲ発射負傷セシメ逃走セリ
三、二四	義州郡水鎮面	獣医	一		江口獣医出張途中對岸ヨリ侵入セル六名ノ不逞鮮人ノ為メ射殺セラル
五、七	義州郡古館面西下洞	住民	一	一	三名ノ不逞鮮人白成稷方ニ侵入拳銃ニテ白ヲ射殺シ其妻ニ負傷セシメ逃走セリ
五、一八	昌城郡新倉面檜徳洞	憲兵補	一		不逞鮮人一名巡察中ノ憲兵補ヲ拳銃ニテ射殺逃走セリ
六、四	朔州郡九曲面新安洞	巡査 住民	一	二	九名ノ不逞鮮人拳銃ニテ呉巡査ヲ射殺シ洪巡査及住民二名ヲ負傷セシメ逃走セリ
六、八	碧潼郡松西面	巡査		一	不逞鮮人三名拳銃ヲ発射負傷セシメ逃走セリ(鮮人)
六、一〇	昌城郡大倉面	面長	一		不逞鮮人三名ノ為メ拳銃ニテ射殺セラル
六、二五	碧潼郡鶴會面鶴下洞	巡査	一		不逞鮮人五名駐在所ヲ襲ヒ佐々木巡査ヲ拳銃ニテ射殺シ駐在所ニ放火シ死体ト共ニ焼燬逃走セリ
六、二五	碧潼郡碧潼	巡査	一		金刑事巡査偵邏中ヲ不逞鮮人二名拳銃ニテ射殺逃走セリ
七、三	亀城郡新市	住民		一	五名ノ不逞鮮人民家ヲ襲ヒテ放火シ住民一名ニ負傷セシメ逃走セリ(鮮人)

4

日時	場所	遭難者	員数 死	員数 傷	遭難ノ状況
七、三	義州郡古寧朔面大般洞	住民	一		七名ノ不逞鮮人洪應澤ヲ拳銃ニテ射殺シ民家四戸ニ放火逃走セリ
七、八	義州郡月華面化合下洞	住民	一		崔學奎方ヘ不逞鮮人三名侵入拳銃ニテ仝人ヲ射殺逃走セリ
七、一六	楚山郡江南面德山洞	住民	一		不逞鮮人朴英洙ヲ拳銃ニテ射殺逃走セリ
七、二九	朔州郡外南面萬石洞	區長	一		三名ノ不逞鮮人外南面事務所ヲ襲ヒテ區長崔之鉉ヲ拳銃ニテ射殺逃走セリ
八、七	平安南道价川郡内東面	巡査		一	寧邊署捜査隊上記ノ場所ニテ不逞鮮人捜索中断崖ヨリ墜落負傷セリ（鮮人巡査）
八、一二	義州郡王尚洞	巡査 住民		二	約三十名ノ不逞鮮人面事務所駐在所ヲ襲ヒ拳銃ニテ渡邊巡査及住民金炳化ニ負傷セシメ逃走セリ
八、一八	朔州郡惠山面料大洞	巡査	一	一	不逞鮮人ト衝突賊一名ヲ殪シ数名ヲ負傷セシメタルモ我赤川原巡査賊彈ノタメ死亡藤原巡査負傷セリ
八、二〇	朔州郡閭延面嘸洞	支那人	一		不逞鮮人五名ノタメ拳銃ニテ射殺セラレ現金及人蔘代價併セテ二百五十円強奪セラル
八、二五	昌城郡新倉面セウニウ洞	巡査		一	山田巡査被告押送ノ途中上記ノ場所ニ於テ二名ノ不逞鮮人ノタメ小刀ニテ負傷セシメラル
八、二六	昌城郡昌城面甲岩洞	内地人		一	工事監督ノタメ上記ノ場所通行中ノ土工岡本榮太郎ハ二名ノ不逞鮮人ノタメ長銃ニテ銃創ヲ負ハセシメラル
八、三一	朔州郡朔州面南坪洞	人民		一	崔元純方ニ不逞鮮人三名侵入仝人ヲ拳銃ニテ負傷セシメタリ
九、一	厚昌郡	郡守	一		午前三時頃桂郡守就寝中不逞鮮人二名郎内ニ侵入拳銃ニテ射殺ス
九、五	慈城郡[illegible]洞面雲興洞	人民	一		火繩銃携帯ノ不逞鮮人被害者崔致雲方ニ侵入仝人ノ長男崔應星ヲ射殺家屋ニ放火ス
九、一〇	義州郡王尚面内王洞	面長 人民	二	一	面長宿所ヲ襲ヒ二名ハ室外ニ見張ヲナシ二名ハ室ニ入リ面長ヲ射殺シタリ仝時ニ人民一ヲ射殺一ヲ傷ク
九、一一	義州郡王尚面棠木洞	人民	一	一	不逞鮮人ハ李俊燗ヲ射殺シ長男雲黒ニ重傷ヲ負ハセ逃走ス
九、一六	宜川郡山面龍耕洞	人民	一		不逞者軍資金ヲ強要シタルヲ以テ無キ旨答フルヤ射殺逃走ス
九、二二	義州郡枇峴面院洞	人民		一	不逞鮮人四名侵入現金強奪ノ上韓ヲ射撃シ重傷ヲ負ハセ逃走ス
九、二四	寧邊郡梧里面松江洞	巡査	一		巡査金明錄ハ被害場所ニ於テ不逞者四名ヲ検問中彼等ハ巡査ヲ射殺逃走ス
九、二八	鐵山郡西林面日新洞	巡査	一		鮮人巡査宋龍範ハ擧動不審者検問中犯人ハ瞬間ニ仝巡査ヲ射殺逃走ス
九、二九	新義州郡枇峴面亭山洞	人民	二	一	不逞鮮人ハ元巡査文致武及長男ヲ殺害シ女一名ヲ傷ケ放火シテ逃走ス
一〇、三	江界郡從西面新城洞	人民	一	一	獨立團員ヲ標榜シ軍資金ヲ強要シタルモ應セサルヤ金成達夫妻ヲ縛シ衣類ニ石油ヲ注キ之ヲ燒死セシム
〃、九	朔州郡九曲面延三洞	人民	一		被害者卓成龍方ニ不逞者一名来リ卓ヲ拉レテ何レニカ立去リ翌日居宅ヲ去ル十五町粟畑ニ殺害サレ居タルヲ発見ス
〃、一五	仝郡兩山面沓風洞	人民		一	被害者崔圭彦方ニ不逞者侵入シ軍資金ヲ強要セルモ應セサリシタメ腸部ニ貫通銃創ヲ負ハセ逃走ス
〃、一九	昌城郡楡田洞楡二里	人民	一		不逞者ハ被害者康興國方ニ侵入シ軍資金ヲ強要シタルモ應セサリシヲ以テ首ヲ絞メ絶命セシメ現金四十五円ヲ強奪逃走ス
〃、二五	宜川郡山面色溪洞	人民		一	午後十一時頃不逞鮮人被害者李明奎ヲ射撃逃走ス
〃、二七	江界郡從南面	巡査		一	午后九時半頃厚昌署巡査宿泊所ヲ襲ヒ重傷ヲ負ハシメ正服拳銃刀ヲ強奪逃走ス

日時	場所	遭難者	員数 死	員数 傷	遭難ノ状況
一〇、二七	雲山郡城面延峯洞	人民	一		拳銃携帯ノ不逞鮮人被害者白南化ノ妻桂氏ヲ射殺逃走ス
〃、二七	〃	人民	一		午后十一時頃拳銃携帯ノ不逞者被害者鄭淳ヲ射殺逃走ス
一一、一	江界郡従南面成章洞	人民	一		被害者申泰健方ニ不逞者侵入シ軍資金ヲ強要セシモ應セサリシ為ノ賊ハ直ニ申ヲ射殺逃走ス
一一、九	義州郡枇峴面道峯洞	人民	一		午後十二時頃朴光権方ニ不逞者侵入シ朴ヲ射殺逃走ス
〃、一四	定州郡安興面三漑洞	人民		一	軍資金ヲ強要シタルモ無キ旨答フルヤ賊ハ拳銃ヲ発射シ李京華ノ右手ニ負傷セシメ逃走セリ
一二、二	義州郡古城面台山洞	巡査		一	古城駐在所荻荘、崔ノ二巡査不逞者検問中彼ハ拳銃ヲ発射シ崔ノ腸部ニ貫通銃創ヲ負ハス
一二、八	鉄山郡雲山面新岩洞	巡査		一	不逞團五名ト衝突シ巡査一名賊弾ノ為メ左足大腿部ニ貫通銃創ヲ負フ
〃、一二	竜川郡楊光面亀竜洞	巡査		一	巡査尹致京ハ犯罪捜査ノ為出張中不逞者ト出會シ検問セントスルヤ彼ハ発砲貫通銃創ヲ負ハセ逃走ス
					江原ノ部
一二、三一	通川郡竜浦面武陵里	人民		一	元面長金和命ヲ呼ヒ道路情況ヲ尋ネタル後拳銃ニテ撃チ腕ヲ傷ケ逃走ス
					咸南ノ部
九、一八	甲山郡普恵面	雇員		一	郵便逓送人ニ追尾シ来リタルヲ誰何セシニ営林廠雇員三谷秀一ニ拳銃ヲ発射シ負傷セシム
〃、二三	元山府元山里駱場	警察官 人民	二	六 二	秘密結社一心團員ノ煽動ニヨリ騒擾ヲ惹起シ内地人警部補一巡査二鮮人巡査三負傷シ鮮人民死傷各二ナリ

日時	場所	遭難者	員数 死	員数 傷	遭難ノ状況
一一、七	甲山郡普恵面胞胎里	憲兵上等兵		一	不逞鮮人二十名侵入セシヲ撃退セシ際憲兵上等兵一名負傷ス
					咸北ノ部
三、一五	柔浦面豊利洞	夜警員	一		対岸ヨリ侵入シタル不逞鮮人ノ為メ射殺セラル（鮮人）
〃、一八	穏城郡美浦面	女	一		対岸ヨリ侵入シタル不逞鮮人ノ為メ射殺セラル（鮮人）
〃、一八	〃 〃 善古洞	憲兵補		一	対岸ヨリ不逞鮮人侵入善白監視所ヲ襲撃シタルカ其ノ際敵弾ノ為メ負傷ス
五、二七	慶源郡雲霧嶺	憲兵補		一	捜査中三十名一團ノ不逞鮮人ト衝突シ賊弾ニ中リテ負傷セリ
六、二	鍾城郡豊谷面東浦	巡査		一	捜査中十五名一團ノ不逞鮮人ト衝突シ賊弾ニ中リ負傷セリ（鮮人）
〃、一三	富寧郡蒼坪	巡査		一	不逞鮮人二名ヲ誰何シタルニ拳銃ヲ発射シ逃走セリ（内地人）
一〇、一二	漁大津管下竜渓洞巳長宅	巡査	一	一	捕縛ニ向ヒタル巡査二名戸外ヨリ不逞鮮人ニ襲ハレ内地人巡査一名射殺サレ鮮人巡査一名負傷
〃、一五	吉州郡陽社面春興洞	巡査		一	警戒ノ為通行中狙撃サレ鮮人巡査一名負傷ス
〃、二二	鏡城郡朱南面厳光洞	人民	一		被害者金東洙ハ親日者ナリトテ射殺ス
〃、二三	茂山郡農事洞	人民	二		豆満江林業會社員ハ内地人二名不逞鮮人ノ為メ射殺セラル

自八・三・一 至仝 八月 時局ニ因ル遭難者一覧表

道名 区分	種別		平安北道 内地人	平安北道 朝鮮人	平安南道 内地人	平安南道 朝鮮人	總計
死	警察官		二	—	—	—	二
	公吏		—	三	—	—	三
	人民		一	一三	一	—	一五
	計		三	一六	一	—	二〇
傷	警察官		三	二	—	—	六
	公吏		—	一	—	—	一
	人民		—	二	—	—	二
	計		三	五	—	—	九
合計	死傷		二七		二		二九
備考							

日時	場所	遭難者	員数 死	員数 傷	遭難ノ概況
三月二日	平北 [illegible]郡西林面作峴里	民家一戸全焼			上記部落[illegible]六名ノ不逞漢侵入シ資金ヲ強要シ[illegible]モ所持金ナキ旨答ヘタルヲ以テ全家ニ放火全焼セシム
仝二十日	義州郡古館面芦洞	内地人死一 鮮人死一 負一 民一	二	一	上記飲食店[illegible]方ニ不逞者十四名侵入シ[illegible]内地人[illegible]鮮人一ヲ射殺シ鮮人一ニ負傷セシメ逃走セリ
仝 八日	慈城郡[illegible]延面中徳里	鮮人民	一		被害者林某ハ[illegible]不逞者侵入資金ノ提供ヲ[illegible]拒ミタル際[illegible]逃走ニ[illegible]二弾ノ為メ射殺セリ
仝十五日	鉄山郡栢梁面駐在所	鮮人巡査		一	仝駐在所巡査金某ハ[illegible]ノ帰途自宅ニ向ヒ[illegible]二名ノ不逞者侵入[illegible]銃ヲ以テ射撃負傷セシム
仝 二十日	義州郡水鎮面[illegible]洞	内地人巡査		一	義州署河野巡査ハ[illegible]捜査中上記場所ニ於テ十五六名ノ不逞者ト衝突シ[illegible]剣ヲ負ヒタリ
仝三十日	宣川郡阿[illegible]面[illegible]山洞	鮮人民	一		上記[illegible]方ニ不逞者侵入家人[illegible]ヲ射殺シ逃走セリ
四月十[illegible]日	江界郡[illegible]面[illegible]洞	仝	一		上記[illegible]方ニ不逞者侵入其ノ親日行為ヲ詰リ全人ヲ射殺逃走セリ
五月一日	義州郡大城面[illegible]山洞	仝	一		上記[illegible]方ニ[illegible]不逞者侵入被害者ノ親日[illegible]射殺ス
仝 十日	寧辺郡[illegible]面	内地人巡査		一	寧辺[illegible]不逞者ト衝突巡査一名[illegible]傷ヲ負ヘリ

日時	場所	遭難者	員数 死	員数 傷	遭難ノ概況
三月二十日	平北 碧潼郡[illegible]面[illegible]洞	鮮人面書記		一	上記[illegible]不逞鮮人[illegible]ヲ負傷セシメテ逃走セリ
[illegible]月二日	[illegible]岩[illegible]満	内地人巡査部長一 鮮人巡査一	一	一	義州[illegible]不逞者ト衝突[illegible]負傷[illegible]
五月十日	昌城郡[illegible]面三坪里	鮮人家屋一戸焼失			上記[illegible]方ニ[illegible]侵入全家ニ放火逃走セリ
仝	昌城郡[illegible]面[illegible]洞	鮮人民	一		上記[illegible]方ニ[illegible]不逞者[illegible]ヲ[illegible]死セリ
仝十一日	渭原郡[illegible]面[illegible]洞	鮮人民 拉去一	一		上記[illegible]不逞者[illegible]勤メ[illegible]
仝 一日	楚山郡[illegible]面[illegible]里	鮮家屋一棟焼失			上記朴[illegible]方ニ不逞者侵入全家ニ放火逃走セリ
仝十七日	義州郡[illegible]面[illegible]洞	鮮人民	二		午後[illegible]上記[illegible]射殺セリ
仝三十日	楚山郡[illegible]面	鮮民一 家屋一棟焼失	二		同地[illegible]不逞者[illegible]射殺シ[illegible]放火[illegible]
六月十日	碧潼郡[illegible]面[illegible]洞	鮮民家屋焼失	一		上記[illegible]不逞者侵入[illegible]射殺シ全家ニ放火逃走セリ
仝二十七日	義州郡[illegible]面上[illegible]洞	鮮民	一		上記崔[illegible]方ニ侵入[illegible]資金ヲ[illegible]射殺セリ

日時	場所	遭難者	員数 死	員数 傷	遭難ノ概況
七月六日	楚山郡[illegible]面[illegible]洞	鮮民一 拉去			上記[illegible]拉去セリ
七月十[illegible]日	楚山郡西[illegible]面	内地人巡査		一	[illegible]鈴木巡査ニ負傷[illegible]
仝十九日	博川郡西[illegible]面[illegible]洞	洞民 拉去			上記[illegible]不逞者[illegible]逃走セリ
七月二十[illegible]日	昌城郡[illegible]面[illegible]豊洞	洞民	一		上記[illegible]不逞者侵入[illegible]射殺[illegible]逃走セリ
七月十[illegible]日	碧潼郡[illegible]面[illegible]洞	区長	一		上記区長[illegible]方ニ不逞者侵入[illegible]射殺シ逃走セリ
八月[illegible]日	義州郡[illegible]面	内地人巡査		一	義州[illegible]巡査上記場所ニ於テ[illegible]負傷[illegible]逃走セリ
仝	義州郡[illegible]面上庚里	人民		一	上記[illegible]方ニ[illegible]不逞者侵入[illegible]負傷セシメ[illegible]逃走セリ

日時	場所	遭難者	員數 死	員數 傷	遭難ノ概況
一月三十日	江東郡高原面道德里	内地人	一		上記金鉉東方ニ不逞者二名侵入シ宿泊中内地人ヲ射殺逃走セリ
二月二十七日	成川郡大谷面文語里	民家燒一 畜牛死二			上記東載鎬方ニ二名ノ不逞者侵入全家ニ放火全燒セシメ牛二頭ヲ燒死セシム
三月二十日	寧遠郡新昌面新興里	鮮人巡查	一		寧遠署朴巡查郵便物護送ノ為上記場所ニ差懸リタル際約二十名ノ不逞者現レ右巡查ヲ射殺シ金全ヲ掠奪逃走セリ

大正九年中時局ニ因スル鮮外遭難者一覧表

種別	死 警察官	死 其ノ他人民		死 計	傷 警察官	傷 其ノ他人民		傷 計	死傷合計
内地人	一	六	二	九		一		一	一〇
鮮人	二	一二	九五	一〇九		八	四八	五六	一六五
計	三	一八	九七	一一八		九	四八	五七	一七五

大正十年中同上

種別	死 警察官	死 其ノ他人民		死 計	傷 警察官	傷 其ノ他人民		傷 計	死傷合計
内地人									
鮮人		七	七二	七九			一一	一一	九〇
支那人			四	四			三	三	七
計		七	七六	八三			一四	一四	九七

大正九年中内地人ニ對スル不逞鮮人非人道行為

北間島ノ部

日時	場所	遭難者	員數 死	員數 傷	遭難ノ状況
一、四	延吉縣東良於口	巡查	一		朝鮮銀行現送金護衛巡查ヲ殺害シ拾五萬円ヲ強奪ス
三、一九	延吉縣三道溝龍興里東村	人民	一		日本密偵ナリトテ拳銃ニテ殺害ス
四、中旬	延吉縣守信郷二道溝新場里	人民	一		不逞者ノ為メ殺害セラル

西間島ノ部

日時	場所	遭難者	員數 死	員數 傷	遭難ノ状況
一〇、一九	安東縣東京坪	會社員	一	一	日満江林業株式會社々員一ヲ射殺シ一ハ重傷ヲ負フ

滿州ノ部

日時	場所	遭難者	員數 死	員數 傷	遭難ノ状況
二、九	穆陵縣金廠	軍人	五		偵察中ノ我村田中尉以下五名ハ不逞鮮人ノ襲撃ヲ受ケ全部戰死ス

大正九年中鮮人ニ對スル不逞鮮人非人道行為

北間島ノ部

日時	場所	遭難者	員數 死	員數 傷	遭難ノ状況
一、四	延吉縣東良於口	巡查	一		朝鮮銀行現送金護衛ノ鮮人巡查ヲ殺害拾五萬円ヲ強奪ス
一、一一	和龍縣三道溝梆洞巻村	人民		一	日本密偵ナリトテ殴打負傷セシム
二、二七	和龍縣下廣浦	人民		一	軍資金ノ強要殴打負傷セシム
三、二	和龍縣合化社上廣坪	面長	一		面長ヲ銃殺ス
三、七	和龍縣柳洞巻	人民		一	日本密偵ナリトテ発砲負傷セシム
三、一〇	茂山間島	憲兵補		一	殴打負傷セシム
三、一二	和龍縣柳洞	人民		一	軍資金及銃器ヲ強要発砲負傷セシム
三、一七	和龍縣大淵洞	人民	二		旅行中ノ人民ヲ射殺ス
四、一一	琿春縣灰幕洞	人民		三	日本ノ密偵ナリトテ拉去殴打負傷セシメタルガ生死不明ナリ
三、二〇	延吉縣勇智郷小盧門	種痘認許員		一	日本ノ密偵ナリトテ発砲重傷ヲ負ハシム
四、一二	琿春縣琿春ノ東北一里半	人民	一		日探ナリトテ銃殺ス
四、一二	琿春縣水南小城子	人民	一		強制不逞團ニ加入セシメシモ逃去シ再ビ彼等ニ出会射殺セラル
四、一二	和龍縣崇化社玉石洞	元面長		一	軍資金ヲ強要殴打負傷セシム

日時	場所	遭難者	員数 死	員数 傷	遭難ノ状況
四、一六	延吉縣牛鹿溝	郵便逓送人		一	殴打負傷セシメ郵便物ヲ掠奪ス
四、下旬	和龍縣明新社二道溝	諜者	一		軍司令部派遣ノ諜者ヲ捕ヘ殺害ス
五、一三	和龍縣四茂社垣洞	諜者		一	會寧署ノ諜者ヲ捕ヘ殴打ス
五、一九	延吉縣龍井村	巡査	一		領事館巡査ヲ殺害ス
五、一九	汪清縣鳳梧洞	不逞鮮人	一		日本ノ密偵ト誤認銃殺ス
五、二〇	延吉縣揮因社市場北方一里	人民	一		日本ノ密偵ナルヘシトテ殺害ス
五、二六	琿春縣大荒田	人民	一		軍資金ヲ強要セシカ窮状ノ不可能ヲ説ケルヲ以テ之ヲ銃殺ス
五、二五	延吉縣[illegible]社市場南六里	人民	二	二	日本ノ密偵ナリトテ拳銃ニテ射撃二名ヲ殺シ二名ニ負傷セシム
五、二八	和龍縣湖川街	僧侶	二		日本ノ密偵ナリトテ惨殺ス
五、日不詳	延吉縣頭道溝	密偵	一		領事分館ノ密偵ナリトテ[illegible]ノタメ殺害セラル
六、一	延吉縣小北溝	人民		二	日本ノ密偵ナリトテ殴打負傷セシム
六、二一	汪清縣風楮洞	人民	一		日本ノ密偵ナリトテ殺害ス
六、二二	琿春縣灰幕洞	人民	一		日本ノ密偵ナリトテ殺害ス

日時	場所	遭難者	員数 死	員数 傷	遭難ノ状況
六、二五	琿春縣英安溝	醫師	一		日本ノ密偵ナリトテ殺害ス
六、二七	琿春縣琿春ノ東北三里	人民	一		日本ノ密偵ナリトテ殺害ス
六、三〇	延吉縣銅佛寺	人民	一		日本ノ密偵ナリトテ殺害ス
六、三〇	和龍縣南坪	人民		三	日本ノ密偵ナリトテ殴打負傷セシム
七、一	和龍縣四対社沙器洞	人民		一	日本密偵ナリトテ殴打負傷セシメ尚殺害セムトシタルモ逃走ス
七、一	汪清縣大坎子新興坪	密偵		一	領事分館密偵ヲ殴打負傷セシム
七、三	琿春縣荒溝	人民		四	日探ナリトテ樹木ニ吊シ殴打重傷ヲ負ハシム
七、三	琿春縣灰幕洞	人民	二		旅行者ヲ捕ヘ日探ナリトテ射殺ス
七、九	和龍縣傑滿洞	人民		一	日探ナリトテ殴打負傷セシム
七、一〇	汪清縣大坎子	人民	二		鮮人二ヲ捕ヘ之ヲ射殺ス
七、一二	琿春縣駱駝河子	人民	一		良民ヲ捕ヘ殺害ス
七、一三	汪清縣長[illegible]洞	人民	一		日探ナリトテ射殺ス

日時	場所	遭難者	員数 死	員数 傷	遭難ノ状況
七、一五	汪清縣百草溝北方二里	人民	一		軍資金ヲ強要シ肯セサル者ヲ射殺ス
七、下旬	和龍縣四対社沙器洞	人民	一		日探ナリトテ殺害ス
八、日不詳	和龍縣合化社黄直洞	人民	一		日探ナリトテ殺害ス
八、日不詳	和龍縣四成社南[illegible]洞	人民	一		日探ナリトテ殺害ス
九、上旬	和龍縣四対社[illegible]安洞	人民	一		日探ナリトテ殺害ス
九、中旬	汪清縣春華郷小草溝	人民	一		日探ナリトテ殺害ス

西間島ノ部

日時	場所	遭難者	員数 死	員数 傷	遭難ノ状況
三、二二	輯安縣楸皮溝	人民		一	日探ナリトテ殴打負傷セシム
三、二二	輯安縣十里坪	人民		二	日探ナリトテ殴打負傷セシム
三、二五	輯安縣仲和堡涼水泉子	人民		一	日探ナリトテ殴打負傷セシム
三、上旬	臨江縣八道溝紅土崖	人民		二	日探ナリトテ殴打負傷セシム
三、九	輯安縣麻[illegible]溝	人民		一	日探ナリトテ殴打負傷セシム
三、二四	臨江縣錯草溝	諜者		一	諜者ヲ捕ヘ殴打負傷セシム

日時	場所	遭難者	員数 死	員数 傷	遭難ノ状況
四、一七	安圖縣[illegible]斷山	人民		五	日探ナリトテ殴打負傷セシム
四、二八	安圖縣清石河	人民		三	日探ナリトテ殴打負傷セシム
四、二九	寛甸縣太洋岔子	人民		二	日探ナリトテ殴打負傷セシム
五、八	輯安縣外岔溝	人民		一	日探ナリトテ殴打負傷セシム
六、一四	臨江縣仙人洞	民團支部長		一	軍資金ヲ強要セ殴打負傷セシム
八、一九	桓仁縣南邊河子及木皮溝	保民會長及人民	二		不逞者ノ為メ殺害セラル
八、二九	輯安縣涼水泉子	人民	二		日本ノ密偵ナリトテ殺害ス
九、一〇	臨江縣紅土崖	人民	一		日探ナリトテ殺害ス
一〇、三	長白縣十三道溝	人民		一	日探ナリトテ殺害ス
一〇、一四	寛甸縣石柱子	密偵及人民	二		我密偵及良民一ヲ射殺ス
一〇、一五	輯安縣仲和堡古馬嶺口	人民	一		元朝鮮人組合総支部長ヲ殺害ス
一〇、一六	輯安縣仲和堡古馬嶺口	人民	一		右同人ノ弟ヲ殺害ス

日時	場所	遭難者	員数 死	員数 傷	遭難ノ状況
一〇、二二	輯安縣双合溝	人民		一	自宅ニ於テ狙撃セラレ生命危篤ナリ
一〇、三一	輯安縣大荒溝	人民	四		作業中ノ農民ヲ捕ヘ其ノ妻子ト共ニ纏メテ惨殺ス
一一、九	長白縣十道溝兄附近	人民	一		軍資金ノ提供ノ為ニ其不逞團ニ加入ヲ強要セラレタルモ拒絶セシ為手足ヲ縛シ樹枝ニ投ス
一一、一一	長白縣十四道溝	人民	一		梶棒ニテ殴打死ニ至ラシム
一一、一六	輯安縣双岔溝子	人民	一		軍資金ヲ強要シタルモ應セサル為射殺ス
一一、一四	臨江縣四道溝	人民		一	日探ナリトテ梶棒ニテ乱打負傷セシム
一一、一六	臨江縣四道溝江口	人民		一	日探ナリトテ殊ニ死ニ瀕スル迄殴打負傷セシム
一二、二〇	長白縣八道溝	人民		一	梶棒ニテ殴打負傷セシム
一二、二五	寛甸縣十溝子	人民		一	日探ナリトテ梶棒ニテ殴打シ金員ヲ強奪ス
一二、二八	長白縣九道溝	人民		一	食料ヲ要請シタルモ肯セサルニ依リ之ヲ殴打重傷ヲ負ハシム

上海ノ部

日時	場所	遭難者	員数 死	員数 傷	遭難ノ状況
四、三〇	佛租界	密偵	一		不逞者ノ為殺害セラル

露領ノ部

日時	場所	遭難者	員数 死	員数 傷	遭難ノ状況
一、二一	浦汐水口所	人民	一		日本密偵ナリトテ射殺ス
二、一二	浦潮新韓村	人民		二	日本ノ密偵ナリトテ殴打負傷セシム
二、一五	右仝	仝民	五〇		日本ノ密偵ナリトテ殺害ス
三、一一	右仝	人民	一		右仝
三、一一	右仝	人民		一	日本ノ密偵ナリトテ殴打負傷セシム
三、一四	右仝	人民	一		日本ノ密偵ナリトテ殺害ス
三、一五	右仝	人民	一		右仝
三、一五	右仝	人民	二		日本軍ノ人夫ノ故ヲ以テ殺害ス
四、五	ポセット東北二閑拓	人民	一	一	日本官憲ノ密偵ナリトテ一ヲ射殺シ一ニ重傷ヲ負ハシム
一二、二八	哈府	密偵	二		不逞者ノ為メ殺害セラル

大正十年中鮮人ニ對スル不逞鮮人非人道行為

西間島ノ部

日時	場所	遭難者	員数 死	員数 傷	遭難ノ状況
一、九	桓仁縣仙澗溝	人民	五		韓族會事務所ヲ襲ヒ五名ヲ殺害ス
一、八	桓仁縣南四柳樹溝	人民		一	保民會員タルノ故ヲ以テ発砲重傷ヲ負ハシム
一、一〇	臨江縣頭道溝	人民	一		日本密偵ナリトテ拳銃ニテ射殺ス
一、一〇	輯安縣小岡溝南岔	人民	一		独立團ニ加入セサルノ故ヲ以テ絞殺ス
一、一一	桓仁縣仙川溝	人民	四		農民及旅行人ヲ射殺ス
一、一七	桓仁縣横道川	保民會長	一		軍資金ヲ強要セラレ金策ノ途ナク其ノ強制ニ堪ヘス縊死ス
一、一七	輯安縣仲鎮充荒地	人民	一		旅行中旅宿ニ於テ殺害サル
一、一八	輯安縣仲和堡三道溝泉子五溝子	人民		二	親日者ナリトテ乱打負傷セシム
一、二三	汪清縣西大坡三次島	人民		一	乱打負傷セシメ金品ヲ強奪ス
一、二三	寛甸縣青山溝河口	人民	三		保民會員及其ノ家族ヲ拳銃ニテ惨殺ス
一、二五	桓仁縣横道川	保民會長 人民	四		金員強奪ノ上絞殺ス
一、二八	輯安縣涯江口	人民		二	結婚式ノ為該地ニ赴キタルヲ殴打負傷セシム
二、二	寛甸縣不大遠	人民		一	鮮人會員ニ重傷ヲ負ハセ金銭ヲ強奪ス
二、三	臨江縣六道溝	人民		一	日本密偵ナリトテ殴打負傷セシム
二、七	寛甸縣破子溝	人民		二	居住鮮人ヲ乱打負傷セシム
二、八	通化縣前廠溝	人民	五		独立團員百余名ニテ全地保民團ヲ包囲シ五名ヲ銃殺ス
二、一〇	寛甸縣大平哨	人民	五		鮮人會支部長宅ヲ襲ヒ全家七族及隣人五ヲ射殺二名ハ行衛不明トナル
三、一	輯安縣恭和堡	人民	五		軍資金ノ件ニテ争議シ遂ニ移住民五ヲ拳銃ニテ射殺ス
旧三、一八	桓仁縣照和堡排路溝	人民	三		日本官憲ニ便宜ヲ與ヘタリトテ拳銃ニテ射殺ス
三、中旬	臨江縣頭道溝	人民	五		独立團ニ加入セサルヲ以テ殺害ス
三、中旬	輯安縣通溝	狩猟者	一二		全地狩猟鮮人約三十名ハ独立團ニ対抗スヘク中興團ナルモノヲ組織シタルヲ以テ射殺サル
四、二	輯安縣大平溝三龍頭	支部長	一		鮮人會支部長ヲ射殺ス

日時	場所	遭難者	員数 死	員数 傷	遭難ノ状況
四、一〇	寛甸縣[illegible]溝	人民	二		日本密偵ナリトテ射殺ス
四、一六	興京縣四道溝	人民	一		保民會員ノ故ヲ以テ射殺ス
四、二六	興京縣四道溝	人民	一		右仝
四、二七	興京縣土道溝	人民	一		右仝
四、中旬	安東縣融和堡 宋家子茶峪洞	人民	二		独立團ニ加入セサル故ヲ以テ殺害ス
四、四	輯安縣石灰溝	密偵	一		親日密偵ヲ棍棒ニテ乱打殺害ス
五、四	輯安縣照時盆 孫子	區長	一		鮮人組合区長ヲ親日者トシテ射殺ス
五、一五	柳河縣黒毛子	人民	一		軍資金ヲ強要シタルモ應セサル為射殺ス
五、一七	輯安縣融和堡 外岔溝	醫生	一		拳銃ニテ射殺ス
五、二六	撫松縣仲和堡 塔甸子頭嶺	人民	三		親日者故ヲ以テ射殺ス
五、日不詳	輯安縣及通化縣 界光嶺	人民	一		日本官憲ノ密偵ナリトテ射殺ス
六、一二	通化縣[illegible]溝	支部長及人民	三		保民會支部長外二名ヲ射殺ス
六、日不詳	輯安縣[illegible] 雙岔河	人民	二		日本密偵ナリトテ射殺ス

北間島ノ部

日時	場所	遭難者	員数 死	員数 傷	遭難ノ状況
一、一八	汪清縣春新社 四次島	人民	三		日本官憲ノ密偵ナリトテ射殺ス
三、七	和龍縣三道溝 通信場市場	人民	一		軍資金強要ニ應セサル為射殺ス
露領ノ部					
三、二八	哈爾賓人民会所	小使		一	事務室ニ手榴弾ヲ投入セル為メ小使負傷ス
西間島ノ部					
三、二	樺甸縣樺樹甸子	人民	一		不逞者ノ為メ射殺サル
三、二七	寛甸縣黄不泥子	人民	一	一	右仝 尚一名ハ負傷ス
四、二五	寛甸縣石柱子溝	人民		二	日本密偵ナリトテ拳銃ニテ負傷セシム
五、中旬	寛甸縣石柱子	人民	二		射殺ノ上所持金ヲ奪取ス

八、朝鮮独立ノ可能ヲ妄信シタル滑稽事實

朝鮮ノ文化未開ナルカ為荒唐無稽ノ事多ク又思想合理的ナラサルカ故ニ怪奇噴飯ノ談少カラス而シテ非常事變ノ際ハ人心常軌ヲ逸シ所謂変態心理ヲ現スヲ以テ錯覺迷信甚盛ニシテ滑稽ノ事例擧テ數フ可ラス彼之孫秉熙ヲ過信シ孫ハ枕ニ在リト雖毎日雲ニ乗リテ米國ニ遊ヒ大統領ト會議シ毎週一回東大門外ニ於テ宣教師ト謀議スルヲ以テ大統領トナリテ朝鮮ヲ統治スルコト明白ナリト稱スルノ類ニシテ以下各地ニ於テ宣傳セラレタル話柄ヲ列擧スレハ概ネ左ノ如シ

一、洪原郡浦西面三湖地方ノ商人ノ間ニ於テ「朝日」一巻烟草ハ昨年騒擾事件以前ハ品豊富ナリシモ騒擾後漸時払底ヲ来シ今日ニテハ殆ント皆無ノ有様ナリ朝日払底ノ理由ハ原料ノ払底及騰貴ト税金ノ高キニヨリ之ヲ製造販賣シテ引合ハサルト言フニ由ルトノ事ナルカ實ハ然ラスシテ朝日ナル文字ハ朝鮮ノ朝ヲ上ニ書キ日本ノ日ヲ下ニ書キアルヲ以テ日本政府ハ甚タシク之ヲ嫌忌シ朝日ノ製造販賣ヲ廃止スル考ヘナルモ今急ニ之ヲ廃止スル時ハ鮮民ノ感情ヲ害スルヲ以テ政府ハ原料其ノ他ヲ口實ニ漸次之ヲ減シ終ニハ之カ製造販賣ヲ全廃スルモノナレハ今ノ中朝日ヲ買込ミ置カハ将来大利益ヲ得ル事アルヘシト内々朝日買込ニ腐心シツツアリト

一、黄海道延白郡湖東面羅津浦農山中賢治ハ駐在所

巡査ニ對シ次ノ如ク語レリ「過日同面南塘里白鐘煥ニ對シ貸金請求ヲ為シタル際同人ヨリ貴下等ハ朝鮮独立ノ暁ハ直ヒ皈國スルヤ如何ニト尋ネラレタルヲ以テ自分ハ假令独立スルモ決シテ皈國セサル旨ヲ答ヘ且何故ニ斯ル質問ヲ發セリヤヲ反問スルニ彼ハ已ニ上海ニ朝鮮假政府モ組織セラレタルコトナレハ遠ラス独立モ實現スルモノト愚推シ御尋ネ申上タル次第ナリト答ヘタリ

一、最近海州邑内ヒ於テ次ノ如キ風説ヲ為スモノアリ「先月末京城南大門ニ月ヲ三ツト牛ヲ三ツ書キタル紙ヲ貼付シタルモノアリ其ノ意味ハ月三ツハ三月ト解シ牛二頭ニテ畑ヲ耕ス事ヲ、キヨリ、(鮮語겨리)ト言フ故ニ三頭ナラハ、キヨリ半(鮮語ニテ、キヨリハント言フ事ハ結判ノ語音ナリ)ニシテ結判ニ通ス故ニ假政府ハ今年三月ニ入ラハ朝鮮独立ノ結判(即チ落着)ヲ為スモノナリト

一、自稱元山生レ商業金竜文ハ朝鮮ノ独立ハ米國其ノ他ノ後援アリト虽決シテ血ヲ見スシテ独立シ得ルモノニアラス假政府ニハ已ニ独立軍ナルモノ組織セラレ其ノ数既ニ百万余ニ達シ且日本ト開戰セハ露國ノ過激派トモ連絡アリ五、六十万ノ應援ヲ得ル事容易ナリ而シテ独立運動ノ鮮内地ニ侵入シ戰争スルハ九月頃トナラム最初ハ七月ノ計画ナリシモ朝鮮ハ昨年凶作ニ遭ヒ食糧欠乏シアルヲ以テ延期セルナリ

一、假政府カ目下熾ニ製造中ナル爆弾ハ左ノ二種ニシテ日本ノ武器ヲ壓シテ独立軍ノ必勝ヲ期スル事ヲ得ト

4

(イ)、長サ一寸五分乃至二寸直徑一寸位ノ金属製鐘ニシテ殺人ノ用ニ供ス時價一百円位云々

(ロ)、型状同上時價凡ソ二百円ニシテ汽車建造物等ヲ爆發セシムル用ニ供スルモノナリ

一、江原道ヒ於テ大正九年二月七日拂暁東天ニ白虹ノ現象ヲ見タル鮮人部民等曰ク今ヨリ二十五年以前(乙未年)ニ白虹カ現ハレタルニ李王殿下御慈母閔妃殿下ノ突然ノ薨去アリ引續イテ東學黨ノ乱勃發シテ朝鮮内ヲ騷シタリ白虹ノ現象ハ天下乱禍ニ遭遇スヘキ前兆ニシテ今又此ノ白虹ヲ見ル丁度本年ハ乙未ニ相當シ白虹現ハレタルヲ以テ今年モ亦天下乱麻スルニ非サルヤト

一、大正十年五月頃京城市民ハ「李承晩カ渡米スルニ先ケ音セサル飛行機ニ乗シ朝鮮ニ来リ在京城中華民國領事館及米國領事館ヲ訪問シ独立ニ関スル打合セヲ為シ夜ニ乗シテ京城出発渡米シタリト

一、大正八年四月頃京城市民ハ「ウイルソン」ハ飛行機ニ乗シ北漢山(京城ノ西方ニ在ル山)ノ絶頂ニ着陸シ朝鮮ノ独立ニ加擔スト此レカ着陸目標トシテ同山頂ニ朝鮮独立万歳ト墨書セル白旗ヲ掲揚シアリト」ノ風説盛ンナリ

一、昨年十月頃武力侵入ノ盛ナル當時京城市東大門訓練院ヘ三十五万ノ武力團カ精鋭ナル武器ヲ携

ヘ陣営ス依テ菜ノ所有者ハ速ニ抜キトルヘシト
ノ風評ヲナスモノアリテ所有者ハ菜ヲ抜キトリ
タル事アリ

一、忠清南道礼山郡古徳面附近鮮人間ノ巷説ニ依レ
ハ古来ノ秘訣ニ倭王三年ヲ経テ假鄭三年ニ至レ
ハ實際ナル鄭王出現シ本道公州郡鶏竜面鶏竜山
新都ニ國ヲ樹ツルト言フ事アリト其ノ文意ハ倭
王三年ハ總督三代（寺内、長谷川、斎藤ヲ指示ス）ヲ指
シ假鄭ハ假政府三年ヲ指セル事トナリ大正十年
ハ必ス独立スヘシ云々 5

一、忠清南道大田地方ニ於テハ今年（大正九年）ハ「四旱六
温八十戦」ト称ス
之ヲ解説スレハ四旱ハ四月ノ大旱魃六温ハ六日
ノ大出水ノ意ナリ八十戦ハ八、十月ノ大戦ヲ惹起
スルモノナリト四旱六温ハ已ニ事實ト合致セリ
故ニ八十戦ハ近ク実現スルニ至ルナラン

一、大正九年十月二十九日夜ハ月蝕ニシテ全夜十二
時頃迄ハ暗黒ナリシモ午前零時頃ヨリハ月ノ円
形ノ一面ハ暗黒ニシテ一面ハ薄黒色トナリ恰モ
太極形ヲ為シ居タリ之レハ「人即チ天心ナリ」將タ
朝鮮ノ独立ノ前兆ナリト

一、近頃太陽ノ輪廓ニ異様ノ暈影ヲ為シ恰モ毎字形
ヲ為セリ毎字ハ即チ円形中央ニ十字形ヲ劃スルモ
ノニシテ之レ必ス耶蘇キリスト再降臨ノ兆ナラ
ム果シテ「キリスト」ノ再降臨アルニ於テハ朝鮮ノ
独立ハ確実ニ行ハレムト

一、大正十年一月江原道洪川郡某地ノ一婦人ハ妊娠
二十四ケ月ニシテ男子ヲ分娩シタリ之ヨリ先同
婦人ノ枕辺ニ九天ヨリ二人ノ仙女降臨シ薬ヲ妊
婦ニ服セシメタル後姿ヲ消シタリト而シテ其ノ
後間モナク男子ヲ分娩スルヤ何處トモナク一老
婆来リテ曰ク「自分ハ天太山ノ麻姑ナリ汝ノ産ミ
シ子ハ天太山ニ同行スヘシト」テ其ノ嬰児ヲ同行
セムトスル際嬰児ハ聲ヲ発シ七年ノ後相逢フヘ
シト生母ニ別ヲ告ケ門外ニ出テ姿ヲ消シタリト
昔三國時代ニモ如斯勇士戦乱後ニ生シ其ノ國ヲ
治メタル事アリ之レ朝鮮独立ノ前兆ニシテ該嬰
児カ七年後ニ朝鮮ヲ独立セシムルトノ意ナリト 6

一、本冬（大正九年冬）ハ稀ナル暖気ニテ降雪実ニ少シ為
ニ三南（慶南、全南、忠南）地方ニ於テハ果樹ヨリ二回
ノ収穫アリタリ之レ國家ニ大慶事ノアル前兆ニ
シテ昔李祖カ高麗朝ヲ倒シ漢陽ニ都シタル時モ
即チ今年ノ如キ暖気ナリシト言フ故ニ本年ハ朝
鮮ハ必ス独立スヘシト

一、日月光輝クハ泰平ノ前兆ナリ然ルニ大正九年十
二月以来白晝「月星」出テ太陽ト光ヲ争フ「月星」
ハ即チ米國ニシテ日本ト戦端ヲ開クヲ意味シ米
軍ハ朝鮮ニ侵入シ日本軍ヲ追拂ヒ朝鮮ヲ独立セ
シムル兆ナリト

一、江華島江華邑内ニ「仙源」ト彫セル石碑アリ該石碑
ハ昔時忠烈ノ人士ヲ祀ルモノニシテ該碑濕潤
セハ必ス國家ニ兇変アリ大正八年騒擾時モ濕潤

セリ然ルニ昨今濕潤シ如何ニ強キ日光ヲ受クルモ乾燥スル事ナシ之レ即チ石カ泣クモノニシテ國家ニ兇變起ル前兆ナリト

一、慶尚南道三千浦面市場附近ニ於テ「過般上海仮政府ヨリ日本政府ニ對シ宣戰ヲ布告シタル結果已ニ滿洲ニ於テ日本軍ト仮政府軍ハ三回ノ激戰ヲ交ヘタリ然ルニ最初ノ戰ニ於テ仮政府軍敗戰シタルヲ以テ忽チ米國軍露國軍ハ仮政府軍ニ應援セシヲ以テ第二戰第三戰ハ見事ニ日本軍ヲ打破リ目下猛進中ナレハ本年六月頃迄ニハ朝鮮全部ノ占領ヲ了ヘ在留内地人ヲ追拂ヒ現ニ滿州居住内地人ハ悉ク引揚ケ同地ニ於テハ日本紙幣ノ流通不能トナリ目下多數ノ紙幣ヲ燒却シツツアリ（大正一〇、一一、二〇）

一、大正十年三月十二日午後七時三十分ヨリ仝八時三十分迄河東郡露梁面ヨリ辰橋ニ至ル間ニ不思議ナル光ヲ発セリトテ同地方一部ノモノハ之レ天皇カ海中ニ落チタルモノニシテ将来朝鮮ニ天變地異アル前兆ナリトテ憶測ヲ逞フスルモノアリ之レ全ク同日露梁港ニ投錨セル我帝國駆逐艦隊ノ探照燈ニ附加シテ愚民ノ流言セシモノ

一、慶尚南道南海郡地方民ハ三月二十四日午前六時頃全羅南道方面上空ニ大将星ト稱スル星出現ヲ見タルモノアリトテ此ノ星ハ朝鮮ノ前途ニ變事アル前徴ナラム何トナレハ大将星ハ三百数十年前豊臣氏軍ヲ朝鮮ニ進メタル際出現シタル事アルヲ以テナリト

一、上海仮政府ニ於テハ独立遂行ノ一手段トシテ總督政治ニ支障ヲ釀スヘキ目的ヲ以テ鮮内地ニ約三千名ノ暗殺團ヲ侵入セシメ先ツ第一着ニ鮮人官公吏ニ對シ辭職ヲ勧告シ之ニ應セサルモノハ最後ノ手段トシテ一郡ニ於テ十名位宛ヲ殺スヘキ計画ニシテ之ヲ実行セハ鮮人官公吏ハ等シク恐怖シ何レモ辭職スルハ疑ナシ然ルトキハ言語不通ノ内地人ノミニテ施政事務ニ服スル能ハス自然内地人及官公吏ハ退去スルノ止ムナキニ至ルヘケレハ此ノ方法ハ独立ノ捷徑ナリト

一、平安南道江西郡地方ニ於テハ曩ニ日米両國ハ共ニ西比利亜出兵ヲ協約シ米國ハ一旦同地ニ出兵シタルモ今回撤兵スヘシト稱シ日本ヲ欺罔シテ上海方面ニ回送シ密カニ上海仮政府ヲ保護援助シツツアリ尚今春三月中ニハ米國ヨリ送兵シ朝鮮独立ニツキ應援スヘシト

一、大正九年六月二十七日午後十時過京城西大門監獄裏手山上ニ數十名ノ人民偶然集合シ独立万歳ヲ高唱シ次テ二十九日午前四時頃ニハ東天ニ當リ一條ノ赤キ焔ノ如キモノ揚リ同時ニ雷鳴ニ等シキ爆音アリタリ如斯夜半独立万歳ノ聲ヲ聞キ且不思議ノ爆音アルカ如キハ畢竟朝鮮独立実現ノ前兆ナルヘシ

一、近来一部鮮人間ノ巷説ニ依レハ本年春頃彗星数回現ハレタルカ古来ヨリ彗星現ハレナハ兵火アリト言フ傳説アリ或ハ不逞鮮人等ハ又独立騒擾

ヲ為スニ非ルヤト風評ヲ為スモノアリ

一、平安南道民ハ太平洋會議ニ関シ旧思想ニ因ハレタル頑迷者ニハ鄭堪録ト仮政三年ノ後仁政到ルトアリ仮政ハ確固ナラサル政治ヲ意味シ今ヤ朝鮮ハ仮政三年ノ途ニアリ太平洋會議ノ結果日米戦争起リ之カ終決後ニ於テ仁政ヲ施スヘキ朝鮮政府生ルト

一、政府所在地タルヘキ首都ヲ選定スヘク仮政府員ハ多数鮮内地ニ入込ミ準備中ニシテ其ノ指定地ハ秘密ニ附シ未タ発表セサルモ平南道江西郡東津面岐陽里ハ最適地ニシテ全地ハ後方ニ院将山ヲ控ヘ大同江ニ臨ミ海ニ近ク頗ル要害地ナルヲ以テ京城ヨリモ首都トシテ有望地ナリトノ説談

9

地方ニ傳ヘラレツツアリ

一、平安南道順川地方ニ於テ「アイルランド」及朝鮮ハ最早独立シタリ依ツテ第一期大統領ハ天道教主孫秉熙ニシテ次期ヨリハ各方面ニ於テ強烈ナル選挙戦アル筈ナリ已ニ独立承認アリタル今日ニ於テハ軽挙ハ慎ムヘシ然ラサレハ独立ノ承認ヲ取消サルヘシト

一、全道安州郡立石面地方ニ於テハ目下上海仮政府ニ於テハ独立運動資金ニ困難ヲ来シ居ルヲ以テ米國ハ之ヲ援助スル為多大ノ金員ヲ仮政府ニ貸與シ返還ハ独立後ニテ可ナリトノ約束ヲ結了シ居レハ朝鮮独立ハ已ニ七、八分確実ナリト説ヲ為スモノアリテ之ヲ信シ居ルモノ多シ

一、京畿道交河地方ニ於テハ鶏竜山ノ岩中ヨリ一枚ノ紙現ハレ陰二月十五日ハ万歳ヲ唱フル日ニシテ十回唱フレハ一家ヲ保チ二十回唱フレハ祖國ヲ復シ此ノ趣ヲ書シ二枚傳フレハ一身ヲ保チ八枚傳フレハ忠臣孝子トナリ之ヲ傳ヘサレハ天罰ヲ受ク云々ト記シアリタリトノ迷説流布セラレ之ヲ信シテ万歳ヲ高唱セシモノナリ（因ニ鶏竜山ハ忠南論山郡ニアリ將来李氏ニ代リ鄭氏此ノ地ニ奠都ストハ古来鮮人一般ニ迷信セル所ナリ）

10

一、古今英雄豪傑ノ出ツルトキハ大旱魃アリテ山川枯渇ス本年ハ殆ント二ケ月ニ亘リ大旱魃ニシテ英雄出スル前兆ナリ而シテ世ハ騒擾ト化シ其ノ結果ハ朝鮮ハ独立スルモノナリトノ風評アリ

一、人形三千ヲ彫刻シ忠清南道論山郡鶏竜山ニ献スル時ハ未年（大正十一年）四月ニハ日本人ハ敗ル事トナル而シテ刻ミタル人ハ為メニ誤チテ手ヲ切リタルモ神様ノ御助ケニヨリ血出テサリキトノ浮説ヲ最近流布スルモノアリ

一、大正八年五月十三日午前九時京城北漢山ノ上空ニ飛行機約三十分間飛揚セリ之レ露國カ朝鮮ニ居ル内地人ノ勢力ヲ見ル為来リシモノナリト

一、大正九年五月二十七日京城附近一帯ニ近年稀ナル降雹アリ為ニ農作物ニ對シテハ多少ノ被害アリタルカ當日ハ恰モ高等法院ニ於テ爆弾犯人姜宇奎ニ對スル最後ノ審判アリタル日ナリ姜ハ天主ノ愛子ナレハ天主之ヲ同情シ弔意ヲ表シタル為ナラウト

九、帝國ノ統治ニ悦服シツツアル事實
韓國時代ニ於ケル官吏ハ苛斂誅求飽クコトヲ知ラス一般住民ヲ壓迫シ居タル結果國内ニ於テハ必然ノ情勢トシテ暴動勃發スルヲ免レサル状勢ナリシカ日韓併合以來一部ノ世ニ容レサレサル不逞徒輩ヲ除キ一般ニ人心靜穏ニ歸シツツアリシカ世界思潮ノ影響ヲ受ケタルト且不逞徒輩ノ煽動ニ因リ大正八年三月騒擾勃發以來鮮人思想界ノ變化著シク表面ニ現ハレ中ニハ好マシカラサル思想ノ萌芽ヲ惹起シ統治上稍々困難ヲ生シタル感ナキニアラリシモ制度改正以來各種ノ施設其ノ緒ニ就キ殊ニ産業上ノ施設、普通學校ノ増設及地方制度其ノ他ノ法規改廢等ニ依リ一般ニ自覺スルニ及漸次帝國ノ統治ニ悦服スル者増加スルニ至リ殊ニ近時一般ニ向學心勃興シ普通學校ノ増設ヲ請願スル者尠カラサルノミナラス從來日韓併合ニ反感ヲ懐キ不逞團ニ加入シ居タル者ニシテ帝國統治ニ悦服シ大正九年十一月ヨリ本年六月迄ニ於テ歸順申出テタル者左ノ如シ

歸順者總數　五千二百十三名

内譯

一、平安北道取扱　一五五名
一、咸鏡北道取扱　二三名
一、間島派遣軍取扱　四三九二名
一、琿春派遣軍取扱　四二〇名
一、間島總領事館取扱　二一一名
一、琿春領事館取扱　一二名

尚鮮内在住鮮人ニシテ帝國ノ統治ニ悦服シツツアル具体的事實ヲ擧クレハ卽チ左ノ如シ

(イ)智識階級

智識階級ニ屬スル者ハ日韓併合以來不快ノ感ヲ懐キ居タル者尠カラサリシカ一昨秋制度改正セラレタルト更ニ昨秋地方制度ノ改正ニ伴ヒ府面協議會ノ新設等ニ依リテ漸次彼等ハ總督政治ヲ謳歌スルニ至レリ今彼等ノ談スル事例ヲ擧クレハ

一、元來朝鮮獨立ノ如キハ大局ヲ達觀スル者ノ真意ニ非ラス萬一独立シ得ルトスルモ人民ハ忽チ露國又ハ支那ノ轍ニ踏ミ生命財産ノ安固ヲ期スル能ハス之ヲ以テ吾人ハ獨立運動ヲ云為スルヨリ寧ロ日本帝國ノ統治ヲ謳歌シ政府ノ力ニ因リテ吾人ノ生命財産ノ安固ヲ得ルニ如カス之カ為ニハ從來嫉視セル内鮮人ノ意志ヲ疎通シ協力シテ堅實ナル日本帝國ヲ永遠ニ維持セサルヘカラス現總督ノ始政方針モ亦爰ニ存スヘシ

一、昨秋警察制度ヲ改正擴張セラレタルハ一意治安ノ維持民衆保護ノ為ニセラレタルモノナレハ妄リニ之ヲ誤解セス人民ハ警察ヽ信頼シ軽挙妄動ヲ為スヘカラストノ意見ヲ以テ之ヲ民衆ニ傳ヘ居ル者アリ

二、吾人東洋民族ノ多クハ未タ睡眠中ニ在ルニ

非サレハ疲勞困憊其ノ極ニ達シタルニアラスヤ其ノ間ニ立チテ纔ニ歐米ニ拮抗スルハ唯日本帝國ノ存スルノミ東洋人種ハ宜シク彼我ノ利害関係ヲ棄テテ内鮮融合セサルヘカラス日韓併合以来茲ニ十年其ノ治績固リ完全無缺ヲ望ムヘカラスト雖之ヲ旧韓國時代ノ政治ニ比スレハ雲泥ノ差アリ即チ旧韓國時代ニ於テハ生命財産ノ安固ヲ望ミ難ク官吏ハ苛斂誅求飽クコトヲ知ラス為ニ人民ニ貯蓄心ナク産業振ハス學問起ラス工業美術ノ如キハ全ク之ヲ顧ミサリシカ之ヲ現總督政治ト比較セハ隔世ノ感アリ青年諸君タル者独立ノ虚名ニ動カサレテ軽挙妄動スヘカラストノ意味ヲ一般民衆ニ普及シツツアリ

三、京畿道内ニ於ケル一部有識階級ノ談ヲ綜合スレハ現今東洋ノ大勢ハ如何支那ハ不安ノ状態ニ在リ露國ハ過激派ノ侵入セムトシツツアル今日朝鮮ニ於テハ独立後援者ノ如何ニ問ハス雷同シテ獨立ヲ叫ヒ支那モ亦日本ニ反抗スルノ氣勢ヲ示シ居レルカ是思ハサルノ甚シキモノニシテ現今東洋ヲ代表シ防衞セムトスルモノハ獨リ日本アルノミ朝鮮カ日本政治ニ反抗セハ遂ニハ異人種ノ手中ニ帰セサルヘカラス東洋ノ現状ニ付テハ深慮ヲ要ス朝鮮ハ日本ノ統治ニ服スルニ如カス独立ノ如キハ第二ノ問題ナリト云フカ如シ

四、忠清南道保寧青年會役員ノ談片ヲ綜合スルニ寺内總督時代ニ於ケル武断的政治ハ吾人鮮人ノ自由ヲ束縛セラレ幾多ノ不平不満ヲ抱キツツ而モ之ヲ訴フル能ハスシテ國ノ民トシテ純ナノ屈辱ヲ忍ヒ来リタル結果一昨年ノ如キ大騒擾ヲ惹起シタリ是全ノ聖代ノ不祥事ニシテ遺憾極リナシ現總督ハ就任日尚浅シト雖漸次一般鮮人ニ生活ノ安定ヲ與ヘラレシヲ以テ吾人カ現總督ニ多大ナル信頼ヲ有スルニ至リタル所以ナリ吾々青年ハ幾久シク如斯壓迫ヲ忍ヒ来リタルカ畏クモ天皇陛下一視同仁ノ聖旨ヲ賜ハリ且其ノ下ニ齋藤總督ノ新政ニ浴スルヲ得従来ノ壓制ヨリ脱シテ茲ニ世界ノ強國タル日本臣民トシテ列國ニ誇ルヲ得ルニ至リタルヲ以テ御聖旨ニ對シ奉リ感泣措ク能ハサル所ナリサレハ吾人ハ潜越ナリト雖時代ノ先駆者トナリ頑迷ナル鮮人ヲ指導啓發シ以テ聖恩ニ報ヰル覺悟ナカルヘカラサルハ勿論寧ロ吾人ノ責任ナリ然レトモ此ノ事タルヤ頗ル重大問題ニシテ一朝一夕ニ遂行シ得ラルヘキ性質ノモノニ非サルナリト語リ居レリ

五、府面協議員ノ感想ヲ綜合スルニ我等カ府面協議會ニ参與シタルハ實ニ光栄トスル所ナリ就中面豫算ノ審議ノ如キハ従来一顧タモ為サザリシニ朝鮮統治ノ如何ニ民意ヲ重セ

ラルルカニ想到シ聊カ快トスル所ニシテ文化政治ノ有難味ヲ感シタリ翻テ旧韓國時代ノ治ト無政府状態ヲ回顧スレハ真ニ隔世ノ感アリ今日吾人ノ安堵シテ其ノ業ニ精励シ得ルハ實ニ新總督政治ノ賜ト云フヘシ然ルニ今尚排日ヲ云為スル不逞輩アルハ其ノ愚ヤ憫ムヘシト喜悦シ居レリ

六、内地人學校組合ニ対シ鮮人有志ノ寄附

慶尚南道蔚山郡蔚山青年會幹部ノ主唱ニ基キ鮮人有志間ニ於テ自發的ニ金五百円ヲ寄附スヘキ旨申立テタリ

又咸鏡北道楚山警察署廳舎新築ニ際シ対岸支那地ニ移住鮮人八名ハ「吾々ハ支那地ニ居住スルト雖常ニ鮮地警察ノ保護ヲ受ケ安居スル者ナレハ聊カ奉公ノ微意ヲ表シ度シトテ金七十円ノ寄附ヲ申出テタル事實アリ

従来彼等ハ總督政治ニ反感ヲ有シ居タル者ナリシカ近時鮮人有志間ニ於ケル自覚ニ因リ地方官憲ト接近スルニ至リタル結果斯ル擧ニ出テタルモノナリ

七、官制改正ニ伴フ總督以下交迭ニ対スル感想

官制改正ハ朝鮮民族ノ意思ヲ尊重セルニ基クモノニシテ内鮮人ノ差別的待遇ハ自然ニ消滅スルモノトシ一般ニ満足ノ意ヲ表シ殊ニ憲兵制度ノ撤廃ハ鮮人ノ大ニ歓迎セシ所ナリ總督以下ヲ交迭シタルハ政府ノ大英断ニ出テタルモノニシテ従来ノ施設方針ヲ根本ヨリ革新スルノ挙ニ出テタルモノトシ一般ニ之ヲ歓迎シ殊ニ過般總督ノ地方巡視中京釜線大邱駅通過ノ際ノ如キハ慶尚北道儒道振興會軍威支部ヲ代表シテ金斗鉉外一名ハ總督ニ面謁ヲ乞ヒ總督カ儒道ノ振興ニ盡カセラレノル結果儒道ハ日ニ面目ヲ新タメタリトテ衷心嬉悦ニ堪ヘサル旨ヲ記載セル感謝状ニ彼等ノ手製朝鮮席一枚ヲ添ヘ贈呈セル事實アリ

八、江原道ニ於ケル一書堂教師ノ意見ヲ綜合スレハ我朝鮮ハ日韓併合後内地國庫ノ補助ヲ受ケ諸般事業ヲ施設セラレ就中従来最モ振ハサリシ教育事業ノ如キハ新總督着任以来面目ヲ一新シ教育普及セラレタル結果一般ニ向学心勃興スルニ至リシハ吾々同胞ノ實ニ感謝スヘキモノナルニ拘ラス動モスレハ上海仮政府ノ決死隊又外國人ノ援助等ヲ云為スルハ寒心ニ堪ヘサル所ナリ日韓併合ハ東洋平和ノ第一歩ナルノミナラス東洋發展ノ基礎ヲナスモノナルヲ自覚シ吾々内鮮人カ一致協同益々帝國ノ發展ノ為活動スヘキ大責任アルモノニシテ近来吾々鮮人間ニモ稍々如上ノ自覚ヲ為スモノ多キヲ加ヘツヽアルヲ以テ如何ニ彼等不逞ノ徒等カ独立ヲ云為スルモ到底不可能ナリト唱導シ居レリ

(ロ)、朝鮮人官公吏

一 昨春騒擾勃發以來独立ノ可能ヲ宣傳セラレ一般ニ彼等ノ詭激軽浮ナル独立論ニ眩惑セラレ延テ官公吏間ニモ波及シ一視同仁ノ新制度モ表面ヲ飾ル政策ニ過キストシ一部ノ者ハ新政ニ対シ疑惑ヲ抱懐シ一部ノ者ハ尚浮腰ノ態ナリシモ独立不能ナルコトヲ自覚スルト共ニ漸次新政ノ方針ヲ諒解スルニ至リテ一部不平ノ徒ヲ除キ凡テ職務ニ勉励シツツアリ新政ノ方針ハ屡次ノ訓達ニ依リ大体ヲ窺知シ従来ノ誤解疑惑ヲ一掃スルニ至レリ又鮮人高等官任用範囲ノ擴張俸給令其ノ他諸給與令改正内鮮人官吏ノ無差別ヲ明ニシ既往ニ比シ其ノ待遇雲泥ノ差アルヲ痛切ニ感シ居レルト共ニ又地方諮問機関ノ新設ハ文化政治トシ自治制度ノ先駆トシテ當然ノコトナリ國家ノ中堅タル吾人青年ハ今ヨリ自治ノ観念ヲ涵養シ以テ将来ニ於テ面目ヲ一新スルコトニ努メサルヘカラスト稱シ居レリ

(ハ)、一般人民

一 一般民殊ニ細民ニ於テハ總督政治ノ何物タルヲ解セサル者多ク従テ朝鮮ノ独立スルト否ハ全ク彼等ノ意トスル処ニ非ラス唯彼等ハ其ノ日ノ生活ニ追ハレ居ルモノナルヲ以テ従テ生活ノ安全ナルヲ以テ可トスルモノナリ此ノ意味ニ於テ旧韓國政府ノ壓迫政治ヨリ總督政治ニ替リ生命財産ノ安固ヲ喜悦スルカ如ク中ニハ不逞徒輩ニ煽動セラレ之ニ加入シタル者ナキニ非スト雖制度改正以來之等ノ徒輩モ漸次官憲ニ接近シツツアリテ現今ニ於テハ一般ニ帝國ノ統治ニ悦服スル者大部分ヲ占ムルニ至レリ今彼等ノ談片ヲ綜合シテ列挙スレハ凡ソ左ノ如シ

一、貧民救恤金御下賜ニ対スル感想

古昔ニ於テハ一部國費ヲ節シ之ヲ救民ノ資ニ充テタルコトハ歴史傳説等ニヨリ傳ハル所ナルモ今回初メテ之ヲ見ルコトヲ得タリ其ノ金額ノ多少ニ不拘誠ニ有難キ御代ナリ下層民ノ常トシテ食ヲ得レハ安逸ヲ貪ルノ

八

二、

悪弊アリ今回ノ御恩徳ニ感激シ彼等カ今後一層稼業ニ精励スルニ至ルヘシト稱シ居リ

日鮮人ノ通婚ニ関スル感想

朝鮮地方民ノ一部ニハ日鮮人ノ結婚法發布ニ関シ右ハ在来ノ習慣ヲ打破シテ内地人ト鮮人トハ公然結婚シ得ルコトト為リタルヲ以テ相当資産ヲ有スル實業家及普通教育ヲ受ケタル青年等ハ大ニ歡迎シ居ル者尠カラス又釜山ニ於ケル有識者及其ノ一般鮮人ノ感想ヲ綜合スレハ施政方針ヲ改革シ警察制度ヲ改善セルハ悉ク朝鮮統治上内鮮人ノ融和ヲ計ルニ外ナラス而シテ其ノ目的ヲ達スルニハ内鮮人間ニ於ケル婚姻ヲ最必要ト認

メ先般李王世子殿下ノ御結婚ヲ始メトシテ内鮮人通婚法ノ發布アルヘキハ何人モ豫想サレシ所ナリシカ今般本法ノ發布ヲ見タルハ内鮮人融和速進ノ妙策ナリト語リ居レリ、

三、祝祭日ニ於ケル状況

祝祭日ニ於ケル鮮人ノ行動ハ寔ニ忠實ヲ缺キ共同祝宴ハ勿論國旗ヲ掲揚スルモノ殆トナカリシカ新政ノ方針漸次普及セラレタルト共ニ不逞ノ徒減少スルニ及ンテ漸次總督政治ヲ歓迎スル者増加スルニ至リタル結果、昨年ノ天長節以来國旗ヲ掲揚スルニ至レリ殊ニ慶南晋州ニ於ケル内鮮人有志發起トナリテ内鮮人官民大親睦會ヲ開催セルカ従来

九

思想安定セス總督政治ヲ悦ハサル者少カラサル風アリテ昨年斯ノ種ノ會合ヲ催シタル時ハ内地人五十一名ニ対シ鮮人ハ僅カ七名ニ過キサリシカ本年紀元節ノ會合ニ於テ内地人四十七名ニ対シ鮮人百七十五名ノ多数出席者アリ其ノ他東莱ニ於テ紀元節ニ際シ内鮮人懇和會ヲ開催シタルニ内鮮人同数ノ出席者アリタルカ如キ、本年二月昌寧郡内ニ於テ鮮人發起トナリテ旧正月新年宴會ヲ催スルニ當リ内鮮人多数出席シ相互融和ニ関スル歓談ヲ為シタル事實アリ

要スルニ彼等ハ従来總督政治ヲ悦ハサル風アリテ之ヲ公會ノ席ニ出席スル者ハ最モ僅少ナリシカ近時彼等ハ独立ノ不能ナルコトヲ自覚スルト共ニ總督政治ヲ悦服スルニ至リタル徴象ト云フヘシ

四、總督巡視ニ対スル同地方人民ノ感想ヲ綜合スルニ總督ハ平民主義者ニシテ人民ニ接スル態度温厚ニシテ斯ル英邁ナル總督ヲ戴クハ真ニ幸福ト云ハサル可カラス今後總督政治ノ下ニ安全ニ活動スルコトヲ得ルハ我等ノ幸福ニシテ總督政治ニ反抗シ独立運動ヲ為スカ如キハ其ノ意ヲ解セスト称シ居レリ

五、現制度ニ関スル一般感想ヲ綜合スルニ旧韓國ノ政治ハ何人ト雖善政ナリト謳歌スルヲ得ス然ルニ併合以来總督政治ニ依リ面目ヲ一新シ昨年制度改正ニ依リ更ニ一層其ノ面目ヲ改メタリ些ノ小数ノ不逞輩ノ為ニ近時民衆ノ帰趨スル所ヲ誤ラシメムトスル傾向アリシハ誠ニ遺憾トスル所ナリシカ諸種ノ報道ニ依リ新附ノ人民ヲ愛撫セラルルノ趣旨ヲ諒解セリ今後ハ不逞輩ノ独立説ニ迷ハサルル者ハ一掃スルニ至ルヘシ

現下朝鮮ノ實情ヲ察スルニ民智財力ノ點ニ於テ内地人ト格段ノ差アリ到底独立ヲ為シ得ヘキニアラス故ニ朝鮮人ハ之等空想ヨリ脱シテ真ノ幸福ヲ計ラサルヘカラス然レトモ内地人中往々ニシテ傲慢不遜粗暴ノ者アリ或ハ民情風俗ノ相違アリテ内鮮人ノ融和

ヲ妨クル者アルハ定ニ遺憾トスル所ナリ
吾人カ官憲ノ保護ニ依リ安泰ナルハ善政ノ賜ナリ尚此ノ上本國ヨリ補助ヲ受リ學校ヲ増設セラレ或ハ衛生機関ヲ擴張等一視同仁ノ皇化ノ實現ヲ視テ將來大ニ樂観スルヲ得ヘク從來ノ如ク獨立ノ成否ニ迷ヒ軍資金ノ應募ニ関シ種々ノ苦勞ヲ為スヲ要セス今ヤ大ニ人意ヲ强フスルヲ得タリ

六　下流鮮人ノ感想

(一) 併合前ニ於テハ觀察使ノ如キハ勿論郡守ニ於テモ施政方針等ヲ演説セシメタルコト更ニナカリシモ現今ニ於テハ道知事初メ親シク吾等ト席ヲ同フシ懇切ニ施政ノ方針ヲ説示セシルルカ如キハ從來例ヲ見サル所ナリ吾人ハ現社會ノ事情ニ通セサルヲ以テ政治ノ何物タルヲ知ラスト雖今日ノ如ク大官モ我等ト同席シタルコトハ旧韓國時代ニ於テ夢想ダモ為シ能ハサリシモノトシテ大ニ喜悦シ居レリ往昔ノ如ク官廳両班權勢家ニ壓迫セラルルコトナク新政ニ依リ旧來ノ弊風ヲ打破シ上下平等ノ待遇ト權利ヲ附與セラレタルコトヲ幸福ニ感セリ

(二) 吾人ハ官憲ヲ援ケ官憲ノ保護ニ因リ生命財産ノ安固ヲ期シ業務ニ精勵シ得ルヲ以テ官廳ノ指揮命令ヲ遵守シ可成官廳ニ厄介ヲ懸ケサル様心懸ケサル可カラス

(二)、併合後ハ道路ハ開通シ鐵道敷設サレ海運便利トナリ産業改良セラレ慈恵醫院ノ増設アリ下流鮮人ハ安堵シテ自ラ働キテ生活スルヲ得ルハ往昔ニ比シ何ニ譬ヘム方ナキ幸福ナリ

(二) 基督教徒ガ現總督政治ニ好感ヲ抱ケル事實
從來基督教ニ對スル當局ノ取扱末節ニ亘ツテ餘リニ嚴密ナリシ為布教ニ関スル手續ナド徒ニ煩瑣ニ過ギルトノ非難アリシガ大正九年三月ニ私立學校規則ノ改正ヲ行ヒ同四月ニ於テ布教規則ノ改正發布アリ此方面ノ緩和自由ヲ與ヘ可及的彼等ノ便宜ヲ參酌シタルタメ一般ニ新施政ノ方針ヲ喜ヒ宣教師ハ官吏ニ對シ友情的態度ヲ取リ之ニ準シテ朝鮮人教徒モ亦漸次漸次胸襟ヲ開イテ尚而・接近スル傾向ヲ生シツツアリ此等ハ單ナル觀察臆測ニアラス一々其事實ノ指示スルハ其煩ニ堪ヘスト雖モ左ノ事例ヲ以テシテモ其一班ヲ推知スルモ足ルヘシ

(イ)昨年末ニ水野政務總監ハ在京城朝鮮人牧師中ノ有力者ヲ官邸ニ招待シタルガ多數出席シ非常ニ好感ヲ與ヘラレタルモノノ如ク從来兎角當局ニ對シ障壁ヲ設ケ居レルガ如キ感アリシガ其後ハ事アレバ必ズ當局ニ来リテ相談ヲナス等打解ケタル態度ヲ示スニ至レリ

(ロ)本年四月平安南道知事ノ主催ニテ平壤公會堂ニ朝鮮人ノ牧師、傳道師ヲ招キ茶話會ヲ開キタルニ百名ニ近キ出席者アリ中ニハ騷擾事件ノ際ニ獨立署名者ノ一人タリシ者（無罪ノ宣告ヲ受ク）モ参加セリ殊ニ長老派ノ牧師等ハ當局ノ眞意ヲ誤解シ到底出席ヲ期待シ得ラレサリシ者マデモ席上胸襟ヲ開イテ語リ一同好感ヲ受ケテ散

(2)

會シタルガ爾後鮮人牧師ニシテ官憲ニ親ミヲ有シ何事ニモ當局ニ相談シ其ノ指示ヲ受ケテ決行セントスル者増加シタル事實アリ

(ハ)從来一般朝鮮人特ニ基督教信者ニアリテハ外國宣教師ヲ見ルコト師父ノ如ク總督府政治ニ對スル不平アラバ彼等ニ訴ヘ其助力ニヨリテ救助ヲ得ルモノト確信シ居タリシ事實アリシガ最近一般基督教信者就中青年ハ世界的ノ知識ヲ吸收スルト共ニ漸ク自覺シ從来殆ント無理由ニ尊信セシ外國宣教師中ノ一部ガ時代ニ遅レ其布教方法ニ於テモ單ニ迷信ヲ重ンジ形式ニトラヘラルルコトノ多キヲ見テ心慊ラサルノ感ヲ抱キ寧ロ此等外國人ノ手ヲハナシテ彼等ノミニヨリ新シキ教會ヲ組織セントスルノ念ヲ生ジ既ニ此種ノ運動ニ着手セルモノ二三アルヲ見ルニ至レリ

此事實ハ半面ニ於テ總督府ノ新施設ガ直接間接ニ彼等ノ自覺ヲ促スト共ニ不言ノ間ニ從来彼等ノ運動ノ背景タリシ外國及外國人ヨリ一轉シテ總督府ノ新施政ヲ其背景トスルニ至レルヲ観取スルニ足ラン

加之從来外國人經營ノ學校ニ於ケル同盟休校ノ如キハ到底望ミテモ亦能ハザリシカ昨年来耶蘇教徒間ニ於ケル思想漸ク一變シ外國宣教師ニ對シテモ稍々反抗的態度ニ出スル者ヲ生シタル結果耶蘇教經營ノ學校ニ於テモ近時同盟休校ニ出デタルニ二三ノ事例アリ

(3)

(ホ)自發的善良團體勃興

鮮民ノ大部分ガ總督政治ニ悦服シツツアル事實ハ前ニ屢々述ベタルガ如シ而シテ内鮮人間ノ親睦ヲ圖リ併テ内鮮人ノ融合同化ヲ圖ルト共ニ産業振作スル趣旨ノ下ニ鮮内ニ於テハ諸種ノ團體勃興シ又滿洲方面ニ於テモ移住鮮人ノ親睦ヲ圖ル目的ヲ以テ近時組織セラレタル團體數多アリ之ヲ大別スレバ(一)内鮮融和ヲ目的トスルモノ(二)地方民風ノ作興ヲ目的トスルモノ(三)自己ノ修養ヲ目的トスルモノニ區別スルコトヲ得ベシ

一、内鮮融和ヲ目的トスルモノ

(1)大正親睦會 大正五年十一月鮮人ノ融和ヲ主タル目的トシ故子爵趙重應ノ發起ニ依リ組織

セラレタルモノニシテ男爵李完用會長トナリ京城府内ニ事務所ヲ置キ府内ニ於ケル重ナル實業家資産家等ヲ網羅セリ本會ハ組織當初ノ趣旨ヨリスレバ同化派ト見ルヲ至當トス一昨年春独立運動勃発後ハ不逞輩ノ脅迫ヲ恐レ何等會ノ活動トシテ見ルベキナカリシガ昨年一月五日機關新聞朝鮮日報發刊ノ許可ヲ受ケ發行シツヽアリ

(2)國民協會 大正八年八月時ノ京畿道高陽郡守閔元植ハ朝鮮独立ノ到底不可能ナルヲ説キ鮮人ノ迷想ヲ覺醒シ日鮮同化ノ實ヲ挙ケザルベカラズト称シ京城ニ協成倶樂部ナルモノヲ組織シ内鮮人一身同体トナリテ新日本ヲ建設セ

五 ザルヘカラストテ頻リニ新日本主義ヲ唱導シツヽアリシカ會名ヲ國民協會ト改メ趣旨書會則等ヲ發表シ次テ帝國議會ニ対シ参政権附與方請願ノ為東上昨年二月五日之カ請願書ヲ衆議院議長ニ提出セリ本會ハ機関新聞時事新聞發刊ノ許可ヲ受ケ目下發行シツヽアリ

(3)談話會 大正八年冬ノ創設ニ係リ京城府内主ナル智識階級ニ属スル青年及總督府事務官ヲ以テ組織セラレタルモノニシテ相互ノ親睦ヲ図ルヲ以テ目的トシ其ノ効果著シキモノアリ

(4)青林教 在京城金相禹ナルモノ騒擾勃發以來不逞鮮人ノ煽動教唆ニ依リ徒ニ軽挙妄動セムトシ若ハ不安状態ニアル者又ハ施政ノ方針ヲ解セサル等ノ不逞輩アルヲ遺憾トシ宗教ノ力ニ依リ彼等ノ誤レル思想ヲ是正シテ一般民ノ自覚ヲ促シ内鮮人相提携シ真ノ同化融合ヲ斗リ以テ両民族ノ福利ヲ増進スル目的ヲ以テ大正八年十月韓秉洙南正等ノ幹部トスル青林教ナル宗教類似ノ團体ヲ組設シ自ラ之ヲ操縦シ鮮内各地ハ勿論大正九年十月琿春事件ノ出兵ニ際シテハ幹部韓秉洙ヲ間島ニ派シ同地ニ總支部ヲ設ケ軍隊ニ尾シテ不逞者ヲ帰順セシメ今尚彼等ヲ善導シツヽアリ又鮮内ニ於テハ各地ニ支部ヲ設ケ熾ニ活動シツヽアリ

二、地方民風ノ作興ヲ目的トスルモノ

新政施行以來或ハ振興會ト云ヒ矯風會ト稱シ又ハ良風會興風會某洞楔ト稱スル等地方ニ依リ其ノ名稱ヲ異ニスルモ要ハ帝國ノ統治ニ信頼シテ民風ヲ改善シ産業ノ改良發達ヲ圖ルヲ以テ目的トスル團体年ト共ニ増加シ事績亦比年顯著ナルモノアリ此ノ趨勢ヲ以テ進マハ遠カラスシテ地方民風ニ一大改善ヲ見産業ノ發達ニ資スル處鮮カラサルヘシト思惟セラレツツアルニ當リテ騒擾ノ勃發アリ之カ為一時斯種ノ團体事業ニ頓挫ヲ來シ地方ニ依リテハ殆ト空名ヲ擁スルニ過キサルモノアリシモ民心漸次平靜ニ帰スルト共ニ近時再度意氣ヲ新ニ

シテ自ラ大ニ斯種團体ノ振興ヲ圖ルノ傾向アリ現ニ忠淸南道ニ於ケル振興會江原道ニ於ケル興風會ノ如キ昨年末以來何レモ總會ヲ開キ政府施政ノ方針ト策應シテ民風ノ改善産業ノ開發ニ資スヘク本府又ハ道職員ノ臨席ヲ乞フテ其ノ會ヲ盛ニシ内容ノ充實ト將來ノ發展ヲヲ圖ルアリ或ハ又會長其ノ他ノ役員ニシテ内地ノ視察ヲ遂ケ依テ得タル智識ト感激トヲ實地ニ用ヒテ其ノ振作ヲ圖ルアリ忠南振興會ノ如キ其ノ結果今ヤ會数千九十三會員数七萬四千二百八十五ヲ算シ今後ノ發達眞ニ嘱目ニ値ス

又内鮮人ノ集團セル地方ニ在リテハ概ネ内鮮人間ノ融和ヲ圖リ共ノ居住部落共同ノ福利ヲ増進セムトスル町洞組合ノ組織セラル丶アリテ日ト共ニ和親輯睦ノ實ヲ擧ケツ丶アリ

三　自己ノ修養ヲ為シ向上ヲ圖ルヲ目的トスルモノ

(1) 青年團体

近年地方青年團ノ間ニ學術ヲ練磨シ身神ヲ鍛錬シ風紀ノ改善ヲ圖ルト共ニ地方公共事業ノ援助ヲ為スヲ目的トスル青年團体ノ勃興アリ之等ハ多ク帝國ノ統治ニ信頼シテ餘恵ヲ自家團体ノ上ニ求メントスルモノナルモ騷擾中組織セラレタルモノ丶内ニハ名稱目的共ニ普通ノ青年團体ニ異ナラスシテ其ノ實独立思想ヲ涵養シ其ノ實行方法ヲ講スルヲ以テ目的トスルモノ尠カラス從テ大正八年下半大正九年上半ノ交ノ如キニ在リテハ玉石相混シテ其ノ良否判別シ難ク内ニハ又曩ニ穏健着實ヲ以テ目セラレシモノ團体ニシテ不良團体ニ悪化スルモノナキニ非ラサリシモ最近ニ至リテハ之等悪傾向ノ團体ト雖漸ク前非ヲ悟リテ其ノ本然ノ目的ニ進ミ今ヤ全道五百有餘ノ團体ト五萬有餘ノ團体員中仍警察官憲ノ警戒線内ニ在ルモノハ僅ニ其ノ一小部分ニシテ尓餘大多数ハ帝國ノ統治ニ信倚シテ民族ノ發達ヲ圖ルヘク團体員相互ノ向上發達ト地方公共事業ノ援助ニ努メ一般識者ノ為ニ好感ヲ以テ迎ヘラレツ丶アリ

(2) 儒林團体

儒林界ニハ頑冥固陋ノ徒少ナカラス時勢ノ進運ニ伴ハサルモノ多シト雖因襲ノ久シキ社會ノ上流ヲ占メ其ノ勢力未タ牢トシテ抜クヘカラサルモノアリ由來所謂有識階級ヲ以テ任シタルモノナレハ其ノ向背ハ実ニ全般社會ニ重要ナル影響ヲ及ホスモノナリ多年彼等ノ維持シ來レル所謂主義ナルモノ既ニ旧守的ナルヲ以テ破壊的ノ行動ハ彼等ノ最モ忌ム所トス騷擾當時ニ於テモ彼等ノ多クハ何レモ傍觀的態度ヲ持シテ毫モ直接之ニ與ラス彼等ノ思想態度斯クノ如クナルヲ以テ一部不逞ノ青年等ハ

之ヲ目シテ民族ノ敵ニシテ朝鮮独立ノ邪魔物ナリトシテ之ヲ脅迫シ或ハ排斥攻撃到ラサルナク為ニ騒擾以来新旧思想ノ衝突一時極度ニ達シ互ニ相反目シテ下ラス儒林界ハ今日ニ於ケル青年ハ東洋道徳ノ破壊者良風美俗ノ紊乱者ナリトシテ之ヲ顰蹙シ孔孟ノ遺風遂ニ此ノ思想ノ為ニ滅ヒンコトヲ憂ヒ昨年末儒道ヲ振興シテ東洋独特ノ精神的文明ヲ維持シ一方其ノ真髄ニ立脚シテ物質的文明ノ醇化ニ努メ社會ノ根本ヲ覆滅セントスル新旧思想ノ調和ヲ圖リ青年ノ思想ヲ善導セントスルノ思想漸ク儒林界ニ擡頭シ来ル中本府ハ多年儒林界怨望ノ中心トナリシ共同墓地規則及郷校財産管理規則ヲ改正シ郷校財産ノ如キハ之ヲ儒林界ノ意思ニ依リテ處分スルノ途ヲ啓キ一面社會教化事業ニ其ノ資ヲ投スルコトヲ得セシメ其ノ潜勢力ヲ活用センコトヲ企テシニ翕然トシテ帝國ノ統治方針ニ傾到スルニ至リ昨年二月京城ニ儒林界ノ名士ヲ以テ儒道振興會ナルモノ組織セラレ雑誌儒道ヲ發行シテ盛ンニ前記趣旨ヲ宣傳スルト共ニ内鮮融和ノ鼓吹ニ努メ儒林ノ集團地ト称スル慶尚南北道ヲ始メ朝鮮各地ニ数十ノ支分會設立セラレテ其ノ結束ヲ堅クセントシ其ノ他同様ノ趣旨ノ下ニ京城ニ大同斯文會江原道ニ儒道闡明會黄海道ニ明倫會ナルモノ相踵テ設立セラレ漸ク世ノ注意ヲ惹クニ至レリ當初一部ノ青年ハ勿論儒林界ト雖一部ノ有識者ハ此等ノ會合ヲ目シテ時勢ノ逆轉ナリト絶叫シテ極力反對ヲ試ミ凡ユル妨害ヲ加ヘントスルノ形勢アリシカ時ヲ経ルニ從ヒ共ニ東洋固来ノ道徳維持ノ必要ヲ痛感シ亦漸ク儒道振興ノ必スシモ徒爾ナラサルヲ自覚スルニ至リ青年輩亦此等社會ノ力ヲ借ルニアラスンハ殆ント何等ノ実行力ナキコトヲモ自覚シ相携提シテ社會秩序ノ維持道徳ノ振興ニ資センコトヲ計リツヽアリ

其他在外親日團體ノ重ナルモノヲ擧クレハ北間島方面ニ朝鮮人民會、西間島方面ニ保民會及朝鮮人會アリテ相互ノ親睦ヲ圖ルト共ニ教育産業衛生ノ振興ヲ計ルヲ以テ目的トセリ（別表参照）今主ナルモノノ二、三ヲ擧クレハ左ノ如シ

(1) 朝鮮人會

北間島及琿春ヲ其ノ區域トシ大正九年冬期ノ創設ニ係リ爾来發展シテ今ヤ數十箇所ニ設置セラレ益發展ノ状況ニアリ而シテ其ノ目的トスル所ハ自己ノ向上ヲ圖ルト共ニ教育産業及衛生思想ヲ普及シ以テ日本臣民タルノ本分ヲ全フスヘシト云フニアリ

(2) 保民會

大正九年三月ノ創設ニ係リ朝鮮人会トノ區域ヲ明瞭ニスル為其ノ區域ヲ奉天總領事館管内内トセリ本會ノ目的トスル處ハ一般移住鮮人ノ利益ヲ増進スルヲ目的トスルモノニシテ其區域内ニ移住スル者ハ入會ノ義務ヲ負フモノトス而シテ本會役員役員等ハ不逞鮮人ノ横行スル区域ヲ往来シ凡ユル危険ヲ冒シ必要ノ場合ニ於テハ不逞鮮人ノ討伐ヲ為シ其ノ勢力ノ扶殖ニ努メタル結果漸次拡張スルニ至レリ

(3) 朝鮮人會

本会ハ前項保民會ト其目的ヲ同フシ安東領事ノ認可ヲ得テ其ノ名称ヲ當初朝鮮人組合ト称シタリシカ漸次其ノ勢力ヲ地方ニ及ホシ安東領事館管内數箇所ニ支部ヲ設置スルニ至リ着々其ノ成績ヲ收メツヽアリシガ一昨年騒擾勃発当時分離シテ会勢一時振ハサリシモ其後漸々勢ヲ挽回シ大正九年十二月朝鮮人会ト改称シ今ヤ益発展シテ安東領事館管内到ル處支部ヲ設置シ相互救助ノ實ヲ擧ケツヽアリ

在外ニ於ケル自發的善良團体調書

所在地	名稱	戸数	主宰者名	摘要
興京縣興京	満州保民會総本部	一二、九〇〇	會長李宙秀	戸数ハ部内総括
興京縣新賓堡	仝 総支部	五四〇〇	支部長白衡璉	戸数ハ部内総括
興京縣永陵街	仝 興西支部	一、一〇〇	不明	
興京縣紅廟子	仝 興南支會	二、八〇〇	仝	
興京縣北旺清	仝 興北支會	六〇〇	仝	
興京縣旺清	仝 興東支會	一、〇一〇	仝	
桓仁縣桓仁	仝 桓仁支部會	三、七〇〇	會長吉隱國	戸数ハ部内総括
桓仁縣二棚面子	仝 桓東支會	一、六〇〇	不明	
桓仁縣小皮辺溝	仝 桓西支會	八〇〇	仝	
桓仁縣大雅河	仝 桓南支會	四〇〇	仝	
桓仁縣拐磨子	満州保民會桓北支會	九〇〇	不明	
通化縣通化	仝 通化支部會	六、八〇〇	會長李東成	戸数ハ部内総括
通化縣八道溝	仝 通東支會	八〇〇	不明	
通化縣小馬鹿溝	仝 通西支會	一、〇〇〇	仝	
通化縣小泉源	仝 通南支會	一、〇〇〇	仝	
通化縣金斗伙洛	仝 通北支會	一、〇〇〇	仝	
安東	朝鮮人會本部	六五八	會長李泰鉉	戸数ハ部内総括
安東縣接梨樹	仝 接梨樹支部	二六五	支部長張清一	
安東縣渾水泡	仝 渾水泡支部	二二二	仝 趙尚栗	
寛甸縣大平哨	仝寛甸縣総支部	三、五八四	総支部長金用國	
寛甸縣大平消	仝 大平消支部	五五〇	支部長金景煥	

所在地	名称	戸数	主宰名	摘要
寛甸縣小不太遼	仝 小不太遼支部	三〇〇	支部長 李永河	
寛甸縣三道溝	仝 三道溝支部	三八四	仝 金栄河	
寛甸縣大川溝	仝 大川溝支部	四五二	仝 金典鎬	
寛甸縣万寳盖	仝 万寳盖支部	二五[illegible]	仝 李文楨	
寛甸縣大荒溝	仝 大荒溝支部	四一〇	仝 金潤鎮	
寛甸縣小荒溝	仝 小荒溝支部	四七三	仝 許祥龍	
寛甸縣保水河	仝 保水河支部	三四五	欽 貞	
寛甸縣化皮甸子	仝 化皮甸子支部	四一三	仝	
輯安縣通溝	仝 輯安縣総支部	九三九一	総支部長 李完求	
輯安縣外岔溝	仝 外岔溝支部	一一三〇	支部長 九鼎三	
輯安縣涼水泉子	仝 涼水泉子支部	三三八	仝 金應浩	
輯安縣熙和堡	仝 熙和堡支部	七九八	仝 金文秀	

所在地	名称	戸数	主宰名	摘要
輯安縣太平溝	仝 太平溝支部	七一〇	支部長 姜達周	
輯安縣小盤岔	仝 小盤岔支部	二二〇	仝 韓昌洙	
輯安縣双岔河	仝 双岔河支部	三二八	仝 金利求	
輯安縣大荒溝	仝 大荒溝支部	三一五	仝 金奉舜	
輯安縣通溝	仝 通溝支部	三六四	仝 李逢春	
輯安縣大清溝	仝 大清溝支部	三八七	仝 金禧訂	
輯安縣祥和堡	仝 祥和堡支部	四七〇	仝 田昌圭	
輯安縣泰和堡	仝 泰和堡支部	二九五	仝 李雨春	
長白縣長白府	仝 長白府支部	一五四二	仝 李清浦	
長白縣金華鎮	仝 金華鎮支部	九五二	仝 李成賓	
長白縣十二道溝	仝 十二道溝支部	一〇二七	仝 李象涉	

所在地	名称	戸数	主宰名	摘要
延吉縣龍井村	龍井村朝鮮人民會	五七〇〇	會長 李燃德	
延吉縣銅佛寺	銅佛寺朝鮮人民会	三八〇二	不明	
延吉縣天宝山	天宝山朝鮮人民会	五、八〇三	不明	
延吉縣傑満洞	傑満洞朝鮮人民会	二、五〇二	不明	
延吉縣局子街	局子街朝鮮人民会	一、五五三	不明	
延吉縣八道溝	八道溝朝鮮人民会	一、九二三	不明	
延吉縣嗶呀河	嗶呀河朝鮮人民会	三、三八二	不明	
延吉縣依蘭溝	依蘭溝朝鮮人民会	三、〇五四	不明	
延吉縣頭道溝	頭道溝朝鮮人民会	四、三二一	會長 金鳴汝	
延吉縣二道溝	二道溝朝鮮人民会	四、二二六	不明	
和龍縣南陽坪	南陽坪朝鮮人民会	四、六二七	不明	
和龍縣太拉子	太拉子朝鮮人民会	六二一三	不明	

所在地	名称	戸数	主宰名	摘要
和龍縣釜洞	釜洞朝鮮人民会	三、六二一	不明	
汪清縣涼水泉子	涼水泉子朝鮮人民会	二、〇八六	不明	
汪清縣百草溝	百草溝朝鮮人民会	二、一六九	不明	
琿春縣琿春	琿春朝鮮人民会	三、三〇〇	會長 李根陽	
琿春縣黒頂子	黒頂子朝鮮人民会	一、二〇九	不明	
琿春縣頭道溝	頭道溝朝鮮人民会	三、一二七	不明	
琿春縣敬信郷	敬信團	一〇村民	團長 李春	元不逞團ナリシモ日本軍ノ[illegible]
瀋陽縣奉天	奉天居留朝鮮総会	―	會長 川本静夫	前會長 鄭炳朝
柳河縣柳河	柳河朝鮮人会	―	會長 李膺斗	
吉林省吉林	吉林朝鮮人会	―	會長 金東佑	
撫順縣撫順	撫順朝鮮人会	―	不明	

所在地名	名称	戸数	主宰名	摘要
賓江縣哈爾賓	哈爾賓朝鮮人会	八〇	會長金潤鎬	
長白縣長春	長春朝鮮人会	八〇	會長李邦悦	
西豊縣	拘庇鮮人居留民会	ー	會長安世勲	
鳳城縣	鮮友矯風会	ー	不明	
浦潮新韓村	鮮人居留民会	ー	會長李尚雲	
尼市	鮮人懇和会	ー	會長金萬健	
沿海州ニコリスク	鮮人居留民会	ー	會長金聲振	
浦潮真佛洞	鮮人居留民会	ー	會長金斗宜	
浦潮煙秋	煙秋鮮人居留民会	ー	不明	
浦潮ノウオキイスコエ	鮮人学校	ー	煙秋鮮人居留民會	経費ハ煙秋民会ヨリ支出ス
尼市	鮮人小学校	五五	尼市鮮人懇和会	懇和会ヨリ経費支出ス 五五ハ生徒数
浦潮新韓村	東興学校	二一	校長元奉天	大正十一年十一月八日創立経費ハ生徒父兄ヨリ支出
浦潮	労働至誠団	三〇〇	團長李允栄	日本軍ニ労働人夫供給ノ為三〇〇ハ人夫数
浦潮一番河	保村会	一三六	會長姜錦述	日本軍兵営警備ノ北方ヲ援クル為
尼市	東露新聞社	七	社長朴炳哲	在住鮮人ノ文化ノ為メ七ハ社員ナリ
尼市デンヘルケルスカヤ	極東日報社	四	社長徐應錫	鮮人文化産業ノ振興ノ目的ニテ四ハ社員
尼市	新時報	五	尼市鮮人懇和会	懇和会ニ属シ同市ノ会員ヨリ支出ノ経費ニ

六、其ノ他我ニ有利ナル宣傳事項

以上各項ニ亘リテ説明スル處アリシモ尚一部鮮人ノ間ニ於テ施政全体ノ上ニ於テ各種ノ不平希望等ヲ述フル者尠カラス其ノ事項亦岐亦様ニ渡ルト雖モ之ヲ綜合スルニ(一)差別撤廃ヲ為スヘシ(二)言論ノ自由ヲ與ヘヨ(三)風俗習慣ヲ尊重スヘシ(四)参政権ヲ與ヘヨ(五)教育機関ヲ増設スヘシ(六)殖産工業ヲ作興スヘシ等ニ帰着スルモノヽ如シ依テ之ヲ別冊朝鮮ニ於ケル新施政ヲ添付セルヲ以テ之ニ依リ這般ノ事情ヲ明瞭ナルヲ得ヘシ殊ニ殖産学事ニ付テハ尚他ニ別冊朝鮮ニ於ケル農業、商業、工業、鑛業、水産業及新施政ト教育、

Manual of Education in Chosen.

朝鮮人教育一覧表ヲ添付セルヲ以テ詳細ナル事項判明スヘシ

Educational Chosen.

尚従来鮮人ノ集會言論ニ對シテハ勢ヒ消極的ニ之ヲ取扱ヒ来リタル處制度改正以来可成是等ノ自由ヲ認メ民意輿論ノ暢達ニ努メタリ今制度改正以前ニ於ケル新聞紙、出版物発行ノ状況ヲ表示スレハ別紙ノ如シ

米國ニ於ケル朝鮮獨立運動ニ關スル調査報告書

本書ハ時永事務官カ米國ニ於テ調査シ客年四月華盛頓ヨリ復命シタル所ノ一部ヲ輯錄シタルモノトス參考ノ爲印刷ニ附シ府內頒閱ノ便ニ供ス

大正十年九月

朝鮮總督府警務局

調査順序

一、米國ニ於ケル朝鮮獨立運動ニ關シテハ在米朝鮮人ノ運動及之ニ對スル米國人ノ同情運動ノ二ヲ調査スルコトヲ要ス米國人ノ同情運動ハ民族自決主義ニ胚胎ス從テ此主義ニ關スル研究ヲ以テ本調査ノ第一歩トス民族自決主義ニ關スル運動ノ最モ熾烈ヲ極ムルモノハ愛蘭獨立運動ニシテ朝鮮獨立運動ノ方法ハ甚タ之ニ酷似ス從テ又愛蘭獨立運動ノ狀況及之ニ對スル米國人ノ同情運動ニ關スル研究ヲ以テ本調査ノ第二歩トス而シテ此等獨立運動ニ關スル輿論ハ新聞雜誌ニ依リ喧傳セラレ其勢力甚タ偉大ナルモノアリ依テ米國ノ新聞雜誌ニ關スル調査ヲ以テ第三歩トス此三者ヲ研究シタル後初メテ米國ニ於ケル朝鮮問題ヲ論スルコトヲ得ヘシ以下此順序ニ依リテ記述セントス

二、調査目次

第一章　民族自決主義……一

第一節　民族自決主義ノ沿革……一

第一　最近同主義ノ高唱セラレタル實例……一

所謂平和基礎條件十四箇條―講和條約案第十條―マウントヴェルノンニ於ケルウイルソン大統領ノ宣言―獨立運動援助ノ實例―第六十六回第一期米國議會(愛蘭獨立同情案ノ通過及朝鮮同情問題)―第六十六回第二期米國議會(埃及保護權ニ關スルOwen留保案、愛蘭及朝鮮獨立同情ニ關スルShield及Thomas修正案―愛蘭獨立同情ニ關スルGerry留保案及朝鮮獨立同情ニ關スルThomas修正案)―駐米英國大使ノ愛蘭代表權拒否ニ關スルHammill決議案

第二　同主義ノ根據……八

合衆國獨立宣言ト「デモクラシイ」―建國以來ノ歷史―一八九二年民主共和兩政黨ノ政綱

第三　同主義カ歐洲戰爭後高唱セラルルニ至リシ經過……九

ブツイヤン氏ノCommoner―ルウズベルトノ演說―國際聯盟ト民族自決主義―ウイルソン大統領ノ巴里會議ニ於ケル演述

第四　同主義ニ關スル國際聯盟規約ノ解釋……三

同主義カ存スルコトノ說―同主義ハ除外セラレタルトノ說―同主義留保說―結論

第三　運動ノ狀況……一〇九
(一)　獨立運動勃發後ノ運動……一〇九
(二)　運動資金ト大韓國公債……一一一
(三)　米國ニ於ケル輿論鎭靜後ノ運動……一一三
朝鮮統治改革方針ニ對スル非難―運動ト過激派トノ關係說―朝鮮共和國獨立宣言（一週年紀念會）―上院ニ於ケル朝鮮獨立同情案否決ニ對スル意見發表

第三節　米國人ノ同情運動……一一六
第一　同情事由……一一六
聯合通信ト紐育「ヘラルド」紙―「タイムス」通信員ヂャイルス氏―Armstrongト基督敎會聯合同盟會―Miss Guthapel ノ喧傳冊子―モリー逮捕事件―安城事件―天津及西伯利ニ於ケル日米兵士ノ惡感―上院ニ於ケル同情演說
第二　同情者ノ種別……一一七
(一)　獨立同情者……一一七
(二)　施政非難者……一一八
Armstrong紐育領事ニ語リシ意見―基督敎聯合同盟會ノ意見
第三　上院ニ於ケル朝鮮問題ノ經過……一二〇

一九一八年十二月Hun Kimm及Sungku Sinneノ陳情―一九一九年一月Henry Chungノ請願―一九一九年四月朝鮮議會ノ請願―第六十六回第一期議會ニ於ケル Norris 及 France 兩議員ノ演說―一九一九年六月Spencer 議員ノ決議案提出―第六十六回第二期議會ニ於ケルThomas 氏ノ獨立同情案―同案否決ノ理由
第四　米國官憲ノ態度……一二三
(一)　地方官憲從來ノ態度……一二三
(二)　中央政府ノ今回ノ運動ニ對スル態度……一二四
第五　同情輿論鎭靜ノ事由……一二六
基督敎聯合同盟會ノ報告書ト原首相ノ宣言―新總督ノ改革綱領―黑人迫害事件― Scribner Magazine本年五月號朝鮮記事ト輿論
第六　運動ノ將來……一二八

第四節　在米支那人ノ同情運動……一二九
第一　在米支那人ノ狀況及排日運動……一二九
(一)　狀　況……一三〇
(二)　排日運動……一三〇
第二　在米支那人ノ同情運動……一三一

米國ニ於ケル朝鮮獨立運動ニ關スル調査報告書

第一章　民族自決主義

第一節　民族自決主義ノ沿革

第一、最近同主義ノ高唱セラレタル實例

民族自決主義ノ高唱セラルルニ至リシハ一九一八年一月八日ウイルソン大統領ノ所謂平和基礎條件十四箇條ニ關スル敎書ニ始マル之ニ基キウイルソン大統領カ一九一九年二月三日國際委員會ニ提出シ且ツ上院外交委員ニ示シタル所謂國際聯盟約款ト稱スル講和條約案第一編第十條ニハ次ノ如ク記載セラル

各締盟國ハ相互ニ政治上ノ獨立及領土ノ保全ヲ保障ス然レトモ各締盟國ハ若シ將來現在ノ民族ノ狀態又ハ希望ノ變更又ハ現在ノ社會上若クハ政治上ノ關係ノ變更ニ依リ領土ノ分合整理ヲ要スルニ至リタルトキハ民族自決ノ原則ヲ適用スルコト及此領土ノ分合整理ハ關係人民ノ平和ト利益トヲ代表セル委員ノ四分ノ三ノ判斷ニ依リ其人民ノ同意ヲ以テ決定セラレ且ツ領土ノ變更ハ均等ニ物質上ノ

賠償ヲ要スルコトヲ了解ス各聯盟國ハ世界ノ平和ハ政治上ノ管轄區域又ハ領土ノ問題ヨリモ重要ナルコトノ原則ヲ何等ノ留保ナクシテ認ムルモノナリ

大統領ハ之ニ關シ一九一七年七月四日マウント、ベルノンノ故ワシントン墓前ニ於テ宣言シテ曰ク「人類ノ組織的意見（Organized opinion of mankind）ニ依リテ支持セラレタル同意ヲ基礎トスル法律ノ支配」ナリト即チ大統領カ講和條約原案ヲ携ヘテ巴里ノ平和會議ニ望ミタルハ此人類ノ意見ヲ組織スル爲ニシテ大統領ハ講和ノ取極ハ「利害關係ノ如何ヲ問ハス取極ノ各條項ノ公正、及啻ニ公正ナルノミナラス各關係人民ノ滿足」ニ存セサルヘカラストナシ更ニ一九一八年七月四日演說シテ「取極ハ唯一ニシテ最終ノモノナリ何等ノ混淆ト未解決ヲ許サス世界各國民ハ其平和、領土主權並ニ經濟上政治上ノ關係ニ付キテ各種ノ問題ヲ各關係國民ノ自由承認ニ依リテ決スル前ニ爭議シ又ハ合意スヘキ多種ノ事項ヲ有ス各聯盟國ハ國ノ大小ヲ問ハス同樣ニ其獨立ト領土ノ保全ニ付テ保障ヲ與フル目的ノ爲ニ特殊ノ盟約ヲ作ラサルヘカラス」トナセリ實ニ民族自決ノ主義ハ感情又ハ理想ノ論ニアラスシテ平和會議ニ依リテ具體化セシメ而シテ民族自決ヲ欲スル國民ニ對シテハ其要求ヲ考慮セントスルハ米國ノ國民的要求ナリトナス

曩ニ愛蘭人カ米國內ニ於テ獨立運動ヲ爲スヤ盛ニ之ニ同情ヲ表シ一九一八年ニハ中歐十二箇國ノ代表者カ紐育ニ於テ民族自決ノ會議ヲ開催シ朝鮮人モ又之ニ參加シ其後猶太人モ米國ニ於テ會合シ運動ヲ

爲シタルニ對シ米國政府ハ何等ノ干渉ヲ爲サス却ツテ此等謀反企劃ノ避難所トシテ保護ヲ與ヘツツアルハ卽チ此民族自決ノ思想ニ由來スルモノニシテ既ニ米國自身ノ屬領ニ付キテモ Cuba ニ對シテハ之カ獨立ヲ認メ比律賓ニ對シテハ一九一六年ノ法令ニ依リ比律賓人カ獨立シ得ヘキ鞏固ナル政府ヲ形成スルノ時ヲ待ツテ獨立ヲ與フヘキコトヲ定メタリトナシ近クハ客年第六十六回第一期議會ニ於テハ六月六日上院ハ突如トシテ對英關係ヲ無視シテ愛蘭獨立ニ關スル次ノ決議ヲ通過セリ

合衆國上院ハ米國講和委員ニ於テ平和會議ヲシテ愛蘭代表者 Valera, Griffiths. Plunkett ノ三名ノ愛蘭ニ關スル陳述ヲ聽取セシムルコトニ努力センコトヲ切望ス上院ハ愛蘭人ノ獨立希望ニ同情ス

此決議前段ハ共和黨 Borah 氏ノ提案ニシテ後段ハ民主黨 Walth 氏ノ修正ニ係リ出席議員六十名中一名ヲ除ク外ハ兩黨議員全員ノ贊成スル所トナレリ更ニ同議會ニ於テハ George W. Norris 及 Joseph I. France ノ兩議員ハ朝鮮獨立ニ關スル同情演說ヲ試ミ平和條約ニ關連シテ本問題ヲ考慮スルノ要アルヲ說キ若シ此條約ニシテ無條件ニ批准セラレナハ條約第十條及第十一條ノ結果ハ朝鮮ノ獨立ヲ企劃スル者ヲシテ合衆國領土內ニ避難セシムルコト不能トナルニ至ルヘシトナセリ愛蘭獨立同情案ニ對スル上院外交委員長 Lodge 氏ノ說明ニ依レハ「個人又ハ國民ノ正當ナル主張要求ニ對シテハ公平ナル Learning ヲ與ヘサルヘカラス予ハ此理由ニ依リ朝鮮人及「アルバニア」人等ノ主張ヲ聞カレンコトニ徴力ヲ盡シタルカ如ク愛蘭人ニ對シテモ同樣ノ權利ヲ認ムルモノナリ決議案後段ハ內政干渉ニ屬スルノ嫌アル

モ今日平和會議ハ獨逸ト和議ヲ結フ正當ナル範圍ヲ超越シ全世界ノ問題ニ干渉シツツアルノミナラス「モンロー」主義ノ如キ純然タル亞米利加ノ內事ニマテ決定ヲ與ヘントスル英國側ノ主張ニ依レハ「モンロー」主義ニ關シ疑義アルトキハ國際聯盟之ヲ決定スヘシト云フ此ノ如キ形勢ニ顧ルトキハ吾人カ英國ノ內政ニ關シ多少先例ヲ破リ意見ヲ發表スルハ毫モ咎ムヘキニアラス云々」トナセリ

越ヘテ第六十六回第二期議會ニ於テハ本年三月十六日民主黨議員 Owen 氏ハ平和條約ニ對シ「合衆國ハ條約第四編第六款ニ規定スル保護權ハ戰時中埃及ノ領土保全及獨立ヲ保護スル爲ノ戰時手段ニ過キスト解ス」トノ留保案ヲ提出シ(註 條約第四編第六款第一四七條獨逸ハ一九一四年十二月十八日英國ノ埃及保護ニ關スル宣言ヲ承認スルコトヲ宣言ス)之ニ對シテ共和黨議員 Shields 氏カ「合衆國政府ハ猶ホ國際聯盟條款ノ根底タル民族自決及各國政府平等ノ大原則ノ實行ノ爲ニ英國ハ愛蘭共和國ノ存立ト政治上ノ自由トヲ認メ且ツ他ノ獨立國ニ與ヘタルト同一ノ代表者ヲ國際聯盟會議ノ一員トシテ派遣スルコトニ同意スルモノト解ス」トノ修正案ヲ提出スルヤ民主黨議員 Thomas 氏ハ更ニ「合衆國ハ猶ホ國際聯盟條約ノ根底タル民族自決及各國政府平等ノ大原則ノ實行ノ爲ニ英國及日本ハ各々愛蘭共和國及朝鮮古王國ノ存立ト政治上ノ獨立トヲ認メ且ツ此等ノ國ニ他ノ各獨立國ニ與ヘタルト同一ノ代表者ヲ國際聯盟會議ノ一員トシテ派遣スル事ニ同意スルモノト解ス」トノ修正案ヲ提出セリ此留保案及同修正案ニ對シテハ議論沸騰シ遂ニ同日採決スルニ至ラス翌十七日 King 氏ハ更ニ上記三案ヲ通シテ一修正案ヲ提出シタリ卽チ次ノ如シ

合衆國ハ條約第四編第六款ニ規定スル保護權ハ戰時中埃及ノ領土保全及獨立ヲ保護スル爲ノ戰時手段ニ過キスト解ス合衆國ハ獨逸トノ戰爭ノ終結ニ當リ國際聯盟ノ條款ノ根底タル民族自決及各國政府平等ノ大原則ノ實行ノ爲 Porto Rico, Philippine Island, Virgin Islands 及 Territory of Hawaii 人ニシテ二十歲以上ノ住民ノ多數カ獨立ヲ投票スルニ於テハ其政治上ノ獨立ヲ承認スヘキコトヲ宣言シ而シテ合衆國ハ又上記原則ノ實行ノ爲英國及日本ハ各々愛蘭共和國及朝鮮ノ古王國ノ存立ト政治上ノ獨立ヲ認メ且ツ此等ノ國ニ他ノ獨立國ニ與ヘタルト同一ノ代表者ヲ國際聯盟會議ノ一員トシテ派遣スルコトニ同意スルモノト解ス

元ヨリ此修正案ハ上院ノ通過ヲ豫期シテ提出シタルモノニアラスト雖如何ニ極端マテ議論セラレタルカヲ窺知スヘシ右各案ハ二日ニ亘ル幾多ノ討議ヲ經テ採決ノ結果五十四票對二十一票ノ多數ヲ以テ無期延期ニ決シタリ

然レトモ更ニ共和黨議員 Gerry 氏ハ「合衆國ハ獨逸トノ講和條約ノ批准ヲ爲スニ當リ民族自決ノ主義及一九一九年六月六日上院ニ於テ是認セシ愛蘭人カ其撰フ所ノ政府ヲ建設セントスルノ希望ニ同情ヲ有スル決議ヲ固持シ且ツ愛蘭カ結局其欲スル自治政府ヲ建設スルニ至リタルトキハ直チニ國際聯盟ノ一員タルコトヲ許サルヘキモノナルコトヲ宣言ス」トノ留保案ヲ提出シタルニ對シ更ニ Thomas 氏ハ翌十八日曩ニ其提案セルト同シク朝鮮獨立同情ニ關スル次ノ修正案ヲ提出シタリ

而シテ合衆國ハ猶ホ民族自決ノ主義ヲ固持シ朝鮮人民カ舊王國ヲ恢復シ日本ノ暴政ヨリ脫スルノ切實ナル希望ニ同情シ且ツ其希望達成シタルトキハ直チニ國際聯盟ノ一員タルコトヲ認メラルヘキモノナルコトヲ宣言ス

右 Gerry ノ留保案及 Thomas ノ修正案ニ對シテハ King 氏ノ如キハ前日無期延期ニ決セラレタル Shield 氏及 Thomas 氏ノ提出セル兩修正案ト同趣旨ナルヲ以テ既ニ處分セラレタルモノト思料スル旨述ヘタルモ議長ハ前日ハ埃及ニ關スル留保案カ無期延期セラレタル爲ニ之ニ附隨スル兩修正案モ論理上一括葬ラレタルニ過キスト說明シ前記留保案及修正案ヲ上程セリ之ニ對シ Walsh 氏ハ「日本ノ暴政ヨリ脫ス」トノ文句ハ國際上日本ニ對シ面白カラサルニ依リ事實ノ如何ニ拘ラス此文句ヲ削除センコトヲ提議シ Thomas 氏モ同意セリ又 Lodge 氏ハ民族自決ノ權利ヲ破壞スル爲ニ四年ノ慘戰ヲ南北戰爭ニ實驗セル米國カ之ヲ主張スルハ僞善ニ過キストナシ「民族自決ノ主義ヲ固持シ」ノ文句ヲ削除センコトヲ提議シタルモ成立セス Thomas 氏ハ又「舊王國」ナル文字ハ「デモクラシイ」ニ反スルヲ以テ之ヲ削除シタリ」愛蘭獨立同情案提出者 Gerry 氏ハ Thomas ノ修正案ヲ以テ留保案ヲ共ニ葬リ去ラントスル目的ニ過キスト爲シ留保案ト分離シテ先ツ Thomas 提出ノ修正案ヲ無期延期トナスノ動議ヲナシ該動議ハ採決ノ結果三十四票對三十四票ノ可否同數ヲ以テ成立スルニ至ラス議論百出ノ後共和黨議員 Kellogg 氏ハ Gerry 留保案ヲ無期延期トスルノ動議ヲナシタルモ二十八票對五十一票ヲ以テ否決セラレタリ此所ニ

問題ハ両案共可否決定ニ移リ三十四票對四十六票ヲ以テ Thomas 修正案ハ否決セラレ Gerry 留保案ハ三十八票對三十六票ヲ以テ可決セラレタリ

如斯第六十六回議會ハ平和條約ニ關スル討議ニ伴ヒ民族自決主義ニ關スル原則ヲ留保セントスルノ議論ハ其動機若クハ裏面ノ理由ハ別トシテ意外ニ熱心ニ論議セラレタル所ナリ

更ニ最近傳フル所ニ依レハ(紐育タイムス紙ニ依ル)下院議員 James A. Hammill氏 (New Jersey選出) ハ五月七日右愛蘭獨立同情ノ決議セラルルヤ新ニ今次着任セル駐米英國大使 Sir Auckland Geddes ハ愛蘭ノ政治的代表者タルコトヲ拒絶スヘシトノ提議ヲ大統領ニ爲スヘク決議案ヲ下院ニ提出セリト云フ

Sir Auckland Geddes ハ大英國及愛蘭ノ大使トシテ米國ニ其信任狀ヲ提出セントス而シテ

米國大統領ハ一九一九年一月二十日巴里ニ於テ「予ハ各民族ハ吾々ノ希望ニ依ルニ非スシテ其民族ノ希望スル所ニ依リテ共和政體ノ政府ヲ自ラ統治スヘキモノナルコトヲ決定セン爲ニ來レリ」ト稱シ且ツ

愛蘭人ハ一九一八年十二月、三對一ノ投票ニ依リテ共和政體ノ政府ヲ組織スルコトヲ決シ且ツ

米國上院ハ一九二〇年三月十六日民族自決主義ヲ固持スルコトヲ再度決議シ該主義ハ Gerry 氏留保條件ニ依リ直チニ愛蘭共和國ニ適用セラレタリ

以上ノ理由ニ依リ合衆國議會ハ各々合衆國大統領ニ對シ米國カ戰時中屢々該主義ヲ聲明ヲ爲セシ所

ニ從ヒ Sir Auckland Geddes ヲ愛蘭ノ政治的代表者トシテ受クルコトヲ拒絶シ之ニ代フルニ適法ニ成立セル愛蘭共和國ノ公使 Dr. Patrick Mc Carton ヲ受クヘキコトヲ提議ス

第二、 同主義ノ根據

合衆國ニ於テ如斯主義ヲ高唱スルニ至リタルハ如何ナル理由ニ基クヤ Phelan 氏ノ言ヲ以テスレハ實ニ合衆國建國ノ精神ニ依ルト稱セラル合衆國獨立宣言ニ曰ク「人民ハ平等ニ作ラレ天賦ノ權利ヲ有ス而シテ此權利ヲ保障スル爲人民ハ政府ヲ組織シ其政府ハ人民ノ同意ニ依リテ其權力ヲ行使ス」ト是レ合衆國ノ「デモクラシイ」ヲ表明セルモノニシテ天賦ノ權利 (God-given right) ニ依リテ自由ヲ求ムル民族ニ對シテ援助ヲ與フルハ「デモクラシイ」ノ本領ニシテ米人ハ其革命戰爭ヲ爲シタルトキ他民族ノ欲スル革命ヲ他民族ニ與ヘサルカ如キ革命ヲ自ラ要求シタルモノニナラス獨立ヲ要求スル國民ニ對シテ之ヲ保護奬勵スルハ實ニ其建國以來ノ重要ナル主義ナリ此所ヲ以テ希臘人ノ獨立ニ際シテハ希臘ヲ助ケ Kossuth カ匈牙利ヨリ分離シテ共和國ヲ建設スルトキハ Kossuth ヲ援ケタリ合衆國民ハ我利心ヲ慾求スルモノニアラス又排戰的國民ニアラス Porto Rico, Cuba, Philippine ハ合衆國ノ保護ヲ求メ來リタルモノナリ布哇ニ對シテハ稍々積極的行動ヲ取リタルモ他國ノ如ク其領土ノ獲得ニ對シテ戰爭ヲ爲シタル事ナシ各國ハ予ハ汝カ支配スルヨリモ能ク支配ストノ理由ヲ以テ保護又ハ併合ヲ宣言スルノ理由ナシ各民族ハ不完全ナカラ自ラ支配セント欲セハ之ヲシテ支配セシムルニ於テ何ノ不可アラン

ヤ此所ヲ以テ一八九二年民主及共和兩政黨ハ其政綱ニ於テ夙ニ次ノ如ク宣言セリ

民主黨政綱　被壓制民族ニ對スル同情

第十一節　我國ハ常ニ各國ヨリ壓制ヲ受クル者カ其良心ノ爲ニスル亡命ニ對シテ避難地 (Refuge of the oppressed) タリ吾人ハ我政府建設者ノ精神ニ依リ露國政府カ其 Lutheran 及 Jewish民族ニ加ヘタル壓制ヲ呪イ吾人ハ我政府ニ對シテ正義人道ノ爲メ正確且ツ適切ナル手段ニ依リ露國皇帝ノ領土内ニ於ケル殘忍ナル行爲ヲ阻止シ此等人民ニ對シテ平等ノ權利ヲ與ヘシムルニ迅速且ツ有效ノ措置ヲ講スヘキコトヲ建議スヘシ

吾人ハ愛蘭ノ Home rule 及地方自治制ニ向ツテ奮闘シツツアル自由ヲ愛スル人民ニ對シテ甚深且熱心ナル同情ヲ有ス

共和黨政綱　被壓制者ノ擁護

共和黨ハ常ニ壓制セラレタル民族ノ擁護者ニシテ信仰、人種、國民性ノ如何ヲ問ハス人類ノ權威ヲ認ム愛蘭ノ Home rule ノ實行ニ同情シ露國ニ於ケル猶太人ノ壓抑ニ對シテ保護ス

第三、 同主義カ歐洲戰爭後高唱セラルルニ至リシ經過

民族自決主義ハ米國建國ノ主義ニシテ各政黨ノ既ニ政綱トセル所ナリト雖其最モ高唱セラルルニ至リシハ歐洲戰爭ノ正ニ終結セントスルノ時以後ニ屬ス然レモ W. I. Bryen ハ既ニ一九一五年其 Sign セル

Commoner ニ曰ク「吾人ハ何故ニ Sister Republic ノ獨立ニ對シテ保證人トシテ立ツコトヲ冷靜ニ考慮セサルヤ我國ハ西半球ニ於ケル優勢ナル政治權力ナリ然レトモ我國ハ未タ曾テ隣國ノ土地、富源等ヲ併合シタルコトナシ Latin-American Republic ハ啻ニ自治ナルノミナラス其共和憲法ノ根本主義ヲ認メ大西洋對岸ノ敵ヲ驅逐セスンハ止マス若シ吾人カ過去ノ理想及傳説ヲ墨守スルトキハ世界ニ高尙ナル先例ヲ示シテ之ヲ改造セスンハ止マサルナリ吾人カ此ノ政策ヲ固持スルトキハ世界ヲ指導シ其先驅者トシテ滿足スルコトヲ得ヘシ之ニ反シ吾人ノ政策ヲ變更センカ吾人ハ歐洲各國ノ後ニ伍スルニ至ルヘキコトヲ覺悟セサルヘカラス」ト之レ蓋シ歐洲各國ハ征服主義ノ團體ナルヲ以テ戰後講和會議ニ於テ歐洲ノ優勢國ハ多數ノ小國ヲ併合セントスヘシ合衆國カ Sister Republic ノ保證人タルヘキ民族自決主義ノ政策ヲ變更セシカ此等ノ征服主義ノ國家ノ利用スル所トナリ其後ニ伍セサルヘカラサルニ至ルコトヲ示セルモノナリト稱セラル更ニ一九一八年九月六日當時ノ大統領ルウズベルト氏カ Lafayette day ニ際シ紐育市參事會議事堂ニ於テ各國ノ大公使其他貴賓ノ面前ニ於テ爲シタル演説ヲ見ルニ「Lafayette day ハ合衆國カ佛國ニ依リテ革命スルニ至リタルコトヲ紀念スル日ナリ今ヤ現大戰爭ニ依リ佛 英、伊其他ノ同盟國ハ我合衆國ヲシテ同一ノ事業ヲ爲サシムルニ至リタルコトヲ茲ニ斷言スルヲ憚ラス合衆國ハ正ニ此等同盟國ト大戰爭ニ堪ヘサルヘカラス」ト爲シ更ニ進ンテルウズベルトハ獨逸及其同盟國カ浸略セル領土ニ關シ語ヲ成シ Poland, Czechoslovakia 及 Jugo-slavia ノ自由獨立ノ國家

タルヘキコトヲ說ケリ是レ米人ノ感情ヲ表白セルモノニシテ實ニ氏カ此等民族ノ自由ノ保障ヲ爲サザルヘカラサルコトヲ主張セルハ卽チ民族自決ノ要諦ヲ唱導セルモノナリトナス

如斯合衆國建國ノ歷史及精神ハ「デモクラシイ」ニ依リテ各國民ニ自由ト平等ノ權利ヲ享有セシメ小弱國民族ヲ援護シテ之カ自決ノ權利ヲ與フヘキモノナリ世界人類ヲ奴隷ノ境遇ニ放置スルハ世界ヲDemocratize スル所以ニ反ス之ヲ救ハントセハ之ニ自由ト平等ヲ訴フルノ途ヲ與ヘサルヘカラス若シ壓抑セラレタル民族ニ對シテ汝ハ汝ノ抑壓者ノ同意ヲ得ルカ又ハ戰爭ノ手段ニ訴フルノ外ハ自由平等ヲ得ヘカラスト爲スハ永久其奴隷ノ地位ヲ脫スルヲ得スト云フニ等シトナシ歐洲大戰終結ヲ告ケ講和ノ議起ルヤ今ヤ民族自決ノ權利ノ適用ヲ拒否スヘキヤ否ヤヲ考慮スヘキノ機ニ際會セリトナシウイルソン大統領ノ所謂十四箇條ノ條件中民族自決ノ原則ニ共鳴シ講和條約原案第十條ハ卽チ大統領ノ人道主義又ハ理想計劃ニシテ此國際聯盟條約ニ依リ始メテ世界人類ヲシテ其自治ノ能力ヲ有セシメ獨立ヲ欲スルトキハ民族自決ノ權利ヲ與ヘ以テ人道ヲ發揚シ世界ヲ Democratize スルコトヲ得ヘク國際聯盟ナル機關ノ組織ハ此理想ヲ實行スル爲ニ外ナラスシテ其偉大ナル力ニ依リテ抑壓セラレ居ル奴隷ヲシテ訴フル所ヲ得セシメタルモノナリトナセリ

一九一九年一月十五日大統領ハ巴里ニ於ケル各國全權大使ノ會議（Plenery Council）ノ席上ニ於テ演說シテ曰ク「吾人ハ世界各國民カ其主權者ヲ選擇シ其運命ヲ支配スルハ吾人ノ欲スル所ニ依ルニアラ

スシテ其民族ノ欲スル所ニ依ラシムルコトヲ決センカ爲茲ニ會同セルナリ今回ノ戰爭ノ原因ハ文明國ノ治者及武斷的政治家ノ小範圍ノモノカ私ニ選擇セシ結果ニシテ實ニ小國民ニ對スル强國ノ侵略及服從ヲ欲セサル國民ヲ其農園ニ束縛セント試ミタルニ依ルニ外ナラス此等ノ事項ヲ解決スルニアラサレハ世界ノ平和ハ到底望ミ得ヘカラサルナリ」ト之レ卽チ大統領ハ聯盟各國ノ强制意思ハ平和ヲ得ルノ途ニアラサルコトヲ論破セルモノニシテ建國ノ理想「デモクラシイ」ノ實現スヘキ時今ヤ到來セリトナシ米國民ノ歡迎措ク能ハサルモノアリシナリ

第四、同主義ニ關スル國際聯盟條約ノ解釋

然ルニ一九一九年四月二十八日巴里國際聯盟委員會總會ニ於テ決定セラレタル最終ノ國際聯盟規約確定案第十條ハ原案第十條ノ民族自決及平等ノ原則ヲ除外シ單ニ聯盟國ハ相互ニ各聯盟國ノ領土保全及現在ノ政治的獨立ヲ尊重シ外部ノ侵略ニ對シテ之ヲ擁護スルノ義務アルコトヲ規定スルニ止マレルヲ以テ玆ニ米人ノ人道主義トシテ重要視シタル民族自決ノ原則ハ果シテ明文ニ示ササルカ如ク聯盟ハ之ヲ認メサルノ趣旨ナリヤ否ヤノ問題ヲ生スルニ至レリ

一九一九年五月十日ウイルソン大統領ハ上院ニ於テ演說シテ曰ク「國際聯盟委員會ハ會ヲ重ヌルコト數次遂ニ一ノ修正案ヲ作成シテ二月十四日一度總會議ニ提出シ更ニ委員會ニ於テ研究ヲ重ネタル結果幾多ノ修正ヲ經テ四月二十八日ノ總會議ニ於テ決定シタルモノナリ以上ノ結果トシテ條約ハ吾人カ會

テ記述シタルモノト同一ナラス又各國代表者カ記述シタルモノト必シモ同一ニアラス然レトモ結果ハ大體ニ於テ其趣味ヲ有ス巳ムヲ得サル妥協アリト雖聯盟會議ハ大體ニ於テ平和ノ基礎ニ於テ一致シタル原則主義ト事實上認メサルヘカラサル國際狀態ノ實際的可能性ヲ公正ニ定メタルモノナリ」トShield氏ノ如キハ此演說ヲ以テ大統領ハ吾人ノ原則ハ本條約ノ精神ヲ爲スモノナリト說明シタルモノトナシ大統領ノ提議セシ十四箇條ノ趣旨ハ英國カ海洋ノ自由ニ付テ留保セシ以外ハ聯盟會議ニ於テ全部承認セラレタルモノナリ殊ニ大統領カ身自ラ巴里ニ趣キタルハ實ニ民族自決ノ大原則ヲ主張センカ爲ニ外ナラサルヲ以テ假令條約ニ明文ナシト雖此原則ハ確實ニ此條約ニ存ス見ヨザール河流域ハ本條約ニ依リ十五年ノ後衆民投票ニ依リ獨逸ニ屬スヘキカ佛國ニ屬スヘキカ將又獨立スヘキカヲ定ムヘク其間國際聯盟ニ於テ施政ノ任ニ當ルコトトナレルニアラスヤ之レ民族自決ノ主義カ本條約ノ隱レタル原則トシテ存スルコトヲ察知スヘキ證據ナリトセリ之ニ反シ Smith氏ノ如キハ是レ獨逸所屬領ニ付テノミ其所屬民族ノ自決權ヲ規定セルニ過キスシテ條約ハ他國ノ地方人民ニ付テハ何等ノ規定ヲ設ケス換言スレハ敵國領土ノ處分ニ關シテハ規定セルモ聯盟國領土ニ關シテハ規定セス是レ征服者ハ被征服者ノ領土分割ノ權利ヲ有スルモ征服者ノ領土分割權ナルモノ存セサルヲ以テナリ大統領ハ原案第十條ノ民族自決ニ關スル條項ヲ設ケンコトヲ主張シタルモ終ニ聯盟會議ノ容ルル所トナラサリシヲ以テ民族自決ノ大原則ノ實行ハ此條約ニ依リ達成スルコトヲ得ス世界ヲ「デモクラシイ」化スヘキ主義ハ除

外セラレタルモノナリト主張シ朝鮮獨立同情案提出者 Thomas氏ノ如キモ民族自決ノ原則ハ聯盟條約中ニ認メラレサルコトニ異論ナキモ Owen氏提出ノ埃及ニ關スル留保案又ハ Shield氏提出ノ愛蘭同情案カ通過スルトセハ此案モ通過スヘキモノナリト說明セリ

以上ノ如ク聯盟條約ハ民族自決ノ原則ニ關スル明文ヲ缺如スルヲ以テ右議論ノ曲直ハ別トシ愛蘭又ハ朝鮮ニ關スル留保案ヲ附シ該原則ヲ固守セントスルハ留保案提出者ノ意思ナリ蓋シ條約第十條ハ「聯盟國ハ相互ニ聯盟國ノ領土保全及現在ノ政治的獨立ヲ尊重スルノ義務アルニ止マラス外部ノ侵略ニ對シ之ヲ擁護スルノ義務ヲ有シ理事會ハ現實ニ侵略ノ行ハルル場合ハ勿論其危險若クハ脅威アル場合ニ於テモ具體的ニ被侵略國ノ領土保全及獨立擁護ノ手段ヲ指示シ之ヲ具申スルノ義務ヲ有ス」ト規定シ更ニ第十一條ハ「戰爭又ハ戰爭ノ脅威ハ聯盟ニ對シテハ直接ノ影響ナキ場合ト雖國際平和ノ擁護ヲ第一目的トスル聯盟ノ見地ヨリ總テ聯盟全體ノ利害關係事項ト認メ聯盟ハ國際ノ平和ヲ擁護スル爲適當且ツ有效ト認ムル措置ヲ執ルヘキモノトス」ト規定セルヲ以テ今合衆國內ニ於テ愛蘭、埃及、印度又ハ朝鮮等ノ獨立ヲ唱ヘ其運動資金ヲ募集セントスル者アルトキハ英國又ハ日本ハ其領土ニ危險又ハ脅威ヲ生セシムヘキ運動ヲ合衆國內ニ於テ認メラルルハ不法ナリトシ理事會又ハ總會ニ提議スルニ至ルヘシ合衆國ハ理事會又ハ聯盟總會ノ抗議ニ對シテ此等ノ獨立運動者ヲ如何ニ處置セントスルカ若シ之ヲ國外ニ放逐センカ彼等ハ其本國ニ於テ處罰セラルヘシ如斯ンハ啻ニ合衆國カ從來專制王國ニ對シ民族

ノ獨立ヲ企劃スル者ノ避難地タリ又保護地タルノ自由ハ永久ニ失ハルルノミナラス此等各民族ハ其自由ノ權利ヲ訴フルノ途ナキニ至ルヘシ國際聯盟ニ加入スル國民ハ實ニ九億ヲ算ス而シテ國際聯盟ニ民族自決ノ權利ヲ訴フヘキ裁判所ト其實行手段トヲ備ヘストセハ此等ノ民族ハ此留保案ナクンハ永久ニ獨立スルノ機會ヲ失フニ至ラン啻ニ愛蘭、埃及、印度及朝鮮ノミナラス波斯「モロッコ」「シリヤ」山東其他將來若シ日本カ今日ノ政策ヲ維持スルニ於テハ支那全土又然ラサルナシ此聯盟ハ世界ヲ通ツル「デモクラシイ」ヲ建設スルコトニ依リテ意義ヲ有ス「デモクラシイ」ハ自治（Self-government）ヲ意味ス然ラハ各民族ハ革命戰爭ニ依ラスシテ適法ニ獨立政府ヲ樹立シ得ル門戸ヲ開カサルヘカラス是レ民族自決主義ヲ骨子トスル留保案カ第六十六回議會ニ於テ盛ニ論議セラレタル所以ナリ

要之合衆國ニ於テハ「デモクラシイ」ノ主義ニ立脚シ民族自決ノ權利ノ實現ヲ希望セルコトハ上記建國ノ主義及其後ノ政見ノ沿革ニ徵シテ疑フノ餘地ナク極言スレハ現今各國カ領有セル各民族ヲシテ各々其領有前ノ狀態ニ恢復スルトキハ各民族ハ完全ナル協調ヲ得世界ノ平和ヲ保持スルコトヲ得ヘシトナスナリ一九一九年十月二日Hoover氏カ加州スタンホード大學ニ於テ「吾々ハ數百年間「デモクラシイ」ノ中心ニシテ又之カ養成ヲ爲シタリ其期間ヲ通シテ自治ヲ希望スル人民ニ同情ト鼓舞トヲ與ヘタリ吾人ハ經驗ニ依リ平和ト幸福トヲ作ルモノハ實ニ此主義ナルコトヲ確信ス吾人ハ此主義ニ依リテ最高ノ生活標準ヲ享有シツツアリ吾人ハ吾人ノ血ト財トヲ傾注シテ歐洲ニ於ケル世界ノ專制政治ヲ倒サンカ

爲ニ戰ヘリ吾人ハ今ヤ勝利ヲ得タリ吾人ハ歐洲ニ「デモクラシイ」ヲ置カサルヘカラス」ト演說シタルカ如ク此大戰爭ノ結果ハ合衆國國是タル「デモクラシイ」ニ依リ民族自決ノ最高理想ヲ實現セントスルハ米國人一般ノ希望トシテ之ヲ見ルコトヲ得ヘシ盖シ各民族ノ多數カ欲スル自由ト獨立トヲ與ヘサルハ「デモクラシイ」ニアラス如斯聯盟ハ人民ノ聯盟ニアラスシテ少數政治家又ハ帝國主義者ノ聯盟ナリ自由ト獨立ニ對シテ法律的ノ保障ヲ與フルニ於テ始メテ聯盟ノ價値アリ吾人ハ平和ヲ欲ス然レトモ自由ト正義トハ平和ヨリモ大ナリ現今各民族ハ其自由ノ爲ニ反抗シツツアリト雖强國ハ軍隊力ニ依テ之ヲ壓抑シツツアリ合衆國ハ其建國ノ精神ニ依リ假令軍隊ノ力ニ依リテ之ヲ援助スル能ハストスルモ道德上ノ勢力ニ依リテ之ヲ救濟セサルヘカラス聯盟條約ハ此原則ヲ明文セサリシモ留保條件ヲ附シテ此理想ヲ明確ニシ合衆國ノ國是ト態度トヲ正明ニスヘク若シ聯盟ニシテ此原則ヲ認メサルニ於テハ合衆國政府ハ征服主義ニ協同セントスルモノナルヤ果シテ然ラハ米國民ハ此問題ニ關スル議論ヲ中止セサルヘシト爲スハ少クトモ埃及、愛蘭及朝鮮等ニ關スル留保案贊成者ノ意見ナリト認メラル

民族自決主義ハ以上ノ如ク合衆國建國ノ精神卽チ「デモクラシイ」ノ實現ナリトシ戰後盛ニ唱導シ且ツ之ニ關スル運動頻リニ行ハレツツアリト雖此主義ハ數多ノ點ニ於テ矛盾衝突甚タ多シ以下少シク之ヲ研究セントス

第二節　民族自決主義ノ意義

第一、民族自決ニ關スル用字例

客年六月六日上院ヲ通過セル愛蘭同情案ニハ「愛蘭人カ自己ノ政府ヲ得ントスルノ希望ニ同情ス」（…… Express its sympathy with the aspiration of the Irish people for the government of its own……）トアリ今囘去ル三月十八日更ニ上院ヲ通過セル愛蘭同情案ニハ「米國政府ハ民族自決ノ主義及一九一九年六月六日上院ニ於テ是認セル愛蘭人カ其撰フ所ノ政府ヲ建設セントスルノ希望ニ同情スル決議ヲ固持シ且ツ愛蘭カ其自治政府ヲ建設スルニ至リタルトキハ云々」（……United states adheres to the principle of self-determination and to the resolution of sympathy with the aspirations of the Irish people for a government of their own choice adopted by the Senate June 6, 1919, and declares that when self-government is attained by Ireland……）トアリ此所謂「其選フ所ノ政府」（government of its own choice）ト云ヒ又ハ「自治政府」（Self-government）トハ果シテ如何ナル政府ヲ意味スルモノナリヤ之ヲ例ヘハ愛蘭ニ付テ云ハ home rule ヲ意味スルヤ將タ獨立國家（Independence）ヲ意味スルヤ

第二、沿革的意義

之ヲ沿革ニ徵スルトキハ所謂合衆國建國ノ精神ニ由來シ平等天賦ノ人權ヲ保障スル爲人民ノ同意ニ依リ組織スル政府ノ樹立ニ在リ故ニ民主共和ノ「デモクラシイ」ノ主義ニ基キ人民カ認メタル政府ニ服從スルモノナルトキハ必シモ其獨立（Independence）タルヲ要セス人民ニシテ他國ノ支配ニ屬スルコトヲ希望スルトキハ之レ亦民族ノ自決タリ從テ又其自治政府（Self-government）ヲ有スルト否トハ問フ所ニアラサルナリ一九一二年民主及共和ノ兩政黨ノ政綱カ愛蘭ニ對シテハ home rule ノ實行ニ同情シ猶太人ニ對シテハ露國ノ壓抑ニ對シ保護スト爲スハ恐ラクハ此意味ニ於ケル民族自決權ナルヘシウイルソン大統領ノ講和條約原案第十條ニモ「關係人民ノ平和ト利益トヲ代表セル委員ノ四分ノ三ノ判斷ニ依リ其人民ノ同意ヲ以テ決定ス」トアリ換言セハウイルソン大統領ノ所謂「人民ノ組織的意見ニ依リ支持セラレタル同意ヲ基礎トスル法律ノ支配」ハ卽チ民族ノ自決ニシテ其獨立國家タルト自治政府タルト將又他國ノ支配ヲ受ケルトヲ問ハサルナリ

第三、推定的意義

然レトモ既存ノ國家ノ一部ノ人民カ單ニ地方自治ヲ要求スルカ如キハ純然タル一國ノ内政事項ニシテ合衆國ハ之ニ對シテ何等容喙シ得ヘキニアラス其獨立國家タランコトヲ要求スルニ至リテ始メテ合衆國カ之ヲ援助スヘキヤ否ヤノ問題ヲ生スルナリ民主黨ノ政綱ニ「我國ハ常ニ各國ヨリ壓制ヲ受クル者カ其良心ノ爲ニスル亡命ニ對シテ避難地タリ」トナシ「露國ノ Lutheran 及 Jewish 氏族ニ對シ平等ノ權

利ヲ與フルノ措置ヲ講ス」ト謂ヒ又共和黨ノ政綱ニ「壓制セラレタル民族ノ擁護者ニシテ……人類ノ權威ヲ認メ……之ヲ保護ス」トセルモ亡命者ノ避難ヲ保護シ壓制民族ノ擁護ヲ爲サントセハ其獨立企劃ニ對シテ之ヲ援助スルコトヲ意味スルニ於テ始メテ民族自決主義ノ效用アリト云ハサルヘカラス

如斯民族自決主義ハ結局其民族カ獨立國家タランコトヲ要求スルニ對シテ援助ヲ與フルコトヲ意味シ既存ノ國家ノ一部ノ人民カ單ニ地方自治ヲ要求スルカ如キ內政事項ニ對スル同情ヲ意味スルモノニアラス茲ヲ以テ愛蘭同情案提出者 Shield氏ハ英國ノ殖民地ハ其內政ニ關シテハ凡テ Self-governing シツツアリ只外交權カ認メラレサルニ過キサルヲ以テ愛蘭人ノ欲スル所ハ自治 (Self-government) ニアラスシテ獨立 (Independence) ナリトナシ其提案ニハ「愛蘭共和國ノ存立ト政治上ノ獨立ヲ認ム」(……Recognize the existence and political independence of the Republic of Ireland) トナセリ

然レトモ民族自決ノ主義ハ國際聯盟條約ニ之ヲ認メ聯盟ノ力ニ依リテ之ヲ保護スルニアラサル限リハ合衆國カ之ヲ援助スルヤ否ヤハ合衆國單獨ノ問題トシテ事實ニ於テ決スヘキモノトス茲ヲ以テ Kellogg氏ハ曰ク「民族自決ノ原則ハ國家又ハ獨立國家ノ一部カ其支配國ニ反シテ獨立ヲ要求スルノ意義ニアラス予ハ民族自決ニ贊成ス例ヘハ佛蘭西カ政體ヲ變更シテ民主國トナリ又ハ立憲君主國トナルモ他國ノ干涉スヘキ所ニアラス國民ハ凡テ民族自決ノ權利ヲ有ス然レトモ今佛蘭西ノ一州カ佛蘭西ヨリ脫シ民族自決ノ權利ヲ實現シ其獨立政府ヲ建設セントスルトキ國際聯盟ニ屬スル各國ハ佛蘭西共和國ニ

シ民族自決ノ權利ヲ實現シ其獨立政府ヲ建設セントスルトキ國際聯盟ニ屬スル各國ハ佛蘭西共和國ニ

第一章　民族自決主義　一九

對シテ其州ノ分離ヲ認ムルコトノ宣言ヲ聯盟條約中ニ插入シ得ルヤ此留保ハ之ト何等異ナル所ナシ米國カ一八一六年ノ南北戰爭ニ際シ聯邦 (Union) カ危機ニ頻セシトキ此主義ヲ他國カ强制セントセハ合衆國ハ如何ナリシヤ予ハ一七七六年合衆國カ獨立セシカ如ク或ル民族カ獨立シ得ハ其權利ヲ否定セス然レトモ此事タル此留保トハ全ク別異ノ事項タリ予ハ本問題ハ單ニ或ル一國ノ一部カ獨立セントスルトキ合衆國ハ之ヲ援助スルヤ否ヤノ問題ナリト考フ」トナセリ是レ前ニ述ヘタルカ如ク該條約ハ果シテ此原則ヲ容認シテ規定セラレタルモノナリヤ否ヤヲ議論ノ存スル所以ナリ若シ聯盟條約ハ此原則ヲ認メサルモノトセハ之ニ對シテ留保ヲ爲ストキハ如何ナル效果ヲ生スルヤハ後ニ節ヲ分ツテ述フル所アラントス要之 Kellog 氏ハ民族自決ノ語ヲ以テ或ル他ノ意義ニ解セシカ如シト雖此主義ニ關シ上院ニ於テ論議セラルル所ハ或ル國家ノ一部カ獨立セントスルトキ合衆國カ之ヲ援助スヘキヤ否ヤノ問題ニシテ聯盟條約カ此原則ヲ認メサルニ於テハ合衆國單獨ノ問題タルコトハ明カナリ

茲ニ注意スヘキハ 'Thomas氏カ朝鮮同情案ニ「朝鮮古王國 (The ancient kingdom of korea) ノ存立及政治上ノ獨立」ナル文字ヲ用ヒタルニ對シテ Welsh氏カ「合衆國議會及其分會ニ於テ王國政府ノ恢復ニ贊同セントスルカ如キハ此提案ヲ以テ嚆矢トナス」ト揶揄セシ如ク合衆國ノ「デモクラシイ」ハ獨裁政治ニ反對シ所謂人民ノ組織的意見ニ依リテ支持セラレタル同意ヲ基礎トスル民主共和ノ議會政治ヲ意味スルモノニシテ然ラサル政府ノ恢復ヲ計畫スル者ニ對シテハ合衆國ハ何等ノ同情ヲ有スルモノ

ニアラス約言スレハ Sister Republic ノ建設ニ對シテ同情ヲ與ヘントスルモノナリ故ニ米國ニ於テ民族自決ト稱スルハ民族カ民主共和ノ獨立政府ノ樹立スルコトヲ意味ス從テ米國ニ於テ獨立運動ヲナセル小弱民族ノ標榜スル所ハ皆共和政府ノ樹立ニ存スルハ規ヲ一ニセル所ナリ

第四、結　論

要之民族カ其支配國內ニ於テ地方的自治ヲ得ントスルカ如キハ他國ノ內政事項ニシテ米國ノ干與シ得ヘキニアラス民族自決主義ハ民族カ其支配國ヲ脫シテ獨立國家ヲ建設セントスルニ於テ始メテ米國ハ之ニ同情シ又ハ援助ヲ與フヘキヤ否ヤノ問題ヲ生スルモノトス而シテ米國ニ於テ此主義ニ基キ援助セントスルモノハ民主共和ノ國家ヲ建設セントスルモノニ限リ君主國家ノ樹立復興ニハ何等ノ同情ヲ有スルモノニアラサルナリ

第三節　民族自決主義ト「モンロー」主義トノ關係

第一、國際聯盟ト「モンロー」主義トノ衝突

歐洲政界ノ狀勢ヲ親シク其地ニ在リテ研究シタル Herbert Hoover 氏ハ一九一九年四月十一日ウイルソン大統領ニ一書ヲ送リテ曰ク「予ハ休戰以來合衆國カ歐洲ノ經濟及政治問題ニ知ラス識ラスノ間ニ引キ入レラレ而モ其結果ハ甚タ憂慮スヘキモノアルコトヲ感セサルヲ得ス合衆國カ絕ヘス歐米ノ共通

引キ入レラレ而モ其結果ハ甚タ憂慮スヘキモノアルコトヲ感セサルヲ得ス合衆國カ絕ヘス歐米ノ共通

第一章　民族自決主義　二一

利益ナリト思惟セシ事件ニ對シテ同意ヲ與フル代償トシテ經濟上及政治上ノ援助ニ付キ保障ヲ與ヘツツアリ然ルニ此等ノ事件ハ冷靜ニ考慮スルトキハ米國ニ採リテ何等ノ利害關係ヲ有セス單ニ同盟政府間ノ國際利益ヲ完フセシムル爲經濟的又ハ政治的ニ隱レテ步行スル馬ノ如ク使役セラレ居ルニ過キサルナリ此等ノ目的又ハ利益ハ同盟各國ノ見地ニ於テノミ正當ナルモノニシテ吾人ヲシテ吾人ノ本能ヲ破壞シ米國人カ嘗テ試ミサリシ境遇ニ引入ルルモノナリ」ト所謂本能ヲ破壞ストハ「モンロー」主義ニ反スルノ意ニシテ戰後合衆國カ「モンロー」主義ニ反シテ歐洲ノ經濟的又ハ政治的關係ニ引入ラルルノ不可ナルコトヲ說キタルモノトス此「モンロー」主義ニ關スル警戒ハ既ニ是ヨリ先キ一九一五年七月先ニ引用セル W. I. Bryan, ノ Sign セル Commoner 中ニモ述ヘアル所ニシテ「吾人カ過去ノ理想及傳說ヲ墨守スルトキハ世界ヲ指導シ其先驅者トシテ滿足スルコトヲ得ヘシ之ニ反シ吾人カ政策ヲ變更センカ吾人ハ歐洲各國ノ後ニ伍スルニ至ルヘキコトヲ覺悟セサルヘカラス」トハ一面ニ於テ合衆國カ歐洲事件ニ關係スルコトノ不可ナルヲ唱ヘ居ルモノニシテ現ニ本 Commoner ハ更ニ敎テ曰ク「若シ歐洲ノ政策ニ加入スルトキハ第一ニワシントンノ敎ヲ拒否セサルヘカラス第二ニ「モンロー」主義ヲ放棄セサルヘカラス第三ニ憲法ヲ修正シテ議會ノ宣戰權ヲ對岸國ノ爲ニ變更セサルヘカラス」ト又ルーズベルトハ先ニ述ヘタルカ如ク一九一八年 Lafayetteday ニ際シ民族自決主義ヲ唱導スルト同時ニ又國際聯盟ノ必要ヲ說キ一九一四年十月十八日紐育「タイムス」、一九一五年ノ Outlook 及其ノ著 Fear

Good and Take your Own Part ニ於テ「各文明國ハ若シ正義カ破壞セラレタルトキ之ヲ保護スル力ヲ備ヘン爲國際裁判ヲ創設シ其規則ヲ設ケ其規則中ニハ領土不可侵及主權不可侵ヲ規定シ各國間ニ生スル各種ノ事件ハ此裁判ニ依テ決シ若シ一國カ此裁判ヲ破壞シ又ハ規則ヲ無視スルトキハ各國ハ合同シテ其軍隊ヲ以テ之ヲ防禦セサルヘカラス」（Outlook 掲載中ヨリ引用ス）ト爲シ更ニ一九一七年一月ニハ上院ニ於テ聯盟計劃ヲ以テ世界平和ヲ强制センコトヲ主張セリト雖上院外交委員長 Lodge 氏ノ言ニ依レハ Lodge ハ其際其危險ニシテ不可ナルヲ論シ屢々ルーズベルトト會見シ意見ヲ交換シ終ニルーズベルトノ意見ハ變更ヲ見ルニ至レリト云フ現ニ一九一八年十二月 Kansas City Star ニ依レハルーズベルトハ次ノ意見ヲ有スルニ至レリ

合衆國ノ必要ハ廣ク世界各地ニ領土ヲ有スル英國ノ如ク大ナラス何トナレハ合衆國ハ環狀ノ垣內ニ縮約セラレタル領土ナレハナリ合衆國ハ歐洲、亞細亞、亞弗利加ノ事件ニ關係スル必要ナシ同時ニ合衆國ハ其「モンロー」主義ニ對スル如何ナル干涉ヲモ許サス歐亞各國カ亞米利加大陸ノ事件ニ干涉スルコトハ斷シテ之ヲ認ムルヲ得ス墨國ハ吾人ノバルカン半島ナリ何レノ日カ之ニ關スル措置ヲ講セサルヘカラサルノ秋來ルヘシ巴奈馬運河ニ接近セル沿海州及島嶼ハ合衆國ニ依リテ處理セラレ然モ「モンロー」主義ニ依リテ處理セラルヘキモノナリ

ルーズベルトハ更ニ翌一九一九年一月三日一書ヲ作成セリ之レ氏ノ死亡直前ニシテ死後 Kansas City

Star カ之ヲ掲載セシ所ニ依レハ氏ノ意見ハ更ニ確定的ニ明記セラレ居ルヲ見ルヘシ「各國ヲシテ各々其決スル所ニ委セシメ而シテ不正義ナル問題ハ明白ニ之ヲ決定スヘシ……（中略）結局吾々ハ國際的中間手段ニ措ル、コトヲ欲セサルヲ完全ニ明瞭ナラシムヘシ米國人ハ最大原因アリテ而モ明白ナルニアラサル限リハ海ヲ越ヘテ行クコトヲ欲セス吾々ハ原因曖昧ナルバルカン半島ノ戰場ニ勇敢ナル米國青年ヲ送ルコトヲ欲セス米國人ハ「モンロー」主義ヲ捨テス歐亞ノ文明國ハ其兩州ニ存スル劣弱不安ノ民族ニ或ル種ノ干涉ヲ爲スコトアルヘシ然レトモ合衆國ハ墨國ヲ以テ吾人ノバルカン半島ト思惟スルヲ以テ歐亞ノ各國ヲシテ其永久的若クハ半永久的占有ヲ意味スルカ如キ手段ニ依リ此米大陸ニ干涉スルカ如キコトアランカ絕對ニ之ヲ拒絕セサルヘカラス若シ同盟國及大統領ウイルソンニシテ之ヲ爲サンカ吾人ハ之ニ應スルノ外ナキモ之レ合衆國ニ取リテ最大ノ不幸事タルヘシ」ト之レ共和黨カ聯盟條約第十條ニ對スル非難ノ根據ニシテ Lodge 氏ノ言ニ依レハルーズベルトハ其死スル前聯盟條約ニ對シテ不贊成ノ意見ヲ有シアリタリト稱セラル實ニウイルソン大統領カ合衆國ヲ代表シテ巴里ノ聯盟會議ニ提案セル講和條件ニ基キ決定サレタル講和條約カ總ニ本年三月上院ニ於テ否決セラルルニ至リタルハ實ニ國際聯盟カ「モンロー」主義ニ背反スルニ依ル

第二、民族自決主義ノ實行ト「モンロー」主義ノ拋棄

國際聯盟條約ヲ支持セントスル論者ハ世界ノ平和、民族自決ノ大原則ハ何人カ其保障ヲ爲スヘキヤ之

レ單ニ歐洲强國ニ依リテノミ決セルヘキニアラス戰勝國家擧ツテ之ニ任セサルヘカラス之ヲ稱シテ國際聯盟ト云フ吾人ハ戰爭ニ參加セルモ條約ニ參加セス戰爭ノ目的ヲ達成シ世界ノ自由ト文明トヲ保障スル任ハ一ニ歐洲各國ニ委セントスルカ特ニ世界ハ未タ平和ニ歸セリト云フヘカラス獨逸、土耳古、露西亞ハ今猶ホ反亂絕ヘス獨逸ハ未タ Prussianism タル軍國主義ノ掌握スル所タリボーランド其他ノ民族ノ自決ニ努力セシ合衆國ハ聯盟條約ヨリ脫シテ其保護ヲ爲ササルカ戰勝同盟國ハ聯盟條約ヲ連帶シテ實行スル義務アリ合衆國カ「モンロー」主義ノ楯ニ隱レテ此義務ヲ避ケントスルハ不可ナリト主張ス蓋シ相反スル二主義ハ同時ニ之カ並行ヲ許サス米大陸以外ノ事件ニ關係セストノ「モンロー」主義ト國際的利益ノ相互保障タル國際聯盟トハ到底矛盾撞着スルモノナルコトハ疑ヲ容レス一方ハ Nationalism ニシテ他方ハ Internationalism タリ茲ヲ以テ條約ヲ維持セントスル論者ハ若シ「モンロー」主義ヲ放棄シテ歐亞ノ事件ニ關係スヘキ聯盟ニ加入スルコトヲ强制セラルルニ於テハ合衆國ハ其傳來ノ國是タル大主義ノ犧牲ニ對シテハヨリ大ナル最善事ヲ完成セサルヘカラス卽チ聯盟ノ力ニ依リ奴隷的地位ニアル民族ニ對シテ其自決ノ權利ヲ與ヘ之ヲ保障セサルヘカラストナシ民族自決ノ原則ハ聯盟條約ニ欠クヘカラサルモノニシテ其之ヲ認メサルニ於テハ國際聯盟ノ價値ハ更ニ存セサルナリ故ニ之カ留保條件ヲ附シテ此原則ノ存スルコトヲ明カニセントスルナリ

第三、結論

以上ニ依リテ之ヲ見レハ「モンロー」主義ハ國際聯盟ト相容レス又從テ民族自決主義ト兩立セス「モンロー」主義ヲ固執スレハ民族自決主義ハ放棄セサルヘカラス民族自決主義ヲ實行セントセハ「モンロー」主義ヲ放棄セサルヘカラス然ルニ往々ニシテ一方ニ「モンロー」主義ヲ固持シナカラ民族自決ノ主義ヲ主張セントスル米國人ノ議論ニ少カラサルヲ發見ス自家撞着モ此所ニ至ツテ又甚タシト云フヘシ國際聯盟條約ハ上院ニ於テ否決セリ元ヨリ其前途ハ未タ遽ニ逆睹シ得スト雖之ヲ拒否シテ「モンロー」主義ヲ墨守セル上院ニ於テ民族自決ノ聲ヲ聞ク予ハ其ノ然ル所以ヲ知ル能ハサルナリ

第四節　聯盟條約ニ對スル民族自決主義ノ留保ト他國內政不干涉ノ原則トノ關係

第一、問題ノ意義

「モンロー」主義ノ原則ハ一面他國內政不干涉ノ原則ヲ包含ス然レモ前者ハ合衆國一國ノ宣言若クハ傳來的政策ニシテ後者ハ國際法理タリ聯盟條約ニ對シテ民族自決ニ關スル留保ヲ爲スコトカ內政不干涉ノ國際通義ニ反スルヤ否ヤノ問題ハ此主義カ米國ノ政策タル「モンロー」主義ニ背反スルヤ否ヤノ問題トハ別個ノ問題タリ而シテ民族自決主義カ單ニ既存國家ノ地方的自治ヲ意味スルモノナルニ於テハ內政事項ニ過キサルコト前述セルカ如シ其獨立國家ノ樹立ヲ意味スル場合ニ於テ之ニ關スル留保ヲ國際

聯盟條約ニ附スルハ又他國内政不干渉ノ原則ニ反スルコトナキヤ否ヤハ更ニ之ヲ研究セサルヘカラス

第二、聯盟條約ニ明文アル事件ニ關シ留保スル場合

本年三月十六日 Owen氏ニ依リ埃及ノ保護權ニ關スル留保案ノ提出セラルルヤ反對論者 Kellogg 氏ハ該案ハ埃及ノ保護制度ノ性質ニ關シ英國ニ對シテ抗議ヲ爲スモノニシテ英國ノ内政ニ干渉スルモノナリ獨逸ハ既ニ一九一四年十二月十八日埃及ニ對スル英國ノ保護ヲ承認セリ吾人ハ單ニ此一事ニ同意スルノミ提案者ハ獨逸ノ此放棄ニ對シテ反對セントスルモノナリヤ吾人ハ獨逸カ其領土ヲ放棄スルモ干渉スヘキニアラス此條約ハ獨逸ノ放棄ヲ認メ英國カ保護スルト云フ意味以外ニ何等ノ意義ナシ山東問題ニ關スル日本ト支那トノ間ニ於ケル了解ニ付テモ同一ナリトセリ之ニ對シテ Lodge氏ハ埃及及山東ニ關スル留保案ハ條約ニ明文アル事件ニ關スルモノナルヲ以テ吾人ハ關係者ナルカ故ニ干渉スルナリ敢テ他國内政不干渉ノ主義ニ背反スルモノニアラス之カ留保ヲ爲スハ合衆國ハ其「モンロー」主義ニ依リ他國ノ危難ニ包容セラルルコトヲ欲セサルニ依ルトナシ Borah氏ハ更ニ其趣旨ヲ詳述シテ曰ク此等ノ事項ハ吾人カ實行セントスル條約中ニ規定アリテ單ニ例ヘハ埃及關係ニ付テ云ヘハ英國及獨逸間ノ關係ヲ定ムルニアラスシテ却ツテ獨逸ハ除外セラレ英國ハ之ニ依リテ英國及埃及間ノ關係ヲ定メ條約批准國ヲシテ承認セシメ其道德上ノ援助ヲ要求セルナリ若シ Mohammedan カ波斯又ハ埃及ニ於テ英國政府ニ反抗センカ合衆國ハ條約第十一條ニ依リ英國ヲ援助セサルヘカラサル結果ヲ生ス人民ノ好

マサル既存ノ政府ヲ援助シテ强力ニ依リテ之ヲ保持スルコトハ合衆國共和政府ノ精神ニ反スト説明セリ

第三、聯盟條約ニ明文ナキ事件ニ關シ留保スル場合

然ラハ聯盟條約ニ何等明文ナキ愛蘭、印度、朝鮮等ノ如キ既定ノ各國領土ニ關スル民族自決ヲ要求スル留保案ハ内政不干渉ノ原則ニ反スルナキヤ Brandegree 氏ハ條約ハ之ヲ締結スルトキハ他ノ締盟國ト交換セラルルモノナルヲ以テ合衆國ノ意見ハ其如何ナル事項ニ關スルヲ問ハス之ヲ明白ニシテ可ナリ是レ條約ヲ締結スルノ前提タルニ過キストナスト雖 Williams 氏カ論セルカ如ク國際聯盟ハ國際事件ヲ定ムヘキモノニシテ他國ノ内政ニ關スル事件ヲ定メス郎チ國家關係ヲ處理シ國家タラントスル人民ノ關係ヲ定メス既ニ獨立シ宗主權ヲ有シ平等ナル國家其自身ニ關スル事件ヲ處理スルモノナルヲ以テ朝鮮獨立同情案ノ提出者 Thomas氏自身モ説明セシカ如ク若シ聯盟條約ハ民族自決主義ニ關スル定條ヲ缺キ終ニ此主義ヲ認ムルニ至ラサリシモノナルニ於テハ之カ留保ヲ爲スハ明カニ他國ノ内政ニ干渉スル不法ノ條件ナリト云ハサルヘカラス現ニ先ニ引用セルカ如ク客年六月愛蘭獨立同情案カ上院ヲ通過セシ際上院外交委員長 Lodge氏ハ「國際聯盟會議カ合衆國ノ内事タル「モンロー」主義ニ關スル疑義ヲ決定セントスルノ形勢ニ顧ミ合衆國カ英國ノ内政ニ關シ意見ヲ發表スルハ毫モ咎ムヘキニアラス」ト説明シ其内政干渉ニ屬スルコトハ既ニ之ヲ認メ居ル所ナリ實ニ愛蘭獨立同情案カ二度上院ヲ通

過セルカ如キハ英國ニ對スル國際關係ヲ無視セルモノニシテ又朝鮮獨立同情案カ上程セラルルカ如キハ日本ニ對スル不法干渉ヲ試ミントスルモノニシテ共ニ友誼的國際關係ヲ破壞セントスルモノト云フヘシ

第五節　民族自決主義ト合衆國各州及所屬領土並ニ其特殊民族ノ自決トノ關係

第一、合衆國所屬領地ノ自決

（一）Cubaノ實例ト主要所屬領地トノ別

合衆國上院ハ愛蘭、埃及及朝鮮等ノ民族自決ヲ唱フルモ自國所屬ノ民族自決ハ果シテ之ヲ認ムルモノナルヤ聯盟會議ニ於テハ Poland, Czechoslovakia, Jugo-slavia ノ民族自決ヲ認メ他ノ民族ニ付テハ議事ヲ進メサリシモ若シ同議會カ米國上院ニ於テ愛蘭、埃及、朝鮮等ニ付キ主張スルカ如ク比律賓、布哇及巴奈馬一帶ノ地方並ニ Virgin Island 等ニ獨立ヲ與フヘシト爲サハ合衆國ハ果シテ之ヲ認ムルヤ Phelan氏ノ如キハ公言シテ曰ク合衆國ハ常ニ之ヲ獨立セシムルコトヲ得只時機ノ問題ナリ若シ聯盟會議ニ於テ英、佛、日ヲ始メ米國等ノ列國カ例外ナク其所屬地民族ノ自決ニ付キ決議センカ之レウイルソン大統領ノ大目的ヲ達シタルモノト云フヘシ米國ハ既ニ Cuba ヲシテ事實獨立ヲ與ヘタリ Poto Rico 比律賓等ハ合衆國ノ保護ヲ求メ來リタルナリ是レ却ツテ民族自決主義ニ依リテ合衆國ニ屬セルモノナ

リ未タ此等ノ土地カ分離セントセル問題ヲ生セサルナリ將來ヲ豫想シテ論スルトキハ窮極スル所ヲ知ラサルヘシ若シ自治ヲ要求スルニ至レハ合衆國ハ分離ヲ許スニ躊躇セサルヘシトナシ又 Reed 氏ノ如キハ若シ合衆國カ國際聯盟ニ加ハリ愛蘭獨立同情案カ認メラルレハ他國ノ領土ト同樣ニ聯盟ノ裁判ニ其所屬領土ヲ委セントス米國ハ比律賓ヲシテ成ヘク速カニ自由ヲ與ヘンコトヲ希望セルハ事實ナリトシ Hitchcook 氏モ又「愛蘭獨立ヲ以テ Porto Rico, Guam 及布哇ノ場合ト同視シテ之ヲ輕蔑スルノ態度ヲ持スルハ不可ナリ此等ノ島民ハ自治ニ對スル組織的ノ努力ナク又合衆國ヨリ分離スル考慮ヲ有セス比律賓ニ對シテハ米國ハ常ニ其自治ヲ認ムルノ態度ヲ有シ漸次自治ヲ擴大シツ、アリ現ニ比律賓人ハ彼等カ當初有セシ下院ノミナラス今ヤ上院ヲモ完全ニ支配シ比島ノ立法權ヲ其手ニ有シ彼等ハ專實彼等ニテ支配シツ、アリ合衆國政府ノ恩惠的保護ハ郎チ彼等ヲシテ合衆國ノ忠實ナル一部ヲナセルニ過キストナスト雖民族自決ノ意義ハ地方的自治ヲ意味セス獨立國家タラントスルコトヲ意味スルコト前述ノ如クナルヲ以テ Cuba ニ關シテハ別トシテ比律賓ノ自治ヲ以テ民族自決ノ主義ヲ適用セルモノト爲ス能ハサルナリ若シ之ヲ以テ民族自決ナリトセハ彼等ノ愛蘭又ハ朝鮮ニ關シ主張スル民族自決トハ趣ヲ異ニセルモノナリト云ハサルヘカラス又 Porto Rico, Cuba, Vsrgin Islands 等ニ關シテハ Wadsworth 氏（紐育選出議員）ノ言ヘルカ如ク其獨立スルト否トハ合衆國ニ取リテ大ナル問題ニアラサルヘシ茲ヲ以テ米國ハ自己ノ主張スル民族自決ノ主義ヲ其所屬領ニ對シテ果シテ適用スルノ誠意アリヤ

否ヤノ問題ハ先ツ布哇、比律賓及巴奈馬運河一帶ノ地方ノ如キニ付キテ論スルニアラサレハ適確ナル反證ヲ得ルニ艱難ナリト云ハサルヘカラス彼ノ Cuba ノ獨立ヲ認メタル先例ヲ以テ合衆國所屬領全體ヲ判斷スルコトヲ得サルヘシ以下試ミニ米國カ其獨立ヲ認ムヘキコトヲ公言セル比律賓ノ獨立運動及之ニ對スル米國政界ノ趨向ヲ考察セン

（二）　比律賓獨立運動ノ經過

比律賓獨立ノ問題ハ今ヲ距ル四年前比島カ獨立ノ爲米國政府ニ對シテ戰ヒシ以來ノ問題ニシテ一九一六年合衆國法令ハ比律賓人カ獨立シ得ヘキ鞏固ナル政府ヲ形成スルノ時ヲ俟ツテ獨立スヘキコトニ定メタリト雖其際一部ノモノハ三年以內ニ獨立ヲ許可スヘキ修正案ヲ提出セシカ數週間ニ亘ル討議ヲ經テ終ニ米國議會ノ容ルル所トナラス今日ニ及ヘリ元來比島ノ獨立ハ民主黨ハ其政綱トシテ常ニ之ヲ主張シ共和黨ハ之ニ反對シアリシト雖漸次米國ノ東洋ニ對スル根據地トシテノ比島ノ價値衰ヘ且ツ該島ハ米國ノ爲經濟上ノ負擔タルニ過キサルヲ以テ客年大統領ノ主張セル民族自決主義ノ聲漸ク高クナルヤ共和黨ノ多數モ又之ヲ是認スルノ趨勢ヲ生シ來レリ此所ニ於テ比島議會ハ此機ヲ逸セス委員ヲ派遣シテ本問題ノ解決ヲ求ントスルニ至レリ先ツ比島上院議長ニシテ曩ニ合衆國議會ニ比島ヲ代表セルケゾン氏ハ一九一九年一月十八日シヤートルニ上陸シ比律賓ノ獨立ヲ絕叫シ其後米國商工業視察ヲ名トシ比律賓委員四十一名ト共ニ四月三日華盛頓ニ到着シ正式ニ獨立問題ヲ提議セリ今其前後ノ狀況ヲ

見ルニ米國政府ハ該委員ノ到着ニ先タチ特ニ歡迎委員ヲ任命シ其華府到着ノ際ハ參謀次長及島務局長代理等之ヲ停車場ニ迎エ款待至ラサルナク先ツ之ヲ比律賓行政ヲ管轄セル陸軍省ニ迎ヘタリ陸軍卿ハ該委員ヨリ提議ヲ受クルニ先タチ大統領ノ致書ヲ朗讀セリ該書ハ頗ル慇懃ヲ極メタルモノニシテ戰爭中比律賓人カ寄與シタル援助ヲ感謝シ彼等ノ成功ヲ祈リ比島獨立時機ノ近ツキツツアルコトヲ述ヘタリ次テ陸軍卿ハ更ニ進ンテ「今ヤ比島獨立ノ時機ハ熟セリ今後ハ只形式上政治關係ヲ絕ツニアルノミ」ト說キ又曰ク「予ハ個人トシテ比島ノ獨立ヲ望ムモ若干ノ留保ヲ以テ應接セサルヲ得ス卽チ本問題ノ解決ハ立法院ノ事業ニ關スルモノナレハナリ」ト爾後該委員ハ兩院島務委員ニ會見シタルニ島務委員長ハ「職責上言質ヲ漏シ得サルモ個人トシテハ大ニ同情スヘク議會ニ於テモ公平親和ニ審議セラルヘシ」ト述ヘ更ニ比島總督ハリソン氏ニ會見シタルニ總督モ又個人トシテ議會ニ獨立案ノ提出ヲ慫慂スヘシ今ヤ比島ハ獨立ノ能力ヲ有シ日本ノ侵略ニ付キ何等疑惧ヲ認メサル旨ヲ述ヘタリ

啻ニ上記主要當局者カ個人トシテ比島獨立贊成ノ意ヲ表シタルノミナラス主要ナル新聞ノ大部ノ論調モ亦殆ント規ヲ一ニシ何レモ比島ヲ以テ合衆國ノ東洋發展ノ立脚地ト考フルカ如キハ時代遲レノ議論ナリトシ獨立ニ贊成ノ意ヲ表シタルモ時期ノ問題ニ關シテハ若干ノ餘地ヲ存セリ而シテ獨立反對ノ意見トシテハ只 Washington Post 紙ニ於テ一匿名議員ノ言ニシテ又多數議員ノ意見ナリト前提シ次ノ要旨ヲ掲ケタリ

若シ比島ニシテ獨立セハ恰モ朝鮮、滿洲ノ如ク日本ノ併合スル所トナルヘシ日本ノ比島併合ハ亞細亞大陸ノ北端ヨリ南端ニ亘リ一系ノ連鎖ヲ作ラシメ西部太平洋ヲ占領シ世界ノ約半部ヲ掌握セシムルコトトナルヘシ之レ濠州カ平和會議ニ於テ日本ノ主張スル人種平等ニ反對シタル所以ナリ

此外島務委員ノ意見ナリトシテ傳ヘラルル所ニ依レハ比島カ米國治下ニアル間ハ日本ハ移民ニ付キテ大ニ制限ヲ受クルモ獨立ノ曉ニハ移民ノ激增ヲ來シ日本政府ハ移民ノ保護ヲ名トシテ軍艦ヲ派遣スルニ至ラン此際抵抗力ナキ比島ノ運命ハ逆睹スルニ難カラスト又上記記事ニ對シテ參謀本部高級者ノ意見トシテ附記セラレタル所ニ依レハ「呂宋島ハ海正面ニ對シテハ世界最强ノ防備ヲ有スト雖陸正面ニ對シテハ二十五萬ノ軍隊ヲ以テスルモ何ノ國ニ對シテモ抵抗力ナク比島ハ直チニ攻擊ヲ受クル顧慮ナキモ理論上最モ攻擊容易ナル一國卽チ日本ノ攻擊ニ對シテハ絕ヘス之ヲ胸算セサルヘカラス又日本ハ二日行程ニテ比島ニ到着シ得ヘキ臺灣ニ數軍團ヲ有ス之カ上陸ニ對シ比島ノ某方面ニ於テハ何等ノ抵抗力ヲ有セス」トナセリ

果シテ合衆國カ比島領有ノ價値漸次減少シ之カ保有ハ却ツテ戰略上ノ弱點ヲ成スモノナルニ於テハ民族自決主義ヲ以テ建國以來ノ主義トシ之ヲ高唱シツツアル合衆國ニ於テ主義トシテ獨立ニ贊成ノ意ヲ表シツヽアルハ當然ノ成行ナルヘク現ニ比島ニ於テハ學校敎科書ニ總テノ國民ハ革命ノ權利ヲ有スルコトヲ明記シ政治ニ對スル言論モ極端ニ其自由ヲ認メツツアルカ如キ特ニ客年二月比律賓議會ハ諸種

ノ制度ノ改革ヲ決義シタルカ就中敎育制度ニ關シテ三千萬「ペソ」ノ經費ヲ投シテ各種ノ學校ヲ增設シ七年ノ强制敎育ヲ實地シ新ニ三百萬「ペソ」ノ經費ヲ以テ學務局ヲ特設シ靑年男女百五十名ヲ米國ニ派遣シテ高等敎育ヲ受ケシムルコトトナシ以テ同島ノ敎育ニ對シ一大改革ヲ加ヘ之ヲ以テ將來比律賓人ニ民主主義ノ鞏固ナル政府ヲ建設セシムルニ在リトナシ合衆國政府ニ報告セラレタルニ依リ見ルトキハ日本ノ侵略ノ如キハ列國ノ關係特ニ國際聯盟ノ成立セル今日容易ニ實現シ得ヘキニアラサルヲ以テ合衆國政府ハ今ヤ同島ノ獨立ニ對シテ愼重ナル注意ヲ拂ヒツツアルハ想像シ得サルニアラサルモ一方小學校ニ於テハ總テ英語ヲ使用セシメ其普及ニ最モ力ヲ致シツツアルノ點ヨリ見ルトキハ其所謂獨立ナル時期ハ米化ノ徹底セル時ニ於テ始メテ行ハレ得ヘキニアラサルカ殊ニ其獨立後日本移民ノ激增ニ伴フ日本勢力ノ發展ニ關シテハ最モ甚深ノ注意ヲ拂ヒツヽアルヘク且ツ夫レ次ニ述フルカ如ク最近同島ニ於ケル軍備充實ニ意ヲ用ヒツツアル點ヨリ考察スルトキハ當局及各新聞等カ一聲ニ其獨立ニ對シテ贊成ノ意ヲ表スルニ拘ハラス其獨立ノ時期ニ關シテハ更ニ明示セス却ツテ未タ獨立ノ能力ナキニ口籍シテ其實行ノ容易ナラサルヲ稱スルカ如キ他國領土ニ對シ民族自決ヲ高唱セル態度ト大ニ趣ヲ異ニセルモノアリ或ハ米國ニ於ケル民族自決主義ノ高唱、國際聯盟ノ成立、國際聯盟ニ對スル「モンロー」主義ノ維持、共和黨ニ於ケル比島獨立猶早論者ノ緩和等ヲ列擧シテ比島ノ獨立近キニアリトナスモノナキニアラスト雖予ハ之ヲ疑ハサルヲ得サルナリ

（三）　太平洋方面ノ防備計劃ト比律賓、布哇及巴奈馬運河地方ノ自決問題

予ハ兵略ヲ解セスト雖今米國ニ於テ企劃セラレツツアル太平洋ニ於ケル防備計劃ニ依リ之ヲ見ルトキハ米國ハ果シテ其說ルカ如ク比律賓、布哇及巴奈馬運河地方等ノ主要所屬領地ニ對シ將來獨立ヲ認ムルノ意思アリヤ否ヤヲ推測スルコトヲ得ヘシ大統領ハ一九一七年五月十八日及一九一八年六月九日發布セラレタル法令（註前者ハ正規軍、護國軍及徵兵ヲ以テ約二百萬ノ軍隊ヲ編成スル法令ニシテ後者ハ兵力ノ增加ノ爲徵集人員ニ制限ヲ設ケアルコトトセル法令ナリ）ニ基キ客年三月自己ノ權限ヲ以テ陸軍卿カ曩ニ第六十五回第三期議會ニ提出シ未決トナレル常備軍新編成案ト同一ノ常備軍ヲ編成スルコトトシ同年三月二十九日參謀總長ヲシテ之ヲ發表セシメタル所ニ依レハ總兵員ヲ五十萬九千九百四名トナシ飛行機隊及「タンク」隊ヲ增加シ巴奈馬及布哇ニ兵力ノ大增加ヲ爲シタリ又客年八月四日米國陸軍ノ永久方針トシテ參謀本部ヨリ議會ニ提出セル案ニ依レハ五十萬兵力ヲ基礎トシテ其內比律賓、布哇、巴奈馬、獨逸占領軍ニ各步兵一箇師團ヲ設置セントス此兵力ノ適否ニ關シテハ引續キ議會ニ於テ調査中ニ屬スト雖此永久方針ヲ確定スル爲兩院軍事委員聯合會カ專門家ノ意見ヲ徵シタルニ巴奈馬運河及太平洋沿岸ノ防備ハ焦眉ノ急ニ屬シ合衆國カ巴奈馬運河及布哇群島ヲ完全ニ確保スルハ太平洋上ノ平和ヲ維持スルニ於テ絕對ノ必要條件ナリトシ特ニ日本及東亞方面ヨリ來ル聯合勢力ニ對シ亞細亞及比律賓トノ連絡上ノ要点タル布哇島ノ確保ハ最モ緊切ナルヲ以テ該群島ノ防備トシテ有力ナル軍隊ヲ配置スルヲ要シ少クトモ布哇、巴奈馬運河地方墨國々境方面ニハ完全ナル師團、亞刺斯加、

比律賓及主要防禦港灣ニハ各一支隊ヲ配置スヘシトノマクアンドルフ少將ノ意見ハ甚タ有力ナルモノアリ又海軍ハ從來主力ヲ太西洋ニ有シタリシカ客年太平洋艦隊ヲ增加スルコトトシ其六月十六日海軍卿ハ太西、太平兩洋ニ各同一ノ艦隊ヲ配置シ加之東洋ニハ從來ト同一勢力ノ獨立セル亞細亞艦隊ヲ置クヘキコトヲ命令シ越ヘテ同月二十六日新編成ヲ發表シ太平洋艦隊ハ戰艦十四、巡洋艦十一、快速力洋艦二、母艦六、驅逐艦百〇八、潛水艇十四、敷設水雷船二、掃海船十二等トナセリ更ニ今期第六十六回第二期議會ニ一九二〇年度豫算トシテ海軍省カ提出セル總豫算五億七千三百萬弗中ニハ太平洋方面海軍根據地ノ整備費トシテサンヂエゴヲ主トシテ航空隊潛水艇隊ノ根據トシ併テ艦隊ノ副根據地タラシメンカ爲二千七百七十九萬弗、サンピドロ（ロアンゼルス附近）ヲ潛水艇根據地トシテ擴張スル爲五百萬弗、桑港ヲ艦隊根據地トシテ一等軍港タラシムル爲五千七百萬弗、コロンビア河ヲ驅逐隊、潛水艇隊、航空隊ノ根據地トシテ新設スル爲五百萬弗、ブレマートン及キーポートヲ艦隊根據地トシテ擴張スル爲四千七百萬弗、ポートアンゼルスヲ驅逐艦、潛水艇、飛行機ノ根據地トシテ新設スル爲三百五十萬弗、布哇眞珠灣ヲ艦隊作戰根據地トシテ一等軍港ニ擴張スル爲二千七百二十萬弗ノ經費ヲ計上シ其外ガム島ノ設備大擴張及亞刺斯加ニ補給地新設ノ意圖アリ此豫算ハ下院ニ於テ四億六千四百萬弗ニ削減シ上院ニ於テ四億二千四百五十萬弗ニ削減シ目下兩院軍事委員ノ協議中ニ屬シ其果シテ如何ナル豫算ノ確定ヲ見ルヤ知リ得スト雖大ナル相違ヲ來スカ如キコトナカルヘシ米國海軍カ將來太平洋方面ノ

防備ニ全力ヲ傾注シ布哇眞珠灣ヲ一等軍港トシ桑港、サンヂエゴト連絡シ更ニガム島ノ設備ヲ整フル所以ノモノハ比律賓ノ經營ヲ意味スルニアラスシテ何ソヤ

以上布哇、巴奈馬運河地方及比律賓ノ防備ニ全力ヲ盡シツヽアル最近ノ事實ニ依リ之ヲ見ルトキハ果シテ合衆國ハ此等ノ所屬領地ノ獨立ヲ承認シ其唱フル民族自決ノ主義ヲ此等ノ地ニ實現セントスル確實ナル意思アルモノトナシ得ヘキヤ識者ヲ俟タスシテ知ルコトヲ得ヘシ

第二、合衆國各州ノ自決

今假リニ Cuba ノ實例ト比律賓ニ對スル聲明トニ信賴シテ合衆國ハ何レノ日カ其所屬領地住民ノ希望アルニ於テハ之ニ獨立ヲ容認スルノ雅量アリトスルモ合衆國聯邦各州カ其民族自決ヲ希望スルトキハ如何是レ必シモ假想ノ論ニアラス南北戰爭ノ四年間ハ何ノ爲ニ戰ヒタルヤ之ニ對シテ Phelan 氏ハ曰ク「合衆國ハ一國家ニシテ南人ハ南ニ北人ハ北ニ住スト云フニ過キス彼等ハ其發意ニ依リテ聯邦（Union）ヲ作リ而シテ彼等ノ作リタル憲法ニ依リテ分離スヘカラサル事ヲ自ラ約束セリ南北戰爭ハ革命ニアラスシテ謀反ナリ之ヲ以テ英國ト愛蘭ノ如ク國民性ヲ異ニシ、歷史傳說ヲ異ニシ、人種ヲ異ニセル場合ト同一ニ論スルヲ得ス民族自決ハ國民即チ同一ノ歷史傳說ヲ有スル國家ノ自決ヲ意味ス」ト言フ勿レ聯邦各州ハ凡テ同一人種、同一國民性ヲ有シ同一ノ歷史傳說ヲ有スト見ヨフロリダヨリテキサスニ至ル沿海一帶ノ地及ミスシツピーヨリ太平洋岸ニ至ル山間部ハ西班牙系ニ屬シデラウエヤ州ハ瑞典系

ニ屬シ同州ヨリコンネクチカットニ至ル地方ハ和蘭系ニ屬シセント、ローレンスヲ中心トシテミスシツピー、オハイヨ及グレート、レークノ山間部ハ佛蘭西系ニ屬シ太西洋岸十三州ハ英國系ニ屬シアラスカハ露西亞系ニ屬スルコトハ移民ノ歷史ニ依リ明カニシテ歐洲移民ノアリテヨリ以來僅ニ百有幾十年愛蘭ノ英國併合ヲ新ナリト云フ勿レ其間素ヨリ幾多ノ混血ト移民トノ行ハレタルモノアルヘシト雖人種及國民性ヲ異ニセル地方的色彩ハ今猶ホ存シ風俗人情ヲ異ニシ言語ヲ異ニシ多少ノ歷史傳說ヲ異ニス茲ヲ以テ各州ハ今尙ホ甚大ナル自治權ヲ有シ聯邦政府ニ對立シ居ルニアラスヤ是レ最近米化運動（Americanization）ノ熾ニ唱導セラレ此等異ナレル國民性ノ統一ヲ計ラントスル所以ナリ合衆國高等法院（Supreme Court）ハ「各州ハ分離スヘカラサル結合」（An indestructible union of indestructible states）ナリト爲セリ實ニ各州ハ state ナリ茲ヲ以テ Oween 氏ノ如ク「Union ノ必要ハ米大陸全體ノ安寧ニ關シ若シ之ヲ分離センカ歐洲ノ軍國主義ノ攻擊ヲ免レサルヘシ南北戰爭ハ米人ノ此直覺カ分離ニ反對シタルナリ」ト爲サハ格別合衆國ノ各州ヲ通シテ他國家ノ如ク同一人種ニシテ同一國民性ヲ有スル民族ノ結合ナリト認ムル程ニ混和セラレ居ルコトハ之ヲ信スルヲ得サルナリ然ラハ Lodge 氏ノ稱スルカ如ク南北戰爭ハ實ニ「民族自決ノ權利ヲ破壞スル爲ニ」戰ヒタルモノト云フヘシ同氏ハ若シ各州ノ一又ハ數州カ Union ヲ破ラントスルニ於テハ吾人ハ之ヲ阻止シ其爲ニハ戰爭ヲ辭セサルナリトシ此所ニ至ツテ民族自決ナル一般原則ノ存在ヲ否認シ先ニ引用セル Gerry 氏愛蘭獨立同情案中ヨリ

「民族自決主義ヲ固持シ」ノ文句ヲ削除スルノ修正意見ヲ提出シテ「民族自決ノ權利ヲ破壞スル爲ニ四年ノ戰爭ヲ爲シタル米國カ民族自決ノ提案ヲ爲スハ單ナル僞善ニ過キス」ト喝破セリ此修正意見ハ成立スルニ至ラサリシト雖民族自決ノ主義カ合衆國聯邦各州ノ自決ニ思ヒ至ラハ終ニ明瞭ナル說明ヲ與フルモノナキヲ如何セン

第三、 黑人又ハ Native Indian ノ自決

更ニ米國ノ原住民族「インヂアン」カ民族自決ヲ希望スルトキハ如何ニスルヤ又米國内ノ黑人「ニグロ」一千二百萬ノ民族カ其自決權ヲ主張スルトキハ如何ニスルヤ一千二百萬ノ黑人ハ實ニ米國全人口ノ約八分ノ一ニ相當シ其增加率ハ遙ニ白人ヲ凌駕スト稱セラル試ミニ此等ノ黑人カ如何ニ白人ヨリ虐待セラレツヽアルカヲ見ヨ南北戰爭ノ結果ハ奴隷ノ開放トナリ其後黑人ハ白人ト同シク選擧權ヲ與ヘラレタリト雖事實上ハ今尙ホ各種ノ制限ヲ受ケ白人トノ結婚ハ之ヲ禁シ汽車、電車、學校等ニ於テハ同席ヲ禁セルモノアリ劇場、料理店、旅館ハ全然區別セラレ特ニ其白人ニ對スル暴行ニ付テハ法律ニ依ルコトナク私刑ヲ加フルモ官憲ハ之ヲ傍觀スルノ狀況ニシテ今五箇年ヲ一期トスル私刑數ヲ地方別ニスレハ左ノ如シ

年別	北部	南部	西部	計
一八八九―九三年	六六	六九〇	七六	八三二
一八九四―九八年	七三	六六一	三四	七六八
一八九九―一九〇三年	四四	四七四	二四	五四二
一九〇四―〇八年	九	三六二	九	三八〇
一九〇九―一三年	一九	三四三	四	三六六
一九一四―一八年	一二	三〇四	九	三二五

卽チ全體ヲ通シテ私刑數ハ減少スルノ傾向アリト雖其殘忍ノ行爲ハ今猶ホ存スルナリ然ルニ彼等黑人ハ歐洲戰爭ニ於テハ白人ト同樣ニ出征シ佛國戰場ニ於テ困難ナル戰鬪ニ使用セラレ且ツ佛國ニ於ケル黑人ノ社會上ノ地位ヲ傍觀シテ漸ク自負心ヲ生スルニ至リ特ニ戰爭中勞力ノ不足ハシカゴノ如キ南部地方ヨリ五萬ノ黑人ヲ輸入セシト稱セラルルカ如ク其勞銀ハ着シク經濟狀態ヲ改善シ其智識モ又漸次高上シ來リツツアルニ當リ之ニ對スル虐待ハ猶ホ終熄セス後章述ルカ如ク客年七月ニ於ケル黑人迫害事件ノ如キ華府、シカゴ等ノ大都市ニ於テ公然行ハルルアリ何レノ日カ彼等ノ自覺ハ彼等ヲシテ民族自決ヲ希フコトナシトセンヤ

此時ニ於テ米國ハ自己ノ國土ヲ擧ケテ黑人ノ民族自決ヲ容認スルノ雅量アリヤ玆ニ於テ Welcott 氏ハ曰ク「民族自決主義ハ自國ヲ除キ他國ニ適用スルニハ好良ナル主義ナリ予ハ合衆國カ曾テ此原則ヲ自國領土ニ適用セシ歷史ヲ見ル能ハサルナリ」ト

第六節　民族自決主義ノ適用範圍ニ關スル關係

第一、 埃及、愛蘭及朝鮮ニ關スル獨立同情案提出ノ特殊理由、

客年六月愛蘭同情案ハ上院ニ於テ殆ント全院一致ヲ以テ通過シ朝鮮同情ノ問題ハ議會ノ記錄ニ詳細ナル說明ヲ止メ更ニ本年三月埃及ニ關スル獨立留保案ノ提出セラル、アリ又重ネテ愛蘭獨立同情案ノ通過スルアリ朝鮮獨立同情案ノ提出セラル、アリテ從來米國議會ニ於ケル民族自決ニ關スル提案ハ埃及、愛蘭及朝鮮ノ三者ニ過キス何故佛蘭西領 Algeria 及 Morocco 伊太利領 Tunis 及 Dedocanese Island 等ノ民族ニ及ハサルヤ更ニ英領加奈太、Austria, Newzealand 及印度ノ如キハ如何

今此問題ヲ硏究スルニ先タチ試ミニ從來提議セラレタル三民族ノ獨立同情ニ關スル提案ノ理由ニ付テ考フルニ各提案自ラ各々異ナル特殊ノ理由ヲ存スルカ如シ

（一）　埃及獨立同情案ノ理由

之ヲ埃及ニ關スル留保案ニ付キ見ルニ該案ハ聯盟條約第四編第六款ノ規定ニ對シテ留保セントスルモノナリ卽チ英國カ一九一四年十二月埃及ノ保護ヲ宣言シタルトキハ永久保護ヲ意味セス何ントナレハ當時英國皇帝カ埃及ノ Khedive ニ送リタル詔書ニ依レハ「陛下カ王位ニ卽カレシ時余ハ陛下ニ埃及ノ獨立保全ヲ援護シ且ツ安寧幸福ヲ保障スル余ノ深厚ナル意思ヲ奉ランコトヲ希望セリ陛下ハ今ヤ埃及ノ

危機ニ際シ陛下ノ臣僚ニ責任ヲ有スヘキコトヲ宣セラレタリ余ハ信ス陛下ハ陛下ノ臣僚ト共ニ英國ノ保護ニ依リ埃及ノ獨立及其人民ノ財產、自由並ニ幸福ヲ破壞セントスル凡テノ勢力ヲ完全ニ撲滅シ得ルコトヲ」トアリ此詔書ハ埃及カ歐洲戰爭ノ開始ノ後僅ニ數日ニシテ獨逸ニ對シテ宣戰シ土耳古カ一九一四年十二月聯盟軍ニ對シテ加擔シタル後直チニ發セラレタルモノニシテ當時英國官報ニ依レハ土耳古ハ埃及ヲ攻擊スヘキヲ以テ英國ハ保護政治ヲ行ヒ之カ獨立ヲ保護スルコトヲ各國及埃及人民ニ知ラシメンカ爲ニ保護ノ宣言ヲ爲セシナリ之ニ對シテ埃及ノ Khedive カ英國皇帝ニ送レル返翰ニハ「余ハ陛下ノ深厚ナル友誼ニ對シテ感謝シ且ツ埃及ノ尊嚴ト獨立ノ安全ニ對シ陛下ノ尊キ援護ヲ感謝ス」トアリ此保護ハ此兩詔書ニ示セル以外ニ何等ノ意味ナシ故ニ條約第百四十七條ハ敵國土耳古ニ對スル埃及ノ保護ヲ意味シ英國ノ將來ノ義務ヲ宣言スルモノニアラス又埃及ノ政治狀態ヲ定ムルモノニアラス玆ニ於テ條約第百四十七條及一九一四年十二月ノ宣言ハ埃及ノ獨立ヲ保護スル戰時手段ニ過キスト解スヘ埃及ハ今回ノ戰爭ニ於テハ甚大ナル效驗ヲナセリ土耳古參戰ノ任務ハ蘇士運河ヲ奪取スルニ在リ埃及ハ之ヲ防止セリ埃及ハアレンビー軍ニ十萬ノ軍隊ヲ供給シブルガリヤ軍ヲ休養シ英國ノ軍事上必要ナル棉花ヲ供給セリ此效績ニ對シテ戰後埃及ノ獨立ハ終了セリ其意思ニ反シテ英國ノ保護ノ下ニ入ラサルヘカラストナスカ埃及ハ一八四〇年以來土耳古ノ名義上ノ宗主權ノ下ニアリタリト雖土耳古ニ對シ三百五十萬弗ノ年貢ヲ致シタル外ハ事實獨立セルモノナリ埃及ハ埃及ノ官吏ヲ有シ埃及ノ立法ヲ有ス

其住民ハ一千六百萬（スダン地方ヲ含ム）ニシテ其貿易年額ハ二億四千萬弗（一九一三年ノ統計）其國費豫算ハ一億六千萬弗ニ達ス英國ノ自由雜誌ト稱セラル、Nationハ客年十一月「埃及問題」ト題シ論シテ曰ク埃及人ハ武器ノ完成セル今日英國ニ對シテ戰爭ヲ爲スニ適セス埃及ノPerilハ愛蘭ト同様ニシテ絶ヘス反抗ヲ爲シ暴動ヲ企テ居レリクロマー卿ノ時代ハ愛國主義ノ中葉ニシテ今日ハ組織的ノTrade-unionsヲ有シ罷業ナル武器ヲ使用シツ、アリ此Perilハ如何ナル政策又ハ强制ヲ行フモ其安寧ヲ恢復スルコト困難ナリト之ニ依テ見レハ埃及ハ獨立ノ能力ヲ有シ其人民ハ絶ヘス獨立ヲ希望シ反抗ヲ爲シツツアリ合衆國ハ此事實ヲ認メ此條約ニ對シテ留保ヲ爲シ其民族自決ノ權利ヲ要求シ得ルノ機會ヲ與ヘサルヘカラストナスナリ

（二）　愛蘭獨立同情案ノ理由

愛蘭ニ付テハ英國ノ之ニ對スル虐政ハ半世紀間ニ人口ノ半ヲ失ヒ其農商工業ハ破壞セラレピットノ所謂The act of Unionニ依リ其議會ハ解散セラレタリグラッドストンハ英國ノ愛蘭ニ對スル罪ハ未タ嘗テ基督敎國ニ見サル所ナリト云ヘリ最近數十年愛蘭ハ發達シテCursan, Grattanノ如キ大政治家ヲ輩出シ其工業ハ恢復セラレ其人民ハ繁榮ニ向ヒツツアリ英國ハ歐洲戰爭ノ始メ愛蘭ノHome ruleヲ約束シテ未タ實行セス愛蘭人ハ合衆國ノ獨立ニ效驗スル所多ク今ヤ自己ノ獨立ト自由トヲ要求シツツアリ最近愛蘭ノ總選擧ノ際愛蘭獨立ニ贊成スル者百二十萬票以上アリ三十二「カウンチース」中二十四「カウンチース」ハ愛蘭獨立黨議員ヲ選出シ二十七「カウンチース」ハ共和黨議員ヲ選出シ之ヲ

英國議會ニ送リ未タ一人ノUnionistヲ選出セサリシナリ又此選擧ニ依リテ選ハレタル愛蘭議員百一名中七十二名ハ獨立黨ニシテ其内最近ノ獨立運動（一九一六年「イースター」ノ反亂ヲ指ス）ノ爲六十八名ハ入獄シタルモノニシテ又當選議員ニシテ選擧ノ際監獄ニ拘致シ居ラレサルモノハ僅ニ二十六名ニ過キス米國生ノ愛蘭人ニシテ婦人議員トシテ最初ニ當選シタルAster夫人ハ實ニ其一人ナリ愛蘭人カ其利益ト其權利トニ向ツテ確信シ身命ヲ賭シテ爭ヒツツアルハHome ruleヲ得ンカ爲ニアラスシテ其獨立ヲ要求センカ爲ナリ或ハSir Horace Plunkett氏ノ如キ愛蘭人ハ財政上ノ獨立ハ其主權ヲ確保スル必要條件ナリトシテCubaノ如ク英國保護ノ下ニ於ケル獨立ヲ要求スルモノアリト雖又de Valeraノ如キ愛蘭ノ絶對的獨立ヲ主張スルモノアリ其獨立ニ對スル意見ハ異ナルト雖其獨立ヲ欲スルコトハ一ナリ米國ニ於テ市民權ヲ有スル愛蘭人ハ三千萬ニ達ス愛蘭ノ問題ハ實ニ米國市民三千萬ノ聲ナリ若シ民族自決ノ實行セラルルアランカ愛蘭ハ最先ニ米國ノ援助ヲ受クヘキモノナリトナス

（三）　朝鮮獨立同情案ノ理由

朝鮮ニ付テハ第六十六回第一期議會ニ於テG. W. Norris及J. I.Franceノ兩氏カ詳密ヲ極メタル演述ヲナセリ其要旨ニ依レハ日本ハ朝鮮ニ對シテ從來諸種ノ條約ニ依リテ其獨立保護ヲ保證セルニ拘ラス終ニ之ヲ併合セリ此方法ハ今ヤ正ニ支那ニ對シテ正確ニ同一方法ヲ試ミツ、アリ一八九四年八月一日ノ日韓條約、一八九五年四月十七日馬關條約、一八九八年四月二十五日日露條約及同年八月二十五日ノ宣言ハ凡テ韓國ノ獨立ト其領土ノ保全ヲ約セリ特ニ一九〇二年一月三十日日英條約、降テ一九〇四年二月十日日露戰爭ノ詔勅ハ韓國ノ獨立保全ハ日本ノ安全ニ缺クヘカラサル必要條件ナリトセリ然ルニ日露戰爭ノ結果一九〇四年二月二十三日締結セル日韓條約ハ韓國ニ日本ヲ信頼スヘキコトヲ强制シ其行政改革ノ勸告ヲ容ルヘキコトヲ約束セシメ一九〇五年八月十二日日英條約ハ日本カ韓國ニ於ケル政治上、軍事上及經濟上恒久ノ利害關係ヲ有シ其機會均等ノ原則ヲ犯サヽル限リ日本カ適當ト認ムル措置ヲ講スルノ權ヲ認メ同年九月日露條約ハ露國ヲシテ日本カ韓國ニ對シテ必要ト認メ爲ス措置ニ關シテ何等ノ干渉ヲ爲スヘカラサルコトヲ認メシメ更ニ同年十一月十七日日韓條約ニ依リ韓國ノ外交權ヲ掌握シ翌年伊藤公ヲ統監トシテ駐在セシメ更ニ其翌年一九〇七年ニハ韓國皇帝カヘーグー會議ニ代表者ヲ送ラントスルヲ阻止シ同年七月二十四日日韓條約ハ統監ハ韓國一般行政ノ監督ヲ爲シ官吏ノ任免ニ同意ヲ與ヘ日本人ヲ官吏ニ聘傭セシメ外國人ハ統監ノ承認ヲ受クルニアラサレハ之ヲ招聘スルコトヲ得サラシメタリ然レトモ伊藤統監ハ尙ホ其翌年一九〇八年日本ハ韓國ヲ併合スルノ意思ナキコトヲ公言セルニ拘ラス其後僅ニ一年ヲ經過セル一九〇九年伊藤統監自ラ韓國ノ併合ヲ宣言シ終ニ其年八月二十二日併合ヲ爲セリ見ヨ曩ニ日本カ支那ニ對シテ爲シタル二十一箇條ノ要求ハ從來日本カ韓國ニ對シテ採リタル政策ト符節ヲ合スルカ如クナラスヤ是レ支那ヲシテ其主權ヲ擧テ日本ニ讓渡スルコトヲ求シメ日本ハ已ムヲ得ス之ヲ承諾スルニ至ル第一歩ニアラスシテ何ソヤ

以上ノ問合衆國ハ一八八二年五月二十二日韓國ト條約ヲ締結シ其第一條ハ「合衆國大統領及韓國皇帝並ニ兩國ノ市民及臣民ハ恒久ノ平和ト友誼トヲ維持シ若シ兩國ノ一方カ他國ヨリ不正又ハ壓迫ヲ受クルトキハ他方ハ其通知ニ依リ適切ナル解決ヲ告クル爲機宜ノ措置ヲ講シ以テ兩國間ノ友情ヲ表示スヘシ」トナセリ而シテ日本カ上記ノ如ク韓國ニ對シテ漸次不正ノ壓迫ヲ加ルノ際米人H. B. Hulbert氏ハ韓國皇帝ノ顧問トシテ三十年ヲ彼ノ地ニ送レリHulbert氏カNorris議員ニ送リタル書翰ニ依レハ一九〇五年十月二十日即チ日韓保護條約成立ノ前月韓國皇帝ハHulbertニ大統領ニ呈スル親書ヲ托セリ其親書ニハ韓國ハ日露開戰ノ初メ日本ニ加擔スルノ約束ヲ爲シタルヲ以テ日本敗ルレハ露國ノ征服スル所トナルヘク日本勝ツモ終ニ併合ヲ免レサルヘシ依テ此際一八八二年米韓條約ニ基キ韓國ノ救護ヲ講スヘキコトヲ要求セリHulbertハ此親書ヲ携ヘテ華府ニ急行セリ越ヘテ翌十一月二十一日韓國皇帝ハ在華府ナルHulbertニ電報シテ曰ク日韓保護條約ヲ締結セリト雖强制ニ依ルモノニシテ本意ニアラス此旨大統領ニ傳達セラレタシトHulbertハ此親書及電報ヲ持シテ「ホワイト、ハウス」ヲ訪ヘハ國務省ノ事務ニ屬スルヲ以テ同省ニ持來スヘキヲ告ケラレ國務省ニ行ケハ事務多忙ノ故ヲ以テ受付ケス然レトモ終ニ國務卿ハ之ヲ閲讀セリトアリ此書翰ニ依レハ日韓併合ノ强制ニ依ルモノナルハ明カナリ且ツ夫レ一九一二年―一三年ノ朝鮮總督府施政年報（四七頁）ニ依レハ同年ノ即決犯ハ二一、四八三ニシテ之ヲ前年ニ比シ二、五八六ヲ增加シ一九一六―一七年ノ該年報ニ依レハ同年ノ即決犯ハ五六、

○一二ニシテ之ニ刑事犯ヲ加フルトキハ八二、一二一ニ達シ之ヲ其前年ニ比スレハ即決犯一四、七七七ヲ増加シ刑事犯ヲ加ヘタルモノニ至リテハ實ニ二一、七五〇ヲ増加セリ又犯罪檢擧者八二、一二一中無罪トナリタルモノ一三〇執行猶豫トナリタルモノ九五二ニ過キス如斯檢擧者ノ大部分カ有罪トナレルハ無罪ヲ證明セサレハ有罪ナリトノ論鋒ヲ以テ斷罪スルカ故ナリ併合以來總督府ハ學校ヲ燒キ、朝鮮語ヲ破壞シ、朝鮮圖書ノ禁止ノ爲家宅搜査ヲ行ヒ又朝鮮銀行ヲシテ硬貨ヲ吸收セシムルト共ニ租稅ヲ金納トシ朝鮮人ハ其土地家屋ニ對スル租稅ヲ納付スル爲土地家屋ヲ日本人ニ擔保トシテ提供シ又ハ之ヲ賣却シテ現金ヲ得サルヘカラサルニ至レリ此所ニ於テ朝鮮人ニシテ滿洲其他ニ避難スルモノ續出セリ又日本ハ在外鮮人ニ對シテハ其日本ニ忠誠ヲ宣誓スルニアラサレハ旅行券ノ裏書ヲ與ヘス日本ハ耶蘇敎ヲ嫌厭シ特ニ米國宣敎師ヲ壓制ス之レ耶蘇敎ハ朝鮮人ヲ敎育シ之ニ英語ヲ敎ユルヲ以テナリ又桑港ノ Presbyterian Missionary society ノ報告ニ依レハ在鮮米國宣敎師ハ敎徒カ笞刑ニ處セラルル狀況ヲ詳報セリ米國ノ誇トスル所ハ人ハ凡テ裁判所ニ訴ヘ得ルコトニ在リ然ルニ裁判ヲ經スシテ笞刑ヲ行フハ野蠻ナリ若シ此國際聯盟條約ノ締結ニ當リ朝鮮獨立ニ關スル條件ヲ附セサレハ啻ニ此等ノ壓迫ヲ受ケ居ル民族ヲ永久ニ保護スルヲ得サルノミナラス軈テハ支那モ朝鮮ト同シク日本ノ領有スル處トナリ朝鮮及支那ニ存スル我米國人ノ敎會ハ壓迫ヲ受クルニ至ルヘシトナスナリ

本年三月朝鮮獨立同情案ヲ提出シタル Thomas 氏モ一八八二年ノ米韓條約ハ若シ朝鮮ニシテ獨立國ナ

ルニ於テハ今モ猶ホ效力ヲ有スヘキモノナルヲ以テ朝鮮ハ公平且ツ正義ノ國家的感情ヲ訴フルニ特殊ノ位置ヲ有シ他民族ヨリモ特異ニシテ且ツ重大ナル立場ヲ以テ米國ニ訴ヘ居レリ日韓保護條約成立ノ際韓國皇帝ハ此條約ニ基キ米國政府ニ訴ヘタルニ拘ラス時ノ大統領ルウズベルトハ適切ナル措置ヲ講セス却ツテ之ニ同意ヲ與タリ之レ正義ノ觀念ト義務ノ判斷トハ予ヲシテ現在朝鮮人カ獨立ニ努力シツツアル事實ヲ認メ同情セサルヲ得サルナリトセリ

（附記）France 氏ノ演述ニ依レハ日韓保護條約ノ成立セシ前年即チ一九〇四年當時韓國駐在米國公使 Horace H. Allen 氏ハ韓國皇帝ノ依賴アリタルニ拘ラス米國條約ニ基キテ韓國ノ爲機宜ノ措置ヲ講セサリシハ同公使ヨリ國務卿ニ宛タル左記書翰（京城發信一九〇四年四月十四日附）ニ依リ明カナリト參考ノ爲附記スヘシ

啓白（中略）此等ノ事態ハ政治上各方面ノ讓步ニ對スル壓迫ニシテ韓國皇帝カ痛惜措ク能ハサルモノナリ韓國皇帝ハ此機ニ際シテ米國ノ舊誼ニ倚賴セントセリ予ハ出來得ル丈ケ之カ慰撫ニ努メ同時ニ過去數年前ニ於ケル韓國政府ノ狀態ハ二月二十三日ノ條約（一九〇四年ノ日本信賴及韓國內政改善ニ關スル日韓條約ヲ指ス）以上ナル能ハサルコトヲ指摘セリ予ハ韓國皇帝ニ對シテ合衆國ニ對シテ機宜ノ措置ヲ乞ハンカ爲ニ華府ニ韓國ヨリ使者ヲ派遣スルコトヲ勸告セサリシ是レ合衆國ノ當惑スル所ナルニ過キスト考ヘタルニ依ル同時ニ予ハ韓國皇帝ハ戰爭（日露戰爭ヲ指ス）ノ終結ニ際シ若クハ何等カノ機會ニ於テ韓國ノ獨立ヲ

保持スル爲米國カ何等カ韓國ヲ援護スヘキコトヲ眞ニ期待シツツアルコトヲ貴下ニ報告スヘシ韓國皇帝ハ一八八二年米韓條約第一條ニ依リ米國ハ自由ニシテ利益アル措置ヲ講スヘキモノト信セリ然レトモ予ハ韓國ノ現狀ハ機宜ノ措置ヲ講スヘキ米國カ既ニ諒解セル所ナルコトヲ皇帝ニ告クルノ已ムナキモノアリト雖右條約ニ依ル請求ヲ爲ササルコトニ取計ヒ得ヘシト信ス

（四）　各案ノ特殊理由

以上ニ依リ之ヲ見ルトキハ埃及、愛蘭及朝鮮ノ各民族カ其主權國ヨリ其意思ニ反シテ領有セラレ壓迫、虐政ノ下ニ在リ之カ自由ト獨立トヲ與フルノ機會ヲ國際聯盟條約ノ批准ニ當リ作ラントシ之カ爲ニ同條約ニ對シテ此等民族ノ自決權ニ關スル留保ヲ爲サントスルモノナリト雖埃友ニ關シテハ聯盟條約第百四十七條ニ規定アルニ依リ之ニ對シ留保ヲ爲サントシ愛蘭ニ關シテハ米國市民タル愛蘭人三千萬ノ聲ニ同情シ此等多數市民ノ希望ヲ達成セシムルハ合衆國ノ義務ナリトシ朝鮮ニ關シテハ一八八二年ノ米韓條約ニ依リ當時合衆國カ韓國ヲ援助スルノ義務アリタルニ拘ラス之ヲ行ハサリシヲ以テ正義ト義務ノ觀念ニ依リ之ヲ援助セントスルノ各々特殊ノ理由ノ存スルコトヲ發見スルコトヲ得ヘシ

第二、英國及日本ノ所屬領土ニ對シ民族自決案カ提唱セラルル理由（民族自決同情案ノ政治的理由）

若シ民族自決ノ語カ民族ノ同意ヲ基礎トスル法律ノ支配ヲ意味スルモノナルニ於テハ民族ノ大小强弱文野ヲ問ハス各民族ニ對シテ一般ニ之ヲ主張スヘキハ當然ナリ又民族自決ノ語カ獨立政府ノ樹立ヲ意

味スルモノナルニ於テハ Norris 氏ノ言フカ如ク其民族ハ自治ニ適スルヤ又自治スル能力ト智識トヲ有スルヤヲ識別セサルヘカラス即チ Phelan 氏ノ所謂各民族ノ獨立ニ對スル準備如何ニ依リテ決セサルヘカラス若シ其民族ニシテ未タ自治ニ適セサルニ於テハ其獨立ヲ留保シ置クハ其所屬國ノ慾心ニ基クモノニアラスシテ實ニ其民族ノ利益ニ基ケリ此意味ニ於テ愛蘭、埃及及朝鮮ノ如キハ即チ自治ノ能力ヲ有シ而モ其國民ハ自由ヲ要求シ居ルヲ以テ之ニ獨立ヲ與フヘシト爲スハ民族自決主義ノ適用カ從來此三民族ニ對シテ提唱セラルル根據ナルカ如シ然レトモ從來ノ提案把持者カ英國及日本ノ所屬領土ニ對シテ之ヲ絶叫シ他國ノ所屬領ニ對シテハ又多クヲ語ラサル所以ハ他ニ政治的理由ノ存スルモノアルヤヲ疑ハサルヲ得ス蓋シ英國及日本ノ國勢ニ對スル米人ノ疑惧心ト米人ノ所謂帝國主義及軍國主義ニ對スル反感並君主國ニ反抗シテ民主共和ヲ擴大セントスルノ思潮ハ米人上下ヲ通シテ一種ノ國民的思想ヲ釀成シツツアルニ際シ日本及英國カ慊焉タラサルハ元ヨリ其所ナルヘク更ニ愛蘭問題ニ對シテハ後ニ述フルカ如ク愛蘭種米國市民ノ歡心ヲ買ヒ政爭ノ具ニ供シツヽアルハ明カナル事實ナルトス以下此等ノ政治的理由ニ關シ少シク研究スル所アルヘシ

（一）　英國及日本ニ對スル反感

（甲）　英國ニ對スル反感

埃及及愛蘭同情論者ノ說ク所ニ依レハ英國ノ領土擴張ニ對シ甚タ慊焉タラサルモノアルカ如シ一上院

議員ハ英國ノ領土擴張ノ方法ヲ例述シテ難破船カ不知ノ海岸ニ漂着シ初日ハ土人ニ食物ト宿泊ヲ哀願シ翌日ハ小屋ヲ築造シ土地ヲ耕作センコトヲ乞ヒ更ニ其翌日ハ其小屋ヲ城寨ト爲シ英國々旗ヲ永久ニ飜スニ至ルヘシ印度ハ通商ノ爲ニ開カレタルモ强制シテ其屬領トナシ蘇士運河ハ佛國ノ天才ト資本トニ依リテ造ラレタルモ英國政府（ビーコンスフイールド内閣）ハ秘密ニ且ツ迅速ニ一策ヲ設ケテ運河株ノ大部分ヲ得埃及ヲ除外シ佛蘭西ヲ驅逐セリ之レ英國カ埃及侵入ノ第一歩ナリ最近ノ Saturday Evening Post ニ依レハロード、ヂョーヂハ英國議會ニ於テ説明シテ曰ク「巴里會議ハ英帝國ノ統治ニ八十萬哩ノ土地ヲ増加セリ若之ニ戰爭中又ハ戰爭後何等カノ方法ニ依リテ英國治下ニ屬シタル他ノ領土ヲ加フルトキハ驚クヘキ面積ニ達スヘシ」ト實ニ今回ノ戰爭ニ依リ英國治下ニ屬セラレタル土地ハ三百八十萬五千方哩人口ハ三千五百萬乃至四千萬ト稱セラル英國ハ帝國主義ヲ把持シテ概ネ如斯キ方法ヲ以テ其領土ヲ擴張セリトナス思フニ英國ニ對シテ米人カ反感ヲ有スルヤ既ニ久シ此等ノ反感ハ驅テ英國所屬領土ノ獨立ヲ高唱スル一動因タルヲ失ハス

（乙）日本ニ對スル反感

（1）君主專制、帝國又ハ軍國主義トナス反感

朝鮮同情論者ノ説ク所ニ依レハ日本ハ朝鮮ヲ併有シ滿洲及蒙古ニ勢力ヲ扶殖シ支那及西伯利ニ野心ヲ有ス支那ニ對スル日本ノ二十一箇條ノ要求ハ即チ支那ヲシテ朝鮮ト同一運命ニ陷ラシムルコトヲ證ス

日本ハ獨逸ノ亡ヒタル今日 Prousianism ヲ實行シ軍國主義ニ依リテ領土ノ獲得ヲ爲サントスル唯一ノ國ナリ此帝國主義及軍國主義ハ今次ノ歐洲大戰爭ノ結果世界ヲ通スル「デモクラシイ」ヲ建設スル一大障害ナリト論ス思フニ米國ニ於ケル排日ノ原因ハ之ヲ地方問題トシテハ布哇及加州ニ於ケル日本勞働者ノ發展ニ對スル忌憚之ヲ米人ノ通觀トシテハ人種平等ノ提議ニ依ル米人ノ感情刺戟、日本人ノ國際的不評判等種々ナル原因ヲ指摘スルコトヲ得ヘシト雖時ト所ニ依リ其原因ノ程度ヲ異ニシ各種ノ場合ニ各種ノ感情及理由ヲ生シ其間矛盾撞着甚タ尠カラサルモノアリ素ヨリ一元的ナラスシテ多元的ナルヘク一面的ナラスシテ多角形的ナルヘシト雖是カ基礎的感情ヲナスモノハ國柄ノ相違ニシテ君主國ハ即チ專制ヲ意味シ「デモクラシイ」ニ反スト爲シ更ニ或ハ帝國主義トナシ或ハ軍國主義トナシ又日英同盟ヲ以テ米國ノ世界ヲ民本化セントスル理想ヲ防クルモノトシ從テ英國ニ對スル反感ト表裏シテ愛蘭問題カ米國政界ノ暗礁タルニ伴ヒ朝鮮問題モ又從テ之ニ附隨シテ問題タルニ至リシハ明カナリ

（2）東洋ニ對スル米國ノ Imaginal enterprise

近時東洋ニ於ケル日本ノ活動漸ク顯著トナリ恰モ此時ニ當リ米國ハ其有リ餘マル資金ヲ擁シテ東洋ニ投資セントノ Imaginal enterprise ノ念ハ今ヤ國民的ニ熾烈ナルモノアリ

（イ）支那ニ對スル Imaginal enterprise

之ヲ支那方面ニ見ルニ紐育ニ亞細亞協會ナルモノヲ設立シテ支那ニ關スル研究ヲ進メ毎月一回雜誌ヲ發行シ時々會合ヲナシ最近更ニ米支兩國人ニ依リテ商業會議所ヲ設ケ本部ヲ市俄古ニ置キ主要都市ニ支部ヲ設ケテ米支商業關係ノ進歩發展ヲ計ルヘシト稱シ又曩ニハ米支間ニ航路開始ノ計劃アリテ在桑港支那人ノミニテ六百萬弗ノ出資ヲ約シタリトサヘ傳ヘラル又米國政府ハ一九一八年十一月米國ノ商業政策及商業教育ノ基礎計劃ヲ定ムル爲商務卿主宰ノ下ニ各省ノ専門家ヲ網羅シテ委員ヲ編成シテ貿易市場ノ分類ヲ行フコトニ決シ商務省ニテハ同年極東局ヲ特設シ支那ニ關シテハ主トシテ礦山ニ關スル測量及研究、支那工業發達ノ爲供給スヘキ工業機械ノ研究並ニ支那内地交通機關ノ研究ノ三方面ニ付テ各々専門家ヲ派シテ實地ノ研究ヲ進メツ、アリテ其今日マテニ齎セル報告ニ依レハ支那ヲ以テ米國商品特ニ石鹼、煙草、石油、密針等ニ付キ最モ有望ナル市場トナシ且ツ支那ノ豐富ナル天產物ハ大ニ之ヲ指導開發スルノ要アリトナシ居レリ

（ロ）西伯利ニ對スル Imaginal enterprise

更ニ之ヲ西伯利方面ニ見ルニ米國ハ歐洲參戰ノ當初「モンロー」主義ヲ抛棄セス世界ノ自由ノ爲中歐帝國ヲ摧折スルヲ得ハ復タ歐洲ノ國際事件ニ關與セサルコトヲ表明シタルカ如ク其對露政策モ又概ネ此見地ヲ支持シ聯合諸國ノ勸誘ニ依リ西伯利ノ出兵ヲ決行セシモ現今ニ於テハ過激派ノ跳梁ニ對シテ兵力干渉ノ意思ナク民主、共和兩政黨モ又夙ニ之カ撤兵ヲ唱ヘ客年五月六日米國陸軍省カ西伯利駐屯軍ヲ志願兵ト交代セシメンカ爲兵員ヲ募集セシトキノ如キ上院議員 Borah 及 Johnson ハ直チニ反

對意見ヲ公表シ西伯利ニ於ケル全部ノ撤兵ヲ主張セルアリ此所ニ於テ客年五月二十六日英國義勇兵ノマルチヤンゼル到着ヲ機トシテ該地方ノ派遣軍ヲ撤去シ又本年ニ入リ終ニ全部ノ撤兵ヲ行ヒ以テ露國ニ對シテ領土的及政治的野心ヲ有セサルコトヲ示セリト雖一面ニ於テハ之ニ依リテ其款心ヲ買ヒ機ノ乘スヘキモノアラハ他國ニ先シテ經濟的發展ヲ試ミントセルハ疑ヲ容レス即チ過激派ニ對シテハ米本國ニ於テハ其主義ノ喧傳ニ對シテ絶對禁遏ノ方針ヲ採リ居レルモ露國内ニ於ケル過激派ニ對シテハ敢テ敵意ヲ表明セス却ツテ客年露國ニ對シテ物資供給ノ動議ヲナセルアリ曩ニハ「オムスク」政府ニ對シテ五百萬弗ノ被服賣渡ヲナシ又小銃四萬五千挺及彈藥ヲ援助シ又「キッダー」銀行ヲシテ多額ノ借款ヲ爲サシムル等金錢、物資其他各種ノ方法ヲ以テ賣恩的準備ヲ怠ラス他方ニ於テハ國際的ニ何等權能ナキスチーブンス等ノ爲ニ極力後援ヲ爲シ基督靑年會員等ヲ利用シテ經濟的調査ヲ進メ秩序囘復ノ時期ニ於テ經濟的發展ヲ企劃シツツアルヲ見ル恰モ如斯キ對露賣恩的援助ノ行ハレツ、アルニ當リ二十年前ハリマン氏カベーリング海峽ヲ經由シ露國未連絡鐵道敷設計劃ヲ發表シカムチツカ半島租借ノ聲ノ傳ハリタルカ如ク客年八月ニハ米國政府ハダレーナス少將及モーリス大使ニ訓令ヲ與ヘテ同半島ノ借款ヲナセリトノ風説サヘアリ之レ元ヨリ何等ノ根據ナキモノニ屬スト雖少クトモ民間ノ一部ニ於テハ此方面ニ飛躍ヲ試ミツ、アルモノ少カラサルヲ知ルヘシ現ニ紐育「シチー、バンク」ハ石油王ロックフエラート密接ナル關係ヲ有シスタンダード石油會社ノ東洋ニ於ケル活動ハ其援助ニ係リ露國

ケレンスキー時代ノ借款殘額ハ其保管スル所トナリ今回ノ露國借款モ又主トシテ該銀行カ之ニ當リ前記西伯利鐵道主任技師スチーブンス一行ノ俸給其他ハ該銀行ヨリ支拂ヒスチーブンスハ該銀行ノ傀儡ナリト稱セラル、等ヨリ見ルトキハ此等地方ニ對シテ礦山採堀、鐵道布設等何等カ將來ノ活動ヲ豫期スル所アルニアラサルヤヲ疑ハサルヲ得ス

（ハ）結　論

以上ノ如ク米國カ今ヤ極東支那及西伯利ニ經濟的企劃ヲ有セントスルニ當リ在米朝鮮人獨立運動者カ朝鮮問題ヲ以テ單ニ二千萬朝鮮人ニ影響スルノミニアラス支那及露西亞ニ關係シ其包容スル人口ハ六億ニ達シ世界人口ノ三分ノ一ヲ占ムトナスハ卽チ此機微ニ接觸セルモノニシテ韓國併合ノ手段ハ支那ニ對スル二十一箇條ノ要求ニ依リテ繰返サレツツアリ西伯利ニ對スル日本ノ出兵ハ其領土的野心アルモノトナシ從テ山東問題ニ對シテ異議ヲ說ヘ西伯利出兵ニ對シテ心ヨカラサル所以ナリ

（二）政爭ノ具トシテノ民族自決主義

（甲）愛蘭同情問題カ特ニ熾烈ナル理由

朝鮮同情案ハ Walsh氏カ云ヘルカ如ク果シテ如何ナル程度マテ熱心ニ主張セラル、モノナリヤ或ハ本案ヲ以テ愛蘭同情案ヲ殺スノ目的ニ過キスト爲スモノナキニアラス又埃及同情案モ其終ニ否決セラレタルカ如ク其主張ノ甚シク大ナラサルヲ感セサルヲ得サルニ反シ愛蘭同情案ニ至リテハ第六十六回議

會ノ第一期及第二期共ニ提出セラレ共ニ大多數ヲ以テ通過シ而モ民主、共和兩政黨ヲ通シテ贊成者多ク埃及及朝鮮ノ同情案ニ反對セシ議員カ愛蘭同情案ニ對シテハ擧ツテ贊成セルノ奇觀ヲ呈シ此種ノ留保案ヲ以テ或ハ聯盟條約トノ關係ニ於テ或ハ「モンロー」主義トノ關係ニ於テ或ハ他國內政不干涉ノ關係ニ於テ不適當ナリトスル論者ト雖獨リ愛蘭ノ獨立ニ對シテハ同情ヲ有スルノ一事ハ各議員ノ均シク前提セル所ナリ愛蘭問題カ如斯米國政界ニ於テ同情ヲ有スルハ或ハ世界唯一ノ英語國民タルニ依ルヘク或ハ合衆國ノ獨立ニ効驗セシ所多キニ依ルヘシト雖 Gore氏ノ言ノ如ク實ニ三千萬ノ愛蘭種米國市民ノ目ニ「ダイヤモンド」ヲ光ラシテ其投票ヲ乞フニ外ナラス既ニ愛蘭ニ對スル民族自決ノ主義ハ民主、共和兩政黨カ一八九二年ニ宣言セシ以來今日ニ至ルマテ何等ノ效果ヲ見ル能ハサルニ拘ラス今尙ホ其高唱セラル、所以ノモノハ實ニ此所ニ存ス「予ハ信ス愛蘭ノ自由ヲ希望スルコト予ノ右ニ出スルモノナカラン然レトモ此問題ハ條約ト何等關係ナシ其之カ留保ヲ爲サントスルハ危險ナル政策ニ基クモノナリ英國ノ如キ大國ヲ讒謗シテ愛蘭人ノ投票ヲ希フハ不可ナリ」トハ之レ各議員ノ腹藏ナキ意見ト云フヘシ兩政黨ノ政綱カ更ニ露西亞ノ猶太人ニ同情ヲ寄スルモ又猶太種米國市民ノ選擧投票ヲ得ンカ爲ナリ Webster氏カ嘗テ希臘人ヲ土耳古ノ羈絆ヨリ脫セシムルコトニ同情スル決議ヲ表明シタルモボストンノ裏通ニ住スル希臘種ノ米國市民ニ拂ヒタル投票ニ對スル訴ニ過サルヘシ Henry Clay氏カ南亞米利加人ニ對スル同情ノ決議ヲ發表セルモ Lexington 又ハ Louisville ニ住スル Latin-American

ノ投票ヲ得ントスル僞善ニ外ナラサルヘシ民族自決ヲ標榜シテ之ヲ政爭ノ具ニ供スルハ啻ニ愛蘭問題ノミニアラサルナリ大統領選擧期日ノ切迫セル今日民主黨ノ形勢稍々非ナルニ際シ共和黨議員カ愛蘭問題ヲ提起スルヤ民主黨議員カ朝鮮問題ヲ引キ出ス等這般ノ消息元ヨリ外人ノ解シ得ヘキニアラスト雖更ニ共和黨議員カ朝鮮問題ヲ以テ愛蘭問題ヲ殺サンカ爲ノ提案ニ過キスト爲シ愛蘭人ノ同情ヲ喚起セントスル等ヨリ見ルトキハ自ラ政爭場裡ノ感觸ナキヲ得ヘケンヤ Walsh氏曰ク米人ニ二派アリ一ハ民族自決ノ原則ト愛蘭同情トノ兩者ヲ共ニ主張スルモノト他ハ愛蘭同情ヲ主張スルモ民族自決ノ原則ハ之ヲ主張セサルモノト是レナリ然レトモ共ニ愛蘭ニ同情ヲ有スルハ一ナリト

（乙）朝鮮同情問題ノ政治的主張ノ程度

米人ニ民族自決主義ノ理想アルコトハ既ニウイルソン大統領ノ國際聯盟會議ニ對スル提案ニ依リ之ヲ疑フノ餘地ナシト雖其適用ノ範圍ニ付キテハ矛盾衝突甚タ多ク特ニ其政界ニ於ケル努力ハ政治競爭ノ具トシテ使用セラレ居ルモノニシテ其果シテ如何ナル點マテ各民族ニ付テ眞面目ニ主張ヲ爲サントスルモノナリヤハ測リ知ルヘカラス朝鮮問題カ愛蘭問題ヲ殺サン爲ニ提出セラレタルモノナリヤ將又之ヲ徹底センコトヲ示サン爲ニ提出セラレタルモノナルヤ未タ必シモ早斷ヲ許サスト雖沂時加州及布哇ニ於ケル日本勞働者排斥問題ハ地方問題トシテ輕視スヘカラサルモノアリ寫眞結婚問題ニ次テ土地所有權問題、日本語敎育問題等客秋以來該地方米人ノ利害及勢力消長ニ尠カラサル關係ヲ有スルモノ

アリ本年一月桑港 Palace Hotel ニ於テ盛大ナル排日人會合ノ催サル、アリ近クハ下院議員百名本問題視察ノ爲加州、布哇及日本ニ旅行セントスルカ如キ特ニ加州ノ投票ハウイルソン大統領選擧ノ際ニ於ケル決勝線ヲ劃シタルモノニシテ今期民主黨大統領候補者ノ豫選會場ヲ桑港ニ定メタルカ如キ政黨ノ地盤未タ確定セサル加州ニ於テ投票ヲ得ルニハ排日問題ノ如キハ最モ好目標タルニ思ヒ到ラハ朝鮮問題ノ米國政界ニ於ケル重要ノ程度必シモ愛蘭問題ノ景物トノミ思惟スルヲ得サルナリ茲ヲ以テ加州選出上院議員 Johnson ノ如キハ常ニ排日ノ急先鋒ニシテ今ヤ共和黨大統領候補者タラントシテ活動ヲ試ミ各新聞ハ擧ツテ其意外ノ勢力アルニ驚キツツアリ元ヨリ米國在留ノ朝鮮人ノ數ハ至ツテ少々米國ノ政治關係ニ於テハ無力ナリト雖彼等ハ二千萬民族ノ主張ト要求トハ愛蘭問題ニ比シ米國人ノ正義心ニ訴フルトキハ輕重ノ度ニ差異アルノ筈ナク愛蘭種米人ノ投票ヲ目的トスルニ非スンハ朝鮮ノ獨立ハ之ト同樣ニ贊成セラルヘキモノナリトナシ愛蘭同情案提出者 Borah氏モ「予ハ愛蘭ト朝鮮其他ノ諸屬邦トノ區別ヲ認ムルヲ得ス一樣ニ民族自決主義ヲ適用スヘキモノナリト信ス平和會議ハ朝鮮ノ主張ヲ聽取スヘキモノナリ」ト論セルハ蓋シ愛蘭同情論ノ弱點ヲ蔽ハントセハ必スヤ朝鮮同情論者タラサルヘカラサル等ノ關係アルハ明カナリ然ハ朝鮮問題ハ愛蘭問題ニ比シ米國政界ニ於ケル輕重ノ程度元ヨリ大ニ異ナリト雖夫レ自身政爭ノ具タル要素ヲ備ヘサルモ愛蘭問題ト終始スルモノタルコトハ之ヲ想像スルニ難カラス

第七節　民族自決主義ノ價値

第一、聯盟條約ニ對シ民族自決主義ニ關スル留保ノ條約上ノ價値

國際聯盟條約ニ以上諸案ノ如キ民族自決主義ニ關スル同情的條件ヲ米國カ留保スルニ於テハ果シテ如何ナル効果ヲ生スルヤ條約第十條及第十一條カ聯盟國相互ノ領土保全及政治的獨立ヲ保障シ之カ侵略、危險若ハ脅威ニ對シテ其影響ノ有無ヲ問ハス總テ聯盟全體ノ利害關係事項ト認メ適當有效ノ措置ヲ執ルコトトナセル以上ハ先ニ述ヘタル如ク合衆國ニ於ケル專制君主國ニ對スル獨立企劃者ヲ保護奬勵スルノ所謂建國以來ノ國策ハ認ムヘカラサルカ又「ハーバート」大學長Lowell氏カ懸念セルカ如ク「或ル民族カ他國政府ノ支配ニ對シテ獨立セントスルトキ他ノ一國例ヘハ米國革命ノ際ニ於ケル佛國ノ如ク此革命ヲ援助シ之ヲ成功セシメタル場合ト雖第十條ニ依リ米國ハ其獨立セル民族ヲ前支配國ニ回復セシムルコトニ各國ト共助セサルヘカラサルカ」此二ノ問題ハ卽チ此留保條件ヲ附スルコトニ依リテ解決セラルヘシ卽チ合衆國ハ其民族ノ獨立擁護ニ關シテハ自由行動ヲ執ルコトヲ得ヘク一方ニ於テハ合衆國ハ民族獨立ノ企劃所タリ避難地タルコトヲ全フスルコトヲ得ルト同時ニLowell氏ノ例ヲ以テスレハ「朝鮮カ謀反シテ支那又ハ露西亞カ其獨立ヲ扶ケタル場合ニ於テ合衆國ハ朝鮮ヲ日本ノ支配下ニ復スルノ義務ヲ有セサル」ナリ然レトモ此條件アルカ為ニ同情留保案賛成者ノ所謂聯盟ノ力ヲ以

テ革命戰爭ニ依ラスシテ民族自決權ヲ實行スルノ門戸ヲ開キタルモノトナスヲ得ス何トナレハ聯盟條約ハ本留保ノ如ク民族自決ノ原則ヲ容認セルヤ否ヤハ明文ヲ缺キ居ルノミナラス假令之ヲ認ムト解スルモ未タ民族自決ヲ訴フヘキ裁判ト其實行方法トヲ定メサルヲ以テナリ約言スルハ此留保ニ依リテ合衆國ハ小民族ノ獨立企劃アル場合ニ於テ條約第十條及第十一條ノ拘束ヲ受ケサルコトヲ得ルニ過キス此留保ハ以上ノ如ク法律上ノ效果トシテハ合衆國ヲシテ民族自決ノ革命運動ニ關シテ條約第十條及第十一條ノ拘束ヨリ脫セシムル外何等ノ價値ナク此留保ハ其民族ノ所屬國ヲ拘束セス各國モ又何等拘束セラルルコトナシ例ヘハ埃及ニ關スル留保アルニ拘ラス英國ハ其保護權ヲ以テ永久的ノモノト認ムルコトヲ得ヘシ

第二、聯盟條約ニ對シ民族自決權ニ關スル留保ノ道德上ノ價値

然レトモ道德上ノ價値ナキニアラス卽チ各國ニ對シテ之ヲ公表シテ合衆國ノ地位ヲ明カニシ此等民族ヲ激勵シテ革命運動ヲ挑撥セシムルノ效果ヲ生スヘシ蓋シ合衆國政府ヲシテ此等民族所屬國ノ政策ヲ抑制セシメ合衆國カ民族自決主義ニ關シテ從來把持セル政策ヲ持續セシムルト同時ニ他面ニ於テハ此等民族ノ所屬國ハ其將來ノ政策ヲ決定スルコトアルヘシト雖合衆國ノ從來把持セル地位ヲ阻止セラルルコトナク民族自決運動ニ對シテ援助ヲ與フルコトヲ得ヘク各民族ハ之ニ倚賴シテ革命運動ヲ企劃スルニ至ルヘキヲ以テナリ實ニ此道德的價値ハ愛蘭及朝鮮ニ於テ遺憾ナク發揮セラレ又現ニ發揮シツヽアル所ナリトス留保案賛成者ノ或ル者ハ留保ノ效果ハ專ラ道德上ノモノナリト云フハ卽チ此ヲ意味ス

第三、民族自決主義ノ弊害

（一）　有害ナル革命運動ノ挑撥

民族自決主義ヲ高唱シテ各民族ヲ激勵シ獨立ヲ企テシムルコトハ其自身ニ於テ事實適當ナルヤ否ヤ現ニSterling氏ノ如キ埃及同情案ニ對シ埃及ハ英國ニ依リテ物質上ノ幸福ヲ增加シ居レリ埃及同情案ハ埃及ノ將來ハ假令奬勵セラレンモ現在危險ナリ今ニシテ英國ノ保護ヲ撤スルニ於テハ埃及ノ自治ハBolshevismト化スヘク今日獨立ヲ希望スト稱セラルル民族ハカイロ電報カ稱スル如クA real economic and an imaginal political grievanceヲ有スルモノニシテ眞ノ幸福ナリヤ否ヤハ必シモ早斷ヲ許サスト稱セルモノ突チ得タル言ト云フヘシ以下此主義ヲ高唱スルニ依リ如何ニ各民族ノ革命運動ヲ挑撥シ慘害ヲ流セルカヲ少シク觀察セン

（甲）　愛蘭ノ革命運動ノ挑撥

之ヲ愛蘭ニ見ルニ最近ノ革命運動ハ一九一八年十二月十四日ノ選擧ニ其端緒ヲ開キ同選擧ニ於テSinn Fein PartyハNationalists又ハUnionistsヨリモ多數ノ當選者ヲ得七十三名ノ議員ヲ英國々會ニ選出スルニ至レリ然レトモ此等ノ議員ハ全部國會ニ出席ヲ肯セサリシナリ更ニ愛蘭ニ於ケルSinn Feinersノ優勢ハ本年一月十五日ノ地方選擧ニ依リテ證明セラレ其黨派ニ屬スル候補者ハ殆ント八割五分ノ當選

ヲ見Londonderryノ地方ノ如キスラUnionistsハ破レウルスターニ於テモ愛蘭自決ノ投票ハ二三八、三一八票ニ對シテ二三八、三七四票ノ多數ヲ在ムルニ至レリ是レロイド、ジヨヂカ議會ニ提案中ナルHome rule案ニ對スル反對ヲ意味スルモノニシテロイド、ヂヨヂモ議會ニ於テ愛蘭人口ノ四分ノ三ハ政府ニ熾烈ナル反對ヲ表示シ且ツ英國カ與ヘントスル自治ハ其欲スル所ニアラサルコトヲ明言セリ此選擧ノ時ヨリ以來愛蘭ノ獨立運動ハ惡化シ來リ暴徒各所ニ蜂起シ英國ハ軍隊ヲ派シテ警備スルニ至レリLord Frenchカ曩ニ愛蘭大臣ヲ辭スルノ前、議會ニ於テ說明セシ所ニ依レハ一九一九年一月以來Royal Irish Constabularyニ屬スル警官十八名ダブリン市警官六名、兵士二名、官吏一名虐殺セラレConstabularyハ六十五回、市警察ハ十七回、兵士ハ四回、普通官署ハ三回、警官駐在所ハ二十五回ノ襲擊ニ會ヘリト云フ雜誌Nation四月二十四日號ノ報スル所ニ依レハダブリン市ニ於テ騷動勃發以來入監セル者十日ヲ出スシテ約百人ニ及ヒ須臾ニシテ又百三十名ヲ逮捕シ二萬ノ愛蘭人ハNormwood Scurffsノ監獄ヲ包擁シテ入獄中ノ犯人ノ為ニ祈禱セリト云フ本年三月二十八日Easter Sundayニ於テハ英國ハ一九一六年ノ暴動ヲ顧ミ特ニ軍隊ヲ增加シテ警戒セシ為ダブリン市ハ平穩ナリシモ他ノ地方ニ於テハ十六箇所ノ收稅所、三十六箇所ノ警官駐在所ヲ燒キ同島ノ南北及西部並スコツトランドニ連絡セル電信線ヲ切斷セリト云フ此暴動ハHome ruleノ法案ニ反對シテ完全ナル獨立ヲ要求スルコトニ存シ英國軍隊ノ派遣竝ニRoyal Irish constabulary及地方警官ノ活動ハ之ヲ激發セシメタリト雖

其獨立ノ要求ヲ助成シ國會議員及地方議員ノ選擧ニ當リSinn Feinersカ多數ノ當選ヲ見引ヒテ此騷動ヲ惹起スルニ至リタルハ實ニ米國ニ於ケル民族自決ノ聲ニ激勵セラレタルモノナルコトハロイド、ヂヨヂノ Home rule 法案ニシテ若シ三十年前ニ提出セラレタルニ於テハ南部愛蘭人ト雖之ヲ甘受セシナルヘシトハ既ニ米國ニ於ケル數多ノ雜誌ニ論セルカ如シ本年四月 Sinn Feiners ノ犯人百四名ハ Mountjoy ノ監獄ニ集收セラレタリ此所ニ於テ四月四日此等ノ犯人ハ Hunger strike ヲ爲シ食物ヲ絕チ或ル者ハ爲ニ死スルニ至レリト云フ入獄者ニ對スル英國官憲ノ措置ハ適法ニシテ何等虐待ノ跡ヲ見ストハ雖 Irish Trades Union Congress ハ四月十一日 Mountjoy ノ入獄者ノ解放ヲ乞フテ容レラレサルヤ愛蘭ノ勞働者ヲ糾合シテ四月十三日一般同盟罷工ヲ行ヒベルファスト及北部愛蘭地方ヲ除キ全愛蘭ヲ通シテ各商店、旅館、飮食店、公衙ハ閉サレ電信ヲ除ノ外郵便事務ハ休止セラレ電車、汽車ハ運轉ヲ止メ各種ノ工場ハ閉鎖サレタリ翌十四日政府ハ終ニ八十一名ノ犯人ヲ無條件ニテ解放シタルニ依リ同盟罷工ハ止ミタリト雖勞働者ノ暴動ハ各地ニ於テ益々盛ニシテ下院ニ於テハ勞働黨議員 John R. Clynes 其他ノ勞働黨議員ハ愛蘭勞働者ノ暴動ハ英本國ニ漫延セントシツヽアリトナシ之ニ對スル措置ノ緊切ナルヲ激論シ政府委員 Dennis Henry ハ之ニ對シテ愛蘭一萬ノ警察官カ最早之ヲ鎭定スルノ能力ナク軍隊ノ威力ニ依ルニアラスンハ秩序ヲ保持スルコト困難ナルニ至レリト說明セリ最近警官駐在所ヲ襲擊セル暴民ハ戎器ヲ所持セルモノ二萬五千人ノ多キニ達セリト云フ四月二十七日愛蘭社會黨代表者ハ

十萬ノ愛蘭勞働者ヲ包有シリバープール市長ヲ訪ヒ Sinn Feiners 入獄者ヲ四十八時間內ニ解放セラレサルトキハリバープールノ港及工場ハ此等勞働者ノ罷業ニ依リ閉鎖スヘシト强迫セリ今ヤ英國ハ愛蘭ニ多數ノ軍隊ヲ送リ機關銃「タンク」等ヲ備ヘテ之ヲ警戒セリト云フ如何ニ其暴動カ熾烈ナルヤヲ察スヘシ近クハ五月一日ヲ期セシ歐米各國ニ涉ル大同盟罷業ノ一部ハ同日グラスゴーニ於テ四萬ノ群集更ニ愛蘭ノ獨立ヲ要求セリト云フ

此時ニ當リダブリン市長 O'Neill 及高級助役 McWalter ハ同地駐在米國總領事ニ暴動事件ニ對シ英國政府ニ干涉シテ適當ノ措置ヲ講シ之ヲ救濟スヘキコトヲ依賴シ其容レラレサルヤ四月十三日更ニ倫敦駐在米國大使 John W. Davis ニ之ヲ依賴シ又ベルファストニ於テハ四月二十七日 Moville ニ投錨シタル汽船 Columbia ニ刑事ヲ派シ旅客及旅券ヲ嚴査シテ愛蘭共和國假大統領ト稱スル de Velera ノ搜索ヲ勵行シタルニ際シ米國ニ於テハ恰モ三月二十八日 Faster ノ翌日 Good Fridry ニ當リ華府英國大使館前ニ於テ數十名ノ愛蘭同情婦人ノ示威運動アリ de Velera ハ市俄古ニ於テ近ク新任セル英國大使ノ新聞ニ爲シタル談話ニ對シテ愛蘭人ヲ代表スト稱シテ攻擊演說ヲ試ミ越ヘテ四月六日ニハ華府ニテ上下兩院議員其他知名ノ士ニ依リ其愛蘭南部地方ノ旅行ニ付キ送別ノ宴ヲ受ケ居レル等ヲ對照スルトキハ米國ニ於ケル民族自決主義高唱ノ價値ハ如何ニ愛蘭民族ヲ激勵シテ米國ノ援護ヲ賴ミ之ト相呼應シテ獨立運動ヲ熾烈ナラシメツヽアルヤノ消息ヲ解スヘキナリ

（乙）　埃及ニ於ケル革命ノ暗影

次ニ埃及ニ付キテ之ヲ見ルニロード、ミルナーハ新ニ埃及 Home rule ノ法案ヲ定メ英國ハ財政及蘇士運河ヲ支配シ陸軍ヲ駐箚シテ其訓練ヲ行ヒアレキサンドリアヲ海軍根據トナスノ外漸次英國官吏ヲ減少シテ埃及人ヲ以テ之ニ代ヘ敎育、產業等內政ハ凡テ埃及人ヲシテ行ハシメ以テ完全ナル自治ヲ行ハントスルノ議案ヲ英國政府ニ提出スヘシト傳ヘラル然リト雖近クカイロ通信ハ報シテ曰ク本年三月十日埃及立法議會ハ Zoglonl Pasha ノ邸宅ニ集會シ平和會議ニ出席シタル埃及代表者ヲ會長トシ埃及及蘇丹ノ獨立ヲ決議シ埃及議會ノ閉鎖ニ對シテ抗議シ英國ノ保護ヲ破棄スヘシト宣言セリト今ヤ埃及ニ於ケル新社會運動ハ英國ニ反抗スル Nationalist ノ暴動ニ變シツヽアリテ此 Nationalist ハ更ニ露國等ノ Internationalist ノ色彩ヲ有スルニ至リ利己主義（Profitier）ノ影響ヲ受ケ革命的暗影益々濃厚ナラントシ一方土地所有者ハ地代ヲ高騰シテ農民ヲ苦メツヽアルニ際シ食料品ノ缺乏ハ上部埃及地方ニ於テハ其極ニ達シ戰時中棉花ノ騰貴ハ嘗テ小麥其他ノ穀物ヲ耕作セル土地ヲ擧テ棉花ノ野ト化シタル爲食物ノ補充困難ニシテ Nationalist ハ盛ニ之ニ對スル英國ノ責任ヲ喧傳シツヽアルヲ以テ今ヤ穀物收穫時期ノ接近スルニ伴ヒ如何ナル暴動ノ勃發ヲ見ルヤ測リ知ルヘカラサルノ狀況ニ在リト云フ之ニ對スル米國ニ於ケル民族自決主義ノ反影ハ未タ見ルヘキモノナシト雖南歐諸國ノ狀勢ハ直チニ埃及ニ影響アルヤ明カナリ先ニ引用セルカ如ク彼等ノ Imaginal political grievance ハ終ニ何ノ日カ此民族

自決主義ニ奬勵セラルルナキヲ想像シ得ンヤ

（丙）　印度、朝鮮其他ノ革命運動ノ挑撥

印度ハ既ニ此主義ニ激勵セラレテ客年春以來ノ騷擾ヲ見ツヽアリ最近四月三十日倫敦通信ノ傳フル所ニ依レハ Khalifa 過激黨ノ騷動ハ更ニ益々熾烈ヲ加ヘデリーハ今ヤ暴動ノ中心トナリツヽアルカ如シ又朝鮮ノ革命運動カ此主義ニ動サレテ客年三月勃發セルコトハ明カナル事實ナリ更ニ本年四月二十日倫敦電報ニ依レハ六月ヲ期シテ同時ニ埃及、愛蘭、印度及加奈太ニ騷動ヲ起サシメン計劃紐育ニ於テ行ハレツヽアリトノ報頻々トシテ傳ヘラレ英國官憲ハ之ニ對シテ調査ヲ進メツヽアリト稱セラル元ヨリ遽カニ信シ難シト雖米國ニ於ケル民族自決ノ聲カ如何ニ小民族ヲ刺戟シツヽアルヤノ一端ヲ窺フコトヲ得ヘシ

（二）　不實行ノ主義ヲ高唱スルノ弊害

雜誌 The Freeman ハ論シテ曰ク愛蘭ニ於ケル英國ノ統治ハ愛蘭人ニ滿足ナラス然レトモ米國上院ニ訴ヘツヽアル者ニ依リ愛蘭ハ猶ホ良ク支配シ得ラルルヤ Sinn Fein ノ最モ卓越セル政治家ノ多クハ惡疫流行ニ多數ノ罹災者ヲ出スノ時ニ當リ之ヲ防止スルノ方法ヲ知レリヤ少數政論者ハ種々ノ議論ヲ爲スト雖英國及愛蘭ノ多數ノ者ハ問題ヲ決定スヘキ一般原則ニ一致シツヽアリロイド、ヂヨヂノ Home rule ハ果シテ實行ニ適スルヤ否ヤハ疑アルヘシト雖米國上院カ敢行スルカ如キ愚昧ナル干涉ハ事態ヲ

惡化セシメタルコト疑ヲ容レス多數ノ英國人及愛蘭人ハ上院決議ノ何等價値ナキコトヲ認ムヘク又米國議會ハ投票ヲ得ント欲スル目的以外ニ此種ノ問題ニ關シ意見ヲ發表セサルコトヲ知ルヘシ然レトモ或ル英國人及愛蘭人中ニハ米國議會カ如斯キ宣言ヲナシタルトキ吾人カ感スルヨリモ甚シク感スルモノアルヘシト之レ民族自決主義ノ晩近ノ弊害ヲ悉シテ當レリト云フヘシ民族自決ノ聲ハ其民族ヲ驅ツテ有害無益ノ騷動ヲ誘發シ不平ニ陷ラシメ而シテ終ニ其實行ヲ得タルノ例果シテ之アリヤ同雜誌 The Freeman 四月號ハ上院ノ態度ヲ更ニ評シテ曰ク議會カ愛蘭ノ爲ニ其意見ヲ發表シ愛蘭ヲシテ煩悶セシメ其結果愛蘭ヲ不幸ニ陷ラシムルヨリモ寧ロ英國ニ對シテ宣戰スルヲ可トス愛蘭ノ自由ヲ欲スル議員ハ寧ロ英國ニ對スル宣戰ニ投票スヘシ而シテ世界ニ對シ吾人ノ戰爭ノ目的ハ愛蘭獨立ニ存スルコトヲ宣言シ其利己的慾求ニアラサルコトヲ明カニスヘシ然レトモ愛蘭獨立ノ後ハ果シテ如何愛蘭ハ大國ニ隣セル小國トシテ存スヘシ英國ノ經濟的影響竝政治的結合ニ對シテ又更ニ米國ハ保護ヲ宣言セサルヘカラス之ヲ實行セントセハクインスタウンヲ根據地トシテ歐洲ニ多數ノ軍艦ヲ派遣シ幾億ノ財力ト幾萬ノ人命トヲ要スヘシ愛蘭ノ獨立ニ熱心ナル米國議會ハ此等ヲ犧牲トシテ援助スルコトヲ辭セスト謂ヒ得ルヤト喝破セリ上院議員 Gore氏モ「予ハ Paradise Lost ハ各人カ稱贊シ而シテ各人カ通讀セサル詩ナルコトノ批評ヲ記臆ス予ハ思惟ク民族自決ノ權利ハ各人カ稱揚シ而シテ各人カ實行セサル主義ナリト」ト爲セリ愛蘭ハ七世紀ノ間英國ノ虐政ノ下ニ在リテ奮鬪シ米國ノ兩政黨ハ既ニ早ヨリ之カ同

情ヲ爲スヘキ政綱ヲ掲ケタルモ未タ其適用ヲ見ス比律賓ハ其獨立ヲ認ムヘキヲ決議セラレシモ果シテ何レノ時カ之カ實現ヲ見ンヤ二百年前ニ自由ヲ失ヒ土耳古ノ羈絆ニ屬シタル十二ノ希臘島嶼ハ Walster氏ノ同情アルニ拘ラス民族自決主義ニ依リテ何ノ實效ヲ收メ得タリヤ若シ民族自決主義ノ實行セラレタルモノアリトセハ合衆國カ Cuba 島ヲシテ西班牙ノ束縛ヨリ脫セシメタルノ一事是ノミ徒ラニ民族自決ノ聲高クシテ各民族ヲ激勵シ Imaginal political grievance ヲ感セシメ終ニ何物ヲ得タルカニ想ヒ到ラハ民族自決主義ノ世ニ弊害アル測リ知ルヘカラサルナリ

第二章　米國ノ新聞及雜誌

第一節　概　説

米國ノ新聞雜誌中最モ廣ク各地ニ販賣セラレ居ルモノハ Hearst 系ノ新聞雜誌ニシテ且ツ排日論調最モ熾烈ニシテ特ニ客年朝鮮問題ニ關スル輿論ノ囂シカリシ時ニ當リ最モ痛切ニ朝鮮統治ノ非難ヲ連載シタルモノハ又 Hearst 系ノ新聞雜誌ナルコトハ各人ノ記臆ニ新ナル所ナリ現ニ客年朝鮮獨立運動ノ勃發ノ當初穩健ナル新聞雜誌ハ稍々日本ニ對シテ同情的口吻ヲ漏シタリト雖紐育「アメリカン」ノ如キ Hearst 系ノ新聞ハ徹頭徹尾日本ノ朝鮮統治ヲ痛罵シタルニ依リ見ルモ朝鮮問題ト米國新聞雜誌トノ關係ヲ研究セントセハハースト系ニ屬スル新聞雜誌ノ勢力及其如何ナル理由ニ基キテ朝鮮ニ關スル誇大捏造ノ記事ヲ連載シ我レヲ攻擊スルニ至リタルヤヲ調査スルヲ得ハ米國ニ於ケル新聞雜誌ニ對スル方策ヲ講スルコトヲ得ヘシ以下不完全ナカラ之カ研究ヲ試ミントス

第二節　ハースト系新聞雜誌ノ經營者及勢力

第一、經營者

William Randolf Hearst ハ英國ノノースクリッフト共ニ世界ニ於ケル二大新聞王ナリ故加州選出上院議員 George Hearst ノ息ニシテ一八六三年桑港ニ生レ民主黨ニ屬シ National league of Democrat's Club ノ會長タリ一九〇三年乃至一九〇七年紐育州ヨリ選ハレテ下院議員タリシコトアリ

第二、勢　力

今ハースト氏ノ經營管理セル新聞雜誌ノ名稱、種類發行部數等ヲ擧クレハ次ノ如シ

新聞名稱	發行地	創立年	主義	種類	發行部數
一、The Atlanto Georgian	Atlanta Georgia	一九〇六年	民主	朝刊 夕刊	五〇、〇〇〇
二、Hearst's Sunday American	同上	一九一三年	同上	週刊(日曜刊)	八〇、〇〇〇
三、Boston American	Boston	一九〇四年	同上	夕刊 週刊(日曜刊)	四〇、〇〇〇 三二〇、〇〇〇

新聞名稱	發行地	創立年	主義	種類	發行部數
四、Chicago American	Chicago	一九〇〇年	民主	夕刊	四〇〇、〇〇〇
五、Chicago Examiner	同上	同上	獨立	朝刊 週刊(日曜刊)	一二〇、〇〇〇 五二〇、〇〇〇
六、Los Angels Examiner	Losangels	一九〇三年	同上	朝刊 週刊(日曜刊)	八〇、〇〇〇 一四〇、〇〇〇
七、New York American	NewYork	一八八二年	同上	朝刊 週刊(日曜刊)	三三〇、〇〇〇 七〇〇、〇〇〇
八、New York Evening Journal	同上	一八九六年	民主		八二〇、〇〇〇
九、New york Leutsches Journal	同上	一八九〇年	獨立		五〇、〇〇〇
一〇、San Francisco Examiner	San Fransisco	一八六五年	同上	朝刊 週刊(日曜刊)	一一〇、〇〇〇 三三〇、〇〇〇
雜誌					
一、Hearst Magazine	New York				五七〇、〇〇〇
二、Cosmopolitan	同上				一、〇五五、〇〇〇
三、Harper's Bazar	同上				一〇〇、〇〇〇
四、Good House Keeping	同上				三九〇、〇〇〇
五、Motor	New York				三五、〇〇〇
六、Push	同上				五〇、〇〇〇

(備考)本表ハ一九一八年五月紐育日本總領事館ノ調査ニ依ル

此等ノハースト紙ハ概シテ中流以下ノ米人ニ愛讀セラルルモ其種類及發行部數多ク又各地ニ亘リテ普及セルヲ以テ廣ク輿論ヲ作ルニ便利ニシテ特ニ多數ノ聲カ輿論ヲ作ルニ有力ナル米國ニ於テハ本紙ノ如キハ其影響最モ大ナルモノアリ特ニ多額ノ報酬ヲ與ヘテ優秀ナル記者ヲ招致スルハハースト氏ノ最モ苦心セル所ナリト稱セラルルヲ以テ其論調ハ峻烈ニシテ其筆鋒ハ鋭利ヲ極ムルヲ以テ激シ易キ米人特ニ中流以下ノモノヲ煽動スルハ最モ妙ヲ得タルモノト云フヘシ

第三節　ハースト系新聞雜誌カ朝鮮統治ヲ非難スル理由

第一、排日ト朝鮮統治ノ非難

ハースト系ノ新聞雜誌カ盛ニ日本ノ朝鮮統治ヲ非難シ針小棒大ノ記事ヲ掲ケテ揑造的論難ヲ試ミタル所以ノモノハ日本ニ對スル反感ヨリ來リタルコトハ明カナリ蓋シ同紙カ歐洲戰前及戰中ニ亘リ獨逸ニ好意ヲ有シ其「プロパガンダ」ニ努メタルニ際シテハ英國及日本ノ攻擊ヲ專トシ米國カ宣戰ヲ布告シ同盟軍ニ加ハルヤ英國ニ對スル痛罵ハ之ヲ差シ控フルニ至リタリト雖日本ノ非難攻擊ニ至リテハ依然トシテ繼續シ偶々朝鮮革命運動ノ起ルヤ朝鮮統治ニ對スル日本ノ政策ハ卽チ同紙カ從來稱ヘ來リタル軍國主義ノ最モ極端ナルモノナリトシテ之カ攻擊ニ鋭鋒ヲ向ケタルモノニシテ其排日的筆鋒ハ今尙ホ時々筆端ニ現レ疑フヘカラサルモノアリ

第二、排日ノ原因

然ラハ其日本ニ對シ反感ヲ有スルニ至リタルハ如何ナル理由ニ基ク者ナリヤ素ヨリ何人ト雖明確ナル根據ニ依リテ之ヲ立證シ得ヘキニアラスト雖世間稱スル所ノ其親獨反英主義ト排日感情ノ關係並太平洋沿岸ノ防備ニ對スル關係トノ二者ヲ考察スル時ハ其間ノ消息ヲ察スルニ難カラサル者ナキニアラス

(一)　親獨又ハ反英主義ト排日感情

(甲)　親獨喧傳

ハースト紙カ從來獨逸ニ好意ヲ有シ其喧傳ニ任シタルハ明カナル事實ナリ其歐洲戰爭前ニ當リテハ米國ノ視聽ヲ獨逸民族ノ發展ヨリ遠カラシメンコトニ努メ例ヘハ一八九八年米國及西班牙ノ國交危機ニ頻スルヤ極端ナル主戰論ヲ唱ヘ次テ米國及墨國ノ國交漸ク危殆ナラントスルヤ墨國ヘノ侵入及墨國併合ノ必要ヲ論シ極端ナル軍國主義ヲ唱導シ當時ノ大統領マツキンレーヲ痛罵シ以テ米國ヲシテ戰鬪ヲ開始セシメ獨逸ノ發展ニ注意ノ暇ナカラシメンコトヲ試ミタリ然レトモ歐洲戰爭ノ開始前一二年頃ヨリ盛ニ獨逸民族ノ發展ヲ論シ甚シキハ今ヤ獨逸國民ハ世界ニ於テ Handing room ヲ求ツツアリ此努力ヲ理解シ之ニ同情ヲ表セサルヘカラストナセリ而シテ歐洲戰爭ノ開始セラルルヤ獨逸道德及國力ヲ誇張シ獨逸ニ對スル恐怖熱ヲ煽リ米國ノ參戰遂行ニ必要ナル計劃ニ對シテ妨害ヲ試ミタルコト一再ニアラス一九一四年八月獨逸コルーンニ敗ルルヤ今次ノ戰爭ヲ以テ文明ニ對スル罪惡ニシテ野蠻時代ニ復歸セシムルモノナリトナシ米國民ハ之ヲ以テ他國民ヲシテ戰爭カ齎ラスヘキ效果ト平和ノ精神的及物質的利益ヲ永遠ニ悟シムヘキ敎訓タラシメヨト絕叫シテ平和論ヲ提唱スルニ至リ獨逸ノ提議セル講和條件ニ基キ平和克復運動ニ力ヲ注ケリ更ニ Bayard Hale ヲ通信員トシテ伯林ニ簡派シ極端ナル親獨通信ヲ爲サシメ一九一七年一月三十一日獨逸カ潛水艇戰ヲ宣言スルヤハーストハ Hale ニ打電シテ曰ク「速カニ獨逸皇帝又ハベートマン、ホルウヰツヒヨリ平和ノ言ヲ寄セシムヘシ米國民ハ親獨化シツツアリ大統領ハ獨米兩國民ノ要望シツツアル平和ヲ渴望シ居レリ獨逸ノ覺書中其挿入ノ二個條件ハ萬事ヲ顚覆セシムルモノナリ然レトモ大統領及米國民ハ猶ホ平和ヲ熱望ス此機ニ際シ獨逸ヨリスル適切ナル語ハ米國ノ好意ヲ從前ノ如ク復奮セシムルコトヲ得ヘシ」ト此電報ハ獨逸皇帝ノ容ルル所トナラサリシヲ以テハーストハ Hale ヲ米國ニ呼ヒ返スニ至レリ

(乙)　反英喧傳ト英國ノ禁壓策

ハースト紙ハ獨逸ノ「プロパガンダ」ヲ鼓吹スルト同時ニ聯盟國特ニ英國及日本ニ對シテ極端ナル攻擊ヲ加ヘタリ殊ニ英國ニ對シテハ戰爭開始以來屢々海外電報ノ內容ヲ變更シ英國ニ不利ナル記事ヲ掲載セリ例ヘハ一九一六年愛蘭ニ暴動勃發スルヤ紐育「ヂヤナル」ハ同年四月二十六日「流說ニ依レハ愛蘭知事ハ反軍ノ爲ニ捕虜トナリタルモノノ如シ」ト大書シ其通信ノ冒頭ニ By International News Service (The Hearst Cable Service). London April 26 ト明記セルモ右ハ在紐育ノハースト新聞社及ハースト經營ノ在紐育國際通信社カ共同シテ揑造セルモノナリ其他愛蘭ハ反亂ノ氣ニ滿サレツツアリ是レ今日英國兩院ニ於テ公認セラレタル所ナリ反軍カ屋上ニ機關銃ヲ備ヘツツアルノ事實ハラングダウン卿ニ依リテ認メラレタル所ナリ等ノ僞報ヲ掲載シ又或ハ獨逸ハ最大海戰ニ於テ勝利ヲ博セリ或ハ倫敦市ハ空中大襲擊ノ爲火災ノ內ニ在リ等ノ揑造記事ヲ掲載シテ英國及聯合軍ニ不利ノ通信ヲ爲シ其都度將來如斯行爲ヲ繰返ササルコトヲ誓言セルニ拘ラス依然トシテ其態度ヲ改メス茲ヲ以テ英國ハ終ニハースト紙ノ輸入ヲ禁止シ且ツハースト經營ノ International News Service ヲ經由シテ米國ニ發スル電報ノ發送ヲ禁止シ加奈太其他ノ英領殖民地モ又之ニ倣ヒ佛國モ又親獨的「プロパガンダ」ノ揑造記事ニ堪ヘスシテ一九一七年一月英國ノ例ニ倣フニ至レリ茲ニ於テハーストハ其社員中獨逸名ノモノ多キヲ利用シ國際通信員ヲ獨逸內ニ設ケヴインヲ通シテ米國トノ通信ヲ開カントスルノ計劃ヲ爲スニ至リシカ米國ノ參戰ニ依リテ實行スルニ至ラスシテ止ミタリ

(丙)　排日喧傳

如斯歐洲戰爭開始前極力親獨主義ヲ唱導シ戰爭開始後英國ヲ罵倒シ以テ米國ノ聯盟國ニ加擔スルコトヲ防遏セントシタルハースト紙ハ獨逸カ中立國ノ權利ヲ侵害スルコト甚シク米國ハ終ニ聯盟軍ニ投シテ宣戰ヲ布告スルヤ英國ニ對スル攻擊ノ鋒ヲ收メテ全力ヲ日本政策ノ非難ニ集注スルニ至レリ一九一七年桑港「ヱキザミナー」ハ Patria ト題スル活動寫眞ノ廣告ヲ掲テ曰ク「フロキ」男爵ハ米國太平

洋沿岸ニ對スル日本ノ侵入ヲ容易ナラシムル爲米國ト墨國トヲ離間スルノ陰謀ヲ計劃シツツアリ云々ト其採書中ニハ數人ノ日本人現ハレ日米ノ國交ヲ紊ス所作ヲ盛ニ演シタリ此採書ハロース、アンゼルス日本人會ノ抗議ニ依リ日本人類似ノ姓名ヲ除クコトトナシタリト雖役者ハ日本人ニシテ其採書ハ變更セラレス紐育等ノ多數劇場ニテ廣ク採影セラレタリ更ニ一九一七年十二月二十日ノ紐育「アメリカン」ハ今次ノ戰爭ニ於ケル日本ノ行動ハ全然利己的ニシテ白人種ノ爭ノ間ニ漁夫ノ利ヲ占メ他日ノ侵略行動ニ備フルモノト爲シ又一九一八年三月四日西伯利出兵ニ關シテハ米國ヲ眞ニ威脅スルモノハ獨逸ニアラスシテ日本ナルヲ以テ米國ハ速ニ平和ヲ克復スルニ努力スルト同時ニ日本ノ西伯利侵入ニ依リテ生スル黃色人種ノ大軍國樹立ニ對シテ反對セサルヘカラスト論シ客年二月十日又日本ノ西伯利侵入ハ軍國主義ノ一發現ナリト攻擊シ人種的黃禍論ヲ楯トシ軍國主義排斥ヲ唱ヘ獨逸トノ講和ヲ唱導スルニ至レリ

（丁）　親獨反英排日ノ目的

以上ノ如クハースト紙ノ論調カ親獨反英排日的ナルハ疑ヲ容レスト雖其目的及理由ニ至リテハ果シテ那邊ニ存スルヤ或ハ曰ク其目的ハ親獨主義ニアリテ獨逸民族ノ優勢ト其民族的發展ノ權利ヲ高唱スルト同時ニ反英排日ノ氣勢ヲ擧ケテ米大陸ニ於テ實權ヲ有スル英人ト將來米國ト競爭ヲ爲スヘキ日本人ヲ排斥シテ米國民ヲ獨逸國民ニ近ケ米大陸ヲ事實上獨逸化セントスルニアリト此說ニ依レハ親獨ハ主

ニシテ反英排日ハ從ナリ夫レ或ハ然ラン然レトモ米國ノ參戰以來反英ノ論調漸ク靜マリ排日ノ聲特ニ高唱セラルルニ至リ更ニ獨逸倒壞ノ今日反英ノ氣又漸ク上リ排日ノ聲更ニ止ム所ナシ或ハ曰クハーストハ生來英國ノ風物ニ反感ヲ懷キ英國人ヲ嫌惡スルコト甚シト此說ニ依レハ反英ハ主ニシテ親獨ハ從タリ排日ニ至リテハ日英關係ヨリ生シタル更ニ從タルモノナリ予ハ何レカ是ナルヤヲ知ラサルナリ

（二）　太平洋沿岸ノ防備ニ對スル關係

前記セルカ如クハースト紙カ排日熱ヲ煽動スル論據ハ人種論ヲ楯トシテ我軍國主義ヲ唱ヘ黃禍ノ嫌忌ト恐怖トヲ以テ日本ニ對スル反感ヲ釀成セントシ或ハ米國ト墨國トノ離間ノ陰謀ヲ諷シ或ハ西伯利出兵ハ大軍國ノ樹立ト爲シ之ニ對シテ太平洋岸ノ防備ハ日本ノ侵入ニ對シテ一日ヲ忽ニスヘカラストナセリ特ニ朝鮮問題ノ勃發スルヤ日本ハ朝鮮ヲ領有セシト同一手段ヲ以テ支那及西伯利ヲ併合セントシ盛ニ日本ノ大陸政策ヲ非難シタルカ如キハ確カニ米人ノ感情ヲ激發セシモノアリ或ハ曰クハーストハ多額ノ資本ヲ武器會社ニ投シ居レリ米國ノ太平洋沿岸ノ防備ニ依ル陸海軍ノ擴張ハ之ト關係ヲ有スルコト尠カラスト或ハ曰クハーストノ政治的立脚地ハ加州ナリ太平洋岸ノ防備ハ加州ノ地方的政治關係ト密接ナルモノアリト或ハ曰クハーストハ墨國ニ二百「エーカー」ノ土地ヲ有ス其內亂ニ乘シテ米國ノ武力ト金力トノ統治ハ其土地ノ價額ニ關係ヲ有スルコト尠カラスト予ハ果シテ何レカ是ナルヤヲ知ラサルナリ

第四節　米國新聞雜誌ニ關スル對策

朝鮮ニ於ケル獨立運動勃發ノ當初ニ於ケル米國新聞雜誌ノ態度ハ第一節ニ於テ述ヘタルカ如クハースト紙ヲ除キ比較的穩健ナルモノハ稍々同情的口吻ヲ有シタルヨリ見ルトキハ之ニ對シテ我施設ノ眞相ヲ徹底セシムルトキハ其誤解ヲ氷解スルニ至ルヘキハ之ヲ期待スルヲ得ヘシト雖ハースト紙ニ至テハ其動機目的ノ如何ヲ問ハス徹頭徹尾排日的態度ヲ變ヘス而モ其記者ハ銳利ナル筆鋒ヲ有シ其基礎ハ堅固ナルモノアルヲ以テ之ト同一手段ヲ以テ爭フハ啻ニ不得策ナルノミナラス到底容易ノ業ニアラス又極端ニ言論ノ自由ヲ認メ特ニ民族自決主義ノ思想ノ熾ナルコト前述ノ如キニ際シ朝鮮問題ニ對シテ米國政府カ將來ハースト系新聞ニ干涉ヲ試ムルカ如キハ到底豫想シ能ハサルナリ然レトモ先年我石井特派遣米大使ノ渡米前後ハ流石ノハースト紙モ排日ノ筆鋒ヲ止メタルニ顧ルトキハ日米親善ノ正論ニハ反對シ得サルハ元ヨリ其所ナリ是レ必シモ米國參戰中ナルカ故ノミニアラサルヘシ又客年盛ニ我朝鮮施政ヲ罵倒セシ同紙モ華府市俄古ニ於ケル黑人虐殺事件以來頓ニ之カ記事ヲ見サルニ至タルカ如キ明カナル道理ノ前ニハ彼レモ終ニ屈セサルヲ得サルヘシ然ラハハースト紙ニ對シテ其排日的論據ヲ一々捕捉シテ之カ反駁說明ヲ試ミムヨリモ進ンテ絕ヘス各種ノ積極的手段ニ依リテ我公明ナル施政ノ事實

ヲ明瞭ナラシムルニ於テハ穩健ナル新聞雜誌ハ元ヨリハースト紙ノ如キモ又正義ノ前ニハ跪カサルヲ得サルノ期アルヘク假令其屈スルノ期ナシトスルモ其議論ハ識者ノ認ムル所トナラスシテ多ク恐ルルニ足ラサルヘシ之ヲ爲スニハ消極的反駁ヲ繰返スニアラスシテ積極的ニ恒久ノ忍耐力ト不折ノ努力トニ依リテ我公正ナル態度ヲ明白ニスルニ在リ之本報告書ノ末尾ニ於テ些カ研究ヲ試ミントスル所ナリ

第三章　米國ニ於ケル愛蘭獨立同情運動

第一節　同情運動ノ狀況

米國ニ於テハ愛蘭種ノ米國市民三千萬ニ達スト稱セラレ愛蘭ノ獨立運動ハ政治界ニ於ケル一大暗礁ニシテ上下兩議員ハ民族自決主義ノ標榜ノ下ニ今ヤ擧ツテ其同情ヲ表明シツツアルコトハ前述セル所ニ依リ明カナリ愛蘭獨立運動者ハ紐育ヲ根據トシ Prof. Eaman de Velera ヲ愛蘭共和國假大統領トナシ各地ニ支部ヲ有シ相呼應シテ米國輿論ノ喚起ト本國愛蘭ニ於ケル獨立運動ノ助成ニ努メツヽアリ其運動ノ方法經過等ハ明カナラサルモ從來外部ニ現ハレタル所ニ依リテ之ヲ述フレハ大概次ノ如シ

第一、　愛蘭共和政府公債ノ發行

昨年八月紐育ニ於テ該共和國議會カ認メタリト稱スル愛蘭共和政府第一回公債ヲ發行シ愛蘭獨立ニ同

情セル米人委員ノ言ニ依レハ無數ノ遊説員ハ各地ヲ勸誘シテ募集ニ努メタルカ如シ

（一） 目的及用途

之ニ關スル紐育ノ主任者ハ該公債ハ商業上ノ投資タル能ハサルモ愛蘭人カ建設セル共和政府ノ保全ニ對スル赤誠ノ表示ナリトセリ又「カソリツク」ノ新聞タル桑港「モニター」ハ該公債ノ目的ハ或ル反對者ノ稱スルカ如ク戰爭的革命ノ爲ニ武器、彈藥ヲ購入センカ爲ニアラス又煽動若クハ宣傳ノ爲ニ要スル資金ヲ得ントスルニアラス專ラ仲裁的裁判所及行政制度ヲ確立センカ爲ナリ此資金ニ依リ愛蘭人ハ教育ヲ行ヒ行政ヲ執行スルコトヲ得ヘク其他商工業ノ獎勵卽チ愛蘭海漁業ノ發展、同國ニ於ケル工業上ノ調査及報告ニ關スル委員ノ任命、未耕地ノ爲ニ不動産銀行ノ設置、殖林ノ獎勵等ヲ爲スニ在リトナスト雖紐育「トリビユン」一月號ノダブリン電報ニ依レハ「Sinn Fein ハ地方選擧ニ勝利ヲ制シ愛蘭ハ北部地方ヲ除キテハ米國ニ於ケル資金募集運動ニ大ナル期待ヲ有セリダブリンニ於テハ The Sinn Fein Organization ハ今ヤ政黨トナリ他政黨ト結合シ驚クヘキ平穩ノ選擧場裡ニ多數ノ候補者ヲ擧ケ得タリ」トアルニ依リ見ルトキハ此等資金ノ用途ハ自カラ之ヲ推察スルニ難カラサルモノアルヘシ

（二） 募集成績

其募集成績ニ付テハ紐育ノ Archbishop Hayes ノ言ニ依レハ米國各地ニ於ケル愛蘭種ノ者又ハ Emerald Isle ノ自決自治同情者ハ一千萬弗ヲ募集セント努力シツヽアリ此內紐育市內ノ募集見込額三百萬弗

ノ五分ノ四ハ既ニ集マリ他ノ諸市ヨリモ殆ント同樣ノ成績ヲ報告シ居レリト云フ是レ昨年末ノ事ニシテ其眞僞元ヨリ推測ノ限リニアラスト雖當時新聞雜誌ニ盛ニ廣告セラレ又紐育ノ市街電車ハ地下線ニ至ルマテ廣告セラレタルコト、甚シキハ各州知事ハ此募集ニ對シテ援助ヲ與ヘタリト稱セラルルコト及紐育「イブニングポスト」紙カ此計劃ヲ評シテ巴里市ノ五分利公債ハ富籤ナリトシテ適法ニ賣ルコト能ハスシテ郵便ニテ密カニ送附セラレタリシニ拘ラス愛蘭公債ハ多數ノ米國人カ賛同セルハ何ノ故ソ富籤ノ分子何レカ多キヤト謂ヘル等ニ依リ察スルトキハ相當ノ應募アリシハ明カナリ本年五月五日倫敦電報カ英國議會ニ於テ議員 Bottomley 氏カ爲セシ質問演説ノ要旨トシテ傳フル所ニ依レハ氏ハ二百萬弗ノ資金カ醵集セラレタリト稱セリト云フ

第二、米國婦人ノ示威運動

（一） 運動ノ經過

本年四月二日午前恰モ新任駐米英國大使 Sir Auckland Geddes ノ著任前日愛蘭ニ對スル英國ノ態度ヲ非難セル文句ヲ記載セル浮帖又ハ小旗ヲ所持セル婦人ノ一隊（二十名乃至百名ト稱セラル）ハ華府N街トーマス、スクエアー附近ノ英國大使館前ヲ徘徊シテ示威運動ヲ爲セリ其浮帖又ハ小旗ニハ「英國ヨ、米國婦人ハ愛蘭共和ニ對スル汝ノ威嚇統治ヲ呪フ」「米國ハ虐殺ヲ以テ支配スル英國ト交誼ヲ繼續スル能ハス」「英國ヨ、愛蘭共和國ノ婦人ニ近ツク勿レ」「最モ善良ニシテ最モ勇敢ナル愛蘭人ハ英國ノ獄ニ投セラレ居レリ」「英國ハ愛蘭ノ人才ヲ軍國式虐殺ニ處セリ」等ノ文句ヲ記載セリ此婦人示威隊ハ共主腦者ノ一人 Mrs. Thomas Corliss ノ謂フ所ニ依レハ紐育市ニ於ケル其自宅ニ於テ數名ノ友人ト計劃セルモノニシテ愛蘭獨立問題ニ關シテ注意ヲ惹起スル爲決行セリ其友人ハ信書ニ依リ本運動ノ爲華府ニ參會ヲ催シタルモノニシテ英國及米國々務省ニ對シ耶蘇ノ磔刑ヲ思ヒ起サシメ愛蘭ハ今ヤ英國ニ依リ磔刑ノ苦ヲ受ケツヽアルコトヲ注意センカ爲 Good Friday ニ行ヒタルモノナリト云フ又 Mrs. Walker ハ吾々ハ米國各地ヲ代表セルモノニシテ小國民ニ對スル歷史上未曾有ノ不正義ニ反抗スル爲結合スルモノニシテ徹宵運動ヲ行フヘシト誇言セリト云フ此等ノ婦人ハ紐育ノ者多ク其他ボストン、市俄古、費府其他ノ地方ヨリ參集セルモノニシテ Mrs Jawes Walsh 及 Mrs. Harry Walker ノ兩名ハ早朝紐育ヲ發シテ自動車ヲ驅リ來レリト稱セラル之ニ對シ英國大使館ニテハ何等ノ抗議ヲ爲サス午後ニ至リ大使館一武官ハ此等婦人ヲ室內ニ招シテ茶ヲ勸メントシタルニ此日温暖稍々暑ヲ覺ヘシヲ以テ冷水ヲ欲ストテ拒絕セリト云フ此運動中紐育ノ Miss Kathlin Shedan ハ英國及其他數ケ國ノ大使館ヲ訪ヒ愛蘭共和國ノ成立ヲ唱導セル浮帖ヲ配付シタルカ英國大使館ニテハ鄭重ニ之ヲ款待シ其浮帖ヲ受取タリト云フ又他ノ婦人ハ議會ヲ訪ヒ外交委員長ノ待者ニ同一ノ浮帖ヲ殘留セリ此等婦人ノ一隊ハ各々小旗ヲ振リナカラ「ホワイト、ハウス」ヲ過キ議事堂ニ向ヘリ議事堂ニ於テハ守衞ノ言ニ從ヒ旗ヲ遺棄シテ入リ上下兩議員ニ面會ヲ求メ愛蘭ノ爲何等カノ措置ヲ講スヘキコトヲ懇願セリ

此等ノ婦人ハ Lafayette Hotel ヲ本據トシ揚言シテ曰ク吾人ハ何等ノ團體ヲ有セス然レトモ愛蘭ノ自由ニ付キ何事カ爲サルル迄ハ此運動ヲ中止セス示威運動ハ他市ニ於ケル英國領事館及米國國務省ニモ及ホシ愛蘭援助ノ誓言ヲ爲サシメサレハ止マストナシ又或ハ英國カ軍隊ヲ愛蘭ヨリ撤スルマテハ此運動ヲ中止セストナシ五日午後再ヒ同一運動ヲナセリ同日ハ District Commissioner ニ依リ英國大使館附近ヲ徘徊スルコトヲ禁セラレタルヲ以テ六日運動者ノ一人 Miss. Mollie Carroll ハ費府ノ N. S. Sohnson ノ操縱スル飛行機ニ乘シ早朝 College Park Md ノ政府飛行場ヲ發シテ英國大使館ノ空上ニ現ハレ「警察官ハ來リ愛蘭同情者ヲ阻止スヘシ」又ハ「愛蘭ノ自由」(Erins freedom) ト書シタル浮帖ヲ投シ市上ヲ一周シテ國務省及「ホワイト、ハウス」ノ屋上ヲ飛行セリ宣傳ノ浮帖ハ「ラフアイエツト、スクエアー」ノ附近ニテ散布セラレタルモノハ風ニ吹カレテ「ホワイト、ハウス」ノ構內ニ落チタリト云フ此日ヨリ英國大使館正面ノ古ヒタル「ビクトリヤン」式建物ノ窓ニハ曩ニ彼等カ所持シ居リタル小旗ノ揭揚セラルルアリ又「英國ノ軍國主義ヲ倒セ」ノ語ハ窓硝子ニ記載セラレタリ是レ國務省其他ノ官廳ノモノカ歸途コンネクチカツト街ノ運動場ヲ橫過スルトキ注意ヲ引カンカ爲ナリト稱セラル七日ニハ十七人ノ一隊ハ更ニ現國務卿 Colby 氏カ一九一六年「イースター」祭當日ニ於ケル愛蘭暴動ノ後紐育 Carnegie Hall ニテ催サレタル Mrs. Hanna Skeffington ノ愛蘭ヨリノ歸國歡迎會ノ席上ニテ試ミタル演説中ノ文句ヲ引用シテ「英國カ愛蘭ヲ支配セントスル要求ハ法律上何等ノ根據ナシ」「主義ニ殉セル愛

蘭人數萬ヲ算ス」「此等ノ祈禱者カ交々愛國主義ノ爲ニ殉セルノ間予ハ默シ又ハ無感覺ナル能ハス」ト記セル旗ヲ所持シ乍ラ英國大使館前ヨリ國務省ニ向ツテ進行シ恰モ國務省ヨリ歸途ニ付ケル官吏ニ注視セシメタリ八日ニハ英國大使館前ヨリ議事堂ニ進行シ上下兩院議員ト面談シテ終日ヲ經過セリ之ニ依リ彼等ハ多數議員ノ援助ヲ得タリト揚言セリ九日ニハ紐育ヨリ來リタル二人ノ婦人ハ「自由ノ義士ヨ、自由ノ勇士ヨ、汝ノ向フ所ハ予ト同一ナリ——ジヨヂ、ワシントン」「眞ノ米國人ノ第一ノ義務ハ自由ニ奮闘セル如何ナル人民ヲモ援助スルコトニ存ス——アブラハム、リンコルン」ト書セル小旗ヲ持シテ步道ヲ徘徊シ十一日ニハ安息日ヲ利用シテ曾テ英國カゼルサレムニ於テ Material law ヲ要求セシ事實ヲ注意セシムル爲ナリト稱シ「耶蘇敎徒タル米國人ヨ、英將 Allenby ハ一九〇二年四月七日ゼルサレムノ基督都市ニ於テ Material law ヲ宣言セリ」ト書シタル小旗ヲ持シテ一女ハ St, Mathew's Catholic Church 二女ハ John's Episcokal Church ノ階段入口ニ各々佇立セリ

（二） 運動ニ對スル米國官憲ノ態度

此十日間ニ亘リ行ハレタル婦人ノ同情運動ニ對シテ米國官憲ノ採リタル處置ヲ見ルニ一九一四年歐洲戰爭開始以來英國大使館ハ常ニ數名ノ警官ノ護衛アリタルカ四月二日婦人ノ一隊同館前ニ來リタル時護衛警官ノ長 Captain Doyle ハ大使館員ノ意向ヲ聞キタルニ何等ノ要求ナカリシヲ以テ彼等ノ行動ヲ監視スルニ止メタリ此間國務省ハコロンビア州ノ President of the Board of Commissioner ナル Louis

Brownlow 氏ト取締方法ニ付協議シタルニ Brownlow 氏ハ二年前主戰論者カ「ホワイト、ハウス」前ニ示威運動ヲナシタルトキ裁判所ハ何等罰スヘキ法規ナシトノ意見ナリシヲ以テ之ト同一形式ニ行ハルル本運動ハ彼等カ騷擾ヲ爲ササル限リハ警官ニ對シテ之カ逮捕ヲ命スルヲ得ストナセリ依テ國務省ハ大統領ノ秘書官 Joseph P. Tumulty ト協議シ國務卿 Colby 氏ハ宣言シテ曰ク「政府ハ今日英國大使館前ニ於テ行ハレツツアル運動ヲ深ク遺憾トス其眞因及程度ハ不明ナルモ政府ハ大使館ニ對スル深厚ナル禮誼ヲ重スル義務ヲ實行シ友邦代表者ニ對シ之ヲ無視スル行爲ニ付テハ其威嚴ヲ保持スル爲躊躇ナク有效ナル手段ヲ採ルヘキコトヲ明言ス」ト所謂有效手段トハ大使館ノ周圍ニ正規軍ヲ配置セントスルモノト解セラレタルモ其後政府ハ此方法ニ出テサルヘキヲ明言セリ蓋シ國務省ハ Federal Statute, Sect, 4062 ニ依リテ大使館員ヲ强迫シ又ハ侮辱シタル者トシテ罰セントスルモノノ如シト雖五日ノ運動ノ際 District commissioner ノ命ナリト稱シ警官ハ運動者ニ對シ十五分内ニ立チ去ラサレハ逮捕スヘシト宣シタルニ之ヲ拒絕セシ爲引致シタルモ拘留一日ニシテ District Attorney ハ之ヲ放免セリ只同日該運動者ノ所持セル旗ヲ破棄シタル二婦人アリタルヲ以テ紛擾行爲トシテ之ヲ逮捕シ二十五弗ノ保證金ヲ提供セシメ釋放セルコトアリ然レトモ六日ノ運動ニ於テハ四人ヲ引致シ八日更ニ三人ヲ引致シ終ニ十一日ノ運動ニ至ルマテ總計十人ヲ引致シ州ハ Federal Statute Sect, 4062 ニ依リ其極刑三年ノ禁錮及罰金ニ處スヘキモノト稱シ居ルヨリ見ルトキハ其後 District Attorney ハ解釋ヲ異ニシ國務省ノ意見ニ從ヒ嚴重ナル處置ヲ採ルニ至リタルカ如ク思惟セラル然レトモ此等ノ引致ノ前後運動ハ依然トシテ行ハレ而モ公然警官ノ注視スル所ナルニ拘ラス其行動ヲ阻止セラレタルコトナキ等ヨリ見レハ其取締ノ徹底セサルヤ知ルヘキナリ而シテ此等ノ引致セラレタル婦人ハ各々保證金一千弗ヲ提供シテ釋放ヲ受ケ猶ホ起訴費用トシテ二萬弗ヲ提供セリト云フ元ト Chairman of the War Lalor Board タリシ Frank P. Walsh カンサス市ヨリ來リテ華府ノ辯護士 George A. Berry ト共ニ訴訟代理人トシテ四月十二日法廷ニ立チ U. S. Commissioner, Richardson ノ尋問ニ應シタリ當日法廷ハ傍聽人ヲ以テ充サレ三時間ニ亘リ辯論アリ District Attorney, Laskey ハ國際法及 Federal Statutes 違反トシテ有罪ヲ論シ Walsh 及 Berry ハ之ニ對シテ先例ヲ引用シテ無罪ヲ主張セリ Laskey 氏ノ言ニ依レハ本件カ若シ控訴セラルルニ於テハ District Supreme Court ハ少クモ本秋マテハ審問スルコトナキヲ以テ急速進行ノ必要ナシト云フ猶ホ Walsh ハ本件ハ單ナル偶然ノ出來事ニシテ何等計劃アルモノニアラスシテ法規違犯ノ罪ヲ構成スルモノニアラスト稱シ居レリト云フ

第三、Lafayette 倶樂部ノ同情

Lafayette 倶樂部ハ上下兩院議員及華府知名ノ人士ヲ網羅スルモノニシテ同倶樂部ハ本年四月六日華府 Lafayette Hotel ニ愛蘭共和國假大統領 Eaman de Valera カ南部愛蘭ニ旅行スル行ヲ盛ニスル爲晩餐會ヲ催シ之ヲ招待セリ其席上倶樂部員ハ愛蘭ニ於ケル英國ノ現政策ヲ非難シ愛蘭ノ獨立ヲ援助スヘ

キコトヲ誓ヘリト稱セラル當夜 Phelan（加州選出上院議員）ハ「世界ノ平和ハ英米兩國カ互ニ敵視セル間ハ到底望ムヘキニアラス愛蘭問題カ決定セラレサル限リハ平和ナシ愛蘭カ自由ヲ得タルノトキ茲ニ世界二大英語國民ノ間ニ永久ノ友情ヲ回復スルコトヲ得ヘシ」トナシ France（マリーランド選出上院議員）ハ「吾人ハ自由ノ爲ニ戰ヘリ然ルニ今ヤ個人ノ自由、思想及行動ノ自由何ニアリヤ」ト述ヘ Dr. P.P. Claxton（敎育局長）ハ de Valera カ南部ニ於テハ熱心ナル歡迎ヲ受クヘシト贊辭ヲ呈セリ之ニ對シ de Valera ハ上下兩院カ愛蘭ノ獨立希望ニ對シ同情ノ宣言ヲ爲シタルヲ陳謝シ且ツ曰ク「今ヤ世界ハ行動ヲ要求シ而シテ單ニ尊敬スヘキ言葉ヲ要求セス」ト爲シ米國カ世界ニ先例ヲ示シテ愛蘭共和國ヲ承認センコトヲ說キタリ其他「カソリツク」大學長 Bishop Shahan、ネブラスカ選出上院議員 Norris 及ミゾリー選出上院議員 Spencer モ各々愛蘭獨立同情ノ意見ヲ述ヘタリト云フ

第四、愛蘭牧師ノ喧傳

愛蘭ウルスターヨリ來リタルプロテスタント牧師 Dr. J. A. H. Irwin ハ三月二十九日華府N街ノ一敎會ニ於テ演說シテ曰ク愛蘭問題ハ宗敎問題ニアラス然レトモウルスターニ於ケル「プロテスタント」敎徒特ニ「ノンコンホウミスト」ハ愛蘭ノ獨立ヲ希望シ居レリ愛蘭人ハ今回ノ戰爭ニ於テ各國人ト同程度以上ニ勳績アリ其負擔ハ完全ニ之ヲ遂行セリ今ヤ愛蘭問題ノ解決ヲ爲スハ實ニ英國ノ義務ナリト

第五、League of the Friends of Irish Freedom.

愛蘭ノ獨立ニ同情ヲ有スル米國人ハ The Friends of Irish Freedom ナル協會ヲ組織シ本部ヲ紐育ニ置キ各地ニ地方分會ヲ設ケ其獨立運動ニ對スル資金ノ供給及喧傳ヲ爲シ本年四月三日華府地方分會ハ其總會ニ於テ華府附近ノ小市ニモ支部ヲ設立スルコトヲ決議シ同會ヲ主裁セル Rossa Downing ハ Leonardtown, Mechanicsville 其他ノ諸小市ニ支部ヲ設クヘシト稱シ居レルニ徵スルトキハ本團體ハ米國各地ニ亘リ廣ク分會及支部ヲ有シ相連絡シテ愛蘭獨立運動ヲ援助シ居ルコトヲ知ルヘシ又同會ノ席上「カソリツク」大學長 Rev. James Geary ハ一九一六年イースター祭ノ愛蘭反亂主謀者 PadriacPearce ノ死刑四週年ノ紀念思出ノ演說ヲナシテ大ニ同情ヲ喚起セリト云フ以テ其喧傳ノ一端ヲ窺フヘシ過般華府英國大使館前ニ行ハレタル婦人示威運動者ノ引致セラレタル者十八ニ對スル保證金一萬弗ハ後ニ述フルカ如ク或ル少數米人ノ出捐ニ依ルト稱セラルルモ又本協會ヨリ支辨セリトモ稱セラル

第二節　反對運動

以上米國ニ於ケル愛蘭獨立ニ對スル同情運動ニ對シ最近行ハレタル反對喧傳ハ次ノ二者ニ過キス

第一、愛蘭牧師等ノ反對喧傳

Rev. C. Wesley Maguire (Irish Methdist Conference ノ一員) Frederick E. Harte (Donegal Equair Methodist Church ノ牧師)、Louis W. Crooks (Belfast ノ名士)、William Corkey (Townsend-street

Presbyterian Church ノ牧師)、William coote (Ulster Temperance Council ノ創立者)等愛蘭著名ノ士十六名ハ愛蘭十四ノ敎會ヲ代表シ愛蘭ノ實情ヲ說明シ Sinn Feiners 一派ノ唱フル獨立運動ノ誤レルコトヲ指摘シ且ツ愛蘭問題ヲ米國ノ政策ニ投スルノ不可ナルヲ明カニスル爲眞相喧傳運動 (Truth Telling campaign) ヲ行ヒ東海岸各地ノ敎會ニ於テ演說シ本年一月末ニハ西海岸各地ヲ喧傳セリ其說ク所ノ要旨ハ所謂愛蘭共和ヲ稱フルモノハ Sinn Feiners 一派ノ喧傳ニ過キスシテ愛蘭全人民ノ聲ニアラス却ツテ多數愛蘭人ハ之ト異ナル見地、信仰及希望ヲ有ス其資金ヲ醵集シテ有害ナル獨立運動ヲ繼續スルハ大ニ不可ナリ吾人ハ Emerald Isle ヲ强迫シツツアル過激派分子ヨリ愛蘭ヲ自由ニセンカ爲ニ努力セサルヘカラストナスナリ其一月八日費府ニ於ケル講演ハ聽衆一萬ニ達シ十萬ノ同情者ヨリウルスターノ爲 Irish fight ヲ防止シ愛蘭問題ヲ米國政策ニ投スルコトニ反對スルノ決議ヲ宣言セリト稱セラル

第二、「メソヂスト」敎會ノ決議

本年四月紐育「メソヂスト」敎會年次總會ニ於テハ愛蘭ニ關スル英國內政ニ對シ米國ハ非友誼的干涉ヲ爲シタルニ依リ英國ニ對シ陳謝スヘシトノ決議ヲナセリ此決議ノ趣旨ハシラキウス大學評議員 James Rascoe Day 及 Bishop Luther B William カ其席上ニ於テ爲シタル演說ニ依リ知ルコトヲ得ヘシ Day 氏ハ曰ク吾人ハ同一ノ國語ヲ有シ其 Magna Charta ハ吾人ノ憲法ノ基礎トナリ其國旗ノ色ハ吾人ノ國旗ノ Old Glory ノ色ヲ以テ混合セラレ世界ノ自由ト正義ノ爲ニ吾人カ協力セサルヘカラサル

英國ノ內政ニ我米國カ干涉スル地位ニ立ツコトハ之ヲ避ケサルヘカラス愛蘭ハ比律賓及布哇カ米國領土タルカ如ク英國領土タリ我大都市ニ虛僞ノ愛蘭共和國大統領ヲ有シ之ニ對シテ多額ノ資金ヲ醵出スルハ此友誼ヲ破ルモノナリ加之近時米國議會ノ驚クヘキ行動ハ看過シ得サルモノアリ英國ハ其宏大ナル雅量ト忍耐トヲ吾人ニ示セリ吾人ハ虐殺及放火ニ依リ自治ヲ强迫セントスル愛蘭首領ニハ何等ノ同情ヲ有セス米國ハ國務卿ニ依リ此不適當ナル干涉ニ對シ英國ニ陳謝スヘキナリト Bishop Wilson ハ de Valera カ曩ニ爲シタル告白卽チ愛蘭共和ハ單ニ獨逸ノ援助者タルノミナラス英國ニ對スル總テノ敵ノ援助者ナリトノ語ヲ引用シテ更ニ曰ク紐育市カ我同盟國ノ事實上ノ敵タルモノニ對シテ市ノ自由權ヲ與ヘタルハ(後節ニ說明スヘシ)實ニ遺憾トスル所ナリ愛蘭問題ハ他國ノ內政問題ニシテ米國トシテハ愛蘭ヲ援助シ又ハ英國ニ勸告ヲナスヘキモノニアラス予ハ愛蘭共和國ハ存シ得ヘキニアラスト言フニアラス單ニ他國ノ內政問題ナリト云フノミ予ハ神ニ謝ス英國其他ノ同盟國ハ米國ト協同シテ今回ノ戰爭ニ奮闘シタリ米國ハ將來モ此大强國トノ握手ヲ變スルコトナク世界ノ存スル限リ連合セサルヘカラスト、此紐育ニ於ケル「メソヂスト」ノ決議ト略ホ同一ノ決議ハ其後バルチモアーノ「メソヂスト、エピスコーパル」敎會ノ年次總會ニ於テモ爲サレタリト云フ

第三節　運動ノ趨勢ト英國ノ對策

第一、運動ノ趨勢

以上ノ如ク米國ニ於ケル愛蘭獨立ニ對スル同情運動ハ其規模ニ於テ廣大ニ其關係者ニ於テ多數ノ政治家及有力者ヲ包容シ其聲甚タ大ナルモノアリ目下各新聞及雜誌ハ每號殆ント之ニ關スル記事ヲ揭載セサルナキニ依ルモ如何ニ米國人カ本問題ニ對シテ注意シツツアルヤヲ知ルヲ得ヘシ雜誌 The Freeman 四月號ハ其論說ノ冐頭ニ於テ「所謂愛蘭獨立ノ問題ハ最早英國又ハ愛蘭ノ問題ニアラスシテ米國ニ於ケル最大ノ問題ト化シタリ」トナシ更ニ「議會ハ自由ト主權トヲ有セントスル愛蘭共和國ノ要求ヲ聽キタルノ外何事ヲナセシヤ」ト喝破セシモノ眞ニ吾レヲ僞ラサルナリ之ニ對シテ反對的喧傳又ハ運動ハ徵々トシテ殆ント振ハサルノ觀アリ然レトモ最近多數ノ雜誌等ニ現ハレタル意見ニ依レハ此運動ヲ有害無益ト認ムルモノ少キニアラス例ヘハ愛蘭共和國第一回公債ノ發行ニ對シ紐育「イブニング、ポスト」ハ前述セルカ如ク巴里市公債ニ比シ何レカ富饒ノ分子多キヤ而モ此公債カ多數米國人ニ賛同セラルル所以ハ Sinn Fein Organization ノ巧妙ナル喧傳ト上院議員及市長等カ愛蘭人ノ投票ヲ得ントシテ之ニ賛成スルニ外ナラストナシ The Wall Street Journal ハ「米國ノ愛蘭同情者ハ何時ニテモ生スルコトヲ得ヘシ然レトモ靑キ品物ハ上等ニアラス」(An American Sinn Feiner is born every minute, but green goods are novelty) トノ言ヲ以テ此公債募集ノ成功ヲ批評シ紐育ノ財政雜誌 The Street ハ此募集企劃ヲ以テ犯罪的癲狂 (Criminal lunacy) ナルモノニシテ米國ノ好意及利益ニ反シ之カ應募ハ無經驗者ヲ欺罔セントスル慈悲ニ過キス吾人ハ英國ヲシテ愛蘭ヲ流血ノ慘害ニ至ラシメントスル計劃カ絶ヘス米國ニ於テ行ハルルコトヲ見ルニ忍ヒス同公債ハ米國ヲ驅ツテ混亂ト危險トニ導クモノナリ最モ惡辣ナル破廉恥的欺罔ナリ吾人米國人ハ今ヤ自國及外國ニ於テ我利的、職業的ニ不逞ノ行爲ヲナシツツアル愛蘭人ニ對シテ自己ヲ欺クコトナク眞面目ニ其實情ヲ見ルノ時ニ際會セリト批評セリ實ニ米國ニ於ケル愛蘭同情運動ハ政治競爭ノ結果ニシテ三千萬ノ愛蘭種米國市民ノ投票ヲ得ントスルニ外ナラサルコトハ一般ノ認ムル所ニシテ又識者ノ非難スル所ナリト雖其運動ノ更ニ衰ヘサルノミナラス益々熾ナラントスルハ前述セル所ニ依リ推知スルニ難カラス

愛蘭共和公債ハ各地ニ於テ多數ノ應募者ヲ見紐育市長ハ本年一月愛蘭共和國假大統領 de Valera ニ市ノ自由權ヲ與ヘ共和國祝賀會ニハ市長ノ資格ヲ以テ臨席シテ祝辭ヲ述ヘ又ハ最近ニユー、オルレアンス市長モ之ニ自由權ヲ與ヘタリト稱セラル又英國大使館前ニ於ケル婦人示威運動者ノ保證金一萬弗及起訴費用二萬弗ハ何等多數人ノ醵出ニ俟タスシテ運動者ノ友人ト稱スル Frank P. Walsh 及紐育ノ Dr. William J. M. A. Maloney 並ニ J. Scott ノ三名カ各々一萬弗ヲ醵出シタルニ過キスト稱セラレ然モ Maloney ヲ除ク外其住居不明ノ者ニシテ其他紐育ノ Robert Paul Mayer ト稱スル者モ五千弗支出セリ

ト稱セラレ隱レタル有力者ノ後援少カラサルモノノ如ク更ニ四月七日飛行機ニ依ル喧傳運動ニ當リテハ其飛行機ハ政府所有ノモノニアラサルコトハ明カナルモ果シテ何者ノ所有ナルヤ之ヲ秘シテ明カニセスト雖之レ又或ル有力者ノ提供ニ係ルヘキハ想像スルニ難カラス更ニ之カ取締ヲ爲ス官憲如何ヲ見ルニ國務卿 Colby 氏ハ嚴重有效ノ手段ヲ講シ英國大使館ノ威嚴ヲ保持スヘキコトヲ宣言セリト雖氏モ又在野當時ハ愛蘭獨立同情者ニシテ其一九一九年紐育ニ於テ爲シタル演說ノ文句ハ却ツテ今日氏カ取締ラントスル運動者ノ喧傳ニ使用サレツツアルカ如キ曩ニハ愛蘭代表者カ巴里平和會議ニ赴キ運動ヲ爲サントスルヤ前國務卿 Lanching 氏ハ其旅行劵交付ノ周旋ヲ爲シタリト稱セラル外交ノ樞機ヲ掌握セル國務卿カ二氏相共ニ愛蘭獨立運動ニ同情セルコト如斯シ其他 Friends of Irish Freedom ハ各地ニ亘リテ設ケラレ上下兩院議員ハ啻ニ議場ニ於テ同情者タルノミナラス各地有力者ト相結ヒテ何等カノ同情運動ヲ實體化セントシツツアルコトハ Lafayette Hotel ニ於ケル de Valera ノ送別會ノ狀況ニ依リ之ヲ窺フコトヲ得ヘシ如斯米國上下ヲ通シ又各地ニ亘リテ之カ同情ノ熾ナル結果ハ愛蘭人ヲ常ニ激勵シテ不斷ノ獨立運動ヲ企劃セシメツツアルハ疑ヲ容レス

第二、英國ノ對策

愛蘭同情ノ運動米國內ニ於テ甚タ盛ナルニ拘ラス英國政府ハ從來何等ノ辨明又ハ反對運動ヲ試ミス隱忍自重シテ今日ニ至レリ時々民間宣敎師等カ反對喧傳ヲ試ミタルコト前記ノ如シト雖英國政府ハ何等之ニ關係シ居ラサルカ如シ本月六日倫敦電報ニ依レハ英國議會ニ於テハ Horatio Bottomley ナル議員カ de Valera ノ發行セシ愛蘭共和公債ニ關シ米國各州ノ知事カ之ヲ援助シツツ在ルコト今猶ホ米國新聞ニ掲載セラレツツアリ之ニ關シ英國政府ハ大統領ウイルソンニ抗議セシヤトノ質問ニ對シ政府委員 Bonar Law 氏ハ新聞ノ記事ハ之ヲ見タルモ果シテ各州知事カ援助シツツアルヤハ干知セス英國ハ之ニ對シ何等米國政府ニ抗議スルノ意思ナキコトヲ答ヘ又 Capt. William Wedgewood Benn ナル議員カ米國ニ於テ英米間ノ友誼ヲ害スヘキ愛蘭獨立同情運動ノ行ハレツツアルニ對シ政府ハ何等カノ防止手段ヲ講セシヤトノ質問ニ對シテハ Bonar Law ハ答ヘス又 Robert Burton Chadwick ナル議員カ愛蘭ノ謀反人ニ對シ米國ニ於テハ最近ニユ、オルレアン市ハ其市ノ自由權ヲ與ヘタルニ對シ英國政府ハ米國ニ抗議セシヤトノ質問ニ對シ Bonar Law ハ如斯抗議ヲ爲スハ單ニ兩國ノ關係ヲ惡化セシムル外何等ノ效果ナシト思惟スト答ヘ又米國議會ノ議員八十八名ハ英國カ何等ノ審問ヲ爲サスシテ愛蘭政治犯人ヲ禁錮セルノ不正ナルコトヲ英首相ニ通告セリトノ世評ニ對シロイド、ヂヨヂハ若シ如斯キコトアリトスルモ英國政府ハ之ヲ米國議會ノ通告ト認ムル能ハストナセリ

如斯英國政府ハ米國ニ於ケル愛蘭獨立運動ニ對シテハ風馬耳殆ント關セサルノ態アリト雖該同情運動ノ結果ハ直チニ愛蘭人ヲ奬勵シテ革命運動ヲ熾烈ナラシメ又米國同情者ハ自ラ之カ煽動行爲ヲ敢行スル者又尠シトセサルヲ以テ此運動ニ對シテ常ニ甚深ノ注意ヲ怠ラス其趨移ヲ察シテ警戒ニ努メツツア

ルコトハ de Valera ノ愛蘭南部旅行ノ說米國ニ傳ハルヤ英國ニ於テハ愛蘭入港ノ船舶ノ檢査ヲ嚴重ニシテ其捜査ヲ行ヒタルカ如キ又本年六月ヲ期シテ埃及、愛蘭、印度及加奈太ニ於テ同時ニ反亂ヲ起スノ計劃紐育ニ於テ行ハレ米國ニ於ケル愛蘭同情者ハ既ニ其目的ヲ以テ埃及、印度及加奈太ニ向ツテ米國ヲ發シタリトノ風說アルニ當リ倫敦ニ於テハ英國官憲ハ議會ニ於テ Soviet Committee カ南ウエルスニ設ケラレ大革命ノ期ヲ俟チ其努力ヲ扶殖セントシツツアルハ事實ナリト說明シ若シ此等運動ヲ後援スル者アリトセハ米國ニ於テ愛蘭共和資金ヲ醵集シタル煽動者ハ卽チ是レナルヘシトノ見込ヲ以テ捜査ヲ進メツツアリト說明セルカ如キ彼此對照スルトキハ英國政府ハ何等カノ手段ヲ講シテ本運動ノ情勢ヲ敏速ニ察知スルニ力メツツアルハ明カニシテ現ニ一二年前或米國ノ雜誌ハ米國ニ於ケル愛蘭獨立運動ニ對シテ英國カ偵察ヲ行ヒツツアルハ却ツテ之ヲ惡化セシムルモノナリト評セルコトアリ之レ素ヨリ反英的意見ニ過キスト雖英國政府カ此運動ニ對シテ常ニ調査警戒ヲ怠ラサルコトハ之ヲ認メ得ヘシ新任駐米英國大使 Sir Auckland Geddes ハ其着任ノ途上紐育ニ於テ新聞記者ニ宣言シテ曰ク「予ハ何等ノ恐怖ナク又反對論ヲモ顧ス茲ニ言ハサルヘカラサル一事アリ予カ知レル範圍ニ於テハ英國ノ政策又ハ希望ハ成ルヘク何等ノ混雜ヲ見スシテ自由ノ境域ヲ擴張シ被壓制者ヲ改善シ世界ノ物質上ノ幸福ヲ增進セシメントスルニ在リ吾人ハ今ヤ我カ所領地印度及埃及人ノ適法ナル希望ニ遭遇シ居レリ予ノ判斷ヲ以テスレハ之ニ對シ何等ノ禍害ヲ見ルヘキモノナキニ於テハ此希望ハ吾人カ適當ト信スル解決

ヲ得ヘキコトヲ信シテ疑ハス之ト同シク愛蘭ニ於テモ吾人ハ愛蘭人ノ敵慨心ヲ挑撥シテ其經濟上ノ破壞ヲ來スカ如キコトナキヲ欲シツツ其內政ヲ矯正セン爲或ル政治上ノ機關ヲ設ケント試ミツツアリ現時愛蘭ト英國トノ間ニ何等ノ格執ナシ何トナレハ格執ハ相手方ノ存スルコトヲ意味スト雖現時英國民ハ愛蘭ト格執スルコトヲ絕對ニ欲セサルヲ以テナリ一世紀ニ涉ル愛蘭ノ煩悶ハ英國政府ノ愼重ナル研究ノ結果英帝國ノ權域內ニ於テ其解決ノ責任ヲ彼等愛蘭人自身ノ雙肩ニ擔ハシムル憲法上ノ責務ヲ有セシムルニ依リテ解決シ得ルモノナリト信ス新 Home rule 法案ハ三月三十日大多數ヲ以テ下院ヲ通過セリ此法案ハ卽チ此目的ノ爲ニ企劃セラレタルモノナリ之カ實施ヲ見ルニ至ラハ愛蘭ニ居住セサル英國臣民ハ局外ニ立チ愛蘭問題ノ解決ハ單ニ愛蘭ニ住居スル英國臣民ニ一任スルハ卽チ英國臣民ノ責任ナリ且ツ予ハ敢テ曰ントス英國臣民ニアラサルモ愛蘭ニ關係ヲ有スル世界各地ノ人士ハ之ト同シク若シ此問題ノ局外ニ立チ愛蘭ノ政治事件ハ土着愛蘭人ノ解決ニ一任セシムルコトトセハ其解決ハ更ニ一層良好ナル結果ヲ得ヘシト信ス」ト實ニ米國內ニ於ケル愛蘭同情運動カ英國ノ愛蘭統治ニ及ホセル障害ト英國政府ノ之ニ對スル態度ヲ圓滑ニ言ヒ現ハセルモノト云フヘシ

第四章　米國ニ於ケル朝鮮獨立運動

第一節　在米朝鮮人ノ狀況概要

第一、分布狀況

米國ニ於ケル朝鮮人ノ數ハ統計ノ見ルヘキモノナク地方部落ニ就働スルモノハ農作季節ニ從ヒ所在移轉スルヲ以テ增減ヲ免レスト雖布哇ニ約四千五百人本土ニハ桑港ヲ中心トシテ太平洋岸ニ約千四五百人乃至二千人（大正七年八月ノ調査ニ依レハ桑港總領事館管內人口ハ桑港附近二百九十四人、ダイニューバ附近百三十八人、スタクトン附近百三十一人、サクラメント附近四十五人、其他四十七人合計六百四十七人、ロスアンゼルス領事館管內ノ人口ハロスアンゼルス附近九十八人、リバーサイド附近五十六人、レッドランド附近三十八人、其他百十八人合計二百八十六人ニシテ之ニシヤートル領事館管內ノ人口ヲ合スルトキハ總計約千四五百人ニ達スト雖是レ元ヨリ日本人會ノ粗笨ナル調査ニ過キス太田桑港總領事ノ達觀ニ依レハ約二千人ト稱スルモ是レ又確實ナル基礎ニ依レルモノニ非ラサルナリ）紐育附近太西洋岸ニ約四百人ト稱セラル此等ノ鮮人ハ西海岸ニ於テハ桑港、ロスアンゼルスヲ中心トシテ多數散在シ東海岸ニ於テハ紐育ヲ中心トシテ各地ニ居住スルモ其數少ク中央北部地方ニ在リテハ市俄古ヲ中心トシテ多少ノ在留者アルモ極メテ少ク中央南部地方ニ於テハ不明ナルモ墨國境ニ近クニ及ンテ極メテ少數ノ者散在セルカ如シ

第二、渡航ノ狀況及手段

此等朝鮮人ノ渡航ノ狀況ハ最近ノ調査ヲ欠キ現狀ヲ詳ニスルヲ得スト雖布哇ニ於ケル朝鮮人ハ一九〇四年初メテ二千四百三十五人ノ渡航ヲ見タルヲ端緒トシ其後一九一〇年ニ至ル六箇年間ニ二千九人ヲ

增加シテ四千五百三十三人トナリ一九一七年ニハ四千七百三十四人ヲ算シ一九一〇年以降僅ニ二百一人ノ增加ヲ見タルニ過キスシテ併合後頓ニ渡航ヲ減セシハ明カナル事實ナリ又米國本土ニ於ケル朝鮮人ハ桑港總領事館カ大正五年一月ヨリ同六年五月ニ至ル期間ニ於ケル同地上陸者ニ付テ調査セシ所ニ依レハ大正五年中ノ入國許可數ハ百〇四人ニシテ內旅券携帶者ハ僅ニ六名ニ過キス同年間入國ヲ拒絕セラレタル者ハ四名ニシテ十二指腸蟲保有ニ依ル大正六年一月乃至五月中ノ入國許可數ハ廿七名ニシテ內旅券携帶者ハ僅ニ三名ニ過キス同期間入國ヲ拒絕セラレタル者ハ十四名ニシテ內二名ハ十二指腸蟲保有十二名ハ公費救護ノ虞アルニ依ル此一年五箇月間ヲ通シテ入國許可數ハ百三十一名ニシテ內旅券携帶者ハ僅ニ九名ニ過キス又公費救護ノ虞アルニ依リ入國ヲ拒絕セラレタルモノハ十二名ニ過キス旅券所持者ノ多クハ上海ニ一箇年以上在留シ支那人名ニ變名シテ支那ニ入籍シ支那政府ヨリ旅券ヲ得タル者ニシテ無旅券者ノ多クハ日本船舶以外ノ外國船舶ニ依リ上海又ハ香港ヨリ學生ノ名義ニテ來リ而モ日韓併合前ヨリ支那ニ在住シ日本臣民ニ非ラス從テ旅券入手ノ方法ナシトノ陳述ニ依リ米國移民官ノ承認ヲ得タル者ノ如シ又一部ノ無旅券朝鮮人ハ太平洋汽船會社ノ航路ニ依ルトキハ特約ニ依リ日本港灣ニ於テハ支那服ニ變裝セシメラレ米國入國ノ際ハ韓人國民會ノ保證ニ依リ入國ヲ許可セラルルト云フ然ルニ其多クハ米國移民法ノ適用ヲ受クヘキモノニシテ上陸ノ際所持金ヲ有セサルモノ尠カラサルニ拘ラス如斯方法ニ依リテ入國ヲ許可スルトキハ其勞働市場ニ及ホス影響ハ日本勞働者ノ入國ト

何等區別アル筈ナシ日本政府カ勵行セル紳士協約モ之カ爲ニ阻害セラルルノ結果ヲ生スルニモ拘ラス米國官憲カ朝鮮人ニ對シテ特殊ノ取扱ヲナスハ其理由那邊ニ存スルヤヲ疑ハサルヲ得サルナリ又在米鮮人ニシテ結婚ノ目的ヲ以テ妻ヲ呼寄スル證明ハ日本人ト同樣ニ家族支持ノ資格及品行ヲ取調ヘ且ツ妻トシテノ入籍卽チ結婚屆出後六箇月ヲ經過セシコトヲ必要トスルモ從來布哇又ハ桑港總領事館ノ經驗ニ依レハ此等ノ鮮人ノ多クハ併合以前ヨリ渡來シ本人自身ノ民籍ナク從テ婚姻入籍ノ手續ヲ爲スコト能ハス依テ先ツ民籍登記ノ手續ヲ爲サントスルモ其親戚朋友モ死亡又ハ轉居シテ鄉里ニ於テ證據ヲ提供シ登記屆出ノ手續ヲ爲シ能ハサルモノ多シト云フ

第三、生活狀況及排日氣風

米國本土ニ在住セル鮮人ハ概シテ遊惰ニシテ無敎育ノ勞働者多ク桑港及傳馬附近ニテハ賭博場ヲ開帳シ數十名ノ無賴漢出入シツツアリト云フ曾テ桑港日本人會カ戶口調査ヲ爲セシ實驗ニ依レハ日本語ニ熟達セルモノ少カラスシテ當時ハ自カラ日本人ト稱シ米人家庭ニ雇ハレ居ル者モ少カラサリシト云フ又子弟敎育ノ特設機關トシテハ布哇ニ於テハ鮮語敎育ヲ爲シ十九箇所ノ學校ヲ有スト雖其他ニ於テハ何等ノ機關ナク桑港及ロスアンゼルス、リバーサイド、レッドランド其他ニハ鮮人ノ敎會アリテ桑港敎會ニ於テハ普通禮拜者百五六十名ヲ算シ牧師ハ Devid Lee （三十七八歲）ト稱スル鮮人ニシテカリフオルニア及スタンホード大學ニ學ヒシコトアル穩健ナル人物ト稱セラルロスアンゼルス敎會ノ禮拜

者モ百三四十名ニ及ヒ一時閔賛鎬ハ其宣敎師トシテ勢力ヲ有セシコトアリト云フ

此等鮮人ノ思想ノ趨向ヲ察スルニシヤートル及ロスアンゼルスニ於テハ有力ナル鮮人ナク多クハ桑港ニ於ケル韓人國民會ノ首領ニ依リテ指導セラレ又同會ノ機關紙新韓民報ハ彼等カ朝鮮ノ事情ヲ知ル唯一ノ新聞ニシテ之ニ依リテ嚮背ヲ決スルノ狀況ナリト云フ從テ其排日ノ風ハ目下熾烈ナルモノアリト稱セラル布哇、桑港及紐育ニ於テ每年八月二十九日併合ノ日ヲ以テ亡國紀念ノ日ト爲シ愛國的會合ヲ催シ各人ヨリ愛國寄附金ヲ募リツツアリタリト云フ今回ノ獨立運動ノ起ルヤ各地ヨリ義捐金ノ醵集セラレタルモノ少カラサリシト稱セラル

第二節　在米朝鮮人ノ運動

第一、獨立運動勃發前ノ運動

歐洲戰爭ノ推移ニ伴ヒ排日鮮人ハ始メ獨逸ノ必勝ヲ期シ其後援ニ依リテ故國ノ復興ヲ夢想シ露領又ハ滿洲方面ニ於テハ或ハ獨探ノ徒ト相提携シテ聯合國ニ對シテ不覊ヲ計リ或ハ獨逸俘虜ト款ヲ過激派ニ通シテ聯合國ニ對敵行爲ヲ爲シタルハ既ニ周知ノ如シ而シテ獨逸壞敗ノ後ハ米國ニ倚リ其素志ヲ貫徹セントシ日米開戰說ヲ流布シテ事每ニ米國ハ日本ノ行爲ヲ制肘シ特ニ平和會議ニ於テハ米國大統領ニ依リ民族自決主義ノ適用ノ下ニ朝鮮開放ノ提議ヲナサルヘシトナシ在米鮮人ハ盛ニ之カ喧傳ニ努メ

ニコリスク韓族中央委員ヲシテ在米同志ハ米國政府ノ後援ヲ得タリト流言セシメ又ハ在米朴容萬ハ在浦鹽張基永ニ書面ヲ寄セ在露同志者ニシテ米國軍隊ノ爲用達ヲ爲サントスルモノアラハ之カ紹介ノ勞ヲ取ルヘシト申越シ以テ露領在住ノ鮮人ニ米國ノ後援ヲ信セシメ之ニ依リテ獨立運動ヲ開始セントセルカ如シ

紐育總領事カ當時紐育東一二六街六番地ニ金奎植ト同居セル金武述（一名金鎭宅ト稱シ靑山學院ノ卒業生ニシテ二年前布哇ヲ經テ來紐ス）ナルモノニ依リ偵知セシ所ニ依レハ大正七年一月八日大統領ウイルソンカ平和綱領十四箇條ヲ發表シ民族自決主義ヲ說フルヤ Checksrofack, Polland 及 Rusinia 人ハ相集リテ紐育ニ於テ其同盟會ヲ作リ愛蘭及印度ノ過激派並ニ朝鮮人モ又之ニ加ハリ數次其同盟會ヲ開催セリト云フ金奎植ハ當時ヨリ引續キ今猶ホ同會委員ノ一人タリ

大正七年十二月桑港韓人國民會長安昌浩ハホノルル支會ニ宛テ講和會議ニハ鄭漢慶出張シ閔賛鎬及李承晩ハ紐育ニ止マリテ小弱國民同盟會委員トシテ運動シ金奎植ハ米國輿論ノ喚起ニ盡スコトニ決定セル旨電報セリト傳ヘラル之ニ依リ見ルトキハ客年騷動勃發前既ニ韓人國民會ヲ中心トシテ米國ニ於テ獨立運動ノ喧傳ニ努メツツアリシコト明カナリ一昨年十二月三日ニハ Hun Kinm 及 Sungkn Sime 兩名ノ名ヲ以ヲ朝鮮獨立ノ陳情書ヲ上下兩院ニ提出シ更ニ Henry Chung ナル者客年一月十八日米國、露西亞及支那在住朝鮮人ヲ代表シテ上院外交委員長ニ請願書ヲ提出シテ平和會議ニ於テ朝鮮ノ獨立ヲ認メラレンコトヲ乞ヒ客年三月一日北京ヨリノ通信ニ依レハ支那在住朝鮮人ヲ代表スル獨立期成委員ナル者在北京米國公使ニ對シ米國ハ講和會議ニ於テ朝鮮ノ獨立ヲ援助セラレンコトノ嘆願書ヲ提出セリト稱セラル

如斯米國ノ後援ニ依リテ朝鮮獨立ノ素志ヲ貫徹セントスルノ念ハ在米朝鮮人ノ運動ニ依リテ鮮外廣ク各地ニ亘リテ釀成セラレ在露、在支ノ鮮人ト呼應シテ獨立運動ヲ劃策シ特ニウイルソン大統領ノ民族自決主義ニ動カサレテ此運動ハ益々熾烈ヲ加フルニ至リ各種ノ機關ヲ備ヘテ米國ノ輿論ニ訴ヘ其同情ヲ求ムルト同時ニ上海ニ假政府ヲ設ケテ實行方法ヲ企劃スルニ至レルモノトス

第二、運動機關

（一）韓人國民會 (Korean National Association or Commission)

本會ハ明治四十二年二月ノ創設ニ係リ本據ヲ桑港ニ置キ國民中央會ト稱シ布哇、墨西哥及浦鹽ノ各地ニ地方總會ヲ組織シ相呼應ス、國民中央總會ノ目的ハ韓人間ノ敎育、實業ヲ振作シ自由平等ヲ提唱シ同胞ノ榮譽ヲ增進シ祖國ノ復興ヲ計ルニ在リトシ各地ニ地方支部ヲ設ケ恰モ日本人會ノ如キ在米鮮人ニ關スル一般行政事務ヲ行フト共ニ支那及露西亞ノ排日鮮人ト氣脈ヲ通シテ排日ヲ皷吹ス當時別ニ存セシ在米鮮人ノ團體タル大同保國會ト明治四十三年二月合同セシ以來在米鮮人ノ殆ント全部ヲ網羅シ基礎漸ク鞏固トナルニ至レリ每年或ハ每月若干ノ會費又ハ寄附金ヲ徵シ其經費ニ當テ一時每年一人ニ

付キ五弗ヲ徵收セリト云フ大正元年十一月八日乃至二十九日ニ亘リ安昌浩、朴容萬等七名ハ桑港ニ於テ在外鮮人代表者ヲ召集シ韓人國民會中央總會第一回代表者會ヲ開催シ憲章七十六箇條ヲ制定シ義務金ノ上納ヲ規定セリ

桑港ニ於ケル中央總會ハ一名北米大韓國民會トモ稱シサクラメント、クラーモント、ダイニューバ、スタクトン、ロスアンゼルス、リバーサイド、レツドランド、フレスノ、ソルトレーキノ各地ニ國民會地方支部ヲ有シ直接ニ之ヲ統轄ス明治四十三年七月四日同地在留鮮人ヲ同會事務所ニ集合シ愛國同盟團ナルモノヲ組織シ同時ニ國民會ノ名ヲ以テ日韓併合ニ反對スル哀訴ノ電報ヲ我天皇陛下及韓國皇帝ニ發シ日韓併合反對ノ決議文ヲ同地各英字新聞ニ發表セリ本會ハ事務所ヲ曾テサクラメント街ニ置キタルカ最近マーケツト街九九五番 Pacific Building ニ移シ多數ノ米婦人「タイピスト」ヲ使用シ事務員、雇員合セテ約四十名ニ達シ恰然一行政廳ヲ爲セリト云フ新韓民報ナル週刊新聞ヲ發行ス其發行部數ハ不明ナルモ大概二千部ニシテ米國各地及支那、浦鹽ニ配布セラル韓字新聞ナルヲ以テ米國人ノ購讀者ナシト雖鮮人間ニハ之ニ依リテ排日及獨立運動ノ喧傳ハ有效ニ行ハレツツアルモノノ如シ又客年末ニハ「自由ト正義」ナル月刊雜誌ヲ發行セリト云フ本會ハ目下李承晚、金奎植及 Dr. Philip Jaisohn（米國歸化鮮人）等ヲ首領トシ漸進溫和主義ヲ奉シ國際聯盟ニ依リ米國ノ援助ヲ以テ獨立ノ目的ヲ貫徹シ成ルヘク革命戰爭ヲ避ケントスルモノナリ

布哇地方總會ハ明治四十二年十月ノ創立ニ係リ會員ハ明治四十四年ノ調査ニ依レハ布哇全島ヲ通シテ一千五百名ニ達ス大正四年中會長金鍾鶴及役員洪仁杓、朴基鴻、韓在明、朴容萬等ノ會金費消事件アリタル際李承晩一派之ヲ覺醒シ穩健派ノ一首領洪漢植ヲ會長トナシ事件鎭靜シタルカ所謂先達者ハ本會ヲ擁シテ口ヲ排日ニ藉リ資金ヲ强取シ各々黨ヲ作リテ暗鬪ヲ事トシ大正六年ニハ本會幹部カ李承晩ノ經營セル女學院擴張費及十月ニ紐育開催ノ小弱國同盟會ニ派遣シタル朴容萬ニ旅費ヲ參議員ノ承認ヲ經スシテ支出シタルハ章程違反ノ行爲ナリトシテ多少ノ波瀾アリタルノ外特記スヘキ事項ナク其標榜スル所ハ韓國ヲ獨立セシメンカ爲ニハ在外鮮人ヲ一團トナシ殖産興業ヲ奬勵シ文明國民ノ間ニ介在シ世界ノ大勢ヲ知悉シ他日時機ノ到來スルニ於テハ會員ハ各自ノ資金ヲ擧テ獨立軍ノ軍資ニ投シ以テ素志ヲ貫徹セサルヘカラストナスト雖大正六年來日本軍艦ノ來港頻々タルアリ石井遣米大使ノ寄港ニ際シテハ米國官憲ハ國賓ノ禮ヲ以テ遇シ未曾有ノ款待ヲ爲シ又大正七年日米協同宣言アリテ兩國ノ關係漸ク密接ノ度ヲ加フルニ至リ加之大正六年以來在留鮮人ノ呼寄結婚モ日本人同樣民籍謄本ニ依リ文字試驗省略ノ恩典ニ浴シタル等ニ依リ漸次帝國ニ對スル信賴ノ度ヲ加ヘ來リ當時我軍艦々長ノ耕地在留同胞ヲ巡察セル際ノ如キ鮮人數名ハ進ンテ其來布ヲ歡迎シ途ニ要シテ自作ノ鳳梨ヲ贈リ又　今上陛下御卽位式御擧行ノ際在留日本人間ニ奉祝紀念ノ爲醵金セントスルヤ十數名ノ鮮人勞働者ハ之ニ獻金ヲ申込ミ（但國民會幹部ノ知ル所トナリ中止シタリ）タルカ如キ特ニ先年排日派ノ高石柱、鄭允弼、申漢奎及安元奎等カ朝鮮ヲ

視察シ歸島スルヤ會テ朝鮮官憲ノ迫害ヲ疑懼シテ母國ノ觀光ヲ企テタルモノナカリシニ其歸島スルヲ見テ先ツ一驚ヲ喫シ更ニ母國新政ノ狀態ヲ聞クニ及ンテ多大ノ好感ヲ與ヘ爲ニ大正六年ニハ歸國者數例年ニ倍蓰スルニ至リ國民會ノ機關紙國民報ノ如キ漸次其聲價ヲ落シ發賣部數減少シ代金ノ回收意ノ如クナラス經營又困難トナルニ至レリト云フ茲ニ於テ國民會長以下幹部並ニ排日ノ首領等ハ日本官民ニ信賴往復スル鮮人ニ對シ警戒ヲ嚴ニシ排日鼓吹ノ劃策ニ大ニ腐心スル所アリタリ

同會ハ國民報ト稱スル一週二回發行ノ機關新聞ヲ有シ桑港中央總會ノ新韓民報ト共ニ廣ク支那、間島及露領地方ノ鮮人間ニ配布セラル其他布哇韓人週報、朝民時事等ノ新聞及太平洋ト稱スル雜誌ヲ發行ス現時ノ會長ハ李鐘寬ト稱シ無學ノ勞働者出身ナリト云フ國民報ノ主筆ハ元ト朴容萬之ニ當リシコトアリ其後承龍煥ト稱スルモノ之ニ任セリト云フ李承晩ハ本總會ノ顧問タリ大正八年九月本會ハ次ニ述フル獨立團ト一度合併セルモ更ニ分離シ呂伯麟ハ元ト獨立團ニ屬セシカ分離ノ際李承晩ニ米本土ヘ呼寄ラレ李ノ派トナリ國民會系統ニ殘レリト稱セラル

（二）　韓人獨立團（Korean Independence League）

本團ハ本部ヲ布哇ニ有シ朴容萬ヲ會長トシ急進過激派ニ屬シ革命的手段ニ訴ヘテ速ニ朝鮮ノ獨立ヲ圖ラントスルモノニシテ將來絕ヘス朝鮮ニ暴動ヲ起シ日本國民ヲシテ之カ鎭壓ノ爲莫大ナル戰費ノ負擔ト人命ノ犧牲トニ堪スシテ結局政府ニ迫リテ朝鮮ヲ放棄セシメントノ計劃ニ依リ行動セントスルモノ

ナリ本團ハ前記セルカ如ク大正八年九月布哇國民會ト併合セシカ更ニ分離セリ

（三）　韓人興士團（Korean Knight）

本團ハ昨年末桑港ニ於テ鄭漢慶（Henry Chung）ノ組織セルモノニシテ韓人獨立團ト同シク過激手段ニ依リテ朝鮮獨立ノ目的ヲ達セントスルモノニ屬スロスアンゼルス韓人國民總會長安昌鎬（四十七歲）ハ本團長タリト稱セラル

（四）　新韓人會（New Korean Association）

本會ハ大正七年民族自決主義ノ下ニ小弱國民聯盟會ノ紐育ニ組織セラレ次テ同年十一月十一日休戰條約ニ調印ヲ見ルヤ當時市俄古附近エバンストン在住ノ前記鄭漢慶ハ激越ナル英文ノ檄文ヲ鮮人間ニ配付シ同時ニ紐育ニ於テ本會ヲ組織セルモノニシテ本部ヲ紐育28 Division St. ニ有シ韓人獨立團及興士團ト同シク過激黨ニ屬ス會員約三四十名ヲ有スルニ過ス其手段ニ於テハ韓人國民會ト異ナルモ其目的ハ同一ナルヲ以テ何等ノ軋轢ナク相共ニ提携シテ運動ニ努メツツアリト稱セラル

（五）　The Korean National Commission

之レ上海ニ於ケル朝鮮假政府ノ分機關トモ稱スヘキモノニシテ本部ヲ華府ニ置キ其事務所ハ元ト Continental Building ナリシカ現在ハ Portland Hotel ノ一室ヲ之ニ充ツ朝鮮共和國執政官總裁神學博士李承晩（Dr. Singhman Rhee）ヲ首領トシH. J. Song ヲ會計官トナシ朝鮮假政府ノ行政機關ト稱セラ

ル以上ノ諸團體ハ總テ本會ニ從屬セルモノノ如シ昨年四月十四日乃至十六日ノ三日間ニ亘リ在米各地ノ鮮人代表者約四十名及費府附近ノ在住鮮人約四十名合計八十名ヲ（內若干ノ婦人アリタリ）費府ニ會シ第一回朝鮮議會ヲ開催シ李承晩ハ臨時政府國務卿トシテ之カ總理タリ費府在住ノ歸化鮮人 Philip Jaisohn ハ推サレテ座長トナリ興士團ノ首領鄭漢慶モ紐育ヨリ來リ會セリ米國人ノ同情者ニシテ當會ニ出席シタルモノハ「ホーリー、ツリニチー」敎會主席牧師 Rev. Dr. Floyd W. Tomkins、「オベール」大學敎授 Prof. Herbert A. Miller、前露國駐在者 Prof. Alfred. J. G. Schadt、費府新聞記者 George Benedict、「ランスドウン、ストリート、チヨンス」敎會主席牧師 Rev. Croswell ne Bee、費府「ビラノバ」大學長 Rev. James, J. Deau、京城「メソヂスト」神學校敎師 Rev. C. S. Demming、元京城「セベランス」病院附屬宣敎師ノ妻 Mrs. F. L. Cook 及猶太敎會牧師 Henry Berkowitz 等ナリ Tomkins ニ依リ朝鮮ノ爲及朝鮮人カ朝鮮ヲ除キテ最モ愛スル米國ノ爲ニ祈禱シ次テ米國ノ National Hymn ヲ合唱シ議事ニ入リ（1）朝鮮、滿洲及朝鮮隣接地ニ使者ヲ派遣シ彼等ノ奮鬪シツツアル努力ニ對シテ同情ヲ表スルコト（2）米國人ニ吾人ノ希望及運動ヲ周知セシムルコト（3）日本ノ政策ハ不正ニシテ獨逸ノ夫レニ酷似セルコトヲ世界ニ周知セシムルコト（4）日本人民ニ本會ノ決議ヲ提示スルコト（5）華府ノ赤十字本部ニ朝鮮ニ於ケル虐殺事件ヲ報告シ救助ヲ乞フコト（6）此會議ニ對シテ同情ヲ表シタル費府ノ名士及新聞記者（Dr. Peumer 及 Dr. Clarence E. Mc cartney）ニ感謝狀ヲ贈ルコト（7）巴里平和會議及華府合衆國政府ニ

請願書ヲ提出スルコト等ヲ決議シ此間出席ノ米國人ハ各々一場ノ奬勵演説ヲ試ミ布哇、上海、浦鹽各地ヨリノ祝賀電報ヲ朗讀シ之ニ對シ返電ヲ發シタリ會議終ツテ四月十六日 Jaisohn ノ先導ニテ行列ヲ作リ各々韓國々旗ヲ持シテ獨立閣ニ至リ米國ノ獨立ノトキ憲法ニ署名セル室ニ入リ此所ニ於テ李承晩ハ一九一九年三月一日ニ於ケル朝鮮共和國假政府ノ朝鮮獨立宣言ヲ朗讀シ次テ朝鮮共和國及合衆國ノ萬歳ヲ三唱シテ散會セリ本議會ノ議事錄ニ代表者トシテ記名シタル朝鮮人ハ三十三名ニシテ多クハ米國ニ於テ敎育ヲ受ケタル青年男女ナリ本議會ヲ實地視察セル者ヨリ聞クニ列席者ハ概シテ粗衣貧弱ノ勞働者風ノ者少カラス其出席旅費等ハ他ニ何等カノ援助ニ依リタルモノナルコト明カナリト稱セラル又之ニ參列セル米國人ノ多クハ在鮮宣敎師ト關係アル者ニ屬シ本會ハ主トシテ此等米國人ノ同情後援ニ依リ成立セルモノナリト認メラル

（六）　情報局（Korean Information Bureau）

費府 Weightman Bulding, 1524 Chestnut St. ニ事務所ヲ有シ前記第一回朝鮮共和國議會ノ議事錄及講和會議ニ對スル請願書ヲ始メ "Mansei" Little Martyrs of korea（朝鮮人少女、女學生等ノ運動狀況及之ニ對スル憲兵警察官ノ暴虐ヲ斷片的小話トシ集メタルモノナリ）Korean Fight for Freedom（F. A. Mckenzie ノ著書ノ一部ニシテ日本ノ暴政ヲ指摘セルモノ）及 Independence for korea（(1)土地及人民(2)歴史及文明(3)日本ノ下ニ於ケル朝鮮(4)朝鮮人ノ希望ヲ五章ニ分ツテ記述セル小冊子ニシテ末尾ニ獨立宣言及米國人ニ對スル請願狀ヲ揭載セリ）等ノ冊子ハ凡テ其編纂發行ニ係リ Korean Review ナル月刊雜誌ヲ發行シ（本紙ハ引續キ警務局長ニ送附シアリ）獨立ノ喧傳ニ力メツツアリ同雜誌ハ約二千部ヲ發行シ其半

數ハ重ナル圖書館、上下兩議員其他ノ公人ニ無料配付シツツアリト稱セラル本局長ハ在費府米國歸化鮮人 Philip Jaisohn（五十歲）ニシテ同人ハ幼ヨリ渡來シペンシルベニア洲ウエルリスベー小學校ヲ經テバルチモアー市 John Hopkins 大學齒科ヲ卒業シ華府ニ於テ開業セシコトアリト云フ明治三十年頃歸鮮シ京城ニテ「獨立新聞」ヲ發行シ金玉均等ト交遊アリシト稱セラル後再ヒ渡米シ費府 16 Chestnut St. ニ文房具商ヲ營ミ相當ノ資產ヲ有シ（少クトモ十萬弗ヲ有ス）各種ノ事業ニ關係シ居レリ其再ヒ渡米セシ當時ペンシルバニア大學生物學助手ヲ勤メシ頃ハ自ラ日本人ト稱シ親日的態度ヲ有シ居リシカ今回ノ騷擾事件ノ前後李承晩費府ニ來リ之ト會見セシ以來私財ヲ投シテ獨立運動ヲ援助シツツアリ本情報局ノ如キ專ラ其出資ニ依リ維持セラレ一人ノ青年鮮人及米人婦人「タイピスト」ヲ使用シテ自ラ其事務ニ當リ居レリト云フ

（七）　以上諸機關ノ關係

以上ノ諸團體中韓人國民會ハ最モ古ク且ツ廣ク各地ニ支部ヲ有シ恰モ日本人會ノ如ク朝鮮人ニ關スル一般ノ公共的事務ヲ行ヒ其會費ハ恰モ公課ノ如ク之ヲ徵收シ其目的ハ韓國ノ復興ニ備フルモノナリ其他ノ團體ハ今回ノ獨立運動ニ依リ新ニ生シタルモノトス從テ國民會ト他ノ團體トハ何等ノ牴觸ヲ見ス現ニ興士團長安昌鎬ハロスアンゼルス國民總會長タリト稱セラル Korean National Commission ハ獨立假政府ノ行政機關ト稱セラレ國民會之ニ資金ヲ供給ス該 Commission ハ獨立運動ノ中樞トシテ之レ

又諸團體ヲ包容シ獨立團、興士團及新韓人會ノ諸團體ハ過激的直接手段ニ訴ヘントスルノ人士カ相集リテ別ニ各々團體ヲ形成セルニ過キス故ニ此三團體ニ屬スル者ハ又國民會員タルト同時ニ National Commission ニ出席シ發言スルハ勿論ナリト觀測セラル情報局ハ National Commission ニ屬シ其文書ノ印刷ニ當ルト雖又次ニ述フル米國人ノ同情團體タル The League of the Friends of Korea ニ屬スル文書ノ印刷ヲモナシ居ルハ明カナリ

（八）　鮮人敎會

布哇、桑港及ロスアンゼルスニハ鮮人特有ノ敎會ヲ有ス此等ノ敎會ニ於テハ從來說敎ノ際朝鮮人ノ自覺ヲ唱ヘ斷片的ニ排日言辭ヲ弄シ爲ニ之ニ集會スル子女ハ自然ニ排日的性癖ヲ涵養セラレタルハ事實ニシテ客年ノ騷擾以來ハ熾ニ獨立思想ヲ鼓吹シツツアルハ想像スルニ難カラス

第三、運動ノ狀況

（一）　獨立運動勃發後ノ運動

朝鮮ニ於テ獨立運動ノ勃發スルヤ Seek Hun Kinm ハ New york Call ニ The whole World as a Republic ナル論文ヲ寄送シテ朝鮮ノ獨立ヲ論シ韓人國民會ハ大統領ニ對シ朝鮮ヲ國際委任統治ノ下ニ置キ自治ノ資格ヲ備フルヲ俟ツテ獨立ヲ認ムルノ案ヲ平和會議ニ提唱セラレンコトヲ求メ客年三月十六日該大統領宛書面ヲ諸新聞ニ發表シ又同時ニ日本官憲ノ逮捕セル一千ノ朝鮮志士ニ對シ日本政府ニ於

テ酷遇ヲ與ヘサル樣人道ノ爲貴政府ノ盡力ヲ乞フトノ陳述書ヲ英米兩政府ニ寄セタルコトヲ公表セリ同四月七日華府ニ於ケル National Commission ハ朝鮮臨時政府外務大臣ノ名ヲ以テ朝鮮ハ米國ノ制度並ニ精神ト同一ナル基督敎獨立國ヲ建設ストノ宣言書ヲ發表シ桑港國民總會ハ同月九日英佛米伊各國政府並ニ講和使節ニ獨立宣言書ヲ發送セリト云フ次テ費府ニ於テ National Commission ハ四月十四日ヨリ三日間第一回朝鮮議會ヲ開催シテ各種ノ決議ヲナシ獨立ヲ宣言シタルコトハ前記ノ如シ更ニ同 Commission ハ五月一日大會ヲ開キ各地ヨリ數百名ノ鮮人及支那人列席セリト云フ一方ニ於テハ李承晩ハ桑港「エキザミナー」紙ニ投書シテ熾ニ日本ノ橫暴ヲ說キ宗敎壓迫ヲ攻擊シ朝鮮ノ獨立ヲ論シ同地國民總會ハ之ヲ印刷ニ附シ且ツ慘殺ノ光景ヲ撮影セル寫眞ヲ付シテ在住鮮人及主ナル米國人ニ配付セリ李承晩ハ更ニ六月六日華府ニ於テ米國人ト連合シテ總員二百名ニ達スル公會ヲ催シ日本ノ暴政ヲ絕叫シ獨立ノ必要ヲ決議シ其決議書ヲ米國大統領及上下兩院議員ニ配付セリ之ト呼應シテ桑港ニ於テハ敎會ニ於テ獨立演說ヲ試ミ同地在留鮮人婦人會長 Mrs. J. H. Yung 及書記長 Mrs. S. E. Kinn ハ九月大統領ニ請願書ヲ提出セリ、後ニ述フルカ如ク當時米國各新聞カ盛ニ朝鮮問題ヲ揭載セシハ紐育等ニ於テ鮮人運動者カ多少新聞記者ニ對シテ金員ヲ使用セシニ依ルト云フ

以上諸種ノ請願又ハ運動ヲ試ミタルニ拘ラス平和會議ニ於テハ終ニ民族自決ノ原則ヲ除外セシヲ以テ過激派ニ屬スル運動者ハ益々革命戰爭ニ依ルニアラサレハ其目的ヲ遂行シ得スト爲シ露領西伯利及支

那ニ在住スル鮮人ノ煽動ニ力ヲ注クニ至レリ十月 Seek Hun Kimn ハ華府知名ノ政治家ニ書ヲ寄セテ西伯利ニ於ケル日本ノ威迫ヲ論セリト云フ

（二）運動資金ト大韓國公債

以上ノ運動資金ハ如何ニシテ之ヲ醵集セシヤ明カナラスト雖ロスアンゼルス領事カ同地探偵局關係者ヨリ聞ク所ニ依レハ昨年六月桑港ノ Angel-London-Paris-National Bank ヨリ International Bank 經由ニテ上海ノ朝鮮人團體ニ宛テ太平洋沿岸朝鮮人ノ醵金二萬五千弗ヲ送附シ其依頼者ハ桑港 Korean-Church-Council ナルヘシトノ事實果シテ眞ナリトセハ韓人國民會ノ財源ハ必シモ貧弱ナルモノニアラサルヘク一説ニ依レハ獨立運動勃發後ハ在米鮮人ハ毎月二弗乃至五弗ヲ國民會ニ納付セリト稱セラル然レトモ貧弱ナル在米朝鮮人カ如斯多額ノ納金ハ永續スヘキニアラサルヲ以テ其財政漸ク困難ナラントセシヲ以テ愛蘭共和公債ノ例ニ傚ヒ大韓國公債票ヲ發行スルニ至レリト云フモノアレトモ予ハ寧ロ本公債ハ喧傳ノ爲ニ發行セラレタルモノニシテ其運動資金ハ或ハ米國人同情者ノ捐金ニ依リ國民會ノ窮乏ヲ補充シ居ルニアラサルヤヲ疑フ

大韓國公債票ハ客年九月大韓民國執政官總裁李承晩及特派駐紮歐美委員長金奎植ノ名ヲ以テ發行シ公債ノ種類ヲ米貨十弗、二十五弗、五十弗、百弗、五百弗及千弗ノ六種トシ紐育、費府、ボストン、市俄古及桑港ノ各地ニ於テ日本人以外ノ者ニ發賣セリ紐育ニテハ支那街 Dayer St. 附近ノ各鮮人店舖ヲ

販賣所トセリ紐育總領事館ニテハ館員ヲ支那人ニ僞シ購買セシメタルニ種々ノ質問ヲ發シ日本人ニアラサルヤ否ヤヲ試ミ甚シク日本人ノ手ニ入ルヲ好マサルノ風アリシト云フ發行高ハ二十五萬弗ト稱セラル紐育領事館ノ想像ニ依レハ朝鮮人以外ハ多少ノ支那人ヲ除キ購買者極メテ少ク且ツ朝鮮人ト雖主ニ十弗票又ハ二十五弗票ヲ購ヒ高額面ノ債票ハ賣行ナク唯桑港ニテハ稍々好成績ヲ擧ケタリト稱スルモ募集金額ハ極メテ少キモノノ如シ

（三）米國ニ於ケル輿論鎭靜後ノ運動

次節ニ於テ述フルカ如ク米國ニ於ケル朝鮮問題ノ輿論ノ最モ盛ナリシハ客年三月中葉ヨリ四、五、六月ノ三箇月餘ニシテ七月原首相ノ宣言アリ八月總督ノ更迭及新總督ノ改革方針ノ發表セラルルアリ更ニ米國ニ於ケル黑人迫害事件アリテヨリ以來輿論ハ漸次鎭靜スルニ至レリト雖朝鮮人ハ猶ホ輿論ノ喚起ニ力メ新總督ノ發表セラレタル施政方針ニ對シ李承晩ハ客年九月九日次ノ要旨ノ意見ヲ公表セリ

新政策ハ單ニ日本ノ專制的野心ヲ發表スルノミナリ日本ハ朝鮮、山東、滿洲ヲ略取シ西伯利侵略ノ爲更ニ今回加藤新特使ヲ西伯利ニ派遣セリ朝鮮ニ實現セシ事實ハ必スヤ山東、滿洲及西伯利ニ發生スヘシ朝鮮總督ノ交代モ一軍人ニ代ヘ他ノ軍人ヲ齎ラシ更ニ一民政長官ヲ附加セルノミニシテ日本カ聲明セシ軍人政治ノ改革ハ毫モ認ムルヲ得ス吾人ノ要スル所ハ日本ニ依リテ行ハルル軍政及民政ノ如何ヲ問フニアラス求ムルモノハ完全ナル獨立ニ在リ日本ハ單ニ世界ノ大國タルヘキ野心ノ爲朝鮮ヲ利用セントスルノミ斯ノ如キ國家ニ依リ如何ニシテ朝鮮民族ノ幸福ヲ求メ得ヘキヤ

同時ニ桑港國民總會長モ略ホ同一ノ意見ヲ發表シ布哇ニアル朝鮮人ハ集會ヲ爲シ獨立運動ヲ繼續スヘキ決議ヲナス等在米鮮人ハ我施政方針ノ變更ニ對シ毫モ運動ヲ中止セス益々宣傳ニ努メタリト雖斯ル意見ノ發表ハ未タ何等米國ノ輿論ヲ喚起スルニ至ラサリキ

越ヘテ本年二月九日 Associated Press カモスコー電報トシテ去ル六日滿洲ニ於ケル朝鮮人二千人ハ過激派ノ援助ニ依リ武裝シテ北韓地方ニ侵入シ三百ノ日本軍隊ヲ殺戮又ハ負傷セシメ其他各地ノ守備隊ヲ攻略セリ此等ノ朝鮮人ハ目下吉林地方ヨリ進軍シツツアリテ革命的精神ハ過激派ノ活動ニ依リテ朝鮮全土ニ擴張シ朝鮮人ノ革命主腦者ハ過激派ノ官憲ト密接ナル連絡ヲ有シ其援助ニ依リ武裝ヲ準備シツツアリ朝鮮ニ駐在スル日本軍隊三箇大隊ハ此侵入ニ對シテ秩序ヲ保全スルコト困難ナルヘシト日本人間ニ憂慮セラレツツアリト報スルヤ李承晩ハ華府速配通信ニ朝鮮ノ獨立運動カ過激派ト關係アリト爲スハ日本人ノ反對喧傳ニ過スト辯明セリ當時恰モ華府駐在帝國陸軍派遣武官カ米國人辯護士 Hopkins 氏ヨリ聞キタル所ニ依レハ米國ニ於ケル過激派喧傳者マルテンスノ尋問供述ニ依レハ在米鮮人獨立運動者ハ愛蘭人ヲ通シテ露國過激派ヨリ資金ノ供給ヲ受ケタリト稱セラレ又當時瑞西ニ會催セル過激派ノ共産大會ニハ朝鮮共和國ヨリ特使ヲ派遣セリト傳ヘラルルアリ李承晩カ此新聞僞電ニ對シテ特ニ辯解ヲ試ミタルハ稍々注意ヲ要スルモノナキニアラス

又本年三月四日紐育 Music Hall ニ於テ朝鮮共和國獨立宣言一週年紀念會ヲ開催シ我大使ニ宛テ招待狀ヲ送附セリ會ハ Philip Jaisohn 之ヲ主催シ Rev. Dr. Charles J. Smith (Paster of the Evangelical Lutheran Church of the Holy Trinity of New york)祈禱ヲ爲シ朝鮮及米國ノ國歌ヲ讃シ獨立宣言ヲ朗讀シ從來獨立ノ爲ニ犧牲トナリ又ハ現存セル愛國者ノ爲ニ默禱シ Dr. Lemnel H. Marlin(ボストン大學長) Rev. Dr. Edwin Heyel Delk (Pastor of St. Matthew's Lutheran Church of Philadelphia) Rev Charles J. Smith 及 Prof. George Gilmore 等ノ激烈ナル獨立同情演説アリ特ニ Gilmore ノ如キハ「米國ノ怒リカ朝鮮ヲ獨立セシムルマテ確實ナル事實ヲ世ニ周知セシメヨ」ト述ヘタルカ如キ如何ニ其論旨ノ極端ニ馳リシカヲ見ルヘシ斯クシテ Miss. Coroline Curtiss ノ獨唱アリテ Delk ノ發聲ニテ "Star spangled Banner" ヲ祝福シテ散會セリ時恰モ我大使ハ紐育ニ於テ日米協會ヲ代表シテ日米親善ノ大宴會ヲ催セシ前日ナリ對照奇ト云フヘシ、此種ノ紀念會ハサクラメント及デニューバニ於テモ行ハレタリ

三月十八日上院ニ於テ朝鮮獨立同情案ノ否決セラルルヤ華府 Korean National Commission ノ一員ハ更ニ同月二十日速達通信ニ概要左ノ如キ意見ヲ發表セリ

此上院ノ決議及意見ハ目下上院外交委員ノ手下ニ存スル朝鮮人ノ希望ニ同情スルノ提案カ更ニ平和條約ト關係ナク單獨ニ上程セラルルノ曉何等ノ異議ナク多數ノ贊成ヲ以テ通過スルニ至ルヘキ

前提タリ何トナレハ提案者 Thomas 自身モ其提出理由中ニ本案ハ平和條約ト關係ナキモ愛蘭同情案カ通過スレハ本案モ同一價値ヲ以テ通適スヘキモノト爲シ且ツ朝鮮問題ハ一八八二年ノ米韓條約ニ依リ米國ハ併合當時韓國ニ對シ其條約上ノ義務ヲ履行セサルヘカラサリシニ拘ラス履行セサリシヲ以テ今ニシテ朝鮮人ノ希望ヲ認メ之ニ同情スルハ米國ノ義務ナリト爲シ又採決ノ結果既ニ三十四人ノ賛成アリシノミナラス本案ニ賛成セサリシ議員ノ多クモ平和條約ニ對スル留保案トシテハ條約ニ關係ナシト考ヘタルニ止マリ朝鮮ニ同情ヲ有スルコトハ一ナリト稱スルヲ以テナリ

以上ノ如ク各種ノ運動行ハレ又三月上院ニ朝鮮同情案ノ提出等アリシニ拘ラス新聞雜誌等ニハ何等ノ反響ナク右速達通信ノ記事ノ如キモ更ニ轉載セラルルコトナク目下米國ノ輿論ハ大體ニ於テ表面依然トシテ鎭靜シ居レリ然レトモ在米鮮人ノ運動ハ益々裏面ニ於テ熾烈ニ行ハレツツアリ之ヲボストンニ見ルニ前記三月ノ紀念會ニ出席セルボストン大學長 Dr. Marlin ハ League of the Friends of Korea ノ同地支部長トシテ屢々其協會ノ名ヲ以テ朝鮮同情ノ公會ヲ催シ同地鮮人ハ盛ニ日本ノ軍國主義ト朝鮮ニ於ケル虐政ヲ誇張喧傳シテ漸次朝鮮同情者ヲ増加シツツアリ又最近 Cincinati Time-star 紙ハ朝鮮共和政府假大統領ト題シテ李承晩ノ肖像ヲ掲ケ朝鮮同情論ヲ掲載シ居レル等ニ依リ見ルトキハ在米鮮人ハ各地ニ於ケル League of the Friends of Korea ニ依リ不斷ノ努力ヲ以テ喧傳ヲ怠ラス其獨立運動ハ益々濃厚ヲ加ヘツツアルハ察スルニ難カラス

第三節　米國人ノ同情運動

第一、同情事由

朝鮮獨立運動ノ勃發セル當初其米國ニ於ケル反響ハ必スシモ大ナラス寧ロ朝鮮ハ日本ノ統治ニ依リ幸福ノ狀態ニアリ又自治能力ヲ有セストナスモノ多カリシト雖獨立運動ニ對シテ暴虐ヲ加ヘタリトノ記事三月末ヨリ頻々トシテ上海、天津及北京ニアル聯合通信ニ依リテ傳ヘラレ特ニ客年四月十四日ヨリ十七日ニ亘リ紐育「セラルド」紙カ在鮮米國宣敎師ヨリ出テタル材料ニ基キ日本官憲ノ殘忍行爲ヲ詳述シ同時ニ北京、天津「タイムス」通信員ジャイルスカ三箇月實地朝鮮ヲ視察シタリト稱シ極端ナル排日的通信ヲ紐育「タイムス」紙ニ掲載スルヤ少カラス米國人ノ感情ヲ刺戟セルカ如ク加之同月 Armstrong氏 (Secretary of Canada's Presbyterian Mission Board) カ朝鮮ヨリ歸來シ在鮮米國宣敎師ヨリ得タル多數ノ揑造虛構ノ材料ヲ基督敎會聯合同盟會ニ提出セシ以來ハ敎會側ノ同情頓ニ増加シ終ニ在紐育「プレスビテリヤン」敎會本部ハ七月十二日右 Armstrong ノ材料ニ基キ朝鮮各地ノ虐殺情況ヲ詳述セル數千語ニ亘ル長文ノ報告書ヲ公表シ憐ムヘキ希臘ハ猶ホ世界ニ存ス等ト曲言シ其全文又ハ要旨ハ聯合通信ニ依リテ十三日各地ノ新聞ニ掲載サレ著シク世人ノ注意ヲ喚起シ恰モイリノイス州エバンストン市 Miss. M. L. Guthapel ハ熾ニ朝鮮ニ於ケル日本統治ヲ非難セル小冊子ヲ配付セシヲ以テ日本政府ノ强壓手段ニ付キ惡感ヲ有スルニ至リモリーノ逮捕ハ米國人ヲシテ幾分慙愧セシメタル所アリト雖更ニ七月ニ入リ朝鮮ニ於ケル軍隊並ニ憲兵、警察ノ耶蘇敎徒ニ對スル殘虐行爲ニ關スル通信盛ニ各新聞ニ傳ヘラレ特ニ安城事件ハ日本ノ軍國主義ニ對シテ反感ヲ高ムルニ至レリ茲ニ於テ米國人ハ日本ノ措置ヲ憤リ反動的ニ朝鮮人ニ同情ヲ表スルニ至レリ此時ニ當リ天津ニ於ケル日米兵士ノ衝突事件アリ西伯利ニ於ケル日米兵士ノ感情ハ融和スルニ至ラス山東問題ハ日本ノ亞細亞大陸ニ對スル「プロシヤニズム」ナリトシ排日的感情ハ益々朝鮮問題ニ對スル輿論ヲ煽リ終ニ上院ニ於テハ Norris 及 France 兩議員ノ朝鮮獨立同情ノ演說ヲ見更ニ六月三十日 Spencer 氏ハ一八八二年ノ米韓條約ヲ引用シテ公然朝鮮獨立同情ニ關スル決議ヲ要求スルニ至リシコトハ後ニ述フルカ如シ

第二、同情者ノ種別

(一)　獨立同情者

米國人ノ朝鮮獨立運動ニ對スル同情ハ獨立其モノニ賛スル者ト獨立ハ尙早ナリトスルモ日本ノ施政ヲ非難スル者トノ二者アルカ如シ獨立運動其モノニ賛成スル者ハ卽チ費府ニ本部ヲ有スル The League of the Friends of Korea ニシテ其事務所ヲ前記情報局ト同一ノ所ニ置キ Rev. Floyd W. Tomkins (Sector of Trinity Church) ヲ會長トシ Edwin Heyl Delk ヲ副會長トシ歸化鮮人 Philip Jaisohn ヲ書記長トシテ實務ヲ掌理ス其他幹部ニハ費府知名ノ人士四十名ヲ網羅シ其目的ハ精神的ニ朝鮮ノ獨立ヲ援助ス

ルコトニ存シ從テ物質的ニ資金其他ノ供給ヲ爲サスト稱ス又其綱領中ニハ朝鮮基督敎徒ノ信仰ノ自由ヲ確保スル云々ノ一項ヲ設ケテ宗敎界ノ同情ニ訴ヘタリ（會則ハ Kora Review 三月號ニアリ依テ省略ス）同會ハ客年八、九月ノ交華府ニ支部ヲ設ケ豫備海軍少將 John C. Watson ヲ會長トシネブラスカ選出上院議員(George W. Norris（客年上院ニテ朝鮮獨立同情演述ヲナセシ者）)ヲ副會長トシ General Boyle 等多數ノ華府有力者ヲ會員トシ專ラ對議會運動ニ力ヲ用ヒツツアリ同會ハ華府ノ外 Alliance Ann Arbor, Boston, Columbus, Chicago, Denver, Detroit, Mansfield, Newburg, Ore, Kansas city, Reading, San Francisco 其他ノ支部ヲ有シ地方有力者ヲ幹部ニ網羅セリト云フ之ニ類似ノ機關ハ客年巴里ニ設ケラレ今又倫敦ニモ設ケン爲英國人 F. A. Mckenzie（Korean Fight for Freedom ノ著者ナリ）及加奈太人 James Gale ハ之ニ關スル用務ヲ帶ヒテ同地ニ向ヘリト稱セラル（本會ノ活動及喧傳狀況ハ Korea Review ノ毎號ニ掲載アリ）

(二)　施政非難者

米國人中朝鮮ノ獨立ハ尙早ナリトスルモノニ在リテモ日本ノ朝鮮統治特ニ獨立運動ニ對スル取締方法ニ付キ非難スル者甚タ尠シトセス前記 Armstrong 氏カ客年四月朝鮮ヨリ歸來シ紐育領事ニ訴ヘタル事項ハ日本政府ノ文官側ハ武官側ニ壓セラレ騷擾鎭壓ノ方針最モ過酷ヲ極メ人道及文明ノ立場ヨリ默視シ難キモノアリ其他普通敎育ニ朝鮮語ノ學習ヲ禁壓シ日本語ノ敎育ヲ强制シ朝鮮人ハ封建時代ノ拷問ヲ加ヘラレ通信檢閲ハ嚴酷ニ失シ一般ニ朝鮮人ノ自由ヲ不當ニ檢束スル等ハ一ニ武斷的方針ニ基クモ

ノミニシテ予カ出國ノ際ノ如キモ檢閲ノ結果多數ノ書類ヲ朝鮮ニ殘留スルノ已ムヲ得サルニ至レリ此際朝鮮ノ獨立ニハ反對ナルモ日本ノ措置ニ付テハ甚タ不平ナリト放言セルカ如キ又Dr. Gulickノ親日的同情ニ依リ朝鮮問題ニ對シテモ比較的穩健ナリト稱セラルル基督敎會聯合同盟會ノ如キモ朝鮮ノ獨立ニハ反對ナルモ日本ノ朝鮮ニ對スル施政方針ハ改革スルノ要アリトナシ客年五月尾崎前法相及望月代議士等ノ來紐ヲ機トシテ紐育ニ於テ總領事及代表的日本人十名及尾崎、望月ノ兩氏ヲ午餐ニ招キテ朝鮮問題ニ關スル自由討論ヲ試ミ更ニ前記Armstrongノ使命ニ關シ高峰、瀏古氏等在紐育日本人有志ニ相談シタル結果六月開會ノ東洋問題委員會ハ朝鮮行政ノ改革ヲ爲シ壓迫其他ノ弊ヲ一掃スルノ宣明ヲ原首相ヨリ公表スルノ緊切ナルヲ決議シ首相ニ之カ勸告ノ電報ヲ發シ七月原首相ノ宣言アリタル後Armstrong所持ノ材料中三十三種ヲ選ヒ冒頭ニ首相ノ宣言ヲ揭ケ約百三十頁ノ册子トナシ基督敎聯合同盟會ヨリ出版セルニ依リ見ルモ當時朝鮮ノ獨立其モノニ付テハ米國人間ニ意見ノ相異アリシコトハ之ヲ察スルコトヲ得ヘキモ朝鮮ニ於ケル施政方針ヲ非難シ特ニ騷擾鎭壓ノ方法過酷ニ失シ人道上默視シ得ストノ意見ハ一般ニ之レアリシヲ認メラル然ルニ當時米國ニ於テハ前述セルカ如ク歐洲戰爭參加以來世界ヲ米國主義ニ依リ「デモクラタイズ」セントノ風潮盛ナルアリ特ニウイルソン大統領ノ平和綱領十四箇條ノ發表ニ依リ民族自決主義ノ高唱セラルルアリ曩ニハ上院ニ於テ對英關係ヲ無視シテ突如愛蘭獨立同情ノ決議ヲ爲セル形勢ニアルヲ以テ既ニ朝鮮統治ヲ非難シ組織的獨立運動ノ起レルニ當リテ

ハ獨立尙早ノ說ノ如キハ其聲甚タ微弱ニシテ一般ニ獨立同情ニ偏傾セルノ觀ヲ呈セシコトハ明カナリ

第三、上院ニ於ケル朝鮮問題ノ經過

一昨年卽チ一九一八年十二月三日Hun Kimm（金奎植ノ從兄弟ニシテ新韓人會ノ外交委員長ナリ）及Sungku Simne兩人ノ名ヲ以テ陳情書ヲ上院議員Hitchcock及下院外交委員長Floodニ交手ス當時ノ模樣ナリトテ華府日本大使館員カニクソン氏ヨリ聞ク所ニ依レハ上院外交委員長ハ短時間面會シ彼等ニ期待ノ念ヲ與フルカ如キ態度ヲ示サヽリシハ勿論該陳情書ハ上院外交委員會ニ附議スヘシトモ述ヘサリシ由委員會ハ其後非公式會議ノ際本件ハ國務省ニ提出スヘキモノニシテ上院ニ提出スヘキモノニアラスト決議シ單ニ記錄ニ存スルコトトシ且ツ委員ノ多數ハ本件ハ如何ナル場合ト雖取上クヘキ性質ノモノニアラストノ意嚮ヲ表明セル由ナリ然ルニ前記二名ノ朝鮮人代表者ハ本陳情書ヲ上下兩院ニ提出シタル上ハ國務省ニ提出セント試ミタルモ同省ニテハ受付サリシト云フ更ニ昨年一九一九年一月十八日在紐育Henry Changナルモノ米國、露西亞及支那在住ノ朝鮮人ヲ代表シ上院外交委員長ニ請願書ヲ提出シ平和會議ニ於テ朝鮮獨立ニ援助ヲ與ヘラレンコトヲ乞ヒ越ヘテ昨年四月十六日費府ニ於テ開催シタル第一回朝鮮議會ハ一方ニ於テ巴里平和會議ニ獨立ヲ請願スルト同時ニ華府ニ於ケル米國政府ニ請願書ヲ提出セリ

如斯在米鮮人ハ兩院及政府ニ請願書ヲ提出シツヽアルノ際恰モ昨年六月六日上院ニ於テ愛蘭獨立ニ對スル同情案突如トシテ通過シ其後比律賓獨立承認案ノ提出セラルルアリテ贊成議員尠カラスト稱セラ

レ此等ノ刺戟ヲ受ケ當時朝鮮暴動事件ニ關シ諸新聞カ盛ニ誇張的記事ヲ揭テ日本政府ノ虐政ヲ攻擊セルノ機ニ乘シ在米鮮人ハ各地ノ米國人同情者ヲ擁シテ議會ノ輿論ヲ喚起セントシ特ニLeague of the Friends of Koreaノ華府支會ハ前述セルカ如ク豫備海軍少將Watsonヲ會長トシ上院議員Norrisヲ副會長トシ力ヲ對議會運動ニ用ヒタリ玆ニ於テ曩ニ一昨年十二月二名ノ鮮人カ陳情書ヲ提出セシ際上院外交委員長ハ之ニ對シテ冷淡ナル態度ヲ有シ各委員又斯ノ如キ事件ハ取上クヘキモノニアラスト意見一致シタリト稱セラレタリト雖第六十六回第一期Congressional Recordハ特ニ朝鮮問題ト題シGeorge W. Norris及Hon. Joseph I. Franceノ兩議員ノ詳密ナル朝鮮獨立同情演說ヲ記錄スルニ至レリ其演說ハ單ニ朝鮮ニ於ケル日本政府ノ壓迫ヲ稱スルノミナラス一八八二年ノ米韓條約ニ基キ朝鮮ノ獨立ヲ援助スルノ義務アリトナシ既ニ國際聯盟條約ニ對シテ朝鮮ノ獨立ヲ留保スヘキノ意見ヲ唱導セルコトハ前述セルカ如シ更ニ同年六月三十日上院共和黨議員Spencer氏ハ朝鮮ニ關シ左ノ決議案ヲ提出シ外交委員會ノ附托トナルニ至レリ

國務卿ハ職務上差支ナキニ於テハ上院ニ對シ朝鮮ノ現狀ハ諸外國トノ關係ニ顧ミ合衆國ニ於テ一八八二年五月二十二日米韓條約ノ規定ニ基キ朝鮮ノ爲ニ何等カノ措置ヲ講スルコトヲ必要トシ且ツ得策トセサルヤ否ヤヲ通告センコトヲ決議ス

越ヘテ本年三月十六日Owen氏カ平和條約ニ對シ埃及ニ關スル留保案ヲ提出スルヤShield氏ノ愛蘭

獨立ニ關スル修正案ニ對シThomas氏カ朝鮮獨立ニ關スル修正案ヲ提出シ更ニ各案ヲ通スルKing氏ノ修正案トナリ其埃及留保案ノ破ルルヤGerry氏新ニ愛蘭獨立同情案ヲ提出スルヤ更ニ三月十八日Thomas氏ハ朝鮮獨立同情案ヲ提出シ採決ノ結果朝鮮獨立同情ニ關スルThomas修正案ハ三十四票對四十六票ヲ以テ否決セラレタルコトハ前述セルカ如シ

想フニ愛蘭獨立同情ノ留保案カ可決セラレタルニ反シ朝鮮ニ關スル修正案カ否決セラレタルハ或ハHitchcockノ言フカ如ク「朝鮮問題ハ實際的ニアラス又火ノ付ク程ノ問題ニアラス朝鮮カ日本ヨリ自治卽チHome ruleヲ得ルコトハ愛蘭カ英國ヨリ自治卽チHome ruleノ權利ヲ得ルカ如ク同一ナリト認ムルコトヲ得サル」ニ依ルヘク或ハLodgeノ言フカ如ク「愛蘭問題ハ旅行、視察、報告等ニ依リ朝鮮問題ヨリ事情明カ」ナルモノアルニ依ルヘシト雖結局Lodgeノ所謂「朝鮮ニ關スル同情ナキニ依ルニアラスシテ只上院ニ於テ決定ヲ要スヘキ眞ノ問題ハ愛蘭ニ關スル留保案ヲ如何ニスヘキヤニ存ス蓋シ本案ヲ決定セサルトキハ平和條約ニ關スル討議ノ存スル間ハ常ニ此問題ハ提出セラルヘク」愛蘭問題ハ第一章ニ於テ詳述セシ如ク實ニ米國政界ニ於ケル一大暗礁ニシテ朝鮮問題トハ其輕重ノ程度元ヨリ日ヲ同フシテ語ルヘカラス朝鮮問題ハ提案者Thomas氏自身カ述フルカ如ク民族自決ノ原則巴里會議ニ於テ除外セラレタルヲ以テ平和條約トハ何等ノ關係ナキノミナラス外國ノ內政ニ干涉スルモノナ[illegible]ヲ以テ適當ナラスト雖「愛蘭問題ニシテ考慮セラルルトセハ正義ノ觀念ト義務ノ判斷トハ現在朝鮮

人カ獨立ニ對シテ努力シツツアル事實ヲ認メテ同情セサルヲ得サル」一片義俠ノ念ヨリ出テタルニ過サルヘシ然レトモ朝鮮同情案ハ現政府ノ自黨タル民主黨議員ニ依リテ提出セラレ而モ之ニ對スル無期延期説ハ可否同數ヲ以テ成立スルニ至ラス更ニ其提案ニ對シ三十四票ヲ贏チ得タルハ曩ニニクソン氏ノ言ニ聞キテ朝鮮人ノ上院ニ對スル陳述ハ單ニ之ヲ記錄ニ留メタルニ過キストシテ重キヲ置カサリシト雖夙ニ Norris 及 France 兩議員ノ同情演説ハ桑港基督敎會聯合同盟會ノ針小棒大、虛僞捏造ノ報告ヲ引用シテ縷々數十頁ニ亘リテ日本統治ノ非難ヲ議事錄ニ留メ讀ムモノヲシテ自カラ同情ノ念ヲ禁シ能ハサラシムル程ノモノ存シ既ニ Spencer 氏ハ米韓條約ニ基ク同情案ヲ提出シ居ル等ニ鑑ルトキハ必シモ其此所ニ至レルハ偶然ニアラサルナキヲ遺憾トセサル能ハサルナリ

第四、米國官憲ノ態度

（一）地方官憲從來ノ態度

米國ニ於ケル朝鮮獨立運動ノ狀況如斯シ之ニ對スル米國官憲ノ態度如何ヲ觀察スルニ韓人國民會ハ國權恢復ヲ目的トシ桑港及布哇ニ其機關新聞ヲ有シテ熾ニ排日獨立ノ言辭ヲ弄シ特ニ布哇地方總會ハ小規模ナカラ學校ヲ設ケ公然帝國ニ反抗スルノ意思ヲ表明セルニ拘ラス布哇米國官憲ハ曩ニハ同總會ヲ認メテ法人トナシ且ツ大正四年六月二十五日ニハ移民法ニ依リ當然入國ヲ拒絶スヘキ鮮人移民ノ上陸ヲ同會幹部李承晩ノ保證ニ依リテ許可シ更ニ同會ハ一九一二年以來三千弗ノ經費ヲ以テ事務所ノ新築

ヲ企劃シ大正三年十二月竣工シ同月十九日落成式ヲ擧行スルニ當リ布哇縣知事 M. Pinkham 氏ホノルル市長 John C. Lane 氏布哇振興會長 Wood 等其他在布哇米國人知名ノ士ニ招待狀ヲ發シタルニ出席シタル者ハ宗敎家又ハ敎育家數名ニ過サリシト雖縣知事ハ祝賀狀ヲ贈リテ同會將來ノ發展ヲ祝福シ越ヘテ同會第七回紀念祝賀會ニハ市長ノ臨席セルアリ以テ排日熱ノ盛ナル地方ニ於ケル米國官憲ノ本問題ニ對スル態度傾向ヲ察スヘシ

（二）中央政府ノ今回ノ運動ニ對スル態度

客年三月 Henry Chung 及李承晩ノ兩名カ巴里平和會議ニ臨席セントセシトキ國務省ハ之ヲ差止メタリト稱セラル又特殊新聞トシテ信用及勢力アル Christian Sience Monitor ノ客年四月二十日華盛頓通信ニ依レハ國務省一高官ハ同通信員ニ對シ米國政府ハ朝鮮問題ニ對シ英國對埃及ノ問題ニ對スルト同一ノ態度ヲ取ルヘシ朝鮮問題ノ純然タル日本內政ノ問題タルハ尙ホ比律賓ニ暴動起リタル場合ト同樣ナリ暴動鎭壓ノ爲ニ日本政府ノ用ヒツツアル方法ニ關スル各種ノ報導ハ極メテ如何ハシキ出所ヨリ來レルモノ多ク大ニ割引スルヲ要ス國務省ニ達シタル情報ニ據レハ日本カ特ニ過酷殘忍ノ處置ヲ取リツツアリト想像シ得ス是等誇張的報導ハ單ニ反日的感情ヲ煽動センカ爲ニ流布セラルルモノナリト語リ近來世上ノ日米疎隔ヲ來スカ如キ言動アルヲ遺憾トナシ以テ世上ノ誤解ニ耳傾ケサルノ風ヲ示セリト雖米國內ノ輿論益々昂マリ上院ノ氣勢漸ク上ラントスル風アルヤ同年六月二十二日出淵代理大使カ

國務卿代理ヲ訪問セシ際ノ餘談ニ同國務卿代理ハ朝鮮問題及山東問題ニ關スル米國輿論ノ昨今存外ニ甚シク特ニ朝鮮問題ニ付一層面白カラサル傾向アリ朝鮮カ日本ノ領土タルヲ顧ミ自分ヨリ彼是言フヘキ筋合ニアラサルハ勿論ナルモ個人間ノ談話トシテ腹藏ナク述フレハ此際日本側ニ於テ世人ヲシテ今少シク明瞭ニ朝鮮ノ現狀乃至日本現政府ノ公正ナル方針ヲ知ラシムル樣適當ノ措置ニ出テラルル方得策ナルヘク其方法トシテハ責任アル政府當局ヨリ公表書ヲ發シ聯合通信ヲ利用シ廣ク米國內ニ傳ヘシムルカ如キ最モ有效ナリト內話シ更ニ七月二日國務次官ハ Spencer カ六月上院ニ提出セル朝鮮ニ關スル決議案ニ付キ出淵代理大使ニ語ツテ曰ク Spencer ハ上院ニ於テ勢力ナク且ツ議案ノ性質ニ鑑ミ恐クハ外交委員會ヲ通過セサルヘシト信スルモ朝鮮問題ニ對スル米國人一般ノ感想頗ル不良ナルモノアリ洵ニ心配ニ堪ヘスト之ニ依リ見ルトキハ輿論特ニ上院ノ形勢ハ終ニ米國官憲ヲシテ米國ニ於ケル朝鮮同情運動ノ前途ニ付キ憂慮スルニ至ラシメタルコト明カナリ更ニ聞ク所ニ依レハ Federal Reserve Board ノ總裁ハ米國一商人カ朝鮮ニ於テハ正金ハ總テ東京ノ中央金庫ニ送附セラレ朝鮮銀行券ノ外正金ヲ得ル能ハストノ報告ヲ爲シタルニ對シ之レ米國貿易商一般ニ注意セシムヘキ事項ナリトシテ該報告書ノ欄外ニ其旨ヲ記載シ之ヲ大藏卿ニ回覽シタルニ同卿モ又同感ナリト記載セリト云フ米國金融財政ノ最高當局ニシテ今尙ホ朝鮮ノ日本ニ對スル關係ヲ獨立當時又ハ保護時代ノ如ク稍々モスレハ思惟シテ各種ノ行政施設ヲ觀察スルコト如斯シ輿論及議會カ政府當局ヲ動スハ實ニ已ムヲ得サルモノナ

リト云フヘシ

第五、同情輿論鎭靜ノ事由

前記セルカ如ク在紐育米國基督敎會聯合同盟會ハ昨年七月十六日朝鮮事件ニ關スル報告書ヲ新聞ニ公表シ其冒頭ニ最近原首相ヨリ送ラレタル朝鮮統治改革ニ關スル電報全文ヲ掲ケ朝鮮事件ノ歷史及虐殺事件ニ關スル三十三通ノ報告ヲ添付シ其叙文ニハ「朝鮮事件ヲ論議スルモノハ日本ニ於ケル武斷派ト自由派トヲ區別セサルヘカラス始メテ政黨首領ヲ總理ニ頂キタル現內閣ハ從前ノ諸內閣ノ武斷政策ヲ相續シタルモ現內閣ハ暴動發生前既ニ朝鮮ノ行政改革ヲ計劃シ居リタリト信シ得ヘキ充分ナル根據アリ現內閣ノ政敵特ニ官僚及武斷派ハ現內閣ヲ破壞セントシ有ユル機會ヲ窺ヒツツアリ米國ハ日本ニ於ケル進步的且ツ非武斷政治運動ニ對シ極力精神的援助ヲ與ヘサルヘカラス從テ日本ニ於ケル專制主義ト自由主義ト區別シ日本政府及人民ニ對シ一概ニ攻擊ヲ加ヘサラムコトヲ要ス朝鮮、支那及世界ノ光明ハ日本ニ於ケル武斷主義ヲ一掃シ個人ノ自由及權利ヲ確立スル事ニ依リ得ラルヘシ」ト論述シ右ハ華府及紐育ノ諸新聞ニ掲載セラレ其標題ハ多ク「日本ハ朝鮮ノ改革ヲ約束セリ」トノ意味ヲ以テ記載セラレ輿論緩和上多少ノ效果アリシ事疑ナシト雖依然トシテ朝鮮同情ニ關スル議論ハ諸新聞ニ掲載セラレツツアリ其後朝鮮總督ノ更迭ヲ見、新總督ノ改革綱領ヲ發表セラルルニ及ヒ原首相ノ聲明果シテ虛僞ニアラサル事明カトナリ恰モ此時米國ニ於テ黑人迫害事件アリテヨリ輿論ハ漸次鎭靜シ客年末ヨ

リ現時ニ至ルマテ朝鮮問題ニ關シ論議又ハ報導ノ新聞又ハ雜誌ニ現ハルルコト到ツテ稀ナルニ至レリ」黑人迫害事件ハ華府ニ於テ客年六月下旬ヨリ七月上旬ニ亘リテ連續四人ノ白人婦人カ黑人ノ爲ニ强迫ヲ受ケ更ニ七月十八日白人兵卒ノ妻同樣ノ被害ヲ受クルニ及ヒ五六百名ヨリナル兵卒水兵ノ一團ハ市中ヲ通行中ナル黑人數名ヲ毆打セシヲ以テ翌日黑人モ又白人ニ對シテ拳銃其他ヲ以テ射擊打撲ヲ加ヘ黑白人ハ三日間ニ亘リ各所ニ大爭鬪ヲ起シ戒嚴令ヲ布クニ至ラサリシモ一千ノ軍隊ノ警備ニ依リテ漸ク秩序ヲ維持シ死者四名、傷者百餘名ヲ出シ市俄古ニ於テハ七月二十七日一黑人カ白人ノ游泳區域ニ入リタリトテ之ヲ毆打セシヲ原因トシテ黑白人ノ爭鬪ヲ惹起シ五日間ニ亘リ市中至ル所ニ射擊亂鬪ヲ交ヘ遂ニ戒嚴令ヲ布キ五千ノ軍隊ノ警備ニ依リテ漸ク秩序ヲ囘復シ死者二十三名、傷者數百名ヲ出シ其他ノルフオークニ於テモ同一事件アリテ二十三名ノ死傷者ヲ出シニユー、オルレアンスニ於テモ爭鬪アリタリ時恰モ民族自決主義ノ高唱セラレ朝鮮及印度ニ於ケル革命運動ニ對スル日本及英國政府ノ措置過酷ナリトノ與論盛ナルニ當リ米國中央大都市ニ於テ相次テ黑人ノ殘害事件ヲ見ルニ及ンテハ矛盾ト勝手ヲ特色トスル米國人モ反省スル所アリシハ明カナリ此事件以來朝鮮問題ハ時偶新聞雜誌ニ掲載セラルルモ殆ント世人ノ注意ヲ惹カス本年三月十八日上院ニ於テ朝鮮同情案ノ提出セラレタルニ對シテモ之ニ關シテ新聞雜誌ノ論議ハ殆ント見ルヘキ者ナキノ狀況ナリ雜誌Scribner五月號ニ「朝鮮暴動ニ耶蘇信徒ノ關與セル部分」ト題シ京城 Nathaniel Peffer（China Press ノ記者ニシテ Korean Review ニ The Truth about korea ナル記事ヲ連載セルモノト同一ナリ）

ノ執筆ニ係ル記事ハ十四頁ニ亘リ李堈公殿下逃亡ニ筆ヲ起シテ最近ノ運動狀況トシテ小兒婦女子ニ至ルマテ今尙ホ運動ヲ繼續シツツアリ之ニ對スル取締方法ハ過酷ヲ極ムト非難シ又日本ノ軍國主義ヲ攻擊シ居レリト雖其述フル所ハ既ニ客年屢々喧傳セラレタル所ヲ繰返セルニ過キスシテ何等ノ反影ヲ見サル狀況ナリ（Scribner Magazine 同號ハ五月八日警務局長ニ送附ス）

第六、運動ノ將來

朝鮮問題ハ今ヤ米國ニ於テハ表面上恰モ閑却セラレタルカ如ク偶々上院ニ於テ之ニ關スル提案アリト雖各新聞雜誌ハ殆ント之ヲ筆ニスルモノナキニ至レリト雖屢々述ヘタルカ如ク愛蘭同情問題論議セラレ民族自決主義ノ思想放棄セラレサル以上ハ在鮮米國宣敎師ノ暗動ト在米朝鮮人ノ喧傳トハ相呼應シテ朝鮮獨立ニ對スル米人ノ同情運動ハ決シテ消滅スルニ至ラス今ヤ裏面ニ於テ益々不斷ノ努力トシテ繼續セラレツツアルヲ見ル客年十二月二十八日桑港「エキザミナー」紙ハ同月廿六日天洋丸ニテ東洋事情ニ通セル T. F. Millard ナル米國人ハ上海ニ於ケル有力ナル鮮人ヨリ多數ノ重要書類ヲ托サレ同地鮮人ニ傳達セリト稱スハースト系新聞ノ傳フル所元ヨリ眞否知ルヘカラスト雖上院ニ於テハ再ヒ朝鮮同情案ノ提出ヲ見桑港ニ於ケル韓人國民總會事務所ハ四十餘名ノ事務員ニ依リ整然タル一廳ヲナシ華府ニ於ケル Korean National Commission ノ事務所ト稱スル Portland Hotel ノ李承晩及其秘書ノ居室ハ少クトモ室料月百五十弗以上ヲ要シ其生活振リ等ヨリ察スルトキハ彼等ノ運動費用ハ少額ノモノニ

アラサルヘシ前記セルロスアンゼルス領事カ同地探偵局關係者ヨリ聞キタル昨年六月上海ノ鮮人團體ニ多額ノ金員ヲ送附シタルハ事實ニシテ韓人國民會ハ相當ノ財源ヲ有ストセハイサ知ラス若シ然ラストセハ假令 The League of the Friends of korea ハ物質的援助ヲ與ヘスト雖愛蘭其他ノ小弱國民種ニ對シ米人カ其獨立運動ニ同情ヲ有スル免レサル所ナルヲ以テ愛蘭共和公債募集ノ成績ト愛蘭獨立運動資金ノ無盡藏ナルニ思ヒ到ラハ米人中朝鮮人ノ運動ニ對シテ資金ノ供給ヲナスモノ必シモ絕無ナリト云フヲ得ス現ニ昨年四月第一回朝鮮議會ニ各地ヨリ費府ニ參集セル各代表者ノ費用ハ同會偵察ノ爲派遣シタル米人ノ言ニ依レハ米人同情者ノ出捐ニ依ルト稱セラレ啻ニ一般米人ノ同情ノミナラス華府ニ於テハ上院議員及陸海軍豫備將官ボストンニ於テハ大學長ノ如キ知名有力ノ士カ公然 The League of the Friends of korea ノ役員トシテ同情運動ヲナシツツアリ又米國地方官憲カ布哇ニ於テ同地國民會ニ與ヘタル同情等ヲ思ヒ起サハ愛蘭問題トハ元ヨリ重要ノ程度ヲ異ニスルモ先ニ述ヘタル如ク太平洋沿岸諸州ノ排日熱ト米國ノ東洋ニ對スル Imaginal Enterprise 及帝國主義ニ對スル「デモクラシイ」ノ擴張運動等ハ（第一章第六節第二(一)(乙)參照）到底米國ニ於ケル朝鮮同情運動ヲ終熄スルコトナカルヘシト認メサルヘカラス

第四節　在米支那人ノ同情運動

第一、在米支那人ノ狀況及排日運動

(一) 狀況

支那人ノ米國ニ在留スル者其數約十萬ト稱セラル太平洋岸ニ於テハ桑港、シヤートル、ロスアンゼルス中部ニテハ市俄古、東部ニテハ紐育ヲ中心トシ概略朝鮮人ノ分布ト同一地方ニ散在シ主トシテ商人ニシテ富裕ナルモノ尠カラス桑港ニテハ繁華ナル一部ヲ占メ米人商店ニ讓サル店舖ヲ有スルモノアリ紐育ニテハ大商店ナキモ之レ又繁華ナル部分ニ區劃ヲ爲シ一租借地ノ觀ヲ呈ス商店以外ハ多クハ支那料理店、洗濯業ヲ營ミ大都市ニハ殆ント其居住セサルモノナク純然タル勞働者ハ極メテ少シ支那留學生ハ甚タ多數ニシテ支那政府ヨリ米國ニ對スル北淸事變ノ賠償金ニ代ヘ派遣シアルモノ約二千名、私費留學生約四千名計六千名ヲ有ス官費留學生ハ試驗ニ依リ派遣セラレタルモノナルヲ以テ概ネ支那各地ヨリ平均ニ來リ居ルモ私費留學生ノ大部分ハ廣東地方ヨリ來レルモノ多數ヲ占メ從テ本國ニ對スル關係モ常ニ南方派ニ屬スル者多キハ米國ニ於テ日本ニ對スル反對氣勢ヲ揚ル一因トシテ注意スヘキモノト認メラル

(二) 排日運動

此等支那人ノ團結ハ固クシテ米國及加奈太在住ノ支那人ハ協會ヲ組織シ每月一回雜誌ヲ發行シ各地支那人モ又各々其親睦ヲ計ル機關ヲ有シ支那人ニ關スル問題ハ此等ノ機關ニ依リテ決議實行シツツアリ先年支那ノ革命ニ際シテ多額ノ資金ヲ送附セリト稱セラレ又平和會議ニ際シテハ紐育在住支那人ハ山

東問題ニ關シ米國新聞ニ盛ナル喧傳ヲ試ミ巴里ニ在ル支那委員及本國政府ニ强硬ナル態度ヲ繼續スヘキコトヲ電報シ其遂ニ失敗スルヤ更ニ從來ノ態度ヲ固守スヘキコトヲ電報シ在華府支那人商店ハ日本人ニ對シテ罷賣ヲ行ヒタリ近クハ本年五月九日華府 Crandall's Theater ニ於テ支那人協會ハ日本ノ二十一箇條要求ノ國辱第五週年紀念會ヲ開催シテ排日演説ヲ爲シ同日ハ華府支那人商店ハ午後五時マテ店舖ヲ閉鎖シタリ

第二、在米支那人ノ同情運動

在米支那人ハ以上ノ如ク熾烈ナル排日思想ヲ有シ特ニ山東問題ニ關スル反感甚シキモノアルニ當リ朝鮮人ノ獨立運動ニ熱心ナル同情ヲ表シアルハ事實ニシテ聯合亞細亞協會 (The United Asia Society) ハ卽チ支那及朝鮮兩共和國ヲ擁護シ亞細亞ニ於ケル Kaiserism ニ拮抗スル爲米國在留支那人及朝鮮人間ニ組織セラレタルモノナリ同會ハ昨年七月十二日朝鮮ノ獨立ヲ援助センコトヲ世界ニ要求セル宣言書ヲ發表シテ民族自決ノ權利ヲ主張シ日本ノ朝鮮併合ハ全ク韓國皇帝及人民ノ意思ニ反シタルモノニシテ併合條約ハ深夜皇帝ノ國璽ヲ盜用シ日本人ニヨリ捺印セラレタルコト及現在朝鮮ニ於ケル虐政ヲ陳述セリ此形勢ニ乘シ紐育在留ノ朝鮮人ハ支那人ニ對シ革命運動ニ資スル爲ナリト稱シ普ク寄附金ヲ募集セルコトアリト云フ大韓民國公債票ノ如キ幾分支那人間ニ應募セラレタリト稱セラル

大正九年十二月

最近ニ於ケル治安情況

朝鮮總督府警務局

目次

(ヘ)、義軍團、 (ト)、大韓獨立軍
(ト)、新民團、

(四)、西間島地方
(イ)、獨立團、 (ロ)、韓族會、
(ハ)、大韓獨立軍備團 (ニ)、中興團、
(ホ)、武士團、 (ヘ)、郷約團、
(ト)、大韓青年團及平安北道督辧府

(一)、不穏企画ノ發見及不逞鮮人ノ檢擧
イ、間島方面、 ロ、西間島方面、
ハ、奉天方面、 ニ、露領方面、
(三)、間島ニ於ケル不逞團体ニ對スル支那官憲ノ態度
(四)、不逞團体ノ取締ニ関スル日、支交渉ノ顛末
(五)、琿春事件ト軍隊ノ出兵
(六)、上海居住不逞鮮人ノ行動
イ、朝鮮騒擾ト上海居住不逞鮮人トノ関係
ロ、所謂上海假政府ノ組織
ハ、假政府組織後ノ行動
ニ、假政府内党争
ホ、假政府宣傳ノ状況
ヘ、財政ノ窮乏
ト、現在ニ於ケル假政府各部局ハ所在竝職員及
各團、 臨時假政府、 興社團、 新大韓同盟團、
勞働党、 民團、 仁政學校、 大宗教、 新韓青
年党、 東洋平和團、 赤十字會、 耶蘇教會、
留日學生親睦會、 冒險團、 青年團、 消毒團、
鉄血團、 大同團、

大韓民國臨時憲章宣佈文
大韓民國臨時憲章
政綱、 宣誓文
(七)、米國及布哇居住不逞鮮人ノ行動
イ、米國、
ロ、布哇、
米國及布哇ニ於ケル獨立運動ノ機関
一、朝鮮國民會、 二、新韓協會、
三、朝鮮國民協會、 四、朝鮮獨立團、
五、朝鮮武俠團、 六、朝鮮ノ友ノ會、
(八)、過激派ト朝鮮人トノ関係
イ、朝鮮獨立運動ト過激派
ロ、過激思想ノ宣傳

四、間島満蒙及西比利亜方面ニ對スル鮮人分布ノ状
況竝累年比較表
(一)、移住ノ原因動機 (二)、移住ノ態様
(三)、移住ノ季節 (四)、移住者数累年比較
(五)、分布ノ状態 (六)、移住者数
(七)、職業 (八)、納税
(九)、貧富ノ程度 (十)、移住地官憲トノ関係
併合以後外國移住朝鮮人累年比較表

五、結社ノ解散處分及集會禁止處分ヲ為シタル事件
及事由
(一)、朝鮮古史研究會解散
(二)、朝鮮民團解散

（四、東京留學鮮人巡回講演會禁止

六、輸入新聞紙種類（自大正八年十月一日至同九年九月末日）

七、新聞紙雜誌處分件數表（右同）

八、朝鮮内發行新聞雜誌（大正九年九月末日現在）

一、新聞紙

イ、内地人發行

ロ、朝鮮人發行

二、雜誌

イ、内地人發行

ロ、朝鮮人發行

一、民心ノ傾向

朝鮮人ノ思想ハ新舊相錯綜シ孔孟ノ教ヲ妄信シ形式ニ固着セル両班、儒生ノ徒アルニ對シ遠ク内地若ハ欧米ニ留學シ又ハ朝鮮内ニ於テ新教育ヲ受ケ徒ニ軽擧妄動セムトスルモノアリテ社會上ニ於テハ勿論一家内ニ於テモ此ノ両思想ノ爭闘激甚ナルモノアリ老年者ハ徒ニ往事ヲ追懐シテ事理ヲ解セス青年者ハ徒ニ新シキヲ欲シテ穏健質實ノ風ヲ缺キ又ハ徒ニ悲憤慷慨シテ國外ニ奔ラムトスルノ傾向アリシハ併合以來ノ通勢タリシナリ

従來表面ノ情勢ヲ以テセハ併合以來庶民其ノ堵ニ安ンシ勤倹貯蓄ノ美風大ニ起リ鮮人ノ同化又

著シキモノアリ新政ノ恩澤都鄙ニ洽カリシカ如シト雖具サニ民心ノ傾向ヲ観察スレハ不平憤懣ヲ抱ケル徒輩尠ナカラス不穏思想ノ瀰蔓セルコト寧ロ驚クヘキモノアリ時ニ相當ノ地位待遇ヲ有スル朝鮮人ニシテ大勢ニ壓伏セラレアリトノ嘆聲ヲ漏ラシ或ハ宗教宣布ノ任ニ在ルモノニシテ密カニ國權恢復ノ意ヲ寓シテ信徒ノ吸收ヲ圖ルモノアリ公私立學校書堂教師ニシテ不穏思想ノ鼓吹ニ努ムルモノアリ官立學校生徒ニシテ遠大ノ排日企画ニ腐心セルモノアリ或ハ眞ニ國家ノ恢興ヲ目的トシテ不穏ノ陰謀ヲ企テ若ハ國事ニ藉口シテ金銭ヲ騙取強奪スルノ徒アルカ如キ以テ其ノ一端ヲ窺フニ足ルモノアルヘク更ニ海外在住不逞鮮人ハ併合前後ヨリ或ハ排日結社ヲ組織シ或ハ機関新聞ヲ發行シテ帝國ノ朝鮮統治ヲ呪咀シ國權恢復ノ必要ヲ力説スル等常ニ過激ナル排日ノ言動ヲ絶タサリキ是レ大正八年三月騒擾勃發前ニ於ケル概況タリ

然ルニ欧洲大戰勃發以來ハ内外鮮人ノ排日思想一層熾烈ノ度ヲ加ヘ米國大統領「ウヰルソン」ニ依リテ民族自決主義高唱セラルルヤ此ノ機ニ於テ國家ノ復興ヲ圖ルヘシトノ論議頻リニ行ハレ此ノ風潮ハ靡然トシテ朝鮮上下一般ノ民心ニ侵染セリ即チ大正八年三月ノ騒擾事件勃發ノ直前ニ在リテハ多數鮮人ハ欧洲ニ於ケル波蘭ノ獨立宣告「チエックスロバック」民族ノ獨立運動若ハ猶太民族ノ治

動等新聞通信ニ依リ頻リニ報道セラルルノミナラス是等ノ運動ハ列强ノ同情ト後援トニ依リ着々トシテ奏功シツツアリト傳ヘラルルヤ大ニ之ヲ刺激セラレ列强ハ媾和會議ノ結果其ノ屬領ニ於ケル民族ノ自決ヲ容認セサルヘカラサルニ至ルヘク是レ媾和會議ノ眼目ニシテ米國ノ國是タル正義人道ハ玆ニ實現セラルヘシ之レ大戰ノ齎ラセル弱小民族ニ對スル一大福音ナリ等ノ說ハ到處ニ喧傳セラレ眞ニ朝鮮獨立ノ可能ナルヲ信シ帝國ハ列强殊ニ米國ノ壓迫ニ堪ヘスシテ遂ニ朝鮮ノ併合ヲ解クヘシトノ信念ヲ有スルモノアルニ至ラシメ或ハ鮮人有力者ヲ以テ大統領ニ擬スルモノアリ又ハ全然獨立ヲ見ル能ハサル迄モ此ノ機會ニ於テ朝鮮人カ日本ノ治下ニ在ルヲ欲セサル意志ヲ世界ニ表明セハ將來獨立ノ基礎ヲ形成スルヲ得ヘシト信セルモノアリ假令其ノ反對論ヲ唱フル者ト雖時機尚早ナリト云フニ止マリ獨立ヲ以テ絶對不能ト爲シ若ハ不可能ナリト思惟スル者ハ殆ント稀ニシテ其ノ抱懷セル觀念必スシモ相一致セスト雖苟モ多少ノ見聞アル者ハ何等カノ期待ヲ有シ獨立運動ノ氣勢ハ澎湃トシテ全道ニ瀰蔓スルニ至レリ騷擾ハ實ニ此ノ思想ニ胚胎セルモノニシテ三月一日京城平壤、鎭南浦、安州、義州、宣川、元山ノ七個所ニ於テ騷擾勃發スルヤ忽チ決河ノ勢ヲ以テ全道ニ波及シ到處ニ騷擾ヲ惹起セシ所以ノモノハ當時民心ノ惡化其ノ

二

極ニ達シ居タルカ爲ニ外ナラス而シテ騷擾一度勃發スルヤ殆ント上下ヲ擧ケテ獨立ノ可能ナルヲ信シ又僻陬ノ地ニ在リテハ朝鮮既ニ獨立セリト信シタル者モ尠ナカラス如斯ニシテ騷擾鎭靜後ニ於テモ不逞者ハ依然トシテ國際聯盟會議ニ多大ノ望ヲ囑シ獨立ハ可能ナリトノ確信ヲ抱キ直チニ帝國ノ覊絆ヲ脫スルヲ目的トシテ運動ヲ繼續シ多衆又之ヲ信シテ直接間接ニ其ノ行動ヲ援助シ然ラサルモ運動者ニ好意ヲ表セルモノ鮮ナカラサル情況アリシカ客年十月以降ニ於テハ警備力ノ充實ニ伴ヒ集團的示威運動ヲ以テ民心ヲ煽動スルコトヲ全然不能ニ陷ラシメタルハ不逞者ニ對スル至大ノ打擊ニシテ又各種ノ不穩企畫ハ悉ク事前ニ破碎セラレ彼等カ信賴セル上海僭稱政府ハ期待ニ反シテ何等活動ノ見ルヘキモノナク醵集セシ運動資金ハ有力者ニ依テ私消セラレ甚シキハ獨立資金ト稱シ同胞ヲ殺傷シテ金錢ヲ强奪スル等矛盾ノ行動ヲ演シ殊ニ最近政府部內ノ党争倍〻熾烈トナリ分裂倒潰ノ兆瞭カニシテ客年騷擾勃發後假政府ノ傘下ニ奔リシ多數青壯年者中ニハ國際聯盟ノ遂ニ爲スナキヲ知リ民族自決主義モ亦一場ノ理想論ニ過キサルヲ覺リ朝鮮獨立ノ到底不可能ナルヲ覺醒シ內心歸順ヲ希フ者尠ナカラス唯從來ノ關係上又自家ノ面目上如何ニシテ歸順スヘキカニ腐心シツツアリテ或ハ遠ク米國ニ奔リ或ハ日本內地ニ留學スル

四

者アルニ至レリ又客年十月上海ニ赴キレ金嘉鎮ノ如キ帰心矢ノ如キモノアルモ安昌浩ニ對スル義理合上餘儀ナク滞留セル事實アリ情況如斯ナルヲ以テ民心遂時不逞者ヲ離レ獨立ノ不可能ナルヲ自覺シ従ツテ険悪ノ風潮ハ次第ニ稀薄トナリ政治運動ヲ郤ケテ文化促進ノ努力ニ轉シ敎育ノ普及徹底ヲ圖リ産業ヲ興シテ實力ヲ養成セムトスル着實ナル傾向ニ嚮ヒ民心ハ漸次静穏ニ帰シツツアリ

近時國境方面ニ於ケル不逞輩ノ兇行及不逞輩ノ檢擧ニ伴フ爆弾、拳銃、弾丸ノ發見押收等ノ事實アルヨリ或ハ之ヲ以テ民心険悪ノ象徴ト為シ又近時鮮人ノ内地人ニ對スル態度昔日ノ如クナラス一般ニ生意氣トナリタル風アルヲ見テ之ヲ以テ文化政治ノ弊ナリトノ論ヲ為ス者アルモ是レ頗ル皮相ノ見ニシテ近時不逞輩カ兇暴ヲ逞フセルハ警備力ノ充實ニ伴ヒ彼等カ民心ヲ激成スルニ最適當トセル集團的示威運動不能トナリ獨立運動ノ氣勢更ニ揚ラス所謂武力侵襲亦奏功ノ見込ナク諸般ノ陰謀企劃ハ悉ク破砕セラレ一般民心漸次安定シテ到底不逞輩ノ目的ヲ達スル能ハス百計盡キテ又施スニ術ナク遂ニ自暴自棄ニ陥リ残虐無道ノ行為ヲ演スルニ至リシモノニシテ静謐ヲ招來スル階梯トシテ免レ難キ一道程ニ過キス深ク意トスルニ足ラスト信ス加之斯種ノ兇行事件ハ常ニ國境殊ニ鴨緑、豆満両岸地方ニ於テ行

五

ハレ且其ノ犯人ハ對岸支那地ヨリ侵入スルモノニシテ朝鮮内ニ於テハ偶々之ト通レ兇行ニ加担シタルモノアルニ止マルコトハ別項記載ノ事實ニ依リ瞭カニシテ南鮮地方ニ於テハ釜山ニ於ケル爆弾事件ノ外曽テ此ノ種ノ犯行ヲ見ス即チ最近ニ於ケル朝鮮ノ治安ハ常ニ對岸支那地ニ根據ヲ有スル不逞鮮人ニ依リ脅カサレツツアリテ鮮内ノ朝鮮人自体ニ於テ此ノ種ノ兇行ヲ企テタルモノ稀ナルノ事實ニ徴スルモ民心悪化論ノ根據ナキハ勿論客年騒擾勃發前後ニ於テハ前段記スルカ如ク鮮人ハ實ニ獨立可能ナリトノ確信ノ下ニ運動ニ奔走セシモ今日ニ於テハ獨立ノ不可能ナルヲ信シナカラ尚之ヲ繼續シ若ハ獨立ノ能否ヲ論外ニ置キ徒ニ排他的感情ニ駆ラレ妄動シツツアル情況ニシテ又客年中各道ニ於テ官、公、私立學校生徒ノ排日的意味ノ同盟休校事件頻發シ殊ニ國祭祝日等ニ際シテハ殆ント式典ニ列セサルハ勿論此等ノ機ヲ促ヘ騒擾ヲ企ツルヲ常トシ加之騒擾ノ中心ハ常ニ青年學生タルノ觀アリシカ最近ニ於テハ斯種ノ同盟休校事件稀ニシテ又祝祭日ニ於テモ登校者ヲ見サルカ如キコトナキニ至レリ如斯最熱狂シ易キ青少年學生カ近時盲動ヲ為ササルニ至リシハ其ノ反面ニ於テ煽動者ノ屛息シツツアルヲ示スモノニシテ又一般ノ民心漸次静穏ニ帰シツツアル證左ナリ反之近時基督敎經營學校ニ於テ學科目ノ變更、設備ノ改善或ハ

六

外人排斥ヲ目的トスル同盟休校事件アルハ近時學生ノ智識慾旺トナリシモ其ノ一因タルヘシト雖又學生等ノ外人崇拜殊ニ崇米熱ノ冷却シツツアルヲ語ルモノト見ルコトヲ得ヘシ

近時朝鮮人ノ内地人ニ對スル態度從來ノ如クナラス又一般ノ思想ニ變動ヲ來タシタルハ事實ニシテ例之到處ニ自由ヲ叫ヒ平等ヲ説クノ聲ヲ聞クハ騷擾後ニ於ケル新現象タリ然レトモ是レ大戰後ニ於ケル世界的思想界ノ變調ニ基因セルモノニシテ如斯思想ノ變動ハ獨リ朝鮮ニ止マラサルヤ論ナク之ヲ以テ昨年ノ騷擾ノ結果トシ若ハ文化政治ノ弊ト為スカ如キハ誣妄モ甚シキモノト言ハサルヘカラス唯昨年ノ騷擾カ此ノ思想變動ノ機ヲ促進シタルモノト看ルヲ至當トス又内地人ニ對スル態度昔日ノ如クナラサルハ從來ノ稍過酷ニ失スル内地人ノ壓迫ニ對スル反動ニシテ昨年ノ騷擾ト前段記スルカ如キ思想ノ變動トカ主因ト為リテ此ノ結果ヲ招來シタルコトモ亦事實ナルヘシト雖其ノ罪ノ一半ハ之ヲ在住内地人ニ帰セサルヘカラス然ルニ今日ニ於テ鮮人ニ對シ大戰前ノ態度ニ還ラムコトヲ要求スルハ時勢ヲ解セサルノ致ス處ニシテ所謂民心險悪論ナルモノハ客年騷擾以來ノ鮮人獨立思想ノ推移ヲ知ラス世界的思潮ノ變調ト之ニ伴フ急激ナル鮮人思想ノ變遷ト及内地人ニ對スル態度ノ變更ヲ混淆セルモノナルカ如シ

客年來諸種ノ結社團体ヲ組織シ又ハ宗教類似ノ團体ヲ創設セムトスル傾向逐時顯著トナリ殊ニ本年ニ入リテハ各地ニ於ケル青年會等ノ組織ハ一種ノ流行トナレリ

新タニ創設セラレタル宗教類似團体ハ濟愚濟世濟化、統天ノ諸教ニシテ何レモ從來ヨリ存在セル天道、侍天教等ト大差ナク東學ノ鼻祖崔濟愚ノ遺教ヲ祖述シ若ハ之ニ多少ノ變革ヲ試ミムトスルモノナルモ何等教義等ノ見ルヘキモノナシ其ノ他從來一部地方ノ迷信タリシ青林、大乙、関聖三聖、無極等ノ諸教又ハ巫女組合等漸次擡頭シツツアルモ未タ其ノ教勢ノ認ムヘキモノナシ是等宗教類似ノ諸團体ハ智識階級殊ニ青壮年者間ニハ寧ロ嘲笑的態度ヲ以テ迎ヘラレツツアル現況ナルヲ以テ將來ニ於テモ地方愚民ノ迷信ニ投シ多少ノ發展ヲ遂クルコトアルモ教勢ヲ擴張シ社會上ノ勢力タルコトヲ得ルハ到底不能ナルカ如シ而シテ從來青林、大乙、関聖等ノ諸教ハ地方ノ治安ヲ妨害シタル事例ニ乏シカラサルモ今日ニ於テハ寧ロ民心ノ緩和ニ多少ノ效果アルカ如シ唯是等ノ諸教ハ愚民ヲ誑惑シ財銭ヲ取得スルカ如キ通弊アルヲ以テ此ノ點ニ就テハ特ニ注意ヲ要スルモノアリ

宗教類似團体以外ノ各種ノ結社團体ハ參政權ノ獲得、社會ノ改善、教育ノ發展育英事業儒學ノ振興、勞働者ノ救濟、婦女子ノ覺醒商事ノ發展等ヲ標榜

セルカ歐洲戰乱勃發以來殊ニ騷擾後ニ於テハ所謂西班儒生ノ勢力ハ殆ント地ヲ拂ヒ今日ニ於テハ社會的勢力ノ認ムヘキモノナク從テ彼等ノ儒學振興運動ナルモノハ青壯年者ヨリ時勢ニ迂ナルモノトシテ嘲笑セラレ更ニ社會ノ反響ナシ之ニ反シ京城ニ本據ヲ置ケル勞働共濟會、勞働大會ハ漸次各道ニ支部ヲ設置シ最多數ノ會員ヲ有セリ如斯朝鮮刻下ノ現状ニ適切ナラサル勞働問題ヲ標榜セル團体カ多數ノ會員ヲ有スルニ至レルハ之レ蓋シ勞働問題ノ高潮セラルル今日ノ時流ニ投シタルカ為ニ外ナラサルト共ニ又極メテ浮薄ナル現下ノ民心ノ反映トモ見ルコトヲ得ヘシ而シテ是等勞働問題ノ研究、勞働者ノ救濟ヲ標榜セル結社ハ更ニ何等ノ考究ヲ為サス更ニ何等ノ事業ニ着手セサル事實ニ徵スレハ裏面ニ何等カノ野心ヲ抱藏セルコト勿論ニシテ其ノ他ノ結社ニ於テモ或ハ育英事業ノ名ノ下ニ或ハ朝鮮婦女子ノ覺醒ヲ促スト稱シ遠大ノ排日企劃ヲ為セル疑アルモノアリ又ハ商事ノ發展ヲ促進スト稱シ私利ヲ營マムト企テ若ハ一時ノ衒氣ヨリ階級打破自由平等ヲ叫フモノアリ團体的勢力ヲ利用シテ社會的地位ヲ獲得セムトスルモノアル等鮮人ノ組織セル結社團体ハ多ク此ノ類ニシテ穩健質實ノ目的ヲ有スルモノハ殆ント皆無ノ情況ニシテ殊ニ最近警備力ノ充實ト不穩企劃ノ檢擧トニ依リ獨立運動漸次不能トナルヤ不逞者等ハ青年會又ハ基督教傳道隊ヲ組織シ若ハ學術講演會ヲ設ケ文化運動ノ名ノ下ニ巧ミニ隱語又ハ反語ヲ用ヒ排日獨立ノ思想ヲ宣傳セムト企劃セシヲ以テ苟モ併合ノ大精神ニ背反シ統治ノ方針ニ悖リ獨立ヲ主張スト認ムル結社ニ對シテハ解散ヲ命シ又不穩ノ講演ハ悉ク之ヲ禁止スルト共ニ一面弊害ナキモノニ對シテハ之カ指導誘掖ニ努メ以テ當局ノ結社及言論ニ對スル方針ヲ明示セリ由來党ヲ樹テ派ヲ結ヒ事ヲ為サムトスルハ鮮人通有ノ習弊ニシテ又同志ノ結束ナルヤ忽チ勢力爭ヲ生シ分裂倒潰スルヲ常トシ團結心ニ乏シク統一不能ナルコトモ鮮人ノ通有性タリ昨年來組織セラレタル結社モ亦此ノ例ニ漏レス組織當初ニ在リテハ熱狂的ニ基本金ヲ醵出スルモノアル等一時頗ル盛ナリシモノモ今日ニ於テハ唯名目ヲ存スルノミニテ其ノ實体ナキモノアリ又組織後間モナク内紛ヲ生シ四分五裂シ會員自ラ其ノ何レノ派ニ屬スルカヲ知ラサルモノアリ情況以上ノ如クナルモ結社殊ニ青年會中ニハ遠大ナル排日企劃ヲ目的トシテ組織セラレタル疑アルモノ尠ナカラサルヲ以テ其ノ行動ニ就テハ嚴ニ注意中

十

三、在外朝鮮人ノ動靜

(一)西伯利及滿洲地方居住不逞鮮人ノ行動

イ、歐洲戰乱勃發前ニ於ケル不逞鮮人ノ行動

西伯利及滿洲地方不逞鮮人ノ首領ハ併合前ニ於テ帝國ノ勢威日ニ加ハルヲ慨シ若ハ併合後ニ於テ國家ノ亡滅ヲ憤リ同地方ヘ移住セシモノニシテ多クハ新智識ヲ有セサル頑迷ノ徒ニ屬ス而シテ同地方ニ於ケル不逞鮮人李東輝、李剛、金夏錫、金致寶等ハ露領浦潮ニ本據シ文昌範ハ「ニコリスク」ニ李範允、洪範圖、崔才亨ハ煙秋地方ニ在住シ又滿洲地方ニ在リテハ吳春先、李明淳、黃丙吉等ハ琿春、柳東說、鄭安立、孟東田、劉一優、李鐸等ハ吉林、趙孟善、車道善、李始榮等ハ西間島、柳河縣三源浦地方ヲ本據トシ常ニ祖國ノ恢興ヲ叫ヒ浦潮ニ於テハ勸業新聞ヲ發行シ其ノ他不穩出版物ヲ頒布シテ排日思想ノ普傳ニ努メ機會アル每ニ兵ヲ擧ケテ帝國ノ勢力ヲ半島ヨリ驅逐シ祖國ヲ恢復スヘシ等過激ノ言動ヲ絶タサリシカ此ノ傾向ハ歐洲大戰ノ勃發後倍々熾烈トナレリ

ロ、歐洲戰乱勃發後ニ於ケル不逞鮮人ノ行動

露國過激派ノ勃興ニ依リ西伯利一帶ノ擾乱ヲ見ルニ至ルヤ露領在住排日不逞ノ輩ハ好機到レリト為シ諸方ニ檄ヲ飛ハシ滿洲地方在住ノ同志ト協力シ獨墺俘虜ト結ヒ或ハ過激派ト通シ依テ以テ其ノ年來ノ宿望ヲ達セムト企圖セシモ事豫測ニ反シ我軍ノ派遣ニ依リ過激派ハ一敗地ニ塗レ我軍ノ長驅「ハバロフスク」ヲ占領シ「ブラゴウエシチエンスク」ヲ陷レ忽ニシテ沿海、黑龍州方面鎭定ニ歸スルヤ排日鮮人等ハ滿洲地方ニ逃竄シ或ハ僞ニ良民ヲ裝フニ至リ終ニ彼等ノ企畫ハ全然画餅ニ歸セシカ更ニ「チエツク、スロバツク」軍ハ列國ノ同情ト援助ニ依リ獨立ヲ宣スルヤ彼等不逞鮮人ハ「チエツク」ノ境遇ヲ自己ニ對照シ縦令亡國ノ民ト雖時機至ラハ再ヒ獨立シ得ヘキヲ確信シ「吾人ハ宜シク時機ノ至ルヲ俟ツヘシ幾千百年ヲ經ルモ決シテ祖國復興ノ精神ヲ抛ツヘカラス須ラク「チエツク」ニ學フヘシ」ト稱シ依然トシテ排日思想ノ鼓吹ニ努メツツアリシカ獨逸ノ屈伏ト共ニ平和來ノ聲起リ同時ニ米國大統領ニ依テ唱道セラレタル民族自決主義ハ各地鮮人ノ思想ニ至大ノ影響ヲ及ホシ曩ニ獨逸ニ於テ事ヲ成サムト期セシ排日鮮人等ハ米國ノ同情ニ訴ヘ其ノ後援ニ依テ彼等ノ目的ヲ達スヘシト為シ獨立ノ聲ハ熾ニ各地鮮人間ニ高唱セラレ競フテ代表者ヲ佛國ニ於ケル講和會議ニ派遣セムトシ試ミタルモ遂ニ其ノ目的ヲ果ササリシカ要スルニ民族自決ノ標語ハ排日鮮人ト否ラサルトヲ問ハス一種ノ希望ヲ抱カシムルニ

至リ民心漸次険悪ニ陥ルニ至レリ又曩ニ浦潮新韓村ニ於テ発刊シツツアリシ勧業新聞ハ大正三年九月我官憲ヨリノ交渉ニテ露國官憲ヨリ発行禁止ヲ命セラレシカ其ノ後大正六年三月露國ノ大革命ニ伴ヒ言論結社ノ自由ヲ得ルニ至リ「ニコリスク」ニ於テ韓族會ノ組織成ルヤ其ノ機関トシテ青邱新報（後ニ韓族公報ト改題ス）及浦潮ニ於テ韓族新報ナル諺字週刊新聞ヲ発行シ頻リニ韓國ノ再興ヲ呼號シ排日思想ノ鼓吹ニ努メツツアリシカ昨大正八年末頃ヨリ孰レモ財政困難ノ為中止スルニ至レリト謂フ

八、朝鮮騒擾勃発後ニ於ケル不逞鮮人ノ行動

三

大正八年三月天道教主孫秉凞等カ京城ニ於テ獨立宣言ヲ為シ亞テ全道各地ニ於テ騒擾ヲ惹起スルヤ露支領各地排日鮮人ハ之ニ響應シ露領ニ於テハ浦潮「ニコリスク」「スパースコエ」「ラドドリノエ」等ノ各地ニ於テ又満洲殊ニ間島ニ於テハ所在多衆集合シテ示威運動ヲ行ヒ各種ノ結社ヲ組織シテ鮮内地ノ不逞者ト連絡ヲ保持シ運動ヲ継續セリ而シテ露領在住排日鮮人ハ我派遣軍ノ監視厳重ナルヨリ行動意ノ如クナラス漸次支那領ニ適入シ其ノ後排日鮮人中ノ武断派タル李東輝洪範圖李範允、文昌範ノ首領ハ兵ヲ擧ケテ朝鮮ニ侵入シ獨立ノ目的ヲ達スヘシト企畫セルヤノ情報頻々タルモ徒ラニ聲ノミ大ニシテ未タ何等具体的方策ノ樹立セルヲ聞カサリシカ大正八年八月下旬ニ至リ彼等不逞鮮人ハ米國ニ於テ開催セラルル國際聯盟會議ニ對シ朝鮮ノ獨立ヲ要望スヘシト為シ此ノ目的ヲ達スル為ニハ同會議開催前ニ於テ朝鮮内ニ侵入シ武力的示威運動ヲ決行シ世界ノ輿論ニ訴ヘ以テ獨立ノ目的ヲ達成セムトスル意圖ノ下ニ各種ノ流言蜚語ヲ流布シ人心ノ煽動ニ努メ又軍資金ノ徴集武器ノ蒐集或ハ兵員ノ訓練等ニ奔走シツツアルノ情況ニシテ當初此ノ國境侵入企畫ニ就テハ上海ノ所謂假政府側ノ反對アリシカ其ノ後ニ於テ上海派モ大勢温和手段ヲ以テシテハ到底輿論喚起ノ效果ヲ收メ得サルヲ認メ遂ニ武断主義ニ同意スルニ至リ一致協力シ本企畫ヲ遂行スルニ決セリ

四　ロ

二、最近ニ於ケル不逞鮮人ノ行動

(一)露領方面

イ、浦潮地方

浦潮地方ニ於ケル不逞鮮人ハ本年一月ノ政変ニ於テ過激派ヲ背景トセル臨時政府ノ成立以来之ト密接ノ聯絡ヲ保チ之カ援助ノ下ニ兵器ヲ蒐集シ或ハ兵丁ノ訓練ヲ露國軍隊ニ委託スル等多大ナル便宜ヲ得ルニ至リシヨリ氣勢頓ニ昂

リ我密偵諜者及親日者ヲ殺害シ甚シキハ我憲兵ノ巡察途中ヲ擁シテ射撃スル等漸次兇暴ヲ逞フスルニ至レリ茲ニ於テ我浦潮派遣軍司令官ハ之カ取締ノ目的ヲ達セムカ為所要條件ヲ臨時政府首脳者ニ提議シ既ニ協定ヲ見ムトスルニ際シ四月四日過激派軍ハ突然我兵ニ挑戦シ實彈ヲ發射セシヨリ我軍ハ直ニ之ニ應戦シ遂ニ過激派軍ノ武装ヲ解除セシムルニ至レリ此ノ時ニ方リ我憲兵ハ派遣軍ノ援助ヲ得テ排日鮮人ノ巣窟タル新韓村ヲ襲ヒ不逞鮮人五十一名ヲ檢擧シ彼等ノ勢力ヲ根底ヨリ破壊シタリ

五

爾來我カ官憲ハ極力鮮人ノ指導啓發ニ努メ無料療養所ノ設備教育上ノ施設等在住鮮人ノ幸福増進ニ全力ヲ傾注シツツアルカ四月十三日同地朝鮮人家主等會合協議ノ結果親日的民會ヲ組織シ又檢擧當時逃走セシ不逞者モ漸次歸順シテ其ノ住所ニ歸來スルニ至レル等形勢槪ネ平穏ナリ

ロ、「ニコリスク」地方

「ニコリスク」地方ハ曩ニ大韓民會ノ解散ヲ命セラレシ以來不逞鮮人ハ一時鋒芒ヲ收メ何等行動ノ見ルヘキモノナカリシカ浦潮ト同様政變後再ヒ擡頭シ本年三月遂ニ大韓民會ヲ復興シ排日ノ巨頭タル元上海假政府財務總長タリシ崔才亨ハ金利稷黄景燮嚴周弼等ト謀リ旺ニ排日ヲ皷吹シ我カ守備隊ニ對シ危害ヲ加ヘムコトヲ企ツル等横暴其ノ極ニ達シタリシモ浦潮ニ於ケル過激派軍ノ武装解除ニ伴ヒ尼市ニ於テモ之ヲ断行スルニ至リ同地憲兵ハ派遣歩兵隊ノ援助ヲ得テ排日鮮人ノ家宅捜索ヲ行ヒ七十六名ヲ得檢擧逮捕シ一應取調ノ上他之ヲ釋放シ前記四名ノミヲ依然抑留スルコトトセシカ偶々同地憲兵隊廳舍ノ移轉ヲ行フニ當リ該四名ハ逃走ヲ企テ地

六

形ヲ熟知セルヲ奇貨トシ巧ニ疾走スルヨリ憲兵ハ遂ニ之ヲ射殺セリ爾來在住鮮人ハ排日ノ中心人物ヲ失ヒ一時去就ニ迷フノ情態ニアリシカ此ノ際日本軍ニ倚ルヲ最モ安全ナリト思惟シ我軍ニ保護方ヲ願出ツル者漸次其ノ数ヲ増加シ遂ニ五月一日我官憲指導ノ下ニ鮮人民會ヲ組織スルニ至レリ

ハ、武市地方

「ブラゴウエレチエンスク」即チ武市地方ハ我軍ノ撤退後排日ノ巨頭元上海假政府交通總長タリシ文昌範ハ本年四月豫テ浦潮ニ設置シアリタル國民議會事務所ヲ同

地ニ移シ露國共産黨政府援助ノ下ニ軍隊ノ編成、新聞ノ發行ヲ企圖シツツアリテ近ク自由報ト稱スル週刊諺文新聞ヲ發刊スル筈ナリト本會ノ主ナル役員ハ會長文昌範、秘書呉昌煥、評議長金夏錫、軍務部長呉「フリストフオル」ニシテ目下同會所屬ノ軍隊ハ「ナイン」驛ニ約六十名、亜市ニ四百名、武市ニ七十名、其ノ他尼港方面ヨリ亜市ニ到着セル者約五百名計千有餘名ノ外「イルクーツク」支部ニ屬スル者約千五百名アリト謂フ又同市「アメリカンスキー」街ニ崔泰一主宰ノ下ニ韓人共産黨委員會ナルモノ組織シ同シク

七

過激派政府ノ援助ヲ受ケ最近新世界ト稱スル諺文新聞ヲ發行シ其ノ他鮮支文ノ印刷物ニ依リ盛ナ排日宣傳ヲ行ヒ尚目下日本文ノ宣傳書ヲ調製中ナリト謂フ同會員ハ現在二百名アリ主ナル役員ハ會長崔泰一、副會長林成春、議事部長張道定、通信部長金震、外交員兼露文秘書朴イワン、飜譯員呉成默ニシテ何レモ浦潮ヨリ逃レ來リタル者ニシテ別ニ全會ノ附屬トシテ國東學校ナルモノヲ設ケ排日思想ノ鼓吹ニ努メツツアルカ本會ハ曩ニ浦潮ニ於テ活動シツツアリシ韓人社會黨ノ變身ナラムト思惟セラル

六、蘇城地方

蘇城方面ニ於テハ本年三月頃迄琿春及汪清地方ニ於テ新民團長トシテ不逞行動ニ餘念ナカリシ金圭冕ノ同地ニ來到以來同志ノ糾合ニ努メツツアリシカ最近鄭在寬等ト共ニ馬賊防禦ヲ標榜シテ壯丁ヲ集メ兵器ヲ準備シ之ヲ滄海青年團ト稱シ不逞行動ヲナシツツアリ役員ノ主ナル者ハ團長金圭冕、總指揮官金敎天、參謀長鄭在寬ニシテ蘇城ヲ「ウヂミ」區「チックン」區「シニヨンゴー」區ノ三區ニ分チ各區ニ指揮官、參謀、兵員ヲ配置シ密ニ露國過激派ト結ヒ時機到來ヲ俟チツツアリト

敍上ノ如ク露領方面ニ於テハ浦潮「ニコリスク」地方ハ曩ニ過激派ノ武裝解除ニ伴ヒ排日鮮人ノ大檢擧ヲ行ヒシヨリ我官憲ハ鋭意懷柔保護ニ努メツツアルヲ以テ漸次平穩ナル傾向ヲ呈スルニ至レルカ如キ情況ニ在リト雖漸ク我官憲ノ恩義ニ狃レ裏面ニ於テ排日的言動ヲ弄スルノ徒ナキニアラス殊ニ一度我派遣軍ノ引揚ニ遭遇セシカ親日者ハ必スヤ不逞鮮人ノ迫害ヲ被ルコトアルヘキヲ虞レ其ノ態度ノ鮮明ヲ缺クモノ等アリ既ニ武市地方ノ如キ我軍ノ撤退後不逞輩ノ過激派政府後援ノ下ニ

再ヒ擡頭セムトスルノ情報アルカ如キ現在ニ於テハ我派遣軍ノ威力ニ依リ僅ニ小康ヲ保チアルモノト觀ルヲ得ムカ

(二) 吉奉方面

イ、哈爾賓地方

ハルピン地方在住鮮人ハ近來親日的傾向ヲ呈シ來リ内鮮人間ノ融和極メテ良好ナリ現ニ四月二十八日李王世子殿下御婚儀當日ノ如キ内鮮人両居留民會長発起トナリテ合同祝賀會ヲ催シタルニ有志者百数十名參會シ和氣靄々裡ニ閉會セルカ此ノ席上ニ於テ鮮人等ハ日本カ一視同仁ノ聖旨ニ基キ朝鮮ノ内外ヲ

九

論セス一般ニ鮮人ヲ愛護スルモノナルコトヲ語リ往々無頼ノ徒輩カ不逞行動ニ出ツルコトヲ恥辱トシ我等ハ誠實ニ日本官憲ノ命ニ服從スルコトヲ誓言セリト殊ニ其ノ後露國歸化鮮人ニシテ日本ニ復籍セムコトヲ申出ツル者尠カラサルノ狀況ニアリ

ロ、奉天方面

奉天ニ於テハ曩ニ鄭炳朝ヲ會長トセル朝鮮人會ノ解散後同地帝國總領事ハ内鮮人相互ノ聯絡ヲ緊密ニスル目的ヲ以テ本年三月朝鮮人協會ヲ組織シ役員ノ選擧規約ノ設定ヲ為シタリ而シテ從來朝鮮人會ニ於テ取扱ヒタル行政事項ハ凡テ之ヲ内地人側居留民會ニ合併シ協會長ハ内地人側民會長ヲシテ之ヲ兼ネシメ副會長以下ノ各役員ハ姑ク總領事ニ委スルコトトシ爾來朝鮮人ハ能ク我官憲ノ指導ニ信頼シ内鮮人間ノ聯絡融和ハ漸次密適シツツアリテ表面獨立ヲ標榜シテ不逞行動ニ出ツルノ徒ハ全ク地ヲ掃フニ至レリ

ハ、吉林方面

吉林ニ於テハ本年一月朝鮮民會ヲ組織シ金東祐會長トナリ會員百七十餘名ヲ有シ附近各縣ニモ支部設置ノ計画アリ

一〇

テ鮮人ノ指導啓發上喜フヘキ現象ニ在リト雖未タ以テ同地方一般ノ鮮人ヲ抱擁スルニ至ラス最近ノ情報ニ依レハ同城内牛馬行華盛東ニ柳東説ヲ首領トセル不逞團軍政司ナルモノヲ組織シ團員六七百名ヲ有スト傳ヘラレ然レトモ何等著シキ行動アルヲ聞カス

(三) 琿春及間島方面

琿春及間島地方ニ於ケル不逞鮮人ハ所在各地ニ有力ナル團体ヲ組織シ露國過激派政府ノ成立以來在露不逞鮮人ト氣脈ヲ通シ同政府ノ援助ヲ受ケ武器彈藥ノ輸入ヲ圖リ隊員ヲ養成シ操練ヲ行ヒ白書隊ヲ組

ミテ各地ヲ横行闊歩シ時々鮮内地ニ對シ
武力侵襲ヲ試ミ或ハ軍資金募集ノ為良民
ヲ拉去スルカ如キ不逞ノ行動ヲ逞フシツ
ツアリ

イ、琿春地方

琿春ニ於テハ曩ニ同地方不逞鮮人ノ牛
耳ヲ採リツツアリシ黄丙吉ノ本年六月
一日病死セシ以來不逞鮮人ノ行動ニ大
打撃ヲ與ヘシト雖尚國民議會支部長李
明淳軍務部長金精等ノ徒ハ依然トシテ
不逞行動ヲ敢テシツツアリシカ最近琿
春事件ノ勃発スルヤ我カ軍隊竝警察隊
ノ出動ニ依リ琿春縣下ニ根據ヲ有スル

一一

不逞團ハ集團的行動意ノ如クナラス遂
ニ散々伍々離散セルノ情況ニ在リ

ロ、間島地方

間島ニ於ケル各不逞團ノ行動ハ其ノ後漸
次組織的ニ進行シツツアルモノノ如ク
日、支両國ノ取締徹底的ナラサリシニ乘
シ熾ニ軍資糧食及壯丁ノ徴募ヲ行ヒ一
面學校ヲ創立シテ幹部将校ノ養成ニ努
メ他地方トノ連絡ニ関シテハ上海臨時
政府ヨリハ其ノ代表委員トシテ間島ニ
最縁故ヲ有スル李鏞ヲ派遣シテ中央ト
ノ連絡ヲ緊密ニシ又西間島方面代表者
トシテ王三德露鎮方面ノ代表者トシテ

安定根ヲ特派シ東西ノ策應連絡ノ方法
ヲ講シツツアリ武力ノ充實ニ就テハ露
領方面ノ過激派ヨリ銃器彈藥ノ補充ヲ
行ヒ一面又同派ト協同動作ヲ為シタル
過激派的鮮人其ノ他不良ノ徒ヲ盛ニ移
入シ又宣傳ノ方法ニ依リテ支那官憲ノ
取締ヲ牽制スルト共ニ一般鮮人ノ獨立
心ヲ喚起誘導シツツアルカ今其ノ團体
ノ主ナルモノヲ擧クレハ

(1)國民會、國民會ハ汪清縣志仁郷依蘭
溝ニ根據シ具春先ノ統率スル團体ニシ
テ會員ノ大部ハ耶蘇教徒ナリ本會ハ間
島ニ於ケル韓族獨立運動勃発當時ヨリ

二

成立セシモノニシテ彼ノ懇民會ノ後身
トモ見ルヘク根底最深ク間島到ル處ニ
會員ヲ有シ夙ニ上海假政府ト連絡ヲ保
チ各地ニ其ノ支部ヲ設ケ専ラ行政方面
ヲ擔當シ比較的穏健派ナリシカ近時會
員統率上ノ必要ニ迫ラレ隊員ヲ備フル
コトトナリ純然タル武力團体ニ化スル
ニ至レリ

(2)軍政署、軍政署ハ汪清縣春明郷西大
坡ニ根據シ徐一ノ統率スル團体ニシテ
其ノ會員ノ大部ハ檀君教徒タリ初メ正
義團ト稱シ現今北間島内ニ於ケル最有
力ナル武力團体ニシテ過激派ト連絡ヲ

有シ其ノ行動亦兇暴ナルカ如ク絶ヘス鮮内地ニ對シテハ武力侵襲ヲ揚言シツヽアリ大正九年三月以降咸北穩城方面ニ來襲シタル不逞團中ニハ本團体員ノ參加シアリタルハ事實ナリ尚根據地附近ニハ武官學校ヲ設置シ青壯年者ヲ强徵シテ一面幹部ヲ養生スルト共ニ頻リニ兵員ノ充實ニ努力シアルヲ以テ現役以外所謂在鄕軍人ニ相當スルモノヲ地方各地ニ散在セシメ一旦有事ノ際ハ命令一下動員召集ヲ爲シ得ルモノヽ如シ

(3)光復團　光復團ハ汪清縣春明鄕大坎子ニ根據シ李範允ノ統率スル團体ニシテ團員ノ多クハ孔教會教徒ナリ大韓帝國ノ復辟ヲ企圖スルモノニシテ上海假政府系統ノ國民會トハ全然主義相容レサルモノニシテ其ノ勢力ハ汪清縣ノ西部及延吉縣ノ中部ニ局限セラレ他團体ニ比シ勢力稍振ハサルカ如キモ近時著シク膨脹スルニ至レリ

(4)軍務都督府　軍務都督府ハ汪清縣春華鄕鳳梧洞ニ根據シ崔明祿ノ統率スル團体ニシテ會員ノ多クハ光復團ト同シク孔教會教徒ナリ其ノ行動軍務署ト共ニ過激派的色彩ヲ有シ常ニ國境侵襲ヲ企圖シ大正九年三月以降穩城方面ニ來

三

襲シタル不逞團ノ大部ハ本團体ニ屬ス

(5)義軍團　義軍團ハ汪清縣春華鄕嘆呀河ニ根據シ方渭龍ノ統率セル團体ニシテ嘗テ洪範圖ノ一派ト相提携シタルモ近時之ト分離シ專ラ鮮内地武力侵襲ヲ主義トシ其ノ行動必スシモ上海假政府ノ命ヲ俟タサルモノヽ如シ

(6)大韓獨立軍　大韓獨立軍ハ延吉縣明月溝ニ根據シ洪範圖ノ統率スル團体ニシテ國民會ト相提携シ漸次他團体ノ勢力ヲ蠶食シテ優勢トナレリ最近國民會ト共同シテ根據地附近ニ武官學校ヲ設立シ士官並隊員ノ養成ニ着手シタルモノヽ如シ

(7)新民團　新民團ハ汪清縣春華鄕上石峴ニ根據シ金準根ノ統率スル團体ニシテ團員ノ多クハ基督教徒ニシテ他團体ニ比シ其ノ勢力稍振ハサルモノヽ如シ

以上七團体ハ何レモ武力ヲ有スル團体ニシテ大正九年八月ノ現在隊員ノ總數三千五百名軍銃亦之カ相當數ヲ有シ其ノ勢力侮ルヘカラサルモノアリ

(四)西間島地方

西間島卽チ白頭山以西鴨綠江對岸地方ニ於テモ琿春及間島地方ト同シク種々ナル結社ヲ組織シ何レモ多數ノ團員ヲ擁シ軍

四

資金ノ强要通行人ノ検査ヲ行ヒ熾ニ鮮地侵入ヲ揚言シテ氣勢ヲ昂ケツツアリシカ曩ニ奉天ヨリ派遣セル二個ノ捜査班ノ為ニ首領白三奎安東瓚及各地支團長等ハ多数不逞者ノ或ハ逮捕セラレ或ハ射殺セラレテヨリ目下僅ニ韓族會及獨立團ノ外之等残党ノ所々ニ蠢動スル而已ニシテ渾春及間島地方ト異リ武器甚タ僅少ニシテ武力團体トシテハ殆ト其ノ勢力ノ認ムヘキモノナク現在ニ於ケル各團体ノ情況ヲ擧クレハ左ノ如シ

(1)獨立團、 独立團ハ初ノ通化縣哈呢河ニ根據シ後柳河縣三源浦ニ移リ同志ノ不逞

者ヲ糾合シ朴長浩(一名華簾)ヲ團長ニ趙孟善ヲ總裁ニ仰キ其ノ勢力範圍ハ殆ト西間島地方ノ大部ニ及ヒ最活動セル團体ニシテ其ノ後新民會暗殺團等ヲ併合シ各地ニ學校ヲ設ケ武力養成ニ努メツツアリテ其ノ勢力侮ルヘカラサルヲ示セシモ團員ノ兇暴ト共産主義的ナルハ漸次移住鮮人ニ嫌忌セラレ目下其ノ根據ヲ輯安縣覇王槽ヨリ四平街ニ轉移シ凋落ノ情態ニ在リ

(2)韓族會、 韓族會ハ通化縣哈呢河ニ在リシ扶民團及新興學友團ノ後身ニシテ柳河縣三源浦ニ根據シ李鐸ノ統率スル團体ニシテ極力武力對抗ヲ以テ獨立ヲ達成セムト各地ニ支部ヲ設ケ獨立團及軍備團ト共ニ西間島ニ於ケル最勢力アル團体ナリシカ曩ニ満洲保民會長崔晶奎及支那巡警ノ為ニ襲撃セラレ四散潰走シ其ノ後漸次集合約数百名ノ團体トナリ依然トシテ各地ヲ横行シ不逞ノ行動ヲ逞フシツツアリシモ再ヒ捜査班ノ為ニ其ノ根據ヲ襲ハレ首領李鐸等逃竄シ目下僅ニ残骸ヲ止ムルノミ

(3)大韓獨立軍備團、 大韓獨立軍備團ハ長白縣十七道溝ニ根據シ李泰杰ノ統率スル團体ニシテ一味ノ徒約三百名一時ハ其ノ勢力韓族會及獨立團ト並稱セラレシモ其

ノ後委靡振ハス幹部中ノ李東白及金燦ノ徒等頻リニ武力侵入ヲ揚言シテ良民ヨリ軍資ノ強徴ヲ敢テセルカ如キモ徒ラニ聲言ノミニシテ其ノ實行ハ覺束ナキカ如シ

(4)中興團、 中興團ハ韓族會ノ分身ニシテ通化縣七道溝ニ根據シ白寅均(別名雲樵又ハ雲岑)ノ統率スル團体ニシテ其ノ勢力範圍ハ通化縣南部及輯安縣内老嶺以南ノ地帯トス而シテ其ノ主義ハ鮮地侵入ヲ企圖スル過激主義ヲ標榜スルモ輯安縣地方ノ團員ハ多ク脅迫ニ依リ已ムヲ得ス加入シタルモノニシテ曩ニ捜査班ノ同地方ニ至ルヤ大ニ帰順ノ意ヲ表シ捜査上多大ノ便宜

ヲ與ヘシ事實アリ

(5)、武士團　武士團ハ撫松縣花開山ニ根據シ金星奎ヲ團長ニ尹世復ヲ總務トスル團体ニシテ撫松、安図両縣内ヲ其ノ勢力範囲トシテ目下尚盛ニ團員ノ募集ニ努メツツアリト謂フ

(6)、鄕約團　鄕約團ハ寬甸縣小雅河ニ根據シ柳麟錫ノ高弟ニシテ有名ナル義庵集ヲ編纂セシ白三奎ノ統率スル團体ニシテ極カ李王家ノ再興ヲ企図スル帝王主義ヲ標榜シ其ノ行動穏和ニシテ輿論ニ訴ヘテ其ノ目的ヲ達セムトスルモノニシテ殊ニ支那官民ニ対スル排日宣傳ニ努力シツツア

一七

リシカ首領白三奎ハ曩ニ捜査班ノ為ニ逮捕射殺セラレシ後主宰者ナク自然潰滅ノ外ナキニ立至レリ

(7)、大韓青年團及平安北道督辦府　大韓青年團及平安北道督辦府ハ一見異種團体タルカ如キモ其ノ實勢力ノ誇張ト他ヲ欺クノ手段ニシテ全ク異名同体ナリ初メ平安南北道出身ノ青年ヲ以テ安東縣旧市街ニ組織シタルモノニシテ後寬甸縣香爐溝ヨリ紅通溝ニ根據ヲ移シ青年團長安秉瓚督辦ニ趙秉準ヲ推任シ常ニ安東縣怡隆洋行内ニ潜在スル同志及上海假政府ト氣脈ヲ通シ大韓青年報ナル機関紙ヲ發行シテ獨立

思想ノ普傳ニ努メ独立資金ヲ強募シテ不逞ノ行動ヲ敢テシツツアリタルモノニシテ平安北道碧潼、昌城、朔州及義州ノ各郡ニ侵入シ暴悪ヲ逞フスルハ多ク本團体中ノ暗殺隊員ノ行為ニシテ鮮地ニ於ケル各青年團及倶樂部等ト隠密連絡ヲ保持セルカ曩ニ捜査班ノ為ニ其ノ根據ヲ覆サレ有力ナル幹部ハ殆ト逮捕又ハ射殺セラレ再ヒ起ツ能ハサルノ痛棒ヲ加ヘラレタリ

叙上各團体ハ朝鮮ノ獨立ヲ企図スルモノナリト雖主義標榜ヲ異ニシ各首領間ニハ特別ノ連繋無ク各個ノ行動ヲナスモノニシテ又獨立團、韓族會及聯合青年團ハ上海

八

假政府ト氣脈ヲ通シ居ルカ如シト雖殆ト連繋ナキカ如シ銃器ハ間島及琿春地方ニ於ケル不逞團ノ如キ精鋭ナルモノヲ所持スルハ極メテ稀ナルノミナラス其ノ數亦少ク然カモ火縄銃又ハ支那式單發銃同拳銃ニシテ甚シキハ銃丸ヲ尖端ニ結合セル模擬拳銃及模擬刀ヲ携帶セルカ如キ情況ニシテ現在ノ如キ勢力ヲ以テシテハ大集團ノ武力侵襲ノ如キハ到底企及シ能ハサル處ナルモ数名乃至十名内外ノ鼠賊的侵入ハ尚暫ク継續スルモノト觀察セラル

(二)不穩企劃ノ發見及不逞鮮人ノ檢擧

イ、間島方面、昨年九月安圖縣ニ於テ大韓民國斷指決死隊總務部長ト稱シ銃器ヲ所持セル配下數百名ヲ結束シ各地ニ檄文ヲ配布シ一般鮮人ヲ煽動シ軍資金及糧食ノ提供ヲ強要シツツアリシ黃龍起ハ間島二道溝龍興里附近ニ在ルコト確實ナリシヲ以テ九月十五日龍井村總領事館ヨリ應援警察官ヲ頭道溝分館ニ派遣シ翌十六日首謀者黃龍起、金元瑞、高泰祐ノ三名ヲ逮捕セリ次テ本年二月龍井村耶蘇教附屬中學校假校舍タル耶蘇教青年倶樂部ニ會合シテ三月一日大韓獨立宣言ノ一週年紀念日ヲ期シ龍井村ニ於テ大極旗ヲ揭ケテ獨立萬歲ヲ高唱シ示威運動ヲ擧行セムコトヲ謀議シ他ノ學生ニモ贊助ヲ求メ一面同校ノ一室ニ於テ布片ニテ大極旗九十五枚ヲ作製準備中ナルヲ發見シ其ノ首謀者タル間島耶蘇教中學校生徒池東海外六名ヲ檢擧シタリ其ノ後不逞鮮人ノ跳梁跋扈甚シキヲ以テ屢々支那官憲ニ交渉シテ其ノ取締方ヲ要求スル所アリシモ常ニ不徹底ニシテ何等効果ノ見ルヘキモノナカリシカ更ニ嚴重ナル交渉ヲ重ネシ處支那官憲モ漸ク我カ要求ヲ容レ八月二十八日在局子街混成旅步第二團長孟富德ハ步兵百二十名及機關銃隊ヲ率ヒテ局子街ヲ出發シ洪範図ノ率ユル大韓獨立軍ノ根據地タル延吉縣廟溝方面ニ又孟團長ノ部下タル王第三營長ハ別働隊步兵七十五名ヲ引率シテ具春先ノ率ユル國民會ノ根據地タル一兩溝方面ニ討伐トシテ夫々出動シ九月一日廟溝ニ到着根據地ヲ掃蕩シテ同七日帰来セシカ不逞鮮人團ハ討伐隊ノ来レルヲ知リ砲火ヲ交ユルコトナク四散逃走セシモノノ如ク其ノ際彼等不逞團ノ遺棄セシ多數ノ軍服、軍帽、書類、ミシン機械等ヲ押收シ又其ノ起工セル兵舍ヲ燒拂ヒタリ次テ九月五日別働隊ノ一部約二十名ハ和龍縣三道溝附近ニ於テ約五十名ノ不逞團ト衝突シ小銃十一挺露國製手榴彈四十四個背嚢四十一個ニ及喇叭、大極旗等ヲ押收シ四名ヲ捕虜ニセリ、同七日天寶山駐在巡警隊及守備隊ハ夾皮溝ニ於テ約三百名ノ不逞鮮人團ト衝突シ二名ヲ殪シ鐵製手榴彈一個、小銃十挺彈丸五百發背嚢十六個其ノ他軍隊用毛布書類等ヲ鹵獲シ同八日頭道溝領事分館管内長人溝十里坪附近ニ於テ支那兵約五十名ハ約百八十名ノ不逞鮮人團ト衝突シ六名ヲ殪シ支那側又二名ノ即死者ヲ出セリ次テ同十九日特派セシ支那人密偵二名ハ汪清縣西大坡ニ於ケル不逞鮮人團軍政署ノ設立セル武官學校及兵舍十一個所ニ放火シ其ノ大部ヲ烏有ニ帰セシメタリ然レトモ支那側ノ討伐ハ徒ラニ不逞

鮮人ヲ迫ニ敬レタルニ過キスシテ其ノ行動全ク誠意ヲ缺ケリ之ニ関スル事情等ハ別項ニ於テ詳述スヘシ

ロ、西間島地方、嘗テ伊藤公暗殺者安重根ノ辯護ニ從事セシ者ニテ昨年三月以降ノ騒擾ニ関與セル平安北道新義州居住辯護士安秉瓚ハ昨年六月安東縣ニ於テ大韓獨立青年團ナルモノヲ組織シ同志ヲ糾合シ上海假政府ノ行動ヲ援助スル爲運動費ヲ募集シ又假政府ノ方針ヲ徹底セシムル一策トシテ「半島青年報」ト題スル不穏ナル新聞ヲ發行シ安東ヲ中心トシ朝鮮内及奉天、間島各地ニ頒布シ且安東旧市街英國人「ジー、エル、ショウ」經營ノ怡隆洋行ナル
二
汽船取扱店ト連絡シ同團書記張子一ナルモノヲシテ同洋行汽船ニ依リ安東、上海間ヲ往復セシメ假政府ト密接ナル関係ヲ保持シツツアリテ更ニ朝鮮内ノ不逞者ト連絡シ倍々其ノ基礎ヲ鞏固ナラシメムト活動シツツアル事實ヲ發見シ新義州警察署ハ安東警務署ト協力シ八月二十九日以降不逞者十六名ヲ逮捕セリ次ニ柳河縣三源浦ヲ根據トシ附近各縣ヲ横行シ兇暴ヲ敢テセル獨立團ノ首領孟憲奎ハ昨年九月以来輯安縣太平溝小盤岔附近ニ出没シ通溝鮮人組合總支部ヲ攪亂セムト企画シ益々勢力ノ扶植ニ努メ形勢穏カナラサルモノアル折柄小盤岔組合支部長李鳳浩及外二名ヲ拉去シ之ニ資金ノ強徴團員ノ募集ニ奔走シツツアルヲ以テ安東警務署ニ於テハ十月十五日支那官憲ノ應援ヲ求メ巡警四名ト駐在巡査二名ニテ捜査隊ヲ編成シテ捜査中磊子山巓ニ於テ孟憲奎ヲ逮捕シ鳳柄ハ支那知縣衙門ニ押送シ引續キ被拉去者ヲ發見救出シタルカ當時二道溝獨立支團事務所ニ於テ多數ノ関係書類ヲ發見押収シタリ又數年前ヨリ桓仁縣ニ居住シ排日結社タル扶民團ノ經營ニ盡力シ傍ラ學校ヲ設ケ排日思想ノ鼓吹ニ努メ在住鮮人ヲ煽動シ大正六年三月桓仁城内ニ於テ暴動ヲ起シ朝鮮組合ノ組織ニ奔走シツツアリシ金潤赫及同
三
組合書記等ヲ拉去シ或ハ関係者タル李聖桂ヲ捕縛シ凌辱ヲ加フル等同地附近ニ於テ騒擾ヲ起サシメタル主謀者尹世茸及同人次男旂善ヲ昨年十二月安東警務署ニ於テ逮捕シタリ其ノ後本年ニ入リテ在満洲保民會長崔晶圭ハ濟愚教徒十六名ト支那巡警八名ト共ニ不逞鮮人ニ帰順勧誘ヲ爲サムト三月十一日輯安縣覇王槽ヘ到着シタル際恰モ同地ニ於テ獨立團及韓族會員五百餘名集合セルヲ聞キ直ニ韓族會ノ首領朴長浩及趙孟善ニ會見ヲ申込マムト同地巡警局ヘ赴キタル間ニ獨立團ノ不逞青年五六十名ハ一行中ノ濟愚教徒ヲ乱打シ暴行ヲ加ヘタルヲ以テ同行ノ

支那巡警ハ威嚇ノ目的ヲ以テ發砲シタルニ彼等ノ多数ハ潰走シ追跡ノ結果約百名ヲ逮捕シタルモ首領朴長浩及趙孟善等ハ逸早ク逃走シタリ而シテ逮捕セル多数ハ概ネ附和雷同ノ徒ニシテ且支那地主側ヨリ只管釋放ヲ哀願スルヨリ崔晶主ハ之ヲ容レ深ク誠諭シテ引揚ケタルカ其ノ際多数ノ印章及書類等ヲ押收シタリ次テ四月十一日崔晶主ハ之那巡警二名ト共ニ興京縣二道河永陵街ノ南方ニ居住セル大韓獨立復保社都總長張恭止方ヲ襲ヒ小銃二挺拳銃一挺印章四具ノ他薄冊等多数ノ書類ヲ押收シ同人ヲ逮捕シテ四月十六日本天ニ引揚ケタリ其ノ後西間島方面ニ於テモ不逞鮮人所在跋扈シ横暴ヲ逞フセルニ依リ我カ奉天總領事ハ總督府ト商議ノ上之等不逞輩ニ対スル支那側ノ誠意アル取締ヲ張巡閲使ト懇談諒解ヲ求メタル結果巡閲使ハ上田坂本両顧問ヲ各縣ニ派遣シ地方巡警ヲ指揮シテ不良鮮人來源地ノ掃滅ヲ企図セリ而シテ上田班ハ（五月十三日本天発七月二日帰奉）興京柳河海龍通化ノ各縣坂本班ハ（八月十五日安東出発八月十八日義州着）安東寛甸桓仁通化輯安臨江及長白ノ各縣ニ亘リ捜査行動ノ結果坂本班ノ逮捕セシ總人員二百七十七名内抵抗其ノ他ノ為止ムナク射殺又ハ自盡シタル者八名身柄ヲ支那官憲ニ引渡シタル者或ハ直接帝國領事館ニ交付シタル者五十七名朝鮮ニ於ケル警察署長ニ交付シタル者五名説諭放遣セシ者二百二十一名證據品トシテ押收セル銃器ハ火繩銃十三挺拳銃四挺刀劍二仕込杖一拳銃彈三模擬拳銃一挺模擬刀一ナリ上田班ノ逮捕セル總人員ハ八十八名内仰毒自殺セシ者一説諭放遣セシ者八十三名證據品トシテ銃器書類等多数ヲ押收セリ次テ安東縣居住怡隆洋行主英人「ジーエルショウ」ハ平素我國ニ對シ好意ヲ有セサルヲ公言シ又自己カ愛蘭人ニシテ境遇上朝鮮人ニ同情スルト稱シ其ノ身英國々籍ニ在リテ治外法權ヲ有スルヲ奇貨トシ不逞鮮人ヲ自宅ニ居住セシムルノミナラス上海假政府ノ交通事務局ヲ邸内ニ設ケ不逞企画ノ策源地トシ其ノ所有ノ桂林温州等ノ船舶ヲ使用シテ上海安東間ヲ航行シ不逞鮮人及爆彈銃器不穏文書ヲ輸送シテ朝鮮獨立ノ陰謀ヲ幇助シツツアリタルモノナルカ七月十一日其ノ妻子ヲ迎フル為朝鮮内ニ来レルヲ逮捕シ刑事訴追ニ附シタリ

八、奉天方面

昨年九月十五日奉天城内小南門裏天成旅館ニ於テ田誠忍ナル者爆彈炸裂ノ為爆死セシカ本件ハ九月十七日京城ニ於テ逮捕セシ總督ニ對スル兇行事件犯人姜宇奎ト關係アルヤノ疑アルヲ以テ當府及京畿道第三部ヨリ調査員ヲ派遣シ調査セシメタル

所田誠忍ハ本名李錫利ト稱シ平安南道平壤
基督教經營崇實學校ノ出身ニシテ大正二年
中平壤ニ於テ率東陽等ト共ニ國権恢復運動
ニ要スル運動資金ヲ募集スト稱シ強盗ヲ為
シ懲役五年ノ缺席判決ヲ受ケ居ル者ニシテ
本人ノ遺留品トシテ既製爆彈八個及其ノ他
爆彈製造用ノ諸材料並多数ノ書類アリテ此
等遺留品ハ既ニ支那官憲ニ押收セラレアリ
シヲ以テ我總領事及陸軍顧問町野中佐ノ手
ヲ經テ支那側ニ交渉シ之ヲ調査シタルニ該
遺留品ヨリ多数ノ關係者アルヲ發見シ各地
ニ手配ノ上朝鮮内ニ於テ本件ニ最重大ナル
關係アル李浩然ナル者ヲ逮捕セリ尚奉天
二五

ニ於テハ上海不逞鮮人ノ暗殺者三十名ヲ朝
鮮ニ送ルコトヲ決シ九月十八日鐵路朝鮮ニ
向ハシメタリトノ情報ニ接シ注意中ノ處同
二十一日瀋陽驛着京奉線列車中ニテ菓子箱
ノ中ニ隱匿セル爆彈八個遺留シアルヲ發見
セシカ該爆彈ハ上海不逞鮮人カ携帯入鮮ノ
途次奉天ニ於ケル日支官憲ノ警戒嚴重ナリ
シ為止ムナク之ヲ拋棄セシモノト認メ極力
犯人ノ捜査ニ努メシモ遂ニ判明スルニ至ラ
サリキ

二六

露領方面、浦潮ニ於テ昨年九月十四日我派
遣員ハ同地派遣憲兵ノ援助ニ依リ露國官憲
ノ了解ヲ得テ不逞鮮人ノ首魁現上海假政府

總理タル李東輝等ヲ逮捕セムト新韓村ヲ襲
ヒタルニ李東輝ハ不在ニテ之ヲ逸シタルモ
李剛外二名ヲ逮捕セリ其ノ後本年一月四日
咸鏡北道會寧朝鮮銀行出張所ヨリ間島龍井
村同銀行出張所ニ銀行券十五萬圓現送ノ途
中龍井村ノ南方東梁於口ニ於テ銃器ヲ携帯
セル不逞鮮人十数名ノ一團ハ之ヲ襲ヒ警衛
巡査及同行朝鮮人ヲ殺害シ銀行券全部ヲ奪
取逃走セルニ依リ間島派遣員及咸鏡北道第
三部ニ於テハ間島帝國總領事館ヲ援助シ極
力犯人ノ捜査ニ努メシ處間島在住不逞鮮人
尹駿熙、金剛、林國楨、金夏錫等ノ行為ナルコト
判明シタルモ彼等ハ間島奧地若ハ露領方面
二六

ニ逃走セシモノノ如ク更ニ其ノ蹤跡ヲ得サ
リシカ同廿八日林國楨、金夏錫ノ両名ハ該銀
行券ヲ携ヘ浦潮ニ潜入シ同地居住鮮人ニ對
シ軍銃二千挺ノ購入方ヲ依頼シ多額ノ報酬
ヲ約シタルコトヲ我派遣員ニ於テ之ヲ探知
シ爾來之カ逮捕ニ腐心中同三十一日同地派
遣憲兵ノ應援ヲ求メ新韓村ニ於ケル彼等ノ
巣窟ヲ襲ヒ林國楨、尹駿熙等五名ヲ逮捕シ現
金約十三萬圓及拳銃彈藥鞄等ヲ發見押收セ
リ次テ第(一)項ニ記述ノ四月四日浦潮ニ於ケ
ル不逞鮮人五十一名ノ検擧及「ニコリスク」不逞
鮮人七十七名ノ逮捕セリ尋テ崔才亨等四名
ノ射殺ヲ為シタリ次テ從來支那及露領ニ於

テ排日思想ヲ鼓吹シ不逞ノ行動ヲ敢テセシ首領秦學新(號丹山又ハ檀山)ナル者ヲ六月初浦潮憲兵隊ニ於テ逮捕取調ノ上朝鮮ニ送還セリ

(三)、間島ニ於ケル不逞團体ニ對スル支那官憲ノ態度

支那官憲ノ不逞鮮人ニ対スル従来ノ取締方針ハ主トシテ支那領土ニ於テ暴動又ハ騒擾ヲ為サシメサルニ在ルカ如ク日本ノ要求ヲ容レ誠意ヲ以テ積極的ニ掃蕩ヲ行フカ如キハ徒ニ三十萬ノ鮮人ニ敵ヲ求ムルノ結果ナルノミナラス日本側ノ傀儡トナリ幾多ノ犠牲ヲ拂ヒ而モ重大ナル國際問題ヲ惹起スルノ惧アリト思考シ

二七

居ルカ如シ往年三月龍井村ニ於ケル騒擾ニ對シ局子街南營混成旅步第二團長孟富德ハ自ラ出馬シテ強硬手段ヲ執ツテ遂ニ十餘名ヲ殪シタルコトアリシカ之ニ對スル一般鮮人ノ激昂ハ勿論支那側官民ノ非難甚シク耶蘇教宣教師等亦之ヲ北京方面ニ宣傳スルニ及ヒ外人間ノ問題喧シク為ニ孟團長ハ吉林督軍ヨリ嚴重ナル詰問ヲ受ケ狼狽シテ一般鮮人ノ緩和策ニ頗ル苦心シタリトノ説アリ

支那側カ不逞鮮人ノ掃蕩ヲ以テ國際問題ヲ惹起スルノ惧アリトナスハ畢竟不逞鮮人ヲ以テ政治犯ナリト解釋スルニ起因スルモノニシテ是不逞鮮人ニ對スル支那側ノ態度煮ヘ切ラサル根本原因ナリ本年四月初旬孟團長ノ部下カ三道溝附近ニ於テ武器ヲ有スル不逞鮮人團ト衝突シ遂ニ其ノ若干名ヲ捕虜ト為シタルコトアリタルカ之カ措置方ニ付吉林省長ニ伺ヒ出テタル處徐前省長ハ月餘ノ後訓令ヲ與ヘ即チ「武器ヲ押收シ拘留處分ニ附シタル上放免スヘシ」ト云ヒタリトノコトナリ

嘗テ又張前延吉道尹ハ間島總領事トノ會見ニ於テ自己ノ立場ヲ辨解シテ曰ク省長ノ不逞鮮人取締ニ關スル訓令ハ一、團体ヲ解散スヘシ二、武器ヲ押收スヘシ三、嚴重取締ヲ勵行スヘシト明示シアレトモ一方取締ニ際シ彼等ノ殺傷スルコトアラムカ上司ハ政治犯タル鮮民ヲ殺傷

二八

シタリトノ廉ヲ以テ曩ニ孟團長ヲ叱責シタル如ク譴責スヘク又日本側ヨリハ帝國臣民ヲ殺傷シタリトノ廉ヲ以テ提議ヲ受クヘシ如斯次第ナルヲ以テ自己ノ立場ハ最モ苦境ニ在リ御推察ヲ乞フト。アリタリトノコトナリ之ニ對シ間島總領事ハ不逞鮮人ハ政治犯ニアラス匪賊ナリ討伐ニ際シ彼等ヲ殺傷スルコトアリトモ日本側ハ何等抗議ヲ提出スルモノニ非スト述ヘ其ノ誤解ヲ解キタルコトアリ如斯支那側ニ於テハ不逞鮮人ノ取締ハ各種ノ情實纏綿シ居ルヲ以テ日本側ニ対スル誠意一片ヲ以テノミ之ヲ勵行スルコト能ハサルナリ故ニ中央ニ於テ取締ニ關スル協調ヲ得タリトスルモ直接其

ノ衛ニ當ルヘキ責任者タル道尹團長ハ勿論其ノ以下ノ軍警巡警ノ意志茲ニ向ハスムハ効ヲ收ムルコト能ハサル事情ニ在リ

（四）

不逞團体ノ取締ニ關スル日支交渉ノ顛末

間島ニ於ケル不逞團体ニ對スル取締ニ就テハ間島協約及滿蒙ニ關スル日支新條約ノ實施問題等未解決ノ爲止ムヲ得ス從來支那側ノ誠意ヲ要求シ成ルヘク其ノ責任ニ於テ之カ掃蕩ヲ期シタリシモ始メヨリ支那側ノ取締ニ充分ノ信賴ヲ置ク能ハサルコト明瞭ナリシヲ以テ先ツ三月下旬ニ於ケル武力侵襲ニ際シ支那側ニ對シテ自衛上止ムヲ得サル場合ニハ警憲並守備隊ノ越江追撃スルコトアルヘキ旨ヲ通告スル

二九

處アリ更ニ機會ヲ得テ我單獨搜查又ハ日支協同搜查ヲ提議スヘク時期ヲ俟テリ然ルニ本年四月以降不逞鮮人ノ跳梁露骨ヲ極メ商埠地在留朝鮮人ニ對シテハ軍資金ヲ強要シ若之ニ應セサルトキハ假政府軍律違反トシテ死刑ヲ宣告シ或ハ暗殺團ヲ差向フヘシ商埠地ヲ襲撃スヘシトノ情報頻々タリ三月二十九日二道溝方面ニ於テハ安大和實ハ内地人江口常作不逞鮮人ノ爲殺害セラレ又四月十六日天寶山鑛業所雇鮮人カ小包郵便物及信書等ヲ遞送中強奪セラレタル事件等アリテ内地人ノ生命財產著シク脅威ヲ感スルニ至リシヲ以テ間島總領事ノ意見ニ基キ五月中旬總督府巡查四十名ヲ龍井村領事館ニ應援トシテ派遣シ商埠地ノ警衛ニ當ラシメツツアリシカ五月十九日局子街領事分館勤務鮮人巡查李基鴻ハ局子街下市場大昌病院ニテ不逞鮮人ノ爲拳銃ヲ以テ殺害セラレシヲ以テ直ニ道尹ニ對シ犯人搜查方ヲ申入ルト共ニ我領事館警察カ同犯人搜查ノ爲商埠地外ニ渉テ單獨搜查ヲ爲スコトニ付支那側ヲシテ承認セシメ茲ニ警察官三十名乃至四十名ヲ以テ銃器携帶ノ搜查隊ヲ編成シ不逞鮮人ノ巣居ニ対シ討伐ヲ開始スルニ至レリ元來支那側ハ間島協約ヲ楯ニ取リ商埠外ニ我警察權ヲ行使スルコトニ対シ絶対ニ反対シ來リシモノナリシカ茲ニ新例ヲ造ルニ至リタルモノナリ

三〇

次テ總督府ヨリ更ニ八十名ノ應援巡查ヲ派遣シ龍井村局子街及頭道溝ノ商埠地ヲ根據トシテ三隊ノ搜查隊ヲ絶ヘス活動セシメタリ爲ニ不逞鮮人團ハ之ヲ聞キ傳ヘテ商埠地附近ニ於テハ其ノ不逞行動閉塞セシカ應援警察官ノ實數ヲ探知スルニ及ヒ再ヒ各地ニ擡頭セリ先是我領事館ハ單獨搜查ノ開始ト共ニ日支共同搜查方ヲ提議シタリシカ道尹等ハ固ク体面論ヲ持シ上司ノ訓令ナキ限リ絶対ニ承認スルコト能ハストノ主張ヲ持セリ素ヨリ斯ノ如キハ道尹等獨斷ニテ遂行スルコト能ハサルヘキハ明カナリシヲ以テ四月下旬奉天ニ於テ三省長會議アリシヲ好機トシテ總督府及軍司令部ノ代

表若並奉天總領事及關係官憲ハ奉天巡閲使張作霖及吉林鮑督軍ト相會シ日支協同捜査ノ件ヲ協議スル處アリ爾後更ニ数回會見ノ上再三交渉ヲ遂ケタルモ支那側ニ於テハ我主張ニ應セス僅ニ八月中旬支那側ノミノ討伐隊ヲ組織シ討伐ニ着手スルコトトナレリ即チ孟團長ハ自ラ其ノ手兵ヲ率ヒ八月末日先ツ和龍縣三道溝方面ニ於ケル國民會並大韓獨立軍ノ根據地ニ向ヒ其ノ兵營及武官學校ヲ燒燬シ次テ九月中旬汪清縣西大坡ニ於ケル軍政署ノ根據地ヲ衝キタリ然レトモ支那側ニハ初ヨリ闘士ナク日本再三ノ追及ニ對シ黙シ難ク止ムナク討伐ニ向ヒタルモノナレハ一旦其ノ根據地ヲ立退

三一

クヘシト不逞團ニ警告シ暗ニ無益ノ戰鬪ヲ避ケ暫ク姿ヲ奥地ニ隱スヘシト諭スカ如キ状況ナリシヲ以テ討伐ノ成績ハ單ニ明月溝並西大坡ノ兵營等ヲ燒燬シ若干ノ武器ヲ押收シ数名ヲ殪シタルニ止リ徒ニ彼等不逞團体ヲ追散シ根據地ヲ他ニ移轉セシメタルニ過キサルナリ從テ其ノ結果ハ却テ不逞鮮人ノ活動ヲ激成スルコトトナリ轉シテ支那馬賊及過激派露人ト提携シ一團ヲ組織シテ各所ニ跳梁セシムルニ至リ茲ニ間島方面不逞鮮人ノ色彩一變シ其ノ狂暴更ニ一層ノ甚シキヲ加ヘ遂ニ琿春ニ於ケル不幸ナル事件ヲ見ルニ至リタリ

(五)、琿春事件ト軍隊ノ出兵

日支共同捜査ノ件ハ前述ノ如ク容易ニ解決セサルヲ以テ一先ツ支那側ノ單獨捜査ニ委シ暫ク成行キ監視シツツアリシカ偶々琿春ニ於テ九月十二日及十月二日ノ馬賊襲來アリ之カ為我カ領事分館災禍ニ遭ヒ邦人ノ被害ヲ見ルニ至リ遂ニ事件ハ急轉直下ニ進行シ不取敢琿春ニ対シ出兵スルコトトナリ次テ間島方面ノ形勢險悪トナリ龍井村局子街頭道溝及百草溝ニ於ケル馬賊来襲ノ報頻々タルノミナラス多数ノ不逞鮮人團又何時襲撃ノ暴擧ニ出ツルヤモ計リ難キ形勢トナリシヲ以テ間島總領事ノ要求ニ基キ間島ニ対シテ亦若干ノ軍隊派遣セラレタリ

三二

然ルニ間島方面一帯ニ於ケル形勢更ニ益々險悪ヲ加ヘシヲ以テ我自衛上領事館及居留民保護ノ為少数ノ領事館警察隊並琿春先変ノ為派遣セル者及龍井村方面ノ危急ヲ救フ為臨時派遣セル少許ノ軍隊等ヲ以テシテハ到底此ノ危險ナル形勢ニ應スル事能ハサルニ付帝國政府ハ此ノ際間島方面ニ於ケル自衛上必要ナル警衛ヲ全フシ兼テ不逞鮮人及匪徒侵襲ノ禍根ヲ一掃シ以テ我接續地帯ニ対スル脅威ヲ芟除スル為必要ナル手段トシテ更ニ軍隊ヲ派遣シ此ノ不平ナル形勢ニ處スルノ外ナキヲ認メ不取敢龍井村頭道溝局子街及百草溝等ノ帝國領事館並在留帝國臣民ノ生命財産保護警備ノ為之

ニ必要ナル軍隊ヲ派遣スルニ決シ支那政府當局ニ對シ右軍隊ノ派遣ノ已ムヲ得サル理由ヲ説明シ其ノ諒解ヲ求メタリ然ルニ支那政府当局ニ於テモ我政府ノ提議ヲ諒トスルニ旨十月九日我小幡公使ニ向ツテ言明シタルニ付帝國政府ハ前記目的ノ完成ニ向テ着々其ノ歩ヲ進メツツアリタルニ越ヘテ十二日支那政府ハ十一日付公文ヲ以テ小幡公使ニ交付シ俄ニ前言ヲ飜シテ我國ノ増兵ヲ拒絶シ來レリ然レトモ間島地方一帯ノ形勢ハ刻々危急ヲ告ケ該地方ニ於ケル領事館並在留帝國臣民保護警備ノ為帝國政府ハ現ニ執リツツアル後ニ於テ之カ為中止スルコト能ハサルヲ以テ自衛上止ムヲ得サル

(六)

モノトシテ之ヲ續行スルコトニ決シタリ

上海居住不逞鮮人ノ行動

支那上海ハ由來排日鮮人ノ巣窟ニシテ米國本土及布哇地方在住排日鮮人ト朝鮮内居住排日鮮人トノ連絡中継地タルノ觀アリテ毎號輸入禁止ヲ為シツツアル排日鮮人ノ機関紙タル桑港發行ノ「新韓民報」及布哇發行ノ「國民報」等ノ如キハ従來發行地ヨリ一旦上海ニ送リ同地居住ノ申圭植李魏林等ノ手ニ依リ安東居住ノ朴洗白世彬等ニ送リ更ニ同地ヨリ巧ニ朝鮮内ニ頒布スルカ如キ事實アリ又朝鮮内地ノ青年子弟ニシテ米國及布哇ニ密渡航スル者ハ殆ト全部一旦上海ニ赴キ同地鮮人ノ斡旋ニ依リ其ノ目的ノ達シツツアリテ往々國權恢復ニ關スル不穏ノ文書ヲ朝鮮内ニ送リ民心ヲ煽動スル等絶ヘス不穏ノ行動ヲ継續シツツアリシモ未タ其ノ活動トシテ見ルヘキモノナカリシカ欧洲戰乱勃發後ニ於テ朝鮮内及在外各地居住不逞者間ニ國權恢復ノ念漸次熾烈トナリ上海ニ於テハ申圭植等主トナリ大正六年八月瑞典「ストックホルム」ニ於テ開催セラレタル萬國社會党大會ニ對シ朝鮮社會党ノ名ヲ以テ朝鮮ノ獨立ヲ要望シ爾來同地不逞者ノ活動漸次旺ニナリ以テ今日ニ至レリ

一、朝鮮騒擾ト上海居住不逞鮮人トノ關係

昨春朝鮮ニ於テ勃發セシ騒擾事件ノ原因ハ大戰ニ基ク世界的變調殊ニ民族自決主義カ鮮人一般ノ思想ニ至大ノ影響ヲ及ホシタルト大戰勃發以來倍々熾烈トナリシ在外不逞鮮人ノ独立運動カ民心ヲ刺激シタルトニ在リテ此ノ外諸種ノ原因アルヘシト雖此ノ騒擾ヲ誘發セシハ上海居住鮮人ノ煽動與ツテ力アリト稱スルヲ得ヘク或ハ騒擾ノ策源地ハ上海ニアラサルヤト思惟セラルル點アリ即チ三月一日孫秉熙以下三十三名ノ京城ニ於テ發表セシ独立宣言書署名者中ノ有力者李昇薫、梁甸伯、吉善宙等ヲ取調ヘタルニ平北方面ニ於テ孫秉熙等ノ独立企画前上海居住鮮人韓晋教ノ經營ニ係ル海松洋行内ニ居住セル平安北道定州郡出身鮮于爀ナル者ハ昨年二月初旬平安北道宣川ニ来リ同地居住牧師梁甸伯ヲ訪ヒ自己来鮮ノ要務ハ曩ニ米國大統領ニ依リ民主自決主義提唱セラルヤ民族自決ノ聲ハ歐洲各民族間ニ起リ今ヤ世界的風潮ト為レリ此ノ機會ニ於テ我朝鮮民族モ獨立運動ヲ企圖セハ必ス其ノ目的ヲ達成スルヲ得ヘク既ニ在米同胞ハ李承晩外二名ヲ代表者トシテ巴里ニ派遣セシヲ以テ上海居住同胞モ代表者差遣ノコトニ協議シツツアリシ折柄米國大統領ヨリ各國民情視察ノ為派遣セラレタル米人某博士ハ一月下旬上海ニ来リシヲ以テ博士ニ對シ朝鮮民族独立運

三五

動ニ關シ意見ヲ求メタルニ博士ハ独立運動ヲ為スニハ朝鮮人ハ日本ノ統治下ニアルコトヲ不服トスル意思ヲ世界ニ表明セサルヘカラス尚運動ニ就テハ相當ノ援助ヲ為スヘシト語レリ依テ其ノ後上海ニ於ケル同志協議ノ上當時天津ニ在リシ金圭植（京城出身者ニシテ英語ニ精通ス）ヲ巴里ニ派遣スルコトニ決定セリ故ニ此ノ際朝鮮内ニ於テハ其ノ聲ヲ大ニシ獨立運動ヲ實行スルノ要アリ又巴里派遣ノ代表者ニ対シテハ運動費ヲ醵集シ之ヲ後援スヘシト極シテ盡力ヲ乞ヒシヨリ梁ハ此ノ擧ニ賛シ努力スヘシヲ誓ヒ鮮于爀ハ轉シテ平安北道定州郡郭山居住李昇薰ヲ訪

ニ更ニ平壤ニ吉善宙及姜奎燦等ノ徒ト會シ梁甸伯ニ対スルト同様ノ言ヲ以テ運動及資金醵集ニ關シ其ノ賛成ヲ得テ上海ニ去リシカ其ノ後同人等ハ平壤ニ於テ鮮于爀ノ勧誘ニ基キ官公私立學校生徒ヲ以テ三月三日李太王國葬当日ヲ期シ獨立宣言ヲ為シ示威運動ヲ實行スルコトニ決定シ居タル際偶々天道教側ヨリ京城居住著述業崔南善ヲ介シ李昇勳ニ依リ合同運動ヲ為サムコトヲ交渉セシカハ遂ニ協同事ヲ為スコトニ變更セシモノナルコト判明セリ

又本籍黄海道載寧郡載寧面当時上海ニ居住セシ張德秀ナル者ハ（東京早稲田大學卒業後上海ニ

三六

奔リタル不逞ノ徒）二月二十日京城ニ来リ後仁川ニ潜伏セルヲ發見逮捕シ取調ヘタル處同人ハ一月中旬上海居住不逞鮮人ノ首領ニシテ當時廣東ニ旅行中ノ申圭植ヨリ「世界ノ機運ハ漸次動キツツアリ今回ノ媾和會議ハ實ニ世界ヲシテ新ラシキ歴史ニ入ラシムルモノニシテ殊ニ弱少民族ノ將來ニ光明ヲ認メシムルコト大ナリ朝鮮民族モ此ノ際無自覺ヨリ自覺ニ入リ權利ト正義トヲ主張シ世界ノ公論ニ訴フルニ最好ノ秋ナリト信ス依テ各地ニ於ケル同胞ハ此ノ際独立ヲ宣言シ運動ヲ開始スル筈ナリ然ルニ日本官憲ハ必スヤ此ノ運動ノ真相ヲ海外ニ報道スルコトヲ禁

スルヤ曖カナルヲ以テ貴下ハ日本人ヲ装ヒ東京及京城ニ赴キ運動状況ヲ上海居住趙東祐宛ニ通知セラレタシ而シテ東京ニハ留學生側ニ運動勧誘ノ為趙鏞雲ヲ派シアルヲ以テ萬事打合ヲ為スヘシ東京ノ運動ハ二月初旬、京城ハ三月初旬ニ實行セラルル豫定ナルヲ以テ東京ノ運動状況ヲ通信シタル上直ニ京城ニ赴キ情況ヲ通信スヘシトノ命ヲ受ケ一月下旬上海發二月三日頃東京ニ着シ二月十七日頃東京發渡鮮セシモノナルコト判明セリ故ニ以上ノ事實ニ依リテ觀ル時ハ平壌方面ノ耶蘇教徒等ハ孫秉熙一派ト提携スル以前ニ於テ上海不逞鮮人ノ勧説ニ依リ既

五七

ニ獨立運動ヲ實行スヘク企劃セシハ瞭ニシテ又東京鮮人留學生崔八鏞等不逞ノ徒カ在京留學生ヲ糾合シ一月六日ヨリ三日間ニ亘リ東京市神田區西小川町朝鮮基督教青年會館ニ會合シ朝鮮獨立宣言ヲ為スヘキコトヲ協議シ越ヘテ二月八日ニ至リ「朝鮮青年獨立團」ノ名ヲ以テ文字頗ル激越ヲ極メタル「民族大會召集請願書」「独立請願書」「宣言書附決議文」ナル不穏印刷物ヲ各大臣、貴衆両院議員、各國大公使及新聞雑誌社等ニ郵送シ獨立運動ヲ企テシハ上海居住不逞鮮人ノ煽動ニ基クコト瞭カナリ而シテ此ノ風潮ハ忽チ朝鮮内ニ波及シ殊ニ京城ニ於ケル學生ノ思想上ニ至大ナル刺戟ヲ與ヘタリ

之ヲ要スルニ東京及朝鮮ニ於ケル昨年ノ騒擾ハ上海在住不逞鮮人ノ煽動其ノ主因ヲ為シ孫秉熙一派ノ天道教徒ハ漸次險悪ニ陥リツツアル一般人民ノ機微ヲ察シ常ニ抱懐セル朝鮮獨立ノ非望ヲ遂クルハ正ニ斯ノ時ニ在リト為シ耶蘇教徒並佛教徒ト結ヒテ彼ノ騒擾ヲ惹起スルニ至リシモノナリ

ロ、所謂上海假政府ノ組織

上海假政府組織前同地ニハ表面鮮人ノ親睦ヲ図リ艱難相救フヲ以テ目的トスト稱シ内實ニ國權恢復ヲ目的トスル共濟會ナル秘密結社アリテ會員相互間ニハ同會ヲ革命党會

五八

員ヲ党員ト稱シ其ノ数四、五百名ニ達シ北京天津、満洲各地及露領方面ニ散在シ申檉ヲ首領ニ戴キ金圭植、呂運亨、鮮于爀、徐丙浩、趙東祐、趙鏞雲、申錫雨等ハ黨中ノ有力者ナルカ同黨ハ秘密ヲ嚴守シ黨員相互間ニ於テモ黨員タルコトヲ知ラス又相識ノ黨員間ニ於テモ其ノ任務ヲ口外セサルコトトナリ居ル由ニテ其ノ他ノ内情ニ至リテハ更ニ明ナラサラシカ所謂假政府ノ組織ハ之等ノ徒輩ニ依リテ企画セラレタルモノノ如シ而シテ昨年三月一日孫秉熙等ノ民族代表トシテ朝鮮ノ獨立ヲ發表スルヤ上海ニ於テモ講和會議ニ對シ大々的運動ヲ開始スヘキコトヲ議シ次テ朝鮮ヨリ

李光洙等ノ徒續々トシテ上海ニ至リ其ノ他在外各地ヨリモ同地ニ集マル者倍々増加シ三月前ニハ同地居住鮮人三百名内外ナリシモノ四月中旬ニ入リテハ約一千名ヲ算スルニ至レリト謂フ

斯クテ上海不逞者ノ活動漸次旺盛トナルニ從ヒ「上海高麗僑民親睦會」ナルモノヲ組織シ會員約三百餘名、申錫雨會長トナリ呂運亨之カ總務タリ而シテ之カ宣傳機関トシテ「我等ノ消息」ナル謄寫版摺印刷物ヲ發行スルニ至リシカ當時南京留學中ノ金弘叙来リテ其ノ主筆トナリ頻リニ不穏ノ文辞ヲ羅列シテ毒筆ヲ弄セリ此ノ時ニ當リ玄楯、孫貞道、呂運亨 五九

鮮于爀、李光洙、申圭植、徐丙浩、韓鎮教、金徹等ノ主謀ニ依リ所謂假政府組織ノ議ヲ進メツツアリシカ五月安昌浩米國ヨリ上海ニ來ルニ迨ムテ假政府ノ組織成リ閣員ヲ定メ次テ大韓民國議政院法ナルモノヲ制定シ同地居住者中ヨリ各道代議員ナルモノ三十三名ヲ選擧シ孫貞道ヲ議長ニ申檉ヲ副議長ニ擧ケ別紙ノ如キ大韓民國臨時憲章ナルモノヲ發表セリ是所謂假政府組織ノ始ニシテ當時ノ閣員及各道代議員ハ左ノ如シ

假政府閣員

國務總理	李承晩
内務總長	安昌浩
外務總長	金奎植
法務總長	李始榮
財務總長	崔才亨
軍務總長	李東輝
交通總長	文昌範

各道代議員

京畿道　忠清南道　慶尚南北道　江原道　咸鏡南北道　黄海道　平安南道　平安北道　支那領　米領　露領

申錫雨　李起龍　洪冕熹　兪政根　柳璟煥　金正默　李駿耿　李春塾　康偉健　金甫淵　孫貞道　金秉祚　曹成煥　鄭仁果　趙琬九

鄭大鎬　申檉　白南奎　金東瀅　朴容珏　洪濤　朴鳳來　李致晙　金鉉軾　李元翼　黄公浩　申采浩

呉義善　李命教　金昌淑　宋世浩　張道成　孫斗煥　李喜敬　李光洙

八、假政府組織後ノ行動

上海假政府閣員ノ發表ト同時ニ京城ニ於テモ所謂漢城政府閣員ノ發表ヲ見タルヲ以テ上海假政府ハ民意尊重殊ニ鮮内ノ人心收攬上漢城政府ノ閣員ニ從フコトトシテ左ノ如ク

改造セリ

執政官總裁 李東輝
外務總長 朴容萬
内務總長 李東寧
軍務總長 盧伯麟
財務總長 李始榮
法務總長 申奎植
學務總長 金奎植
交通總長 文昌範
勞働局總辦 安昌浩
參謀部總長 柳東説

然ルニ李承晩、金奎植、盧伯麟等ハ米國ニ在リテ來ラス朴容萬亦北京ヨリ南下セス柳東説

四二

ハ哈爾賓方面ニ留リ文昌範ハ一時赤塔等ノ勸誘ニ依リテ上海ニ來リシモ李承晩ノ大統領ニ不平ヲ抱キ閣員ニ列スルヲ欲セスト稱シテ露領ニ去ルニ至レリ

當時假政府ハ佛租界霞飛路三百二十一號ニ設ケ朝鮮獨立ノ運動ニ腐心セシカ時恰モ救國冒険團ナルモノ組織セラレ其ノ標榜スル處文字ノ如ク険ヲ冒スモ政府ノ命令ニハ絶對服從シテ國事ニ奔走スルニ在リト稱シ呂運亨推サレテ團長トナリ團員約四十名位置ヲ佛租界長濱路愛仁里十四號ニ定メ英國人及支那人各一名ヲ教師トシテ招聘シ團員ヲシテ爆彈ノ製造法ヲ學ハシメ第一回（自大正八年六月至同年八月）修習者二十四名第二回（自大正八年七月至同年九月）ニハ金聲根外七名ノ修得者ヲ出セリト謂フ

然ルニ同年十月ニ至リ彼等ノ行動稍激烈ヲ加フルヤ我官憲ノ交渉ニ依リ同地佛國領事ハ所謂假政府ノ解散ヲ命シ其ノ機関紙タル獨立新聞ノ發行ヲ禁止セシカハ彼等不逞輩ノ策源地ハ覆サレタルノ觀アリト雖是單ニ表面一片ノ辞令ニ過キスシテ未タ其ノ効果徹底スルニ至ラス其ノ後公然門標ヲ揭ケスト雖各所ニ假政府各部ヲ分設シ密ニ謀議ヲ凝シツツアリ又新聞獨立ハ改題シテ發行ヲ繼續スルノミナラス更ニ新大韓ナル一新聞ヲ増刊シ以前ニ倍シ盛ニ不穩ノ言辞ヲ以テ

四三

民心ノ煽動ニ努メツツアリシカ偶々呂運亨ノ東京ニ向フヤ從來ノ李東輝派及安昌浩派ノ暗闘ハ表面ニ擡頭シ議論百出遂ニ國民大會ヲ開キテ呂運亨排斥檄ヲ飛ハスアリシニ反シテ呂運亨ヲ庇護スルアリ兩派互ニ爭フテ下ラサリシモ其ノ後東京ニ於ケル呂ノ行動ト同人ノ歸來報告等ニ依リ稍一段ノ諒解ヲ得ルニ至リタリ

六 假政府部内ノ黨爭

元來上海居住鮮人ハ露領及間島地方居住排日鮮人ニ比シ比較的新智識ヲ有シ世界ノ大勢ニ通スル者アルヨリ之ト思想ヲ同フスル米國及米領布哇地方鮮人ト結ヒ過激ノ行動

ヲ避ケ朝鮮人カ帝國ノ統治下ニ在ルヲ喜ハス獨立ノ意思ヲ表明シ其ノ聲ヲ大ニシテ以テ列國殊ニ米國ノ同情ニ訴ヘ其ノ後援ヲ得テ獨立ノ目的ヲ達成スヘシト主張シ安昌浩ヲ首領トシ李東輝ノ率ユル武断派カ露國過激派ト結ヒ事ヲ擧ケムト主張スルニ対シ列強ノ嫌忌セル過激派ト結フハ却テ世界ノ同情ヲ失シ自ラ窮地ニ陷ルモノナリト反對シ露領及間島方面ニ於ケル不逞鮮人ハ新智識ヲ有セサル頑固ノ徒輩其ノ多数ヲ占メ安昌浩ノ所謂文治主義ニ對シ李東輝ヲ首領トシ洪範圖文昌範李範允等ハ従來ヨリ過激ナル武断主義ヲ主張シ昨春ノ騒擾後ニ於テモ兵

四三

ヲ擧ケテ朝鮮侵入ヲ企テ上海派ト意見ヲ異ニシ両着相容レス假政府閣員ノ如キ露領及間島方面ノ有力者ヲ列擧シアルニ止マリ假政府ト此ノ地方排日鮮人トハ殆ト没交渉ノ姿ニシテ上海假政府組織後在外各地ヨリ多数ノ鮮人集マルニ及ヒ李東輝派、安昌浩派ノ党派ヲ形成スルニ至リ獨立運動ニ對スル意見ノ衝突ヲ見常ニ勢力争奪ノ爲暗闘ヲ絶タサルノ情況ヲ呈セリ然ルニ騒擾ハ失敗ニ帰シ次テ同志續々逮捕セラルルヤ文治派モ大勢己ニ温健手段ヲ以テシテハ輿論喚起ノ効果揚ラサルニ鑑ミ機ヲ見ルニ敏ナル文治派ノ領袖安昌浩ハ本年一月以降俄然従来ノ態度ヲ一変シ事毎ニ武断派ノ首領李東輝ノ意ヲ迎ヘテ團結ヲ固クスヘク決意シ先ツ其ノ一着手トシテ安昌浩ハ新年祝賀會席上ニ於テ「我國民ノ断定的實行スヘキ六大事」ナル題下ニ國民皆兵戰争準備等ニ関シ激越ナル演説ヲ為シタルヲ始トシテ逐時不逞企画ヲ進メ「臨時政府施政方針」「大韓民國臨時軍制」「救國冒険團規則」等ノ諸規則ヲ制定シ其ノ機関タル獨立新聞ハ七可殺ノ論文ヲ掲載スルニ至レリ而シテ「臨時政府施政方針」ノ内容ハ一定ノ時期ニ於テ炸弾ヲ使用シ敵魁及傀鬼ヲ撃殺シ營造物ヲ破壊スルコト國内國外ニ於テ冒険ナル青年ヲ以テ敢死隊ヲ組織シ不逞行

四四

動ノ急先鋒タラシムルコト等ヲ規定セルモノニシテ「救國冒険團則」ハ其ノ名ノ示ス如ク危険行動ヲ執リ救國ノ責任ヲ負担スルコトヲ規定シ「七可殺」トハ敵魁、賣國賊、傀鬼、親日富豪、敵ノ官吏タル鮮人、不良輩、日本人ニ密通スル者ヲ殺害スルコト等ヲ謂ヘルモノニシテ其ノ無道残虐ナル實ニ言語ニ絶スルモノアリ而シテ其ノ行動ハ特ニ三月十五日以後ニ於テ咸鏡北道ノ武力侵襲、平安北道ノ暗殺團ノ活動トシテ顕ハレタリ

安昌浩ノ態度一変以後上海假政府内ノ党争ハ一時平康ヲ保チシト雖李東輝派、安昌浩派ノ暗闘ハ間モナク擡頭シ月ヲ閲ミスル毎ニ

逐ヲ激烈ヲ加フルニ至レリ加之右両派ノ暗闘ヲ經トシ地方的色彩ニ基ク小黨亦互ニ相爭ヒ内容頗ル複雜ナルモノアリ殊ニ六月九日ニ於テ豫テ政府顛覆ノ陰謀ヲ籌画シ其ノ機ヲ窺ヒツツアリシ金嘉鎭一派ノ反假政府運動員羅昌憲黄鶴善等一味ノ青年黨ハ叢ニ内務部カ羅ノ一味タル姜偉善ナル者同地ニ於テ鮮人ヲ脅迫シ金錢ヲ強奪セシヲ逮捕シタルヲ不法ナリトシテ徒黨約四十名内務部ニ押寄セ爭鬪ヲ惹起シ益々政府部内ノ統一破レタリ尚彼等カ朝鮮内ニ於テ計謀セシ諸般ノ企図ハ悉ク破碎セラレ運動資金ノ供給殆ト全ク途絶シ人心漸次假稱假政府ヲ離レタル

四五

ノミナラス一面又幹部政府員タル文昌範露領ニ去ツテ遂ニ就職セス朴容萬北京ニ在リテ來ラス其ノ他ノ領袖亦近次倦怠ノ色アリ殊ニ亦安東怡隆洋行主「ジョウ」檢擧セラレ彼等カ難攻不落ノ要塞ト頼ミシ連絡機關轉覆シ愈々悲境ニ沈倫セシ觀アリ

ホ、假政府宣傳ノ狀況

最近米國ヨリ歸來シタル呂運弘（上海居留民團長呂運亨ノ弟）ハ列強ノ同情ニ愬ヘ以テ日本ノ羈絆ヲ脱スル手段ハ須ラク宣傳ニアリト爲シ近ク露支新聞ヲ發刊セムト企図セルカ如キモ内部ニ於ケル資金ノ缺乏ハ未タ之ヲ實行セシムルニ至ラス彼等カ從來鮮内外ニ対スル宣傳機關ト頼ミシ「獨立新聞」ハ六月二十四日佛國官憲ノ爲差押ヘラレ遂ニ廃刊スルノ止ムナキニ立至レリ近時再刊ノ議アルカ如キモ是亦未タ實行ニ至ラス支那新聞ナル時事新報及震壇ヲ借リテ僅ニ宣傳シ居ルノ狀況ナリ

ヘ、財政ノ窮乏

昨年十一月内務部ノ提議ニ依リ假政府ニ於ケル參事以下ノ各職員ニ俸給支辨ヲ可決セラレタルモ遂ニ其ノ實施ヲ見ルニ至ラサル而已ナラス這般經費縮少上ヨリ内務部及警務局ヲ國務院内ニ併合シ又李東輝及安昌浩等ノ如キ最高幹部スラ其ノ生活費ニ窮シ居

四六

ルノ狀況ニシテ政府部内ノ財政窮乏ノ事實ハ之ヲ察知スルニ難カラス元來假政府ノ財源ハ人口税、寄附金、公債及米國方面ヨリノ送金ナルカ人口税ハ平安道方面ニ於テ多少賦課セラレタルカ如キ形跡アルモ全然失敗ニ歸シ公債ノ募集亦計画ノ徒ニ大ナルニ拘ラス其ノ成績更ニ擧ラス彼等ノ頼ミトスルモノハ鮮内地及米國方面ヨリノ寄附金及送金ナリトス

鮮内地ニ於ケル寄附金ノ醵集ニ就テハ屢々會合協議ヲ爲シ通諭府令ヲ頻発シ殊ニ多數ノ人ヲ鮮内ニ密派シテ之カ徴収ニ當ラシメタリト雖今ヤ我警備機關ノ充實ニ伴ヒ取締

ノ嚴重ナル爲募集困難ナルノミナラス假政府派遣ノ募集員ハ中間應募資金ヲ着服シテ酒色ノ資ニ費消スル等假政府ノ内容曝露以來頓ニ信用失墜シ應募者甚シク減少シタルヲ以テ財政ノ窮乏極度ニ達セリ目下僅ニ在米鮮人團ヨリ月々送付ニ係ル義捐金ヲ以テ辛フシテ家賃電燈其ノ他ノ經費ヲ支辨シツツアルカ如シ

上海ニ於ケル不逞鮮人ノ情況ハ叙上ノ如クニシテ李東輝對安昌浩ノ黨爭ヲ始トシテ種々ナル暗闘絶ユルコトナク財政窮乏ハ益々甚シキモノアルヲ以テ今俄ニ何等カノ活動ヲ開始スヘシトハ思惟セラレサルモ最近露

四七

國過激派ト連絡成レリト謂ヒ支那南方派ノ後援アリト傳ヘラレス間島及露領方面ノ各派トノ提携ヲ密接ナラシメムト努力シツツアリトノ情報アルヲ以テ素ヨリ不斷ノ査察警戒ヲ要ス殊ニ暗殺ヲ目的トスル救國冒險團員ノ一部今尚依然トシテ上海ニ在リ常ニ爆弾製造ニ腐心シ時々鮮内地ニ之ヲ輸送スルモノノ如シ去ル四月彼等一味ノモノ金聲根宅ニ於テ豫テ製造中ナリシ爆弾ノ爆發試驗ヲ行フニ際シ不意ニ爆發シテ多數ノ負傷者ヲ出シ又同三十日我派遣員ノ密偵金炳權カ彼等ノ爲ニ暗殺セラレタルコトアリ次テ鮮内地方面ニ於テハ密陽京城東大門外及對岸安東市外等ニ於テ不逞者ヲ逮捕シ爆弾ヲ押收シタルコトアリ之等ハ何レモ上海ヨリ入リシ敢死隊員ニシテ爆弾ヲ同地ヨリ輸送シタルモノナルコト明瞭セリ窮餘ノ結果上海不逞鮮人ハ此ノ種ノ行動ヲ以テ鮮内地ニ於ケル人心ヲ攪乱セムトスルモノニシテ之ニ対シテハ大々警戒ヲ嚴ニシテ未然ノ防遏ニ努メツツアリ尚彼等ハ十一日開催セラルヘキ國際聯盟會議ニ多大ノ望ヲ囑シ金奎植等ヲ密派セムトノ議アルヲ以テ同會議ノ終了ヲ告クル迄ハ今後尚種々ナル方法ニ依リテ不逞ノ行動ヲ絶タサルヘシ

現在ニ於ケル假政府各部局ノ所在竝職員及

四八

各團体員等ニシテ判明セルハ左ノ如シ

一、臨時假政府

大統領　李承晩　在米國

國務院　新民里二十四號
寶康里二十四號

總理　李東輝
秘書局長　金立
秘書　金興濟
參事　金弘叙
秘書兼書記　宋鼎頊
書記　黃鎭南
同　李址明
同　金亨均
同　張信國

同　明弾朝

内務部

總長　李東寧　新民里二十四號（國務院ニ併合）

次長　李圭洪　明德里三十五號

秘書局長　李祐弼

參事　鄭濟亨

同　崔東旿

同　李鍾郁

書記　鄭海冕

同　朴仁國

同　趙德津

同　尹宗植　同上

警務局

局長　金亀

警務部長　呂淳根

警護員　朴鍾益

同　崔進錫

同　田在淳

同　金瀝俊

同　荘源澤

同　金永瀝

同　黄殷

同　朴亨國　新民里三十四號

四九

外務部

總長　朴容萬　北京方面ニアリト

次長　鄭仁果

參事　金振武

同　金如聲

交際部長　金斗萬

外務部事務　白南七

軍務部

總長　盧伯麟　新民里二十三號（現在有名無實）　在米國

次長　尹琦燮

參事　黄學秀（辭任シ後任者未定）

同　都寅權

書記　金根河

同　李水南

同　金明俊

陸軍士官學校　新民里二十三號軍務部内

敎官　金義善

同　李奎鎮

同　許明浩　愷自爾路二百六十八號

勞働局

總辦　安昌浩　同上

勞働部長　朴春根

書記　豈昌植　明德里八號

議政院

議長　孫貞道

副議長　鄭仁果

秘書長　趙德津

秘書　金淳穆

書記　金泰淵

五〇

同

各道代議士

京畿道	呂運亨	申翼熙	崔謹愚	崔昌植
忠清南道	洪冕熹	申檉	李命教	俞政根
慶尚南北道	金正默	柳璟煥	白南圭	金昌淑
	金東灃			
江原道	李従泌	朴容珏		
咸鏡南北道	李春塾	洪濤	張道成	韓偉健
	林園成			
黄海道	金泰淵	李致晙	孫斗煥	
平安南道	孫貞道	金弘叙		
平安北道	金秉祚	李元益	李光洙	
支那領（満洲）	曹煜	黄公浩		
米領	鄭仁果			
露領	趙琬九	申采浩		

旅信國

一、興社團（大秘密）

團主　安昌浩　現假政府勞働總辦

副團主　李光洙　前獨立新聞社長

主義　修身（無虚言無秘密）概ネ天道教ト同シ

團員　在上海團員約三十名

來歴　約七年前安昌浩在米當時創設

勢力範圍　平安、黄海ニシテ新進有力ナル青年ヲ網羅ス

現況　多大ノ勢力ヲ有シ前獨立新聞ハ此ノ團ノ機關ナリ

一、新大韓同盟團

團主　南亨祐　現假政府交通總長

副團主　申采浩　前進大韓主筆

主義　過激ニシテ概ネ北京朴容萬ト聯絡ス

團員　約四十名

來歴　昨年創設

勢力範圍　江原、慶尚全羅トス

現況　大ナル勢力ヲ有セス前新大韓新聞ハ此ノ機關ナリ

一、勞働黨

主務者　呂運亨　李東寧、李始榮、申檉、申翼熙等ノ秘密後援アリ

主義　表面勞働党ト称スルモ内容政治的性質ナリ

黨員　約百名

來歴　約一ヶ月前ヨリノ創設（安昌浩ノ興社團

ニ叉對シテ生ル）

勢力範圍　京城ヲ主要部分トスルモ各道各地ニ擴メムトス

一、民團

團長　康寧里二號　呂運亨

總務　鮮于赫

幹事　呂運弘

主義　普通ノ民團性質

團員　約四百名

來歷　昨年創設

勢力範圍　各地

現況　經濟頗ル困難ナリ

議員　（大正九年九月三十日總改選ノ結果）

韓鎭敎　徐丙浩　李裕弼　鮮于爀

金仁全　張鵬　金泰淵ノ金漳燮

安秉瓚　尹琦燮　金九　金弘叙

呂運弘　李光洙　都寅權　崔昌植

金元慶

一、仁成學校（民團内ニアリ）

校長　呂運弘

一、大宗敎

敎務者　申奎植（一名申檉）

主義　檀君敎ト同一ナリ

團員　約二十名、概ネ多年支那居住者ナリ

勢力範圍　京畿忠清

現況　差シタル勢力ナシ

一、新韓青年黨

主務者　金奎植、假政府學務總長

副主務者　金徹　韓松溪等

主義　獨立宣傳

團員　約三十名

來歷　昨年創設

勢力範圍　各地方

現況　一時優勢ナリシモ昨年差シタル勢力ナク多數ノ黨員興社團ニ移轉セシ觀アリ最ニ新韓青年（雜誌）ヲ以テ機關トセリ

一、東洋平和團

團長　孔仁

主義　學生ノ敎育ヲ唱フルモ不徹底ナリ

團員　約十名

來歷　此頃ノ創設

勢力範圍　各地ト稱スルモ不明

現況　別段ノ勢力ナシ左レト軍務部主要人物ニシテ團員タルモノナリ

一、赤十字會　霞飛路三百七號

會長　李喜儆　副會長　安定根

顧問　李承晩　李東輝　安昌浩　文昌範

監事　玉觀彬　金泰淵　理事　徐丙浩

主義　他各國赤十字ト同一

會員　約二百名

來歷　昨年ノ創設ニシテ各地ニ支部アリ

現況　財政困難ニシテ發展ノ見込ナシ

一、耶蘇教會
牧師 金秉祚
教徒 禮拜時毎ニ約六十名ニ過キス

一、留日學生親睦會
主要人物 申翼煕
主義 勿論政党ノ性質ナルモ日本留學同窓ノ親睦ニアリ
會員 約五十名
來歴 昨年ノ創設
現況 無勢力不熱心ナリ

一、冒險團(秘密)
團長 金聲根
主義 爆彈ノ製造及使用法ヲ習得シテ朝鮮 五九
各地ノ各官署及重要人物破滅ニ在リ
團員 約十名
來歴 昨年創設
現況 昨今ハ學習者ナシ

一、青年團
團長 任在鎬
經濟困難ノ為廢止ト同様ナリ

一、消毒團(秘密)
團長 孫斗煥
主義 社會ノ不正者ヲ消毒ス
團員 約二十名
來歴 昨年創設
勢力範囲 概ネ平安、黄海ノ者ナルモ各地人モ加ハリ居レリ
現況 有事ニ際シ突然奮起ス此カ為今春鐵血團ノ敗ヲ見タリ

一、鐵血團
團長 盧武用、羅昌憲、黄鶴善、金基源(用源?)金然載然等七人別ニ總裁アリ其ノ後援トシテハ朴容萬、大同團等アリ
主義 過激主義ニシテ現假政府ノ無能ヲ攻撃シ餘力アレハ破壊セムトス
團員 約四十名
來歴 今春創設
勢力範囲 各地ナルモ主要者ハ京城、江原
現況 團員概ネ無識貧賤者ニシテ團長ノ命ニ 五六
ハ熱心服従ス(活動寫真中秘密党ヲ羨慕スル者等ノ集合團也)

一、大同團
總裁 金嘉鎮 呉興里
理事 羅昌憲 宝康里十五號

（七）

米國及布哇居住不逞鮮人ノ行動

イ、米國

米國及布哇居住排日鮮人ハ米國官民ノ同情ニ依リ獨立ノ目的ヲ達セムトシ常ニ帝國ノ朝鮮統治ヲ呪咀シ殊ニ昨年三月以来朝鮮ニ於ケル騒擾ニ就テハ帝國官憲カ人道ヲ無視シ特ニ基督教ニ対シ壓迫ヲ加ヘタリトノ虛構誣妄ノ言ヲ弄シツツアリテ之カ為米國宗教家ヲシテ帝國ニ對スル反感ヲ懐カシメタルコト尠カラサリシカ如シ而シテ同地方排日鮮人ノ行動トシテハ昨年四月七日米國華聖頓ニ於テ朝鮮臨時政府外務大臣ノ名ヲ以テ朝鮮ハ米國ノ制度並同一精神ノ許ニ基督教

57頁～59頁は、原本において欠落しています。（不二出版）

獨立國ヲ建設ストノ宣言書ヲ發セルモノアリ又同十六日「フィラデルフィヤ」ニ於テ米國及布哇ニ在ル朝鮮人代表者約八十名朝鮮人會議ナルモノヲ開キ獨立宣言書ヲ朗讀シ且巴里ニ於ケル聯合與國代表者ニ対シ獨立請願書ヲ提出セリ其ノ後華聖頓ニ於テハ昨年十二月上海假政府歐米委員部ニ於テ獨立運動費トシテ五十萬弗ノ公債（公債ハ十弗、二十五弗、五十弗、百弗ノ四種類）ヲ發行シ極力募集ニ努メツツアリ而テ李承晩ハ華聖頓ヨリ桑港ニ至リ愛蘭獨立ト相並ヒテ朝鮮獨立ノ承認ヲ求メントト有力者間ヲ奔走セシモ事遂ニ失敗ニ終ルヤ同行ノ金奎植ト別レテ布哇ニ渡リ金奎植ハ加州一帯ヲ巡回シテ共ニ公債募集ニ從事シツツアリシカ彼等ノ豫期セルカ如キ成績ハ素ヨリ得ラレサリシ所ニシテ本年二月ヨリ五月ニ至ル三箇月間ニ於ケル歐米委員部ノ收支決算ナルモノヲ見ルニ三ケ月間ニ於ケル公債應募額約八千弗ヲ算シタリト謂フモ事實甚ハタ疑ハシ而シテ歐米委員部ナルモノハ主トシテ新聞雜誌、不穏演劇等ニ依リ排日宣傳ヲ為ス外一面ニ於テハ盧伯麟統率ノ下ニ若干ノ武力準備ヲモ為スモノノ如シ即チ加州「ウイルオス」市ニハ約三百名ノ鮮人居住者アリテ護國獨立軍ト稱シ上海假政府軍務總長盧伯麟指導ノ下ニ我國旧時ノ北海道ニ於ケル屯田兵的組織ヲ以テ一定ノ軍隊ヲ編成シ労働ノ傍日々一定ノ時間ヲ限リテ軍隊教練ヲ強制シツツアリ又「ロスアンゼルス」ニ於テハ韓徴坤ナル者興士團ヲ組織シ上海假政府ニ宛テ「將來假政府ノ指導ニ從ヒ獨立戰爭準備ノ為團員八百ヲ以テ軍事教練ヲ為シ軍費ノ貯蓄ニ從事シツツアリ」トノ通信ヲ送リタリト云フカ如キ稍誇大ニ過クルモ右ノ如キ事實アリタリ殊ニ「ウイルオス」市ニハ朝鮮國民協會ノ經營ニ成ル飛行機學校アリテ七月七日第一回ノ卒業式ヲ擧行シタルカ當日校長盧伯麟總裁金鐘麟ハ何レモ將來日本ニ対スル獨立戰爭ハ飛行機ニ依ルノ外其ノ手段ナキヲ極言シタリト同校ハ本年第一回ノ卒業生四名ヲ出シ現在ノ練習生二十五名アリテ目下無線電信ヲ装置セル完全ナル飛行機五台ヲ有シ專ラ盧伯麟指導ノ下ニ「フィラデルフヒヤ」及「レッドウッド」ニ在ル米人經營ノ飛行機學校ヲ卒業セル米人及鮮人ヲ教官トシテ日々盛ニ教練ヲ為シツツアリトノ情報アリ而シテ同校ノ經費ハ從來加州「スタクトン」在住ノ富豪ニシテ同校ノ總裁タル金鐘麟ノ支出ニ依リテ維持シツツアリシカ六月末ヨリ桑港ニ於テ開催セラレタル北米朝鮮國民總會ニ於テ協議ノ結果飛行機學校補助金支出ノ為[illegible]年度ヨリ會員各自ノ一ヶ年收入ノ五分ヲ所得税トシテ納付スルコトヲ決議シタリト謂フ

ロ、布哇

本島在住鮮人ノ總数ハ大約四千名ニシテ其ノ大部分ハ労働者ナリ只僅ニ鄭元明（家具職）安元奎（洋服屋）等三、四名等カ一、二萬弗位ノ資本ヲ有スル商人トシテ数ヘラルルニ過キス在住鮮人ノ団体トシテハ米國本土ノ國民中央總會ノ系統ニ屬スル布哇地方總會アリテ李鍾寛ナル者之カ會長タルモ同人ハ元来労働者上リニテ學識ナク資産亦多カラサル為勢力從テ微々タルモ本會ハ李承晩トノ關係密接ナルニ加ヘ機關紙トシテ國民報ヲ發行シ居ルカ故ニ此ノ點ニ於テ大体本島朝鮮人ヲ支配スルノ能力アリト稱セラル、本島朝鮮人中ニハ前記李承晩派ノ外安昌浩派朴容萬派ノ二派アリテ鼎立ノ姿ニアリ元國民報ノ主筆タリシ李容煥ナル者安派ヲ代表シ本年五月ヨリ韓美報（American Korean News）ト稱スル週刊新聞ヲ發刊シ朴容萬派ハ趙鏞夏ナル者之ヲ主宰シテ太平洋時事ト稱スル機關新聞ヲ發行シツツアリ何レモ李承晩派ノ幾分穩健ナルニ比シ過激ノ論調ヲ取リ就中太平洋時事最激越ナリト云フ以上三派ハ共ニ資金素ヨリ豊富ナラス其ノ情勢ハ安派最不振ニシテ朴派之ニ亞キ太平洋時事ノ如

六五

キ一時廢刊シ居タルモ最近辛フシテ二千五百弗ヲ調達シテ新ニ機械ヲ購入シ不日再刊ノ豫定ナリト謂フ本島ニ於ケル獨立資金醵集額ニ關シ新聞紙ノ報スル所ニ依レハ約六萬弗ト自稱スルモ實際ハ一萬弗内外ト見ルヲ至當トスヘク故ニ其ノ大半ハ本島ニ在ル所謂獨立運動者ノ衣食ノ爲ニ費消セラレ上海ヘノ送金ハ餘力幾何モナカルヘク況ヤ叙上三派ノ軋轢ハ到底上海送金ヲ容易ナラシメサルコト明白ナリ

李承晩及金奎植ハ本年六月以來本島ニ在リ盧伯麟亦最近米國ヨリ歸島シタルカ何レモ多額ノ金員ヲ携帯セル模様ナク現ニ彼等ハ着島當初一時相當ノ旅館ニ入リシモ暫時ニシテ家屋ヲ借リ受ケ質素ナル生活ヲ爲シ居ルニ徴スルニ其ノ實況ヲ推察スルコトヲ得而シテ彼等ハ近々上海ニ赴ク旨稱シ居ルモ李承晩ノ上海行ハ一層内訌ヲ増スノ虞アルカ故ニ一部ノ間ニハ公債募集ヲ容易ナラシメム爲彼等ノ故ラニ傳播セル構説ナリト評スル者アリ此ノ他本島ニハ朝鮮獨立運動機關トシテ軍隊的ノ組織施設等ナシ

米國及布哇ニ於ケル獨立運動機關ヲ擧クレハ左ノ如シ

一、朝鮮國民會(The Korean National Commission)

朝鮮共和國執政官總裁李承晩(Dr. Syngh man Rhee)ハ J.S. Song ヲ會計官トスル朝鮮假政府ノ行政機關ニシテ事務所ヲ 9.0.P Continental Building Washington D.C. ニ置キ上海ニ於ケル朝鮮假政府ノ分機關トモ謂フヘキナリ

二、新韓協會(New Korean Association)

本部ヲ 28 Division St. New York City ニ設ケ會員三、四十名ヲ有シ布哇ニ本部ヲ有スル Korean Independence League ト共ニ急進過激派ニ屬シ革命的手段ニ訴ヘテ速ニ朝鮮ノ獨立ヲ圖ラムトスルモノナリ同會ハ將來絶ヘス朝鮮ニ暴動ヲ起シ日本國民ヲシテ之カ鎭壓ノ爲莫大ナル戰費ノ負担ト人命ノ犠牲トニ堪ヘス結局政府ニ迫テ朝鮮ヲ放棄セシメムトノ意見ヲ抱キ居レリ

三、朝鮮國民協會(Korean National Association)

本部ヲ 419 Hughes Building San Francisco ニ置キ會員四、五百名ヲ有スル團体ニシテ李承晩、金奎植及 Dr. Philip Jaisohn(米國歸化鮮人)等ヲ首領ト爲シ漸進温和主義ヲ奉スルモノニシテ同會ハ國際聯盟ヲ利用シテ獨立ノ目的ヲ貫徹シ可成革命戰爭ヲ避ケムトスルモノナリ布哇ニモ支部ヲ有シ Chung Kwan Lee 之カ會長タリ

四、朝鮮獨立團(Korean Independence League)

本部ヲ布哇ニ有シ Jung M. Park(朴容萬)ヲ會長トスルモノニシテ組

育ニ於ケル New Korean Association ト同シク急進過激派ナリ

五、朝鮮武侠團（Korean Knight）

最近桑港ニ於テ鄭漢慶（Henry Chung）ナル者カ組織シタル團体ニシテ過激黨ナルカ如シ

六、朝鮮ノ友ノ會

（The League of the Friends of Korea）

朝鮮獨立運動ニ同情スル米國人ノ團体ニシテ本部ヲ 827 Wrightman Building 1524 Chestnut Street Philadelphia ニ有シ Rev. Floyd W. Tomkins, rector of Trinity church, Philadelphia ヲ會長ニ戴キ幹部ニ知名ノ費府人約四十名ヲ網羅シ精神的ニ朝鮮ノ獨立ヲ援助シツツアルモノトス同會ハ最近華府ニ支部ヲ設ケ Gener R. Boyle. Daniel W. Alston. 等ヲ會員ニ加ヘタルカ更ニ近ク米國ノ他ノ都市ニ於テモ支部ヲ置ク計畫アリ

因ニ本會類似ノ機関ハ最近巴里ニモ設ケラレ又倫敦ニモ同様ノモノヲ設クル爲英國人 F. A. McKenzie 及加奈陀人 James Gale ハ已ニ倫敦ニ向ヒタリトエフ

叙上各機関ノ関係ハ New Korean Association ハ Korean National Association ト互ニ獨立實行ノ手段ニ関シ意見ノ相違アリト雖窮極ノ目的ハ同一ナルヲ以テ相互間ニ甚シキ軋轢ナク何レモ熱切ニ獨立運動ニ從事シ居レリ

六六

布哇ニ於ケル Korean Independence League ト Korean National Association 支部ト互ニ獨立實行ノ手段ヲ異ニスルカ如シ Korean Knight ニ関シテハ極メテ最近ノ組織ニ係ルヲ以テ特記スヘキモノナク The League of the Friends of Korea ハ直接獨立運動ト関係ナク單ニ朝鮮ニ同情スル米國人カ精神的應援ヲ與フルノ機関ニ過キスト謂フモ最近同會本部ヨリ同會ノ目的及入會書ヲ印刷シタル葉書大ノ印刷物多數ヲ露領、支那領及朝鮮内ニモ配布サレツツアリテ目的ノ第六項ニ「朝鮮獨立ノ爲ニ輿論ヲ喚起指導ス」ト在リ

(八)過激派ト朝鮮人トノ関係

イ、朝鮮獨立運動ト過激派

西伯利ニ於テ過激派ノ漸ク擡頭セムトスルヤ常ニ暗中飛躍ヲ試ミツツアリシ不逞鮮人等ハ機將ニ乗スヘシト爲シ過激派後援ノ下ニ年來ノ宿望タル朝鮮ノ獨立ヲ達成セムトスルニ至レリ而シテ李東輝、文昌範之カ首領タリ始メ安昌浩等ノ所謂文治派ハ過激派ハ世界共通ノ敵ナルヲ以テ之カ後援ノ下ニ獨立ヲ企図スル時ハ列國ノ同情ヲ失シ及テ目的ヲ達スルコト能ハサルヘシトテ李東輝等ノ主張ニ対シ猛烈ニ反對シタリ然レトモ凡百ノ計画悉ク齟齬シ同志ハ續々逮捕セラルルヤ到底穏和手段ヲ以テシテハ獨立ノ目的

六七

ヲ達スルハサルコト一般ニ感知セラルルニ至リ李東輝等ノ武断派遂ニ大勢ヲ制シ安昌浩等亦之ヲ賛シタルヲ以テ茲ニ各派一致過激派ト提携スルコトニ決シタリ

先是在露ノ不逞鮮人等ハ過激派ノ歓心ヲ求メ職ニ同派トノ接近ヲ図リ過激派モ亦之ノ奇貨トシテ懐柔ニ努メ兵器其ノ他ニ利用シ鶩慾ヲ逞フセムトスル情況ニ在リテ互ニ相倚リ相接ケ不逞鮮人等ハ其ノ間次第ニ過激派ノ色彩濃厚トナリ赤裸々ニ之ヲ標榜スルモノサヘアルニ至レリ即チ彼ノ初メハ一世党ト稱シ大正八年夏張道定金震等不逞鮮人ノ秘密ニ組織シ昨年社會党ト改メ其ノ約法中ニ行事トシテ社會主義的國家ヲ組織シ一切ノ階級ヲ打破シ土地一切ノ生産業ヲ公有トスル等純然タル共産主義ヲ規定シ殊ニ昨年八月以降三回ニ亘リ日本文ニ譯セル不穩ノ檄文ヲ撒布シタルハ本党員ノ行為ニシテ本年二月張道定等ノ首領ハ浦潮警察署長「パトーノフ」等ト屡々會見シ互ニ諒解アリシト謂フカ如ヤ韓人社會党ノ活動又ハ四月二十日莫斯科ニ於テ鮮人勞働者同盟ノ第一回會合ヲ催シ鮮人勞働者五十五團体代表者出席シ金基千會長ニ擧ケラレ「レーニン」「トロツキー」「バラバーヴァ」及日本社會主義者片山潜「ドッグスト稱スル米國社會主義者ノ首領ヲ名誉會員ニ 六八

推選シ且韓字新聞國民報ノ記者ニシテ當時「ゲイテイ」諸島ニ亡命シ居レル李承晩（現上海假政府大統領」ニ挨拶状ヲ送ルコト並ニ極東ニ於テ速ニ革命ヲ達セシムヘク盡力スルコト及決定セシカ如ク國民委員會ノ朝鮮革命團ニ朝鮮民ニ宛テタル宣傳佈告即一過激派ノ書曰ク現今莫斯科ハ安静ナル唯一ノ避難所ナリ韓國々民同盟會ハ韓國ノ革命ヲ促シ其ノ獨立恢復ノ目的ヲ以テ勞農政府露國内ニ之カ組織ヲ為セリ今ヤ我等ノ援助タリ露國内ニ居住スル鮮人勞働者ハ資本家タル壓制者ニ対シテ戦ハムトスル全世界勞働聯盟ナル第三國際會ニ加入スルニ至レリ韓國ハ一人タリトモ立ツテ勞農政府トノ關係ヲ有セサルヘカラス然ラハ吾人ハ共通的努力ニ依テ日本人ヲ浦潮及韓國ヨリ驅逐スルコトヲ得ヘキノミ自由ノ日ハ近ケリ鮮人ハ最後ノ努力ヲ為スヘシノ如キ或ハ本年三月一日浦潮新韓村ニ於テ不逞鮮人等ノ朝鮮獨立宣言記念會ヲ開催セシ際招キニ應シテ多数ノ過激派關係者臨席シ就中沿海州参事會長ハ朝鮮獨立宣言記念會ヲ祝スルノ電報ヲ發シ又臨時政府海軍總司令官「クラコウエーツキー」ノ副官ハ司令官ニ代リテ列席シ朝鮮ノ革命ニ多大ノ望ヲ嘱シ「クラコウエーツキー」司令官ハ百方朝鮮ノ革命ヲ援助スト述ヘ尚日本軍ヲ西伯利 六九

ヨリ撤退セシムルコトヲ以テ満足セス朝鮮ノ獨立カ革命党ニ依テ成功セムコトヲ期ス云々トノ演説ヲ為セシカ如キ又露領在住鮮人青年ノ過激派軍隊ニ投シ軍事行動ヲ共ニセルノ事實並文昌範、黄丙吉等不逞輩ノ過激派首領トノ會見ニ依リ同派ヨリ機関銃其ノ他多数武器ノ供給ヲ受クルノ約成レリト傳ヘラルル而已ナラス間島琿春地方ニ於ケル不逞鮮人ノ有スル銃器弾薬等ハ殆ト皆過激派ヨリ供給ヲ受ケタリト認ムヘキ事實アリ即チ本年三月以来約十回ニ亘リ咸鏡北道穏城地方ニ来襲シタル不逞鮮人ノ集團ハ何レモ露國式銃器ヲ携帯シ居リタルカ如キハ其ノ一証左ト見ルヘシ而シテ其ノ輸入径路ハ大体三方面アリテ一ハ「ポグラニーチナヤ」又ハ「グロデコフ」ヨリ二ハ「ニゴリスク」ヨリ三岔口、羅子溝ヲ経テ間島ニ入ルモノ三ハ浦潮ヨリ「ラズドリノエ」土門子ヲ経テ琿春地方ニ入ルモノトス幸ニシテ露領方面ハ本年四月四、五日ニ亘ル過激派ノ武装解除ニ主ナル不逞鮮人ハ或ハ逮捕セラレ或ハ韜晦シテ其ノ中心人物ヲ失ヒシ為漸次平穏ナル傾向ヲ呈スルニ至レリト雖我軍ノ撤退後ハ不逞鮮人ノ再ヒ擡頭ヲ保シ難ク已ニ武市ノ如キハ文昌範、金夏錫等ノ徒ハ過激派政府援助ノ下ニ不逞行動ヲ為サムトスルノ情報アリ又蘇城地方ニ於テハ金圭冕ノ徒過激派ト結ヒ時期ノ到来ヲ俟チツツアリト謂フ殊ニ間島及琿春方面ハ近時益々不逞鮮人ノ横暴濶歩甚シク九月十二日琿春ニ来襲セシ馬賊團中ニモ赤化セル露國人混入シアリシカ如シ

ロ、過激思想ノ宣傳

過激派ハ常ニ世界宣傳中亜細亜方面ヲ以テ最モ有效ナリト稱シ殊ニ獨立ヲ專念スル朝鮮人ヲ利用スルヲ以テ最モ捷径ナリト信スルモノノ如シ即チ今ヤ支那馬賊ヲ籠絡シ或ハ不逞鮮人團ト連繋ヲ保チ下級支那人及在外朝鮮人ノ思想ヲ風靡セムトスルノ情況ニ在リテ本年四月末日迄ニ支那人二萬人朝鮮人十五萬人ハ既ニ過激思想ニ感染シタリトノ説アリ而シテ上海ニ於ケル臨時假政府ノ發表セル憲章第三條ニ「大韓國人民ハ男女貴賤貧富ノ階級ナク一切平等タルヘキコト」トアルハ過激思想ヲ規程ニ表ハシタルモノニシテ本年一月上海米租界ニ於テ韓族獨立運動各團体ノ代表者相會シ在上海米國人等ノ後援ヲ得テ支那人及朝鮮人各宗教團体ヲ始メ各種勞働階級ノ者ヲ以テ組織シ排日運動ノ機関タラシムルト同時ニ過激思想ヲ東洋方面ニ宣傳セムコトヲ決議セル中韓勞工同盟會及工商會（會員朝鮮人三百八十五名支那人五百五十七名）ノ會員ヲ東三省ニ密派シ排日思想ノ宣傳ニ努メムトシ

其ノ方法ハ支那語ニ巧ナル朝鮮人ヲシテ日本人ノ眼ニ觸レサル田舎ノ小都市ヨリ漸次大都市ニ及ホサムトスルノ計畫ヲ樹テ而シテ商工會ナル會名ノ下ニ善良ナル分子ヲ装ヒツツ支那商工業ノ發達ヲ説キ最後ニ本會ハ支那商工業者ノ有力ナル後援團体ナルヲ以テ日貨及日本人ヲ排斥セヨ場合ニ依レハ支那ハ露國過激派ト結ヒ日本ニ対抗スヘシト謂フカ如キハ上海假政府ノ意図ヲ奉シテ東三省方面ニ多数ノ會員ヲ密派シテ宣傳ヲ開始セリト報セラレ又浦潮、上海、東京、京城及吉林ニ宣傳部ヲ設置シ先ツ支那人及朝鮮人ヲ感化シ意ヲ日本人ニ及ホサムト鋭意努力シツツアルモノノ如シ

間島ニ於ケル徐一ヲ首領トセル軍政署ノ宣傳的活動稍具体的ナルカ如シト雖未タ其ノ佈告文ナルモノヲ發見シタルモノナク殊ニ鮮内地ニハ一二過激派化セル朝鮮人ノ潜入説ヲ傳ヘラレシモ之亦未タ具体的事實ヲ認ムルニ至ラス然レトモ朝鮮人ハ元來比較的過激思想ニ感染シ易キ傾向ヲ有シ殊ニ無智蒙昧ノ者ハ過激思想ヲ以テ一種ノ宗教ノ如ク心得之ヲ信スレハ生涯ノ幸福ヲ得ルカノ如ク誤解シ居ルモノ人在外鮮人中ニアルカ如キヲ以テ之ニ対シテ常ニ周密ナル注意ト嚴重ナル警戒ヲ拂ヒツツアリ

七二

73頁以降は、原本において欠落しています。(不二出版)

大正十年十二月

最近ニ於ケル治安情況

朝鮮總督府警務局

最近ニ於ケル治安情況

目次

一、民心ノ傾向

大正八年三月一日ヲ以テ勃發セル騒擾ハ五月ニ入リ鎭靜ニ歸シタリト雖不逞輩ハ同年十月巴里ニ於テ開催サルル國際聯盟會議ニ於テ當然朝鮮ノ獨立ノ決議ヲ見ルヘシト唱シ到ル處不穩文書ヲ頒布シテ民心ヲ煽動シ又ハ秘密結社ノ組織シテ陰謀ヲ計畫シ若ハ運動資金ノ募集ニ從事シタリ之ヲ以テ民心日ニ險惡ニシテ殆ト皆獨立ノ僥倖シ甚シキハ既ニ獨立ノ完成セルヲ信スル者スラアリテ機會アル毎ニ騒擾ノ勃發ヲ圖リ官、公私立學校生徒ハ學業ヲ發シテ不逞運動ニ奔リ排日的意味ニ於ケル同盟休校頻發シ騒擾勃發以後ハ從來ノ内地人ト親交アリシモノト雖成ルヘク之ト接近スルコトヲ避ケ甚シキニ至リテハ不買同盟ヲ結ヒ内地人店舖トノ取引ヲ中止スル者アル等民心倍々險惡ニ陷ラムトスル傾向アリ殊ニ制度改正ノ當時ニ在リテハ警備力未タ充實セス形勢頗ル憂フヘキモノアリト雖十月以降ニ於テハ警備力ノ充實ニ伴ヒ集團的示威運動ヲ以テ民心ヲ煽動スルコトヲ全然不能ナラシメタルハ不逞者ニ對スル至大ノ打擊ニシテ又之ニ依リ初メテ民心安定ノ基礎ヲ固ムルヲ得尚李堈公誘出事件ヲ首メ各種ノ不穩企畫ヲ發見檢擧セリ而シテ國境方面ニ於テハ別項記載ノ如ク大正九年一月以來對岸不逞鮮人ノ侵襲事件ノ頻發スルアリ民心ノ安定ヲ得サリシト雖其ノ他ノ各道ニ於テハ民心漸次安定シ獨立運動ノ非ナルヲ覺醒スルニ至リ次テ國境方面ニ於テモ不逞輩ノ跋扈アル行動ヲ憎ミ人民自發的ニ駐在所ノ建設ト警察官ノ留駐ヲ乞フニ至レリ

大正九年七月下旬米國議員團ハ東洋觀光團ヲ組織シ朝鮮ニ來ルヘシトノ說傳ハルヤ豫テ米國ニ倚テ以テ獨立ノ目的ヲ達セムト企圖セル不逞ノ徒ハ議員團ノ來遊ヲ頗ル重大視シ此ノ機會ヲ捉ヘ熱烈ナル宣傳ヲ為スニ於テハ朝鮮獨立ノ機運ヲ促進スルニ最モ有利ナリトシ獨立請願書ノ提出議員團ノ面前ニ於ケル暴動ヲ實行スヘキコト等ノ他諸般ノ計畫ヲ為シ煽動ニ努ムル所アリ為ニ民心頗ル動搖セシカ議員團ハ八月二十四日入京シ同二十六日釜山發内地ニ向ヒ出發セリ先之京城ニ於ケル朝鮮人中ニハ國際親和會ノ提議ニ係ル内鮮人共同ノ歡迎會ニ臨席スルコトヲ拒否シテ朝鮮人ノミヲ以テ歡迎會ヲ開催セムト企テ東亞日報記者張德俊ヲ北京ニ派シ、觀光團長ト交渉セシモ斷然謝絶セラレタルカ議員團京城ニ着スルヤ更ニ中央基督教青年會總務李商在申興雨ハ青年會館ニ於ケル歡迎會ニ臨席セムコトヲ懇請セシモ再ヒ謝絶セラレシヨリ不逞輩ノ計畫ハ全ク畫餅ニ歸シ被煽動者モ議員團ノ來鮮ニ多少ノ期待ヲ有セシカ餘リニ事ノ意外ナルニ驚キ果然自失ノ情アリキ如斯不逞輩カ最モ望ヲ嘱セシ巴里媾和會議ニ於テモ國際聯盟ニ依ルモ第一回勞

3

働大會ニ於テモ朝鮮問題ニ就テハ何等論議セラルル所ナク國際聯盟ハ何等ノ權威ナク又ウイルソン大統領ハ失脚シ民族自決主義ハ遂ニ一場ノ夢ト化シ次テ彼等カ唯一ノ好機ト頼ミシ米國議員團ノ來鮮モ全然其ノ期待ニ反シ何等議スル所ナカリシヨリ一般ニ不逞輩ノ宣傳ニ欺カレタルヲ悟リ到底米國ニ倚頼シテ獨立ノ望ムコトノ不能ナルコト漸次一般ニ周知セラレ民心漸ク覺醒スルニ至リタル際上海僭稱政府ハ屢人ヲ派シテ運動資金ヲ強要シ或ハ良民ヲ殺傷スル等暴虐ノ行為ヲ敢行シ以テ頽勢ヲ挽回セムト試ミシヨリ民心却テ假政府ヲ離ルルニ至リ之ニ伴ヒ假政府ニ同情ヲ寄セ送付セシ金錢カ假政府ニ到達セス中途ニ於テ私消セラレタルコト又送金カ一、二ノ有力者ニ私消セラレ政府ノ費用トシテ使用セラルルコト稀有ナルコト等ノ内情モ漸次判明スルニ至リタルト假政府カ内紛党争ヲ絶タス獨立運動ハ効果擧ラサルコト等ノ内情モ漸次曝露シ民心漸ク獨立運動ニ倦ムニ至レリ

斯クテ鮮人基督教牧師中米人ヲ離レテ教會ノ獨立ヲ圖ラムト企ツル者ヲ生シ又ハ公然米人ニ欺罔セラレ輕擧盲動スルノ非ナルヲ力説スル者アリ又ハ基督教經營學校生徒中米人教師カ自己ノ學識不充分ナルヲ掩ハムカ為鮮語ニ熟達セサルニ藉口シ生徒ノ希望セル科學ノ教授ヲ等閑ニ附スルハ不都合ナリト稱シ若ハ校舎ノ設備ノ不完全ヲ云々シ學科目ノ變更ヲ要求シテ同盟休校ヲ企ツル者アル等一般ニ崇米思想ノ冷却シツツアル傾向ヲ生シ又地方ノ情態静謐ニ帰スルト共ニ密カニ獨立運動ノ非ナルヲ漏スモノアリシモ孰レモ不逞輩ノ脅迫ヲ怖レ未タ公然之ヲ唱フル者ナカリシカ大正九年十月ニ入リテハ漸ク獨立運動ノ非ナルヲ説キ或ハ日鮮人相提携シテ新日本ノ實現ヲ期セサルヘカラス若ハ日本ヲ盟主トセル大亜細亜主義ヲ實現シ以テ白色人類ニ對抗セサルヘカラス等ノ説ヲ高唱スルモノヲ生スルニ至リ又大正九年下半期ニ入リテハ官公私立學校生徒ノ排日的意味ノ同盟休校事件ノ如キモ漸ク終熄シ青年學生ノ氣風一般ニ眞摯トナリ學術ノ研究ニ熱中スルニ至レリ

4

太平洋會議ニ就テハ一部不平ノ徒此ノ機ヲ捉ヘ朝鮮獨立ノ機運ヲ促進セサルヘカラスト為シ上海、米領其ノ他各地不平ノ徒ト通シ蠢動セムトスル情況アリ又會議ノ將來ニ多少ノ望ヲ嘱スル者アリ民心稍緊張ノ情ナキニアラサルモ大勢ハ太平洋會議ニ正當ノ理解ヲ持チ朝鮮問題ハ論議セラルルカ如キコトナカルヘシト謂フニ一致セルカ如シ

結社組織ノ流行ト文化運動ノ勃興トハ最近ノ現象トシテ注意ヲ要スヘキモノアリ則チ騒擾鎮静後幾何モナク全道各地ニ於テ結社組織ノ流行ヲ見ルニ至リ殊ニ大正九年ニ入リテ倍熾トナレリ

而シテ之等ノ團体ハ表面教育産業矯風親睦其ノ他儒學ノ振興、新教ノ創設、産業又ハ商事ノ發展等ヲ目的トスト標榜セルモ就中青年團ノ如キハ其ノ實獨立思想ヲ涵養シ其ノ實行方法ヲ講ズルヲ以テ目的トスト認メラルルモノ尠ナカラズ玉石混淆其ノ良否ヲ判別シ難カリシカ最近ニ至リテハ此等不穏ノ團体ト雖漸ク前非ヲ悟リテ其ノ本然ノ目的ニ向テ進マムトスル傾向ヲ生ズルニ至リ又青年團組織ノ流行ニ伴レ他ノ弊ニ倣ヒ一時ノ客氣ニ驅ラレテ組織セラレタルモノノ中ニハ維持困難ノ為解散セシモノ又ハ獨立運動熱ノ冷却ト共ニ唯其ノ名稱ヲ存スルニ止マリ既ニ其ノ實体ヲ存セサルモノアリ

親日的結社トシテハ閔元植ノ創設セシ國民協會又鮮于𨯶ノ率ユル大東同志會及故趙重應子爵ノ組織セシ大正親睦會タ以テ最モ有力ナル團体トス而シテ此等ノ團体ハ獨立運動熱旺盛ノ時期ニ在リテハ屢不逞輩ノ妨害ヲ受ケ世人又之ヲ歡迎セス非ラサルモ世ノ疑ヲ招カムコトヲ虞レテ接近セス會勢更ニ振ハサリシカ獨立運動熱ノ冷却ニ伴ヒ漸次好感ヲ以テ迎ヘラルルニ至リ彼ノ一般ニ賣國奴トシテ攻擊ノ中心タリシ閔元植カ大正十年二月十六日東京驛ホテルニ於テ横死セシ際ノ如キ同人生前ノ行動ニ對スル世評ハ毀誉相半セリ而シテ閔ノ死後一時會勢頓挫ノ情況アリシモ更ニ金明濬ヲ會長トシ會員一同閔ノ遺志ヲ繼承スルコトヲ盟シ會務ノ擴張ヲ圖リツツアリ殊ニ最近同會ハ各道ニ幹部ヲ派シ時局ニ關スル講演及同會主趣ノ宣傳ニ努ムル所アリ講演者ハ民族自決ノ謬想、太平洋會議ノ内容、日韓併合ノ精神鮮人ノ立場、獨立運動ノ非ナルコト等ニ關シ堂々ト所信ヲ披瀝セシカ從來斯種ノ講演ニ對シテハ妨害ヲ試ミ聽衆中多數ノ退場者ヲ出スヲ常トセシカ聽衆一般ニ眞摯ノ態度ヲ以テ傾聽セシカ如ヤ又地方民風ノ作興ヲ目的トスル各種ノ團体カ近時意氣ヲ新ニシ官憲ト接近シテ大ニ振興ヲ圖ルノ傾向アルカ如キ又内鮮人ノ集團セル地方ニ在リテハ騷擾以來中絶セシ各種ノ會合行ハレ内鮮人ノ融和若ハ共同ノ福利ヲ增進スル團体組織ノ復興ヲ見ルニ至リ日ト共ニ和親輯睦ノ實ヲ擧ケツツアルカ如キ以テ民心ノ傾向ヲ窺フニ足ルモノアリ

團体ノ行動トシテ特ニ注意ヲ要スルハ團体ノ勢力ヲ利用セムトスル所謂文化運動ノ勃興ニシテ騷擾鎭靜ニ歸シ結社組織ノ流行ヲ見ルト共ニ教育ノ振興、女子ノ覺醒、殖産工業ノ發達其ノ他朝鮮文化ノ促進ニ關スル諸問題稍眞面目ニ論議セラルルニ至リシカ此ノ傾向ハ大正九年ノ中頃殊ニ大正十年ニ入リ特ニ顯著ナリ現今ニ於テハ實力養成ナル語ハ鮮人智識階級及青年學生ノ頭腦ニ深ク浸染シ全道各地著シク向學熱ノ勃興ヲ見ルニ至リ又經濟能力ノ發達ヲ期セムト企劃スルニ

7

至レリ而シテ此ノ傾向ハ獨立運動ノ非ナルヲ覺醒セシ當然ノ帰結ナルコト勿論ナリト雖亦從來不逞輩ニ依テ行ハレタル獨立運動ナルモノカ徒ラニ輕卒詭激ニ失シ到底其ノ目的ヲ達成シ能ハサルコトヲ覺知シタルト共ニ此ノ不逞輩ニ依テ企テラレタル獨立運動ハ一部ノ鮮人有識者ヲ真ニ獨立ノ希望ヲ懐カシムルニ至リ此ノ結果所謂文化運動ノ勃興ヲ見ルニ至リ實力ヲ養成シ將來ノ機會ヲ俟タムトスル遠大ナル排日企劃ヲ成サシムルニ至リタルモノナルコトモ亦否定スヘカラサルカ如シ要スルニ現下ノ文化運動ナルモノハ朝鮮民族ノ文化ヲ促進シテ日鮮融合ノ實ヲ擧ケルヲ目的トスルモノト民族ノ文化向上ニ依テ將來ノ獨立ヲ期セムトスル二樣ノ傾向アルカ如ク將來特ニ注意ヲ要スルモノアリ

又最近青年學生間ニ「實力養成」ナル語ト共ニ「團結」ナル言葉モ一種ノ流行語トナリ各種ノ會合ニ於テハ常ニ團結ノ必要ヲ力説シツツアリ大正九年十二月東亞日報記者張德秀等カ全道青年會ノ聯合ヲ策シ各地多數青年會ノ贊成ヲ得テ朝鮮青年會聯合會ヲ組織シ時々各道ニ巡囘講演ヲ行ヒ民族ノ覺醒ヲ叫ヒツツアルカ如キ亦注意ヲ要スヘキ現象タリ

又最近朝鮮ノコトハ朝鮮人ヲ以テ解決スヘシト稱シ若ハ極端ナル朝鮮中心主義ヲ唱フル傾向ト日本ヲ離レ朝鮮人トシテ世界的會合ニ代表者ヲ

8

差遣セムト企望セル傾向アリ即チ其ノ一例トシテ朴泳孝ヲ會長トスル朝鮮經濟會員中ニハ著シク朝鮮中心主義ヲ鼓吹スルモノ多ク特ニ東亞日報ヲ中心トスル青年會員ノ如キハ極端ニ朝鮮人ノ為ノ朝鮮タル經濟政策ヲ樹立セサルヘカラサルヲ力説スルモノアリ又最近米領布哇ニ於ケル教育會議ニ臨席シ帰鮮セル申興雨ノ歡迎會席上同人ハ同會列席ノ日本委員姊崎博士カ予ヲ日本代表者トシテ紹介セシモ自分ハ之ヲ應諾セス其ノ紹介ヲ郤ケ米國人會長ノ紹介ニ依リテ朝鮮代表者タルコトヲ明カニシタリ云々ト語リ更ニ將來ニ於テモ今回ノ汎太平洋沿岸教育會ノ如ク産業化學ノ研究等ニ關スル會議ノ開催ヲ見ルヘシ然ルニ朝鮮ニ於テハ協會又ハ支部ノ設ケナキ為偶々出席スル個人トシテノ資格ヲ認ムルノミニテ効果尠キヲ以テ朝鮮ニ於テモ一ノ教會ヲ組織シ將來各地ニ於テ開カルヘキ會議ト聯絡ヲ保チ代表者ヲ派遣スルコトトナシ若シ會議ノ性質上代表者ヲ出席セシムルコト能ハサル場合ニハ有利ナル印刷物ニテモ配布シ得ル樣計画スルノ必要アリト力説シ其ノ結果當日歡迎會ニ臨席セル各種團体ノ有力者十八名ヲ以テ汎太平洋協會ヲ組織スルコトニ決議セシカ如キ特ニ注意ヲ要スヘキ傾向タリ

9頁～58頁は、原本において欠落しています。（不二出版）

57

四、在外朝鮮人ノ動静

1、不逞鮮人ノ言動

外國ニ在ル朝鮮人ノ數ハ確實ニ知ル能ハサルモ情報其ノ他ニ依リ調査スルニ概ネ別表ノ通ニシテ約八十萬ニ近ク而モ其ノ實數ハ尚遥ニ多クシテ一百萬ヲ超過スヘキ見込ナリ而シテ其ノ分布ノ範圍極メテ廣ク殆ント世界到ル處鮮人ノ在住者ヲ見サルナク就中隣接支那及露領接壤地方ニ濃密ナルハ地理的歴史的關係ノ然ラシムル所ニシテ當然ノ趨勢ナリトス其ノ移住ノ動機態様等ニ關シテハ後節更ニ詳述スル所アリ茲ニ説述スルハ主トシテ政治的不平抱懐シ遂ニ國外ニ走リ又ハ移住後之等ノ思想ニ感染シテ不逞行動ヲ敢テシツツアル所謂排日鮮人ノ動静ニシテ其ノ状況左ノ如シ

イ、歐洲戰乱勃發前ニ於ケル不逞鮮人ノ行動

現下國外ニ在リテ不逞運動ノ中心トナリ或ハ領袖ヲ以テ自ラ任シツツアル者ノ移住動機ヲ調査スルニ其ノ併合前ニ於ケルモノハ帝國ノ勢威日ニ揚リ國運隆々トシテ進展スルニ反シ韓國ハ倍々衰退ニ傾キ帝國ノ輔導ニ從ツノ已ムヲ得サルニ至リシヲ深ク慨嘆シタルニ起因シ其ノ併合後ニ於ケルモノニアリテハ併合ニ依リテ國家亡滅シ遂ニ他國ノ支配下ニ入レルヲ屑シトセス寧ロ外國ニ渡航シテ悶々ノ情ヲ行ルニ不若ト為シタル

モノニシテ其ノ多クハ新智識ヲ有セス世界ノ大勢ヲ辨ヘサル頑迷ノ徒ニ屬シ露領、滿洲地方ニ在ル者其ノ例最モ多シ卽チ當時李東煇、李剛、金夏錫、金致寶等ハ浦潮ニ文昌範ハ尼市ニ李範允、洪範圖、崔文亨ハ煙秋地方ニ本據セリ又具春先、李明淳、黃丙吉等ハ琿春ニ柳東説、鄭安立、孟東田、劉一憂、李鐸等ハ吉林ニ趙孟善、車道善、李始榮等ハ西間島、柳河縣三源浦地方ヲ根據地トシ常ニ祖國ノ恢興ヲ叫ヒ浦潮ニ於テハ勸業新聞ヲ發行シ其ノ他不穩出版物ヲ頒布スル等極力排日思想ノ普傳ニ努メ機會アル毎ニ武力ヲ以テ帝國ノ勢力ヲ半島ヨリ驅逐シ以テ祖國ヲ恢復スヘシ等過激ノ言動ニ出ツルヲ常トセリ一方米國ニ移住セシ安昌浩、徐載弼、李承晚、朴容萬等ノ輩ハ比較的新智識ヲ有シ多少事理ヲ解セルヲ以テ前者ニ比シ其ノ主張稍穩健ニシテ直ニ武力ニ依ルコトヲ避ケ列國ノ同情ニ依リ目的ヲ達セムトスルモノニシテ不斷排日思想ノ宣傳ニ努メ之カ機關トシテ米布両地ニ於テ新聞ヲ發行シ其ノ他所有方法ヲ以テ日本ノ覊絆ヨリ脫セムコトヲ運動シツツアリ之等両個ノ色彩ニ依ル排日運動ハ歐洲戰乱後一層熾烈トナレルノ觀アリタリ

乙、歐洲戰乱勃發後ニ於ケル不逞鮮人ノ行動

露國過激派ノ勃興ニ依リ西伯利一帶ノ擾乱

ヲ見ルニ至ルヤ露領在住排日不逞ノ輩ハ好機到レリト為シ諸方ニ檄ヲ飛ハシ滿洲地方在住ノ同志ト協力シ獨墺俘虜ト結ヒ或ハ過激派ト通シ依テ以テ其ノ年来ノ宿望ヲ達セムト企圖セシモ事豫測ニ反シ我軍ノ派遣ニ依リ過激派ハ一敗地ニ塗レ我軍ノ長驅「ハバロフスク」ヲ占領シ「ブラゴウエシチエンスク」ヲ陷レ忽ニシテ沿海、黑龍州方面鎮定ニ皈スルヤ排日鮮人等ハ滿洲地方ニ逃竄シ或ハ俄ニ良民ヲ装フニ至リ終ニ彼等ノ企画ハ全然画餅ニ皈セシカ更ニ「チエツク、スロバツク」軍ハ列國ノ同情ト援助トニ依リ獨立ヲ宣スルヤ彼等不逞鮮人ハ「チエツク」ノ境遇ヲ自己ニ對照シ假令亡國ノ民ト雖時機至ラハ再ヒ獨立シ得ヘキヲ確信シ「吾人ハ宜シク時機ノ到ルヲ俟ツヘシ幾千百年ヲ經ルモ決シテ祖國復興ノ精神ヲ抛ツヘカラス須ク「チエツク」ニ學フヘシ」ト稱シ依然トシテ排日思想ノ鼓吹ニ努メツツアリシカ獨逸ノ屈伏ト共ニ平和來ノ聲起リ同時ニ米國大統領ニ依テ唱道セラレタル民族自決主義ハ各地鮮人ノ思想ニ至大ノ影響ヲ及ホシ曩ニ獨逸ニ於テ事ヲ成サムト期セシ排日鮮人等ハ米國ノ同情ニ訴ヘ其ノ後援ニ依テ彼等ノ目的ヲ達スヘシト為シ獨立ノ聲ハ熾ンニ各地鮮人間ニ高唱セラレ競フテ代表者ヲ佛國ニ於ケル講和會議ニ派遣セムト試ミタルニ

62

遂ニ其ノ目的ヲ果サザリシカ要スルニ民族自決ノ標語ハ排日鮮人ト否ラサルトヲ問ハス一種ノ希望ヲ抱カシムルニ至リ民心漸次險悪ニ陥ルニ至レリ又曩ニ浦潮新韓村ニ於テ發刊シツツアリシ勸業新聞ハ大正三年九月我官憲ヨリノ交渉ニ依リ露國官憲ヨリ發行禁止ヲ命セラレシカ其ノ後大正六年三月露國ノ大革命ニ伴ヒ言論結社ノ自由ヲ得ルニ至リ「ニコリスク」ニ於テ韓族會ノ組織成ルヤ其ノ機関トシテ青邱新報（後ニ韓族公報ト改題ス）及浦潮ニ於テ韓族新報ナル諺字週刊新聞ヲ發行シ頻リニ韓國ノ再興ヲ呼號シ排日思想ノ鼓吹ニ努メタルモ大正八年末頃ヨリ孰レモ財政困難ノ為中止スルニ至レリト謂フ

3、朝鮮騒擾勃發後ニ於ケル不逞鮮人ノ行動

大正八年三月天道教主孫秉熙等カ京城ニ於テ獨立宣言ヲ為シ亜テ全道各地ニ於テ騒擾ヲ惹起スルヤ露支領各地排日鮮人ハ之ニ衙應シ露領ニ於テハ浦潮「ニコリスク」「スパースコエ」「ラズドリノエ」等ノ各地ニ於テ又満洲殊ニ間島ニ於テハ所在多衆集合シテ示威運動ヲ行ヒ各種ノ結社ヲ組織シテ鮮内地ノ不逞者ト連絡ヲ保持シ運動ヲ継續セリ而シテ露領在住排日鮮人ハ我派遣軍ノ監視嚴重ナルヨリ行動意ノ如クナラス漸次支那領ニ遁入シ其ノ排日鮮人中ノ武断派タル李東輝、洪範圖、李範

63

允、文昌範ノ首領ハ兵ヲ擧ケテ朝鮮ニ侵入シ獨立ノ目的ヲ達スヘシト企画セルヤノ情報頻々タルニ至レリ更ニ上海ニ於テハ大正八年四月米國ヨリ歸來セル安昌浩等ノ不逞輩ニ依リ大韓臨時政府組織セラレ鮮内外各地ヨリ多數不逞鮮人此ノ地ニ蝟集スルノ現象ヲ呈シ大正八年八月下旬ニ至リテハ彼等ハ瑞西ニ於テ開催セラルル國際聯盟會議ニ對シ朝鮮ノ獨立ヲ要望スヘシト為シ此ノ目的ヲ達スル為ニハ同會議開催前ニ於テ朝鮮内ニ侵入シ武力的示威運動ヲ行ヒ以テ世界ノ輿論ニ依リ獨立ノ目的ヲ達成スルニ不如ト為シ盛ニ各種ノ流言蜚語ヲ流布シ人心ノ煽動ニ努メ又軍資金ノ徴集、武器ノ蒐集或ハ兵員ノ訓練等ニ奔走シ殊ニ大正九年一月以降ニ於テハ露國過激派援助ノ下ニ多數ノ武器ヲ入手シ動モスレハ武力侵入ヲ揚言シテ民心ノ惑乱ニ努メタリ當初此ノ露支領方面ニ於ケル不逞者ノ國境侵入計画ハ上海ノ所謂假政府側ニ於テ反對ノ態度ヲ執リ又諸般ノ不逞運動ニ関シテモ何等連絡ノ形迹ヲ認メサリシカ大正九年五、六月以降ニ於テハ假政府ノ議論自ラ武力ノ統一ヲ云為スルニ至リ人ヲ西北間島ニ派シ各不逞團ノ共力一致ヲ説キ武力機能ノ掌握策ヲ講シタルコトアリ爾来両者ノ間ニハ不完全ナカラ多少ノ連絡

64

ヲ遁レツツアルモノノ如シ

四、最近ニ於ケル在外不逞鮮人ノ行動

大正九年末來在外排日鮮人ノ不逞運動ハ漸次萎靡銷沈シテ振ハス彼ノ僭稱上海假政府ノ如キ本年五、六月ノ交ニ至リテハ財政全ク涸渇シ將ニ倒壞ノ已ムナキニ陥リ各地ノ不逞行動亦隨テ不振ノ状態ヲ免レス所謂獨立ノ美名ニ匿レテ僅ニ糊口ノ資ヲ貪リ居タル彼等不逞輩ノ窮状洵ニ悲惨ナルモノアリ為ニ彼等ハ痛ク前途ヲ悲觀シテ我官憲ニ恭順ノ意ヲ表シ皈郷セムコトヲ出願スル者續出スルニ至レリ此ノ時ニ當リ突如トシテ提唱セラレタル太平洋會議ハ幾分彼等ノ注意ヲ喚起シ多少緊張ノ氣味アリ此ノ機ニ乘シテ不逞運動ノ振興ヲ策リ以テ列强ニ對シ朝鮮民族ノ獨立熱ノ旺盛ナルコトヲ宣傳セムト計画シツツアリト雖素ヨリ資金ノ出途ナキ彼等ニ在リテハ殆ント如何トモ為ス能ハス為ニ太平洋會議ニ對シ好奇ノ眼ヲ注キ其ノ經過ヲ觀望シツツアル一部蒙昧ノ鮮人ニ對シ公債ノ應募ヲ勧誘シ或ハ國境ニ於ケル對岸支那地ニ於テ同志ノ糾合ヲ策スル等諸種ノ情報頻到スルニ至レリ此際鮮内外一般ニ亘リ周到ノ査察ト不断ノ警戒ヲ以テ事ニ當ルノ要アルヲ認ム最近ニ於ケル各地ノ状況左ノ如シ

65

○露領方面

大正九年四月我派遣軍ノ過激派軍隊武装解除決行ノ為各地共不逞鮮人ハ一時後援者ヲ失ヒ勢力頓ニ銷沈セリト雖同六、七月ノ交ニ於テ中部西比利亜即チ武市、亜市方面ヲ中心トシテ東方哈府地方ヨリ西方後貝加爾方面ニ至ル迄我軍ノ撤退行ハレタルヨリ齊多政權ノ樹立ト同時ニ同地域内ニ於ケル過激派ハ又々擡頭シテ勢力ヲ張リ不逞鮮人亦之ト結束シテ所々ニ韓族共産黨ヲ設ケ武力團員ヲ養成スルニ至レリ現ニ文昌範ノ如キハ爾来過激派支援ノ下ニ亜市ニ朝鮮人軍隊ヲ組織シ更ニ士官養成ノ學校ヲ設置シ其ノ勢力ハ大正十年四、五月ノ交ニ於テ五千餘名ト註セラルルニ至レリ如斯中部地方ノ不穏状態ヲ呈スルニ反シ東部沿海州地方ハ我軍ノ繼續駐屯ニ依リ概ネ平穏ニシテ武力不逞團ノ存在ヲ認メス只僅ニ蘇城方面ニ於テ赤化セル若干ノ不逞鮮人カ時々資金强徴ヲ行フ為蠢動スルヤノ情勢アルニ過キサリシカ客年十月我軍ノ間島及琿春地方ニ於ケル不逞鮮人團討掃ノ為當時總員約三千名ト註セラレタル不逞輩ハ我軍ノ追究ニ依リ其ノ大部分ハ遠ク北方ニ遁竄シテ東支沿線ヲ通過シ一度支那密山縣方面ニ集中セシモ其ノ後其ノ大部ハ「イマン」方面ニ向ヒ一部ハ武市方面ニ向

ヒタルモノノ如ク何レモ露國過激派支援ノ下ニ再起ノ計画ヲ建テ「ペルチンスキー」「イマン」「ウスペンカ」蜂密山子「グロデコフ」ヲ連絡スル圏内ニハ一時二、三千名ノ不逞鮮人アルモノノ如ク報セラレタリ時恰モ在露領新民團々長金圭冕ハ「イマン」ニ於テ間島方面ヨリ退却シタル各不逞團首領ト會合シ左記各項ヲ協定シ之ヲ敗残ノ間島方面同志ニ通報シテ益々結束ヲ固メムトスルノ情報アリ

(イ)、韓族ハ韓族ヲ以テ支配シ他民族ト混同シ其ノ支配ヲ受ケサルコトヲ期ス

(ロ)國内外ヲ問ハス資本萬能主義及軍國主義ヲ打破スルコトヲ期ス。

(ハ)、野蠻時代ニ於ケル専制々度ノ遺習タル階級制度ヲ打破シ四海四民平等ノ安樂ヲ期ス

(ニ)、衣食ニ困難スル天下ノ窮民ヲ救濟スル為武力ヲ以テ共産主義ノ實行ヲ期ス

(ホ)、未開人類ノ統御ニ要シタル宗教ハ文明ノ今日舊習改革上有害ナルヲ以テ各宗教制度ヲ廢シ迷信ヨリ覺醒セシメ以テ社會實學ニ導クコトヲ期ス

元來露領及間島方面ニ在ル不逞鮮人ノ色彩ハ上海及米、布方面ニ於ケルモノト其ノ主義ヲ異ニシ何レモ武力急進主義ヲ執リ露國ノ後援ニ依リ獨立ノ目的ヲ達セムトスルモノ

ナルカ故ニ露國政變後勞農政府ノ樹立セラレテヨリ直ニ之カ支援ニ依リ武力ノ増進ヲ圖リ一面赤化運動ヲ行フニ至レリ間島方面ノ不逞團体カ元沿海州政府ヨリ多數ノ武器ヲ供給セラレテ一時優勢ナル武力團ヲ養成シタル所以ノモノ其ノ因由實ニ茲ニ存ス如斯彼等ハ相互利用ノ方法ニ依リ武力團ノ結束ト赤化宣傳ノ進捗ヲ圖リ營々トシテ東部露領ニ一大勢力ヲ張リ惹テ間島方面ヲ蹈破シ更ニ我朝鮮國境ヲ侵サムトスルノ計画ヲ立テタルモノノ如シ今諸種ノ情報ニ依リ當時「イマン」地方ニ於ケル不逞鮮人團ノ状勢ヲ察スルニ元大韓軍政署總裁徐一ヲ長トスル大韓總軍府ハ元間島ニ在リシ軍政署光復團軍務都督府義軍團ノ領袖及團員ヲ以テ統一組織セラレ洪範圖ヲ副總裁トシテ崔明録、金佐鎭李青天李章寧安武等ノ領袖皆此ノ麾下ニ入リ其ノ本據ヲ「イマン」ニ置キ更ニ支部ヲ支那蜂密山子ニ設置シ三月下旬ニ於ケル彼等ノ勢力ハ武装團員約六百名及在来露領ニ在リシ者及武市方面ヨリ移動シ来リタリトノ風説アル文昌範ノ部下約千五百名ヲ合シ優ニ二千名ヲ超過スト唱ヘラレタリ於茲我浦潮派遣軍ニ於テハ本年三、四月ノ交極東政權ニ交渉シテ「イマン」方面ニ於ケル武力鮮人團ノ武装ヲ解除セシメタルヨリ彼等ハ漸

次西方ニ移動シ武市方面ノ不逞鮮人團ニ合スルニ至リ新ニ同方面ニ一大勢力ヲ增加スルノ形勢ヲ馴致セリ茲ニ各不逞團ノ状況ヲ詳述スレハ左ノ如シ

大正八年五、六月ノ交上海ニ赴キ假政府交通總長ノ要職ニ推擧セラレタル文昌範ハ政府組織上ニ關スル不平ヲ懐キ他人ノ留任諫止ヲモ肯セス漂然去テ露領ニ赴リ浦潮國民議會ヲ再興シテ之ニ長トナリ其ノ後我軍ノ出動ニ依リ同地ヲ引揚ケ爾来各地ヲ徘徊シテ時機ノ到来ヲ窺ヒツヽアリシ處前述ノ如ク偶々我軍ノ中部西比利亜撤退ニ依リ行動漸ク自由トナリ加ルニ過激派政府ノ樹立ハ彼等ノ行動上至大ノ便宜ヲ得大正九年八月以来之カ援助ノ下ニ武市ニ士官練成所ヲ設ケ學生約一千名ヲ收容シ金昌元ヲ所長トシテ專ラ團員ヲ養成スルト同時ニ團員ノ結束ニ努メ一面機關紙自由報ヲ發行シテ共産主義ノ宣傳ニ努力シタリ更ニ本年二月頃ニ於テハ知多政府ト左ノ密約ヲ結ヒ倍々其ノ基礎ヲ鞏固ナラシメタリト云フ

(1)、知多政府ノ統治下管轄内ハ如何ナル都市村落タルヲ問ハス高麗國武力團ノ駐在及養成ヲ許容ス

(2)、高麗國武力團ハ過激主義ノ下ニ之ヲ養

成スルハ勿論知多政府指定者ノ絶對指揮ヲ受ケ野心ヲ以テ侵略セムトスル第三國トノ開戰ニ際シテハ便宜之ヲ使用スルコトヲ得

(3)、前項武市團体使用ノ武器彈藥ハ知多政府ニ於テ之ヲ供給ス但シ永遠ノ給與ニアラサルコトヲ約定ス

過激派政權ト不逞鮮人團トノ連絡共助ハ以上ニ依リ其ノ概況ヲ知ルヘク更ニ本年二月中旬頃浦潮方面ニ撤布シタル黒龍江州國民議會ノ「警告韓人全体」ト題スル警告文ハ一層其ノ趣旨ヲ鮮明ニ發表セルノ觀アリ

今本年六月頃ニ於ケル武市地方ニ於ケル不逞團ノ状況ヲ擧クレハ左ノ如シ

(1)、亜市ニ鮮人國民議會アリ文昌範之カ議長トナリ共産黨ト連絡シ自由報ヲ發行ス

(2)、武市共産黨ハ金河錫之ヲ主宰シ黨員約五百名アリテ獨立團ヲ支援ス機關新聞トシテ新世界ヲ發行ス

(3)、黒龍江鮮人軍隊ハ亜市ニ五千五百名アリテ三箇聯隊編成ノ一箇旅團ト為シ露國人「カランダレシウエリ」ヲ司令官トシ呉華默ヲ副司令官、柳東說、朴エルリヤ、崔高麗ヲ聯隊長トセリ

(4)、亜市北方「マザ」ニ朝鮮人士官學校アリ李青天ヲ校長トシ韓雲龍、蔡英、李鏞ヲ敎官トシ生徒約二百名アリ

(5)、洪範圖ハ亜市ニ在リテ十八歳以上四十五歳迄ノ壮丁ヲ募集敎育ノ上本年冬季間島ニ進出セムト着々準備中ナリ

右第三項ノ情報ハ其ノ數稍誇大ニシテ眞偽ヲヘキモ少クトモ約二千名位ノ兵力アリシハ推定ニ難カラサル所ナルカ彼等ハ極メテ不規律ニシテ露國側ニ於テモ大ニ其ノ取扱ニ困難シ遂ニ六月二十七日同二十八日ノ両日ニ亘リ全部武装ヲ解除セラルルニ至レリ其ノ内約一千名ハ絶對服従ヲ條件トシテ復皈シタルモ約五百名ハ武装ノ儘何レニカ逃走シ其ノ他ノ者ハ各自離散シタリト云フ而シテ當時亜市ニ残留セシ約一千名ノ者ハ本年九月ニ至リ動乱鎮定ノ名ノ下ニ「イルクツク」ニ送ラレ途中知多ニ於テ彼等ハ其ノ輸送ニ反抗セシモ遂ニ露國軍隊ノ為ニ武力ヲ以テ強制セラレタリト云フ

前記ノ如ク亜市ニ於テ逃走シ或ハ解散セラレタル不逞鮮人等ハ恰モ水草ヲ逐フテ流轉スルカ如ク再ヒ東方ニ移動シ来リ露領「イマン」ヨリ支那領密山縣方面ニ亘ル地區ニ集中シ元大韓軍政署總裁徐一、同司令

71

官金佐鎮等ヲ首長トシテ其ノ主力ハ蜂密山子ニ其ノ前衛ハ漸次寧安縣寧古塔、敦化縣敦化地方ヲ經テ安圖長白縣ニ達シ其ノ側衛ハ更ニ西間島方面ニ延ヒムトスルノ趨勢ニ在リ殊ニ最近聞ク所ニ依レハ露領方面ノ武力不逞團ハ相結束シテ約四十名ノ武力團ヲ編成シ之ヲ三路ニ分チテ咸北、咸南ノ我國境ヲ衝カムトスルヤノ情報アリ對岸支那地ニ於ケル不逞團ノ活動ト相俟ツテ極メテ悪化ノ形勢ヲ呈シツツアリ最近露領ニ於ケル不逞鮮人團体ノ状況左ノ如シ

(1)、朝鮮人共産黨軍隊

秋豊ニ在リ韓京瑞ナル者之ヲ指揮シ部下二百七十名ヲ有シ「アヌチノ」露國共産黨軍隊ニ合セムトシツツアリ而シテ沿海州ニ現在スル露國共産黨軍隊ノ總員十二萬ニ達スト云フ

(2)、血誠團

蘇城ニ在リ姜國模之ヲ指揮シ部下七百名ヲ有シ露國共産黨ニ加入シアリテ露鮮混交ノ部隊ヲ編制シ居レリト云フ

(3)、朝鮮獨立軍

其ノ一ハ哈府ニ在リ隊長洪龍權之ヲ指揮シ部下四百七十名アリ露國共産党ノ給養ヲ受ケ武器、被服、弾薬、糧食等概ネ充

72

足シ居ルモノノ如シ他ノ一ハ哈府市外南砲台兵舎ニ在リ洪範圖之ヲ指揮シ部下三百二十名アリ此ノ部隊ハ糧食其ノ他ノ給養ヲ土地ノ鮮人農民ヨリ受ケ居レルモ本年凶作ノ為農家困難ノ折柄ニ付日本軍ノ撤退永引ニ於テハ解隊離散ノ外ナシト稱シ居レリト云フ

(4)、朝鮮人武官學校

哈府上海支那領「ウルカン」ニハ不逞鮮人ノ武官學校アリテ卒業生及學生ノ總數約一千名ノ軍人アリト云フ

其ノ他支那領密山縣ニハ前記ノ如ク元大韓軍政署司令官金佐鎭ノ率ユル約二二百名ノ不逞鮮人アリシモ最近馬賊ニ襲ハレ困憊ノ状態ニ在リトノ説アリ尚武市ニハ黒龍州國民議會及韓族共産党アリ亜市「イルクツク」知多、哈府等ノ各地ニハ夫々韓族共産黨支部ノ設ケアリテ主義ノ宣傳ニ従事スルノ外不逞運動ヲ援助シ之カ連絡ノ任ニ當リ尚之等團体ノ機関トシテ武市ニ自由報、赤星、亜市ニ新世界「イルクツク」ニ赤旗、知多ニ勞農新報、東亜共産新聞等アリテ各宣傳ニ努メツツアリ

以上ノ如キ状況ニシテ浦潮及尼市地方ハ我軍ノ駐屯ニ依リ僅ニ小康ヲ保チ亜市、武

73

市方面亦不逞武装團ノ西移ヲ報スルアルモ通ク我軍ノ撤兵決行セラルヘシトノ風説ハ頻々トシテ巷間ニ傳ヘラレ在住鮮人亦之ヲ信シ居ルカ故ニ民心ハ必スシモ平静ナラス果シテ撤退實現ノ暁ハ過激派ハ滔々トシテ侵入シ来リ不逞輩亦擡頭シテ無限ノ迫害ハ立口ニ到ルヘシト豫想セルモノノ如シ現ニ浦潮其ノ他ニ於ケル親日派鮮人ニシテ私ニ媚ヲ不逞輩ニ供スルノ傾向ハ其ノ裡面ニ於テ我軍撤退後ノ迫害ヲ恐ルルモノニ外ナラス而シテ本年七月米国ノ提唱セル太平洋會議ハ早クモ露領各方面ノ鮮人間ニ傳ヘラレ諸種ノ妄想憶説ハ到ル處ニ行ハレ不逞者ハ此ノ機ニ乗シテ民心ノ悪化ヲ策シ資金ノ募集ニ努メツツアリ其ノ太平洋會議ヲ中心トシテ行ハルル露領関係ノ風説情報左ノ如シ

(1)、北京方面ニ於ケル軍事統一會議ニハ間島方面ノ代表者李震山、朴重濟、露領代表者南公善参加シテ太平洋會議對策ニ関シ諸般ノ画策ニ當リ内容未タ判明セサルモ武力行動ノ為ニハ目下武市方面ニ在ル柳東説ヲ動カサムトスルモノノ如シ（上海）

(2)、在上海假政府ヲ中心トスル太平洋會議對策研究會ニ於テハ此際不逞運動ヲ各

74

目分担シテ決行スルコトトシタルカ其ノ露領関係ノ分左ノ如シ

一、西比利亜国民議會ヲ中心トシ各方面ニ連絡スルハ元世勲トス

二、各地新聞ニ對スル連絡ハ專ヲ申圭植、趙東祐之ヲ担任ス

三、支那、臺灣、露領ニ於ケル社會党ト連絡シ宣傳ノ責任ヲ有スル者ハ尹顯振、金斗奉、元世勲、金澈、李奎洪、趙尚燮トス

(3)、八月十六日ヨリ開催ノ北京軍事統一會議ハ各地散在ノ不逞武力團体ヲ一地ニ集中シ以テ事ヲ擧ケムトスルニアリシモ各地代表出席者少數ナリシニ加ヘ資金ノ出途ナキ為意ノ如クナラス朴容萬ハ之カ出資ヲ露國過激派ニ仰カムトスルノ意嚮ヲ有シ居レリト云フ(上海)

(4)、前述蘇城東溝地方ニ根據ヲ有スル金光瑞密山府ニ在ル金佐鎭、秋豊方面ニ於ケル韓京瑞等ハ互ニ連絡ヲ保チ太平洋會議前西比利亜及鮮内ニ於テ騷擾ヲ惹起セムト準備シツヽアルモノノ如シ(浦潮)

(5)、尼市西方地区在住鮮人等ハ近来不逞團ノ往来頻繁ナル為其ノ都度食事ヲ强要セラレ困難ヲ極メ居レリト現ニ韓京瑞ノ部下カ最近秋豊ヲ通過シタル數ノミニテモ二百七十名以上ニ達スト云フ(浦潮)

75

(6)、上海假政府ノ密使ト稱スル者先般武市、哈府ヲ經テ「イマン」ニ来着シ太平洋會議ニ李東輝外二名ヲ派遣シ一行ハ已ニ上海ヨリ佛國ヲ經テ近ク華盛頓ニ到着スヘシ故ニ在外鮮人ハ朝鮮内地ト呼應シテ一大活動ヲ為ササルヘカラスト宣傳セシタメ各不逞團ハ十一月迄ニハ必ス一大騷擾ヲ惹起セムト焦慮スルニ至レリ撤兵問題ヲ眼前ニ和ヘタル際ナレハ不逞輩ノ雷同免レサルヘシト(浦潮)

(7)、最近上海假政府ヨリ太平洋會議ニ関スル宣傳文書到着シタルカ其ノ結論ニハ一般同胞ハ此ノ機ニ於テ全力ヲ擧ケテ上海假政府並派遣代表ヲ後援セサルヘカラサル旨ヲ記シアル為鮮人中ニハ復又義捐金ナ强募執拗ニ行ハルヘシトテ危惧スル者アリト(露領)

(8)、武市地方ニ在ル不逞鮮人團ハ太平洋會議開催ノ報ヲ聞クト共ニ頓ニ活氣ヲ逞フシ約三百名ノ團員ヲ鮮内地ニ派遣シテ民心ヲ煽動シ朝鮮人ノ獨立熱ヲ世界ニ宣傳セムト企画シ居レリト(哈市)

(9)、上海假政府議政院ニテハ太平洋會議ニ提出スヘキ獨立嘆願書署名代表者トシテ鮮内地ハ申興雨、滿洲ハ曹晃、露領ハ申宗浩、米領ハ鄭仁果ヲ選定シタリト(間島)

76

(10)、通化縣方面ニ於ケル排日鮮人等ハ武器彈藥ハ露國過激派トノ提携ニ依リ供給意ノ如クナルヲ以テ此際貧富ノ別ナク軍資金ノ提供ヲ為シ壮丁ヲ出シテ活動セシムヘシト提唱スル者アリ(通化)

(11)、在露領不逞鮮人領袖文昌範及李載文外十餘名ノ者ハ「イマン」市鮮人民會書記金某宅ニ集合シ約十日間ニ亘リ秘密會議ノ結果太平洋會議代表者李承晩ニ送付スヘキ意見書及聲明書ヲ作製シ送付シタリト(浦潮)

(12)、米國政府某書記官ハ朝鮮ノ政情視察ノ為太平洋會議ニ先チ朝鮮ニ渡来スヘシト漸新韓村在住排日鮮人等ハ這回コソ愈獨立ノ目的ヲ達スヘシトテ喜ヒ居レリト云フ(浦潮)

(13)、西比利亜地方ニ在ル韓族共産党ハ露國過激派ト結束シテ極力日本軍ノ撤退ヲ、遷延セシメ太平洋會議ニ於テ日本ヲシテ辯明ノ辞ナカラシメ不利ヲ招カシムル様努ムヘシト(間島)

○北間島方面

大正九年一月以来間島及琿春地方ニ於ケル不逞鮮人團ハ露國過激派援助ノ下ニ武器其ノ他ノ供給ヲ受ケ漸次武力的勢力ヲ擴張シ時ニ馬賊團ト連絡シ或ハ行動ヲ共ニシテ兇

77

暴至ラサルナク同年八、九月頃ニ至リテハ國民會、軍政署、軍務都督府、大韓獨立軍義軍團、新民團等ノ諸團体存在シ其ノ勢力三千有餘名武器亦人員相當ノ數ヲ有スルニ至レリ偶々同年九月及十月ノ両回ニ亘リ馬賊團ノ琿春ヲ襲撃スルヤ日、支、鮮ニ亘リ生命財産ノ損害夥シク我琿春領事分館ノ如キハ其ノ兵燹ニ罹リ一朝ニシテ焦土ト化スルニ至ルヤ間島及琿春地方ノ治安ハ到底支那ニ信頼スヘカラサルコト明白トナリ遂ニ我軍ハ起テ自衛上馬賊及不逞鮮人ノ掃討ヲ行フコトトナリ第十九師團ニ属スル東、磯林両支隊ハ同年十月七日各部署ヲ定メテ對岸ニ出動シ爾来各地ニ轉戰シテ不逞團ノ討滅ニ従事シ同年十一月中ニ於テ概ネ其ノ目的ヲ達シタリ當時同地方不逞團ハ遠ク境外ニ遁竄シ残餘ノ者ハ殆ント自首恭順ノ意ヲ表シ親日團体ハ勃然トシテ各地ニ興リ民心ハ一時平静ニ皈シ山間ノ僻地ニ至ル迄泰平ノ和樂ヲ謳歌シタルモ其ノ後討伐終結ヲ告ケ本年一月我軍隊ノ大部引揚ニ伴ヒ過激派ハ先ツ其ノ宣傳部員ヲ同地方ニ侵入セシメ次テ一時露領方面ニ敗走シタル不逞團ハ一、二名宛偵察的ニ間島奥地ニ潜入シ来リ只管我軍警ノ動静ヲ探査シツツアリシカ本年一、二月頃ニ至リテハ其ノ數漸次増加シテ潜伏中ノ残党ト結ヒ諸所ニ隠顕シテ不逞思想ノ復活ニ努メ一面敢順者ヲ脅迫拉去スル等其ノ行動漸ク具体的トナリ四月下旬ニ至リ我軍ノ残部隊カ愈撤退スルヤ彼等ハ倍々其ノ鋒芒ヲ現ハシ来リ元大韓軍政署ノ残党ヲ中心トシテ義軍團其ノ他ノ各敗残ノ徒ヲ結合シ十数名乃至二、三十名一組ノ團体ヲ組成シ各地ニ出没シテ曩ニ隠匿セル銃器ノ發掘ヲ行ヒ同志ノ糾合ト通信機関ノ密設ニ努力スルノ情勢アリ此ノ時ニ當リ我外務省ハ在来ノ警察官ヲ増員シテ延吉、和龍、汪清、琿春ノ各縣下樞要ノ地点ニ分散配置ヲ完成シタル為彼等ハ其ノ行動意ノ如クナラス漸次前記四縣ノ境外ニ根據スルノ傾向ヲ生セリ即チ安圖、敦化、寧安、東寧及琿春縣奥地方ニ根據シ随時間島及琿春境内ニ侵入シテ不逞行動ヲ敢テスルノ状勢ヲ呈シ六月以降ニ至リテハ馬賊ノ横行亦頻繁トナリ動モスレハ良民ヲ拉去シ金品家畜類ノ掠奪等頻繁ニ行ハレ加フルニ過激派ハ主義ノ宣傳ヲ行フト同時ニ不逞武力團ト連絡ヲ密ニシ通信事務ヲモ担任スル等一時著シク不安ノ傾向ヲ呈シ接壌地タル我咸鏡北道ニ於テハ之カ影響ヲ蒙リ六月中ニ於テ三長地方十数名一組ノ不逞鮮人侵入シ其ノ他吉州、漁大津、富寧地方ニモ若干ノ不逞者出没セリ更ニ七月上旬ニハ鏡城郡内ニ爆弾ヲ携帯

セル七、八名一組ノ不逞鮮人侵入セルヲ我警察官發見シ其ノ大部ヲ逮捕シ又ハ射殺セシ事例アリ

以上ノ通リニシテ間島内ノ民心ハ未タ一般的ニ著シク悪化セルニアラサルモ不逞鮮人ノ活動ハ一面馬賊ノ出没ト共ニ漸次民心ヲ不安ニ導キ咸鏡北道穏城對岸安山地方ノ鮮人ハ近来我官憲トノ接觸ヲ避ケムトスルノ気風ヲ生スルニ至レリト云フ茲ニ間島琿春並其ノ接壌地方ニ於ケル不逞武力團体ノ最近状勢ヲ述フレハ左ノ如シ

(イ)、和龍縣

元義軍團系統韓玉山ノ一派約三十名ハ和龍縣二道溝奥地ニ根據シ延吉縣四道溝地方ニモ出没シテ不逞行動ニ従事シツツアリ

(ロ)、延吉縣

元義軍團系統李直ノ一派約三十名延吉縣依蘭溝南洞地方ニ根據ス

(ハ)、汪清縣

元軍政署系統金河益ノ一派約百五十名ハ馬賊五十餘名ト結合シ汪清縣羅子溝地方ニ元大韓督軍府長崔明録ハ部下若干ト共ニ同人ノ元住所タル汪清縣鳳梧洞附近ニ出没シツツアリトノ情報アリ

(ニ)、琿春縣

元琿春韓民會系統ニ屬スル崔慶天一派約四十名並同系統金瑢洙ノ一派約二十名ハ共ニ琿春縣密江上流地方ニ元軍政署系統蔡河錫一派約五十名ノ一團ハ同縣杜荒子奥地方ニ行動シツツアリト云フ

(ホ)、安圖縣

元義軍團系統金允京ノ一派約五十名ハ支那人十數名ヲ合シ安圖縣土腰子ニ根據シ主トシテ和龍縣二、三道溝地方ヲ出沒シ元軍政署系統金光淑(別名金秉奎)ノ一團約四十名ハ同縣内頭山ニ元義軍團系統ノ憲警署タル李範模ノ一團約六十名及光復團支部李秉周ノ一派約二〇名ハ同縣興道子ニ根據ヲ置キ何レモ不逞行動ニ從事中ナリト

(ヘ)、敦化縣

共產黨系統ニ屬スル黃公麟ノ一派若干名ハ敦化縣内某地ニ又元軍政署系統ノ自稱懇民局李鴻東ハ配下數十名ト共ニ同縣城ニ根據シ尚續々同志糾合中ナリト云フ

(ト)、寧安縣

(イ)、元軍政署副總裁玄天默ハ寧安縣寧古塔刀磨石ニ臨時通信本部ヲ置キ各團ノ管轄區域ヲ定メ戶口調查其ノ他狀況偵察ノ為配下秘查員三十餘名ヲ間島地方ニ分派シタリト而シテ本團ハ上海假政府ヨリ間島方面ノ軍事機能ノ指揮ヲ委任セラレタリトノ說アリ

(ロ)、密山縣ニ根據ヲ有スル大韓總軍府ニテハ寧古塔ニ士官學校ヲ設置シ金佐鎮等所要幹部ハ夫々來着シタリト云フ

(ハ)、黑龍江省黑河ニ在ル大韓軍部ニ於テハ新ニ經團ト稱スル中央通信機関ヲ設ケ其ノ下ニ營團ヲ置キ不逞運動ニ要スル糧食軍資金ノ募集及各地ノ通信連絡ヲ為サシムルト同時ニ共產主義ノ宣傳ヲモ行フコトトシ寧古塔ニハ密山第二經團ニ屬スル第二十七營團ヲ置キ李成浩ナル者之カ營團長トシテ多數ノ特派員ヲ間島及鮮内地ニ差遣シタリトノ說アリ

(チ)、穆稜縣

元大韓國民會々長具春先ハ目下配下幹部ト共ニ穆稜縣八面通ニ根據シ間島地方ニ在住スル會員間ニ秘密連絡ヲ執リ共產主義宣傳文書ヲ多數配送シツツアリト云フ

(リ)、露支國境方面

(イ)、元韓民會軍務部長崔慶天一派ハ韓族共產黨ノ先驅トナリ露領沿海州方面ニ根據シテ屢々琿春縣東溝方面ニ出動シ赤化宣傳ニ努メツツアリ為ニ我討伐ニ洩レタル不逞ノ殘黨ハ擧ケテ之等赤化宣傳團ニ投入シ居レリト云フ

(ロ)、元大韓軍政署財務部長桂和、琿春韓民會

軍務部中隊長金成三ノ両名ハ八月中旬以来屢々琿春縣德惠郷大荒溝地方ニ出没共産主義宣傳ニ努メツツアリシヲ四月二十三日密江支那陸軍ニ於テ逮捕シタルカ支那境内ニ立入ラサルヲ條件トシテ翌日釋放セラレタリト

(3)、元琿春韓民會領袖韓京瑞、羅正和等ハ多數ノ配下ヲ有シ目下露領尼市北方松田洞附近ニ在リテ資金募集中ナルカ同地方ニハ尚義軍部光復團、血誠隊總軍部等ノ不逞團員約六百名アリ何レモ共産主義ヲ奉シ不逞行動ヲ敢行シ其ノ接壤地タル東寧縣内ニモ屢々侵入シツツアル模様ナリト

大要以上ノ通ナルカ支那官憲ノ之ニ對スル取締ハ依然トシテ徹底セサルノミナラス反ツテ移住朝鮮人ヨリ物資ノ無償徴蒐テ為シ或ハ姦淫ヲ强ユル等ノ不法行為アリ匪賊等ハ此ノ隙ニ乘シテ横行ヲ逞フシ最近琿春縣城ノ如キハ之カ脅威ヲ蒙リ今尚不安ヲ感シツツアルカ如キ畢竟取締ノ不徹底ニ起因スルモノト認メラル然レ共道尹以下上級者ニ在リテハ誠意ヲ以テ之カ取締ヲ行ハムトシ八月中ニ於テハ北京ヨリ比較的優良ナル警察官ヲ聘シ在来ノ警察組織ヲ變更シテ兵警ノ素質改善ヲ圖

リ營々トシテ同地方一帯ノ治安ヲ完全ニ維持シ以テ我外務省警察官ノ撤退ヲ要求スルノ理由タラシメムト計画セルモノノ如シ而シテ最近米國ノ提唱ニ係ル太平洋會議ニ伴ヒ不逞鮮人ハ何レモ好奇ノ眼ヲ以テ之ヲ迎ヘ諸種ノ流言蜚語行ハレ中ニハ之レヲ動機トシテ獨立ノ實現スルコトナキヤヲ妄想スルモノアリ此ノ機ニ乘シテ資金ヲ募リ武力團ノ集中結束ヲ圖ラムトスルノ傾向ナキニアラス殊ニ最近露領各地ニ於ケル各不逞團ノ統一成リ其ノ總員約四千名ハ此ノ機ニ於テ我國境ヲ衝カムトシ安圖、和龍、琿春地境ニ南下セムトスルノ情報アリ俄ニ信スヘカラスト雖其ノ經過ニ對シテハ深甚ノ注意ヲ拂フノ要アルモノト認ム而シテ同會議ニ關スル同地方ノ風評中參考トナルヘキモノ左ノ如シ

(1)、太平洋會議ニテ青島還付、領事裁判權撤廢セシ支那居住鮮人ハ全部支那ニ皈化スルコトトナルヘク若シ之ニ應セサル者アラハ境外ニ放逐セラルヘシ

(2)、太平洋會議ニハ米國週日學校長米人某モ重要ノ椅子ヲ占ムヘク同氏果シテ列席セハ朝鮮獨立ニ關シ最善ノ努力ヲ致スヘク早晩吾等民族モ自由ノ天地ヲ打開シ得ヘシト唱フル者アリ

84

(3)、従来支那ハ日本ノ實力ニ壓セラレ支那地ニ在ル朝鮮獨立軍ノ取締ヲ行ヒ来リシモ太平洋會議ノ結果米支ノ提携ニ依リ日本ノ勢力ハ痛ク制限セラレ自然支那ハ朝鮮人ノ獨立運動ニ對シ何等ノ干渉ヲ為ササルニ至ルヘシ

(4)、太平洋會議ニ際シ朝鮮獨立ノ輿論ヲ昂ムル手段トシテ大正八年三月ニ於ケルカ如キ示威運動ヲ起サム為吉林省敦化縣城附近ニ在ル不逞鮮人團ハ李鴻来ノ名ヲ以テ北間島地方有力不逞鮮人ニ對シ陰七月末迄ニ敦化縣ニ集合スヘク通知状ヲ發送シタル事實アリ

(5)、八月十八日吉林方面ヨリ耶蘇教傳道師二名和龍縣徳新社ニ来リ太平洋會議ニ朝鮮獨立ヲ提議スル資料ナリトテ白紙ニ移住鮮人ノ署名捺印ヲ求メツツアリト之ニ類似セル行動ハ各地ニ於テ行ハレツツアリトノ風説アリ

(6)、朝鮮獨立ハ絶對的希望ニシテ本件以外第二條件ハ鮮人ノ望ム所ニ在ラサルヲ聲明シ之カ第一歩トシテ自治論者及委任統治論者ヲ排斥シ真正ナル民心ヲ表顕セシメサルヘカラス

(7)、和龍縣大拉子寺洞居住元明東學校教師金鎮奎ハ現金八百円ヲ携ヘ八月九日同地出發吉林ヲ經テ上海ニ向ヒタルカ右ハ和龍縣代表トシテ太平洋會議ニ朝鮮ノ獨立ヲ陳情セムカ為假政府當局ニ交渉スルモノナリトノ説アリ

85

(8)、近来數名ノ不逞鮮人ハ間島各地ヲ徘徊シ来ルヘキ太平洋會議ニ派遣スヘキ間島代表ノ所要經費トシテ應分ノ寄附ヲ為スヘシト稱シ移住鮮人ヨリ金員ノ募集ヲ為ス者アリ

(9)、敦化縣方面ニ潜伏中ナル元大韓國民會幹部等ハ来ル十一月十一日ヲ期シ第二ノ示威運動ヲ起スヘク内々準備中ナリト

(10)、自稱和龍縣在住鮮人申永恭ナル者ハ支那人ニ變装シ吉林ヲ經テ上海ニ赴キタルカ同人カ吉林ニテ友人ニ語リタル處ニ依レハ今回予ノ上海行ハ國民代表會ニ列席スルト共ニ太平洋會議ニ對シ獨立陳情ヲ為サムカ為ニシテ予ノ携帯セル旅費一千円ハ和龍縣方面ノ有志者ヨリ醵出セシモノナリト

○西間島方面

奉天督軍諒解ノ下ニ大正九年五月ヨリ八月ニ亘ル約三ケ月間臨江縣以西ノ地区一帯ニ渉リ不逞鮮人検擧ノ為調査班ノ活動アリ次テ同年十月ヨリ十二月ニ亘リ我軍ノ北間島地方不逞鮮人討伐ニ策應シテ鉄嶺駐屯歩兵

第十九聯隊及騎兵第二十聯隊ノ一部同方面ニ對シ示威行軍ヲ行ヒ両者共ニ多大ノ效果ヲ收メタルモ當時各不逞團ニ在リテ其ノ機關タル通信員ノ活動ニ依リ豫メ我方ノ行動ヲ察知シ主ナル不逞輩ハ逸早ク姿ヲ晦マシ剿滅ヲ免レ偶々我手ニ捕ヘラレテ處分ヲ受ケタルモノハ多クハ何等名ヲ知ラレサル雜輩ニシテ我方ノ引揚ヲ見ルヤ再ヒ同志ヲ糾合シ隨所ニ兇暴ヲ逞フシ再ヒ昔日ノ不穩状態ヲ實現スルヲ常トス故ニ當時我方ノ勢威ニ恐レテ一時隱遁シタル彼等ハ客年末再ヒ擡頭シテ親日派鮮人ヲ惨殺シ或ハ資金ヲ强奪スル等其ノ兇害恐ルヘキモノアリ殊ニ同地方ハ我平安北道ト鴨緑江ヲ隔テテ相對スルカ故ニ屢々我境内ヲ侵シ現ニ本年七月二十九日同道東興ヨリ侵入セル武装團三十五名同月二十九日慈城江口ヨリ侵入セシ十五名八月二十一日雲山郡大楡洞ニ出現セシ三十名等ハ其ノ主ナルモノトス殊ニ西間島方面ハ馬賊ノ横行亦比較的頻繁ニシテ支那官憲ノ實力之ニ伴ハス動モスレハ却テ彼等ニ逆襲セラルルコトアリテ不逞鮮人ノ跋扈ト相俟ツテ所在住民ノ苦痛一方ナラス一面良民ニシテ日探又ハ其ノ疑アリトノ故ヲ以テ不逞鮮人ノ為殺戮セラレタル者亦尠カラス今其ノ判明セル者ヲ擧クレハ大正九年中朝鮮

人十六名ヲ殺害シ二十七名ヲ負傷セシメタル外内地人一ヲ射殺シ一ヲ傷ケタリ又大正十年八月末迄受報ノモノ朝鮮人八十六名ヲ殺シ十四名ヲ傷ケ尚内地人二名ヲ殺害シタリト云フ其ノ他放火、拉去、毆打、凌虐、資金强要等ニ至リテハ支那警務機關不充分ナルト同時ニ我調査及ハサルカ為詳細之ヲ知ルヲ得サルモ蓋シ其ノ數尠少ニアラサルヘシ

先是奉天駐在帝國總領事ハ興京縣地方ニ在ル親日派鮮人ノ屢々暗殺セラルルノ報ニ接シ急速調査班ヲ差遣スルノ必要ヲ認メ保民會員ヲ中堅トシテ支那巡警、外務省及朝鮮總督府警察官若干名ヲ加ヘ三箇班ヲ編成シ夫々部署ヲ定メ五月下旬ヨリ六月中旬ニ至ル約一ケ月間ニ亘リ興京、桓仁ノ両縣下ヲ行動セシメタル處交戰一回ノ外射殺一、逮捕二三、自首一、其ノ他火繩銃一、長銃一、拳銃三、同彈藥一三五、不穩文書多數ヲ鹵獲シテ良好ノ成績ヲ收メ爾來同地方ハ概ネ平靜ニ歸シタリ又我平安北道警察官憲ハ地方的ニ支那官憲ノ諒解ヲ得テ屢々對岸ニ進出シ日支共同捜査ヲ行ヒ相當ノ功果ヲ收メ得タリト雖事國外ニ屬スルヲ以テ徹底的ニ取締ルヲ得サルノ憾アリ又動モスレハ両官憲ノ間ニ行違ヲ生シ殊ニ支那下級官憲ハ往々不逞輩ヲ庇護シ甚シキニ至リテハ我出動ノ時機ヲ内通セシ

ヤノ疑ナルモノアリテ時ニ失敗シメルノ事例アリ又長白縣方面ノ支那官憲ハ少人員ノ團体ハ之ヲ匪賊トシテ取締ルヘキモ約三百名以上ノ大部隊ハ之ヲ韓國ノ義士トシテ其ノ活動ヲ認容シ寧ロ保護便宜ヲ與フヘキナリト稱スル向アルヤノ聞込アリ故ニ最近ニ於テハ主トシテ奉天總領事並安東領事ヲ通シテ支那官憲ヲ督勵シ取締ノ實蹟ヲ擧ケムコトニ努メツツアリ本件ニ關シテハ目下支那中央政府ト我公使トノ間ニ協商中ナル日支國境會巡辦法ノ決定實施ニ依リ遺憾ナキヲ期シ得ヘシト思料セラル而シテ西間島方面ニ於ケル支那官憲中排日ノ巨頭タル元寛甸縣知事黄祖安ハ在任中屢々不逞鮮人ノ贈饋ヲ受ケ之カ庇護助長ニ努メツツアリタルカ本年七月遂ニ免職セラレタルヨリ不逞輩ノ恐慌一方ナラス各縣下ニ在リシ排日鮮人團ハ一時身ヲ桓仁、輯安両縣下ニ避ケ窃ニ状況ヲ窺フト同時ニ新任汪知事ニ對シ内密懐柔手段ヲ講シツツアリトノ聞ヘアリ

翻テ不逞鮮人ノ状勢ヲ見ルニ西間島方面ニ於ケルモノハ武器、人員等其ノ武力ノ程度ニ於テ著シク強大ナルモノナク中ニハ多數ノ團員ヲ有スル如ク揚言スルモノアルモ之等ハ徒ニ空名ヲ羅列吹聴シ虚勢ヲ張レルニ過キス其ノ實數ニ至リテハ多キモ三、四十名ヲ

超ヘサルモノノ如ク之等多數ノ小團体ハ概ネ系統ヲ異ニシテ相分立シ殆ント連絡ヲ有セサルヲ例トス尤モ長白縣ニハ從來軍備團、興業團、光復團、大震團、太極團等アリシカ本年三月頃協議ノ結果太極團ハ光復團ニ大震團ハ興業團ニ合併シ別ニ通信連絡事務ヲ綜合スル為通信事務局ヲ置クコトトシ同縣内ニ於ケル武力團体トシテハ三ケ團ヲ以テ限度トスルコトトセリ其ノ後六月一日ニ至リテハ軍備團光復團、興業團ノ幹部二十餘名集合協議ノ結果統一的行動ヲ執ルコトトナリ左記決議ヲ為シタリト云フ

決議事項

第一條長白縣内既成ノ團体ヲ統一スルヲ以テ目的トス

第二條各團ハ前條ノ目的ヲ達スル為如何ナル事項ト雖相互協調スルコト

第三條長白縣内ニテ施設シアル三ケ團ハ獨立運動ニ對シテハ如何ナル事項ト雖毎月五回交通ヲ為シ相互通報連絡スルコト

第四條何レノ團員ニテモ品行不正ナルトキハ當局司法部ニテ處分スルコト

第五條何レノ團員ニテモ交通其ノ他旅行ニ際シ行路ヲ失シ食料缺乏シタル時ハ各道溝ノ守備ニ任シアル者之ヲ引

90

導接待スルコト

第六條 三ケ團中何團タルヲ問ハス冐險隊ヲ編成シテ鮮内ニ派遣スルトキハ一先協議ノ上智識充分ニシテ身体健康膽力ヲ有シ且確實ナル者ヲ選擇派遣スルコトニ努ムルコト

第七條 何レノ團体如何ナル團員ニテモ光復事業ニ對シ秘密ヲ漏洩シタル者ヲ發見シタルトキハ死刑ニ處スルコト

以上ノ如ク決議シタリト雖未タ全ク統一ノ實ヲ擧ケ得タルヤ否疑ハシク其ノ行動區域モ依然何等一定スル所ナク隨所ニ顕ハレテ金品ヲ掠奪シ或ハ親日鮮人ノ迫害ヲ事トシ特ニ平安北道對岸地方ニ於ケルモノハ其ノ團体ノ小部隊ナル為行動比較的輕敏ナルト同時ニ概ネ拳銃ヲ所持シ好ンテ暗殺ヲ行ヒ其ノ行動極メテ獰悪ナルハ此ノ方面ニ於ケル不逞鮮人ノ特色ナリト認メラル

由来西間島方面ニハ上海假政府系統ニ属スル西路司令部ナルモノアリテ李鐸之カ首長トナリ一般不逞團ヲ統一スルモノノ如ク吹聴シ最近ニ在リテハ李鐸辞退シテ李雄海其ノ後ヲ継キタリト傳ヘラルルモ該機関ノ存在頗ル疑ハシク其ノ所在分明ナラス尚平安北道督辧府ハ上海假政府ト聲息相通スルモノノ如ク其ノ經路ハ水路鴨緑江ヲ溯航シ安

91

東ヲ經由スルモノト一方陸路奉天、撫順方面ヨリスルモノトノ両交通系アリテ上海方面ヨリスル不穏文書武器ノ搬入等ハ主トシテ西安東方面ヨリセラルルノ風説アリ而シテ西間島ニ搬入セラルル兵器ハ最近左ノ三方面ヨリ輸送ストノ情報アリ就中其ノ北方ヨリスルモノニアリテハ露國過激派ト連繋ヲ有スルモノナリト唱ヘラレ將来西間島地方ニ對スル赤化宣傳ハ之等ノ徑路ヲ辿ルヘキ傾向アリ

(イ)、露國式歩兵銃及附属彈藥

吉林與地方面―吉林城内不逞鮮人孫一民―樺甸縣官街居住朴世鎮―海龍―柳河―興京〈通化 興京縣紅廟〉―桓仁縣二戸来―輯安縣覇王槽方面

(ロ)、コールド式八連發自働拳銃

安東縣邊世淵兄弟〈支那人筏夫 不逞鮮人一味〉鴨緑江上流方面

(ハ)、露國式軍銃及彈藥

北間島洪範圖―長白山麓―長白縣人〈興業團 太極團〉人便―臨江縣方面

以上ノ外支那人等ニシテ自衛上支那官憲ノ許可ヲ受ケ公然安東又ハ奉天ニテ銃器買入ノ際許可以外(一挺許可ノ者ハ二挺又ハ三挺ヲ二挺許可ノ者ハ四、五挺ヲ買入ルヽ如クニ)ニ買收シ之ヲ買入價格ノ約倍額位ニテ不逞鮮人ニ賣却スルモノアリ現今一挺ノ價格ハ上等物

92

小洋六百元、中等物四百元、下等物二百五十元内外ニシテ弾薬ハ一律六十銭位ニテ取引セラレツツアリト

最近ニ於ケル西間島方面不逞鮮人團ノ状勢左ノ如シ

(イ)、平安北道督辦府　督辦　趙秉準

右ハ寛甸縣内別里ニ根據シ之ニ所屬スヘキ碧潼、昌城、朔州、義州、楚山、渭原ノ各郡廳ト若干ノ分派所ヲ寛甸縣ノ全部及輯安縣ノ一部ニ分散シ總員約二百名ノ團員ヲ有スルモノノ如シ

(ロ)、大韓獨立團　都總裁　朴長浩
　　　　　　　　　總團長　趙孟善

右ハ柳河縣三源浦ニ其ノ本據ヲ有シ寛甸、輯安、通化、桓仁、興京、臨江、柳河ノ各縣ニ亘リ約三十有餘ノ支部又ハ支團ヲ有シ總員約八百名ヲ有スト揚言セリ

(ハ)、韓族會　會長　李鐸

右ハ桓仁縣横道川ニ本部ヲ置キ柳河、通化、輯安、長白ノ各縣ニ各一ヶ所ノ支部ヲ有シ四、五十名ノ團員ヲ有スト云フ

(ニ)、中興團　首長　白雲岑

右ハ通化縣七道溝ニ本據シ輯安寛甸縣下ニ支團及暗殺隊アリテ總員約三十名ヲ有スルモノノ如シ

(ホ)、鄉約團　團長　朴道山

右ハ寛甸縣内八河灘ニ在リテ團員五、六十

93

名ヲ有ス

(ヘ)、廣濟青年團　團長　呉東振

右ハ寛甸縣城ニ在リテ團員十六、七名アリト

(ト)、光韓團　團長　李時說

右ハ寛甸縣八河灘ニ在リテ團員約十名ヲ有スト

(チ)、義勇隊　隊長　金秉淑

右ハ寛甸縣白菜地ニ位置シ隊員約十名位ヲ有スト

(リ)、保約團　團長　姜大益

右ハ寛甸縣芳草溝ニ在リテ團員約十名位アリト

(ヌ)、普合團　團長　金仲亮

右ハ寛甸縣城ニ位置シ二十名内外ノ團員ヲ有スト

(ル)、紀元團　團長　李雄海

右ハ桓仁縣裡岔溝ニ在リテ團員五十四、五名ヲ有スト

(ヲ)、百事團　團長　李益鉉

右ハ臨江縣三道溝ニ位置シ團員約三十四、五名ヲ有スト云フ

(ワ)、太極團　團長　金陽律

右ハ臨江縣ニ根據シ長白縣九道溝ニモ支團アリト稱セラレ總員約十四、五名ノ團員アルモノノ如シ

(カ)、興復團　團長　金時旭

右ハ鄭三省等ヲ幹部トシテ臨江縣七道溝ニ根據シ團員十六、七名ヲ有スルモノノ如シ

(ヨ)、暗殺團…………

右ハ四、五名乃至十四名ヲ以テ一團トシ寛甸縣、輯安、桓仁等ノ各縣ニ一個又ハ數個ノ團体アリテ統一ナク各個ニ行動シツツアルモノノ如シ

(タ)、通信事務局　局長　金東白

右ハ長白縣十六道溝ニ根據シ西間島一帶ノ通信連絡事務ヲ統一スルモノノ如ク吹聽スルモ其ノ實質ハ長白縣内ニ於ケル不逞團ノ統一機関ナルモノノ如シ

(レ)、大韓獨立軍備團　總團長　李淵三

右ハ長白縣内八道溝ニ位置シ縣内各地ニ區支部又ハ支團ヲ分置シ總人員三百四、五十名ノ配下ヲ有スト云フ

(ソ)、興業團　總團長　金虎翼

右ハ撫松縣ニ其ノ本部ヲ置キ長白縣内各所ニ支團又ハ支部ヲ分置シ團員約二百名ヲ有スト

(ツ)、光復團　團長　李範允

李範允ノ所在明カナラス露領秋風附近ニ在リトモ云ヒ西間島方面ニ移動シタリトノ説モアリ長白及臨江西縣内ニ四個ノ支團ヲ有シ百六、七十名ノ團員ヲ有スト云フ

西間島方面ノ治安状況ハ大要以上ノ通ニシテ必スシモ良好ナリト云フヲ得ス殊ニ最近諸情報ヲ綜合スルニ太平洋會議問題突發以來彼等ハ一層資金ノ強募ト壯丁ノ强徴ニ努メ妄動ヲ敢行セヘク準備中ニシテ各不逞團共ノ勢力漸次増大ノ傾アリ加フルニ露領ニ於ケル不逞團ハ此ノ機ニ於テ各團体ヲ結束シ我國境ヲ襲ハムトスルノ情報アリ就中長白縣ニ現在スル不逞鮮人團ノ數ハ約千名ニ垂ントシ南下シ來レル露領方面ノ不逞輩等ハ漸次之ニ加ハリツツアリトノ情報頻々タリ依之觀之長白縣ハ此際最モ注意ヲ要スル地區ナリト認メラル參考ノ為太平洋會議ニ關スル西間島方面ノ諸情報ヲ摘録セハ左ノ如シ

(イ)、長白縣ニ於ケル謀議

(1)、場所　十六道溝小徳水里軍備團第三支團長朴基日方

(2)、日時　八月二十八日午前八時ヨリ午後五時迄

(3)、集會者　李淵三、李秉律、金燦、薛寛協、李仁潤、李東白、金昌一、林炳浩、其ノ他團員百五十名

(4)、決議事項

一、縣内各地ヨリ壯丁ヲ募集シ九月二十日迄ニ二百名ヲ得多少ノ訓練ヲ施シ

96

タル上先入壮丁ト共ニ總員五百名ノ團体ト為シ来ル十月太平洋會議前後ニ於テ鮮内地ニ侵入動乱ヲ起シ以テ諸外國ノ同情ヲ求メ獨立ヲ實現スルコト

二、九月十日軍備團員五十八名ヲ撫松縣軍備總團ニ派シ武器、彈藥ノ運搬ニ當ラシムヘク之カ指揮官トシテ李凡潤ヲ任命ス

三、極力支那官憲ノ同情ヲ求メツツアルヲ以テ吾人ハ安全ニ目的ノ遂行ヲ期スヘク尚今後共支那官憲ノ反感ヲ招カサル様注意スルコト

四、来ル十一月太平洋會議開催セラルル迄ハ困苦ト戰ヒ親日派鮮人ノ氏名及日本官憲ノ氏名ト動靜ヲ充分調査スルコト

五、安東領事館出張員及同員ノ許ニ出入スル鮮人ノ行動ヲ嚴査シ細大洩サスト本團ニ通知スルコト

六、對岸日本官憲ノ動靜ヲ査察シ無漏本團ニ報告スルコト

七、日本領事館員ト支那官憲トノ交渉事項ハ其ノ内容ヲ探査シ急速本團ニ報告スヘク其ノ報告ノ第一着者ニハ相當ノ賞與ヲ為スコト

97

八、鮮内侵入團員ノ消息ヲ探知シ急ニ應シ得ル様常ニ訓練ヲ怠ラス操銃法等ニ上達セシムルコト殊ニ銃ノ手入ハ全力ヲ傾注シテ行フヘキコト

(ロ)、寛甸縣ニ於ケル謀議

1、場所寛甸縣城

2、日時最近(日時不詳)

3、集會者白運杓、朴華南、朴昌烈、李雄海、許承鳳

4、決議事項

一、太平洋會議ニ對シテハ上海假政府ノ命令ニ基キ各地團体ト歩調ヲ同一ニスルコト

二、西間島武力團ヲ統一シ血戰隊ヲ復活シ太平洋會議第一日ヲ期シ鮮地ニ侵入シ諸官衙鐵道ヲ破壞シ親日鮮人及要路ノ大官ヲ暗殺スルコト

三、西間島ニ在ル日本官憲及保民會ヲ破壞シ日本人及保民會員ニ危害ヲ加ヘ同地一帯ヲ攪乱スルコト

四、西間島ヨリハ直接太平洋會議ニ代表ヲ派遣セサルモ會議開催中終始運動ヲ継續シテ日本軍隊出動ノ餘儀ナキニ至ラシメ列國ノ輿論ヲ喚起スルコト

五、以上各項ノ方針ヲ實行スル為各國協

98

カレテ來ル十月中旬迄軍資金ヲ募集スルコト

以上ノ通ナルモ第三、第四項ノ實行ハ先ツ支那領土内ノ治安ヲ妨害シ結局支那官憲ノ為阻止セラルヘキノミナラス或ハ支那軍警ノ為討伐セラルルノ運命ニ陥ルヘク惹ヒテ爾後ノ後動ヲ妨ケラルルノ虞レアルヲ以テ寧ロ鮮内侵入ノミヲ決行スヘシト主張スル反對説モアリタリト云フ

(ハ)、京畿道監理派牧師李秉周、黃海道載寧尹相寬、同長連趙允寬、平北義州白南俊、間島李震山、林重濟ノ六名ハ太平洋會議代表トシテ上海ニ到レリト（上海）

(ニ)、從來長老派系人ノ煽動ニ依リ各地ニ横行シツツアリシ不逞鮮人モ最近漸ク静穏ニ向ヒ僅ニ小康ヲ得タルノ時偶々太平洋會議提唱セラレ不逞者ハ之ヲ好機トシテ又々排日ヲ宣傳シ獨立ノ可能ヲ鼓吹スルモノアルノ形勢ナリト（滿州）

(ホ)、上海假政府ニテハ廣東政府孫文ヨリ爆彈五、六百個ヲ買受ケ之ヲ鮮内ニ輸入シテ各官廳ヲ破壞シ尚安東縣新義州間ノ鉄橋ヲ破壞スルノ計画アリト（上海）

(ヘ)、七月十一日上海ヨリ支那船ニテ米國式長銃五十挺及六連發銃百挺ヲ朝鮮ニ送入シタリト（上海）

99

(ト)、交通總長孫貞道ハ安東方面ニ進ニ交通機關ヲ設置シ役員ヲ出向セシムヘシト主張シツツアリト（上海）

(チ)、太平洋會議ノ為朝鮮内ヨリ代表四名既ニ七月十七日上海ニ到着シ尚西間島代表五名、北間島代表二名モ最近上海ニ赴キタリト（上海）

(リ)、上海假政府ハ北京朴容萬一派ト妥協シ西北間島方面ト連絡シテ京城ヲ中心トシテ鮮内各地ニ一大騷擾ヲ起シ爆彈ヲ以テ各官廳ヲ破壞シ大官ヲ暗殺セムト計画シツツアル趣ナル處其ノ際使用スヘキ爆彈ハ廣東方面ヨリ入手スト云フモ一説ニハ支那寬甸縣ニテ製造準備ストノ別報アリ（上海）

(ヌ)、在上海假政府ヲ中心トスル太平洋會議研究會ニテハ各種不逞行動ノ分担ヲ定メタルカ其ノ西間島ニ関係アルモノ左ノ如シ（上海）

(1)、滿洲及朝鮮ノ一部ニ對スル軍事行動ノ責任者トシテ李鐸之ヲ担任シ與士團ヨリ金弘叙及金秉祚ノ両名其ノ一部ヲ分担ス

(2)、西北間島方面ハ李始榮李東寧、尹琦燮之ニ任シ汪清縣地方ヲ中心トシテ活動ス

(3)、安東縣ニ於ケル不逞機關ト連絡ヲ執ル

ハ李元益及張某

(ル)、李裕弼ハ交通機關設置及運動資金調達ノ為安東縣ニ赴クヘク尹琦燮亦西間島ニ赴キ崔東旿ハ奉天ニ在リテ資金募集中ナリ（上海）

(ヲ)、在寛甸縣獨立團總指揮官李雄海ハ副官金有聲ト謀リ太平洋會議ニ對スル運動トシテ武装セル部下五十六名ヲ率ヒ殺戮掠奪ヲ行フ為八月十九日平安北道昌城方面ニ向ヒタリト（平北）

(ワ)、在寛甸縣光韓團長李時説ハ北京ニ於ケル軍事統一會議ニ出席ノ為七月十五日頃出發シタルカ不在中代理者玄益鉉ナル者ハ太平洋會議ニ對スル騒擾運動ノ為決死志願者若干名ヲ選抜シ既ニ鮮内ニ侵入セシメタリト（平北）

(カ)、光復軍總營長呉東振、副官朴恭烈ハ太平洋會議ハ千載一遇ノ好機ナルヲ以テ部下ヲ鮮内ニ侵入セシメ民心ヲ煽動シ興奮セシメムト図リ部下六十名ト共ニ支那玄洋砬子ニ潜伏シ騎銃三十挺拳銃三十挺爆彈十六個ヲ準備シ待機ノ姿勢ニ在ル由ニテ先ツ其ノ先發隊トシテ宣傳隊八名ナ八月二十日頃平安北道昌城郡方面ニ向ハシメタリト（平北）

(ヨ)、上海假政府議政院ハ太平洋會議ニ提出スヘキ獨立歎願書署名代表者トシテ鮮内地ハ申興雨、満洲ハ曹晃、露領ハ申宗浩、米領ハ鄭仁果ヲ選定セリト（間島）

(タ)、在米李承晩ハ七月二十日付ヲ以テ會議資料トシテ鮮内地ノ治安ヲ紊シ特ニ英米人ノ在留地ニ於テ騒擾ヲ行ヒ世界各國ニ對シ日本ノ非人道的行為ヲ表示スル様在外各不逞團ニ通達シタル為西間島ニテハ左ノ計画ニテ暴動スヘシト云フ（平北）

(1)、平安北道督辦代理ト自稱スル金有聲ハ南満光復軍司令官李鐸ト共ニ義州ニ向ケ侵入スヘシト

(2)、昌城郡監ト僭稱スル康濟義ハ既ニ三十餘名ノ部下ヲ昌城方面ニ侵入セシメ尚残員二十餘名ヲ侵入セシムヘク計画中ナリト

(3)、寛甸縣下漏河呉東振一派ハ孔周宣ト共ニ拳銃携帯ノ部下三十二名ヲ引率シ近々楚山、碧潼方面ヨリ侵入シ宣川又ハ北鎮等ニ於テ騒擾スヘク豪語シ居レリト

(4)、孫中模ノ一團ハ碧潼郡吾北面ヨリ鮮内ニ侵入ノ目的ヲ以テ八月二十一日寛甸縣下漏河ヲ出發シタリト

(レ)、上海假政府内務總長李東寧、軍務總長盧伯麟ノ両名ハ八月一日付在満洲各不逞團ニ對シ八月三十一日付迄ニ軍資及兵器ヲ準

備整理シ出動命令ヲ待ツヘシト嚴達シタリト云フ（平北）

(ソ)、獨立團首領李雄海ハ慈城對岸支那地ニテ我獨立軍ハ現在臨江縣ニ五百名寛甸縣東溝ニ二百餘名集中シ其ノ他各地ニ點在セル者及北滿方面ヨリノ主力軍加ハリ一擧鮮内ニ侵入ノ上倭奴ト決戰スルモ近キニアラム我軍ノ必勝期シテ待ツヘキナリト豪語シ立去レリト云フ（平北）

(ツ)最近上海—安東—寛甸方面竝鮮内地又ハ寛甸—上海間ニ往来スル鮮人ノ數著シク増加ノ傾向アリ其ノ汽船ニ依ル者ハ三道浪頭沖ニテ乗降シツツアリシニ安東官憲ノ警戒嚴重ナルヨリ近来ハ遠ク沖合ニ於テ乗降ストノ聞込アリ九月三日同様ノ方法ニ依リ桂林丸ニ乗込ミタル者安秉瓚弟安秉珍外男女七名アリト（安東）

(ネ)、通化縣地方排日者流ハ此際貧富ノ別ナク軍資金ノ提供ヲ吝ムナク又適宜壯丁ヲ?出シテ活動セシムヘキコトヲ提唱シ武器彈藥ハ露國過激派トノ提携ニ依リ不自由ナク米國ハ十數隻ノ艨艟ヲ芝罘其ノ他ニ派遣シ近ク安東ニモ來航シテ我等ヲ聲援スヘシ元来米國ノ援助ハ客年同國議員團来鮮時ニ於ケル默契ナリトテ頗ル前途ヲ樂觀シ居レリト（通化）

(ナ)、上海假政府軍務兼西路司令部附軍醫タル申昌熙ハ哈爾賓在住某鮮人ニ宛テ太平洋會議ニ獨立請願書ヲ提出スルコトヲ記シ請ニ所要經費ヲ負担スヘキコトヲ通信シ来レリト（哈市）

(ラ)、上海假政府及寛甸縣地方ニ在ル不逞鮮人等ハ来ル十月三十一日天長節祝日ハ恰モ太平洋會議開會十日前ニ相當スルヲ以テ各國ノ同情ヲ求ムヘク當日朝鮮全道ニ亘リ朝鮮獨立萬歳ヲ高唱シ一大騷擾ヲ惹起スヘク画策中ナリト（平北）

(ム)、九月二十一日安東ヘ入港ノ怡隆洋行汽船桂林丸ハ上海ニテ太平洋會議宣傳員ト称スル不逞者三十餘名ヲ乗船セシメタル由ニテ彼等ハ安東入港後戎克帆船漁舟ニテ日本官憲ノ配備ナキ地點ニ上陸入鮮シ宣傳或ハ爆彈投擲ヲ為スヘシト（平北）

(ウ)、寛甸縣内ニ蟠居セル大韓光復軍（不逞團ヲ總称スル假名）ハ「痛告同胞」ト題スル宣傳文書ヲ印刷シ平安北道義州郡在住鮮人十四名ニ送付セムトスルヲ新義州警察署ニ於テ發見押收シタリ（平北）

○上海方面

僭称大韓臨時政府ヲ中心トスル在上海不逞鮮人ハ鮮内民心ノ安定ニ伴ヒ其ノ運動漸次萎靡不振ノ状態ニ陥リ財政ハ一層窮乏ニ瀕

104.

シ本年一月以降ニ於テハ彼等カ唯一ノ財源ト憑ミタル米布方面ヨリ毫モ入金無キ為窮乏其ノ極ニ達シ甚シキニ至リテハ實子ヲ支那人家屋内ニ遺棄スルノ窮状ニ瀕シタルモノアリ随テ同志間ノ内訌ハ益々激甚トナリ假政府幹部ノ威信全ク地ヲ拂ヒ其ノ施措ニ甘セサル多數ノ反對者ハ鐵血團ヲ中心トシテ漸次勢力ヲ増加シ在北京朴容萬派ニ屬スル青年等ト結束シテ政府顛覆ヲ圖リ遂ニ可否ヲ國民ノ意志ニ諮ルノ意味ヲ以テ國民大會ヲ開カムトシ一方政府派ニ在リテハ協誠會ト稱スル擁護党ヲ組織シテ之ニ拮抗シ尹琦燮趙琬九等ヲ中堅トシテ飽迄現政府ノ維持ヲ主張シ互ニ排擠抗争ヲ事トシ爾来内訌依然トシテ已マス結局両者何レモ資金ヲ有セス政府幹部間亦統一ヲ缺キタルヨリ李承晩ハ遂ニ布哇ニ逃走シ其ノ他ノ幹部中或ハ辞職シ或ハ逃走スル者アリテ将ニ土崩瓦解ノ運命ニ陥ラムトシタル際偶々米國政府ハ突如トシテ太平洋會議開催ヲ提唱セシヨリ彼等ハ遽ニ緊張シ今ヤ時局ハ有利ニ進展シ年来ノ宿望ハ遂ケ得ラルヘキ秋到レリ徒ニ内訌ヲ事トセス戮力同心以テ事ニ當ラサルヘカラストカ説スル者アルニ至リ茲ニ假政府ハ外交研究會ヲ組織シ民間ハ安昌浩、洪鎮等ヲ中心トシ外交後援會ヲ設ケ共ニ之カ對

105

策ヲ講究スルノ傾向ヲ来セリ而シテ彼等ノ方針ハ

(イ)、太平洋會議ニ代表者ヲ派遣シテ朝鮮獨立ノ請願ヲ為スコト

(ロ)、同會議開催前後ヲ期シ鮮内ニ於テ大正八年三月騒擾時ニ於ケルカ如キ動乱ヲ惹起シ鮮民一般カ日本ノ統治に甘セサルコトヲ汎ク世界ニ宣傳スルコト

(ハ)、前二項ノ目的ヲ遂行セム為ニハ多額ノ費用ヲ要スルヲ以テ太平洋會議ハ獨立遂行上無二ノ好機ナルコトヲ一般民族ニ普傳周知セシメ之等費用ヲ負担スルハ當然ノ義務ナルコトノ自覺ヲ促シ以テ容易ニ資金ヲ募集スルコト

ニ在ルモノノ如シ一面ニ於テハ李承晩ハ八月中旬着米後同團資産家ヨリ鮮内ニ於ケル鑛山發堀権ヲ抵當トシテ多額ノ借款成立セリトノ説アルモ近来在外各地ニ於テ旺ンニ資金ノ強要ヲ敢テシツツアル實況ニ鑑ミ本風説ハ彼等一片ノ宣傳ニ過キス其ノ資金醵集ノ方法ハ萬策茲ニ盡キ再ヒ往年ノ獨立公債ヲ發行シテ鮮内外各地ノ富豪ニ對シ應募指定通知書ヲ發シ脅迫的ニ出金セシムルノ方法ヲ講シツツアリ然レトモ鮮内ノ民心ハ大正九年以来極度ニ平静ニ歸シ今ヤ彼等ノ詐欺的奸手段ニ應スル者ナキ為不逞者ハ不

106

尠困難シ居ル模様アリ而シテ派米代表者トシテハ在米李承晩、徐載弼、鄭翰景ノ外尚在上海金奎植、呂運亨、申翼熙等ヲ選定スヘシトノ説アリシモ結局所要經費ノ出途ナキタメ在米李承晩外二名ニ決定セルモノノ如ク目下專ラ彼等自稱代表カ運動及宣傳ノ為ニ要スル經費ノ調達ニ腐心シツツアルモノト認メラル

第二項ノ目的ヲ達セムカ為ニハ西北間島、西比利亜ニ在ル不逞鮮人同志ニ通牒シ武力團体ノ出動ヲ促スト同時ニ直接機関タル青年冒険團員ヲ鮮内ニ侵入セシメ以テ爆弾ノ投擲官公衙ノ破壊要路大官ノ暗殺、親日鮮人ノ殺害ヲ行ハムトスルノ情報アリテ不安ノ形勢ナキニアラサリシモ警備官憲ノ周密ナル警戒ニ依リ未タ著シキ事態ノ發生ナク又間島露領方面武力團体ノ統一ニ就テハ之レ亦諸種ノ情報アルモ元来團結力ニ乏シキ彼等ニ在リテハ到底完全ナル統一ハ望ムヘカラサル實況ニ在リ而シテ本問題突發ノ當初ニ在リテハ在上海不逞鮮人等ハ北京ニ於ケル不逞鮮人ト連絡シ寧ロ北京ヲ中心トシテ武力ヲ統一シ各地相呼應シテ鮮内地ニ對スル脅威ヲ實行スヘシト揚言スル所アリ既ニ露領及間島方面ノ軍事代表者等ハ北京ニ集合シタリトノ情報アリシモ彼等、這回要スル資

107

金ナキノミナラス各地代表ノ出席者極メテ少數ナリシニ加ヘ嶺南派、畿湖派、北鮮派、策進會、軍事統一會、假政府擁護派等ノ各党派分立軋轢シテ統一意ノ如クナラス遂ニ其ノ儘解散スルノ已ムナキニ至リシモ最近聞ク所ニ依レハ在北京ノ元兇朴容萬ハ今回ノ太平洋會議ニ際シ若シ李承晩等ノ成功ニ皈セムカ將来同人ニ對シ對抗上常ニ不利ノ地位ニ立ツヘキヲ慮リ更ニ自派ヲ中心トスル假政府ヲ同地ニ組織シ民意代表機関ノ完成ト共ニ上海假政府ヲ認メサル旨ヲ聲明シタリトノ情報アリ内容未タ明カナラサルモ布哇ニ於テハ十月下旬朴容萬派ニ属スル獨立團ニ於テ北京同志ノ要求ニ依リ朝鮮人代議員選挙ノ準備會ヲ催シタリト云フ察スルニ朴容萬ハ新タニ臨時政府ヲ樹立シテ上海假政府ニ對抗ノ旗幟ヲ飜シ同時ニ各地同志ニ對シ代表者ノ選出ヲ要求シタルモノト思料セラル如斯嫉視暗闘到ル處ニ起リ到底統一至難ナルニ加ヘ假政府反對派ノ策セル國民代表會ハ暗々裡ニ計画成リテ近ク大會ヲ開クヘシト云フ随テ太平洋會議對策ノ如キハ目下ノ所一ニ假政府幹部ヲ中心トスル研究會ノ主トシテ之ニ膺ルアルノミ其ノ計画中重ナルモノ二、三ヲ擧示セハ左ノ如シ

一、假政府ニ於ケル太平洋會議研究會ニテハ

108

協議ノ結果各方面ノ活動ヲ分担スルコトトシ左ノ如ク責任者ヲ定メタリト云フ

(1)、満洲及朝鮮ノ一部ニ對スル軍事行動ノ責任者トシテ李鐸之レニ當リ興士團ヨリ金弘叙及金秉祚ノ両名亦其ノ一部ヲ分担ス

(2)、京城ヲ中心トスル文字宣傳ノ責任者トシテハ呂運弘南鮮ニ對スル耶蘇教トノ連絡責任者ハ金仁全

(3)、支那南方ニ對シテハ申圭植、申翼熈、北方ニ對シテハ孫貞道、李光、尹琦燮之カ責任者タルコト

(4)、欧米方面ニ對シテハ金圭植、張鵬ノ両名之ヲ担任スルコト

(5)、上海在住米國人ニ對シテハ呂運亨、安昌浩之ヲ担任スルコト

(6)、上海共産党ヲ中心トシテ活動スルハ呂運亨及金斗奉

(7)、西伯利國民議會ヲ中心トシテ各方面ニ連絡ヲ執ルハ元世勲

(8)、天道教方面ニ對スル上海トノ連絡ハ南亨祐中心トナリテ極力煽動ノ衝ニ當ルコト

(9)、西北間島方面ハ李始榮、李東榮、尹琦燮之ニ當リ汪清縣地方ヲ中心トシテ活動ス

(10)、北京方面トノ連絡ハ盧伯麟、金奎植、元世

109

勲、南亨祐等担當スルコト

(11)、破壊用危険物ノ製造ハ上海ニハ金聲振、崔日、北京ニテハ金世鉉、南宮某トス

(12)、各地新聞ニ對スル連絡ハ専ラ申圭植、趙東祐担任スルコト

(13)、満洲寧安縣ニ於ケル不逞機関トノ連絡ハ曹成煥、趙琬九之ニ當リ

(14)、上海ニ於ケル文字宣傳ハ洪冕憙

(15)、支那、台湾、露領ニ於ケル社會党ト連絡シ宣傳ノ責任ヲ有スルハ尹顕振、金斗奉、元世勲、金澈、李奎洪、趙尚燮

(16)、安東縣ニ於ケル不逞機関ト連絡ヲ執ルハ李充益及張某

(17)、内寳自治運動ヲ為シ(具体的ノ事項不明)又ハ平安北道方面ト連絡ヲ執ルハ李裕弼トス

北間島方面ニ於テ行ハル上海ニ関スル風説左ノ如シ

(1)、上海其ノ他各地ノ鮮支人學生ハ其ノ聯合會ヲ組織シ左記各項ヲ太平洋會議ニ参列スル支那特使ヲシテ會議ニ提出セシメ一面鮮人學生ハ此ノ趣旨ヲ内外一般同胞ニ宣傳スヘシト云フ

一、山東満蒙ニ於ケル日本ノ特種條約取消

二、日英同盟継續廢止

三、軍備制限賛成

四、支那ニ於ケル領事裁判、外國郵便局撤廢

五、朝鮮獨立ヲ完全ニ承認スルコト

六、太平洋會議ニ於テ極東平和ニ有害ナル事項ヲ決議セサルコト

(2)、在米李承晩ハ太平洋會議、米國政府、同國各政客、民間有力者及新聞社ニ對シ大要左ノ趣旨ノ請願書ヲ提出スヘシト

二千萬ノ朝鮮民族ハ日本ノ侵畧主義ニ依リ遂ニ併合セラレテ十餘年間有ユル塗炭ノ苦ヲ受ケ今ヤ全ク生存シ能ハサルノ惨状ニ陥レリ願クハ貴政府ハ一千八百九十五年ノ韓美條約ニ依リテ我國ヲ日本ノ羈絆ヨリ脱シ永久ニ獨立セシメラレタシ

(3)、前項請願書ニ署名捺印スヘキ代表者トシテ上海假政府ハ左ノ通選定シタリト云フ而テ米領代表鄭仁果ハ米布在留鮮人青年ヲ華盛頓ニ集合セシメ太平洋會議前後米國各地ニ於テ「東洋平和」ト稱スル一標語ヲ宛モ往年ノ「萬歳」ト同樣ニ絶叫シ以テ列强ニ對シ鮮人ノ獨立熱ノ旺盛ナルコトヲ表示シ併セテ米國上下及各新聞ノ輿論ヲ喚起スルノ計画ナリト

上海假政府各部總長

111

各道代議士

鮮内地　申興雨

滿洲　曹晃

露領　申宗浩

米領　鄭仁果

在上海不逞鮮人及排日支那學生ヲ中心トシテ組織セラレタル中韓國民互助社ハ最近太平洋會議ニ提議スヘキ事項トシテ先ツ朝鮮ノ獨立ヲ承認シ且中國ニ於ケル日本及各國ノ利權ヲ放棄セシムヘキ意味ノ十一ケ條ヲ宣言シタルカ金奎植ハ之ヲ英譯シテ米國ニ發送シタリト云フ

以上ノ如ク諸種ノ運動計画ヲ進メツツアリトモ既ニ第一歩トシテ當テ米國ニ對シ委任統治ヲ請願セシ李承晩、鄭翰景ヲ派米代表ト為スコトノ不可ヲ唱フルモノアリ第二トシテハ騷擾ニ對スル北京側トノ合同成ラサルノミナラス朴容萬ハ別ニ假政府ヲ樹立セシヤノ風説アルコト第三ニハ經費ノ出途ナク公債ノ募集又不成績ナルコト等ハ彼等ノ運動ヲシテ蹉躓セシムヘキ素因タラスムハアラス殊ニ國民代表會側ノ反抗ハ獅子心中ノ蟲トシテ多大ノ障害タルカ故ニ彼等無上ノ苦痛ナリ況ンヤ朝鮮問題ハ

112

日本ノ内政ニシテ敢ヘテ列國ノ干知スヘキ處ニアラス到底彼等所期ノ目的ヲ達スル能ハサルハ一般ノ想像セル所ナリ

○米布方面

米國及布哇居住排日鮮人ハ米國官民ノ同情ニ依リ獨立ノ目的ヲ達セムトシ常ニ帝國ノ朝鮮統治ヲ呪咀シ殊ニ大正八年三月以来朝鮮ニ於ケル騒擾ニ就テハ帝國官憲カ人道ヲ無視シ特ニ基督教ニ對シ壓迫ヲ加ヘタリト虛構誣妄ノ言ヲ弄シツツアリテ之カ為米國宗教家ヲシテ帝國ニ對スル反感ヲ懷カシメタルコト尠カラサリシカ如シ而シテ同地方排日鮮人ノ行動トシテハ大正八年四月七日米國華盛頓ニ於テ朝鮮臨時政府外務大臣ノ名ヲ以テ基督教獨立國ヲ建設ストノ宣言書ヲ發シ同十六日「フイラデルフイヤ」ニ於テ朝鮮人會議ナルモノヲ開キ聯合與國代表者ニ對シ獨立請願書ヲ提出セリ其ノ後華盛頓ニ於テハ同年十二月上海假政府歐米委員部ニ於テ獨立運動費トシテ五十萬弗ノ公債(公債ハ十弗、二十五弗、五十弗、百弗ノ四種類)ヲ發行シ尓来在米李承晩、徐載弼、盧伯麟、金奎植、鄭翰景ノ徒輩等ハ各地ヲ遍歴シテ之カ應募ヲ勸誘シ其ノ得ル處ノ一部ヲ上海假政府ニ送金シテ獨立運動ノ資金ニ充テ尚ホ加州「ウイルオス」市ニテハ約三百

113

名ノ鮮人居住者アリテ護國獨立軍ヲ組織シ屯田兵組織ヲ以テ軍隊ヲ編成シ労働ノ傍日々一定ノ時間ヲ限リテ軍隊教練ヲ強制シ又「ロスアンゼル」ニ於テハ韓承坤ナル者興士團ヲ組織シ團員八百ヲ以テ軍事教練ヲ為シ軍費ノ貯蓄ニ從事シタルコトアリ又「ウイロカス」市ニハ朝鮮國民協會ノ經營ニ成ル飛行機學校アリテ大正九年七月七日第一回ノ卒業式ヲ擧行シ尓来既ニ卒業生數名ヲ出シタル由ナルカ同校ノ經費ハ一時加州「スタクトン」在住ノ富豪ニシテ同校ノ總裁タル金鍾麟ノ支出ニ依リシモ其ノ後在桑港北米朝鮮國總會ニ於テ協議ノ結果飛行機學校補助金ノ支出ヲ決議セリ其ノ他宣傳方面ニ於テハ米國ニ新韓民報、同胞、朝鮮評論、布哇ニ國民報、太平洋時事、韓美報等ノ新聞雜誌ヲ發行スルノ外時々出版物ヲ出シテ運動ニ努メツツアリシモ客年末李承晩ハ上海ニ於ケル同志ノ内訌ヲ緩和スヘク出發シ更ニ金奎植、盧伯麟ノ相續テ上海ニ向ヒシ以来残留セル同志間ニ内訌ヲ生シ加之在住鮮人等漸ク獨立運動ニ飽キ民心漸次真面目ヲ呈スルニ至リ大正十年五、六月頃ニ至リテハ覺醒ノ曙光極メテ濃厚トナリシモ偶々米國ノ提唱セル太平洋會議問題ニ對シ僥倖ヲ萬一ニ期待セムトスル好奇心ノ為無上ノ興味ヲ以テ之カ經過ヲ觀望セムトス

ルノ傾向ヲ来セリ其ノ状況左ノ如シ

(イ)、米國ニ於ケル状況

大正十年四月頃ニ至リ巷間頻リニ日米開戦説ヲ唱フル者アルヨリ在米委員部委員長玄楯ハ機乗スヘシト為シ上海假政府ニ打電シテ曰ク米國ニ對スル外交緊急ナリ我政府ハ速ニ米國公使ヲ任命シテ交渉ニ當ラシムヘシト茲ニ於テ大統領李承晩ハ直ニ之ヲ受諾シ玄楯ヲ公使ニ任命シタルヨリ玄楯ハ即チ五月十一日付ヲ以テ英文獨立請願書ヲ米國々務省及上下両院議員ニ提出シタリ先之年久シク米國ニ在住シ常ニ排日ヲ唱ヘ不逞運動ニ從事シツツアリシ徐載弼（米國帰化者）鄭翰景ノ両名ハ玄楯ノ聲望日ニ揚ルヲ見テ不快ノ念ニ堪ヘス顧問米人「ドルフ」亦之ニ加担シテ窃ニ機會ヲ窺ヒツツアリシ處偶々玄楯カ委員部保管金中ヨリ千五百弗ヲ横領費消セルノ事實アルヲ發見シ之カ回收訴訟ヲ提起スルト同時ニ當時到着セシ玄楯ノ公使信任状ヲ隠匿シテ本人ニ交付セサル等種々紛擾ヲ重ネ一面玄楯ハ徐載弼、鄭翰景「ドルフ」ノ三名ニ對シ免職ノ通告ヲ發シ且此旨米國政府其ノ他要路ノ大官ニ通告状ヲ發スル等挑戦的態度ヲ執リ又両者ハ互ニ聲明書ヲ發シテ自己宣傳ヲ行ヒタルモ結局徐載

弼等ハ玄楯ノ非行ヲ李承晩ニ内報セシヨリ遂ニ玄楯ノ公使免職トナリ米國ヨリ放逐セラルルニ至レリ茲ニ於テ玄楯ハ李承晩カ曩ニ假政府反對党タル國民代表會ニ對スル對抗策トシテ擁護派タル協議會ノ幹部尹琦燮、張鵬、申翼熙、申圭植等ト共ニ左ノ三方針ヲ密議決定セルヲ承知セルヨリ之ヲ北京朴容萬ニ内通シ同時ニ李承晩鄭翰景安昌浩等カ往年米國政府ニ對シ委任統治請願ヲ為シタルニ對シ之カ取消ヲ申込ムヘシト慫慂シタル為朴容萬ハ駐支米國公使ヲ經テ之カ取消願ヲ米國政府ニ提出セリト云フ

記

(1)、絶對ニ現政府ヲ維持スヘク李承晩ハ渡米ノ上極力金銭運動ニ努ムルコト

(2)、上海假政府ヲ將来米國ニ移スコト

(3)、申圭植ハ支那人方面ニ有力ナル連絡アルヲ以テ同人ハ國務総理ノ職責ヲ以テ充分ノ活動ヲ継續スヘク全權ヲ與フルコト

元来委任統治請願ニ對スル批難ノ聲ハ上海並北京方面ニ於ケル假政府反對派鮮人間ニ既ニ喧傳論議セラレツツアリシ所ニシテ焔上更ニ油ヲ注キタルカ如キ玄楯ノ行為ハ之カ紛糾ヲシテ一層其ノ度ヲ昂メ

タルヨリ在米鄭翰景ハ委任統治請願ノ經過ヲ詳述シタル書面ヲ在上海安昌浩及李光洙ニ發送シ其ノ全文ヲ獨立新聞紙上ニ發表セムコトヲ要求シタルカ時恰モ獨立新聞ハ佛國官憲ノ為閉鎖ヲ命セラレ居タル為謄寫版刷印刷物ヲ以テ其ノ詳細ヲ發表シタリ如斯事態ノ發生ハ獨立運動ノ進行ニ多大ノ障害ヲ来セシノミナラス本年一月以降唯一財源地タル米布方面ヨリ上海假政府ニ對シ些ノ入金ナキ為財政上ノ窮乏其ノ極ニ達セルヲ以テ在上海大統領李承晩ハ其ノ上海ニ於ケル聲望ノ失墜ト内訌ノ煩ニ堪ヘサル折柄之等内訌ヲ調停シ一面財政救濟ノ目的ヲ名トシ五月十九日布哇ニ向ツテ出發シ更ニ八月中旬米國ニ到着シタルカ玄楯免職後ノ歐米駐剳委員部首長ノ事務ハ徐載弼之ヲ取扱フコトトナレルモ時既ニ米布各方面ノ民心ハ漸ク彼等ノ運動カ到底信頼スヘカラサルモノタルヲ自覺シ愛國金醵出、公債募集ノ如キ極メテ不振ノ状態ヲ呈シ殊ニ玄楯横領事件等ノ障害モアリテ財政上ノ窮乏ハ其ノ極ニ達シ為ニ四月二十九日ニ至リ辛フシテ鄭翰景ノ手ニ依リ僅ニ七百弗ヲ上海假政府ニ送金シ得タルニ過キスシテ四月末ニ於ケル歐米委員部ノ保管金残高ハ

僅々二千弗ナリシハ確實ナル情報ノ齎ス所ニシテ此ノ實情ニ對シテハ當事者タル鄭翰景徐載弼等ノ均シク憂愁措ク能ハサル所ナリ若シ此ノ状態ヲ持續セハ委員部ハ日ナラスシテ閉鎖ノ止ムナキニ至ルヘシト痛嘆セリト云フ為ニ目下英國方面特派員タル不逞領袖黄玘煥ニ割當テアル月額五百円ノ運動費ヲ減額セムトスルノ意向ヲ有スルニ際シ偶々英人「ロバート」代議士ヲ會長トスル在英韓國親友會ノ幹事「ウイリアム」ハ黄玘煥ノ何等為スナキヲ叙ヘ暗ニ同人ノ使用シツツアル運動費ヲ自己ノ手中ニ收メムトスルノ口吻ヲ洩ラシ来レルヨリ黄對「ウイルアム」トノ間ニモ意思ノ疏隔ヲ来タシ早晩英國方面ニ於テモ同志ノ間ニ大々的内訌ヲ惹起スヘシト噂スル者アリ因ニ黄玘煥ハ本年六月英本國殖民地首相會議開催ニ際シ玄楯ノ米國各方面ニ提出セル請願書ト畧内容ヲ同フセル「日本ヨリ解放セラレム為ノ朝鮮人ノ請願」ト題スル印刷物ヲ各首宛配付セリト云フ

以上ノ實況ナルヲ以テ李承晩ハ着米早々左記要旨ノ宣傳ヲナシ在住朝鮮人ノ志氣ヲ鼓舞シ不逞運動ノ振興ヲ謀リタルカ一度衰頽ニ傾キタル大勢ハ到底容易ニ挽回スルコト困難ナルヘシト一般ニ噂セラル

予ハ過去一年間東洋ニ在リテ我民族ノ獨立心ノ强固ナルコトヲ確メタリ朝鮮問題ハ當然太平洋會議ニ於テ討議セラルヘキヲ以テ予ハ會議終了迄華府ニ本據ヲ置ク考ナリ日本ハ朝鮮問題ヲ國内問題ナリト主張スルナラムモ實ハ國際問題ナリ諸列國ト朝鮮トノ間ニ曾テ締結セル諸條約ハ未タ何レノ國モ破棄セルモノナキニ徴シ明カナリ朝鮮ノ獨立及門戸開放ハ全亜細亜ノ獨立及門戸ノ開放ヲ意味ス卽チ朝鮮ハ日本ノ軍國主義ニ對スル防波堤タルヲ以テ日本カ軍事的根據地トシテ朝鮮ヲ領有スル間ハ支那及露西亜ノ治安ハ常ニ脅威ヲ感スヘシ又日本ハ既成事實トシテ朝鮮ノ問題ヲ談會ヨリ除外セムトスルモ如何ニシテ二千萬民衆ノ意思ニ反スル隷屬ヲ强ユルコトヲ得ンヤ云々」

(ロ) 布哇ニ於ケル状況

從來布哇ニハ朴容萬、李承晩、安昌浩ノ系統ニ屬スル三派鼎立シ互ニ勢力ヲ爭ヒタル結果爭鬪ヲ惹起シタル事例アリ今ニ至ルモ此ノ状勢ハ毫モ変化スル所ナシ既ニ李承晩派ニ屬スル李鍾寬ナル者在來ノ新韓民國布哇地方總會々長トシテ牛耳ヲ執リ機關新聞國民報ヲ發行シテ諸般ノ統一ニ任セシカ本年五六月ノ交ニ至リ上海假政

府所定ノ臨時居留民團制ニヨリ僑民團ト改稱シ在「ホノルヽ」朝鮮人基督教會牧師神學士閔贊鎬ヲ會長ニ同地豪商ニシテ鮮人基督青年會長タル安元奎ヲ副會長ニ選擧シ在布鮮人ノ全部ヲ統一スルノ意氣込ヲ以テ各地ニ支部ヲ設ケ團費トシテ賦課金ヲ徴收シツヽアルモ財政ハ依然トシテ困難ヲ免レサルカ故ニ上海假政府ノ經費ノ一端ヲ分担スルカ如キハ到底不可能ナリト云フ而シテ機關紙タル國民報社長李鍾寬ハ状況ノ非ナルヲ見テ辭退セシヨリ安昌浩派ニ屬スル韓美報社長承容煥之ニ代リ遂ニ兩者ヲ併合シテ之ヲ統一發行スルコトヽシ爾來兩者ノ發行番號ヲ國民報ノ紙面ニ印刷シ以テ僅ニ態面ヲ維持シツヽアリ而シテ朴容萬派ニ屬スル獨立團ハ前記僑民團ニ對抗シテ朝鮮人獨立團ト改稱シ布哇在住朝鮮人ノ教育宗教實業ノ發達ヲ圖リ鮮人一般ニ幸福ヲ增進ストノ美名ノ下ニ五十ケ年有効ノ法人團体トシテ布哇知事ノ認可ヲ得タリト云フモ之亦財政ハ極メテ困難ニシテ機關新聞タル太平洋時事ノ如キ辛フシテ一週一回ノ發行ヲ續ケツヽアル状況ナリト云フ此ノ現象ハ布哇ニ於ケル内訌ヲ助長シ聽テ來ルヘキ爭鬪ノ發酵素トナリ加フルニ五月中旬上海ヲ

123

出帆シタル李承晩ハ着布後自派ヲ中心トシテ現假政府擁護運動ヲ開始シ同志會ナルモノヲ組織シテ反對派ニ對抗セシ為茲ニ朴容萬派トノ間ニ猛烈ナル軋轢ヲ生シ八月上旬ニ至リ遂ニ両者間ニ闘争ヲ惹起シ互ニ死傷者ヲ出シタリト云フ今布哇ニ於ケル不逞運動ノ經過並今回闘争當時ノ状況ニ関シ同地ヨリ皈来セル者ノ談片ヲ綜合スルニ左ノ如シ

大正八年三月一日全鮮ニ於テ一齊ニ獨立萬歳ヲ連呼シ各地ニ騒擾ヲ惹起セシ不逞ノ徒ハ當時布哇在住朝鮮人ニ對シ電報ヲ以テ其ノ状況ヲ通報シ爾来内密ニ連絡ヲ継續シ獨立運動ニ對シ一時非常ニ熱中セシモ時局ノ經過ト共ニ獨立ハ毫モ實現セサルヨリ一部ノ者ハ漸ク獨立ノ能否ヲ研究論議スルマテニ覺醒セルモ少數不逞輩ノ為ニ威嚇サレ毎月若干ノ資金ヲ醵出シ来リタリ然ルニ近来假大統領李承晩一派ハ獨立運動ノ美名ノ下ニ資金ノ大部ヲ酒色ノ為ニ消費ストノ説アリ内心獨立　運動ヲ快トセサル者等ハ之ヲ好機トシテ爾来醵出ヲ肯セス然ルニ七月下旬ニ至リ李承晩ト獨立ニ反對セル穏健派トハ双方約三、四十名ノ男女入乱レテ争闘ヲ起シ中ニハ銃創

124

ヲ手ニセル者モアリテ約一時間半ニ亘リ力闘ノ結果各死傷者ヲ出シタルカ米國官憲ノ出動ニ依リ漸ク鎮静シタリ而シテ米國官憲ノ関係者ヲ處分スルヤ其ノ措置極メテ不公平ニシテ獨立派ハ殆ント無罪若ハ輕易ノ處罰ニ過キサリシモ獨立反對派ハ何レモ嚴罰ニ處セラレ控訴セシモ依然重刑ヲ科セラレタルヨリ米國ハ内心獨立運動ニ加担シ之ヲ奨勵シツツアルニ非ラサルヤヲ疑フ者アリ尚布哇ニ於ケル獨立派ノ機関新聞國民報ハ一時販路擴カリシモ年ト共ニ衰ヘ昨今ハ購讀者極メテ少數ナリト云フ

以上ノ談話ハ布哇ニ於ケル不逞運動ヲ赤裸々ニ物語リタル真摯ノ言ニシテ依テ以テ其ノ全豹ヲ相像スルニ足ルモノトス今回李承晩ノ同地ニ寄港シタルハ蓋シ此ノ頽勢ヲ挽回セムトスルニアリテ同地滞在中ニ於ケル彼ノ言動ハ日本ノ軍國主義、社會主義ノ優勢亜細亜モンロー主義、日英同盟ノ日米戦争ニ及ホス影響一トシテ讒誣中傷ニアラサルハナク一面鮮人ノ獨立熱旺盛ニシテ日本ノ覊絆ヲ脱セムコトヲ暁望シツツアルコトヲ宣傳セリ而シテ彼ハ七月一日布哇僑民團ニ於テ聽衆六百名ニ對シ假政府財政ノ窮乏ヲ縷説シ在住鮮人ノ

122

同情ニ想ヘ多額ノ金員ヲ貪ラムトシタルモ人心漸ノ離反セルニ加ヘ砂糖相場下落ノ為一層應募者少ク豫定額ノ三分ノ一ニモ達セサリシト云フ

尚近着ノ情報ニ依レハ在布哇朴容萬派獨立團ニテハ十月下旬朝鮮人會議代議員ナルモノヽ豫選會ヲ開キタリトノ報アリ惟フニ北京ニ於テ朴容萬派假政府組織セラレタリトノ別報アルヲ以テ同假政府ニ屬スル民意代表機関ヲ選擧スルノ準備行為タルモノヽ如シ

如斯英、米、布各國ニ於ケル不逞鮮人等ハ内訌ニ内訌ヲ重ネ惹ヒテ彼等ノ運動ハ漸次衰退セムトスル秋ニ方リ突如トシテ刺撃ヲ與ヘタルモノハ太平洋會議ナリ本問題ハ萎靡セル獨立運動ニ對シ稍活氣ヲ與ヘ各地鮮人ハ好奇ノ眼ヲ以テ本件ノ經過ヲ觀望シツヽアリ随テ職業的不逞鮮人ニ對シテハ名ヲ獨立資金募集ニ藉リテ金品詐取ノ機會ヲ與ヘ或ハ日米開戰説ヲ流布シ以テ人心ヲ惑乱セムトスル不良漢ノ出現或ハ假政府ノ頽勢ヲ挽回セムトスル各種ノ画策等多少人心ニ影響スル所無キニアラサルモ素ヨリ斯ル國内問題ノ附議セラルヘキ性質ノモノニアラサルト同時ニ彼等ノ日本ニ對スル讒誣的中傷ト誠意ナキ

123

運動トハ必スヤ鮮人ノ自覺ニ依リテ判明スヘク本會議ヲ中心トスル各種運動ノ成功スヘキモノニアラサルハ火ヲ睹ルヨリ明カナリ随テ鮮内外ニ於ケル多數ノ有識者ハ此ノ間ノ消息ヲ知悉シ敢テ妄動ニ参加スルコトヲ為サス民心概シテ平静ニシテ寧ロ彼等不逞輩ノ愚擧妄動ヲ以テ迷惑視スル状態ニアルカ故ニ會議前後ニ於テモ恐ラク重大ナル事故ノ發生ナカルヘシト察セラルルモ而カモ不逞鮮人等ハ今回ノ會議タルヤ陰ニ陽ニ獨立運動ヲ容認セル米國ノ提唱ニ擊ルヲ以テ同會議ニ對シ多大ノ期待ヲ有スルモノヽ如シ

米國及布哇ニ於ケル獨立運動ノ機関ヲ擧クレハ左ノ如シ

(1)、朝鮮國民會(The Korean national Communication) 本會ハ初メ自稱朝鮮共和國大統領總裁李承晩朝鮮假政府ノ行政機関ニシテ事務所ヲ908 Continental Building Washington D.C ニ置キ上海ニ於ケル朝鮮假政府ノ分機関トモ謂フヘキモノナルカ李兼晩上海行ノ後ハ金奎植之ヲ兼ケ更ニ本年二月以来玄楯ニ於テ主宰セシモ目下徐載弼之カ首長タリ

(2)、新韓協會(New Korean Association) 本部ヲ28 Division St. New York

124

City ニ設ケ會員三、四十名ヲ有シ布哇ニ本部ヲ有スル Korean Independence League ト共ニ急進過激派ニ屬シ革命的手段ニ訴ヘテ速ニ朝鮮ノ獨立ヲ圖ラムトスルモノナリ同會ハ將来絶ヘス朝鮮ニ暴動ヲ起シ日本國民ヲシテ之カ鎮壓ノ為莫大ナル戰費ノ負担ト人命ノ犠牲トニ堪ヘス結局政府ニ迫テ朝鮮ヲ放棄セシメムトノ意見ヲ抱キ居レリ

(3)、朝鮮國民協會(Korean national Association)

419 Hughes Building San Francisco ニ置キ會員四、五百名ヲ有スル團体ニシテ李承晩、金奎植及 Dr. Philip Jaison (米國歸化鮮人徐載弼)等ヲ首領ト為シ漸次温和主義ヲ奉スルモノニシテ同會ハ國際聯盟ヲ利用シテ獨立ノ目的ヲ貫徹シ可成革命戰爭ヲ避ケムトスルモノナリ布哇ニモ支部ヲ有シ最近僑民團ト改稱セシモノナルカ米國ノ本部モ李承晩ノ着米後改稱セシモノト思料セラル

(4)、朝鮮獨立團(Korean Independent League)

本部ヲ布哇ニ有シ J. M. Park ヲ會長トスルモノニシテ紐育ニ於ケル New Korean Association ト同シク急進過激派ナリ

(5)、朝鮮武俠團(Korean Knight)

桑港ニ於テ鄭漢景(Hiung Chung)

125

ナル者カ組織シタル團体ナリト云フ

(6)、朝鮮ノ友ノ會(The League of the Friends of Korea)

朝鮮獨立運動ニ同情スル米國人ノ團体ニシテ本部ヲ 22 Weightman Building, 1524 Chestnut St. Philadelphia ニ有シ、トリニチー教會ノ牧師 Rev. Floyd W. Tomkins ヲ會長ニ戴キ幹部ニ知名ノ費府人約四十名ヲ網羅シ精神的ニ朝鮮ノ獨立ヲ援助シツツアルモノトス同會ハ最近華府ニ支部ヲ設ケ Doyle 大將及海軍大將 Watson 等ヲ會員ニ加ヘタルカ更ニ近ク米國ノ他ノ都市ニ於テモ支部ヲ置ク計画ナリ

因ニ本會類似ノ機關ハ最近巴里ニモ設ケラレ又倫敦ニモ同様ノモノヲ設クル為英國人 F. A. McKenzie 及加奈陀人 James Gale ハ既ニ倫敦ニ向ヒタリト云フ

叙上各機關ハ窮極ノ目的ニ於テ同一ナルモ獨立實行ノ手段ニ相違アリ殊ニ相互間ニ甚シキ軋轢ヲ生セル團体アリテ協力一致ノ要件ヲ缺キ殊ニ歐米駐剳委員部ノ如キハ前顯内訌ノ外最近渡米セシ李承晩ト徐載弼トノ間ニ太平洋會議代表トシテ互ニ正使タラムトシ又々内訌ヲ惹起シ居レリト傳ヘラル

126

尚参考ノ為太平洋會議ニ對スル米布関係ノ諸情報ヲ記録セハ左ノ如シ

一、在米鮮人ハ李承晩鄭翰景ヲ代表トシテ活動セシムヘク在上海朝鮮人ノ意見ヲ求メ来リシカ反對派ハ両人ハ曩ニ委任統治ヲ米國ニ請願セシ関係上之ヲ悦ハス金奎植、呂運亨両名若ハ其ノ内何レカ一名ヲ派遣スヘシトノ議アルモ費用ナキニ苦心シツヽアリト（上海）

二、太平洋會議ハ結局日米間ノ諸問題ヲ解決スルコト能ハサルノミナラス日英同盟亦不継續トナリ日本ハ遂ニ之等諸國ト兵ヲ交フルニ至ルヘシ（満洲）

三、従来長老派米人ノ煽動ニ依リ満洲各地ニ横行シツツアリシ不逞鮮人モ近来漸ク静穏ニ向ヒ僅ニ小康ヲ得タルノ時偶々太平洋會議提唱セラレ不逞者ハ之ヲ好機トシテ又々排日ヲ宣傳シ獨立ノ可能ヲ鼓吹スルモノアルノ形勢アリ（満洲）

四、本年五月李承晩カ渡米シタルハ豫テ在米徐載弼ヨリ太平洋會議提唱セラルヘキヲ内報セシ為ニシテ李承晩ハ渡米後同國資産家ヨリ米貨一千萬円ヲ五ケ年ノ期限ヲ以テ借款シ内二萬円ヲ假政府ニ送金シ来リ假政府ヨリ

127

ハ同會議ニ代表者二名ヲ派遣スヘシト（上海）

五、安昌浩ノ秘書タル在上海金輿濟（元日本内地留學生）ナル者八月十二日出帆ノ米國汽船「チヤイナ」號ニテ多数ノ支那留學生ニ混入シ米國ニ向ケ出發セリ何等カノ使命ヲ有スルモノト認メラル而シテ安昌浩亦渡米ノ意アリ呂運亨ハ之カ為旅費旅券ノ周旋ニ奔走シツツアリト云フ（上海）

六、太平洋會議ニ於テ米國ハ日本ヲ壓迫スルト共ニ朝鮮問題ハ自然ニ解決スヘシ故ニ鮮人ハ不穏文書ノ配付又ハ爆彈ヲ投下スルノ必要ナク拱手時期ヲ待ツヘシ其ノ理由ハ日本カ米國ノ要求ニ反對セムカ米國ハ必ス日本ニ向ケ宣戰スヘシ其ノ暁ニ於テ日本ハ海軍及財力ニ於テ劣レルカ故ニ結局敗戰シ茲ニ朝鮮ハ獨立スルニ至ルヘシ（中鮮地方）

七、由来米國ハ正義人道ノ國トシテ吾等ハ崇敬シ来リシカ其ノ言行一致セサル國柄ナレハ今回ノ會議ニ對シテモ米國ノ好意得テ望ムヘカラスト云フ者アリ（南鮮地方）

八、米國宣教師ノ指圖ニ依リ太平洋會議

128

對スル朝鮮獨立ノ請願ヲ為ス為英米両國ニ對シ運動員トシテ四、五名ノ牧師ヲ派遣スヘシ又天道教、耶蘇教徒間ニ於テ英、米國ニ獨立請願書ヲ提出スヘシト唱フル者アルカ如シ(北鮮地方)

九、在上海假政府ヲ中心トスル太平洋會議研究會ニテハ本會議對策行動ヲ各自分担シタリトノ情報アリ其ノ歐米關係ノ分左ノ如シ(上海)

(1)、歐米方面ニ對スル不逞行動ノ責任者ハ金奎植、張鵬

(2)、上海在住米國人ニ對シテハ呂運亨、安昌浩、

(3)、各地新聞ニ對スル連絡ハ專ラ申圭植、趙東祐之ヲ担任ス

一〇、安昌浩ハ在米同志間ノ紛糾調停ノ為又金奎植ハ太平洋會議代表トシテ不日何レモ渡米スヘシト(上海)

一一、先年聯盟會議ノ際諸種ノ運動ヲ試ミシモ其ノ効果ナク豫期ハ空シク裏切ラレタリ今回ノ太平洋會議モ畢竟之カ変体トモ見ルヘク朝鮮獨立ノ如キ到底論議ノ餘地ナシ(吉林)

一二、本會議カ日本ニ不利ニシテ朝鮮、支那、米國ニ有利ナルハ勿論ナルカ此ノ結果日本ハ太平洋上ノ自由權ヲ失ヒ支

129

邦及米國ニ在住スル日本人ハ漸次放逐セラルルニ至ルヘシト云フ者アリ(間島)

一三、在米李承晩ハ萬國辯護士會ヲ動カシ朝鮮獨立問題ヲ太平洋會議ニ提出セシムル為運動中ニ付之カ運動費トシテ十萬弗ヲ募集送金セヨト假政府宛申来レリト云フ(天津)

一四、在米李承晩ハ太平洋會議、米國政府、同國各政客、民間有力者及新聞社ニ對シ大要左ノ如キ請願書ヲ提出スヘシト(間島)

二千萬ノ朝鮮民族ハ日本ノ侵略主義ニ依リ遂ニ併合セラレテ十餘年間所有塗炭ノ苦ヲ受ケ今ヤ全ク生存シ能ハサルノ惨状ニ陷レリ願ノハ貴政府(貴會議)ハ一千八百九十五年ノ韓美條約ニ依リテ我國ヲ日本ノ覊絆ヨリ脱シ永久ニ獨立セシメラレタシ

一五、前項請願書ニ捺印セシムル為之カ代表者トシテ鮮内地ハ申興雨、滿洲、曹光、露領ハ申宗浩、米領ハ鄭仁果ヲ選定セリト云フ而シテ鄭仁果ハ特ニ桑港及布哇在留鮮人青年ヲ華盛頓ニ集合セシメ太平洋會議前後米國各地ニ於テ「東洋平和」ト稱スル一標語ヲ究モ往年ノ「萬歲」ト同様ニ絶叫シ以テ列强ニ

對シ鮮人ノ獨立熱ノ旺盛ナルコトヲ表示シ併セテ米國上下及新聞ノ輿論ヲ惹起セシムヘシト

一六、米國ハ十數隻ノ艨艟ヲ芝罘其ノ他ニ派遣シ近ク安東ニモ来航シテ我等ヲ聲援スヘシ元来米國ノ援助ハ客年同國議員團来鮮時ニ於ケル黙契ナリトテ頗ル前途ヲ樂観シツツアリ(通化)

一七、現時世界ノ大勢ハ到底米國ノ援助ニ依リ單立ニテ目的ヲ達スル能ハサルノミナラス米國亦此ノ誠意ナキハ往年平和會議ニ於ケル鮮人代表ノ處遇振ニ徴スルモ明ナリ況ンヤ支那共同管理ノ同國ニ依リテ提唱セラルルヲ見テモ其ノ内容ヲ窺知スルニ足ル要スルニ米國ハ信頼スルニ足ラス徒ニ他國ヲ煽動シテ自國ノ利ヲ圖ラムトスルモノナリ東洋ニ於テハ宜シク日本ヲ盟主トシテ黄色人種ノ團結ヲ圖リ以テ同文同種ノ誼ヲ全フスヘキナリ云々(通化)

一八、上海假政府ニテハ歐米駐剳委員部ヨリノ通信ナリトテ謄寫版摺印刷物ヲ作リ滿鮮露領方面ニ配付シ大々的資金ノ募集ニ着手セリ(上海)

一九、米國政府某書記官ハ朝鮮ノ政情視察

ノ為太平洋會議ニ先チ朝鮮ニ渡来スヘシト(露領)

東京駐在米國大使館員ハ太平洋會議問題ニ關シ近ク朝鮮ヲ視察スヘシ(中鮮地方)

二〇、先年巴里會議ニ於ケル朝鮮代表ノ失敗ニ鑑ミ這回ハ細心ノ注意ヲ拂ヒ必成ヲ期スル豫定ナルカ若シ日本代表ノ為妨害セラレ不成功ニ終ルカ如キコトアラハ我代表ハ先ツ日本代表ヲ殺害シ自己亦自盡シテ不言ノ裡ニ二千萬同胞ニ辨明スルノ覺悟ナリト(哈爾賓)

二一、太平洋會議ニ差遣スヘキ代表ハ在米徐載弼ヲ推シ鄭翰景ヲ秘書トシ在上海金奎植ヲ副使トシテ渡米セシムルコトニ内定セシモ之カ費用ナキ為安昌浩ハ布哇ニ於ケル同胞爭闘事件ノ調停旁資金調達ノ目的ヲ以テ近ク布哇及米國ニ渡航スヘシト(上海)

二二、在上海不逞鮮人及排日支那學生ノ中心トシテ組織セラレタル中韓民互助社ハ最近太平洋會議ニ對スル提案ヲ宣言シタルカ金奎植ハ之ヲ英文ニ全譯シ米國ニ送附スル豫定ナリト云フ(上海)

二三、在上海安昌浩ハ九月 日慕爾堂ニテ協同一致ニ關スル演説ヲ為シタル際

132

今回米國カ太平洋會議ヲ提唱シタル目的ハ一、英米合致シテ亜細亜ニ於ケル日本ノ勢力ヲ牽制セムトスルコト二、歐洲戰争ノ惨状ニ鑑ミ世界的平和ヲ期セムトスルコト三、或者(米國ヲ意味ス)カ世界ノ總テヲ籠絡セムトスルコト等三個ノ目的ニ他ナラサルヘシト説キ親米派ヲシテ米國ノ野心ヲ揣摩臆測シタリトノ口實ヲ得セシメ悪感ヲ招キタリトノ説アリ(上海)

二四、在上海鐵血團(武力冒険派)ノ一派ハ青年七、八名ヲ華盛頓ニ送リ太平洋會議ニ於テ若シ朝鮮獨立ノ目的ヲ達スル能ハサルトキハ日本ノ特使數名ヲ殪シ以テ朝鮮民族ノ不平ヲ列強ニ表示セムト計画中ナリト(間島)

二五、太平洋會議ニハ米國週日學校長米人某モ重要ノ椅子ヲ占ムヘク同氏果シテ列席セハ朝鮮獨立ニ関シ最善ノ努力ヲ致スヘク早晩吾等民族モ自由ノ天地ヲ打開シ得ヘシト唱フル者アリ(間島)

133

ロ、過激派ト朝鮮人トノ関係

イ、過激派ト朝鮮人

國外ニ於ケル不逞鮮人等ハ過激派ノ後援ニ依リ武装ヲ整ヘ思想ノ宣傳ヲ以テ朝鮮民族ノ獨立ヲ劃策シ虎視眈々トシテ其ノ機ヲ覦ヒツツアルハ前項在外朝鮮人ノ動静中ニ於テ略叙セシカ如ク近時過激派ト不逞鮮人トノ接通益々緊密トナリ僭稱上海假政府ト莫斯科政府トノ密約成立セリト傳ヘラルルノミナラス不逞鮮人首領輩ノ莫斯科及チタ方面ニ祖徠スルモノ漸次多ク或ハ多額ノ資金ヲ過激派ヨリ提供セラレタリト稱シ殊ニ之等赤化セル不逞鮮人ト同地ニ於ケル社會主義者トノ連繋亦濃厚トナラムトスルノ傾向アリテ今ヤ満鮮方面ハ過激思想ノ脅威ヲ享ケツツアルノ現況ニシテ目下停頓セル大連會議ハ将来如何ナル結果ヲ齎ラスヘキヤ俄ニ逆睹スヘカラサルモ露領ニ於ケル我軍ノ撤退シテ假装セル極東共和國其ノ真相ヲ暴露スルニ至レハ地理的関係上浦潮及間島地方ハ再ヒ赤化ヲ容易ナラシムルノミナラス従来各所ニ潜伏セル不逞鮮人ノ過激派ニ投シ跳梁跋扈スルニ至ラムカ支那政府ノ取締行ハレス其ノ波動ハ陸接セル鮮内ノ治安ヲ害スルニ至ルハ必然ニシテ殊ニ時代ノ趨勢ハ勞働問題、社會問題等各種ノ方面ニ改造ヲ高唱セラレ思想界ノ動揺ヲ未タサムトシツツアル際比較的雷同性ヲ有スル朝鮮人等ニ過激思想ノ浸染スルニ至レハ民心ニ如何ナル影響ヲ及ホスヤモ保シ難ク幸ニ未タ鮮内ニハ波及スルニ至ラス單ニ容疑露鮮人ノ通過若ハ一、二不穩文書ノ郵送セラレシヲ發見セシコトアルノミニシテ最近赤化セル不逞鮮人ノ潜入又ハ天道教會ト何等カノ聯絡アルカ如ク風説セラルルモ未タ具体的事實ヲ認ムルニ至ラス然リト雖往々過激派ニ關スル流言蜚語ノ傳ヘラルルアリテ之カ宣傳ノ隱密裡ニ行ハレツツアルハ全然否定スルヲ得サルヲ以テ不斷ノ査察ト嚴密ナル注意ヲ拂ヒツツアリ

2、過激思想ノ宣傳及經路

過激派ハ常ニ世界宣傳中ニ於テ亜細亜方面ヲ以テ最有効ナリト稱シ殊ニ獨立ヲ專念スル不逞鮮人ヲ利用スルハ極メテ捷徑ナリト信スルモノノ如ク今ヤ支那馬賊ヲ籠絡シ不平分子ヲ懐柔シ或ハ不逞鮮人ヲ傀儡トシテ支那人及朝鮮人ノ赤化宣傳ニ努力シツツアルノ情況ニシテ昨春来既ニ支那人二萬人朝鮮人十五萬人ハ過激思想ニ感染シ其ノ後遞次増加ノ傾向アリト稱セラル而シテ今日迄露領沿海州琿春、間島、上海及鮮内等ノ各地ニ於テ赤化宣傳ニ使用セル諺文及諺漢文ノ刊

行物竝不穩文書ニシテ發見セルモノ及赤化宣傳員ノ入鮮シ得ル經路左ノ如シ

(イ)、諺文及諺漢文ノ赤化宣傳用刊行物及不穩文書一覧表

種別	名稱	發行地
新聞	東亜共産新報	チタ市 全韓共産党本部
仝	勞農新報	仝 韓人勞農新報社
仝	自由報	ブ市 韓人共産党本部
仝	新世界	亜市 共産党黒龍州聯合會
仝	新生活(大韓独立報改題セルモノ)	上海 青年社會党
仝	赤星	ブ市 韓人共産党本部
仝	赤旗	イ市 共産党韓族會
雑誌	共産	上海
雑誌	同胞	桑港 勞働社會改進党
冊子	水賣	チタ市 韓族共産党本部
仝	露西亜共産党ノ政綱	仝
仝	共産党ノ宣言	仝
仝	勞働組合ノ話	哈府 韓族共産党本部
仝	我等無産階級ノ進路	仝
仝	新ラシキ世トナレハ	チタ市 仝
仝	共産党ノ簡章紀律及政綱	上海 高麗共産党
仝	カール、マルクス	仝 共産党總支部
仝	レーニン	仝 高麗共産党
仝	共産論ノ總綱(日本文支那文アリ)	モスコー 勞農政府外務省極東課
仝	為民自覚	不詳
不穩文書	各方面ニ飛傳シテ聯絡スヘシ	露領ポセット地方ニ於テ配布セルモノ

136

仝	各方面ノ分離ヲ接續セヨ	露領煙秋地方ニ於テ頒布セルモノ
仝	警告韓人全体	浦潮及ビラズドリノ五地方ニ於テ頒布セルモノ
仝	巡回章告	琿春地方ニ於テ支那巡警ノ所持セシモノ
仝	萬國ノ「プロレタリア」ニ愬フ（日本文ノモノ）	東京淀橋郵便局消印ノモノニシテ平壌ニ於テ発見
仝	オリンピックノ選手諸君（民支日文アリ）	上海ニ於ケル「オリンピック」大會ノ際頒布セルモノ
仝	共産主義順興會々則	咸北西水羅ニ於テ鮮人ノ所持セルモノ

ロ、過激派ノ朝鮮宣傳徑路（別図参照）

従来ノ諸情報ヲ綜合シ假ニ赤化宣傳員ノ鮮内ニ入ルモノトスレハ概ネ左ノ徑路ニ依ルモノト判断セラル

莫斯科系（莫斯科ヨリ直接上海ニ入ルモノ）

(1)、上海ヨリ海路安東ニ入ルモノ又ハ内地ヲ径由シ鮮内ニ入ルモノ

(2)、上海ヨリ陸路又ハ海路芝罘若ハ威海衛ヲ經テ海路鮮内ニ入ルモノ

(3)、上海ヨリ海路大連ニ至リ鐵路安奉線ヲ南下シ鮮内ニ入ルモノ

知多系

(1)、「チタ」ヨリ鐵路哈市ヲ經テ北京及上海ヨリ鮮内ニ入ルモノ

(2)、「チタ」ヨリ買賣城、庫倫及張家口ヲ經テ北京及上海ヨリ鮮内ニ入ルモノ

(3)、武市方面ヨリ牡丹江河谷ニ沿ヒ寧古塔、間島ヲ經テ鮮内ニ入ルモノ

(4)、武市及哈府ヨリ松花江ヲ經テ哈市ニ至リ更ニ吉林ヨリ鮮内ニ入ルモノ

137

(5)、哈府方面ヨリ穆稜河谷ニ沿フテ間島ヨリ鮮内ニ入ルモノ

(6)、南部烏蘇里方面ヨリ琿春河谷ヲ降下シ又ハ三岔口及綏芬大甸子道ニ沿フテ琿春ヨリ鮮内ニ入ルモノ

(7) 南部烏蘇里方面ヨリ露領地帯ヲ陸路若ハ海路ヨリ北鮮ニ入ルモノ

(8)、浦潮ヨリ海路清津又ハ元山ニ入ルモノ或ハ内地ヲ經テ鮮内ニ入ルモノ

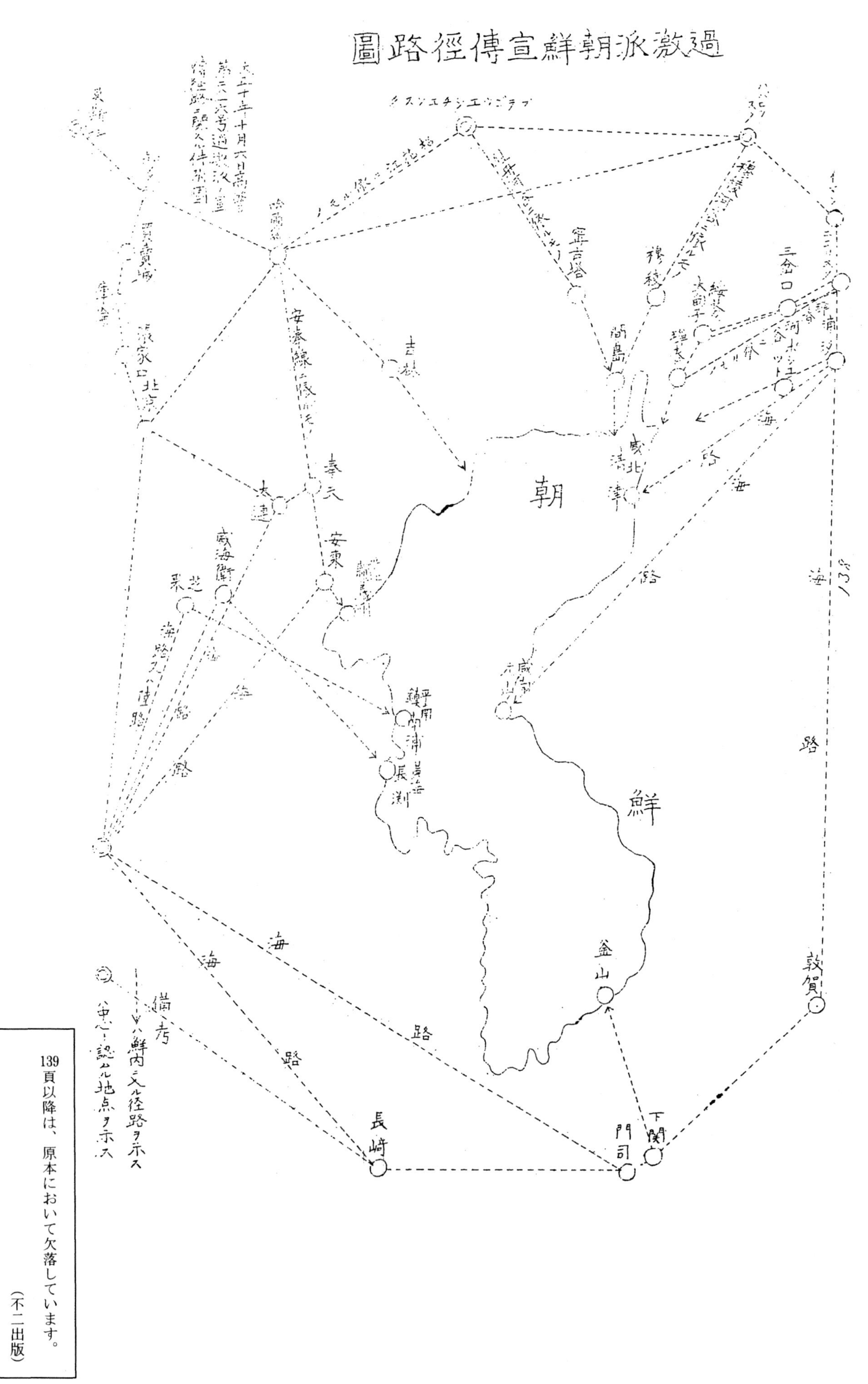

139頁以降は、原本において欠落しています。（不二出版）

〔大正十二年〕
〔治安情況〕

表紙は、原本において欠落しています。（不二出版）

大正十二年

目次

1頁～36頁は、原本において欠落しています。（不二出版）

三、民心ノ傾向並犯罪ノ趨勢

獨立運動ハ鮮人最後ノ望ヲ囑シタル華盛頓會議ノ無事終了ヲ一轉機トシテ鮮内民心ハ一般ニ鎮靜ニ嚮ヒタルモ其ノ思潮ノ歸趨ヲ概別セハ

從來ノ空虚ナル各種運動乃至外國ノ援助ニ倚頼セムトスル所謂實力ノ伴ハサル方法ヲ以テシテハ到底現下ノ國運隆々タル日本ノ羈絆ヲ脱シ獨立ノ目的ヲ達成シ得ヘカラサルコトヲ自覺スルト共ニ須ク文化ノ促進ニ依リ教育ノ振興産業ノ發達ヲ促シ徐ロニ實力ノ養成ヲ計リ民族ノ發展ヲ期シ以テ日本ノ諒解ノ下ニ又ハ將來日本ノ國力衰頽ノ機ニ乗シ獨立ノ目的ヲ永遠ニ達セムトスル民族主義ニ推移セムトスル傾向アリ此ノ傾向ト共 三七

ニ彼ノ獨立運動ノ不可能ナルニ絶望シ窮餘赤化共産ノ過激ナル社會主義ニ皈趨セムトスル一新時潮ノ漸次擡頭セムトスルアリ而シテ此等ノ傾向思潮ニ對立スルモノハ即チ共存共榮ヲ旨義トスル内鮮提携主義トモ稱スヘキモノニシテ現下ノ民心ハ凡ソ以上三大傾向ノ外ニ出テス其ノ民族主義運動殊ニ社會主義運動ハ大正十一年末以來漸ク實行ノ第一期ニ入リタルノ觀アリ左ニ之ヲ詳述セン

(一)獨立運動ノ推移

大正八年三月騷擾期ヨリ愛國資金募集、强盗、不穏文書ノ配布、暗殺、爆彈投擲等危險ナル過程ヲ辿リタル獨立運動ハ最後ノ望ヲ囑シタル大正十年七月ノ華府會議カ彼等ノ期待ヲ全然裏切リ何等ノ効果ヲ奏セス却テ帝國ノ國際的地位ノ優勢ナルヲ知リ獨立ノ全然不可能ナルヲ自覺スルニ至リ遂ニ上海潜稱政府ハ内訌暗闘相亞キ政府員ハ各地ニ離散シ大統領李承晩カ大正十一年末潜カニ上海ヨリ布哇ニ奔リタル後ハ僅ニ殘骸ヲ止ムルニ過キスシテ氣勢更ニ揚ラス其後衰頽其ノ極ニ達シ之カ挽回ノ策トシテ僭稱政府ノ將來及獨立運動ノ方法ニ關シ大正十二年一月ヨリ六月迄上海ニ於テ國民代表會ヲ開催シタルモ改造派建設派ノ内訌軋轢ニシテ何等為ス所ナク有耶無耶ノ裡ニ解散シタル状況ニシテ現在假政府員ト稱スル者ハ殆ント名モナキ三流以下ノ徒輩ヲ以テ充タサレ今ヤ全ク孤 三八

城落日其存在タニ認メラレサル現況ニアリ現ニ從來朝鮮ニ多大ノ同情ヲ寄セ居タル英國人「マツケンジー」モ英本國ヨリ在布哇ノ李承晩宛「自分カ真ニ朝鮮人ノ友人タルコトハ貴下ノ現ニ詳知セラルル如ク著述ニ依リ演説ニ依リ朝鮮人ノ為ニ盡力シ來レリ今自分ハ其ノ親友トシテ貴下ニ注意スヘキコトアリ即チ朝鮮ノ自由ナル基調ハ今ヤ其ノ運動ノ方法ヲ變更スルノ要アラン華府會議ハ世界カ永久ニ朝鮮ハ日本ノ一部分ナルコトヲ確實ニ決定スルニ至レリ故ニ今後ハ從來ノ方針ヲ一變シ日本帝國ニ倚頼シ諸士ノ前途ヲ決スヘキナリ而シテ倚頼シ訴フヘキコトアラハ總テ日本ニ致スヘキナリ」トノ書信ヲ送リ李承晩亦自覺ノ心

所アリシモノノ如ク上海引揚後ハ布哇ニアリテ何等獨立運動ニ携ハラス身ヲ教育事業ニ委ネ寧ロ布哇日本官憲ニ接近セムトスル傾向ヲ示シ從来ノ態度頓ニ一変セリ固ヨリ在外不逞鮮人ノ獨立運動ハ今日ニ於テハ單ニ上海假政府ノ消長ニ繋レルニアラスト雖モ從来ヨリ獨立運動ニ最モ関係深キ假政府ノ将ニ衰滅セムトスルノ事情一般ニ知悉セラルルヤ或ハ獨立ノ前途ヲ悲観シ自暴自棄トナレルモノ或ハ獨立運動ノ名ノ許ニ衣食セル者等満洲所在ニ今尚惰勢的ニ各種ノ不逞團ヲ組織セル者アリト雖モ多クハ相率ヒテ共産赤化ニ投合シ上海、北京、吉林、北満方面各地ヲ移動漂浪シテ僅ニ衣食シ其ノ國境方面ニ出没スルモノモ畢

三十九

竟馬賊強盗ノ匪賊ト化シ蠢動ヲ繰返セルニ過キス大正十一年十一月間島軍政署ノ李大基等慶尚北道内ニ潜入シ又同年十二月軍政署姜鉄求外数名ノ連累者京城ニ入込ミ各方面ニ亘リ軍資金ノ募集ニ努メタルモ一人トシテ之ニ應スル者ナク直ニ檢擧セラレ越ヘテ大正十二年一月十二日何者カ京城鍾路警察署ニ爆彈ヲ投擲シ恰モ通行中ノ朝鮮人男女八名ニ重軽傷ヲ負ハセタル事件アリシカ之ニ對シ一般鮮人ハ無謀ナル獨立運動者又ハ共産主義ヲ標榜スル狹雑輩ノ行為ナラム其ノ何レニスルモ既ニ一旦自覺安定シタル民心ハ到底爆彈ノ如キヲ以テ攪乱スルコト能ハサルヘク寧ロ此ノ如キ愚擧ハ我民族ヲ蠹毒スルモノナリト嚬蹙スル者多キ現状ニシテ兇暴ナル直接行動ニヨル獨立運動モ亦無意義ニシテ寧ロ朝鮮民族ノ為何等得ル處ナキヲ覺知セル一般ハ之ニ同情シ若ハ援助スルモノ殆トナク民心ニ何等ノ影響動揺ヲ與ヘス頗ル冷静タリ從テ彼等ノ時ニ蠢動スルコトアルモ警備ノ充實警戒ノ至嚴ナルト一面自覺セル民心ハ容易ニ彼等ノ煽動ニ乗セラレサル為常ニ失敗ヲ繰返セルニ過キス十二年一月初頭上海ヨリ京城ニ侵入潜伏中ノ金相玉ハ大正九年八月米國議員團入京ニ際シ南大門驛頭ニ於テ我大官及米國議員ヲ暗殺シ以テ國際問題ヲ惹起セシメ一面民心ヲ煽惑攪乱セムト計劃セル兇暴犯人ナルカ今回モ何等カ不軌計劃ノ目的ヲ以テ入城シ

四十

タルモノノ如ク府内三阪通ニ潜伏中ヲ探知シ逮捕セムトシタルニ自動拳銃ヲ乱射巡査一名ヲ即死セシメ警部警部補各一名ニ重傷ヲ負ハシメ其ノ場ヲ逃走シタルモ同月二十三日府内孝悌洞ニ於テ遂ニ射殺シ尚同年三月不逞鮮人金元鳳ヲ團長トスル義烈團カ露國共産党ヨリ資金ノ供給ヲ受ケ要路大官ノ暗殺建造物ノ破壊ヲ断行シ以テ朝鮮ヲ赤化スルト共ニ獨立運動ヲ惹起セムトノ大陰謀ヲ運ラシ居ルヲ平安北道及京畿道ニ於テ探知シ同月十四日ヨリ新義州、京城及安東縣ノ三箇所ニテ檢擧ニ着手シ犯人金始顕以下十八名ヲ檢擧スルト共ニ威力最モ強大ナル各種爆彈三十六個及不穩文書多数ヲ押收セル等鮮内ニ於テハ斯ル無

謀ナル獨立運動ノ何等効果ナキコトヲ示シ其ノ民心ニ與ヘタル反響頗ル良好ナルモノアリ殊ニ今次未曾有ノ関東地方大震災ハ一般民心ニ異状ナル刺戟ヲ與ヘ青年學生等ノ一部ニアリテハ之ニ何等ノ同情ヲ表セサルノミナラス寧ロ快哉ヲ叫ヒタルモノアル状況ナリシニモ不拘之カ為ニ毫モ動揺暴擧ニ出ツル者ナカリシハ以テ鮮内現下ノ民心ノ傾向如何ヲト知スルニ足ルモノアリ

(二)

民族主義運動

世界三大强國ノ一タル帝國ニ對シ現在何等ノ實力ヲ有セサル朝鮮カ如何ニ獨立運動ヲ續行スルモ到底不可能ナルヲ自覺スルニ至ルト共ニ智識階級ノ一部及 四十一
一般青年ハ将来文化ノ促進ニヨリ教育ノ振興産業ノ發達ヲ期シ以テ實力ノ完成充實ヲ計リ徐ロニ民族ノ将来ヲ計ラサルヘカラストノ所謂文化的獨立運動ノ思想ヲ生ムニ至リ大正十一年四月京城ニ開催セル全鮮青年會聯合會ニ於テモ其ノ決議事項中ニ一、教育振興方法トシテ普通學校ノ増設及民立大學ノ設立二、産業發達ノ方法トシテ産業上ノ技術ト智識ヲ修得シ以テ産業的權利ノ擴充ヲ期シ朝鮮人ハ朝鮮人ノ製造品ヲ使用シ賣買スルコトノ二項アリ而シテ從来個々ニ唱ヘラレタル實力養成ノ聲ハ玆ニ初メテ集合團体ノ決議トシテ顕ハレ實行ヲ促ス輿論喚起ノ題材トナレリ即チ同年十二月京城ニ於テ實力養成ヲ目的トスル民族運動ハ民立大學期成及朝鮮産品ノ自作自給ヲ奨勵スル二個ノ形式ニ依リ運動ノ實現ヲ見ルニ至レリ

イ、民族的教育振興運動

京城ニ於ケル智識階級及全鮮青年會聯合會員等ヲ以テ組織セル朝鮮教育協會(耶蘇教徒李商在会長)ハ大正十一年十二月朝鮮ニ未タ最高教育機関ナキヲ遺憾トシ在京城教育家、法曹界、操觚界等ノ智識階級ヲ發起人トシテ民立大學期成會準備會ナルモノヲ組織シ翌十二年三月期成會總會ヲ開催シタルカ同會眞ノ目的ハ朝鮮人ノ教育ハ朝鮮人ノ手ニ依リ之ヲ為サヽルヘカラストノ主旨ニ出テタルモノニシテ會員ハ朝鮮人ノミヲ以テシ民立大學設立ノ経費ヲ一千萬円 四十二
ト見積リ此費用ヲ得ルニ當リ寄附金募集許可ノ至難ナルヲ豫想シ當初ヨリ募集ノ形式ヲ執ラス會員組織トナシ會員ノ醵出ニ依リ之ヲ得ムトシ爾来各道ニ地方部ヲ設ケ會員募集ニ従事シ尚過般京城ニ於ケル副業共進會開催ノ際ニモ宣傳文ヲ配布スル等継續運動中ノ處近時経濟界頓ニ沈衰シテ金融ノ梗塞亦最モ甚シキ折柄斯ル巨額ノ資金ヲ醵出スル者殆トナク殊ニ地方ニ於テハ基本教育機関タル普通學校ノ三面一校主義モ更ニ之ヲ擴充スヘキ要アル際トテ心アルモノハ表面之ニ反對セサルモ窃ニ其ノ無謀ヲ譏リ一千萬円ノ巨額ハ朝鮮人一千萬人ヲ以テスルモ一人一円ヲ支出セサルヘカラス然ル

地方農民中ニハ缺クヘカラサル税金ノ納付ニサヘ困難ヲ感シ居ル者尠カラス其ノ他其ノ日稼キノ勞働者等全ク支出能力ナキ者多数アル現下ノ朝鮮ニ於テ一部富豪ニ於テ相當額ヲ出金スル者アリトスルモ一千萬円ノ巨額ニハ達セサルヘク實現ハ到底不可能ナリト謂フモノ尠カラス又中流以下ノ者ハ民立大學ノ設立ハ無キニ優ルモ子弟ヲ最高ノ學府ニ遊學セシムル資力ナキ者ニハ直接何等ノ必要ナシ寧ロ普通學校ヲ增設シ地方民ノ教育振興ヲ圖ルノ急務ナルモノアリト謂フモノ多キ状況ニテ目下ノ状態ニテハ到底其ノ實現ハ至難ナリ

ロ、民族的産業運動

朴泳孝ノ民友會議員薛泰熙、天道教幹部李鍾麟、耶蘇教徒兪星濬及金鮮青年會聯合會員等百餘名ハ大正十一年十二月京城府樂園洞協成學校内ニ發起人會ヲ開催シ朝鮮物産奬勵會ナルモノヲ組織シ事務所ヲ府内堅志洞全鮮青年會聯合會内ニ置キタルカ越ヘテ大正十二年一月同會ハ生活改善産業奬励ノ名ノ下ニ

着ヨ朝鮮人ノ織リタルモノヲ
食ヘ朝鮮人ノ作リタルモノヲ
使ヘ朝鮮人ノ手ニ成リタルモノヲ

ノ以上三項ノ自作自給ヲ標榜セル物産奬励ノ趣旨書及宣傳文ヲ廣ク各道ニ配布シ一面東亜日報及朝

四十三

鮮日報ノ諺文新聞ニテ熾ニ宣傳シタル結果京城ニアリテハ物産奬勵會ノ婦人別働機関トシテ土産愛用婦人會起リ先ニ組織セラレタル自作會消費組合等ト共ニ運動ニ着手シ又地方ニアリテハ之等ノ支會又ハ地方特設ノ自作自給ノ團体各地ニ簇生シ一時全鮮ニ波及セリ然レトモ元来本運動ノ目的トスル所ハ婉曲ニ自作自給ヲ標榜シ居ルモ要ハ日本貨物排斥ノ民族的産業運動タルハ瞭ニシテ現ニ二月十六日京城府内天道教會堂ニ於テ物産奬勵會宣傳講演會ヲ開催シタル際物産奬励會員タル耶蘇教徒金鋼秀ハ講演ノ一節ニ「自分ハ此頃煩悶シテ居ル朝起キテ顔ヲ洗ハムトスルニ洗面器モ歯磨モ手拭モ亦水ニ至ルマテ皆外國人ノ手ヲ經テ来タモノテアル云々ト語レル等陰ニ陽ニ其ノ目的ニ向ツテ宣傳運動ヲ試ミツツアルモ朝鮮ノ現状ニシテ日本貨物ヲ排斥シ全然朝鮮産若クハ朝鮮人ノ手ニ成リタル物ノミヲ以テ自足自給セムトスルハ謂フヘクシテ到底實行不可能ナル空論ニシテ需要供給ノ関係上忽ニ朝鮮木綿等ノ暴騰ヲ来シ鮮人ノ生活ハ一層困迫ニ陥レル等ノ滑稽ヲ演スルニ至リ経済界ニモ何等ノ影響ナク今ヤ全ク顧ミル者ナキニ至レリ

(三)社會主義運動

獨立運動ノ決定的失敗ニ依リ自暴自棄ニ陥レル者、無頼浮浪青年及其ノ他反感不満ヲ抱懐スルモノ等ハ大

四十四

戰後風靡セル社會共産主義ノ傾向ニ投合シ之ニ依リ豫テ欝積セル餘憤ヲ霽ラシ將来日本ノ赤化ニヨリ革命運動勃發ノ際ハ其ノ機會ニ乗シ朝鮮獨立ノ目的ヲ達セムトシ露國共産黨ヨリ宣傳費ヲ獲ムトスル等ノ野心ヲ以テ特ニ大正十一年末頃ヨリ青年間ノ思潮ニ新シキ傾向ヲ生シ共産主義的言動ヲ弄スル者漸ク多カラムトスル形勢ヲ示セリ越ヘテ大正十二年ニ入リテハ三月青年党大會ニ依リ現ニ共産主義宣傳ノ運動ニ着手シタルヨリ之カ導火線トナリ輕佻浮薄徒ニ新シキヲ逐フ青年學生輩亦之ニ浸染セムトスル情勢ヲ示シ將ニ主義的運動實行ノ第一期ニ入リタルノ觀アリ將来相當注意ヲ要スヘキモノアルモ現在ニ於ケル

四十五

主義的人物ノ多クハ京城ニ在ル無為徒食ノ青年輩ニシテ徒ニ内訌暗闘ヲ續ケ党中党ヲ樹テ常ニ排他闘争ヲ事トシ運動ニ統制ナク社會的信望皆無ナリ且ツ多クハ真ノ主義者ニアラスシテ單ニ主義ヲ標榜シ口舌ニ弄スル似非主義者ニ過キサルヲ以テ總テニ真剣味ヲ缺キ今日迄ノ處一、二ノ例外ヲ除キ内地人主義者ト深キ関係アルヲ認メス先ニ警視廳ニ於テ檢擧セラレタル日本共産党事件ニモ朝鮮人左傾分子ノ連累者ナカリシハ之ヲ證スルモノニシテ内地人主義者ハ鮮人主義者ト共同事業ヲ為スヲ好マス偶々之ヲ利用スルニ過キサル傾向ニアリテ目下特ニ憂フヘキ情態ニアラス

騷擾前科者朴熙道ヲ社長トスル雑誌新生活（京城）ハ大正十一年十一月號ノ同誌上ニ「ロシヤ革命五週年ノ記念號」ト題シ最モ劣悪浅薄ナル言論ニ依リ熾ニ共産主義ヲ謳歌シ現社會ノ組織ヲ呪咀シ階級闘争ヲ鼓吹シ社會革命ヲ慫慂煽動シ幼稚ナル思想界ヲ攪乱セムトシタルヲ以テ直チニ行政處分ニ依リ差押ヲ為シ更ニ言論界ノ廓清ヲ期スル為翌十二年一月八日其ノ發行ヲ禁止シ一面責任者ヲ司法處分ニ附スルニ至レリ

ソウル青年會ノ左傾分子金翰、金思國ハ同會員ニシテ朝鮮青年會聯合會ノ實行委員トナリ居レル東亞日報系ノ張徳秀、呉祥根及金明植等ヲ排斥スル目的ヲ以テ聯合會ニ其ノ脱退ノ決議ヲ提出シタルカ結果ハ豫想

四十六

ヲ裏切リ、ソウル青年會其ノモノノ聯合會脱退トナリソウル青年會員トシテ聯合會ニ列席シ居タル張徳秀及金翰ノ両派トモ會ノ脱退ト運命ヲ倶ニセサルヘカラサルコトトナリ張徳秀一派ノ排斥其ノ目的ヲ達セラレサリシヨリ爾来聯合會ニ對シ甚シク悪感ヲ持スルニ至リ遂ニ大正十二年三月二十四日聯合會ヲ倒潰スル目的ヲ以テ京城ニ於テ七十八團体ヨリ成ル全鮮青年党大會ヲ開催シ同二十九日分科會ニ於テ

イ、人間ノ搾取思想及機能ノ注入助長ヲ目的トスル教育機關ノ設立及維持發展ニ對シテハ徹底的ニ排斥スルコト

ロ、資本階級ト戰闘スル為勃興セル今日ノ勞働者ノ智

識慾求ヲ啓發スル目的ヲ以テ勞働夜學校或ハ勞働日曜學校ヲ設置スルコト

八、宗敎否認

等其ノ他各般ニ亘リ露骨ニ現在ノ敎育制度ヲ排斥シ共産主義ヲ鼓吹シ現在ノ社會制度ノ變革ヲ目的トスル事項ヲ決議シタルヲ以テ同日所轄鍾路警察署ニ於テ保安法ニ依リ解散ヲ命スルニ至レリ

五月一日勞働祭ノ運動ハ從來曾テ行ヒシコトナカリシカ本年ノ「メーデー」ニハ京城ニ於ケル勞働團体朝鮮勞働聯盟會ノ主唱ノ下ニ晝間ハ護謨會社職工、各種勞働者及徽文義塾生徒等ノ宣傳員ニ依リテ宣傳ビラ約八千枚ヲ市内ニ撒布シ夜間ハ府内鍾路中 四七
央基督敎青年會館ニ於テ宣傳講演會ヲ開催シ全羅南道務安郡智島ニ於テハ同地青年會員普通學校生徒約百名「メーデー」ノ示威運動ヲ行ヒ慶尚北道大邱榮州慶尚南道釜山等ノ各地ニ於テモ夜間講演會ヲ開催セリ而シテ當日ハ各道共特ニ不穩行動ナカリシモ北星會員金若水カ京城ニ於テ「メーデー」當日撒布スヘク不穩文書作候隊號外約三百枚ヲ隱匿シ居タルヲ事前ニ發見押收シ又東京留學生都鎮浩ヨリ京城府勧農洞周東勲外一名ニ不穩宣傳文八百枚郵送シ来レルモノニ對シテモ同様事前ニ發見處分セリ

如斯社會主義的運動擡頭スルヤ京城ニ於ケル、ソウル青年會、無産者同盟會、勞働共濟會、勞働聯盟會、苦學生カルトプ會、北星會等ノ思想又ハ勞働團体ノ左傾分子ハ自ラ無産者ナリト稱シテ講演會音樂會等ニ無料入場シ又ハ料理屋飲食店等ニ至リ遊興者ニ脅迫的言辭ヲ弄シテ酒食ヲ強要スル等主義ヲ標榜シテ府内ヲ徘徊シ或ハ平素ヨリ主義的言辭ヲ弄スル京城府吉野町自稱「プロレタリヤ」社主事永田子好ニ十三年等ト交通シテ主義思想ヲ論シ自ラ主義者ヲ以テ任シ永田子好モ亦彼等無頼青年ト行動ヲ共ニシ六月「白色ノ恐怖」ト題スル共産主義鼓吹ノ不穩文書ヲ謄寫版摺リトナシ約三十枚ヲ府内同志ノ朝鮮人ニ配布セリ當時直チニ出版法違反ニ依リ檢擧シ 四八
懲役一年罰金二十円ニ処セラル

東京北星會員金若水外数名ハ本春以来屢内鮮間ヲ去来シ鮮内主義者ト来往シ殊ニ本年八月朝鮮内ニ北星會ノ延長團体ヲ組織スヘク計画シ内地人主義者北原辰雄布施辰治ノ両名ヲ北星會巡回講演團ノ一行ニ加ヘテ鮮内各地ヲ巡講共産主義ヲ宣傳シ大ニ勢力扶植ニ努ムル處アリタリ然ルニ、ソウル青年會ニ於テハ之ニ對シ好感ヲ持セス北星會ノ鮮内ニ於ケル勢力ノ扶植ハ青年党大會ニヨリ折角得タル自會ノ勢力ヲ減殺スルモノナリトシ之ヲ嫉視シ之ヲ排斥スルノ機會ヲ窺ヒツツアリタル折柄十月京城ニ開催ノ副業共進會ヲ機會ニ國際共産党ヨリ宣傳

費ヲ支出スヘシトノ説彼等主義者間ニ流布セラルルヤ、ソウル青年會對北星會ノ反感漸ク露骨トナリ京城ニ於ケル各種ノ思想勞働團体モ自然兩派ニ分レ勞働共濟會及螢雪會ハソウル青年會側ニ朝鮮勞働聯盟會無産者同盟會、土曜會及新思想硏究會ハ北星會側ニ屬シタルカ、ソウル青年會ハ北星會ノ勢力ヲ打破シ以テ共産党ノ宣傳費支出カ果シテ實現スル場合ハ專ラ自派ニ收メムト計劃シ遂ニソウル青年會員金榮萬、勞働共濟會員螢雪會員等二十餘名ハ遂ニ八月二十四日府內貫鉄洞洛陽館ニ闖入シ宴會中ノ北星會側ノ者數名ヲ殴打負傷セシメ北星會側ハ之ニ對シ翌二十五日ソウル青年會側闖入ノ首謀

四十九

者崔昌益ヲ誘出シ殴打負傷セシメ復讐セルヨリ益々兩派ノ阻隔甚シク事每ニ拮抗對立スルニ至レリ其後北星會系ニ屬スル勞働聯盟會、土曜會、新思想硏究會ハ副業共進會ヲ機トシ各地ヨリ多数入京スル者ニ對シ大々的ニ宣傳ヲナシ全鮮主義者ノ統一ヲ計ル目的ヲ以テ先ツ九月末勞農總同盟ノ創立ヲ計劃シ、ソウル青年會側亦之カ對策トシテ姜宅鎮、李時琓、張日煥等主トナリ勞農大會ヲ發起シ不穩文書ヲ頒布セムトセリ而シテ兩派ノ新設セムトスル團体ニ對シテハ震災後ノ状況其ノ他ノ環境ニ鑑ミ當時所轄警察署ニ於テ其ノ組織ヲ容認セサリシカ、ソウル青年會派ハ十一月初旬一時中止セシ勞農大會準備會ヲ更ニ組織シ又北星會側ノ勞働聯盟會モ對策トシテ同會幹部申伯雨、尹德炳等ハ勞農總同盟會準備會ノ再起ヲ企テ茲ニ兩準備會相對峙シ兩會トモ發起團体勧誘ノ為地方ニ會員ヲ派遣シ運動中ナルカ今後一層反目抗争スルニ至ルヘシ

内地ニ於ケル朝鮮人ノ主義團体トシテ其ノ主ナルモノハ大正十一年十二月在東京黒濤會ヨリ分裂セル二派アリ一派ハ無政府共産主義者朴烈、申榮雨、徐相一、洪鎮祐等十数名ノ組織セル黒友會ニシテ一時機關雑誌「太い鮮人」ヲ發行シ宣傳ニ努メ居タルカ十二年八月會員ノ權勢争ヨリ内訌ヲ生シ遂ニ解散セリ他ノ一派ハ金若水、金鍾範、張日煥、宋奉禹、鄭雲會等

五十

共産主義者ノ組織セル北星會ナルカ同會ハ十二年八月北原辰雄、布施辰治ノ兩主義者ヲ北星會夏期巡回講演團ノ一行ニ加ヘ鮮內各地ヲ巡講シ大ニ主義ノ宣傳ニ努メ其ノ後ニ於テハ寧ロ北星會ノ勢力ヲ鮮內ニ移サムトスルカ如キ情勢ニアリ

(四) 參政權獲得運動

故閔元植ノ組織セル國民協會ハ同人歿後金明濬會長トナリ會員ト共ニ故人ノ遺志ヲ継キ内地延長主義ノ下ニ參政權獲得運動ヲ續行シ第四十七議會ニモ建白書ヲ提出スヘク大正十二年十月京城ニ於テ開催セラレタル副業共進會観覧ノ為地方ヨリ入城セル者ニ對シ宣傳文ヲ配付シ一面地方ニ會員ヲ派シテ遊説シ建

白書署名者ヲ募集中ナルカ連署者約二萬人ノ豫定ニシテ内地普選卽行ノ議アルヤ本運動促進ノ氣勢多少嵩マルモノノ如シ其他平安南道ニハ鮮于鐲ノ率ヰル大東同志會アリテ内鮮両民族ノ融和共榮ヲカ説シツツアリ同光會朝鮮支部幹事長李喜侃一派ハ第四十四議會ニ内政獨立請願書ヲ提出シ爾来運動ヲ継續シ来リタルカ其ノ機関團体タル同會幹事李起晩等ノ組織ニ係ル「朝鮮内政獨立期成準備會」カ大正十一年十月京畿道ニ於テ解散ヲ命セラレタル以来何等ノ運動ヲ為サス此外將来政治團体タラムコトヲ目的トシテ組織セラレタル宋秉畯ノ朝鮮小作人相助會、侯爵朴泳孝ノ民友會及大正十二年十一月京城協成神學校教師菊地

五十一

愛二ナル者ノ後援ニ依リ社會改良及自治ヲ標榜シ鮮人青年ヲ以テ組織セル朝鮮革新党等ノ團体アルモ未タ政治運動ニ関シ何等ノ活動ヲ為シ居ラス

（五）衡平運動

朝鮮ニ於ケル白丁ハ内地ニ於ケル特種民ト等シク古キ歴史ヲ有シ一般社會ヨリ奴隷的虐待ヲ受ケ来リタルモ因習ノ久シキ何等之ニ對シ不平不満ヲ起サス永ク忍従シ来リタルカ時世ノ進運ト共ニ白丁間ニモ向學心ヲ喚起シ漸ク権利ノ平等ヲ主張シ差別的階級ヨリ脱セムトスル一種ノ自覺ヲ生スルニ至リシカ恰モ大正十一年来京都、和歌山及奈良縣大阪府下等ニ於ケル水平運動カ着々奏功シツツアル状況ヲ新聞紙上ニ於テ知リタル慶尚南道晋州白丁李學賛（資本家）ハ従来自己ノ子弟ヲ晋州普通學校ニ入學セシメムトシタルモ種々ノ口實ノ下ニ拒絶セラレ其ノ後晋州夜學校京城ノ私立學校等ニ入學セシメタルモ白丁ノ子弟ナルコト判明スルヤ生徒ヨリ指弾セラレ或ハ放逐セラレタル等只管現在ノ社會制度ヲ呪咀シタルヨリ此期ニ於テ因習ノ久シキ差別的待遇ヲ打破セムト同志数名ト共ニ朝鮮日報晋州支局長申鉉壽外数名ノ非白丁ニ諮リ四月二十五日晋州ニ於テ白丁解放運動ノ機関衡平社ノ創立總會ヲ開催シ役員ノ選定ヲ終リ「階級打破侮辱的稱呼廢止、教育奨勵及相互親睦」ヲ目的トスル衡平社々則ヲ決議シ本社ヲ晋州ニ設置シ爾来全鮮ニ

五十二

趣旨書ヲ配布シ宣傳ニ努メタル結果京城以南ノ各道ニ於テ支社分社七十社ヲ設立スルニ至リタルモ未タ一般白丁ノ民度低キト未タ階級思想ノ濃厚ナル朝鮮ニ於テハ普通民ノ反對甚シキモノアリテ所期ノ發達ヲ見ス現ニ晋州本社ニ在テハ事務所建設費其他ニテ約二千円ノ負債ヲ生シ維持困難ノ状況ニアルヲ以テ各支社分社ニ對シ醵金ヲ促シタルモ送金ナキ為十一月六日忠清南道大田ニ於テ本社、支社、分社ノ幹部四十九名幹部會議ヲ開キ各支分社ニ對シ至急醵金方ヲ迫リタルカ如キ現況ニアリ

53頁～74頁は、原本において欠落しています。（不二出版）

國境地方ニ於ケル治安ノ状況

圖滿江及鴨緑江沿岸國境延長線三百三十餘里中咸鏡北道及咸鏡南道ニ屬スル國境延長線二百里ニ亘ル一帶ノ地ハ對岸不逞者ノ侵入年ト共ニ減少シ本年ニ入リ部隊的侵入全ク終熄スルト共ニ時局標榜強盗ノ出没モ亦別表ノ如ク著シク減少シタルカ偶々本年七月初旬滿州馬賊ノ一隊カ咸鏡北道茂山對岸ニ現ハレ農事洞警察官駐在所ニ來襲シタル事件ハ當時不逞鮮人ト支那馬賊カ聯合シテ鮮内侵入ヲ企ツルモノトシテ一時同地方ノ民心ニ恐怖ヲ感セシメタルモ探査ノ結果純然タル支那馬賊ニシテ僅ニ一二鮮人雑輩ノ混入シアリタルニ過キス尚彼等ノ來襲ハ根據地移動ノ機ヲ利用シテ單ナル武器 七五

奪取ノ目的ニ出テタルモノニシテ鮮内ヲ荒スノ意ナカリシコト判明シ民心直ニ平靜ニ復セリ

當時ノ状況左ノ如シ

七月三日午前三時頃犬吠ニ依リ賊襲ヲ察知シタル二名ノ當直巡査ハ直ニ構内宿舎ニ休憩又ハ就寢中ノ主任巡査部長及同僚ニ急報シ一方構外ニ出テ偵察シタルニ百餘ト覺シキ賊團ハ既ニ近距離ニ接近シ正面ヨリ發砲攻撃ヲ開始シ續テ側面及背面ヨリ猛射セリ先之急報ニ依リ武装ヲ整ヘ部署ニ就キタル所員八名ハ直ニ應射防戰大ニ努メタルモ彈丸雨注シテ頗ル苦戰ニ陷ルヤ賊ノ一團肉薄シ來リテ土塀ヲ越ヘ構内ニ闖入シテ茲ニ亂闘トナリ衆寡敵セス主任以下三名ハ重傷（内一名ハ数時間後入院ノ爲運搬途中出血ノ爲メ死亡ス）ヲ負ヒ一名ハ即死シ所持ノ銃器ヲ奪ハレタルモ尚屈セス拳銃ヲ以テ應射シ奮闘ヲ續ケタルモ賊ハ衆ヲ恃ミテ掠奪ヲ敢行シ備付ノ騎銃八挺保管中ノ猟銃四挺拳銃三挺巡査刀四振及彈丸被服等ヲ奪ヒテ對岸ニ引揚ケタリ急報ニ依リ隣接署ヨリ急援ヲ派シ四十名ヨリ成ル武装捜査隊ヲ編成シ對岸支那地ニ進出賊ノ退路ヲ扼セムトシタルモ時稍後レ遂ニ奥地ニ逸セリ捜査隊ノ偵知シタル所ニ依レハ馬賊得勝ノ部下約百五十名ニシテ引揚ノ際負傷者数名アリシ事實ヲ發見セリ

賊襲當時駐在所員ハ何レモ勇敢ノ動作ヲ執リシモ武器其ノ他ヲ奪取セラルルニ至リタルハ蓋シ衆寡ノ勢如何 七六

トモ窺シ難カリシ實況ニ在リ
以上咸鏡南北道ノ國境情勢ニ反シ平安北道ニ属スル國
境地方ニ於テハ朝鮮馬賊ノ蠢動今尚跡ヲ絶タス（詳細
次項ニ譲ル）彼等ハ對岸支那地ニ在ル無頼ノ徒ノ生活
ノ途ナキ餘遂ニ剽盗ト變シ團結シテ蟠踞スルニ至リタ
ルモノニシテ何等政治的意圖ヲ有セサル無頼鼠賊ノ輩
ニ過キサルモ氣昂慓悍稍部隊的訓練アリテ行動頗ル敏
捷ニシテ夜陰ニ乘シ越江侵入シ江岸附近ノ民家ヲ脅シ
金品ヲ掠奪シ時ニ殺人傷害放火拉去等残虐ヲ敢テスル
ノミナラス警備力薄弱ナル駐在所出張所等ヲ襲ヒ同地
方ノ住民ヲシテ脅威ヲ感セシムルコトアルモ之レ江岸
一部特有ノ事件ニシテ一般鮮内ノ治安ハ之カ為ニ毫モ
脅カサルルカ如キコトナシ由来對岸支那地ハ官憲ノ綱
紀頽廃シテ威令治ント行ハレス彼等ノ跳梁亦所以ナキ
ニアラス我地方警察當局ハ常ニ支那官憲ニ對シ陰ニ陽
ニ朝鮮馬賊ノ取締ヲ慫慂督勵シ或ハ地方的諒解ノ下ニ
我捜査隊ヲ進出セシムル等臨機ノ方策ヲ執リ其ノ剿滅
ニ就キ最モ苦心ヲ重ネツヽアルモ其ノ禍根タル支那地
ニ於ケル賊徒ノ剿屈ヲ根本ヨリ覆滅セサル限リ年々現
状ヲ反覆スルハ寔ニ已ムヲ得サルトコロニシテ之カ徹
底的解決ハ一ニ對支外交上ノ問題ニ懸レリ而カモ支那
官憲ハ無力ニシテ且ツ誠意ナク動モスレハ却ツテ陰ニ
ニ賊徒ヲ庇護セムトスル現下ノ情形ニ於テハ實ニ隔靴
掻痒ノ感ナキ能ハス

78頁～136頁は、原本において欠落しています。（不二出版）

在外朝鮮人ノ動靜

（イ）排日鮮人ノ言動

外國ニ在ル朝鮮人ノ數ハ確實ニ知ル能ハサルモ情報其ノ他ニ依リ調査スルニ約八十五萬ニシテ而モ其ノ實數ハ尚遙ニ多ク一百萬ヲ超過スヘキ見込ナリ而シテ其ノ分布ノ範圍極メテ廣ク殆ント世界到ル處鮮人ノ在住者ヲ見サルナク就中隣接支那及露領接壤地方ニ濃密ナルハ地理的歷史的關係ノ然ラシムル處ニシテ當然ノ趨勢ナリトス其ノ移住ノ動機態様等ニ關シテハ後說更ニ詳述スル處アリ茲ニ說述スルハ主トシテ政治的不平ヲ抱懷シ遠ク國外ニ走リ又ハ移往後之等ノ思想ニ感染シテ不逞行動ヲ敢テシツツアル所謂排日鮮人ノ動靜ニシテ 一三七 其ノ狀況左ノ如シ

(1) 歐洲戰乱勃發前ニ於ケル狀況

現下國外ニ在リテ不逞運動ノ中心トナリ或ハ其ノ領袖ヲ以テ自ラ任シツツアル者ノ移住動機ヲ調査スルニ其ノ併合前ニ於ケルモノハ帝國ノ勢威日ニ揚リ國運隆々トシテ進展スルニ反シ韓國ハ倍々衰退ニ傾キ帝國ノ輔導ニ俟ツノ已ムヲ得サルニ至リシヲ深ク慨嘆シタルニ起因シ其ノ併合後ニ於ケルモノニアリテハ併合ニ依リ國家亡滅シ遂ニ他國ノ支配下ニ入レルヲ屑シトセス寧ロ外國ニ渡航シテ悶々ノ情ヲ行ルニ不若ト為シタルモノニシテ其ノ多クハ新智識ヲ有セス世界ノ大勢ヲ辨ヘサル頑迷ノ徒ニ屬シ露領滿洲地方ニ在ル者其ノ例最多シ即チ當地李東輝、李剛、金夏錫、金致寶等ハ浦潮ニ文昌範ハ尼市ニ李範允、洪範圖、崔才亨ハ煙秋地方ニ具春先、李明淳、黄丙吉等ハ琿春ニ柳東說、鄭安立、孟東田、劉一憂、李鐸等ハ吉林ニ趙孟善、車道善、李始榮等ハ西間島柳河縣三源浦地方ヲ根據地トシ常ニ祖國ノ恢興ヲ叶ヒ浦潮ニ於テハ勸業新聞ヲ發行シ其ノ他不穩出版物ヲ配布スル等極力排日思想ノ普傳ニ努メ機會アル毎ニ武力ヲ以テ帝國ノ威力ヲ半島ヨリ驅逐シ以テ祖國ヲ恢復スヘシ等過激ノ言動ニ出ツルヲ常トセリ一方米國ニ移住セシ安昌浩、徐載弼、李承晚、朴容萬等ノ輩ハ比較的新智識ヲ有シ多少事理ヲ解セルヲ以テ前者ニ比シ其ノ主張稍穩健ニシテ直ニ武 一三八 力ニ依ルコトヲ避ケ列國ノ同情ニ依リ目的ヲ達セムトスルモノニシテ不斷排日思想ノ宣傳ニ努メ之カ機關トシテ米布兩地ニ於テ新聞ヲ發行シ其他所有方法ヲ以テ日本ノ羈絆ヨリ脫セムコトヲ運動シタリ之等兩個ノ色彩ニ依ル排日運動ハ歐洲戰乱後一層熾烈トナレルノ觀アリタリ

(2) 歐洲戰乱勃發後ニ於ケル狀況

露國過激派ノ勃興ニ依リ西伯利一帯亦擾乱ノ巷ト化スルヤ露領在住排日不逞ノ輩ハ好機到レリト為シ諸方ニ檄ヲ飛ハシ滿洲地方在住ノ同志ト協力シ独墺俘虜ト結ヒ或ハ過激派ト通シ依テ以テ其ノ年来ノ宿望ヲ達セムト企圖セシモ事豫測ニ反シ我軍ハ過激派ヲ

追撃シテ長驅「ハバロフスク」ヲ占領シ「ブラゴウエシチエンスク」ヲ陥レ忽ニシテ沿海黒龍州方面鎮定ニ皈シタリ當時排日鮮人等ハ満洲地方ニ逃竄シ或ハ俄ニ良民ヲ装フニ至リ終ニ彼等ノ企画ハ全然画餅ニ皈セシカ更ニ「チエックス、スロバック」軍ハ列國ノ同情ト援助トニ依リ獨立ヲ宣スルヤ彼等不逞鮮人ハ「チエック」ノ境遇ヲ自己ニ對照シ假令亡國ノ民ト雖時機至ラハ再ヒ独立シ得ヘキヲ確信シ「吾人ハ宜シク時機ノ至ルヲ俟ツヘシ幾千百年ヲ経ルモ決シテ祖國復興ノ精神ヲ抛ツヘカラス須ク「チエック」ニ學フヘシ」ト稱シ依然トシテ排日思想ノ鼓吹ニ努メツツアリシカ独逸ノ屈伏ト共ニ平和來ノ聲起リ同時ニ米國大統領ニ依テ唱道 三九

セラレタル民族自決主義ハ各地鮮人ノ思想ニ至大ノ影響ヲ及ホシ曩ニ獨逸ニ於テ事ヲ成サムト期セシ排日鮮人等ハ米國ノ同情ニ訴ヘ其ノ後援ニ依テ彼等ノ目的ヲ達スヘシト為シ独立ノ聲ハ熾ニ各地鮮人間ニ高唱セラレ競フテ代表者ヲ佛國ニ於ケル媾和會議ニ派遣セムト試ミタルモ遂ニ其ノ目的ヲ果ササリシカ要スルニ民族自決ノ標語ハ排日鮮人ト否サルトヲ問ハス一種ノ希望ヲ抱カシムルニ至リ民心漸次險悪ニ陥ルニ至レリ又曩ニ浦潮新韓村ニ於テ發刊シツツアリシ勧業新聞ハ大正三年九月我官憲ヨリノ交渉ニ依リ露國官憲ヨリノ交渉ニ依リ露國官憲ヨリ發行禁止ヲ命セラレタリ其ノ後大正六年三月露國ノ大革命ニ伴ヒ言論結社ノ自由ヲ得ルニ至リ「ニコリスク」ニ於テ韓族會ノ組織成ルヤ其ノ機關トシテ青邱新報(後ニ韓族公報ト改題ス)及浦潮ニ於テ韓族新報ナル諺字週刊新聞ヲ發行シ頻リニ韓國ノ再興ヲ呼號シ排日思想ノ鼓吹ニ努メタルモ大正八年末頃ヨリ孰レモ財政困難ノ為中止スルニ至レリト謂フ

(3)

朝鮮騒擾勃發後ニ於ケル状況

大正八年三月天道教主孫秉熙等カ京城ニ於テ独立宣言ヲ為シ亜テ全道各地ニ於テ騒擾ヲ惹起スルヤ露支領各地排日鮮人ハ之ニ響應シ露領ニ於テハ浦潮「ニコリスク」「スパースカヤ」「ラズドリノエ」等ノ各地ニ於テ又満洲殊ニ間島ニ於テハ所在多衆集合シテ示威運動ヲ 四〇

行ヒ各種ノ結社ニ組織シテ鮮内地ノ不逞者ト連絡ヲ保持シ運動ヲ継續セリ而シテ露領在住排日鮮人ハ我派遣軍ノ監視厳重ナルヨリ行動意ノ如クナラス漸次支那領ニ遁入シ其ノ排日鮮人中ノ武断派タル李東輝洪範圖李範允、文昌範ノ首領ハ兵ヲ挙ケテ朝鮮ニ侵入シ独立ノ目的ヲ達スヘシト企画セルヤノ情報頻々タリ更ニ上海ニ於テハ大正八年四月米國ヨリ皈來セル安昌浩等ノ不逞輩ニ依リ大韓臨時政府組織セラレ鮮内外各地ヨリ多数不逞鮮人此ノ地ニ蝟集スルノ現象ヲ呈シ大正八年八月下旬ニ至リテハ彼等ハ佛國ニ於テ開催セラルル國際聯盟會議ニ對シ朝鮮ノ独立ヲ要望スヘシト為シ此ノ目的ヲ達スル為ニハ同會議開催

前ニ於テ朝鮮内ニ侵入シ武力的示威運動ヲ行ヒ以テ世界ノ輿論ニ依リ独立ノ目的ヲ達成スルニ不如ト為シ盛ニ各種ノ流言蜚語ヲ流布シ人心ノ煽動ニ努メ又軍資金ノ徴収武器ノ蒐集或ハ兵員ノ訓練等ニ奔走シ殊ニ大正九年一月以降ニ於テハ露國過激派援助ノ下ニ多数ノ武器ヲ入手シ動モスレハ武力侵入ヲ揚言シテ民心ノ惑乱ニ努メタリ當初此ノ露支領方面ニ於ケル不逞者ノ國境侵入計画ハ上海ノ所謂假政府側ニ於テ反對ノ態度ヲ執リ又諸般ノ不逞運動ニ関シテモ何等連絡ノ形迹ヲ認メサリシカ大正九年五六月以降ニ於テハ假政府ノ議論自ラ武力ノ統一ヲ云為スルニ至リ人ヲ西北間島ニ派各不逞團ノ共力一致ヲ説キ武力

(4)

機能ノ掌握策ヲ講シタルコトアリ爾来両者ノ間ニハ不完全ナカラ多少ノ連絡ヲ通シツヽアルモノヽ如シ

最近ニ於ケル状況

大正九年末來在外排日鮮人ノ不逞運動ハ漸次萎靡銷沈シテ振ハス彼ノ僭稱上海假政府ノ如キ同十年五六月ノ交ニ至リテハ財政全ク涸渇シ將ニ倒壊ノ已ムナキニ陥リ各地ノ不逞行動亦随テ不振ノ状態ヲ免レス所謂独立ノ美名ニ匿レテ僅ニ糊口ノ資ヲ貪リ居タル彼等不逞輩ノ窮状ハ洵ニ悲惨ナルモノアリ為ニ彼等ハ痛ク前途ヲ悲観シテ我官憲ニ恭順ノ意ヲ表シ歸郷セムコトヲ出願スル者續出スルニ至レリ此ノ時ニ當リ突如トシテ提唱セラレタル太平洋會議ハ之ヲ朝鮮獨立問題ニ聯想スル一部蒙昧ノ鮮人ヲシテ好奇ノ眼ヲ瞠ラシムルト同時ニ彼等不逞鮮人ヲシテ資金募集上好個ノ口實ヲ得セシメ同會議ヲ中心トスル諸般不穏計劃ハ虚實共ニ無数ノ風説行ハレ内外一般朝鮮人ニ對シ経費ヲ強要スル不逞漢モ屡々出現スルニ至レリ然レ共何等誠意ナキ彼等ノ言動ハ同會議ノ進行ト共ニ漸次馬脚ヲ露ハシ朝鮮独立問題ノ如キ何等ノ考慮ヲ拂ハレス全然得ル處ナカリシヨリ假政府ノ信望ハ鮮内外ヲ通シ茲ニ再ヒ地ヲ拂フニ至レリ爾来假政府ヲ中心トスル独立運動ハ極度ニ衰頽シテ全ク微動タモ許ササルノ窮況ニ陥リタリ當時在外不逞鮮人ノ思想ハ滔々トシテ共産主義ヲ憧憬シ假政府ノ状況亦著シク之ニ傾キタル矢先莫斯科ニ於ケル共産大會ノ結果第三國際共産黨本部ノ物質的援助ハ大ニ革正セラレ従来ノ如ク奔放的ナルヲ戒メタル結果苟モ真ノ主義的黨派ニシテ而モ統一アルモノニアラサレハ何等ノ援助ヲ與フル能ハサル旨ヲ聲明セシヨリ茲ニ再ヒ彼等ノ期待ハ蹉跌スルニ至レリ茲ニ於テカ彼等ノ主張スル所區々ニ別レ李承晩一派ノ假政府維持説安昌浩一派ノ民意採用説李東輝一派ノ共産主義集注説等アリ随テ李承晩ハ配下盧伯麟ヲシテ假政府ノ残骸ヲ擁セシメ李東輝ハ浦潮ニ於テ高麗共産黨ヲ主宰スト雖何レモ未タ以テ全局ヲ支配スルノ大ヲ為サス一方安昌浩ハ同志南亨祐等ヲシテ國民代表會ヲ召集セシ

メ將來ノ方針ヲ民意ニ決セントシタルモ開會以來内訌ニ亜クニ内訌ヲ以テシ毫モ皈一スル處ナク約六箇月ノ會期ト約六萬元ノ経費ヲ投シタリト傳ヘラルル本代表會ハ何等ノ意味ヲ爲サスシテ解散スルノ已ムヲ得サルニ至レリ

獨立運動ヲ標榜スル不逞鮮人等カ最モ苦痛トスルハ財政上ノ基礎ヲ有セサルニ在リ此ノ點ハ過去數年來ノ體驗ニ依リ痛切ニ自覺セル所ニシテ心アル者ハ夙ニ滿蒙ノ沃野ニ着眼シ農事経驗ニ依リ先ツ生活ノ安定ニ圖リ徐ロニ後圖ヲ行ハントスルノ傾向アリ而モ之カ爲メ互ニ自己ノ勢力下ニ在滿不逞團体ノ統一ヲ策セムトシ互ニ相排擠シテ蝸牛角上ノ勢争ニ餘念ナ

一四二

キモノノ如シ而シテ本年九月日本内地震災ノコトアルヤ一時其ノ震害ノ程度誇大ニ宣傳セラレタルタメ彼等不逞者ハ日本ノ國力頓ニ衰亡ニ皈シタルモノノ如ク思惟シ妄動的氣運ハ一時澎湃トシテ漲リ國境侵入、暗殺隊爆破隊潜入等ノ宣傳頻々トシテ傳ヘラレタルモ其ノ後震災地ノ秩序回復シ災害ノ真相周知セラルルニ及ヒ彼等ノ氣勢漸次沈靜ニ赴キ京城ニ於ケル副業品共進會ノ如キモ何等ノ事故發生セス至極靜穏裡ニ終了スルヲ得タリ最近一年間ノ状況左ノ如シ

(二)不逞鮮人ノ状況

(1)上海北京天津方面

本年上半期ニ於ケル上海ハ國民代表會ヲ中心トシテ不逞鮮人ノ來往頻繁ヲ極メタルモ同會ハ内争盛ニ行ハレ何等成果ノ見ルヘキモノナク遂ニ決裂ノ已ムナキニ至ルヤ彼等ハ各自其ノ欲スル方面ニ向ヒ退散シ今ヤ寂トシテ大風一過ノ感ナキ能ハス彼等ノ運動カ何等ノ基礎ヲ有セス只漠然トシテ妄動シ形勢ノ不可ナルヲ見ルヤ亦倉皇トシテ去ルノ觀アリ又北京及天津ニハ從來若干ノ不逞鮮人常住スト雖未タ嘗テ彼等妄動ノ中心地タリシコトナク只上海方面ノ影響ヲ受ケテ時々僅ニ蠢動スルノ程度ニ過キス

(イ)上海假政府

本年一月以來國民代表會議ノ開催ニ依リ一時其ノ存在ヲ認メラレサリシモ改造派建設派ノ軋轢紛争ニ依

一四三

リ辛フシテ其ノ命脈ヲ維持シ同會議ノ決裂後ニ於テハ却テ憲法改正ヲ標榜シテ改造派ノ懷柔ヲ策シ以テ建設派ニ對抗スルノ態度ヲ示セリ然レ共資金絶無ニシテ到底所信ヲ斷行スルニ由ナク假政府家賃ノ如キ六、七箇月分數百圓ノ仕拂延滞シ家主タル支那人ハ本年八月遂ニ之ヲ帝國総領事館ニ訴フルニ至レルヨリ什器其ノ他ノ物品ヲ賣却シテ漸ク一箇月分ヲ捻出シ之ヲ以テ當分ノ延期ヲ懇願スルト同時ニ事務所ヲ財務總長李始榮ノ私宅ニ移轉セリ而モ屋内一脚ノ机、一以ノ椅子ナク國務總理盧伯麟等二、三名ノ者ハ何等爲ス所モナク雑然トシテ起居シアリト云フ隨テ一般人心ハ日ニ乖離シ改造派ノ如キモ敢ヘテ假政府ヲ支援

セントスル者ナク寧ロ自己生活上ノ活路ヲ開カントシテ焦慮スルニ至リ憲法改正ノ好餌モ遂ニ人心ヲ收攬スル能ハスシテ立消トナレリ爲ニ假政府幹部等ハ一層窮乏ニ陥リ最近財務部令ヲ發シテ哀願的ニ全員ノ醵出ヲ仰カントシ鮮内外各地ニ對シ該印刷物ヲ發送シタリト云フ

(ロ) 國民代表會

國民代表會ヲ開キテ今後ノ方針ヲ民意ニ問ハントハ客春來安昌浩ノ唱導セシ所ニシテ同志南亨祐ノ主宰下ニ籌備會ヲ組織シ經費ハ當時韓馨權カ勞農露國ヨリ持皈リシ二十萬圓ノ中ヨリ約六萬圓ノ支出ヲ仰キテ之ニ充テ百有餘名ノ自稱代表者ヲ上海ニ召集シ

一四四

テ本年一月以來斷續的ニ會議ヲ開キタルモ假政府存廢問題ニ關シ改造派(安昌浩等ノ繼統派)ト建設派(尹海、元世勲等ノ創造派)ノ二派ニ分レ議場ニ於テ激論ヲ戰ハスト同時ニ暗闘盛ニ行ハレ両者共ニ盛衰アリ其ノ最終ニ於テハ寧ロ建設派ニ有利ニシテ六月七日ニ於ケル憲法案決議ヲ以テ遂ニ決裂狀態ニ入リ閉會スルニ至レリ爾來建設派ノ幹部等ハ尚上海ニ留リテ隱然劃策スル所アリシト雖未タ以テ一般ノ人心ヲ收攬スルニ至ラサルノミナラス假政府側ハ改造派ト提携スルニ至リ形勢寧ロ自派ニ不利ナルモノアルヨリ一相携ヘテ北京ニ引揚ケタルカ更ニ八月下旬浦潮ニ赴キ同地ニ在ル高麗共産黨ノ幹部ト相會シテ將來ノ方寸ニ關シ協議シタル結果露領及滿洲方面ノ不逞團ヲ統一シテ明年三月一日ノ独立宣言紀念日ヲ期シ一齊ニ示威運動ヲ起シ朝鮮民族ハ勿論全世界ニ對シ新タナル印象ヲ注入セムコトヲ決議シ夫々之カ部署ニ就キタリト云フ之カ爲尹海一派ハ目下支那吉林省寧安縣寧古塔ヲ中心トシテ不逞團ノ統一ヲ策シツツアルモ一方東寧縣小綏芬地方ニハ聯合軍事會議ヲ開カントスル李範允、金佐鎭、崔振東ノ一派アリテ遙ニ尹海派ノ劃策ニ對抗シツツアルヲ以テ形勢俄ニ逆睹スヘカラサルモノアリ而シテ彼等カ其根據ヲ北滿ニ擇ミタルハ日露交涉ノ將來ヲ顧慮シタル結果露領ヨリモ寧ロ支那領ヲ安全ナリトセルニ因ルヘシ

一四五

(ハ) 義烈團

本團ハ元其ノ本據ヲ北京ニ置キタルモ本年初夏ノ候上海ニ移轉シ團長金元鳳以下重要幹部亦主トシテ同地ニ在リト雖金元鳳ハ屢々北京ニ往復シ其ノ神出鬼没ノ狀態ハ殆ント端睨スヘカラサルモノアリ目下團員約七十名ヲ有シ支鮮人相半ハシ支那人中ニハ妙齡ノ女學生モアリテ支那各地ハ勿論朝鮮内及日本内地ニモ連絡機關アリト稱セラレ毎年二回ノ兇行ハ之ヲ年中行事トシテ實行ヲ期シ本年四月朝鮮ニ於テ檢擧セラレタル爆彈事件ノ如キ僅ニ彼等計劃ノ失敗ニ[illegible]テ最近ハ寧ロ日本内地ニ對シ直接行動ヲ敢テスヘク焦慮シ居レリト云フ本年九月一日日本京濱地方震災

ノ大悲慘事アリ亜テ十月ニハ朝鮮京城ニ於テ副業品共進會開催セラレ此両個ノ好機會ニ於テ日鮮両地ニ對シ兇暴ヲ敢ヘテシ民心ヲ悪化セシムヘク劃策中偶之ニ充用スヘキ爆彈五拾個ヲ我官憲ノ爲メニ押収セラレ多大ノ打撃ヲ被リタルヲ以テ更ニ陣容ヲ整備スル迄ニハ尚相當ノ日子ヲ要スヘシ但シ本團ハ最近日鮮官公吏親日派鮮人等鏖殺ヲ目的トシテ生レ北滿方面ニ根據ヲ有スル國民判義團ト連絡シ之ヲ支援スル約成リ尚場合ニ依リテハ協同事ヲ爲スノ盟約アルヲ以テ此點ニ對シ深大ナル注意ヲ拂フノ要アリ而シテ義烈團ハ最近資金ニ窮シ某支那人ヨリ數千圓ヲ借受ケタリトノ説アルモ一説ニ依レハ國民代表會開會前 一四六

後ニ於テ例ノ韓馨權ヨリ四萬六千餘円ヲ受ケタリトノ聞込アルヲ以テ今尚該金ノ殘部ヲ保有スルヤモ計リ難シ

其ノ他上海ニハ支鮮人共榮ノ目的ヲ有スル中韓互助社資金蓄積ト軍人養成ヲ目的トスル勞兵會不逞鮮人子弟ノ敎養ヲ目的トスル仁成學校在住鮮人ヲ支配セムトスル僑民團務實力行ヲ標榜スル興士團等無數ノ小團体アルモ殆ント有名無實ニシテ何等活動ノ餘カナシ又北京天津等ニモ僑民團學生會等諸種ノ團体アリト雖何等特記スヘキ事象ナシ

（イ）朝鮮人自治運動

（又）南北滿洲方面

昨夏以来鄭安立一派ノ提唱セル東三省鮮人自治運動ハ在滿百萬ノ鮮人ヲ支那ニ皈化セシメ支那官憲諒解ノ下ニ鮮人自治團体ヲ組織シ一方赤化及匪賊防止ノ爲メ自衛團ヲ附設セムトスル比較的穩健ナル希望ヲ抱持セシモノナルモ偶々李章寧、朴觀海一派ハ韓人自治地帶ヲ特設セムトスル運動ヲ開始シ支那官憲ニ請願スル所アリ兩者ハ其ノ趣旨ニ於テ多大ノ相違アルモ方法ニ於テハ畧ホ相似タル點アルヲ以テ兩者ハ玆ニ協力シテ目的ノ達成ニ努力スルニ至リタルモノナルカ支那官憲ハ未タ正式ニ之ヲ承認スルニ至ラサルモ暗ニ默認セルヤノ風説アリ而シテ本年初夏ノ候彼等ハ先ツ吉林自治會ナルモノヲ組織シ漸次附近各縣 一四七 ニ及ホスノ計劃ヲ立テ武力團体ヲ養ヒ親日者ヲ膺懲シ有事ノ際軍需品ヲ徴募シ自作自給ヲ實行スル爲メ田制ヲ採用スルヲ以テ綱領トスル旨ヲ傳ヘラレ本會ノ簇生ハ滿洲一帶ヲシテ一層不逞氣分ヲ濃厚ナラシムルノ憂アリタルモ何分資金ノ出途ナキ爲メ實行之ニ伴ハス當時主宰者鄭安立ハ日本東京ニ赴キ朝野ノ人士ヲ往訪シ在滿鮮人救濟ノ美名ヲ提ケテ援助ヲ求メ一方長崎ニ亡命中ノ「セミヨノフ」將軍ヲ動カシ赤軍ニ對抗ストノ好餌ヲ以テ資金ノ供給ヲ仰カントスル等運動劃策ニ努ムル處アリシモ成功セス今秋京城ニ皈リ東支沿線海林駅在住趙古保等ノ發企ニ係ル華豊水田公司期成後援會ヲ組織シ以テ資金ノ蒐集ヲ策シ

官憲及有力筋ノ諒解アリト自稱シ運動中ナルモ到底成立ノ見込ナシト云フ注意中

(ロ) 赤旗團

朝鮮ノ革命ヲ標榜シ共産的色彩ヲ有スル赤旗團ハ客冬来崔溪立等主宰ノ下ニ東支沿線寧安縣寧古塔ニ根據シ爾来同志ヲ糾合シテ數十名ノ團体トナリ一方浦潮高麗共産黨トモ連絡ヲ取リ黨務ノ擴張資金ノ醵集ニ努メタルカ本夏以来敦化縣沙河鎭ニ移動シ北間島竝接壤各地ニ支部ヲ設ケ一時大ニ陣容ヲ整備シテ日本官廳ノ破壞官公吏ノ殺戮ヲ計画シ現ニ本年七月上旬間島龍井村ニ於テ檢挙セラレタル日本總領事館破壞陰謀事件ノ如キハ本團ニ連絡アルコト確實ナリ随 一四八
テ本團カ叙上支那地竝朝鮮北境ニ渉リ直接行動ニ依リ赤化ヲ企テツツアルハ推察ニ難カラサルモ最近ニ於テハ資金ニ窮シ其ノ行動漸ク真剣味ヲ欠クノ感アリ

(ハ) 大韓統義府ト大韓義軍府

西間島地方ニ散在セシ独立團、紀元團韓族會、西路軍政署光韓團、光復軍、統營等各種ノ團体相集リテ協議ノ決果大正十一年一月大韓統義府ト稱スル統一團体ヲ作リタルモ只形式ニ止リ未タ全ク統合スルニ至ラス更ニ同年八、九月ノ交各團幹部等集合協議ノ結果徹底的ニ統一ヲ遂ケ名稱ヲ大韓統義府ト改メ西路軍政署司令官金東三ヲ以テ總長ト爲シタルモ假政府系統ニ屬スル青年側ト復辟派ニ屬スル儒林側トノ二派ニ別レ事毎ニ意見ノ杆格ヲ来シ絶ヘス内訌ヲ重ネタル結果客年末以来両三回ニ亘リ闘争ヲ重ネ今春来儒林側ハ全ク分離シテ大韓義軍府ト稱スル別個ノ團体ヲ組織シ相對持スルニ至レリ然ルニ最近義軍府ノ勢力漸ク衰ヘ統義府ノ勢力ニ壓セラレテ支離滅裂ノ状態トナリ今ヤ興京、撫順、本溪ノ各縣地方ニ僅ニ其ノ残黨カ僣在スルニ止リ幹部ハ全ク其ノ所在ヲ晦マセリト云フ

而シテ右両派ハ豫テ各二百名位宛ノ武装團員ヲ有シ何レモ屡々我朝鮮内ニ潜入シ放火殺戮掠奪等ノ凶暴行爲ヲ敢テシタルノミナラス甚シキニ至リテハ警察官駐在所ヲ襲撃放火シ職員ヲ殺傷シタル實例アリ今 一四九
尚我國境ヲ脅威シ鴨緑江ヲ上下スル船舶ヲ襲フテ金員ヲ掠奪スル等ノ凶行ハ断續的ニ行ハレツツアルモ最近彼等不逞者ノ間ニハ人民ノ財物ヲ強奪スルハ民間ノ信頼ヲ繋ク所以ニアラサルヲ以テ將来ハ在住鮮人ノ戸口ヲ詳査シ徴税的方法ニ依リ人民自ラ金員ヲ醵出セシムル如クシ若シ之ニ應セサルトキハ示威的ニ官廳ヲ襲ヒ官公吏ヲ迫害シ以テ民心ヲ威服スヘク計劃シ居レリト云フ

大韓統義府ノ分派ニ屬スル金鳴鳳一派ノ義勇隊(北伐隊ト稱シタルモノ)本春以来開原地方ヲ横行シ殺人、強奪等総有凶暴ヲ恣ニシ所在良民其ノ堵ニ安ンセス引續キ困憊ノ模様アリ

(ニ) 光正團

撫松、長白、臨江三縣下ニ蟠居シ従来屡々鮮内ニ来襲シテ兇暴ヲ極メタル光正團ハ本年一月以来此等ノ兇行頓ニ断絶シ只鮮内侵入ノ風説ノミ時々之ヲ傳ヘラルルニ過キス其ノ原因ハ同團幹部間ニ内訌ヲ生シ歩調一致ヲ欠クト同時ニ近来支那官憲ノ取締厳重トナリ幹部ニシテ續々逮捕セラレ部下亦討伐射殺等ノ打撃ヲ蒙ムル者續出スルヲ以テ到底長白縣内ニ晏如タル能ハス相率ヒテ撫松縣ニ移動シ其ノ一部ハ團長金虎翼指揮ノ下ニ北間島延吉、安圖縣方面ヲ徘徊シ資金募集ニ従事シ在リト云フ

(ホ) 東支沿線地方不逞鮮人ノ状況

東寧、穆稜、密山、寧安、額穆、吉林、敦化等ノ各縣ニハ客年末来露領ヨリ逃入シタル軍政署、義軍團、國民會、光復團等ノ系統ニ属スル不逞鮮人各所ニ潜在シ其ノ人員数百名ニ達スルカ如キモ其ノ大部分ハ露領ニ於テ武装ヲ解除セラレタル者或ハ武装ノ儘支那領ニ入リ支那軍警ノタメ武器ヲ押収セラレタル金佐鎮、金圭植一派ノモノナルヲ以テ多クハ武器ヲ有セス中ニハ共産黨ニ入リテ宣傳員トナリ或ハ赤旗團ニ與シ又崔明禄ノ組織セル自衛團ニ入リテ團下トナリシ者アルモ大部分ハ自活ノ途ナキ浮浪者ニシテ地方鮮人農家ノ食客トシテ寄臥シ尠カラサル迷惑ヲ及ホシツツアルヲ以テ遂ニハ彼等ノ頭目ニ對スル批難ノ聲起リ金佐鎮、金圭

一五〇

植等ハ本問題ニ関シ尠カラス苦慮シタリト云フ最近満洲各地ニ於テ不逞團体統一問題ノ喧傳セラルルハ一ハ以テ之等窮迫ノ局面ヲ打開セントスル窮餘ノ手段ニ外ナラサルナリ

以上ノ外安圖縣北部興道子地方ニハ元義軍團ノ残黨二、三十名ノ者潜伏シアリテ青年會等ノ名称ノ下ニ結束シ時々間島地方ヘ募捐隊ヲ派遣スル等不逞行動ニ従事シツツアリトノ情報アリシカ最近露領「ニコリスク」地方ニ在リシ不逞鮮人團武政團一派数十名ノ者東寧縣三岔口ヲ経テ安圖縣ニ移動シ前記興道子又ハ仍頭山ヲ根據トシ冬季結氷期ヲ利用シテ鮮内ニ侵入セムトスルナ計劃アル旨情報アル外尚露領方面不逞鮮人ニシテ間島又ハ西間島方面ニ向ヒタリトノ報頻々タルモ人煙稀薄ナル同方面ノ山地ハ到底大部隊ノ行軍ヲ許サス一方支那官憲ノ視目ヲ避クルコト亦困難ナルヲ以テ新ニ同方面ニ大勢力ヲ添加スルカ如キ状況ノ変化ハ蓋シ困難ナルヘシト信ス

一五一

(ヘ) 自覺セル不逞鮮人ノ劃策

在外不逞鮮人ハ従来何等財政上ノ基礎ナクシテ徒ニ妄動シタル結果不逞運動衰亡ノ今日ニ於テハ遂ニ自己ノ生活費サヘ之ヲ得ルニ由ナク極メテ悲惨ノ状態ニ在ルヲ以テ最近有識ノ士ハ漸ク自覺シテ之カ窮境ヲ脱センタメ満蒙地方ニ於テ土地ヲ経營シ先ツ各自ノ生活ヲ安定ナラシメ徐ロニ實力ヲ養成セントスル

者頓ニ増加セリ蓋シ彼等ノ思想カ漸次妄動性ヲ脱シテ幾分着實味ヲ帯ヒ来レリト言フヲ得ヘシ本事件ノ事例ヲ挙クレハ左ノ如シ

(1) 在北京朴容萬ハ今春来寧安縣寧古塔附近ヲ中心トシテ一大農場ヲ造成シ満洲一帯ノ不逞鮮人ヲ統一収容シテ屯田制ヲ施カントシ配下黄學秀ヲ先派シテ斡旋セシメタルモ資金ナキタメ成功覺束ナシ

(2) 吉林省寧安額穆敦化地方ニ在ル國民會軍政署光復團義軍團等ノ残黨ハ敦化縣沙河流域ノ未墾地ヲ買収シテ農業ヲ營ミ生活ノ安定ヲ圖ラントシ本年三月以降資金募集ニ努メツツアリ

(3) 不逞鮮人首領金佐鎮、金奎植ノ輩ハ東支沿線地方ニ 一五二 潜在スル多数部下ヲ救濟センタメ農事経營ヲ為サントシ或ル鮮人ヲ以シテ我官憲ニ資金ノ下附方ヲ懇望シタル事實アリ

(4) 吉林地方ヲ根據トスル元軍政司幹部柳東説ハ黒龍江省通化地方ニ於テ農事経營ヲ計劃シ己ニ事業進行中ナリト

(5) 不逞鮮人領袖李章寧、朴観海等ハ赤化防止ニ任スヘキ條件ノ下ニ露支國境方面ニ不逞鮮人ヲ収容シ漁農鑛業ニ従事セシムル一緩衝地帯ノ特設ヲ支那官憲ニ請願中ナリ

(6) 元上海假政府勞働總辨安昌浩ハ國民代表會決裂後主トシテ北京ニ在リシカ之亦農事経營ニ着目シ適當ノ土地ヲ物色中最近内蒙包頭鎮ニ於テ若干ヲ買収シタリトノ聞込アリ

(7) 元西間島統義府最高顧問梁起鐸ハ懐徳縣五家子地方ニ於テ農業ヲ経營シ漸次規模ヲ擴張スルノ方針ヲ以テ旧部下ノ招致ニ努メツツアリト

(ト) 奉直問題ト赤軍及匪賊トノ関係

支那直隷派ハ奉直関係ノ切迫スル毎ニ常ニ奉天派ノ背后ヲ脅スノ策ヲ運ラシ以テ敵勢ノ集中ヲ防ケ兵力ヲ後方ニ割クノ已ムヲ得サルニ至ラシム現ニ昨春奉直開戦ノ際ハ高俊鳳高士賓ノ輩ヲシテ東支沿線五站地方ニ反旗ヲ挙ケシメ更ニ本秋兩者間形勢悪化ノ時ニ際シ呉佩孚腹心ノ部下宋太明ヲ浦潮ニ密派シテ窃 一五三 ニ馬賊不逞鮮人ヲ糾合シテ露支國境ニ集中セシメ一方赤軍ト通シテ五站ヲ中心トシテ南方國境ニ増兵セシメ以テ東支鉄道線ヲ奪取スヘキ形勢ヲ示シタリト云フ在北京不逞鮮人朴容萬等亦此間ノ消息ニ通スルヲ以テ反奉行動ニ出ツヘキヲ約シ資金ヲ得ントスルノ形迹歴然タルモノアリ一方東支沿線小綏芬地方ニ潜在スル不逞鮮人崔振東、金佐鎮以下十五名ハ前記直隷派ノ派遣員ト通謀シタリトノ故ヲ以テ十月二十五日逮捕セラレタリトノ聞込アルモ一説ニ依レハ崔、金兩名ノ逮捕ハ虚傳ナリトモ稱シ真相判明セサルモ彼等ノ部下拾数名カ逮捕セラレタルハ事實ナリト云フ

(チ) 在満不逞鮮人ノ統一運動

本年六月上海ニ於ケル國民代表會決裂後一般ノ形勢ヲ観察スルニ従来同地ヲ中心トシ行ハレタル勢力ノ争奪戦ハ豫テ想像セシ如ク今ヤ漸ク満洲ニ移リ左ノ三派鼎立シテ互ニ満洲一帯ノ統一ヲ呼號シ勢争ヲ惹起スルニ至レリ

(1) 樺甸會議

本年九月以来國民代表會改造派ヲ中心トシテ在満不逞團ノ統一ヲ標榜シテ開催セラレ主要人物トシテハ金東三(西路軍政署)李振山(在北京)具春先(國民會)蔡相徳(義軍府)崔雄烈(赤旗團)李天民(統義府)呉東振(同上)等ヲ始メトシ約六十名ノ代表者集合協議シタルモ意見一致セス後日ヲ期シテ一時解散シタリト云フ

一五四

(2) 寧古塔會議

之亦本年九月頃ヨリ國民代表會創造派尹海、申肅等ヲ中心トシテ北間島露領方面ノ同志姜九禹、林炳極、金河錫、文昌範、金敬天等主催トナリ各地代表者ノ列席ヲ勧誘シツツアルモ前記樺甸縣會議ノ開催アリ一方東寧縣小綏芬ニ於ケル純独立派李範允一派ノ軍事聯合會議ノ進行セルアリテ金佐鎮等ハ極力之ニ反對シツツアルヲ以テ形勢逆睹スヘカラサルモノアリト云フ

(3) 小綏芬軍事聯合會議

純独立派李範允ヲ長トシ金佐鎮、崔振東、羅仲韶、金圭植玄天默等中心トナリ南北満洲及露領各地ニ散在スル不逞團体統一ヲ目的トシテ各代表者約二十名ト東支沿線小綏芬附近ニ於テ八月下旬ヨリ九月上旬ニ亘リ拾数日間軍事聯合會議召集準備會ヲ開キタルカ露領代表者ハ途中支那官憲ノタメ逮捕(安國模ノコト?)セラレタルアリ又出席期日ニ到着セサル者等アリ極メテ小数ノ者列席シタルモ主義相違ノタメ匆々露領ニ引揚ケタルカ一方北満方面ノ代表者ハ引續キ協議ノ結果更ニ期日、場所其ノ他ノ要項ヲ決定シ露領及南北満洲各地ノ團体ニ對シ正式會議ノ開會ヲ通知スルコトトシ所要委員ヲ選定シテ一應解散シタリト云フ最近傳ヘラルル大韓独立 一五五
軍團又ハ大韓総軍府ト稱スル新團体ハ其ノ李範允ヲ長トシ金佐鎮ヲ司令官トシテ推戴セル點ニ於テ本計劃ノ實現ヲ豫想セシモノト察セラルル節アリ

(3) 露領方面

客秋日本軍撤退當時ニ於ケル露國赤軍ノ對不逞鮮人態度ハ團体ノ解散ヲ命シ武装ヲ解除スル等一時誠意ヲ披瀝シタルカ如キモ本年ニ入リテヨリ頓ニ其ノ態度悪化シ出入國者ノ取締ヲ嚴施シ郵便物ヲ差押ヘ検閲ヲ行ニ邦人官吏或ハ密偵ト認ムヘキ人物ヲ物色シテ拘禁スル等横暴ノ行為アリ加賀美内務事務官拘禁事件前後ヨリ通信全ク杜絶シ極端ナル鎖國主義ヲ執リタル結果露領ノ状況ハ混沌トシテ知ルニ由ナク露國國家保安部ニ属

スル鮮人ハ各地ニ駐在シアリテ横暴跋扈シ在留日本官民及日本撤兵前親日派タリシ朝鮮人ノ恐慌一方ナラス只戰々兢々トシテ不安ノ念ニ驅ラレタリト云フ随テ在留鮮人ノ動靜等ニ對シテモ之カ査察ヲ許サス全ク不明ナリシカ今夏東京ニ於テ日露豫備交渉開始セラルルニ及ヒ幾分緩和セラルルト同時ニ漸ク其ノ近況ヲ知ルヲ得タリ

(イ)武装不逞鮮人團体

本年夏期以来尼古里斯克南方約拾里ノ地點ニ於テ一千餘名ノ不逞鮮人集合シ武官學校ヲ興シ盛ニ教練ヲ實施シツツアリトノ情報アリ其ノ指揮官ハ韓玉及「ワシリ」文ト稱スルモノノ由ニテ系統全ク不明ナルモ

同地附近ヨリ秋豊一帯ニ亘リテハ相當多数ノ不逞鮮人潜在シアルモノト察セラルル而シテ前記韓玉ノ團体ニハ飛行機数台ヲモ所有シ居レリトノ説アリ此他「スパスコエ」「イマン」等ニモ独立團ト稱スル若干ノ不逞鮮人團アリタルモ「イマン」ノ部隊数百名ハ其ノ後李鏞之ヲ引率シテ支那領ニ移轉シタリト云フ而シテ九月一日日本内地震災以来此好機ニ於テ直接行動ニ出ツヘク暗殺隊爆破隊等ヲ日本及朝鮮ニ派遣シタリトノ情報熾ニ到リタルモ單ニ彼等ノ宣傳ニ止リ何等其形迹ナシ

(ロ)赤軍ノ状況

共産党ノ状況ハ後節更ニ説述スル所アルモ由来赤軍ト朝鮮人トノ關係ハ極メテ密接ナルモノアリ現ニ赤軍中ニハ多数ノ鮮人正規軍混在シ最近露支國境ニ對シ兵力集結ニ當リテモ新ニ多数ノ朝鮮人ヲ兵丁トシテ募集シ之ニ教練ヲ加フルト同時ニ各地高麗青年會ヲ集メテ武器ヲ交附シ訓練ヲ施シ其ノ武力化ヲ實現シツツアリ其ノ目的ハ國境警備ニアルカ如キモ一説ニハ露支交渉ニ伴フ東支奪還示威行動ノタメナリトモ稱シ又支那直隷派ニ呼應シテ奉天派ノ背後ヲ脅威スルノ目的ナリトモ云フ要スルニ五站地方ニハ最近約五千ノ兵力アリ南部烏蘇里バラバシ煙秋其ノ他日支兩國トノ國界ニハ夫々軍隊ノ交代ヲ名トシテ若干ノ増兵ヲ行ヒタルハ事實ナルモノノ如シ

(ハ)露國官憲ノ不逞鮮人取締状況

露國官憲ノ不逞鮮人ニ對スル態度ハ常ニ變化シテ一定ノ方針ナク時ニ随テ全然反對ノ態度ヲ示スコトアリ初メ勞農政權ノ下ニ極東ヲ統一スルヤ嚴格ナル取締ヲ實施シ本年一、二月頃ヨリ更ニ轉シテ寧ロ彼等ヲ庇護シ某地金鑛採掘權ヲ與ヘテ生活ノ安定ヲ得セシメ或ハ三月一日ノ所謂独立宣言紀念日ニ於ケル不逞者ノ示威運動ニ於テハ各地トモ物質的精神的ニ支援ヲ與ヘ莫斯科政府ノ如キモ激励的ノ祝電ヲ發シタル事例アリ然ルニ本夏日露豫備交渉ノ進捗ニ際シテハ結社並武器取締ニ關スル法令ヲ發布シテ取締ヲ嚴施スルノ態度ヲ示セリ當時不逞鮮人ハ到底露國ノ恃ムヘカラロルヲ感知シテ續々支那領ニ移動シ一方露國ハ盛ニ新税ヲ典シテ苛斂誅求ヲ事トスルニ加ヘ阿片栽培ヲモ禁止セラレタルヨリ全ク生活ノ根據ヲ失フト同時ニ宗教排斥政策ノタメニ公然之ヲ信仰スル能ハサル等ノ原因ニ依リ良民亦相率ヒテ支那領ニ轉居スルノ傾向ヲ呈シタルヲ以テ露國ハ國勢上之ヲ放任スル能ハスト爲シ此程阿片栽培ヲ解禁スルト共ニ朝鮮人ニ限リ宗教ノ信仰ヲ默認スルコトトシ一方委員ヲ派シテ鮮人ノ轉住ヲ阻止シツツアリト云フ要スルニ露國ハ朝鮮人ヲ以テ對日外交ニ利用シ自國義認通商促進等ノ具ニ供シツツアルノ傾何アリ

(4) 米布方面

米布在住排日朝鮮人等ハ國民會又ハ僑民團等ノ機関ヲ設ケ上海假政府ヲ支援シ在住鮮人ヨリ應分ノ援助金ヲ募リテ假政府ニ送付シタル傾向アリシモ最近ニ於テハ一般ニ祖國独立ノ到底實現スルモノニアラサルヲ自覺シ資金募集ノ如キ職業的不逞鮮人カ糊口ノ資ヲ得ントスル口實ニ外ナラサルヲ感知シタルヨリ寧ロ此際教育ヲ振興シ實力ヲ養成スルニ若カスト爲シ從來米國人ニ信頼シタルコトノ甚タ誤レルヲ知リ黄色人種タル東洋人ハ相結束シテ白人ニ對抗スルノ必要ヲ說ク者漸次其ノ数ヲ増加シ依然排日不逞ノ言動ヲ弄スルハ一小部分ニ過キスト云フ現ニ布哇在住関贊鎬ノ如キハ極端ナル排日鮮人ナリシカ最近ニ於テハ飜然トシテ覺ル所アリ

一五八

在ホノルル我總領事ノ諒解ヲ得テ自己ノ門下生二十餘名ヲ率ヒ本年七月朝鮮ニ皈来シ各地觀光ノ上同九月布哇ニ皈去シタル事例アリ又上海假政府大統領タル李承晩モ最近在英國「マツケンジー」(雜誌朝鮮ノ友主筆ニシテ韓國独立援助者)ヨリ朝鮮ノ独立ハ須ク日本ノ諒解ノ下ニ初メテ完全ニ達成スルヲ得ヘシトノ手簡ヲ受取リタル趣ニテ爾来思想著シク軟化シ目下ニ於テハ盛ニ實力養成ノ必要ヲ唱道シツツアリ又上海假政府歐米委員部幹部鄭翰景亦最近自覺シテ皈鮮ヲ希望シ如何ニセハ安全ニ皈鄉シ得ルヤニ関シ日夜苦慮シツツアリト云フ

一五九

在上海僭称假政府幹部並民団長異動経過一覧表

大正十二年十二月調

異動		大統領	執政官総裁	國務總理	内務總長	同次長	外務總長	同次長	法務總長	同次長	財務總長	同次長	軍務總長	同次長	交通總長	同次長	學務總長	同次長	勞働總辦	議政院議長	同副議長	民團長
大正八年	四月十日			李承晩 黄海	安昌浩 平南	申翼熙 京畿	金奎植 京城	玄楯 京城	李始栄 京城	南亨祐 慶南	崔在亨 咸北	李春塾 咸南	李東輝 咸北	曹成煥 京城	文昌範 咸北	鮮于爀 平北				李東寧 忠南	孫貞道 平南	呂運亨 京城
	同十三日			代理 李東寧 忠南											不就任					孫貞道 平南	申圭植 忠北	
	六月		李承晩 咸北	代理 安昌浩 平南	李東寧 忠南		朴容万 北京				李始栄 京城		盧伯麟 黄海				金奎植 京城		安昌浩 平南			
	七月		廃止				不就任		申圭植 忠北	申翼熙 京畿		尹顕振 慶南		李春塾 咸南		金澈 全南						
	九月	李承晩 黄海		李東輝 咸北				張建相 慶南														
大正九年	一月			九、六、二 辞退		李圭洪 忠南		鄭仁果 平南										李春塾 咸南				
	五月													金義善 平南				九、二、六 被捕				
	七月			李東輝 咸北										九、二、一五 辞退								
	九月							申翼熙 京畿		安秉瓚 平北											金仁全 忠南	
	十一月									九、十一 辞退					南亨祐 慶南							
	十二月																					張鵬 京城
大正十年	三月			代理 李東寧 忠南																		
	四月																					[illegible]燾 京城
	五月			代理 李東寧 忠南		趙琬九 京城		李喜儆 平南						尹琦燮 京城	孫貞道 平南					洪冕熹 忠南	趙尚燮 平北	[illegible] 平北
	六月																		金[illegible] 忠南	李[illegible] 咸[illegible]		
	七月												李裕弼 平北									
	八月						代理 李喜儆 平南															
	九月						代理 申圭植 忠北															
大正十一年	三月																					金澈 全南
	四月																				金仁全 忠南	
	七月			盧伯麟 黄海																		
	八月																					呂運亨 京城
	九月				金九 黄海		趙鏞殷 京畿		洪鎮 忠北		李始栄 京畿		柳東説 京畿		李鐸 平南		趙成煥 忠清		金東三 平北			
大正十二年	一月												不就任		不就任		不就任		不就任			都寅権 平南
	八月																					李裕弼 平北

附表第二表　在外不穏新聞雑誌一覧表

名称	発行地	字体	備考
國民報	布哇	諺文	
韓美報	同	同	國民報ト合併
太平洋時事	同	同	
韓人敎會報	同	同	
新韓民報	桑港	同	發行者白一奎
동무	同	諺漢文	동무ト八共ニ謀ルノ意共産主義ノ色彩アリ
太平洋雑誌	華盛頓	諺文	上海仮政府欧米委員ノ機関紙
コレアンレビウ	費府	英文	
自由	シカゴ	諺文	
独立新聞	上海	漢文	
独立新聞	上海	諺漢文	
大韓臨時政府公報	上海	諺漢文	偶々發行スルコトアリ
上海타임쓰	同	同	同
新韓公論	同	同	十一年十二月創刊ノモノナルモ已ニ廢刊セルモノト思料セラル
培達公論	寧古塔	同	共産主義ノ色彩アリ

（独立ニ関スルモノ）

一六一

(三)共産黨ノ状況

由来日本及朝鮮並支那ノ赤化ヲ劃策シ之ヲ實行スルノ任務ヲ有スルハ國際共産黨ノ掌ル所ニシテ客秋勞農露國ノ極東統一迄ハ其宣傳機関ヲ「イルクツク」及「チタ」ニ置キ更ニ遠ク上海ニ延長シテ同地ヲ中心トシテ宣傳ノ地歩ヲ進メ其日鮮ニ對スルモノハ専ラ朝鮮人ヲ以テセル高麗共産党ヲ通シ之ヲ利用シタルモ我浦潮派遣軍撤退ニ依リ沿海州一帯其手中ニ帰スルヤ宣傳ノ中心地ハ浦潮ニ移リ沿海縣共産党ヲ通シテ直接實行スルモノト同地ニ在ル高麗共産党員ヲシテ行ハシムルモノトノ二途ヲ併用スルニ至レリ而シテ其日本ニ對スルモノハ多クハ横浜ニ滞在セル「アントイーワ」ト直接ノ交渉ニ係リ其朝鮮一六二對スルモノハ陸海両途ノ交通薬ニ依リ屡々主義ノ宣傳ヲ劃策シタリト雖官憲ノ取締至嚴ニシテ容易ニ其目的ヲ達スル能ハサルヨリ轉シテ朝鮮北境ニ接スル支那北間島及其接壌地方ニ對シ専ラ高麗共産党ヲシテ羽翼ヲ延サシメ普ク諸種ノ機関ヲ潜設シ時機ヲ見テ朝鮮内ニ潜入セシメムトスルノ計画ヲ立テタルモノノ如シ然ルニ本年九月日本震災ノ事アルヤ日本ノ國力著シク減耗シタルモノト過信シ此機會ニ於テ革命ヲ起シ赤化ノ目的ヲ達成スヘシトナシ日本内地ニ對シテハ汽船「レーニン」號ノ派遣トナリ朝鮮ニ對シテハ高級宣傳員ヲ密派スル等俄然活動ヲ開始シタリト雖震災地ノ秩序ハ瞬時ニシテ回復シ鮮内ノ人心亦極メテ平静ナルヲ以テ遂ニ何等

ノ効果ヲ齎ラスニ至ラス然レ共彼等ハ最モ執拗ニ所期ノ目的ヲ遂行セントスルヤノ情報アルニ付最善ノ方法ヲ盡シ之カ防遏ニ努メサルヘカラス今各種共産党ノ動静ニ関シ其概要ヲ述フレハ左ノ如シ

(イ)國際共産党

本部ヲ莫斯科ニ置キ其ノ秘書部ハ従来「イルクック」又ハ知多ニ在リシモ最近浦潮ニ移轉シタルヤノ聞込アリ

本党ハ國際的ニ主義ノ宣傳ヲ行フヲ以テ目的トシ其ノ國情ニ應シ或ハ革命ヲ指導シ労働者ヲ煽動シ不平分子ヲ使嗾スル等敢ヘテ手段ト方法ヲ擇ハス而モ多額ノ資金ヲ供給シテ成功ヲ期シ今ヤ日本及朝鮮ノ赤化ニ對シ總有犠牲ヲ拂ヒツツアルノ形迹アリ即チ其 一六三
一幹部ノ言ナリト云フヲ聞クニ「日露交渉ハ如何ニ進捗スルモ日鮮両地ニ對スル赤化運動ハ毫モ躊躇スヘキニアラス宜シク先ツ朝鮮ノ民族運動ヲ利用シテ一大革命ヲ起サシメサルヘカラス云々」以テ彼等ノ真意ヲ知ルヲ得ヘシ

東支鐵道ノ管理ハ露國ノ革命以来露支何レニ属スルヤ明瞭ナラサリシカ本春以来之カ帰属ニ関シ屡々問題トナリ更ニ本夏支那側カ鉄道附属地回収ヲ聲明シタルタメ列國之ニ干渉スル等一層紛糾ヲ増シ一般ニ之カ成行キニ對シ多大ノ注意ヲ拂ヒツツアリ然ルニ露國共産党ハ客年来沿線各地ニ鉄道従業員委員會（ルドコム又ハメストコム）ト稱スル團体ヲ設ケ赤化宣傳機関タラシムルト同時ニ有事ノ際ハ武器ヲ執テ起タシムルノ準備アリト云フ此他北京、哈爾賓、満洲里、上海、横浜等ノ各地ニハ労農政府ノ代表者駐在シ表面入露者ノ旅券査證事務等主トシテ領事格ノ勤務ニ従事シツツアルモ裏面ニ於テハ赤化宣傳ノ主動機関トシテ積極的ニ活動シツツアリト傳ヘラル

(ロ)全露共産党

露國領土内ニ主義ヲ宣傳シ之カ實行ヲ目的トスルモノニシテ労農政府ノ地方行政機関ニ併行シテ本党ノ機関ヲ設ケ各青年會ヲ補助機関トシテ主義ノ實施ニ努メツツアリ初メ赤軍ノ沿海州ヲ占領シ労農政権ノ統一實現スルヤ新経済政策ヲ標榜シ共産制度ノ實行 一六四
ハ之ヲ漸進的ナラシムルヘク聲明シタルニ不拘数月ナラスシテ苛税ヲ賦課シ新税ヲ興シ土地及食糧ノ平分ヲ實行シ敀化ヲ強ヒ壮丁ヲ徴募シ宗教壓迫共産教育ノ强制的實施物價制限家屋ノ徴収等総有虐政ヲ布キテ顧ミス一般人民ハ塗炭ノ窮苦ニ泣キ特ニ農民ノ苦痛ハ一層甚シキモノアリ随テ窃ニ共産政治ヲ呪咀シ一時反共産気分ノ横溢ヲ見ルヤ白色「パルチザン」ハ此機ニ乗シテ興凱湖地方ノ露國境土ヲ脅威シ赤軍ハ遂ニ該方面ニ集中シタルコトアリ一方在留鮮人ハ労農政権ノ苛政ニ加ヘ不逞鮮人ノ脅迫頻繁ナルヨリ孰モ将来ヲ悲観シ續々支那領ニ移居シ中ニハ更ニ敀鮮スル者漸増ノ傾向アリ爲ニ露國ハ特ニ人ヲ派シテ之等

鮮人ノ引留ヲ行ヒ一方阿片ノ栽培ヲ解禁シ鮮人ノ宗敎信仰ヲ黙認スル等慰撫安定ノ方法ヲ講シツツアルハ已ニ別項詳述ノ通リナリ

(八)高麗共産党

本党ハ國際共産党高麗部ニ屬スルモ露農官憲及全露共産党ト密接ノ関係ヲ有シ其指示命令ヲ奉スルコト恰モ系統上ノ監督機関ニ髣髴タルモノアリ由来高麗共産党ニ二派アリ一ハ上海派ト称シ李東輝之ヲ主宰シ一ハ「イルクック」派ト称シ文昌範之ヲ統率ス前者ハ心中朝鮮ノ独立ヲ要望シ侭ニ共産主義ヲ奉シ露國ノ支援ニ依テ其目的ヲ達セントシ後者ハ主義的色彩極メテ濃厚ニシテ前者ノ独立主義ヲ誹謗スルコトアルモ 一六五 而モ尚独立ヲ欲セサルニアラスシテ大部分ハ露國ノ國是タル共産主義ニ對シ従順ノ態度ヲ持スルニアルノミ要ハ両者孰レモ共産主義ヲ装フ不逞鮮人ニシテ俗ニ之ヲ赤大根ト称ス然ルニ右両派ハ屢々意見ノ杆格ヲ生シ紛争底止スル處ナキヨリ客春来國際共産党本部ヨリ両派合同ヲ命令シ両者ハ屢々會合協議スル所アリシモ未タ實現スルニ至ラス然ルニ本年一月上海派首領李東輝ハ偶々浦潮ニ到リ「イルクック」派ト協議ノ結果漸ク合同スルコトトナリ其ノ頭主トシテ李東輝之ニ當リ本部ヲ浦潮ニ置キテ活動ノ基礎ヲ定メタリ爾来着々露領ニ於ケル各種機関ノ創設ニ努メ青年會ヲ設置スル等陣容漸ク整備スルヤ更ニ支那間島及其接壌地方ニ對スル赤化運動ヲ開始シ國際共産党ヨリ十二万金留(八万円ナリトノ説アリ)ノ宣傳費ヲ得テ宣傳機関ヲ設置シ一方吉林省額穆縣北溝ニ高麗共産党中領總監部ナルモノヲ設ケ各地機関ノ監督指導ニ當ラシムルト同時ニ敦化縣ニ在ル赤旗團ヲ動カシテ直接行動ノ先駆トナシ一方露領及間島接壌地方ニ潜在スル不逞鮮人ヲ糾合シ或ハ武官學校及保衛團ヲ附設スル等活動ノ基礎ヲ固メ一面ニ於テハ支那地方官憲ヲ買収シテ巧ニ其取締ヲ免ルルノ策ヲ講シツツアリト云フ露領各地ニ設置セラレタル高麗共産党青年會ノ會員ハ赤軍官憲ヨリ武器ヲ支給セラレ恰モ地方警察ト守備隊トヲ兼ネタルカ如キ職務ニ従事スルヲ奇貨 一六六 トシ偶々鮮支人ノ旅行者ニシテ金員ヲ所持スル者アラハ身体検査ヲ行ヒテ之ヲ強奪シ或ハ日本又ハ支那ノ派遣シタル密偵ナリト誣ヒテ赤軍官憲ニ通告シ逮捕又ハ銃殺セシムルコト尠カラサルヲ以テ住民ハ青年會員ヲ恐ルルコト宛モ蛇蝎ノ如クナリト云フ之カ為メ赤軍亦其時弊ヲ認メ濫リニ旅行者ヲ殺戮シタル者ハ死刑ニ處スル旨法令ヲ発布シテ之カ矯正ニ努メツツアリ

高麗共産党ハ本春来婦人宣傳員ヲ鮮内ニ派送シタリトノ情報頻繁ニ行ハレ又九月一日日本震災以来共産學校卒業生タル鮮人宣傳員ヲ派遣シタリトノ聞ヘアリ注意中ノ處多少其形迹アルヲ以テ目下之カ査察検

擧ニ努メツツアリ
上海ニ在リシ高麗共産党員ノ大部ハ上海派「イルクック」派ノ合同以来概ネ浦潮ニ集中シ目下同地ニ残留スル者ハ尹滋英趙東祐等数名ニ過キス随テ何等活動ノ模様ナシ

以上ノ如ク高麗共産党ハ國際共産党ノ頤使ニ甘ンシ進ンテ宣傳ニ従事スルモ其経費ハ概ネ在住鮮人ヨリ強徴シ或ハ盛漁期ニ於テ日本及朝鮮ヨリ露領近海ニ出漁セル漁夫ヲ脅迫シテ強奪セルモノニ係リ其大部分ハ衣食ノタメ費消セラル随テ國際共産党ヨリ支出セラルルハ真ニ特殊ノ事由アルモノニ限リ経常費トシテハ何等支出セラレサルモノノ如シ

一六七

尚ホ従来鮮人宣傳刊行物トシテ西伯利満洲及上海地方ニ於テ領布セラレタルモノニシテ當局ニ於テ發見セルモノヲ掲クレハ別表ノ通リニシテ彼等カ奈何活動シツツアルカ其ノ一班ヲ窺知スルニ足ラン

168頁以降は、原本において欠落しています。（不二出版）

〔昭和四年〕

〔治安状況〕

表紙は、原本において欠落しています。
（不二出版）

目次

保安課

附表

附表

附表

附表

附表

一、民心ノ傾向

(一) 概　況

朝鮮内一般民心ノ傾向ハ近時概ネ平靜ニシテ表面特ニ憂慮スベキ情勢ナク一部ノ不良者ヲ除キテハ大體ニ於テ民衆其ノ堵ニ安ンジ民心漸ク安定セルヤノ感アリ

今秋擧行セラレタル朝鮮博覽會ニ際シテモ不穩ノ情報頻々タリシニモ拘ラズ鮮内ヲ通ジ極メテ靜穩裡ニ終了シ有終ノ美ヲ完ウシ得タルハ一ニ嚴密ナル警戒實施ニ依ルハ言ヲ俟タザルトコロナルモ一面民衆ガ空虚無謀ナル妄動ノ非ナル所以ヲ自覺シタルモノト謂フヲ得ベシ

然レドモ一面深ク其ノ裏面ヲ觀察スルニ一般民衆ノ心裡ニ潜在スル民族的意識ハ依然トシテ深刻ナルモノアリ輓近思想運動ノ勃興ニ伴ヒ階級意識ノ激發ト相合シ一部不良者ハ事毎ニ帝國ノ統治施設ニ對シ反抗的氣勢ヲ擧ゲントシ一般民衆亦之等ノ煽動ニ依リ民族意識ヲ誘發セシメラレ事態ヲシテ復雜ナラシメントスル傾向アルノミナラズ一面共産主義思想ノ浸潤ハ愈々深刻味ヲ加ヘ數年來頗ル巧妙ナル方法ニ依テ所謂秘密結社ヲ組織シ社會革命的ノ不穩行動ニ出テント企圖セルモノアリ數次ニ亘リテ發見檢擧サルルニ至リシモ今尚之ガ絶滅ヲ期スルニ至ラザルノミナラズ最近ニ於テハ之等ノ運動ニ年少氣鋭ノ青年、學徒ヲ驅ツテ之ガ渦中ニ投ゼシメントスルガ如キ傾向アル等容易ニ樂觀ヲ許サザルモノアリ

昨年中殆ンド全鮮的ニ波及ノ觀アリタル學校生徒紛擾ノ裏面ニ於テモ一部共産主義者ノ使嗾ニ依ル學生秘密結社ノ組織アリテ純良ナル學生生徒ヲ煽動シテ不穩行動ニ出デシメタルコトハ既ニ事件

ノ検擧ニ依リテ判明シ居ル處ナルガ更ニ本年ニ於テモ十一月三日全羅南道光州ニ於テ發生セル内鮮人學生爭闘事件ニ端ヲ發シ同地鮮人學生ノ示威的不穏行動アリ爾來同道内ヲ初メトシ京城、平壌其ノ他ノ各地ニ於テ朝鮮人學校生徒ノ同情的不穏行動相次テ發生シ今尚終熄ニ至ラザル儘冬期休業ニ入リタルガ渠等學生等ハ各地ヲ通ジ等シク試驗ニ際シテハ白紙答案ヲ提出シテ消極的ニ反抗ノ意思ヲ表明セントセルノミナラズ植民地奴隷教育ノ撤廢、總督暴壓政治反對等ノ主張ヲナスモノアル等何レモ共産主義者平素ノ主張ト合致シ其ノ行動單ナル生徒等ノミノ創意ニ非ルハ勿論ニシテ必ズヤ背後ニ何等カノ指導勢力アルモノト認メ極力探査ニ努メタル結果光州ニ於テハ之ガ裏面ニ同地共産主義者ノ指導ニ依リ組織セラレタル學生秘密結社存在シ既往ニ於テ執拗ナル學生紛擾ノ畫策

2. 指導ニ努メ居リシハ勿論今回ノ學生爭闘事件ニ際シテモ之ヲ利用シテ殊更ニ紛擾ヲ擴大セシメント畫策シタルノミナラズ其ノ首謀タル主義者ノ一部ハ事件後京城ニ潜入シテ秘ニ中央青年同盟幹部ト策謀シ同府内ノ鮮人學生ヲ煽動シテ不穏行動ニ出デシメタル外種々誇張的流言蜚語ヲ放チテ民心ニ衝動ヲ與ヘ全鮮的ニ暴動ヲ惹起セシメント企畫シタルモノナルコト判明シタルガ更ニ新幹會幹部亦之ヲ利用シテ會勢ノ進展ヲ謀ラムト企畫シ全鮮支會ニ飛檄シテ不穏ノ行動ニ出デントシタルコト判明夫々所轄道ニ於テ各關係者ヲ検擧スルニ至リタルガ渠等主義者ハ之ニ依リテ主義ノ宣傳目的ノ具体化ヲ圖ルト共ニ學生紛擾ノ擴大ニ依リテ民心ヲ刺戟シ以テ民族的反抗ノ氣勢ヲ昂ゲント策謀セルモノニシテ既往學生事件ノ裏面ニ策動セル秘密結社ノ行動ト全ク其ノ軌ヲ一ニシ且ツ其ノ聯絡ノ敏活行動ノ組織的ナル點ニ徴スルモ其ノ指導勢力ガ如何ニ深刻ナル根底ヲ有シ各學校生徒間ニ浸潤シ居ルカヲ窺知シ得ベク今後ノ傾向ニ對シテハ最モ注意ヲ要スルモノアリ

又從來鮮内思想運動ノ二大分野ヲ劃シ居リタル民族、社會兩主義運動ハ新幹會ノ創立後漸次相接近シテ共同戰線ヲ形成スルニ至リシガ元來此新幹運動ハ民族、社會兩主義者ノ局面打開ヲ目的トセル相互利用策ニ過ギザリシモ頗ル當時ノ民心ニ投ジ逐次各方面ノ人物ヲ網羅シテ其ノ勢力ノ增大ヲ來スニ至リシモノニシテ創立後大會ヲ禁止スル外嚴重ナル取締ヲ加ヘタル結果會勢豫期ノ如ク進展シ得ザルガ如シト雖尚且ツ本國体ガ各種團体間ニ隱然タル勢力ヲ把握シ居ルハ事實ニシテ曩ニ全鮮複代表委員會開催ノ結果新ニ選定セラレタル幹部ハ殆ンド左傾主義者獨占ノ觀ヲ呈シ爾來其ノ

3. 行動漸ク積極的ニ出デントスル傾向アリ如上學生事件ニ伴フ不穏行動ノ如キモ全ク同會ノ体面策上敢行セラレタルモノナリト稱セラルルモ本國体將來ノ行動ニ對シテハ特ニ深甚ノ注意ヲ要スルモノアリ尚近時社會思想運動ノ深刻化スルニ伴ヒ主義者等ハ種々ナル方法ニ依リテ局面ノ展開ヲ策セントシ最近ニ至リ特ニ勞働者及農民ヲ前衛トセザルベカラザルコトヲ高唱シ所謂主義ノ大衆化ヲ目標トシテ此等新團体ノ組成及既設團体ノ擴充等ニ依リ運動ノ方向ヲ專ラ農村ニ進展セシメンコトヲ策シ居ル爲近來農村開發運動ノ聲頻ニ顯著ナルモノアリ而シテ之ガ運動ハ單リ各種主義團体ノミナラズ耶蘇教並天道教ニ於テモ等シク農民ノ覺醒指導ニ關スル實行計畫ノ樹立ニ努メ更ニ言論機關ニ於テモ亦之等ノ傾向ト相呼應ジテ論調ヲ進メ機會アル毎ニ殊更ニ誇張的筆致ヲ以テ只管農民

ノ自覺ト階級意識ノ喚起ヲ强調スルニ努メツツアリ又最近一部ノ民族、社會兩主義者間ニ於テハ從來ノ如キ不穩過激ナル行動或ハ反抗的運動ガ徒ニ多數有爲ノ士ヲシテ刑辟ニ觸レシメ朝鮮民族ヲシテ益悲慘ナル境遇ニ陷ラシムルノミニテ何等得ル處ナク此ノ儘推移スルニ於テハ到底所期ノ目的ヲ達シ難キニ至ルベキヲ以テ今後ハ主トシテ當局ノ認容スル範圍內ニ於テ合法的ノ行動ヲ爲シ又ハ進ンデ當局ノ施設ニ迎合スルガ如キ態度ニ出デ穩健着實ナル方法ニ依リテ產業ノ開發、敎育ノ振興、農村ノ敎化、生活ノ改善等各方面ノ事業ニ精進シ克ク當局ノ指導援助ヲ甘受シテ民族ノ向上進步ヲ圖ラントスル所謂妥協的運動方法ニ出デ一面各自ノ胸底深ク民族精神ヲ包藏シ當局ノ施政及施設ノ缺點ニ對シテハ合法的手段ニ依リテ努メテ之ニ抗爭シ徐ニ實力ノ養成ト政治的抗爭ノ修練 4 ヲ積ミ以テ他日ニ備ヘントスルノ思想漸ク濃厚ナラントスルノ傾向アリ表面頗ル穩健着實ニ好轉セルガ如クニシテ而モ裏面ニ於ケル不穩思想ハ却テ深刻化セントシ之ガ取締ニ付キテハ深甚ノ注意ヲ要スルモノアリ

一方國境地帶ニ於ケル匪徒ノ侵入ハ近年著シク減少シ本年ニ入リテハ全ク其ノ跡ヲ絕ツニ至リシト雖隣邦支那ノ國情ハ常ニ安定ヲ缺キ居ル關係上國外不良ノ徒輩ハ此ノ間ニ處シ巧ニ勢力ノ扶植ヲ策シ時ニ良民ヲ脅迫シ或ハ善良團体ノ行動ヲ阻害シツツアル等ノ事實アルヲ以テ之ガ餘勢ヲ驅リ何時鮮內ニ侵入シ來ルヤモ計リ難ク之ガ豫防ニ就テハ一層萬全ノ策ヲ講ズルノ要アリト認メラル

(二) 社會主義運動

1. 社會主義運動ノ傾向

朝鮮ニ於ケル社會主義運動ノ擡頭ハ極メテ最近ノ事ニ屬シ社會主義思想ノ研究ニ於テモ大正八年獨立騷擾事件勃發前ニ於テハ僅ニ東京ニ留學セル學生間ニ密ニ研究ニ從事スル者アリシモ之ガ表現的運動トシテハ何等見ルベキモノナカリキ

大正九年十二月京城東亞日報總務張德秀等ハ團結訓練ヲ缺ク獨立運動ノ到底成功シ難キヲ察シ先ツ青年大衆ノ團結ヲ圖リ青年運動ノ歸趨ヲ統一セントシテ全鮮百十三ケ團体ヲ糾合シテ朝鮮青年聯合會ヲ組織シタルニ端ヲ發シ大正十年一月張德秀、金明植、吳祥根等ハ更ニ京城ニソウル青年會ヲ創設セリ一方大正十一年一月金翰、申伯雨、朴一秉、辛日鎔等ノ共產主義者ハ新人 5. 同盟及無產者同志會ヲ起シ同年三月之ヲ合シテ無產者同盟會ヲ組織シ張德秀一派ノ青年運動ニ對抗スルニ至レリ當時東亞日報ハ民族運動ノ中心ニシテ總テノ民衆運動ニ專恣橫暴ヲ極メタル爲獨立運動熱ノ衰微ニ伴ヒ漸テ之ニ反感ヲ懷ケル社會共產主義者ノ一派ハソウル青年會ヨリ張德秀等ノ民族主義者ヲ排斥シ遂ニ朝鮮青年會聯合會ヲ決裂セシメ大正十二年三月新ニ全鮮百七十四ケ團体ノ參加ヲ得テ全鮮青年黨大會ヲ開催シタルガ玆ニ於テ朝鮮ニ於ケル思想及青年運動ハ民族、社會兩主義運動ノ二分野ニ劃然タル限界ヲ生ズルニ至レリ

在東京朝鮮人留學生間ニハ大正十年十一月無政府共產兩主義者ヲ以テ黑濤會ヲ創設シ同十二年一月分裂シテ共產主義系ノ金若水、金鍾範、宋奉瑀等ハ北星會（大正十四年一月一月會ト改稱

ス）ヲ無政府主義系ノ李康夏、金重漢等ハ黒労會ヲ組織セリ而シテ北星會一派ハ鮮内ニ於ケル社會運動ノ勃興ニ鑑ミ同年八月金若水、白武、金鍾範、布施辰治、北原龍雄等ノ一隊ヲ以テ鮮内巡回講演ヲ開催シ鮮内ノ同志ト策應シ大正十三年二月京城ニ新興青年同盟ヲ組織シ勞働聯盟會、無産者同盟會、土曜會、新思想研究會、女子苦學生相助會等ヲ操縦シテソウル青年會ニ對立スルニ至リ現今社會運動ノ上ニ所謂北星（北風）ソウル両系ヲ生ムノ因ヲ爲シ爾來両系ノ勢力争奪ノ軋轢絶エズ共ニ社會共産主義ヲ奉ジ運動ノ方向ハ其ノ軌ヲ一ニスト雖事毎ニ派閥闘争ナラザルハナク時ニ表面共同運動線ヲ形成スルコトアリト雖裏面ニ於テハ必ズ此ノ暗闘アリシガ大正十二年九月鮮内ニ侵入セル露領高麗共産黨員等ノ策動ニ依リ両派ハ合同シテ大正十三年

6.

四月完全ナル青年運動ノ統一機關トシテ京城ニ朝鮮青年總同盟ヲ組織シ從來ノ朝鮮青年會聯合會及全鮮青年黨大會ヲ合併シ全鮮ニ於ケル青年團体二百二十四ケ團体ノ加盟ヲ見更ニ勞働農民團体ノ統一機關トシテ朝鮮勞農總同盟（加盟團体一八二）ヲ結成シ社會運動ノ新紀元ヲ劃スルニ至レリ此ノ二大同盟ハ表面北星、ソウル両系ノ合同ニ依リ成立セルモノノ如クナルモ幹部及加盟團体ノ背景ヨリシテ勞農總同盟ハ北星會系ニ青年總同盟ハソウル系ノ操縦スル處トナレリ両總同盟ハ創立ノ當初ニ於テ一切ノ集會ヲ禁止シタル爲各々更ニ別個ノ形式ニ依リ全鮮的統一機關ヲ組織スベクソウル系ハ大正十四年一月勞働教育會ヲシテ全鮮勞働教育大會ヲ北星系ハ同年四月火曜會ヲシテ全鮮民衆運動者大會ノ開催ヲ計畫シタルガ勞働教育者大會ハ民衆運動者大會ノ計畫ニ壓倒セラレ自然中止トナリ民衆運動者大會ハ開催前禁止セリ而シテ朝鮮社會運動團体中央協議會ノ開催ヲ計畫セシメタルガ時恰モ朝鮮共産黨事件發覺シ北星系幹部ハ大半之ニ連座シ檢擧セラレタル爲計畫ニ頓座ヲ來シ漸ク昭和二年五月九百二十三ケ團体ノ參加申込ヲ受ケテ京城ニ開催セリ大正十三年四月青年、勞農ノ二大總同盟結成ニ依リテ朝鮮ニ於ケル思想、青年、勞働、農民團体ハ殆ンド統一サレ民族運動ノ衰微ニ伴ヒ社會主義運動ハ全鮮ヲ風靡スルノ觀アリテ創立以來大正十四年十二月第一次朝鮮共産黨事件檢擧前後迄ハ主義運動ノ最高潮期ナリシト謂フベシ然ルニ共産黨事件檢擧ノ爲多クノ指導者ヲ失ヒタルト内地ニ於ケル無産政黨樹立等ノ影響ヲ受ケ從來ノ派閥闘争ヲ避ケ民族主義者ト結ビ全民族ノ總力量ヲ集中シ以テ部分的

7.

經濟闘争ヨリ大衆的政治闘争ヲ目的トスル民族單一黨結成ノ氣運ヲ醸成シ大正十五年十一月先ッ北星系ノ最高指導機關タル正友會ガ方向轉換ノ宣言ヲ發表シテ解体シタルヲ始メトシ同會ノ操縦スル朝鮮勞農總同盟モ亦方向轉換ノ聲明書ヲ發表セリ此ノ時ニ當リ民族主義者ノ企畫スル新幹會ノ創立ハ社會主義者ニモ多大ノ共鳴ト期待トヲ以テ迎ヘラレ民族單一黨結成ノ過程トシテ社會運動ノ中心ハ新幹會ニ集中スルニ至リ朝鮮青年總同盟ニ於テモ遂ニ昭和二年六月政治行動ヲ是認シ組織變更ニ關スル聲明書ヲ發表シ茲ニ於テ社會運動ハ全ク民族社會両主義者ノ協同運動線ヲ形成スルニ至レリ而シテ新幹會ノ創立以來各團体ハ競フテ之ヲ支持支援スルコトヲ宣言聲明シ社會運動ノ体系ハ自ラ統一サレ各種ノ策動ハ總テ新幹會ヲ中心トシテ青年團体ハ朝鮮

青年總同盟ニ勞働團体ハ朝鮮勞働總同盟ニ農民團体ハ朝鮮農民總同盟ニ集中サレ國外ニ於テモ支那本部及滿州ニ於ケル青年團体ハ合体シテ中國韓人青年同盟ヲ組織シテ朝鮮青年總同盟ニ加盟シ東京、大阪、京都ニ於ケル青年團体モ在日本朝鮮青年同盟ヲ組織シテ之ニ加盟シ又同地方勞働團体モ在日本朝鮮勞働總同盟ヲ結ビ朝鮮勞働總同盟ニ加盟セリ

如斯体系ヲ整ヘタル各團体ハ一齊ニ朝鮮統治ヲ批判攻撃シ民族的偏見ヲ以テ各種ノ事件ヲ剔抉シ或ハ地方問題ニ容喙スル等所謂大衆的政治闘爭ニ進出シ著シク民族意識ヲ高調スル處アリシガ昭和三年二月京城ニ於ケル朝鮮共産黨竝高麗共産青年會事件檢擧及同年四月新義州ニ於ケル非理論派朝鮮共産黨事件檢擧等ノ爲社會運動者ノ大半ハ之ニ連座シ檢擧又ハ逃走シタル爲近時 8.
漸ク其ノ勢力ヲ失フニ至レリ

2　秘密結社

社會主義運動ノ進展ニ伴ヒ裏面的潜行的運動モ漸次盛トナリ國体ノ變革又ハ私有財産制度ノ否認ヲ目的トスル結社ヲ組織シ各種ノ表現團体ヲ指導操縱スルモノ各地ニ簇出シ治安維持法違反事件ノ如キ大正十四年施行以來昭和三年末ニ至ル迄二百八十四件一千四百十三名ヲ檢擧シ刑事訴追ニ附シタリ共産黨組織モ大年十四年以來數次ニ亘リ結黨劃策ヲ斷タザルノ實狀ニアリ即チ大正十四年四月京城ニ於テ朝鮮共産黨竝高麗共産青年會結成サレ同年十二月檢擧シタルニ殘黨ハ直ニ後繼組織ニ着手シ大正十五年六月第二次檢擧ヲ行ヒ一時終熄セルノ觀アリシガ逮捕ヲ免レタル黨員ハ尚モ後繼組織ヲ企圖シ客年三月及六月兩度ニ亘リ第三次第四次檢擧ヲ行ヘリ第一次組織以降本年三月再組織運動檢擧ニ至ル間檢事ニ送致シタル人員ハ實ニ十八件八百九十二名ナリ而シテ共産黨ノ内容ヲ總括的ニ觀察スルニ黨員ハ絶對ニ秘密ヲ嚴守シ且ツ黨員ヲシテ其ノ全組織ヲ知ラシメザル爲一、二ノ徒黨ヲ檢擧スルモ黨全般ノ組織ヲ知ルコト極メテ困難ニシテ之ガ爲檢擧洩トナリタル場合更ニ後繼組織ニ着手セルコトハ第一次乃至第四次共産黨ガ總テ連繫ヲ有スルニ徴シ明カニシテ黨員間ノ通信連絡ノ如キモ多クハ文書ヲ避ケ口傳ニ依ル關係上物的證據ニ乏シク之ガ檢擧ハ極メテ困難ナル實情ニアリ又朝鮮共産黨ハ第三インターナショナルノ正式承認ヲ受ケ陰ニ黨費ノ補助ヲ受ケ居レル形迹アリ黨員ノ入露ハ自由ニ認メラルルノミナラズ檢擧ニ際シテモ朝鮮共産黨ヨリ第三インターナショナルニ要 9.
求シタル黨豫算書諸報告及第三インターナショナルヨリ朝鮮共産黨ニ指令シタル決定書等ヲ發見押收シ最近朝鮮共産黨新組織ニ關スル第三インターナショナルノ決議書ヲ入手シタル等第三インターナショナルハ朝鮮ニ對スル赤化宣傳ヲ怠ラザルノ情況ニアリ共産黨ノ赤化方略ハ將來勞働者農民ヲ獲得シテ民族解放運動ト提携シ各社會團体ノ内部ニ介在シテ民族ノ獨立解放、勞働者農民ノ獨裁制樹立、農民ニ對スル土地ノ無償分配、工場企業ノ國有化ヲ標榜シ凡百ノ手段ヲ弄シテ表現運動ニ努メツツアリ新幹會、朝鮮青年、朝鮮勞働、朝鮮農民各總同盟等ノ幹部中ニハ黨員タリシモノ尠カラズ一方學生ニ對スル宣傳ニ重キヲ置キ學生共産黨其ノ他秘密結社ヲ組織シ社會科學ノ研究及同盟休校ヲ煽動シツツアリシ事實アリ近時都鄙ヲ通ジテ社會主義運動

ノ旺盛ナルハ一ニ裏面ニ共産黨ノ指導アルコトハ推察ニ難カラザル處ナリ

3. 無政府主義運動

無政府主義運動ハ大正十年朴烈一派ガ京城ニ於テ黒勞會ヲ組織シタルコトアルモ直ニ解散シタル外何等表面的運動トシテ見ルベキモノナカリシガ大正十二年一月東京ニ於テ朴烈、鄭泰成、金重漢等ガ黒勞會ヨリ別レテ黒友會ヲ組織シ同十四年近藤憲二、岩佐作太郎一派ノ黒色青年聯盟ニ加盟シテヨリ同十四年三月京城ニ申榮雨、洪鎭祐等ガ中心トナリ黒旗聯盟ノ組織計畫アリシモ共産主義者ノ妨害ニ依リ遂ニ創立ニ至ラズ同年九月大邱ニ於テ不逞社事件ノ關係者徐東星等ガ眞友聯盟ヲ組織シ黒色青年聯盟ト通ジ大正十五年四月官公衙商店ノ破壞官公吏ノ暗殺ヲ目的

10

トシ別ニ破壞團ナルモノヲ組織シタルコト發覺シ検擧シタル以來鮮內ニ於テハ一時無政府主義運動ハ其ノ跡ヲ絶ツニ至リシガ昭和二年十月以降在東京李弘根、崔甲龍等歸鮮シ平壤及元山ヲ中心トシテ再ビ擡頭スルニ至リ平壤ニ於テハ李弘根、崔甲龍等ヲ中心トシテ關西黒友會、社會生理研究會、自由少年會等ヲ組織シ咸鏡南道地方ニ於テハ元山青年會ヲ操縱シ元山勞働自由同盟、宣德振興青年會、廣德小作組合、咸興自由少年會、端川黒友會等ヲ組織シ主義宣傳ニ努メツツアリテ常ニ共産主義者トノ衝突アリ本年十月平壤ニ於テ朝鮮黒色運動者大會ヲ開催シ全鮮無政府主義者ヲ會同シ主義運動上ニ一轉機ヲ劃サントセシヲ事前ニ抑壓セリ無政府主義者ノ散在スル地方ハ一局部ニ止マリ居ルモ主義者間ノ連絡密ニシテ運動眞摯ナル點等ヨリ將來相當注意ヲ要スベキモノアリ

4. 勞働及農民運動

朝鮮ニ於ケル勞働及農民運動ノ發達ハ大正八年獨立騷擾事件以後ニ屬シ大正九年一月東亞日報主筆張德秀等ガ勞働社會ノ改善ヲ目的トシテ京城ニ勞働共濟會ヲ組織シ同年金光濟一派ガ同一目的ヲ以テ京城ニ勞働大會ヲ組織シタルヲ主義的勞働團体ノ濫觴トシ爾來社會運動ノ勃興ニ伴ヒ急激ニ發達シ大正十三年三月在東京朝鮮人思想團体北星會ガ京城ニ新興青年同盟ヲ組織シ勞農運動ノ指導訓練ニ着眼シ比較的農民ノ自覺セル南鮮地方ニ小作人組合、農民組合ヲ創設シ大正十三年四月全鮮勞働農民團体ノ統一操縱ヲ目的トシ百八十三ケ團体ノ加盟ヲ得テ(1)勞農階級ノ解放完全ナル新社會ノ實現(2)徹底的ニ資本階級ト鬪爭(3)勞農

11

階級ノ福利增進經濟的向上ヲ綱領トシテ朝鮮勞農總同盟ノ創立ヲ見タルガ其ノ創立大會ニ於テ綱領議案等ニ共産主義的色彩ノ濃厚ナルモノアリタルヲ以テ中途集會ノ禁止ヲ命ジ爾後一切ノ集會ヲ禁止セリ大正十五年十一月思想團体正友會ガ方向轉換ニ關スル宣言ヲ發表スルヤ其ノ指導ヲ受ケツツアル本總同盟モ之ニ倣ヒ勞働農民組合ノ組織別及政治運動ノ是認ニ關スル聲明書ヲ發表シ昭和二年九月解体シテ新ニ朝鮮勞働總同盟（加盟團体一〇二）及朝鮮農民總同盟（加盟團体一三四）ノ成立ヲ見タリ

分立後ニ於ケル朝鮮勞働總同盟ハ中央執行委員長李樂永以下ノ幹部ヲ選任シ陣容ヲ改メ綱領運動方針ヲ決定シ大ニ活躍ヲ期セントセシガ集會禁止ニ次グニ委員長以下幹部中ニハ朝鮮共産黨

事件ニ連座シ検擧サルルモノ相次ギ遂ニ統制ヲ失ヒ最近ニ於テハ何等ノ活動ヲ見ザル狀態ニアリ然ドモ地方加盟團体中ニハ相當活氣ヲ呈シ活動セルモノモアリ昭和三年中ニ新設サレタル勞働組合ハ八十二團体ニシテ同年末現在勞働團体ハ四百八十六團体組合員六萬七千百三十五名ナリ之ヲ前年度末四百三十二團体組合員五萬六千八百六十八名ニ比スルトキハ五十四團体組合員一萬二百六十七名ノ增加ヲ示セリ而シテ地方組合ノ活潑ヲ呈シタルハ新幹會青年同盟等ガ所謂民族協同戰線ノ結成トシテ勞働組合ノ組織ヲ指導煽動シタルト一面ニ於テ朝鮮共產黨ガ勞働者農民ノ獲得ニ主力ヲ注ギ勞働組合ノ組織指導ヲ行動綱領トシテ裏面ニ於テ密ニ地方主義者ト連絡シ勞働組合ノ組織ニ努メタルコトモ大ナル原因ナリト認メラル

農民運動ニアリテハ朝鮮農民總同盟ノ結成後幹部ノ內訌ニ依リ中央執行委員長印東哲ノ引退竝幹部ノ朝鮮共產黨事件ニ連座シテ検擧サレタル等ノ爲現在中央執行部ハ有名無實ノ狀態ニアリ近時之ガ復活ヲ策スルモノアルモ未ダ舊態ニ復セザルモノノ如シ地方ニ於ケル組合運動ハ新幹會、青年同盟等ガ農民大衆ノ指導獲得ニ重キヲ置キ農民組合ノ組織ヲ助成援助シタルト天道教系朝鮮農民社ガ平安南北道、咸鏡南道地方ニ於テ農民社ノ組織ニ努メタル結果昭和三年中百四十團体ノ新設ヲ見前年度二百六十四團体組合員四萬九千九十七名ニ比シ同年末ハ三百九十九團体組合員七萬五百十二名ニ增加セリ朝鮮共產黨ガ勞働者農民ノ獲得ニ主力ヲ注ギ特ニ將來ノ革命ハ農民ニ基礎ヲ置クニアラザレバ奏效セズトナス裏面的策動ハ大ニ農民運動ノ發展ヲ促シ主義者ハ「都會ヨリ農村ヘ」ヲ目標トシテ主義宣傳ニ努メツツアリ又最近一般智識階級學生間ニモ農村ノ疲弊ヲ高唱シ所謂歸農運動ノ擧旺トナリ農村ノ指導開發ヲ說クモノ續出シ或ハ新聞紙ニ依リ或ハ言論集會ニ依リ之ガ宣傳ニ努メツツアリ朝鮮基督教青年會總務申興雨等ガ昭和三年二月北歐丁抹ノ農村狀態ヲ視察シ之ヲ公表シテ一般ニ多大ノ衝動ヲ與ヘタルガ如キ其ノ最モ適例ト謂フヲ得ベシ

(三) 民族主義運動

1、獨立運動

併合以來約十年間表面平穩朝鮮ノ民心ハ大正八年獨立騷擾事件ノ勃發ト共ニ著シキ變化ヲ見ルニ至レリ獨立騷擾事件ノ主因トモ見ルベキハ當時歐洲大戰ノ終局ニ際シ巴里ニ於テ平和會議開催セラレ米國大統領ウイルソンノ提唱ニ係ル民族自決主義ガ全世界ニ喧傳セラルヽニ至リ在外不逞鮮人等此ノ機會ニ於テ世界列國ノ同情ニ訴ヘ朝鮮ノ獨立ヲ圖ラントシタルニ起因シ恰モ朝鮮ニ於テハ故李太王殿下薨去セラレ國葬儀ノ行ハレムトスル時ニシテ鮮內ノ民心異常ノ衝動ヲ受ケタル時ニ當リ在外不逞ノ徒ハ巧ニ天道敎耶蘇敎ヲ中心トスル鮮內急進獨立派ノ者等ト氣脈ヲ通ジ青少年學生其ノ他一般民衆ヲ煽動脅迫シテ全鮮的ニ獨立

14

万歳ヲ高唱シ騷擾ヲ起スニ至ラシメタルモノニシテ之レ日本及列國ニ對スル朝鮮人ノ一大示威運動ト見ルベキモノナリ然レドモ此ノ如キ運動又ハ要求ガ平和會議ニ於テ何等ノ問題トナラザリシハ勿論ナリト雖此ノ運動ノ結果トシテ一般朝鮮人ノ胸底深ク潛在シタル獨立思想ハ勃然トシテ擡頭シ爾後一、二年間ハ在外不逞鮮人等ノ上海假政府ノ組織及活動ト共ニ國境三道ニ於ケル匪賊ノ侵入夥シク鮮內一般ニ所謂軍事資金ノ募集、不穩文書ノ撒布等盛ニ行ハレ官公吏ノ暗殺、官公署ノ爆破等隨所ニ起リ物情騷然タリシガ一方獨立運動者ノ究極ノ期待タリシ大正十年ノ華盛頓會議ニ於テ全然何等ノ効果ヲ齎サザリシコト、所謂上海假政府組織以來獨立ノ美名ヲ掲ケテ良民ヨリ金錢ヲ徴收シナカラ彼等ノ生活、遊興ニ費消シツツアルコト漸次暴露スルニ及ヒ所謂假政府ノ信用失墜スルニ至リタルト一面鮮內ノ民心ハ鎭靜ニ歸スルト共ニ暴力的直接行動ニ依ル無謀ナル運動ヲ避ケ徐ロニ民族精神ノ高調ト實力ノ充足ヲ圖リ以テ他日ニ期スル所アラントスル傾向ヲ生ズルニ至レリ

2、實力養成運動

茲ニ於テ一般ノ大勢ハ民族自立ノ基礎ヲ確立シ文化ノ進展ヲ圖ルニハ一ニ敎育ノ振興ト產業ノ發達トニ俟タザルベカラズト爲シ各種ノ集會ニ於テ敎育ノ必要ヲ叫ビ或ハ敎育機關ノ充實ヲ要望スル等著シク向學熱ノ勃興ヲ來シ官公立學校ハ固ヨリ私立學校書堂ニ至ル迄入學志望者ハ頓ニ激增スルノ狀況ヲ呈シタリ大正十二年四月在京城ノ民族主義者故李商在、李昇薰等ヲ中心トシ敎育振興策トシテ民立大學組織ノ計畫ヲ樹テ「半島文化ノ發

15

展ヲ企畫シ吾人ノ運命ヲ開拓向上セシムル爲　遠ナル智識ト組奥ナル學理ヲ敎育スベキ大學ヲ設立ス」トノ趣旨ニ依リ京城ニ朝鮮民立大學期成會ヲ組織シ資金七百万圓ヲ以テ綜合大學ヲ開設スベク鮮內各地ニ支部ヲ置キ廣ク滿洲、間島、布哇地方在住鮮人ニ對シテモ寄附金募集ニ着手シタルガ一時相當ノ共鳴ヲ得テ表面之ノ會員二千名ニ達シタルモ規模ノ餘リニ大ナルト幹部間ノ連絡充分ナラザリシ結果實績擧ラズ時日ノ經過ト共ニ民心漸次離反シ最近ニ於テハ殆ンド有名無實ノ狀態ニアリテ一般ニ於テモ既ニ此ノ事アリシヲ忘レタルノ感アリ

敎育熱ノ勃興ト相俟テ產業ノ發達ヲ期シ自作自給ヲ目的トスル所謂物產奬勵運動モ一時頗ル盛ニシテ民風改善勤儉貯蓄、禁酒、禁煙又ハ土產奬勵ヲ目的トスル結社ハ各地ニ簇生シタリシモ

之等ハ何レモ徒ニ外來品ヲ排斥セントスル姑息的運動ニシテ朝鮮ノ現狀トシテハ到底實現シ得ベクモアラズ此ノ種團体中最モ著名ナルハ在京城朝鮮物産獎勵會ナルガ大正十一年十二月內地輸入品ノ關稅廢止ヲ見越シ俞星濬、壁泰熙、金潤秀等ノ左傾民族主義者ガ中心トナリ鮮內各地ニ同志ヲ得テ組織シ每年舊曆元旦ヲ宣傳日トシ示威行列ヲ行ヒ印刷物ヲ配布シ或ハ時ニ講演會ヲ開催スル等宣傳ニ努メタルモ一般ニ何等ノ反響ナク反テ嘲笑的態度ニ出ヅルモノアリ氣勢更ニ昇ラザリシガ最近之カ振興策トシテ本部ノ陣容ヲ改メ金泉、寧邊、通川、安州、延白、開城、楊州等ニ支會ヲ設ケ昭和三年四月京城ニ於テ定期總會ヲ開キ生活改善ヲ全鮮的ニ促進セシムルコト朝鮮物産ヲ蒐集シテ一般展覽ニ供スルコト全朝鮮工産業者大會ヲ召集スルコト及農民運動ノ積極的援助等ヲ決議セリ而シテ同年六月京城支會主催トナリ京城ニ於テ京城工産業者大會ヲ開催シタルモ出席者僅ニ二十名ニシテ純朝鮮物産ノ生産消費加工ニ付キ討議スル處アリシモ氣勢更ニ上ラズ最近ニ於テハ格別ノ行動ナシ

3、自治運動

實力養成運動ハ前記ノ如ク朝鮮民族ノ實力ヲ養成シ將來朝鮮ノ獨立ノ宿志ヲ達成セムトセルモノナルモ其ノ實行ノ容易ナラザルト獨立ガ政治的ニ容易ニ許容セラレザルベキヲ考察シ遠キ將來ノ獨立ヲ夢ミムヨリハ寧ロ實現ノ可能性アル程度ニ於テ權利ノ伸張ヲ圖リ徐々ニ朝鮮民族ノ地位ヲ向上セシムルヲ捷徑ナリトシ現政ニ反抗セズ合法的手段ニ依リテ朝鮮ノ自治ヲ獲得シ專ラ朝鮮人ヲシテ朝鮮ニ適切ナル行政ヲ行ハシメムトスル所謂自治論ヲ生ズルニ至レリ此ノ運動ハ大正九年第四十四議會ニ在東京同光會朝鮮總支部ヨリ提出シタル內政獨立請願ニ端ヲ發シ該請願ガ議會ノ採擇スル所トナラザリシ爲將來運動ヲ中止シ居タリシガ大正十二年京城ニ於テ研政會組織セラレ　憲法ノ認ムル範圍內ニ於テ政治、教育、産業ノ三大政策ヲ樹立スベシト倡シ自治論ヲ高唱セムトシタリシガ各方面ノ反對ニ遭ヒ一頓座ヲ來シ大正十五年更ニ其ノ復活運動擡頭セシモ再ビ四圍ノ攻擊ヲ受ケテ中止スルニ至リ未ダ表面顯著ナル運動トシテ表ハレサルモ比較的可能性大ニシテ朝鮮人ノ目的ニ適合スルモノトシテ民族主義者中稍ニ之ニ傾カントスル者多ク最近上海ニ在リテハ安昌浩ノ主掌スル興士團ニ於テモ自治運動ノ促進ニ努メ又在京城天道教宗法師崔麟ハ最近歐米視察ヨリ歸來シテヨリ自治運動ノ促進ヲ圖ラントシ密ニ畫策中ナルモノノ如ク本運動ハ將來相當注意ヲ要スト認メラル

4、最近民族運動ノ傾向

昭和二年二月民族社會兩主義運動ノ合流機關トシテ所謂民族單一党タル新幹會ノ創立ヲ見ルヤ內外主義者ハ運動方針ヲ「經濟的部分鬪爭ヨリ大衆的政治鬪爭」ニ方向轉換ヲ表明シ各種團体亦何レモ之ニ倣ヒ新幹會ノ勢力ガ漸次增大スルニ及ヒ社會運動ハ全ク新幹會ヲ中心トシテ策動スルノ觀ヲ呈シ各種ノ集會ニ於テ殊更ニ政治時事ヲ論ジ地方行政ニ容喙シ或ハ內鮮人間ノ問題ヲ提ヘテ議題ニ供シ民族意識ヲ高調シ民衆ニ排日的氣勢ヲ釀成スルコトニ努メツヽアリ即チ現教育制度反對、産業政策反對、日本移民反對、政治的經濟的解放ノ獲得、民族ヲ特殊的ニ取締

ル諸法會ノ廢止、部落税ノ反對、言論集會結社ノ自由獲得等ニ關シ集會其ノ他ニ於テ論議シ決議、聲明文書等ニ依リテ氣勢ヲ上ゲ地方ニ於テ發生スル各種ノ事件ヲ剔抉シテ民族問題化シ事件ヲシテ益々擴大紛糾セシメタル事例尠シトセズ本年六月咸鏡南道甲山郡ニ於ケル火田民整理問題ニ關シ新幹會、槿友會、朝鮮青年總同盟及其ノ支會加盟團体等ノ一齊反對策動又同十一月全羅南道光州ニ於テ發生シタル內鮮人中等學生ノ衝突事件ニ關シ新幹會其ノ他社會團体ノ策動等ハ最モ顯著ナル事例ニシテ地方施設タル水利組合、産業組合等ノ設置反對、桑苗植付農具改良、堆肥奬勵ニ反對シ面附課税ヲ拒否シタルガ如キ行動ニ出デタルモノハ實ニ枚擧ニ遑アラズ而シテ此等社會團体、主義者中ニ現政ヲ否認シ地方行政ニ反抗ノ氣勢ヲ上グルコトヲ以テ所謂

大衆的政治闘爭ヘノ進出ナルガ如ク思惟スルモノアリ又一面京城ニ於テ發行スル朝鮮日報、東亞日報、中外日報ノ三諺文新聞ハ常ニ此ノ種ノ思想傾向ヲ代表シ或ハ帝國ノ朝鮮統治ヲ誹謗シ或ハ地方時事問題ニ關シ偏見ヲ以テ批判攻擊シ或ハ朝鮮人ノ不逞行動ヲ賞揚スル等民族的反抗氣分ヲ激發セシメントスル記事ヲ揭ゲ思想青少年團体及學生等ハ常ニ之ガ論調ヲ注視シ以テ彼等ノ運動ノ指針トナセルヤノ感アリ現下ニ於ケル此ノ傾向ハ最モ注意ヲ要スベキ事象ナリトス

現下ノ情勢叙上ノ如シト雖亦一面ニ於テ近時一部ノ民族主義者及社會主義者間ニ於テハ從來ノ如キ不穩過激ナル行動又ハ反抗的運動ヲ以テシテハ徒ニ多數有爲ノ士ヲシテ刑辟ニ觸レシメ朝鮮民族ヲシテ益々悲慘ナル境遇ニ陷ラシムルノミニシテ何等得ル處ナク到底所期ノ目的ヲ達スル能ハザル所以ナルヲ感得シ今後ハ主トシテ當局ノ認容スル範圍內ニ於テ合法的行動ヲ爲シ又ハ進ンデ當局ノ施設ニ迎合スルガ如キ態度ニ出デ穩健着實ナル方法ニ依リテ産業ノ開發、教育ノ振興、農村ノ教化、生活ノ改善等各方面ノ事業ニ精進シ克ク當局ノ指導援助ヲ甘受シテ民族ノ向上進歩ヲ圖ラントスル所謂妥協的運動方法ニ依ルト共ニ一面各人ノ胸底深ク民族精神ヲ包藏シ當局ノ施設及施設ノ缺點ニ對シテハ合法的手段ヲ以テ務メテ之ニ抗爭スルノ方法ニ依リ徐々ニ實力ノ養成ト政治的抗爭ノ修練ヲ積ミ以テ他日ニ備ヘントスル傾向ヲ生ジツヽアリ

(四) 民族社會兩主義運動ノ合流

1　民族單一黨結成運動

大正十三年四月朝鮮青年總同盟並朝鮮勞農總同盟ノ結成ニ依リ各種團体ハ殆ンド統一サル、ニ及ビ社會主義運動ハ全鮮ヲ風靡スルニ至レルガ大正十四年以來數次ノ共產黨事件檢擧ニ依リ社會主義者ハ多クノ指導者ヲ失ヒタルト內地ニ於ケル無產政黨樹立ノ影響ヲ受ケ民族主義者ト相結ビ全民族ノ總力量ヲ集中シテ以テ經濟的鬪爭ヨリ政治鬪爭ヲ目的トスル民族單一黨結成ノ氣運ヲ釀生スルニ至リ大正十五年十一月朝鮮ニ於ケル社會主義運動ノ最高指導機關タル正友會ハ方向轉換ノ宣言ヲ發表シテ解体シタルヲ始メトシ同會ノ操縱スル朝鮮勞農總同盟亦政治行動是認ノ方向轉換聲明書ヲ發表スルニ至レリ此ノ時ニ當リ左翼民族

20

主義者ハ民族運動ノ展開策トシテ非妥協主義ヲ標榜スル民族單一黨結成ノ議アリ社會主義者亦之ニ共鳴シ民族社會兩主義者合流ノ機運ハ急激ニ促進セラレ昭和二年二月兩主義者ヲ打テ一丸トシタル新幹會ノ創立ヲ見タルガ各社會團体主義者等ハ民族單一黨結成ノ過程トシテ新幹會ニ加入シ又ハ之ヲ支持支援スルモノ尠カラズ昭和二年五月以降民族、社會兩主義運動ハ全ク新幹會ヲ中心トシテ策動スルニ至レリ而シテ民族單一黨ノ結成ハ啻ニ鮮內ニ於ケル民族社會兩主義者ノ合流ヲ招來セシノミナラズ國外ニ於ケル不逞鮮人間ニ於テモ近時之等ノ中心タル所謂上海假政府ノ凋落甚シク之ガ威令行ハレザルト各不逞團間ニ兎角統一ヲ缺ギ運動區々ナル爲不振ニ傾キツ、アリテ之ガ統一振興ニ關シテハ從來ヨリ其ノ議アリシモ未ダ機熟セザリシガ昭和二年來各地不逞團ハ相呼應シテ韓國唯一獨立黨ノ促進ニ努メツツアリ又內地ニ於ケル社會運動ノ方向轉換ニ伴フ無產政黨ノ勃興モ本畫策ヲ刺戟シタル處大ナルモノアリト認メラル

2　新幹會ノ狀況

在京城民族主義者間ニハ大正十四年以來行詰マレル民族主義運動ノ局面展開策トシテ左翼民族主義者ヲ糾合シ民族的大同團結ヲ目的トスル新團体組織ノ計畫アリシモ具体化スルニ至ラザリシガ昭和二年一月朝鮮日報系ヲ中心トスル申錫雨、安在鴻、金俊淵等ハ突如全民族單一黨結成ヲ標榜シ新幹會ノ組織計畫ヲ發表シタルガ先是朝鮮物產獎勵會一派ノ同主義者間ニモ同一目的ヲ有スル民興會組織ノ計畫アリ又大正十五年十一月朝鮮ニ於ケル最モ有力ナル社會主義團体正友會ハ時勢ニ鑑ミ從來ノ部分的

21

經濟運動ヨリ太衆的政治鬪爭ニ方向ヲ轉換スベキコトヲ宣言シ同時ニ既成主義團体ノ解体ヲ說キ自ラ解体セルガ偶々新幹會ノ組織計畫セラル、ヤ舊正友會ノ幹部及民興會一派モ之ニ參加シ共ニ協力シテ民族主義並社會主義ノ合流團体トシテ新幹會ノ成立ニ努ムル處アリ同年二月十五日京城ニ於テ其ノ創立總會ヲ開催セリ

爾來所謂民族單一黨トシテ民族、社會兩主義團体ノ支持支援ノ下ニ組織及宣傳ニ努メタル結果朝鮮內外ニ百四十一支會（昭和四年十二月現在）ト約三萬ノ會員ヲ擁シ二百三十二府郡島中百二十府郡ニ亘リ支會ノ設置ヲ見ルニ至リタルガ本會ハ當初(一)吾等ハ政治的經濟的覺醒ヲ促進ス(二)吾等ハ團結ヲ鞏固ニス(三)吾等ハ機會主義ヲ一切否認スノ三綱領ヲ發表シタルガ本會主唱者ハ

當局ニ對シ本會組織ノ動機及經過ヲ述ベ現統治下ニ於テ合法的且穩健ナル方法ニ依リ朝鮮民族ノ福利ヲ增進シ將來ノ發展ヲ圖ラントスル趣旨ニシテ本會ノ下ニ集ル會員中ニハ從來不穩行動ニ從事シタル者多カルベシト雖之等ヲ統制シ漸次穩健ナル方面ニ善導スルニ在リテ巷間擯斥セラルヽガ如キ帝國ノ朝鮮統治ヲ否認シ又ハ之ニ抗爭セントスルモノニアラザルコトヲ聲言シタリ然ルニ本會ハ創立後未ダ其ノ趣旨目的ヲ明ニスベキ宣言ヲ發表セズ目的ヲ曖昧ニスルノミナラズ世間ニ宣傳セラルヽ處ハ本會ハ民族最左翼主義ヲ以テ民族單一黨ヲ組織シ朝鮮民族ノ政治的、經濟的解放ヲ目的トスルモノトセラルヽノミナラズ各地方支會ノ行動ヲ見ルモ多クハ不穩過激ナル行動ニ出デ治安上止ムヲ得ズシテ司法處分ニ附セラレタルモノ創立總會ヲ禁止シタル

22

モノ集會ヲ禁止制限シタルモノ不穩文書ノ頒布ヲ禁止シタルモノ等其ノ取締ヲ要スルモノ過半ニ及ビ統治上惡影響ヲ及ボシタル事例多ク昭和三年二月及本年三月開催ノ筈ナリシ定期又ハ臨時大會ハ左翼分子ヲ京城ニ集合セシメ現政ニ反抗的氣勢ヲ上ゲシメルコト明ニシテ治安上容認スベカラザルモノト認メ事前ニ集會ヲ禁止シタルガ各地支會ニ於ケル大會其ノ他ノ集會ノ議事狀況ヲ見ルニ或ハ朝鮮民族ノ政治的經濟的解放促進方法トシテ全民族ノ現實的利益獲得ノ爲鬪爭スルコトヲ主張シ或ハ言論集會出版結社ノ自由獲得、朝鮮民族ヲ壓迫スル一切法令ノ撤廢、日本移民ノ反對、產業政策ノ本質ヲ曝露シ朝鮮人本位ノ政策實施、日本化本位ノ教育ヲ否認シ學校ノ教育用語ハ朝鮮語トシ朝鮮人教師ヲ專用スルコト、總テノ殖民地政策ノ本質曝露、不當納稅ノ反對、非妥協的旗幟ノ鮮明其ノ他徒ニ現政ヲ批判攻擊セントスルガ如キ不穩當ナルモノ尠カラザル狀況ニアリ

本年三月臨時大會禁止後新幹會本部ニ於テハ何等カノ形式ニ依リ役員ノ改選並ニ規約ノ改正ヲ行ヒ以テ陣容ヲ改メントシテ種種畫策スル處アリ六月二十八日ヨリ二日間本部ニ於テ複代表委員會ヲ開キ規約ヲ改正シテ從來ノ會長制ヲ執行委員制ニ改メ中央執行委員長許憲、書記長兼會計金炳魯以下中央執行委員檢查委員、各部委員ヲ選任セリ爾來甲山火田民整理事件、太平洋會議朝鮮代表問題、東京朝鮮人送還問題、光州學生衝突事件等ニ關シ策動ヲ試ミ勞働農民女性衡平各運動ト緊密ナル連絡ヲ結ブ爲本部ニ部問連絡部ヲ置キ活動緩慢ナル沈滯支會ヲ督勵スル爲各道ニ特派員ヲ派スル等不斷ノ活動ヲ續ケツヽアリ

23

3 青少年運動

大正八年獨立騷擾事件勃發後民族主義者等ハ青少年ヲ驅テ獨立運動ノ渦中ニ投ゼシメントシ實力養成運動ノ旺ナルニ從ヒ青少年團体ハ各地ニ簇出シ之等ハ何レモ將來民族運動ノ中堅タラシムベク指導煽動セラルル處アリ其ノ後社會主義思想ノ侵潤ニ伴ヒ一部青少年團体ハ之ニ混合シテ社會主義者ノ傀儡トナリテ妄動セントスルモノアリ社會主義者亦青少年ノ誘引ニ主力ヲ注ギ昭和二年以降社會運動ガ經濟的部分鬪爭ヨリ政治的大衆鬪爭ニ方向ヲ轉換スルニ及ビ青少年運動モ之ニ合流シテ主義運動ニ沒頭シツツアリ爲ニ青少年ノ思想ハ都鄙ヲ通ジテ漸次惡化ノ傾向ニアリテ之ガ取締及善導ニ關シテハ一段ノ努力ヲ要スルモノアリ

青年運動ニアリテハ大正九年獨立運動ノ高調期ニ際シ東亞日報總務張德秀等ハ青年團体ヲ統一シテ獨立運動ノ一支隊トシテ朝鮮青年聯合會ヲ組織シタル以來各地ニ青年會簇出シ大正十二年頃社會主義運動ノ擡頭スルヤ從來民族主義ヲ標榜セル青年會ハ漸次社會主義ニ轉換シ大正十三年朝鮮青年總同盟ノ創立ヲ見ルヤ多クノ青年團体ハ之ニ加盟スルニ至レリ而シテ青年總同盟ノ綱領トスル處ハ新社會ノ建設、解放運動ノ先驅ニアリテ大正十四年秘密結社高麗共產青年會ノ組織後ハ陰ニ之等ノ指導ヲ受ケテ著シク共產主義化シ昭和二年組織体ヲ府郡單位ノ青年同盟ニ變更シ從來ヨリモ一層社會組織ノ變革ヲ叫ビ總督政治ヲ誹謗スルガ如キ言辭ヲ弄スルモノアル等一般青年ノ思想ヲ荼毒スル處尠カラザルモノアルヲ以テ嚴ニ取締ヲ勵行シツヽアリ

少年運動ニ關シテハ近時民族社會兩主義者ハ將來ノ主義運動ノ闘士ヲ養成スベク少年少女ノ敎養ニ着眼シ思想團体、青年主義團体ニハ特ニ少年部ヲ置キ或ハ少年會ヲ組織シ又ハ既設少年會ノ裏面ニ介在シテ之ヲ主義的ニ指導操縦スルノ傾向ヲ生ジ少年ノ集會講演會等ニ於テ原稿ヲ與ヘテ渠等ノ謂ハントスル處ヲ傳授シ僅ニ十二、三才ノ少年少女ヲシテ民族ノ壓迫、社會組織ノ缺陷ヲ擧ゲテ團結抗爭ヲ叫バシムルガ如キ事例尠シトセズ少年團体ノ全鮮的統一機關トシテハ京城ニ朝鮮少年總聯盟アルモ幹部間ニ左右兩派アリテ統制ヲ缺ギ威令行ハレザル爲地方少年團体ノ多クハ青年團体ノ指導操縱ヲ受クルノ狀況ニアリ

24

25頁～68頁は、原本において欠落しています。（不二出版）

六、在外不逞鮮人ノ狀況

(一) 不逞運動

大正八年騷擾後在外不良ノ徒ハ上海ニ於テ組織セル潜稱臨時政府ヲ中心トシテ露支領及遠ク米領地方在住鮮人トモ氣脈ヲ通ジ相呼應ジテ幾多ノ不逞行動ニ出デ帝國ノ羈絆ヲ脫シ專ラ民族ノ再生ヲ期セント企圖セシガ反テ鮮內ノ民心ハ年ト共ニ靜平ニ歸シ何等ノ反響ナク加フルニ資金ノ涸渇ハ之等徒黨ノ妄動ヲシテ益不振ノ狀態ニ陷ラシメタルガ輓近世界思潮ノ變動ト露國革命勢力東漸トハ之等不逞輩ヲシテ漸次社會主義思想ニ侵染セシメ國際共產黨ノ後援ヲ得テ赤化革命ニ依リ朝鮮ノ解放ヲ期セントシ既設團体中比較的新智識ヲ有スル青年等ニシテ之ニ奔ルモノ多ク之ガ爲各團体間新舊思想ノ衝突ニ基ク抗爭ヲ絕タズ最近ニ於テハ所謂朝鮮民族總

69

力量ノ集中ヲ基調トシテ各團体ノ集結運合ヲ策シ專ラ之ガ氣運ノ釀成ニ努メツツアルモ各團体間固有ノ派爭並地方的感情ニ基因スル黨爭ハ容易ニ融合シ難キ情勢ニ在リ然レドモ近時在米鮮人間上海臨時政府援助ノ聲漸ク高ク一時斷絶ノ狀態ニ在リタル歐米委員部トノ關係ヲ復活セシメ既ニ多少ノ資金ヲ送付セルヤノ說アリ更ニ渠等ハ地理的、國際的關係上運動ノ本領ヲ滿洲ニ置クヲ有利ナリトシ革命運動ノ總力量ヲ滿洲ニ集中スベク高潮シツツアリ殊ニ在滿不逞鮮人等ハ曩ニ國民府ナル新團体ヲ組織シテ陣容ヲ整ヘ之ガ根據ヲ吉林省ヨリ遼寧省新賓縣地方ニ移轉セシメ支那官憲ノ買收、地方鮮農ノ懷柔ニ努メ頻リニ韓僑同鄉會其ノ他反動團体ノ壓迫撲滅ヲ期セント策シ積極的行動ニ出テ居レルガ其ノ行動漸次橫暴ヲ極メントスルニ對シ在滿社會主義團体ノ反抗、一般鮮農ノ反感益濃厚ナラントシツツアルヲ以テ到底豫期ノ行動ニ出デ得ザルベシト認メラルルモ或ハ餘勢ヲ驅ッテ國境地帶ニ蠢動スルヤモ難計嚴密警戒ニ努メツツアリ

ノ．上海方面

上海在住鮮人ハ最近其ノ數約千五百名ニ達シ內約八百名ハ有數者ナリト傳ヘラレ居ルモ實數其ノ半ニモ達セザルモノノ如ク而シテ此等鮮人中所謂不逞者ト稱スルモノノ多クハ主トシテ我官憲ノ取締圈外ナル佛租界ニ居住シ自治機關トシテ大韓僑民團ヲ組織シ僅ニ仁成學校等ノ經營ヲ爲シ居ルニ過ギザルガ貧弱ナル財政ナル爲經營資金ニ窮シ近時專ラ佛國官憲ニ阿附シテ其ノ援助ヲ求メムト策シツツアリ而シテ同地ヲ中心トスル不逞運動ハ大正八年騷擾後所謂潛稱臨時政府ノ組織ニ依リテ各地不逞巨頭

輩ノ蝟集スルモノ多ク一時同地ハ在外不逞者陰謀ノ策源地タル觀アリシガ之等徒輩間常ニ畿湖、嶺南、西北等鮮內固有ノ鄉土的感情ニ基ク暗鬪ヲ絶タズ加フルニ鮮內民心ノ安定ト共ニ資金入手ノ途杜絶シタル爲運動漸次衰微シ更ニ巨頭輩ノ四散ニ依リテ殆ント崩壞ニ瀕セントシ僅ニ金九等數輩ノ幹部ニ依リテ殘骸ヲ擁シ居ルモ現況全ク空名ヲ止ムルニ過ギズ加フルニ幹部李東寧、吳永善ノ如キハ宿痾漸ク重態ニ陷ラントスルモ藥餌ヲ需ムベキ資力ナキノミナラズ殆ント糊口ニモ窮スルガ如キ悲慘ナル狀態ニ在リ更ニ金九亦衣食ニ窮シテ滿州ニ奔ラントスルヤノ說傳ヘラレ居リシ等益窮迫ノ狀況ニ陷リ居リシガ之カ爲在米同志ニ對シテ其ノ窮狀ヲ訴ヘ曾テ李承晚排斥問題ニ端ヲ發シテ一時分裂ノ狀態ニ在リタル假政府歐米委員部トノ關係ヲ復活セシメ再ビ人口稅ヲ徵收シテ其ノ援助ヲ受ケンコトヲ哀訴シタル結果在米有力鮮人間ニ於テモ漸次輿論喚起サルルニ至リシトモ傳ヘラレ既ニ多少ノ資金ヲ送付シ來リタリトノコトナルガ更ニ安昌浩ノ如キハ昭和三年中マニラ其ノ他南洋各地ヲ遊說シテ在住鮮人ニ對シ假政府援助ノ強調ニ努メ又上海ニ於テモ同人等主唱ノ下ニ臨時政府經濟後援會ヲ組織シテ在滬鮮人ヨリ資金ノ醵集ヲ圖ラント策シ居ル外在滿鮮人ニ對シテモ同樣其ノ窮狀ヲ述ベテ維持資金ノ募集ヲ圖ラント策スル等百方奔走シ居レルガ一面中國國民政府ニ對シテモ專ラ之ニ接近シテ其ノ歡心ヲ買ヒ以テ在支鮮人問題ヲ有利ニ展開セシメムト策シ南京ニテ擧行ノ孫文移靈式ニ代表者ヲ派遣スル等ノ行爲ニ出デシガ同時ニ歸化鮮人問題ニ關シ極メテ有利ナル自家擁着ノ條件ヲ羅列シテ外交部ニ陳

情スル等今尙餘喘ヲ保チテ蠢動ヲ繼續シツツアリ

英雄崇拜主義ノ旗幟下ニ安昌浩ヲ總帥トスル平安道人一派ノ興士團亦遠東支部ヲ上海ニ置キ鮮人修養機關ヲ標榜シテ內外同志ノ團結ヲ圖リ專ラ民族意識ノ喚起、强調ニ努メツツ上海、北京等ニ於テ農事經營ヲナシ徐々豫謀ノ具体化ヲ計ラントシツツアリ現在團友三百餘名ヲ有スト稱シ居レルガ目下其ノ本部ヲ北米加洲ロスアンゼルスニ置キアルモ昭和五年新春早々之ヲ上海ニ移轉スベク計畫中ナリトノ報アリ

其ノ他諸種ノ團体組織サレアルモ殆ント異名同人ノ集合体ニ過ギズシテ單ニ空名ヲ存ズルニ止マリ何等活動ノ認ムベキモノナシ

兇暴行爲ヲ以テ其ノ生命トシ一時社會ノ耳目ヲ聳動シタル義烈團ハ今ヤ全ク昔日ノ觀ナク目下上海ニ在留スル團員若干アルモ殆ント共產黨ニ加盟スルニ至リ首領金元鳳ノ如キモ目下肺患ニ罹リ同志ノ補助ニ依リ辛フジテ餘命ヲ保チ居ル狀態ニシテ何等活動ニ參加スベキ氣力ナキガ如キモ（一說ニ日本官憲ノ檢擧ヲ怖レ上海ヨリ宜昌ニ逃キ一切ノ運動ヲ中止シ宿病ノ療養ニ專念シ居レリト）彼等ノ同志ニシテ今尙賣名的ニ入鮮ヲ企圖セントスルヤノ情報アルヲ以テ常ニ嚴密ナル注意ヲ拂ヒツツアリ

2. 廣東方面

廣東在住不逞鮮人孫斗煥ハ蔣介石ノ知遇ヲ得居ルヲ奇貨トシ朝鮮革命ニ際シ軍務ニ服セシムル目的ヲ以テ多數ノ鮮人靑年ヲ招致シ一時ハ同地各學校ニ在學スル者數百名ヲ算セシモ其ノ後共產黨ノ取締嚴重トナリシ爲難ヲ上海及武昌方面ニ避クル者多ク

72

最近ニ於テハ著シク減少シ僅ニ數十名ヲ算スルニ過ギズト本春廣東在住鮮人ハ支那各地在住鮮人ニ比シ思想的方面及民族運動ニ於テ萎靡不振ノ狀態ニアルニ鑑ミ何等カノ方法ニ依リ之ガ打開策ヲ講ゼントシ金陽、金遠山、金奎善等ノ徒相謀リ商事會社ヲ設立シ其ノ得タル利益ヲ朝鮮獨立運動準備金トシテ積立ヲ爲ス目的ニテ之ガ株金ヲ廣ク募集シ一面初メテ來廣スル鮮人ニ職業ヲ紹介シ又ハ商事會社ノ得タル利益金ヲ以テ低利ニ資金ノ融通ヲ爲シ多數ノ同胞ヲ招致スルコト及支那側ノ諒解ヲ得テ支那革命ノ發祥地タル廣東ヲ朝鮮獨立運動ノ中心地ト爲スベク運動計畫シツツアルヤノ情報アリシモ其ノ後ノ經過詳ナラズ

3. 北平、天津方面

北平ハ開放サレタル商埠地ニ非ル關係上革命政府治下ノ現在ニ於テハ在外不逞者等ハ唯一ノ避難地ト爲シ居ルヤノ觀アリ在住鮮人約四百名ニ過ギザルモ其ノ多クハ不逞者ニアラザレバ遊食無賴ノ徒ニシテ常ニ革命政治家、國民黨員等同情ノ蔭ニ隱レテ不逞行動ニ出デントシツツアルガ如キモ彼等不逞者間其ノ民族性トモ認ムベキ黨爭ヲ絕タザル爲運動毫モ進展セズ既往ニ於テ組織サレタル幾多ノ團体モ現在ニ於テハ僅ニ在外運動戰線統一ヲ標榜セル金東州、李相一等數氏主宰ノ大獨立黨組織北京促成會ノ外金承萬等ノ興士團北京團所、不言實行ヲ意味シテ兇暴行爲ヲ敢行シツツアリシタムール團等二、三ニ止ムルノミニ過ギザルガ是等ハ居常自ラ志士ヲ以テ任ジ姜九禹ノ如キ斷指血書シテ中國革命ニ迎合的字句ヲ羅列シ北京反日會ニ贈リテ其ノ同情ヲ得タル等ノ如ク徒ラニ悲憤慷慨的言動ニ出ヅルヲ常トスルモ資

73

力ナキ遊食ノ徒多キ爲生活ニ窮シ同志間ヲ轉々スル外時ニ資力ヲ有スル同胞ヲ襲ヒテ殺戮監禁脅迫等總有手段ニ依リテ金品ヲ奪取シツツアリ昭和三年中ニ於ケル李泰龍等ノ朴容萬殺害事件昭和四年中ニ於ケル朴觀海等ノ朴崇秉監禁事件、李相一等一派金昌國ノ天津泰昌洋行主李泰和射殺事件ノ外北平、張家口ニ於ケル鮮人醫師脅迫事件等何レモ彼等不逞者ノ名ヲ運動資金ニ藉リテ同胞相喰ムノ醜ヲ演ジ中外ノ指彈ヲ受ケツツアルノミナラズ一面促成會內ニ於ケル民族共產兩主義者ノ內訌ニ基因シ鬪爭ヲ惹起シテ負傷者ヲ出ス等益兩者感情ノ疎隔ヲ深刻ナラシメタル等一層運動ノ衰頹ヲ來シツツアリ

天津在住鮮人ハ約三百名ニ過ギズ又不逞團体等ノ組織ナキガ如キモ同地ハ北平ト指呼ノ間ニ在ルノミナラズ上海滿州方面交通ノ要衝ニ當リ不逞者ノ來往頻繁ナル爲內外連絡ノ要地タル觀アリ常ニ其ノ來往動靜ニ注意シツツアリ

4 南北滿洲方面

在滿不逞團ハ從來南滿ニ於ケル正義府、參議府、北滿ニ於ケル新民府ノ三府鼎立シテ嶄然頭角ヲ顯ハシ各地方機關ヲ設置シテ其ノ組織ヲ鞏固ニスルト共ニ所在鮮農ノ自治機關ヲ標榜シテ一定ノ義務金ヲ賦課シ且ツ武力ヲ擁シテ互ニ勢力爭奪ニ沒頭スル外義務金ノ强徵、反動團体ノ撲滅善良團体制壓等ノ爲時ニ暴行殺戮ヲモ敢行スルガ如キ不逞行動ニ出テツツアリシガ近時思想運動ノ勃興ニ依リテ比較的新智識ヲ有スル團員等ノ在滿社會運動團体ニ奔ルモノ多ク各團体間亦新舊思想ノ衝突及地方的感情ニ基ク內訌ヲ絕タズ加フルニ最近一般鮮農ノ自覺ニ伴ヒ之等不

74

逞團ノ橫暴殘虐ナル行動ニ對シ其ノ反感激成サルルニ至リ多年ノ强壓ヨリ脫セントシテ各地ニ自衞的團体ヲ組織シテ反抗ノ氣勢ヲ昂グルモノ續出スル等民心日ニ離反スルニ至リシ爲之ガ局面ノ打開ヲ圖ルベク正、新、參三府ノ合同ヲ策シ以テ在滿革命戰線ノ統一ヲ期セントシ正義府ノ提唱ニ依リ昭和三年十月三府代表者吉林ニ集合シタルガ裏面ニ於ケル正義府ノ覇權獲得ノ陰謀暴露シタルト新、參兩府內訌ノ爲其ノ代表者ノ資格問題ニ絡マル紛糾容易ニ解決スルニ至ラズシテ遂ニ決裂ニ歸シタルガ爾來新民府軍政派及參議府代表金希山一派ハ促成會派（正義府舊幹部脫退ノ一派）ト結ビテ正義府ニ對抗スベク新ニ革新議會ヲ組織シ運動戰線ノ統一淸算ヲナスベキ暫定機關タラシムルト共ニ大獨立黨組織準備ノ爲民族唯一黨在滿策進會ヲ組織シ以テ新民府及參議府ノ解体宣言書ヲ發表シタルガ之ニ對シ新民府、民政派及參議府沈龍俊一派ハ依然兩府ノ存立ヲ聲明スル等互ニ抗爭スルニ至リシガ之ガ爲在滿民族運動團体ハ在滿運動團体協議會、民族唯一党組織同盟ヲ支援スル正義府、新民府、民政派ノ一派ト之ニ對抗スル革新議會、民族唯一獨立黨在滿策進會ヲ支持スル新民府軍政派、參議府金希山一派及正義府舊幹部脫退派ノ一派ヲ構成シテ二大分野ヲ劃スルニ至リタリ而シテ當時新民府ハ軍政、民政兩派ノ內訌暗鬪ヲ惹起シ事每ニ紛糾ヲ釀シツツアルノミナラズ哈爾賓總領事館警察ノ積極的行動ニ依リ其ノ根據地ヲ襲ハレ幹部以下多數逮捕サルルニ至リシ爲早晚分裂四散ノ運命ニ瀕シ居リ參議府亦金希山一派三府統一會議出席不在中沈龍俊等一派ノ幹部排斥ニ基ク內訌ノ間隙ニ乘ジ昭和三年十月

75

以降數回ニ亘リテ通化領事分館ノ積極的行動ニ依リ金希山以下多數ノ幹部逮捕サルルニ至リ沈龍俊ハ僅ニ身ヲ以テ逃レ吉林ニ奔リテ正義府ニ抗セントシ一面穩健派ハ自治團体韓僑同鄉會（當初鮮民府ト稱ス）ヲ組織シテ同分館ニ恭順ノ意ヲ表シ我官憲ヲ援助シテ不逞者ノ逮捕ニ當リ飽迄之ト對抗シテ充分其ノ基礎ヲ確立セントスル等同府ハ殆ント壞滅ノ狀態ニ陷リシガ又正義府ニ於テモ三府統一會議決裂後革新議會派ノ反抗的策動ノ爲民心益離反シ遠カラズ自滅ノ外ナキ狀勢ニ在リシヲ以テ新民府、民政派及參議府沈龍俊一派ト氣脈ヲ通ジ更ニ三府ノ合同統一ヲ提議シ昭和四年三月下旬吉林ニ於テ再ビ三府代表會議開催ノ結果上述ノ如ク殆ント自立不能ノ狀態ニ在リシ爲議容易ニ成リ茲ニ國民府ナル新機關ヲ組織スルニ決シ同四月一日三府統一會ノ名ヲ以テ宣言書ヲ發表スルニ至リタリ而シテ其ノ根據地ヲ吉林省內ヨリ比較的支那官憲ノ取締寬ナル遼寧省新賓縣ニ移シ巧ニ支那官憲ヲ買收シテ其ノ歡心ヲ得且ツ各種ノ宣傳印刷物ヲ配布シテ地方鮮農ノ懷柔ニ努メ專ラ舊參議府地盤ノ回收復活ニ努メ其ノ勢力漸次增大スルニ伴ヒ昭和四年九月多數ノ鮮農ヲ煽動シテ桓仁縣城ニ迫リ同地領事館出張所及韓鄉同鄉會ノ廢止ヲ高調シ且ツ所屬軍隊ヲ指揮シテ通化領事分館派遣ノ警察官ニ暴行ヲ加フル等橫暴ヲ極メツツアリシガ本年九月中央議會開催ノ結果時勢ノ推移ト鮮農懷柔ノ表面對策上從來混同併行セシ革命ト自治トヲ分離シ革命事業（獨立運動）ハ民族唯一黨組織同盟ニ委讓シ國民府自体ハ專ラ在滿鮮人ノ自治機關トシテ自治ニ關スル事業ヲ擔任スベク決議シタル結果軍事部ヲ廢シ同府所屬ノ朝鮮

革命軍ハ民族唯一黨組織同盟ニ從屬セシメ國民府ニハ新ニ公安部ヲ設置シ必要ナル地點ニハ警護局或ハ警護分局ヲ設ケテ公安ニ任スルコトトセリ然レトモ裏面ニ於テハ依然トシテ第一第二指揮部ナル武力隊ヲ特設シテ義務金ノ強調ヲナサシムルト共ニ韓僑同鄉會及反動分子ノ撲滅ヲ期セントシツツアリ本年十一月通化ニ於テハ夜間同地領事分館鮮人警察官ヲ射殺シ且ツ鮮人ニ負傷セシメタル外韓僑同鄉會幹部ノ留守宅ヲ襲ヒテ家族數名ヲ殺傷シ更ニ間島地方ニ募捐隊ヲ派遣シテ義務金ノ強徵ニ努メ逮捕ニ向ヒタル同地領事館警察官ヲ射殺スル等益兇暴殘虐ナル行動ニ出テ居レルガ何時餘勢ヲ駈ッテ鮮內ニ侵入スルガ如キコトアルヤモ難計嚴密警戒中ニ在リ

又一面新民府軍政派金佐鎭一派ハ國民府ニ對抗シテ北滿不逞團体ノ改造ヲ目標トシ南大觀、金月波、田晦觀、李鵬海等ノ黑色同盟一派ト提携シ韓族總聯合會ナル新團体ヲ組織シ已ニ海林、額家屯、紅何子等ノ各地ニ支會タル農務協會ノ設置ヲ決議セルガ地方歸化韓族同鄉會ノ解散ヲ強要セル等ヨリ住民ノ反感ヲ招キ其ノ進展意ノ如クナラズト傳ヘラルルガ黑色同盟員ノ介在ハ相當注意ノ要アリ

5. 露領方面

露領ニ於ケル民族主義ノ團体トシテハ何等特記スベキモノナク唯タ三月一日ノ獨立記念日及八月二十九日併合記念日（鮮人ハ國恥記念日ト稱ス）ニ於テ浦潮其ノ他咸鏡北道對岸朝鮮人ノ多數居住セル地方ニ於テ排日演說又ハ演劇等ヲ催シ不穩思想ノ鼓吹ニ努メ居ルニ過ギズ

6. 米布方面

米布方面ニ在留スル朝鮮人ノ數ハ米國本土ニ約一萬、布哇ニ約五千人合計一萬五千人ト推定セラレ而シテ之等朝鮮人中ニハ併合前後時局ニ不平ヲ懐キ渡航セルモノ尠カラズ之等ノ内ニハ有力ナル智識階級多ク渡航後各種ノ團体ヲ組織シテ新聞、出版物ヲ發刊シ以テ祖國ノ復興ヲ呼號シテ獨立思想ノ鼓吹ニ努メ大正八年三月騒擾勃發スルヤ上海ニ假政府ヲ組織セシメ恰モ米國ノ後援ニ依リテ目的ノ達成ヲ期シ得ルガ如ク宣傳シ不逞者ハ勿論一般鮮人ノ崇米思想ヲ煽リシト雖時勢ノ推移ハ他國ニ倚頼スルモ何等ノ效果ナキコトヲ自覺セシメ運動ノ衰微ニ伴ヒ彼等ノ聲望全ク地ニ墜チ現在ニ於テハ何等勢力ノ認ムベキモノナク僅ニ職業的不逞輩ノ今猶排日言動ヲ弄シ或ハ新韓民報及三一申報ノ如キ不穩新聞ヲ發行シ或ハ在米鮮人留學生ノ時々會合シテ政治問題ヲ論議スルニ過ギザルガ在紐育三一申報社ニ在リテハ張德秀等ヲ中心トシテ昭和四年ガ恰モ大正八年騒擾十週年ニ相當スルヲ以テ之ヲ三一運動十週年記念ナリトシテ三一運動十週年史編纂ヲ企畫シ鮮內同志ニ之ガ材料蒐集送付方依頼シタルガ更ニ最近別項記載ノ如ク上海假政府ノ窮狀ヲ訴ヘ來リタルニ對シ從來ノ感情ヲ一掃シ此ノ際再ビ歐米委員部トノ聯絡ヲ復活セシメ之レガ援助ヲナスベク彼等同志間ノ輿論漸ク喚起サレントシツツアリ今後ノ動靜相當注意ヲ要スト認メラル

78

(二) 共產主義運動

極東露領ニ於ケル朝鮮人ノ共產主義運動ハ一千九百十九年「ソウエート」政府ノ勢力ガ東漸スルニ及ビ從來ノ排日鮮人等ハ競ッテ之ニ接近シ露領内ニ安住ノ地ヲ得且ツ朝鮮ノ獨立ニ對シ「ソウエート」政府ノ援助ヲ仰ガンコトニ努メ歸化鮮人ハ共產黨正黨員トナリ其他ハ韓族共產黨ヲ組織シテ在住鮮人ニ對シテハ勿論鮮内ノ赤化ヲ企テ「ソウエート」政府ニ於テモ各行政部ニ高麗部ヲ特設シテ在住朝鮮人ニ對スル主義宣傳及一般行政事務ヲ取扱ヒツツアリ「ソウエート」聯邦各機關ニ於ケル朝鮮人ノ主要黨員ハ第三「インターナショナル」東洋部執行委員朴鎭淳以下多數重要ノ地位ヲ占メ居レリ

支那ニ於テハ近時獨立運動ノ凋落ニ反シ共產主義運動ハ漸次盛トナリツツアリテ大正十四年四月朝鮮共產黨ノ承認後ハ滿洲在住朝鮮人共產黨員ハ同黨滿洲總局ノ管轄スル處トナリ北滿東滿南滿各青年總同盟ハ共ニ夫々相當ノ活動ヲ爲シツツアリ昭和二年三月吉林ニ於テハ新ニ高麗革命黨ノ結成ヲ見同年十一月上海ニ於テハ北京天津南京上海地方ノ青年會ヲ統一セル中國本部韓人青年同盟ノ組織アリ又昭和三年五月吉林省磐石縣ニ於テ在支青年團体ヲ統一シ所謂民族單一黨結成運動ニ策源セル在中國韓人青年同盟ヲ組織セリ之等ハ常ニ鮮內共產主義者ト結ビ主義運動聯絡ノ爲黨員ヲ入鮮セシメ只管主義ノ宣傳ニ努メツツアリ今各地ノ概況ヲ擧グレバ左ノ如シ

1 露領方面

露領内ニ於ケル朝鮮人共產黨員ノ總數ハ從來何等據ルベキ資料

79

ナカリシガ客年六月在浦潮高麗部宣傳部ノ發表スル處ニ依レバ一九二八年末正黨員三百五十三名候補黨員四百七名共產青年會員五千八百五十二名ナリト謂フ而シテ之ガ統一機關トシテハ「ハバロフスク」ニ第三「インターナショナル」東洋部極東委員會アリ浦潮ニハ朝鮮共產黨聯絡部ヲ置クノ外各縣ニ高麗部ノ設置アリ第三「インターナショナル」東洋部極東委員會ハ大正十五年三月浦潮ヨリ「ハバロフスク」ニ移シ高麗部長ハ小數民族部長ヲ兼任シテ極東ニ於ケル各縣ノ朝鮮人ニ關スル主義宣傳及行政事務ヲ統轄シ併セテ支那及朝鮮ニ於ケル宣傳網ヲ管轄シ居レリ朝鮮共產黨浦潮聯絡部ハ本部ヨリ金奎冕ヲ特派シ滿洲總局ヨリモ別ニ金河球、張道政ヲ常派シテ鮮內及滿洲トノ通信連絡ニ當リ第三「インターナショナル」ノ指令其ノ他ハ第三「インターナショナル」東洋部中央執行委員朴鎭淳ヨリ在「ハバロフスク」極東委員會高麗部長朴愛ヲ經テ浦潮聯絡部ニ手交セラレ夫レヨリ聯絡員ニ依リテ鮮內及支那ニ傳達セラレツツアルモノノ如シ

80

2　南北滿洲地方

從來南北滿洲ニ於ケル共產主義運動ハ何等ノ統一ナク各別個ノ行動ヲ執リ來リ韓族勞働黨、南滿青年總同盟、北滿青年總同盟大同青年同盟、北滿勞力青年總同盟等各地ニ散在シ居リシガ昭和二年八月以降在上海中國本部韓人青年同盟ト提携シテ昭和三年五月二十六日吉林省磐石縣呼蘭集廠子ニ於テ在中國韓人青年同盟ヲ創立シ支那各地ノ青年團体ヲ解体シテ本同盟ノ支部ヲ組織スルコトトシタルモ理論其ノ他ニ於テ統一意ノ如クナラズ支部ヲ設置シタル地方ハ二三ニ過ギズ依然トシテ分立シ無統一ノ狀況ニアリ尚在滿各團体ハ不逞團三府統一後ノ暗流內訌ニ伴ヒ中國韓人青年同盟、在滿農民同盟等モ其ノ渦中ニ投ジ內訌ヲ續ケ居レリ大正十四年四月朝鮮共產黨ノ結黨後ハ滿洲地方共產黨員ハ一民族一黨主義ニ依リ之ニ配屬サレタルヲ以テ十五年一月東支線一面坡ニ朝鮮共產黨滿洲總局ヲ置キ朴鐵丸ヲ責任秘書トシ東滿、南滿、北滿各區域局ヲ設ケ活動中ナルガ昭和二年十月間島總領事館ニ於テハ東滿道幹部機關關係者二十九名ヲ檢擧シ更ニ昭和三年九月高麗共產青年會滿洲總局東滿道機關關係者七十二名ヲ檢擧セリ昭和二年三月在吉林不逞鮮人ノ巨頭梁起鐸、高轄信、玄正鄉等ハ鮮內天道教徒、衡平社員等ト三角同盟ヲ結ビ第三インターナショナルヲ背景トシテ日支兩國ニ跨ル新國家ノ建設ヲ目的トスル高麗革命黨ヲ組織セルガ其ノ一部ハ同年四月平安北道新義州ニ於テ檢擧シタル爲殘黨ハ本據ヲ哈爾賓ニ移シ引續キ活動中ナリ

間島地方ニハ延吉、和龍、汪清、琿春各縣ニ亘リ百十餘ケ團体ノ民族及共產主義團体アリテ團体員約一萬ニ達シ之ガ統一機關トシテ龍井ニ東滿青年總同盟（東滿朝鮮青年同盟ト改稱）ヲ組織シ同地方ガ露領ニ接屬セル關係上常ニ浦潮朝鮮間ノ中繼機關トシテ主義宣傳ニ努メツツアリ東滿朝鮮青年同盟ハ昭和三年九月高麗共產青年會滿洲總局事件檢擧ニ關連シ間島總領事館ニ於テ任意解散ヲ命ジタリ

81

3　支那本部地方

大正十年上海假政府國務總理李東輝ハ上海ニ於テ高麗共產黨ヲ

組織シ第三「インターナショナル」ノ承認ヲ受ケ宣傳費二百萬圓ノ内六十萬圓ヲ受領シテ之ヲ主義宣傳及假政府ノ費用ニ充當シ後内訌ヲ生ジ伊市派上海派ニ分立シ紛争絶エザル結果第三「インターナショナル」ヨリ承認ヲ取消サレタルコトアリテ上海ヲ中心トスル共産主義運動ハ一時衰微ノ狀況ニアリシガ第三「インターナショナル」ガ支那ノ革命運動ニ對シ積極的行動ヲ取ルニ至リ渠等モ亦再ビ擡頭シ大正十四年四月在上海呂運亨ハ第三「インターナショナル」ノ旨ヲ受ケ京城ニ朝鮮共産黨ヲ組織シ上海ニ於テハ別ニ呂運亨ヲ首腦トスル上海部ヲ置キテ之ガ指導ノ任ニ當リ金燦、曹奉岩、梁明等ト共ニ朝鮮ニ對スル主義宣傳ニ努メツツアリ昭和二年十二月支那本部地方ニ散在スル各青年團体ヲ統一シテ組織セル在中國本部韓人青年同盟ハ幹部間ノ

内訌絶ヘズ紛糾中ナリ

大正十一年以來上海ニ於テ共産黨員ノ領袖ヲ以テ任ジ大正十四年部下ヲシテ朝鮮共産黨ヲ組織セシメタル呂運亨ハ本年七月上海ニ於テ逮捕サレ目下京城地方法院ノ豫審ニ附セラレ居レリ

廣東地方ハ國民政府ノ活躍以來一時多數ノ不逞鮮人蝟集シ革命軍ニ投ズルノ外軍事政治學校飛行學校等ニ入學スル者多ク一時四百名ヲ算シタルモ昭和二年八月以降國民黨内ニ於ケル共産派ノ失脚以來之等朝鮮人モ自然四散シ現在ニ於テハ何等ノ活動ヲ認メズ

北京ニ於テハ元世勳等ノ共産主義者ヲ中心トシテ導報社、革命之道社等ヲ起シ時々各種ノ宣傳印刷物ヲ鮮内外ニ頒布スルコトアルモ特ニ具体的運動ヲ認メズ

附

昭和三年追加豫算ヲ以テ要求セル思想取締費ニヨル施設ノ効果

昭和三年八月露領接壤地帶タル滿洲里、「ポクラニチナヤ」ニ事務官各一名通譯生各一名ヲ派遣シ對露事情ノ研究及情報蒐集ニ従事セシメ相當ノ効果ヲ擧ゲツ、アリシガ本年八月以降露支關係ノ惡化ニ伴ヒ「ポクラニチナヤ」ハ危險ニ瀕シタルヲ以テ九月哈爾賓ニ引揚ゲ時局ノ安定ヲ俟チツ、アリ

84頁以降は、原本において欠落しています。(不二出版)